2e édition

JAMES
STEWART

Adaptation de Stéphane Beauregard et Chantal Trudel
Collège Bois-de-Boulogne

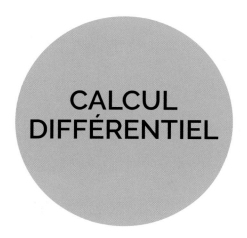

CALCUL
DIFFÉRENTIEL

Consultation

Aziz Raymond Elmahdaoui
Collège Montmorency

Révision scientifique

Alexandre Desfossés Foucault
Collège Jean-de-Brébeuf

Louis-Philippe Giroux
Collège Jean-de-Brébeuf

MODULO

Calcul différentiel
2e édition

Traduction et adaptation de : *Calculus: Early Transcendentals, Eighth Edition*
de James Stewart © 2016 Cengage Learning (ISBN 978-1-285-74155-0)

© 2021, 2013 Groupe Modulo Inc.

Conception éditoriale : Catherine Pérusse
Édition : Renée Théorêt
Coordination : Jean-Philippe Michaud
Traduction de la 1re édition : Michèle Boileau
Révision linguistique : Nicole Blanchette
Correction d'épreuves : Katie Delisle
Conception graphique : Françoise Abbate
Conception de la couverture : Micheline Roy
Impression : TC Imprimeries Transcontinental

Sources iconographiques

p. 1 (photo) : MasaoTaira/iStockphoto ;
(graphique) : © Seismological Society of America ;
p. 98 : M Rose/Shutterstock.com ;
p. 101 : Jun Li/Shutterstock.com ;
p. 193 : Adam Melnyk/Dreamstime.com ;
p. 204 : Flashon Studio/Shutterstock.com ;
p. 250 : Eric Erbe, colorisation numérique par Christopher Pooley, tous deux de USDA, ARS, EMU/Wikipedia ;
p. 284 : J Need/Shutterstock.com ;
p. 291 : Juergen Faelchle/Shutterstock.com ;
p. 295 : Dmitry Pichugin/Shutterstock.com ;
p. 331 : J Need/Shutterstock.com ;
p. 340 : Alexander Sviridov/Shutterstock.com.

L'achat en ligne est réservé aux résidants du Canada.

Catalogage avant publication de Bibliothèque et Archives nationales du Québec et Bibliothèque et Archives Canada

Titre : Calcul différentiel / auteur, James Stewart ; adaptateurs, Stéphane Beauregard, Chantal Trudel.
Autres titres : Calculus, early transcendentals. Français
Noms : Stewart, James, 1941-2014, auteur. | Beauregard, Stéphane, 1969- éditeur intellectuel. | Trudel, Chantal, 1972- éditeur intellectuel.
Description : 2e édition. | Traduction de la 8e édition de : Calculus, early transcendentals. | Comprend un index.
Identifiants : Canadiana 20190036699 | ISBN 9782897322090
Vedettes-matière : RVM : Calcul différentiel—Manuels d'enseignement supérieur.
Classification : LCC QA304.S7414 2020 | CDD 515/.33—dc23

MODULO

5800, rue Saint-Denis, bureau 900
Montréal (Québec) H2S 3L5 Canada
Téléphone : 514 273-1066
Télécopieur : 514 276-0324 ou 1 800 814-0324
info.modulo@tc.tc

ISBN 978-2-89732-209-0

Dépôt légal : 1er trimestre 2021
Bibliothèque et Archives nationales du Québec
Bibliothèque et Archives Canada

Imprimé au Canada

1 2 3 4 5 ITIB 24 23 22 21 20

Gouvernement du Québec – Programme de crédit d'impôt pour l'édition de livres – Gestion SODEC.

Ce projet est financé en partie par le gouvernement du Canada

Avant-propos

« Une grande découverte peut résoudre un problème important, mais la résolution de tout problème porte en soi un peu de découverte. Le problème peut être élémentaire, mais s'il stimule la curiosité et la créativité, si vous le résolvez à votre façon, vous ressentirez peut-être la tension et le sentiment de triomphe que fait naître la découverte. »

GEORGE POLYA

Dans ce manuel, James Stewart a voulu donner aux étudiants l'occasion de découvrir la puissance pratique et l'étonnante beauté du calcul différentiel. D'ailleurs, cette volonté est à la base de chacun de ses ouvrages de mathématiques. Si Newton a éprouvé un sentiment de triomphe lorsqu'il a fait ses grandes découvertes, notre but est que les étudiants partagent un tant soit peu la même excitation en parcourant le chemin qui est tracé dans les pages de ce manuel.

Particularités de l'adaptation

Voici la deuxième édition de l'adaptation québécoise des quatre premiers chapitres de *Calculus* sur le calcul différentiel. Une nouvelle mise en page fait ressortir les caractéristiques de l'ouvrage, qu'il s'agisse des exemples, des théorèmes, des définitions ou des exercices.

Cette adaptation constitue un cours complet de calcul différentiel en quatre chapitres et se veut plus souple quant au choix des sujets et à l'ordre de présentation. Dans cette optique, l'ouvrage original avait déjà été fortement remanié. Mentionnons quelques particularités du présent ouvrage :

- Afin de faciliter la transition entre le secondaire et le collégial, le chapitre 1 et les annexes avaient été remaniés pour mieux correspondre aux besoins du programme d'ici. Cette matière a de nouveau été redistribuée entre le chapitre et les deux premières annexes pour s'arrimer davantage aux connaissances des étudiants et leur permettre de réviser (ou d'approfondir pour certains) des notions d'algèbre, de géométrie et des fonctions transcendantes vues au secondaire. Ainsi, les sections 1.4 sur les fonctions trigonométriques et 1.6 sur les fonctions réciproques et les logarithmes ont été bonifiées par l'ajout de nouveaux exemples. Le chapitre inclut un grand nombre d'exercices afin d'assurer une mise à niveau commune à tous.

- L'arithmétique étendue est maintenant abordée dans la section 2.5 : notions, exemples et exercices y ont été ajoutés. De plus, de nouveaux exemples ponctuent les chapitres de l'ouvrage, et les annexes ont été remaniées.

- Des pictogrammes identifiant clairement les exercices qui impliquent des fonctions trigonométriques ▲ ainsi que des fonctions exponentielles ou logarithmiques ⊛ jalonnent toujours les pages d'exercices. Il est donc possible pour les enseignants qui désirent voir ces types de fonctions dans un ordre différent de repérer directement les exercices pertinents.

- Tous les exemples et les exercices respectent le système international (SI) d'unités.

- À la fin de l'ouvrage, le corrigé donne les réponses à tous les exercices, sauf ceux qui demandent une démonstration ou une explication.

- Des résumés concrets ont été ajoutés aux chapitres 2, 3 et 4 pour répondre aux questions essentielles des étudiants concernant l'application des concepts et assurer leur autonomie.

Des outils d'apprentissage actif

Cet ouvrage comprend de nombreux exemples choisis et propose des séries d'exercices soigneusement gradués pour mettre en pratique les apprentissages. Il comporte environ 150 nouveaux exercices.

Classement progressif des exercices en fin de section

Chaque section se termine par des exercices sur les concepts de base et des problèmes servant à développer des habiletés techniques, suivis d'exercices qui posent des défis plus importants et comportent des applications et des démonstrations.

Exercices de révision

Les révisions des quatre chapitres de l'ouvrage comprennent les rubriques intitulées *Compréhension des concepts*, *Vrai ou faux* et *Exercices récapitulatifs*. Une grande importance est accordée aux problèmes qui combinent les approches graphique, numérique et algébrique. De nombreux exemples et exercices traitent de fonctions définies par des données numériques ou des graphiques tirés d'applications pratiques.

Applications et projets de laboratoire

Deux types de projets conviennent au travail de groupe, si l'organisation de la classe s'y prête : les *Applications*, qui sont conçues pour stimuler l'imagination, et les *Projets de laboratoire*, qui requièrent souvent l'utilisation d'un logiciel de calcul symbolique.

Résolution de problèmes

Les difficultés à résoudre des problèmes surviennent souvent lorsqu'il n'y a pas de marche à suivre bien définie menant à la réponse. Nous proposons ici la stratégie de résolution de problèmes en quatre étapes de George Polya, qui a peu changé bien qu'elle date des années 1950 : la compréhension du problème, l'élaboration d'un plan, l'exécution du plan et la vérification des résultats. Cette stratégie est appliquée, explicitement ou non, dans tout le manuel. À la toute fin de chaque chapitre, les sections *Problèmes supplémentaires* montrent, à l'aide d'exemples, comment s'attaquer à des problèmes stimulants de calcul différentiel. Ces derniers ont été choisis dans le respect du conseil du mathématicien David Hilbert : « Pour attirer, un problème de mathématiques doit être difficile mais accessible, sinon il rebute. »

Outils techniques

Bien utilisés, les calculatrices et les ordinateurs sont de puissants outils facilitant la découverte et la compréhension des concepts étudiés dans cet ouvrage. Deux pictogrammes indiquent clairement les occasions où un type d'outil particulier est nécessaire. Le pictogramme ⊞ signifie qu'un exercice requiert l'utilisation d'une calculatrice graphique ou d'un ordinateur ; ces outils permettent aussi de vérifier le travail effectué dans les autres exercices. Quant au pictogramme **LCS**, il est réservé aux problèmes qui exigent le recours à un logiciel de calcul symbolique (comme Derive, Maple, Mathematica et les calculatrices TI-89 ou TI-92). Toutefois, le calcul et les esquisses à la main sont souvent préférables à l'usage d'outils informatiques pour illustrer et consolider des concepts. Il revient au lecteur de déterminer le moment où il convient de privilégier une méthode plutôt que l'autre.

Attention

Le pictogramme ❶ indique qu'il faut user de prudence afin d'éviter certaines erreurs. Il est placé en marge vis-à-vis des situations qui entraînent fréquemment les mêmes erreurs.

Remerciements de l'auteur

La préparation de cet ouvrage, tout comme celle des précédentes éditions, a surtout nécessité du temps pour lire les judicieux conseils et remarques (quelquefois contradictoires) d'un grand nombre de consultants des plus qualifiés. Je suis très reconnaissant du temps qu'ils ont consacré à comprendre les raisons de mes choix. J'ai beaucoup appris de mes rapports avec chacun d'eux et je veux leur exprimer toute ma gratitude.

Consultants pour la 8ᵉ édition

Jay Abramson, Arizona State University; Adam Bowers, University of California, San Diego; Neena Chopra, The Pennsylvania State University; Edward Dobson, Mississippi State University; Isaac Goldbring, University of Illinois, Chicago; Lea Jenkins, Clemson University; Rebecca Wahl, Butler University

Consultants des éditions précédentes

B. D. Aggarwala, University of Calgary
John Alberghini, Manchester Community College
Michael Albert, Carnegie-Mellon University
Daniel Anderson, University of Iowa
Amy Austin, Texas A&M University
Donna J. Bailey, Northeast Missouri State University
Wayne Barber, Chemeketa Community College
Marilyn Belkin, Villanova University
Neil Berger, University of Illinois, Chicago
David Berman, University of New Orleans
Anthony J. Bevelacqua, University of North Dakota
Richard Biggs, University of Western Ontario
Robert Blumenthal, Oglethorpe University
Martina Bode, Northwestern University
Barbara Bohannon, Hofstra University
Jay Bourland, Colorado State University
Philip L. Bowers, Florida State University
Amy Elizabeth Bowman, University of Alabama
Stephen W. Brady, Wichita State University
Michael Breen, Tennessee Technological University
Robert N. Bryan, University of Western Ontario
David Buchthal, University of Akron
Jenna Carpenter, Louisiana Tech University
Jorge Cassio, Miami-Dade Community College
Jack Ceder, University of California, Santa Barbara
Scott Chapman, Trinity University
Zhen-Qing Chen, University of Washington, Seattle
James Choike, Oklahoma State University
Barbara Cortzen, DePaul University
Carl Cowen, Purdue University
Philip S. Crooke, Vanderbilt University
Charles N. Curtis, Missouri Southern State College
Daniel Cyphert, Armstrong State College
Robert Dahlin
M. Hilary Davies, University of Alaska, Anchorage
Gregory J. Davis, University of Wisconsin
Elias Deeba, University of Houston
Daniel DiMaria, Suffolk Community College

Seymour Ditor, University of Western Ontario
Greg Dresden, Washington and Lee University
Daniel Drucker, Wayne State University
Kenn Dunn, Dalhousie University
Dennis Dunninger, Michigan State University
Bruce Edwards, University of Florida
David Ellis, San Francisco State University
John Ellison, Grove City College
Martin Erickson, Truman State University
Garret Etgen, University of Houston
Theodore G. Faticoni, Fordham University
Laurene V. Fausett, Georgia Southern University
Norman Feldman, Sonoma State University
Le Baron O. Ferguson, University of California
Newman Fisher, San Francisco State University
José D. Flores, University of South Dakota
William Francis, Michigan Technological University
James T. Franklin, Valencia Community College
Stanley Friedlander, Bronx Community College
Patrick Gallagher, Columbia University
Paul Garrett, University of Minnesota
Frederick Gass, Miami University of Ohio
Bruce Gilligan, University of Regina
Matthias K. Gobbert, University of Maryland
Gerald Goff, Oklahoma State University
Stuart Goldenberg, California Polytechnic State University
John A. Graham, Buckingham Browne & Nichols School
Richard Grassl, University of New Mexico
Michael Gregory, University of North Dakota
Charles Groetsch, University of Cincinnati
Paul Triantafilos Hadavas, Armstrong Atlantic State University
Salim M. Haïdar, Grand Valley State University
D. W. Hall, Michigan State University
Robert L. Hall, University of Wisconsin
Howard B. Hamilton, California State University
Darel Hardy, Colorado State University
Shari Harris, John Wood Community College
Gary W. Harrison, College of Charleston

Melvin Hausner, New York University
Curtis Herink, Mercer University
Russell Herman, University of North Carolina
Allen Hesse, Rochester Community College
Randall R. Holmes, Auburn University
James F. Hurley, University of Connecticut
Matthew A. Isom, Arizona State University
Gerald Janusz, University of Illinois
John H. Jenkins, Embry-Riddle Aeronautical University
Clement Jeske, University of Wisconsin
Carl Jockusch, University of Illinois
Jan E. H. Johansson, University of Vermont
Jerry Johnson, Oklahoma State University
Zsuzsanna M. Kadas, St. Michael's College
Matt Kaufman
Matthias Kawski, Arizona State University
Frederick W. Keene, Pasadena City College
Robert L. Kelley, University of Miami
Akhtar Khan, Rochester Institute of Technology
Marianne Korten, Kansas State University
Virgil Kowalik, Texas A&I University
Kevin Kreider, University of Akron
Leonard Krop, DePaul University
Mark Krusemeyer, Carleton College
John C. Lawlor, University of Vermont
Christopher C. Leary, State University of New York
David Leeming, University of Victoria
Sam Lesseig, Northeast Missouri State University
Phil Locke, University of Maine
Joyce Longman, Villanova University
Joan McCarter, Arizona State University
Phil McCartney, Northern Kentucky University
Igor Malyshev, San Jose State University
Larry Mansfield, Queens College
Mary Martin, Colgate University
Nathaniel F. G. Martin, University of Virginia
Gerald Y. Matsumoto, American River College
James McKinney, California State Polytechnic University
Tom Metzger, University of Pittsburgh
Richard Millspaugh, University of North Dakota
Lon H. Mitchell, Virginia Commonwealth University
Michael Montaño, Riverside Community College
Teri Jo Murphy, University of Oklahoma
Martin Nakashima, California State Polytechnic University
Ho Kuen Ng, San Jose State University
Richard Nowakowski, Dalhousie University
Hussain S. Nur, California State University
Norma Ortiz-Robinson, Virginia Commonwealth University

Wayne N. Palmer, Utica College
Vincent Panico, University of the Pacific
F. J. Papp, University of Michigan
Mike Penna, Indiana University
Mark Pinsky, Northwestern University
Lothar Redlin, Pennsylvania State University
Joel W. Robbin, University of Wisconsin
Lila Roberts, Georgia College and State University
E. Arthur Robinson, Jr., George Washington University
Richard Rockwell, Pacific Union College
Rob Root, Lafayette College
Richard Ruedemann, Arizona State University
David Ryeburn, Simon Fraser University
Richard St. Andre, Central Michigan University
Ricardo Salinas, San Antonio College
Robert Schmidt, South Dakota State University
Eric Schreiner, Western Michigan University
Mihr J. Shah, Kent State University
Qin Sheng, Baylor University
Theodore Shifrin, University of Georgia
Wayne Skrapek, University of Saskatchewan
Larry Small, Los Angeles Pierce College
Teresa Morgan Smith, Blinn College
William Smith, University of North Carolina
Donald W. Solomon, University of Wisconsin
Edward Spitznagel, Washington University
Joseph Stampfli, Indiana University
Kristin Stoley, Blinn College
M. B. Tavakoli, Chaffey College
Magdalena Toda, Texas Tech University
Ruth Trygstad, Salt Lake Community College
Paul Xavier Uhlig, St. Mary's University
Stan Ver Nooy, University of Oregon
Andrei Verona, California State University
Klaus Volpert, Villanova University
Russell C. Walker, Carnegie Mellon University
William L. Walton, McCallie School
Peiyong Wang, Wayne State University
Jack Weiner, University of Guelph
Alan Weinstein, University of California
Theodore W. Wilcox, Rochester Institute of Technology
Steven Willard, University of Alberta
Robert Wilson, University of Wisconsin
Jerome Wolbert, University of Michigan
Dennis H. Wortman, University of Massachusetts
Mary Wright, Southern Illinois University
Paul M. Wright, Austin Community College
Xian Wu, University of South Carolina

Je tiens également à remercier David Behrman, R. B. Burckel, Bruce Colletti, John Dersch, Gove Effinger, Bill Emerson, Alfonso Gracia-Saz, Dan Kalman, Quyan Khan, Allan MacIsaac, Tami Martin, Monica Nitsche, Lamia Raffo, Norton Starr et Jim Trefzger pour leurs suggestions ; Al Shenk et Dennis Zill pour m'avoir autorisé à utiliser des exercices provenant de leurs documents ; George Bergman, David Bleecker, Dan Clegg, Victor Kaftal, Anthony Lam, Jamie Lawson, Ira Rosenholtz, Paul Sally, Lowell Smylie et Larry Wallen pour leurs idées d'exercices ; Thomas Banchoff, Tom Farmer, Fred Gass, John Ramsay, Larry Riddle, Philip Straffin et Kalus Volpert pour leurs idées d'applications ; Dan Anderson, Dan Clegg, Jeff Cole, Dan Drucker et Barbara Frank pour leurs suggestions d'amélioration des nouveaux exercices.

Je remercie aussi tous ceux qui ont contribué à la parution des éditions précédentes : Ed Barbeau, George Bergman, Fred Brauer, Andy Bulman-Fleming, Bob Burton, David Cusick, Tom DiCiccio, Garret Etgen, Chris Fisher, Leon Gerber, Stuart Goldenberg, Arnold Good, Gene Hecht, Harvey Keynes, E. L. Koh, Zdislav Kovarik, Kevin Kreider, Émile LeBlanc, David Leep, Gerald Leibowitz, Larry Peterson, Mary Pugh, Lothar Redlin, Carl Riehm, John Ringland, Peter Rosenthal, Dusty Sabo, Doug Shaw, Dan Silver, Simon Smith, Saleem Watson, Alan Weinstein et Gail Wolkowicz.

Merci également à Kathi Townes, Stephanie Kuhns, Kristina Elliott et Kira Abdallah de TECHarts pour la production des figures de l'ouvrage, ainsi qu'à l'équipe de Cengage Learning.

Je souligne finalement la chance que j'ai eue de travailler avec quelques-uns des meilleurs éditeurs en mathématiques du milieu dans les trois dernières décennies : Ron Munro, Harry Campbell, Craig Barth, Jeremy Hayhurst, Gary Ostedt, Bob Pirtle, Richard Stratton, Liz Covello, et maintenant Neha Taleja. Tous ont grandement contribué au succès de cet ouvrage.

JAMES STEWART

Remerciements des adaptateurs et de l'éditeur

Nous tenons à remercier toutes les personnes qui ont contribué à l'évaluation de cet ouvrage : Nabil Ayoub, du Collège Montmorency, Raymond Cloutier, du Collège de Maisonneuve, Guylaine Dumont, du Cégep régional de Lanaudière, et Geneviève Paquin, du Cégep de Saint-Jérôme. Leurs judicieux conseils nous ont aidés à mener à bien cette deuxième édition. Nous remercions aussi Maxime Gélinas, qui a adapté les solutions des nouveaux exercices. Merci également à Aziz Raymond Elmahdaoui, du Collège Montmorency, qui a agi à titre de consultant et d'évaluateur, ainsi qu'à Alexandre Desfossés Foucault et à Louis-Philippe Giroux, tous deux du Collège Jean-de-Brébeuf, qui ont assuré la révision scientifique de l'ouvrage. Finalement, nous souhaitons exprimer toute notre reconnaissance à Pierre Lantagne, du Collège de Maisonneuve, pour la révision scientifique de la première édition de cet ouvrage, et à Hélène Frangédakis pour son travail sur les solutions des exercices de la première édition. Leur contribution à tous nous a été très précieuse.

À propos de l'auteur et des adaptateurs

James Stewart était professeur émérite de l'université McMaster à Hamilton. Diplômé des universités de Stanford (M. Sc.) et de Toronto (Ph. D.), il a fait des recherches sur l'analyse fonctionnelle et l'analyse harmonique. Auteur de nombreux ouvrages en calcul (dont son célèbre *Calculus*), James Stewart était par ailleurs un violoniste accompli, explorant les liens entre la musique et les mathématiques. Il a inauguré en 2003 un centre d'étude des mathématiques (James Stewart Mathematics Centre).

Stéphane Beauregard détient un baccalauréat en mathématiques-physique de l'Université de Montréal ainsi qu'une maîtrise en enseignement des mathématiques au collégial de l'Université Concordia. Il enseigne les mathématiques au Collège Bois-de-Boulogne depuis 2004.

Chantal Trudel détient un baccalauréat et une maîtrise en mathématiques appliquées de l'Université de Montréal. Elle enseigne les mathématiques au Collège Bois-de-Boulogne depuis 1999 où elle a aussi été responsable du Service de tutorat par les pairs durant plusieurs années.

Table des matières

CHAPITRE 2

PAGES DE RÉFÉRENCE

CHAPITRE 1

LES FONCTIONS

Parce qu'il fournit beaucoup d'information de manière concise, le graphique est souvent le meilleur moyen de représenter une fonction. Voici un graphique de l'accélération du sol causée par le tremblement de terre qui a frappé près de Tohoku, au Japon, en 2011. Le séisme de magnitude 9,0 sur l'échelle de Richter a été d'une puissance telle qu'il a rapproché de près de 3 m le nord du Japon et l'Amérique du Nord.

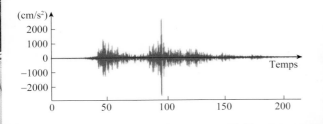

Les fonctions sont les objets de base dont traite le calcul différentiel et intégral. Le présent chapitre pave la voie à l'étude du calcul en exposant les notions fondamentales concernant les fonctions, leurs graphiques et les façons de les transformer et de les combiner. On y souligne qu'il existe différentes façons de représenter une fonction : l'équation, le tableau de valeurs, le graphique et l'énoncé verbal. On étudie les principaux types de fonctions qui se rencontrent en calcul et on explique comment elles servent à modéliser des phénomènes. Mais il convient, dans un premier temps, de faire un retour sur plusieurs notions mathématiques de base nécessaires à la réussite du calcul différentiel.

1.1 Une révision d'algèbre

▶ Les ensembles de nombres

Employé sans déterminatif, le mot *nombre* signifie « nombre réel ».

Le calcul différentiel et intégral est basé sur l'ensemble des **nombres réels** ($\mathbb{R}$), qui regroupe différents ensembles remarquables.

L'ensemble des **nombres naturels** ($\mathbb{N}$) : contient les nombres que l'on utilise pour compter.

$$0, 1, 2, 3, 4, \dots$$

L'ensemble des **nombres entiers** ($\mathbb{Z}$) : inclut les nombres naturels et leurs opposés.

$$\dots, -3, -2, -1, 0, 1, 2, 3, 4, \dots$$

$\boxed{*}$: L'étoile en position d'exposant indique l'absence du zéro dans l'ensemble. Par exemple :

$$\mathbb{N}^* = \{1, 2, 3, 4, \dots\}$$
$$\mathbb{Z}^* = \{\dots, -3, -2, -1, 1, 2, 3, 4, \dots\}$$

$\boxed{+}$, $\boxed{-}$: Le signe plus en position d'indice indique que l'ensemble ne contient que les nombres positifs tandis que le signe négatif indique que l'ensemble ne contient que les nombres négatifs. Par exemple :

$$\mathbb{Z}_- = \{\dots, -3, -2, -1\}$$
$$\mathbb{Z}_+ = \{1, 2, 3, 4, \dots\}$$
$$\mathbb{N}^* = \mathbb{Z}_+$$

On se rappellera que la division par 0 n'est jamais possible, de sorte que les expressions telles que $\frac{3}{0}$ ou $\frac{0}{0}$ ne sont pas définies.

L'ensemble des **nombres rationnels** ($\mathbb{Q}$) : contient les nombres qui sont des quotients de nombres entiers. Tout nombre rationnel r est de la forme

$$r = \frac{m}{n}$$

où m et n sont des entiers et $n \neq 0$. Voici quelques exemples :

$$\tfrac{1}{2} \qquad -\tfrac{3}{7} \qquad 46 = \tfrac{46}{1} \qquad 0,17 = \tfrac{17}{100}.$$

L'ensemble des **nombres irrationnels** ($\mathbb{Q}'$) : contient les nombres, tel $\sqrt{2}$, qui ne peuvent être exprimés par un quotient de deux entiers ; c'est pourquoi on les appelle « nombres irrationnels ». On peut montrer, plus ou moins difficilement, que les nombres suivants sont des nombres irrationnels :

$$\sqrt{3} \qquad \sqrt[3]{2} \qquad \pi \qquad \sin 1° \qquad \log 2 \qquad 0,010\ 010\ 001\ 000\ 010\ 000\ 01\dots$$

La relation d'inclusion entre les ensembles précédents s'illustre par le schéma suivant :

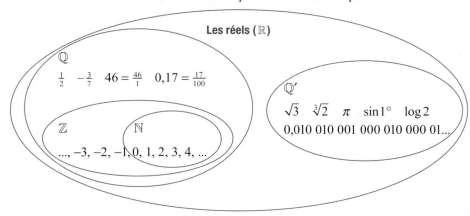

La représentation décimale des nombres réels

Tout nombre réel possède une écriture décimale. Si ce nombre est rationnel, on retrouve dans sa partie fractionnaire un groupe de chiffres qui se répète ; par exemple :

$$\frac{1}{2} = 0,5000\ldots = 0,5\overline{0} \qquad\qquad \frac{2}{3} = 0,666\,66\ldots = 0,\overline{6}$$

$$\frac{157}{495} = 0,317\,171\,717\ldots = 0,3\overline{17} \qquad \frac{9}{7} = 1,285\,714\,285\,714\ldots = 1,\overline{285\,714}$$

(Le trait horizontal signifie que le groupe de chiffres se répète à l'infini.) Si, au contraire, le nombre est irrationnel, il n'y a aucun groupe de chiffres qui se répète :

$$0,010\,010\,001\,000\,010\,000\,01\ldots$$
$$\sqrt{2} = 1,414\,213\,562\,373\,095\ldots$$
$$\pi = 3,141\,592\,653\,589\,793\ldots$$

En stoppant le développement décimal d'un nombre quelconque en un certain endroit, on obtient une approximation du nombre. Par exemple, on peut écrire

$$\frac{1}{3} \approx 0,333$$

où le symbole $\approx$ se lit « est approximativement égal à ». Plus de décimales on retient, meilleure est l'approximation.

Pour convertir en fraction un nombre ayant une partie décimale qui se répète comme
$$x = 2,124\,784\,784\,784\ldots,$$
on écrit

$$\begin{aligned} 100\,000x &= 212\,478,478\,478\ldots \\ -\quad 100x &= \qquad 212,478\,478\ldots \\ \hline 99\,900x &= 212\,266. \end{aligned}$$

Ainsi, $x = \dfrac{212\,266}{99\,900} = \dfrac{106\,133}{49\,950}$.

L'idée est de soustraire des multiples du nombre x, l'un ayant un groupe de décimales périodiques avant la virgule et l'autre ayant toutes ses décimales périodiques après la virgule. On calcule ces multiples en multipliant x par la bonne puissance de 10.

La représentation géométrique des nombres réels

Comme l'illustre la figure 1.1.1, on peut représenter les nombres réels par des points situés sur un axe. La direction positive (vers la droite) est indiquée par une flèche. On choisit un point de référence arbitraire O, appelé **origine**, correspondant au nombre réel 0. Moyennant une unité de mesure convenable, on peut représenter tout nombre x positif par le point de l'axe situé à une distance de x unités à droite de l'origine et son opposé $-x$ par le point situé à x unités à gauche de l'origine. Ainsi, tout nombre réel est représenté par un point de l'axe, et tout point P de l'axe correspond à exactement un nombre réel. Le nombre associé au point P est la **coordonnée** de P, et l'axe s'appelle donc **axe des coordonnées**, **axe des nombres réels** ou tout simplement **axe des réels**. Habituellement, on désigne un point par sa coordonnée et on se représente un nombre comme un point sur l'axe des réels.

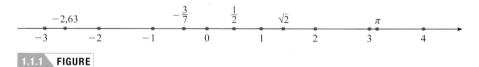

1.1.1 FIGURE

Les nombres réels sont ordonnés. On dit que a est inférieur à b et on écrit $a < b$ si $b - a$ est un nombre positif. Géométriquement, cela signifie que a est situé à gauche de b sur l'axe des réels. (De même, on dira que b est supérieur à a et on écrira $b > a$.) L'expression symbolique $a \le b$ (ou $b \ge a$) signifie que $a < b$ ou $a = b$ et se lit « a est inférieur ou égal à b ». Par exemple, les inégalités suivantes sont vraies :

$$7 < 7,4 < 7,5 \qquad -3 > -\pi \qquad \sqrt{2} < 2 \qquad \sqrt{2} \le 2 \qquad 2 \le 2$$

La notation ensembliste et les opérations sur les ensembles

Ce qui suit demande qu'on emploie la **notation ensembliste**. Un **ensemble** est une collection d'objets appelés **éléments**. Si S est un ensemble, l'expression $a \in S$ signifie que a est un élément de S, et $a \notin S$ signifie que a n'est pas un élément de S. Si, par exemple, $\mathbb{Z}$ représente l'ensemble des entiers, alors $-3 \in \mathbb{Z}$, mais $\pi \notin \mathbb{Z}$.

Si S et T sont des ensembles, leur **union** $S \cup T$ est l'ensemble constitué de tous les éléments appartenant à au moins un des deux ensembles S et T.

L'**intersection** de S et T, notée $S \cap T$, est constituée de tous les éléments appartenant à la fois à S et à T. Autrement dit, $S \cap T$ est l'ensemble des éléments communs à S et à T.

L'**exclusion** de S par rapport à T, notée $T \backslash S$, est constituée de tous les éléments qui appartiennent à T mais qui n'appartiennent pas à S. Cet ensemble se lit « T sauf S ».

L'**ensemble vide**, noté $\varnothing$, est l'ensemble qui ne contient aucun élément.

On peut définir certains ensembles **en extension**, c'est-à-dire en énumérant leurs éléments. Par exemple, l'ensemble A formé de tous les entiers positifs inférieurs à 7 peut s'écrire

$$A = \{1, 2, 3, 4, 5, 6\}.$$

On pourrait aussi définir A **en compréhension**, comme suit :

$$A = \{x \in \mathbb{Z} \mid 0 < x < 7\}$$

ce qui se lit «A est l'ensemble des nombres entiers supérieurs à 0 mais inférieurs à 7».

Le tableau 1.1.1 contient la représentation des opérations sur les ensembles par des diagrammes de Venn.

TABLEAU 1.1.1 ▶ **Les opérations sur les ensembles**

Notation	Se lit	Signifie	Diagramme	Résultat
$S \cup T$	S union T	Tous les éléments appartenant à S ou à T		$\{a, b, c\}$
$S \cap T$	S intersection T	Tous les éléments appartenant à S et à T		$\{b\}$
$S \backslash T$	S sauf T	Tous les éléments appartenant à S mais n'appartenant pas à T		$\{a\}$

▶ Les intervalles

Certains ensembles de nombres réels, appelés **intervalles**, se rencontrent fréquemment en calcul différentiel et intégral ; ils correspondent géométriquement à une portion de l'axe des réels. Par exemple, si $a < b$, l'**intervalle ouvert** de a à b est l'ensemble des nombres réels supérieurs à a mais inférieurs à b et est noté $]a, b[$. En notation ensembliste, on peut écrire

$$]a, b[= \{x \in \mathbb{R} \mid a < x < b\}.$$

On remarque que les extrémités de l'intervalle, soit a et b, sont exclues, comme l'indiquent les crochets ouverts] [dans la notation et les points vides dans la figure 1.1.2. L'**intervalle fermé** de a à b est l'ensemble

$$[a, b] = \{x \in \mathbb{R} \mid a \le x \le b\}.$$

1.1.2 FIGURE

L'intervalle ouvert $]a, b[$.

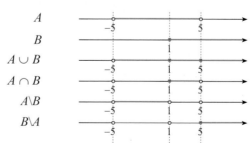

1.1.3 FIGURE

L'intervalle fermé $[a, b]$.

Ici, les extrémités de l'intervalle sont incluses, comme l'indiquent les crochets [ ] et, dans la figure 1.1.3, les points pleins. Il peut aussi arriver qu'une seule extrémité de l'intervalle soit incluse (*voir le tableau 1.1.2*).

On doit aussi considérer les intervalles infinis tels que

$$]a, \infty[= \{x \in \mathbb{R} \,|\, x > a\}.$$

Cela ne signifie pas que ∞ (**l'infini**) soit un nombre. La notation $]a, \infty[$ désigne l'ensemble de tous les nombres réels supérieurs à a, de sorte que le symbole ∞ indique simplement que l'intervalle s'étend indéfiniment dans la direction positive.

TABLEAU 1.1.2 ▶ Les intervalles

Notation	Description ensembliste	Représentation graphique
$]a, b[$	$\{x \in \mathbb{R} \,|\, a < x < b\}$	
$[a, b]$	$\{x \in \mathbb{R} \,|\, a \leq x \leq b\}$	
$[a, b[$	$\{x \in \mathbb{R} \,|\, a \leq x < b\}$	
$]a, b]$	$\{x \in \mathbb{R} \,|\, a < x \leq b\}$	
$]a, \infty[$	$\{x \in \mathbb{R} \,|\, x > a\}$	
$[a, \infty[$	$\{x \in \mathbb{R} \,|\, x \geq a\}$	
$]-\infty, b[$	$\{x \in \mathbb{R} \,|\, x < b\}$	
$]-\infty, b]$	$\{x \in \mathbb{R} \,|\, x \leq b\}$	
$]-\infty, \infty[$	$\mathbb{R}$ (ensemble de tous les nombres réels)	

Le tableau 1.1.2 énumère les neuf types d'intervalles possibles. Lorsqu'il est question d'intervalles, on suppose toujours que $a < b$.

Il n'y a pas de plus petit ni de plus grand nombre dans un intervalle ouvert

Considérons l'intervalle ouvert $]0, 1[$. Dans l'intervalle fermé $[0, 1]$, le plus petit élément est 0 et le plus grand est 1. Par contre, ces deux nombres ne se retrouvent pas dans l'intervalle ouvert $]0, 1[$. Supposons que l'on choisit 0,001 comme candidat au plus petit nombre de cet intervalle. Il est aussitôt facile de voir que 0,0001 est encore plus petit et ainsi de suite. Quelle que soit la valeur proposée, on peut toujours en trouver une autre qui soit plus petite, mais toujours dans l'intervalle. Il en va de même avec le nombre le plus grand de l'intervalle. Le nombre 0,99 est proche de 1, mais 0,9999 en est encore plus proche et ainsi de suite. ATTENTION, $0,\overline{9}$ n'est pas dans l'intervalle ouvert $]0, 1[$, car $0,\overline{9} = 1$.

▶ Les opérations sur les intervalles

Puisque les intervalles sont des ensembles de nombres réels, les opérations des ensembles s'appliquent également sur les intervalles.

Exemple 1.1.1 Soit les intervalles $A =]-5, 5[$ et $B = [1, \infty[$. Trouvons $A \cup B$, $A \cap B$, $A \backslash B$ et $B \backslash A$.

Solution On superpose d'abord la représentation des intervalles A et B sur la droite des réels. On construit aisément les ensembles recherchés en projetant les extrémités des intervalles formant A et B sur de nouvelles droites.

On obtient

$$A \cup B =]-5, \infty[,$$

$$A \cap B = [1, 5[,$$

$$A \backslash B =]-5, 1[\text{ et}$$

$$B \backslash A = [5, \infty[.$$

▶ Les propriétés des opérations arithmétiques

L'addition et la multiplication des nombres réels possèdent les propriétés suivantes :

$a + b = b + a$	$ab = ba$	(commutativité)
$(a + b) + c = a + (b + c)$	$(ab)c = a(bc)$	(associativité)
$a(b + c) = ab + ac$		(distributivité)

En particulier, si l'on pose $a = -1$ dans l'énoncé de la distributivité et sachant qu'on obtient l'opposé d'un nombre en multipliant ce nombre par -1, on a

$$-(b + c) = (-1)(b + c) = (-1)b + (-1)c$$

et, donc,

$$-(b + c) = -b - c.$$

Exemple 1.1.2

a) $(3xy)(-4x) = 3(-4)x^2y = -12x^2y$

b) $2t(7x + 2tx - 11) = 14tx + 4t^2x - 22t$

c) $4 - 3(x - 2) = 4 - 3x + 6 = 10 - 3x$

En employant la distributivité de la multiplication sur l'addition trois fois, on obtient

$$(a + b)(c + d) = (a + b)c + (a + b)d = ac + bc + ad + bd.$$

Autrement dit, on multiplie deux facteurs en multipliant chaque terme d'un facteur par chaque terme de l'autre et en additionnant les produits obtenus. De manière schématique, on a

$$(a + b)(c + d).$$

Dans le cas où $c = a$ et $d = b$, on a

$$(a + b)^2 = a^2 + ba + ab + b^2$$

ou

1.1.1
$$(a + b)^2 = a^2 + 2ab + b^2.$$

De même, on obtient

1.1.2
$$(a - b)^2 = a^2 - 2ab + b^2.$$

Exemple 1.1.3

a) $(2x + 1)(3x - 5) = 6x^2 + 3x - 10x - 5 = 6x^2 - 7x - 5$

b) $(x + 6)^2 = x^2 + 12x + 36$

c) $3(x - 1)(4x + 3) - 2(x + 6) = 3(4x^2 - x - 3) - 2x - 12$
$$= 12x^2 - 3x - 9 - 2x - 12 = 12x^2 - 5x - 21$$

▶ Les opérations sur les fractions

Les opérations élémentaires sur les fractions suivent les propriétés suivantes :

Propriétés des opérations sur les fractions

Opération	Exemple	Opération	Exemple
1. $\dfrac{a}{b} \cdot \dfrac{c}{d} = \dfrac{ac}{bd}$	$\dfrac{2}{5} \cdot \dfrac{7}{3} = \dfrac{14}{15}$	2. $\dfrac{a}{b} \div \dfrac{c}{d} = \dfrac{ad}{bc}$	$\dfrac{2}{5} \div \dfrac{7}{3} = \dfrac{6}{35}$
3. $\dfrac{a}{c} + \dfrac{b}{c} = \dfrac{a+b}{c}$	$\dfrac{2}{3} + \dfrac{5}{3} = \dfrac{7}{3}$	4. $\dfrac{a}{b} + \dfrac{c}{d} = \dfrac{ad+bc}{bd}$	$\dfrac{2}{5} + \dfrac{7}{3} = \dfrac{41}{15}$
5. $\dfrac{ac}{bc} = \dfrac{a}{b}$ si $c \neq 0$	$\dfrac{2 \cdot 3}{5 \cdot 3} = \dfrac{2}{5}$	6. Si $\dfrac{a}{b} = \dfrac{c}{d}$, alors $ad = bc$	$\dfrac{2}{6} = \dfrac{3}{9}$, donc $2 \cdot 9 = 3 \cdot 6$

Pour réduire (simplifier) une fraction, on doit d'abord trouver le plus grand commun diviseur (**PGCD**) du numérateur et du dénominateur. On divise ensuite le numérateur et le dénominateur par le PGCD.

Exemple 1.1.4

$$\frac{36}{45} = \frac{4 \cdot 9}{5 \cdot 9} = \frac{4}{5}$$

Avant d'utiliser la propriété 1 pour multiplier deux fractions, il est préférable de simplifier les facteurs communs entre les numérateurs et les dénominateurs (propriété 5).

Exemple 1.1.5

a) $\dfrac{15}{28} \cdot \dfrac{21}{25} = \dfrac{3 \cdot 5}{4 \cdot 7} \cdot \dfrac{3 \cdot 7}{5 \cdot 5} = \dfrac{9}{20}$

b) $\dfrac{s^2 t}{u} \cdot \dfrac{ut}{-2} = -\dfrac{s^2 t^2}{2}$

Notons qu'il est vrai que $\dfrac{-a}{b} = -\dfrac{a}{b} = \dfrac{a}{-b}$.

Pour additionner ou soustraire deux fractions de même dénominateur, on a recours à la distributivité de la multiplication sur l'addition :

$$\frac{a}{c} + \frac{b}{c} = \frac{1}{c} \cdot a + \frac{1}{c} \cdot b = \frac{1}{c}(a+b) = \frac{a+b}{c}.$$

Ainsi, il est vrai que

$$\frac{a+b}{c} = \frac{a}{c} + \frac{b}{c} \text{ (propriété 3).}$$

On veillera cependant à éviter l'erreur commune suivante :

$$\frac{a}{b+c} \neq \frac{a}{b} + \frac{a}{c}.$$

(Pour voir l'erreur, on prend par exemple $a = b = c = 1$.)

Le plus petit commun multiple **(PPCM)** de deux nombres est le plus petit entier qui est divisible par chacun de ces deux nombres. Il y a deux façons d'obtenir cet entier. On peut déterminer le plus petit entier qui soit multiple des deux nombres. Par exemple, les multiples de 6 sont 6, 12, 18, **24**, 30, … et les multiples de 8 sont 8, 16, **24**, 32, …, d'où le PPCM de 6 et 8 est 24. Le PPCM de deux nombres s'obtient aussi par le produit de tous les facteurs premiers des deux nombres affectés des exposants les plus élevés. Par exemple, $6 = 2^1 \cdot 3^1$ et $8 = 2^3$ et le PPCM des deux nombres est $2^3 \cdot 3^1 = 24$. C'est cette deuxième méthode que l'on retient pour le calcul du PPCM de deux polynômes.

Pour additionner ou soustraire deux fractions de dénominateurs différents, on les ramène à un dénominateur commun :

$$\frac{a}{b} + \frac{c}{d} = \frac{a}{b} \cdot \frac{d}{d} + \frac{c}{d} \cdot \frac{b}{b} = \frac{ad + bc}{bd} \text{ (propriété 4)}.$$

La fraction obtenue par cette méthode est souvent non réduite, car le dénominateur commun choisi bd n'est habituellement pas le plus petit. C'est pourquoi il est préférable d'utiliser le plus petit dénominateur commun qui est le PPCM des dénominateurs.

Exemple `1.1.6` Effectuons les opérations suivantes.

a) $\dfrac{7}{12} - \dfrac{8}{15} + \dfrac{7}{30}$ b) $1 + \dfrac{3}{x}$ c) $\dfrac{3}{x-1} + \dfrac{x}{x+2} - \dfrac{3x}{(x+2)^2}$

Solution

a) $\dfrac{7}{12} - \dfrac{8}{15} + \dfrac{7}{30} = \dfrac{7}{12} \cdot \dfrac{5}{5} - \dfrac{8}{15} \cdot \dfrac{4}{4} + \dfrac{7}{30} \cdot \dfrac{2}{2} = \dfrac{35 - 32 + 14}{60} = \dfrac{17}{60}$

car PPCM(12, 15, 30) = 60

b) $1 + \dfrac{3}{x} = \dfrac{x}{x} + \dfrac{3}{x} = \dfrac{x+3}{x}$

c) $\dfrac{3}{x-1} + \dfrac{x}{x+2} - \dfrac{3x}{(x+2)^2} = \dfrac{3(x+2)^2 + x(x-1)(x+2) - 3x(x-1)}{(x-1)(x+2)^2}$

$= \dfrac{3x^2 + 12x + 12 + x^3 + x^2 - 2x - 3x^2 + 3x}{(x-1)(x+2)^2}$

$= \dfrac{x^3 + x^2 + 13x + 12}{x^3 + 3x^2 - 4}$

Diviser des fractions revient à multiplier la première fraction par l'inverse de la deuxième :

$$\frac{\dfrac{a}{b}}{\dfrac{c}{d}} = \frac{a}{b} \cdot \frac{d}{c} = \frac{ad}{bc}.$$

Exemple `1.1.7` Effectuons les divisions suivantes.

a) $\dfrac{\dfrac{1}{3}}{\dfrac{3}{5}}$ b) $\dfrac{\dfrac{1}{7}}{2}$ c) $\dfrac{\dfrac{1}{2} + \dfrac{2}{3}}{\dfrac{3}{4} - \dfrac{1}{8}}$ d) $\dfrac{\dfrac{x}{y} + 1}{1 - \dfrac{y}{x}}$

Solution

a) $\dfrac{\dfrac{1}{3}}{\dfrac{3}{5}} = \dfrac{1}{3} \cdot \dfrac{5}{3} = \dfrac{5}{9}$ b) $\dfrac{\dfrac{1}{7}}{2} = \dfrac{1}{7} \cdot \dfrac{1}{2} = \dfrac{1}{14}$

c) $\dfrac{\dfrac{1}{2} + \dfrac{2}{3}}{\dfrac{3}{4} - \dfrac{1}{8}} = \dfrac{\dfrac{3+4}{6}}{\dfrac{6-1}{8}} = \dfrac{7}{6} \cdot \dfrac{8}{5} = \dfrac{7}{\cancel{2} \cdot 3} \cdot \dfrac{\cancel{2} \cdot 4}{5} = \dfrac{28}{15}$

$$\text{ou } \frac{\dfrac{1}{2}+\dfrac{2}{3}}{\dfrac{3}{4}-\dfrac{1}{8}} = \frac{\left(\dfrac{1}{2}+\dfrac{2}{3}\right)24}{\left(\dfrac{3}{4}-\dfrac{1}{8}\right)24} = \frac{12+16}{18-3} = \frac{28}{15} \text{ car PPCM}(2,\,3,\,4,\,8)=24$$

d) $\dfrac{\dfrac{x}{y}+1}{1-\dfrac{y}{x}} = \dfrac{\dfrac{x}{y}+\dfrac{y}{y}}{\dfrac{x}{x}-\dfrac{y}{x}} = \dfrac{\dfrac{x+y}{y}}{\dfrac{x-y}{x}} = \dfrac{x+y}{y}\cdot\dfrac{x}{x-y} = \dfrac{x(x+y)}{y(x-y)} = \dfrac{x^2+xy}{xy-y^2}$

$$\text{ou } \frac{\dfrac{x}{y}+1}{1-\dfrac{y}{x}} = \frac{\left(\dfrac{x}{y}+1\right)xy}{\left(1-\dfrac{y}{x}\right)xy} = \frac{x^2+xy}{xy-y^2} \text{ car PPCM}(1,\,x,\,y)=xy$$

▶ **Les exposants et les radicaux**

Soit a, un nombre réel quelconque, et soit n, un entier positif. Alors, par définition,

1. $a^n = \underbrace{a\cdot a\cdot\cdots\cdot a}_{n \text{ facteurs}}$ **2.** $a^0=1$ si $a\neq 0$ **3.** $a^{-n}=\dfrac{1}{a^n}$ si $a\neq 0$

Exemple **1.1.8**

a) $\left(\dfrac{2}{3}\right)^3 = \left(\dfrac{2}{3}\right)\left(\dfrac{2}{3}\right)\left(\dfrac{2}{3}\right) = \dfrac{8}{27}$

b) $(-2)^4 = (-2)(-2)(-2)(-2) = 16$

c) $-2^4 = -2\cdot 2\cdot 2\cdot 2 = -16$

d) $xy^{-1} = x\cdot\dfrac{1}{y} = \dfrac{x}{y}$

e) $(-3x)^{-2} = \dfrac{1}{(-3x)^2} = \dfrac{1}{9x^2}$

Remarquez la différence entre $(-2)^4$ et -2^4. Dans le premier cas, l'exposant s'applique à -2, mais, dans le deuxième cas, l'exposant s'applique seulement à 2.

Les lois des exposants

Soit a et b, des nombres positifs, et soit r et s, des nombres rationnels quelconques (c'est-à-dire des quotients d'entiers). Alors,

1. $a^r\cdot a^s = a^{r+s}$ **2.** $\dfrac{a^r}{a^s} = a^{r-s}$ **3.** $(a^r)^s = a^{rs}$

4. $(ab)^r = a^r b^r$ **5.** $\left(\dfrac{a}{b}\right)^r = \dfrac{a^r}{b^r}$ si $b\neq 0$ **6.** $\left(\dfrac{a}{b}\right)^{-r} = \left(\dfrac{b}{a}\right)^r$

7. $\dfrac{a^{-r}}{b^{-s}} = \dfrac{b^s}{a^r}$

Les cinq premières lois s'expriment verbalement comme suit :

1. Pour multiplier deux puissances du même nombre, on additionne les exposants.

2. Pour diviser deux puissances d'un même nombre, on soustrait les exposants.

3. Pour élever une puissance à une nouvelle puissance, on multiplie les exposants.

4. Pour élever un produit à une puissance, on élève chacun des facteurs à la puissance.

5. Pour élever un quotient à une puissance, on élève le numérateur et le dénominateur à la puissance.

Exemple 1.1.9

a) $2^8 \cdot 8^2 = 2^8 \cdot (2^3)^2 = 2^8 \cdot 2^6 = 2^{14}$

b) $\dfrac{x^3}{x^5} = x^{-2} = \dfrac{1}{x^2}$

c) $\left(\dfrac{2}{3z}\right)^5 = \dfrac{2^5}{(3z)^5} = \dfrac{2^5}{3^5 z^5} = \dfrac{32}{243z^5}$

Exemple 1.1.10 Simplifions les expressions suivantes.

a) $(3a^2b^3)(2a^4b)^3$

b) $\left(\dfrac{x}{y}\right)^3 \left(\dfrac{y^2 x}{z}\right)^4$

c) $\dfrac{2u^2 v^{-2}}{6vu^{-4}}$

d) $\left(\dfrac{5x^3}{y}\right)^{-2}$

Solution

a) $(3a^2b^3)(2a^4b)^3 = (3a^2b^3)\left(2^3(a^4)^3 b^3\right)$

$= (3a^2b^3)(8a^{12}b^3)$

$= (3)(8)a^2 a^{12} b^3 b^3$

$= 24a^{14}b^6$

b) $\left(\dfrac{x}{y}\right)^3 \left(\dfrac{y^2 x}{z}\right)^4 = \dfrac{x^3}{y^3} \cdot \dfrac{(y^2)^4 x^4}{z^4} = \dfrac{x^3}{y^3} \cdot \dfrac{y^8 x^4}{z^4} = (x^3 x^4)\left(\dfrac{y^8}{y^3}\right)\dfrac{1}{z^4} = \dfrac{x^7 y^5}{z^4}$

c) $\dfrac{2u^2 v^{-2}}{6vu^{-4}} = \dfrac{2u^2 u^4}{6vv^2} = \dfrac{u^6}{3v^3}$

d) $\left(\dfrac{5x^3}{y}\right)^{-2} = \left(\dfrac{y}{5x^3}\right)^2 = \dfrac{y^2}{25x^6}$

Les radicaux les plus courants sont les racines carrées. Le symbole $\sqrt{}$ signifie « la racine carrée positive de ». Ainsi,

$$x = \sqrt{a} \quad \text{signifie} \quad x^2 = a \quad \text{et} \quad x \geq 0.$$

Puisque $a = x^2 \geq 0$, l'expression $\sqrt{a}$ n'est définie que lorsque $a \geq 0$.

La racine carrée n'est qu'un cas particulier de la racine n-ième (n^e). La racine n-ième de a est le nombre qui, élevé à la puissance n, donne a.

De façon générale, si n est un entier positif, la racine n-ième de a est définie de la façon suivante :

$$x = \sqrt[n]{a} \text{ signifie } x^n = a.$$

Si n est pair, alors $a \geq 0$ et $x \geq 0$.

Ainsi, $\sqrt[4]{16} = 2$ puisque $2^4 = 16$ et $2 \geq 0$. Aussi, $\sqrt[3]{-8} = -2$ puisque $(-2)^3 = -8$.

Par contre, $\sqrt[4]{-8}$ et $\sqrt{-8}$ ne sont pas définis puisque aucun nombre réel élevé à une puissance paire n'est négatif.

On remarque que $\sqrt{2^2} = \sqrt{4} = 2$, mais que $\sqrt{(-2)^2} = \sqrt{4} = 2 = |-2|$. Donc l'égalité

$$\sqrt{a^2} = a$$

n'est pas toujours vraie. Elle est vraie seulement lorsque $a \geq 0$. Par contre, l'égalité

$$\sqrt{a^2} = |a|$$

est toujours vraie.

Propriétés de la racine n-ième

Soit n et m, des entiers positifs. Si chacune des racines n-ièmes existe, alors

1. $\sqrt[n]{ab} = \sqrt[n]{a}\sqrt[n]{b}$ **2.** $\sqrt[n]{\dfrac{a}{b}} = \dfrac{\sqrt[n]{a}}{\sqrt[n]{b}}$ **3.** $\sqrt[m]{\sqrt[n]{a}} = \sqrt[mn]{a} = \sqrt[n]{\sqrt[m]{a}}$

4. $\sqrt[n]{a^n} = a$ si n est impair **5.** $\sqrt[n]{a^n} = |a|$ si n est pair

ATTENTION La racine carrée d'une somme n'est pas égale à la somme des racines carrées, $\sqrt{a+b} \neq \sqrt{a} + \sqrt{b}$. Pour voir l'erreur qui pourrait être commise, on prend $a = 9$ et $b = 16$. On a

$$\sqrt{9+16} \overset{?}{=} \sqrt{9} + \sqrt{16}$$
$$\sqrt{25} \overset{?}{=} 3+4$$
$$5 \overset{?}{=} 7.$$

Ce qui est évidemment faux !

Exemple **1.1.11**

a) $\dfrac{\sqrt{18}}{\sqrt{2}} = \sqrt{\dfrac{18}{2}} = \sqrt{9} = 3$

b) $\sqrt{(x-1)^2 y} = \sqrt{(x-1)^2}\sqrt{y}$
   $= |x-1|\sqrt{y}$

c) $\sqrt{72} + \sqrt{162} = \sqrt{36 \cdot 2} + \sqrt{81 \cdot 2}$
   $= \sqrt{36}\sqrt{2} + \sqrt{81}\sqrt{2}$
   $= 6\sqrt{2} + 9\sqrt{2}$
   $= 15\sqrt{2}$

Afin de définir ce qu'on entend par un exposant rationnel ou fractionnaire comme $5^{1/4}$, on doit utiliser les radicaux. Pour que la définition soit cohérente avec les lois des exposants, il faut que

$$(a^{1/n})^n = a^{\frac{1}{n} \cdot n} = a^{\frac{n}{n}} = a^1 = a.$$

Donc, par la définition de la racine n-ième :

$$a^{1/n} = \sqrt[n]{a}.$$

m/n est une fraction réduite si *m* et *n* n'ont aucun facteur en commun.

Soit *m/n*, une fraction réduite où *m* et *n* sont des entiers et $n > 0$. Alors on définit

$$a^{m/n} = (\sqrt[n]{a})^m \text{ ou de façon équivalente } a^{m/n} = \sqrt[n]{a^m}.$$

Si *n* est pair, on doit avoir $a > 0$.

Exemple 1.1.12

a) $4^{3/2} = \sqrt{4^3} = \sqrt{64} = 8.$ Autre solution : $4^{3/2} = (\sqrt{4})^3 = 2^3 = 8$

b) $\sqrt[3]{x^4} = \sqrt[3]{x^3 x} = \sqrt[3]{x^3} \sqrt[3]{x} = x\sqrt[3]{x}$

c) $(x+1)^{3/2} = \sqrt{(x+1)^3}$
$$= \sqrt{(x+1)^2 (x+1)}$$
$$= \sqrt{(x+1)^2} \sqrt{x+1}$$
$$= |x+1| \sqrt{x+1}$$

▶ Les opérations sur les polynômes

Un **polynôme** est une expression de la forme

$$a_n x^n + a_{n-1} x^{n-1} + \ldots + a_2 x^2 + a_1 x + a_0$$

où *n* est un entier non négatif et les nombres a_0, a_1, a_2, …, a_n sont des constantes appelées **coefficients** du polynôme. Si le premier coefficient $a_n \neq 0$, alors le polynôme est de **degré** *n*.

Pour additionner ou soustraire deux polynômes, il suffit d'additionner ou de soustraire les termes semblables.

Exemple 1.1.13

a) Calculons $(2x^3 - 5x + 6) + (-3x^3 + 3x^2 + 2x - 1)$.

b) Calculons $(-x^3 + 5x^2 + x - 2) - (4x^3 + 2x^2 - 3x - 5)$.

Solution

a) $(2x^3 - 5x + 6) + (-3x^3 + 3x^2 + 2x - 1)$
$$= \left(2x^3 + (-3x^3)\right) + 3x^2 + (-5x + 2x) + \left(6 + (-1)\right)$$
$$= -x^3 + 3x^2 - 3x + 5$$

b) $(-x^3 + 5x^2 + x - 2) - (4x^3 + 2x^2 - 3x - 5)$
$$= -x^3 + 5x^2 + x - 2 - 4x^3 - 2x^2 + 3x + 5$$
$$= (-x^3 - 4x^3) + (5x^2 - 2x^2) + (x + 3x) + (-2 + 5)$$
$$= -5x^3 + 3x^2 + 4x + 3$$

Pour multiplier deux polynômes ou toutes autres expressions algébriques, on emploie la distributivité de la multiplication sur l'addition et la soustraction des nombres réels aussi souvent qu'il est nécessaire. Cela revient à multiplier chaque terme du premier polynôme par chaque terme du deuxième.

Rappel :

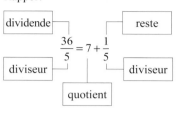

$$\frac{36}{5} = 7 + \frac{1}{5}$$

Exemple 1.1.14

$$(x^3 + 2x^2 - 1)(3x + 7) = x^3(3x + 7) + 2x^2(3x + 7) - 1(3x + 7)$$
$$= 3x^4 + 7x^3 + 6x^3 + 14x^2 - 3x - 7$$
$$= 3x^4 + 13x^3 + 14x^2 - 3x - 7$$

Pour diviser deux polynômes, on utilise essentiellement le même algorithme de la division euclidienne que pour la division de deux entiers.

Division d'entiers	Division polynomiale
1. Les chiffres composant les nombres sont en ordre décroissant des puissances de 10. $$15\,889 \,\lfloor\underline{429}$$ $$3$$	**1.** On place les termes en ordre décroissant des puissances de x et on divise le premier terme du dividende par le premier terme du diviseur $3x^2 \div x = 3x$. $$3x^2 - 10x + 5 \,\lfloor\underline{x - 3}$$ $$3x$$
2. On multiplie 3 par 429. $$15889 \,\lfloor\underline{429}$$ $$\mathbf{1287} \quad 3$$	**2.** On multiplie le quotient par tout le diviseur $3x \cdot (x - 3)$. $$3x^2 - 10x + 5 \,\lfloor\underline{x - 3}$$ $$\mathbf{3x^2 - 9x} \quad 3x$$
3. On soustrait le résultat... $$15889 \,\lfloor\underline{429}$$ $$\underline{-1287} \quad 3$$ $$\mathbf{301}$$	**3.** On soustrait le résultat du dividende... $$3x^2 - 10x + 5 \,\lfloor\underline{x - 3}$$ $$\underline{- (3x^2 - 9x)} \quad 3x$$ $$- x$$
4. ... et on abaisse le chiffre suivant. $$15889 \,\lfloor\underline{429}$$ $$\underline{-1287} \quad 3$$ $$3019$$	**4.** ... et on abaisse les termes inutilisés. $$3x^2 - 10x + 5 \,\lfloor\underline{x - 3}$$ $$\underline{- (3x^2 - 9x)} \quad 3x$$ $$- x + 5$$
5. On répète les mêmes étapes jusqu'à ce que le reste soit inférieur au quotient. $$15889 \,\lfloor\underline{429}$$ $$\underline{-1287} \quad 37$$ $$3019$$ $$\underline{-3003}$$ $$16$$	**5.** On répète les mêmes étapes en utilisant la dernière ligne comme dividende. La démarche se termine lorsque le reste est de degré inférieur au diviseur. $$3x^2 - 10x + 5 \,\lfloor\underline{x - 3}$$ $$\underline{- (3x^2 - 9x)} \quad 3x - 1$$ $$- x + 5$$ $$\underline{- (-x + 3)}$$ $$2$$
6. Le résultat est alors $$\frac{15\,889}{429} = 37 + \frac{16}{429}.$$	**6.** Le résultat est alors $$\frac{3x^2 - 10x + 5}{x - 3} = 3x - 1 + \frac{2}{x - 3}.$$

▶ La mise en évidence simple et double

On a utilisé la distributivité pour développer certaines expressions algébriques. Il faut parfois inverser la démarche (toujours à l'aide de la distributivité) et factoriser l'expression en produit d'expressions plus simples. Le cas le plus facile se présente lorsque les membres de l'expression ont un facteur commun ; par exemple :

$$\xrightarrow{\quad\text{Développer}\quad}$$
$$3x(x-2) = 3x^2 - 6x$$
$$\xleftarrow{\quad\text{Factoriser}\quad}$$

Lorsqu'on veut factoriser une expression algébrique, la première étape consiste, si possible, à trouver un facteur commun à tous les termes et à le mettre en évidence. C'est la mise en évidence simple.

Exemple `1.1.15` Factorisons $3(x-2)^2 - 3x + 6$.

Solution

$$\begin{aligned}
3(x-2)^2 - 3x + 6 &= 3[(x-2)^2 - x + 2] &&\text{(simple)} \\
&= 3[(x-2)^2 - (x-2)] \\
&= 3(x-2)[(x-2)-1] &&\text{(simple)} \\
&= 3(x-2)(x-3)
\end{aligned}$$

Lorsqu'il n'y a pas de facteur commun à tous les termes, mais que certains groupements de termes possèdent des facteurs communs, on met alors en évidence le facteur commun de chaque groupement. C'est la mise en évidence double.

Exemple `1.1.16` Factorisons $15x^4 + 18x^3 - 10x^2 - 12x$.

Solution

$$\begin{aligned}
15x^4 + 18x^3 - 10x^2 - 12x &= x(15x^3 + 18x^2 - 10x - 12) &&\text{(simple)} \\
&= x\left(3x^2(5x+6) - 2(5x+6)\right) &&\text{(double)} \\
&= x(3x^2 - 2)(5x+6) &&\text{(simple)}
\end{aligned}$$

▶ La factorisation de formes remarquables

On peut factoriser certaines expressions quadratiques spéciales à l'aide des égalités **1.1.1** ou **1.1.2** (de droite à gauche) ou de la formule d'une **différence de carrés** :

`1.1.3`
$$a^2 - b^2 = (a-b)(a+b).$$

De manière analogue, la formule d'une **différence de cubes** est

`1.1.4`
$$a^3 - b^3 = (a-b)(a^2 + ab + b^2)$$

qui se vérifie par le développement du membre de droite ou qu'on obtient en divisant $a^3 - b^3$ par $a - b$. Pour une **somme de cubes**, on a

`1.1.5`
$$a^3 + b^3 = (a+b)(a^2 - ab + b^2).$$

Exemple **1.1.17**

a) $x^2 - 6x + 9 = (x - 3)^2$ (égalité **1.1.2**; $a = x$, $b = 3$)

b) $4x^2 - 10 = (2x - \sqrt{10})(2x + \sqrt{10})$ (égalité **1.1.3**; $a = 2x$, $b = \sqrt{10}$)

c) $x^3 + 8 = (x + 2)(x^2 - 2x + 4)$ (égalité **1.1.5**; $a = x$, $b = 2$)

▶ La factorisation d'un trinôme de la forme $x^2 + bx + c$

Pour factoriser ce type de polynôme, on observe que

$$(x + r)(x + s) = x^2 + (r + s)x + rs.$$

On doit donc choisir les nombres r et s de façon que la somme $r + s$ égale b et que le produit rs égale c. En supposant que r et s sont des entiers, il y a un nombre fini de cas à considérer. C'est la **technique du produit-somme**.

Exemple **1.1.18**   Factorisons $x^2 + 14x - 32$.

Solution   On cherche deux nombres dont le produit est -32 et dont la somme est 14. Il s'agit de 16 et de -2. Ainsi, on obtient:

$$x^2 + 14x - 32 = (x + 16)(x - 2).$$

▶ La factorisation d'un trinôme de la forme $ax^2 + bx + c$

On observe que

$$\begin{aligned} ax^2 + bx + c &= (px + r)(qx + s) \\ &= pqx^2 + (ps + qr)x + rs. \end{aligned}$$

On doit donc chercher des nombres p, q, r et s tels que $pq = a$, $ps + qr = b$ et $rs = c$. Si tous ces nombres sont des entiers, il suffit de trouver deux nombres $m = ps$ et $n = qr$ tels que

$$m + n = ps + qr \quad \text{et} \quad m \cdot n = psqr = pqrs$$
$$ = b \qquad\qquad\quad\ = a \cdot c.$$

Pour factoriser ce type de polynôme, on cherche deux nombres m et n dont la somme est b et dont le produit est ac.

Par la suite, on remplace dans le trinôme le terme bx par $mx + nx$, ce qui donne quatre termes avec lesquels on effectue une double mise en évidence.

Exemple **1.1.19**   Factorisons $2x^2 - 7x - 4$.

Solution   On doit chercher deux nombres dont le produit donne $2(-4) = -8$ et dont la somme donne -7, c'est-à-dire les nombres -8 et 1, ce qui donne:

$$\begin{aligned} 2x^2 - 7x - 4 &= 2x^2 + x - 8x - 4 \\ &= x(2x + 1) - 4(2x + 1) \\ &= (2x + 1)(x - 4). \end{aligned}$$

▶ La complétion du carré

La méthode qui consiste à compléter le carré s'avère utile pour la représentation graphique de paraboles ou l'intégration de fonctions rationnelles. Compléter le carré signifie «récrire une expression du second degré $ax^2 + bx + c$ dans la forme $a(x + p)^2 + q$». Pour ce faire, on procède comme suit:

1. Factoriser le nombre a des termes en x.

2. Additionner et soustraire le carré de la moitié du coefficient de x.

De manière générale, on a

$$ax^2 + bx + c = a\left[x^2 + \frac{b}{a}x\right] + c$$

$$= a\left[x^2 + \frac{b}{a}x + \left(\frac{b}{2a}\right)^2 - \left(\frac{b}{2a}\right)^2\right] + c$$

$$= a\left(x + \frac{b}{2a}\right)^2 + \left(c - \frac{b^2}{4a}\right).$$

Exemple 1.1.20 Récrivons $x^2 + x + 1$ en complétant le carré.

Solution Le carré de la moitié du coefficient de x est $\frac{1}{4}$, d'où

$$x^2 + x + 1 = x^2 + x + \frac{1}{4} - \frac{1}{4} + 1$$

$$= \left(x + \frac{1}{2}\right)^2 + \frac{3}{4}.$$

Exemple 1.1.21

$$2x^2 - 12x + 11 = 2[x^2 - 6x] + 11 = 2[x^2 - 6x + 9 - 9] + 11$$

$$= 2[(x - 3)^2 - 9] + 11 = 2(x - 3)^2 - 7$$

▶ **La formule quadratique**

Une **racine** d'un polynôme $P(x)$ est un nombre α tel que $P(\alpha) = 0$.

En complétant le carré comme on l'a fait, on déduit la formule suivante afin de trouver les racines d'une équation du second degré.

La formule quadratique

Les racines de l'équation du second degré $ax^2 + bx + c = 0$ sont données par

$$x = \frac{-b \pm \sqrt{b^2 - 4ac}}{2a}.$$

Exemple 1.1.22 Résolvons l'équation $5x^2 + 3x - 3 = 0$.

Solution Avec $a = 5$, $b = 3$, $c = -3$, la formule quadratique donne les solutions

$$x = \frac{-3 \pm \sqrt{3^2 - 4(5)(-3)}}{2(5)} = \frac{-3 \pm \sqrt{69}}{10}.$$

L'expression $b^2 - 4ac$ apparaissant dans la formule quadratique porte le nom de **discriminant**. Trois cas sont possibles :

1. Si $b^2 - 4ac > 0$, l'équation a deux solutions réelles.

2. Si $b^2 - 4ac = 0$, l'équation a une seule solution réelle (racine double).

3. Si $b^2 - 4ac < 0$, l'équation n'a aucune solution réelle. (Les solutions sont des nombres complexes.)

Ces trois cas correspondent au nombre de fois (2, 1 ou 0) où la parabole $y = ax^2 + bx + c$ coupe l'axe des x (*voir la figure 1.1.4*). Dans le troisième cas, l'expression quadratique $ax^2 + bx + c$ ne peut pas être factorisée ; elle est dite **irréductible dans les réels**.

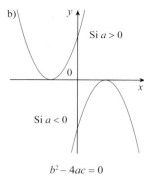
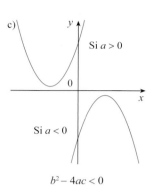

1.1.4 **FIGURE** Graphiques possibles de $y = ax^2 + bx + c$.

Exemple 1.1.23 L'expression quadratique $x^2 + x + 2$ est irréductible parce que son discriminant est négatif :

$$b^2 - 4ac = 1^2 - 4(1)(2) = -7 < 0.$$

L'équation $x^2 + x + 2 = 0$ n'a donc aucune solution.

▶ La factorisation à l'aide de la formule quadratique

La formule quadratique permet de factoriser facilement un polynôme du second degré lorsque la technique du produit-somme échoue.

On distingue trois cas. Si la formule quadratique donne deux solutions (racines) r_1 et r_2, alors on peut écrire

$$ax^2 + bx + c = a(x - r_1)(x - r_2).$$

Autrement, s'il y a une seule solution r, alors

$$ax^2 + bx + c = a(x - r)^2.$$

Dans le cas où il n'y a aucune solution, on ne peut pas factoriser le polynôme. Le polynôme est irréductible.

Exemple 1.1.24 Factorisons $12x^2 - 5x - 2$.

Solution La formule quadratique donne

$$x = \frac{5 \pm \sqrt{(-5)^2 - 4(12)(-2)}}{2(12)} = \frac{5 \pm \sqrt{121}}{24} = \frac{5 \pm 11}{24}.$$

Le polynôme a deux racines, $x = -\frac{1}{4}$ et $x = \frac{2}{3}$, de sorte que

$$12x^2 - 5x - 2 = 12(x + \tfrac{1}{4})(x - \tfrac{2}{3})$$
$$= 4(x + \tfrac{1}{4})3(x - \tfrac{2}{3})$$
$$= (4x + 1)(3x - 2).$$

Exemple 1.1.25 Factorisons $2x^2 - 2x - 1$.

Solution Par la formule quadratique, on trouve les racines $x = \dfrac{1 \pm \sqrt{3}}{2}$.

En conséquence,

$$2x^2 - 2x - 1 = 2\left(x - \frac{1 + \sqrt{3}}{2} \right)\left(x - \frac{1 - \sqrt{3}}{2} \right).$$

▶ Les zéros des polynômes

1.1.6	Le théorème des racines entières d'un polynôme normalisé

Soit le polynôme $x^n + a_{n-1}x^{n-1} + \ldots + a_1 x + a_0$, dont tous les coefficients sont des entiers. Alors toutes les racines entières du polynôme sont des diviseurs de a_0.

Exemple 1.1.26 Trouvons les racines entières du polynôme $P(x) = x^3 + 5x^2 + 7x + 3$.

Solution Puisque le coefficient dominant est 1, les racines entières sont des facteurs de 3, soit ± 1 et ± 3. On vérifie chaque possibilité :

$$P(-1) = (-1)^3 + 5(-1)^2 + 7(-1) + 3 = 0$$

$$P(1) = (1)^3 + 5(1)^2 + 7(1) + 3 = 16$$

$$P(-3) = (-3)^3 + 5(-3)^2 + 7(-3) + 3 = 0$$

$$P(3) = (3)^3 + 5(3)^2 + 7(3) + 3 = 96.$$

Les racines entières sont donc -1 et -3.

NOTE Le théorème **1.1.6** permet d'affirmer que si ce polynôme possède d'autres racines que celles qu'on a trouvées, ces autres racines ne sont pas des nombres entiers.

▶ La factorisation d'un polynôme de degré trois ou plus

Pour factoriser des polynômes de degré trois ou plus, on s'appuie parfois sur le fait suivant.

1.1.7	Le théorème de factorisation

Si P est un polynôme et que $P(c) = 0$, alors $x - c$ est un facteur de $P(x)$.

Compte tenu de ce théorème et des résultats précédents, voici une démarche permettant de factoriser des polynômes de degré trois ou plus :

1. On détermine au moins un zéro entier avec le théorème **1.1.6**. Chaque racine trouvée correspond à un facteur selon le théorème **1.1.7**.

2. On divise le polynôme par le produit des facteurs précédents pour déterminer le facteur manquant.

3. Si ce dernier facteur est du deuxième degré, on peut utiliser les méthodes vues dans les sections précédentes. Sinon, on répète les étapes 1 et 2 sur le facteur trouvé par division.

Exemple `1.1.27`   Factorisons $x^3 - 3x^2 - 10x + 24$.

Solution   Soit $P(x) = x^3 - 3x^2 - 10x + 24$. Si $P(c) = 0$, où c est un entier, alors c est un facteur de 24. Ainsi, les valeurs possibles de c sont ± 1, ± 2, ± 3, ± 4, ± 6, ± 8, ± 12 et ± 24. On constate que $P(1) = 12$, $P(-1) = 30$, $P(2) = 0$. En vertu du théorème **1.1.7**, $x - 2$ est un facteur. Au lieu d'effectuer d'autres substitutions, on emploie la division euclidienne qui suit :

$$
\begin{array}{ll}
x^3 - 3x^2 - 10x + 24 & \underline{\mid x - 2} \\
\underline{-(x^3 - 2x^2)} & x^2 - x - 12 \\
\qquad -x^2 - 10x + 24 & \\
\qquad \underline{-(-x^2 + 2x)} & \\
\qquad\qquad -12x + 24 & \\
\qquad\qquad \underline{-(-12x + 24)} & \\
\qquad\qquad\qquad 0 &
\end{array}
$$

En conséquence,

$$
x^3 - 3x^2 - 10x + 24 = (x - 2)(x^2 - x - 12)
$$
$$
= (x - 2)(x + 3)(x - 4).
$$

▶ La formule du binôme

On reprend l'expression binomiale de l'égalité **1.1.1** :

$$(a + b)^2 = a^2 + 2ab + b^2.$$

Si l'on multiplie les deux membres par $(a + b)$ et qu'on simplifie le produit, on obtient le développement binomial

$$(a + b)^3 = a^3 + 3a^2b + 3ab^2 + b^3.$$

En répétant l'exercice, on obtient

$$(a + b)^4 = a^4 + 4a^3b + 6a^2b^2 + 4ab^3 + b^4.$$

De manière générale, on a la formule suivante.

La formule du binôme

Si k est un entier positif, alors

$$(a + b)^k = a^k + ka^{k-1}b + \frac{k(k-1)}{1 \cdot 2}a^{k-2}b^2 + \frac{k(k-1)(k-2)}{1 \cdot 2 \cdot 3}a^{k-3}b^3$$
$$+ \ldots + \frac{k(k-1)\cdots(k-n+1)}{1 \cdot 2 \cdot 3 \cdot \ldots \cdot n}a^{k-n}b^n + \ldots + kab^{k-1} + b^k.$$

Exemple `1.1.28`   Développons $(x - 2)^5$.

Solution   L'emploi de la formule du binôme avec $a = x$, $b = -2$, $k = 5$ mène à

$$(x - 2)^5 = x^5 + 5x^4(-2) + \frac{5 \cdot 4}{1 \cdot 2}x^3(-2)^2 + \frac{5 \cdot 4 \cdot 3}{1 \cdot 2 \cdot 3}x^2(-2)^3 + 5x(-2)^4 + (-2)^5$$
$$= x^5 + 10x^4 + 40x^3 - 80x^2 + 80x - 32.$$

Une restriction est une précision que l'on ajoute afin de souligner les valeurs numériques à exclure pour que l'expression simplifiée soit équivalente à l'expression initiale.

▶ Les opérations sur les fractions algébriques

Pour simplifier une fraction algébrique ou pour additionner, soustraire, multiplier et diviser des fractions algébriques, il convient de les factoriser le plus possible et de simplifier à chaque étape du calcul. Les opérations sur les fractions algébriques suivent les règles habituelles des opérations sur les fractions numériques. Il faut toutefois indiquer les restrictions.

Exemple 1.1.29 Simplifions $\dfrac{x^2 - 16}{x^2 - 2x - 8}$.

Solution

$$\frac{x^2 - 16}{x^2 - 2x - 8} = \frac{(x - 4)(x + 4)}{(x - 4)(x + 2)} = \frac{x + 4}{x + 2} \qquad \text{si } x \neq 4$$

Exemple 1.1.30 Calculons $\dfrac{x - 5}{x^2 - 4} \div \dfrac{x^2 - 4x - 5}{x^2 + 6x + 8}$.

Solution

$$\frac{x - 5}{x^2 - 4} \div \frac{x^2 - 4x - 5}{x^2 + 6x + 8} = \frac{x - 5}{x^2 - 4} \div \frac{(x + 1)(x - 5)}{(x + 2)(x + 4)}$$

$$= \frac{x - 5}{x^2 - 4} \cdot \frac{(x + 2)(x + 4)}{(x + 1)(x - 5)} \qquad \text{si } x \neq -4$$

$$= \frac{(x - 5)(x + 2)(x + 4)}{(x - 2)(x + 2)(x + 1)(x - 5)}$$

$$= \frac{x + 4}{(x - 2)(x + 1)} \qquad \text{si } x \neq -2 \text{ et } x \neq 5$$

$$= \frac{x + 4}{x^2 - x - 2}$$

Exemple 1.1.31 Effectuons l'opération $\dfrac{x}{x^2 + 5x + 6} - \dfrac{2}{x^2 + 3x + 2}$.

Solution

Tout comme avec les nombres, le plus petit dénominateur commun (PPCM) des dénominateurs est le produit de tous les facteurs affectés du plus grand exposant figurant dans l'un des dénominateurs.

$$\frac{x}{x^2 + 5x + 6} - \frac{2}{x^2 + 3x + 2} = \frac{x}{(x + 2)(x + 3)} - \frac{2}{(x + 1)(x + 2)}$$

$$= \frac{x(x + 1) - 2(x + 3)}{(x + 1)(x + 2)(x + 3)} \qquad \text{(on utilise le plus petit dénominateur commun)}$$

$$= \frac{x^2 - x - 6}{(x + 1)(x + 2)(x + 3)}$$

$$= \frac{(x - 3)(x + 2)}{(x + 1)(x + 2)(x + 3)} \qquad \text{(on simplifie la fraction)}$$

$$= \frac{x - 3}{x^2 + 4x + 3} \qquad \text{si } x \neq -2$$

Lorsqu'une fraction algébrique contient une fraction au numérateur ou au dénominateur, on l'appelle « fraction complexe ». Pour simplifier de telles fractions, il suffit de respecter la priorité des opérations.

Une expression de la forme $\dfrac{\frac{a}{b}}{c}$ est ambiguë, car elle n'indique pas clairement l'ordre dans lequel on doit effectuer les divisions. La division n'étant pas associative, un ordre de calcul différent produit des réponses différentes, ce qui est une source d'erreurs communes. On utilise des traits de longueurs différentes pour marquer l'ordre des opérations. Ainsi,

$$\frac{a}{\frac{b}{c}} = a \div (b \div c) \text{ et } \frac{\frac{a}{b}}{c} = (a \div b) \div c.$$

Exemple 1.1.32 Simplifions $\dfrac{5}{2 + \dfrac{x-1}{\frac{x}{1+x}}}$.

Solution

$$\frac{5}{2 + \dfrac{x-1}{\frac{x}{1+x}}} = \frac{5}{2 + (x-1) \div \left(\dfrac{x}{1+x}\right)} = \frac{5}{2 + (x-1) \cdot \left(\dfrac{1+x}{x}\right)} \quad \text{si } x \neq -1$$

$$= \frac{5}{2 + \dfrac{(x-1)(x+1)}{x}} = \frac{5}{\dfrac{2x + (x-1)(x+1)}{x}}$$

$$= \frac{5}{\dfrac{x^2 + 2x - 1}{x}}$$

$$= 5 \cdot \frac{x}{x^2 + 2x - 1} = \frac{5x}{x^2 + 2x - 1} \quad \text{si } x \neq 0$$

Exemple 1.1.33 Simplifions $\dfrac{x^{-2} - y^{-2}}{x^{-1} + y^{-1}}$.

Solution

$$\frac{x^{-2} - y^{-2}}{x^{-1} + y^{-1}} = \frac{\dfrac{1}{x^2} - \dfrac{1}{y^2}}{\dfrac{1}{x} + \dfrac{1}{y}} = \frac{\dfrac{y^2 - x^2}{x^2 y^2}}{\dfrac{y + x}{xy}} = \frac{y^2 - x^2}{x^2 y^2} \cdot \frac{xy}{y + x} = \frac{(y-x)(y+x)}{xy(y+x)} = \frac{y - x}{xy} \quad \text{si } x \neq -y$$

ou

$$\frac{x^{-2} - y^{-2}}{x^{-1} + y^{-1}} = \frac{(x^{-2} - y^{-2})x^2 y^2}{(x^{-1} + y^{-1})x^2 y^2} = \frac{y^2 - x^2}{xy^2 + x^2 y} = \frac{(y-x)(y+x)}{xy(y+x)} = \frac{y - x}{xy} \quad \text{si } x \neq -y$$

En résumé, voici quelques conseils à suivre pour les opérations sur les fractions algébriques :

1. Factoriser toutes les expressions composant la ou les fractions impliquées dans les opérations.

2. Effectuer les simplifications des facteurs communs (pour la multiplication) sans oublier d'indiquer les restrictions.

3. Mettre les fractions sur un dénominateur commun (PPCM) pour effectuer une addition ou une soustraction.

4. Simplifier le résultat obtenu, s'il y a lieu, sans oublier d'indiquer les restrictions.

Pour **rationaliser** un numérateur ou un dénominateur contenant une expression telle que $\sqrt{a} - \sqrt{b}$, on multiplie le numérateur et le dénominateur par l'expression conjuguée $\sqrt{a} + \sqrt{b}$. On peut ensuite tirer parti de la formule d'une différence de carrés :

$$(\sqrt{a} - \sqrt{b})(\sqrt{a} + \sqrt{b}) = (\sqrt{a})^2 - (\sqrt{b})^2 = a - b.$$

Exemple 1.1.34   Rationalisons le numérateur de l'expression $\dfrac{\sqrt{x+4}-2}{x}$.

Solution   On multiplie le numérateur et le dénominateur par l'expression conjuguée $\sqrt{x+4}+2$.

$$\frac{\sqrt{x+4}-2}{x}=\left(\frac{\sqrt{x+4}-2}{x}\right)\left(\frac{\sqrt{x+4}+2}{\sqrt{x+4}+2}\right)$$

$$=\frac{(x+4)-4}{x(\sqrt{x+4}+2)}$$

$$=\frac{x}{x(\sqrt{x+4}+2)}$$

$$=\frac{1}{\sqrt{x+4}+2}\qquad \text{si } x\neq 0$$

Plusieurs erreurs viennent du fait qu'on applique des propriétés des multiplications aux additions et inversement. Voici une liste de ces erreurs communes à éviter :

Erreurs à éviter

$(a+b)^2\neq a^2+b^2$ $\sqrt{a+b}\neq\sqrt{a}+\sqrt{b}$

$a^{-1}+b^{-1}\neq(a+b)^{-1}$ $\sqrt{a^2+b^2}\neq a+b$

$\dfrac{a}{b+c}\neq\dfrac{a}{b}+\dfrac{a}{c}$ $\dfrac{1}{a}+\dfrac{1}{b}\neq\dfrac{1}{a+b}$ $\dfrac{a+b}{a}\neq b$

Pour se convaincre que ces égalités sont fausses, il suffit de remplacer a et b par des nombres. Par exemple, si $a = 1$ et $b = 1$, alors $\sqrt{a+b}=\sqrt{1+1}=\sqrt{2}$, mais $\sqrt{a}+\sqrt{b}=\sqrt{1}+\sqrt{1}=1+1=2$. Puisque $\sqrt{2}\neq 2$, alors $\sqrt{a+b}\neq\sqrt{a}+\sqrt{b}$.

▶ Les inégalités

Lorsqu'on travaille avec des inégalités, on doit se rappeler les règles suivantes.

1.1.8	**Les règles de calcul concernant les inégalités**

1. Si $a < b$, alors $a + c < b + c$.

2. Si $a < b$ et $c < d$, alors $a + c < b + d$.

3. Si $a < b$ et $c > 0$, alors $ac < bc$.

4. Si $a < b$ et $c < 0$, alors $ac > bc$.

5. Si $0 < a < b$, alors $1/a > 1/b$.

La règle 1 dit qu'on peut additionner n'importe quel nombre aux deux membres d'une inégalité, et la règle 2 dit qu'on peut additionner membre à membre deux inégalités. On doit cependant traiter la multiplication avec prudence. En effet, la règle 3 permet la multiplication des deux membres d'une inégalité par un nombre positif, mais la règle 4 ajoute que, si l'on multiplie les deux membres par un nombre négatif, on doit changer le sens de l'inégalité. Si, par exemple, on multiplie l'inégalité 3 < 5 par 2, on obtient 6 < 10 ; mais, si on la multiplie par −2, on obtient −6 > −10. Enfin, la règle 5 dit que, si l'on prend les inverses de nombres positifs, on doit changer le sens de l'inégalité.

Exemple **1.1.35** Résolvons l'inéquation $1 + x < 7x + 5$.

Solution L'inéquation donnée est vérifiée par certaines valeurs de x seulement. Résoudre une inéquation signifie déterminer l'ensemble des nombres x pour lesquels l'inégalité est vraie. Cet ensemble est appelé **ensemble solution**.

On commence par soustraire 1 de chaque membre de l'inégalité (en utilisant la règle 1 avec $c = -1$) :

$$x < 7x + 4.$$

Ensuite, on soustrait $7x$ de chacun des membres (règle 1 avec $c = -7x$) :

$$-6x < 4.$$

On divise maintenant chaque membre par -6 (règle 4 avec $c = -\frac{1}{6}$) :

$$x > -\frac{4}{6} = -\frac{2}{3}.$$

Comme ces étapes peuvent être inversées, l'ensemble solution est formé de tous les nombres supérieurs à $-\frac{2}{3}$. Autrement dit, la solution de l'inéquation est l'intervalle $\left]-\frac{2}{3}, \infty\right[$.

Exemple **1.1.36** Résolvons les inéquations $4 \le 3x - 2 < 13$.

Solution Dans ce cas-ci, l'ensemble solution se compose de toutes les valeurs de x qui vérifient les deux inéquations. D'après les règles énoncées en **1.1.8**, on voit que les inéquations suivantes sont équivalentes :

$$4 \le 3x - 2 < 13$$
$$6 \le 3x < 15 \qquad \text{(additionner 2)}$$
$$2 \le x < 5 \qquad \text{(diviser par 3).}$$

Ainsi, l'ensemble solution est $[2, 5[$.

Exemple **1.1.37** Résolvons l'inéquation $x^2 - 5x + 6 \le 0$.

Solution D'abord, on factorise le membre de gauche :

$$(x - 2)(x - 3) \le 0.$$

Pour résoudre l'inéquation de l'exemple 1.1.37 par une méthode visuelle, on peut tracer la parabole $y = x^2 - 5x + 6$ à l'aide d'un outil graphique (*voir la figure 1.1.5*) et observer que la courbe se situe sur l'axe des x ou en dessous de celui-ci quand $2 \le x \le 3$.

On sait que l'équation correspondante $(x - 2)(x - 3) = 0$ a pour solutions 2 et 3. Les nombres 2 et 3 divisent l'axe des réels en trois intervalles :

$$]-\infty, 2[\quad]2, 3[\quad]3, \infty[.$$

Sur chacun de ces intervalles, on détermine les signes des facteurs. Par exemple,

$$x \in \ ]-\infty, 2[\quad \Rightarrow \quad x < 2 \quad \Rightarrow \quad x - 2 < 0.$$

Puis on note ces signes dans un tableau des signes.

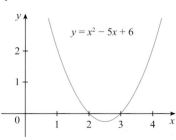

1.1.5 ▷ **FIGURE**

x		2		3	
$x - 2$	$-$	0	$+$	$+$	$+$
$x - 3$	$-$	$-$	$-$	0	$+$
$(x-2)(x-3)$	$+$	**0**	$-$	**0**	$+$

On peut aussi obtenir l'information du tableau à l'aide de valeurs d'essai. Par exemple, en essayant la valeur $x = 1$ pour l'intervalle $]-\infty, 2[$, on obtient, après substitution dans $x^2 - 5x + 6$,

$$1^2 - 5(1) + 6 = 2.$$

Comme le polynôme $x^2 - 5x + 6$ ne change de signe dans aucun des trois intervalles, on conclut qu'il est positif sur $]-\infty, 2[$.

On observe ensuite, d'après le tableau des signes, que $(x - 2)(x - 3)$ est négatif quand $2 < x < 3$. Donc, la solution de l'inéquation $(x - 2)(x - 3) \leq 0$ est

$$\{x \in \mathbb{R} \mid 2 \leq x \leq 3\} = [2, 3].$$

1.1.6 FIGURE

Comme on cherche les valeurs de x qui rendent le produit négatif ou nul, on a inclus les extrémités 2 et 3. La solution est illustrée dans la figure 1.1.6.

Exemple 1.1.38 Résolvons $x^3 + 3x^2 > 4x$.

Solution On commence par placer tous les termes non nuls du même côté du signe d'inégalité, puis on factorise l'expression obtenue :

$$x^3 + 3x^2 - 4x > 0 \quad \text{ou} \quad x(x - 1)(x + 4) > 0.$$

Comme dans l'exemple 1.1.37, on résout l'équation correspondante $x(x - 1)(x + 4) = 0$ et on utilise les solutions $x = -4$, $x = 0$ et $x = 1$ pour diviser l'axe des réels en quatre intervalles, $]-\infty, -4[$, $]-4, 0[$, $]0, 1[$ et $]1, \infty[$. Comme l'indique le tableau, le produit conserve le même signe sur chacun des intervalles.

x		-4		0		1	
x	$-$	$-$	$-$	0	$+$	$+$	$+$
$x - 1$	$-$	$-$	$-$	$-$	$-$	0	$+$
$x + 4$	$-$	0	$+$	$+$	$+$	$+$	$+$
$x(x - 1)(x + 4)$	$-$	0	$+$	0	$-$	0	$+$

Le tableau montre que l'ensemble solution est

$$\{x \in \mathbb{R} \mid -4 < x < 0 \text{ ou } x > 1\} =]-4, 0[\cup]1, \infty[.$$

1.1.7 FIGURE

La solution est illustrée dans la figure 1.1.7.

▶ La valeur absolue

La **valeur absolue** d'un nombre a, notée $|a|$, est la distance qui sépare a de 0 sur l'axe des nombres réels. Puisqu'une distance ne peut être que positive ou nulle, on a

$$|a| \geq 0 \text{ quel que soit } a.$$

Par exemple,

$$|3| = 3 \quad |-3| = 3 \quad |0| = 0 \quad |\sqrt{2} - 1| = \sqrt{2} - 1 \quad |3 - \pi| = \pi - 3.$$

En général, on a

Rappel : Si a est négatif, alors $-a$ est positif.

1.1.9	$\|a\| = a \quad$ si $a \geq 0$
	$\|a\| = -a \quad$ si $a < 0$.

Exemple 1.1.39 Exprimons $|3x - 2|$ sans utiliser le symbole de valeur absolue.

Solution

$$|3x - 2| = \begin{cases} 3x - 2 & \text{si} \quad 3x - 2 \geq 0 \\ -(3x - 2) & \text{si} \quad 3x - 2 < 0 \end{cases}$$

$$= \begin{cases} 3x - 2 & \text{si} \quad x \geq \frac{2}{3} \\ 2 - 3x & \text{si} \quad x < \frac{2}{3} \end{cases}$$

On se rappellera que le symbole $\sqrt{}$ signifie « la racine carrée positive de ». Ainsi, $\sqrt{r} = s$ signifie $s^2 = r$ et $s \geq 0$. Par conséquent, l'équation $\sqrt{a^2} = a$ n'est pas toujours vraie. Elle n'est vraie que lorsque $a \geq 0$. Si $a < 0$, alors $-a > 0$, et on a donc $\sqrt{a^2} = -a$. Au vu des égalités **1.1.9**, l'égalité

1.1.10	$\sqrt{a^2} = \|a\|$

est vraie pour toute valeur de a.

On trouvera dans les exercices certains conseils permettant de démontrer les propriétés suivantes.

1.1.11	**Les propriétés des valeurs absolues**

On suppose que a et b sont des nombres réels et que n est un entier. Alors,

1. $|ab| = |a||b|$ **2.** $\left|\dfrac{a}{b}\right| = \dfrac{|a|}{|b|}$ $(b \neq 0)$ **3.** $|a^n| = |a|^n$

Dans la résolution d'équations ou d'inéquations comportant des valeurs absolues, les énoncés suivants s'avèrent souvent très utiles.

1.1.12	**La simplification algébrique des valeurs absolues**

Soit $a > 0$. Alors,

1. $|x| = a \quad \Leftrightarrow \quad x = \pm a$

2. $|x| < a \quad \Leftrightarrow \quad -a < x < a$

3. $|x| > a \quad \Leftrightarrow \quad x < -a$ ou $x > a$

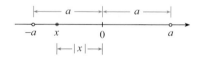

1.1.8 FIGURE

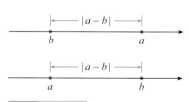

1.1.9 FIGURE

Longueur d'un segment de droite $= |a - b|$.

Par exemple, l'inéquation $|x| < a$ dit que la distance entre x et l'origine est inférieure à a, et on voit dans la figure 1.1.8 que cela est vrai si et seulement si x est situé entre $-a$ et a.

Si a et b sont des nombres réels, alors la distance entre a et b est la valeur absolue de la différence, soit $|a - b|$, qui est aussi égale à $|b - a|$ (*voir la figure 1.1.9*).

···**Exemple**   **1.1.40**   Résolvons $|2x - 5| = 3$.

Solution   Selon la propriété 1 de l'énoncé **1.1.12**, $|2x - 5| = 3$ est équivalent à

$$2x - 5 = 3 \quad \text{ou} \quad 2x - 5 = -3.$$

Donc, $2x = 8$ ou $2x = 2$, d'où $x = 4$ ou $x = 1$.

···**Exemple**   **1.1.41**   Résolvons $|x - 5| < 2$.

Solution 1   Selon la propriété 2 de l'énoncé **1.1.12**, $|x - 5| < 2$ équivaut à

$$-2 < x - 5 < 2.$$

Par conséquent, l'addition de 5 à chacun des membres donne

$$3 < x < 7$$

et l'ensemble solution est l'intervalle ouvert $]3, 7[$.

Solution 2   Du point de vue géométrique, l'ensemble solution se compose de tous les nombres x dont la distance par rapport à 5 est inférieure à 2. On voit dans la figure 1.1.10 qu'il s'agit de l'intervalle $]3, 7[$.

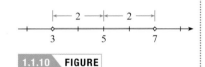

1.1.10   **FIGURE**

···**Exemple**   **1.1.42**   Résolvons $|3x + 2| \geq 4$.

Solution   Selon les propriétés 1 et 3 de l'énoncé **1.1.12**, $|3x + 2| \geq 4$ équivaut à

$$3x + 2 \geq 4 \text{ ou } 3x + 2 \leq -4.$$

Dans le premier cas, $3x \geq 2$, ce qui donne $x \geq \frac{2}{3}$. Dans le second cas, $3x \leq -6$, et cela donne $x \leq -2$. L'ensemble solution est donc

$$\{x \in \mathbb{R} \mid x \leq -2 \text{ ou } x \geq \tfrac{2}{3}\} = \left]-\infty, -2\right] \cup \left[\tfrac{2}{3}, \infty\right[.$$

Autre propriété importante des valeurs absolues, l'inégalité du triangle se révèle souvent utile, non seulement en calcul différentiel et intégral, mais aussi dans les mathématiques en général.

L'inégalité du triangle

Si a et b sont des nombres réels quelconques, alors

$$|a + b| \leq |a| + |b|.$$

On observe que, si les nombres a et b sont tous deux positifs ou négatifs, les deux membres de l'inégalité du triangle sont effectivement égaux. Si, par contre, a et b sont de signes opposés, le membre de gauche présentera une soustraction, contrairement au membre de droite. Cela rend l'inégalité du triangle plausible, mais c'est comme suit qu'on en fait la preuve.

On remarque que

$$-|a| \leq a \leq |a|$$

est toujours vrai, parce que a égale soit $|a|$, soit $-|a|$. L'énoncé correspondant en termes de b est

$$-|b| \le b \le |b|.$$

L'addition membre à membre de ces inégalités donne

$$-(|a| + |b|) \le a + b \le |a| + |b|.$$

Lorsqu'on applique les propriétés 1 et 2 de l'énoncé **1.1.12** (en remplaçant x par $a + b$ et a par $|a| + |b|$), on obtient

$$|a + b| \le |a| + |b|,$$

soit ce qu'il fallait démontrer.

Exemple 1.1.43   Étant donné $|x - 4| < 0{,}1$ et $|y - 7| < 0{,}2$, estimons $|(x + y) - 11|$ au moyen de l'inégalité du triangle.

Solution   Afin d'utiliser les données, on emploie l'inégalité du triangle avec $a = x - 4$ et $b = y - 7$:

$$
\begin{aligned}
|(x + y) - 11| &= |(x - 4) + (y - 7)| \\
&\le |x - 4| + |y - 7| \\
&< 0{,}1 + 0{,}2 = 0{,}3.
\end{aligned}
$$

Ainsi, $|(x + y) - 11| < 0{,}3$.

Exercices 1.1

1. Écrivez chaque ensemble sous forme d'intervalle ou d'union d'intervalles.

a) $\{x \in \mathbb{R} \mid -7 \le x < 2\}$ b) $\{x \in \mathbb{R} \mid 11 \le x\}$

c) $\{x \in \mathbb{R} \mid x < -3 \text{ ou } x \ge -1\}$

2. Écrivez chaque intervalle en compréhension.

a) $]{-1}, 6]$ b) $[8, 16]$

c) $]5, 10[\cup [13, \infty[$

3. Trouvez les ensembles demandés si $A = \{3, 4, 5, 6, 7, 8, 9\}$, $B = \{4, 6, 8, 10\}$ et $C = \{9, 10, 11, 12\}$.

a) $A \cup B$ b) $A \cap B$

c) $A \cup B \cup C$ d) $A \cap B \cap C$

e) $B \cup (C \cap A)$ f) $(A \cup C) \cap B$

g) $A \backslash B$ h) $B \backslash A$

4. Trouvez les ensembles demandés si $A = \{x \in \mathbb{R} \mid x \ge -3\}$, $B = \{x \in \mathbb{R} \mid x < 4\}$ et $C = \{x \in \mathbb{R} \mid -2 < x \le 5\}$. Donnez votre réponse sous forme d'intervalle ou d'union d'intervalles.

a) $A \cup B$ b) $A \cap B$

c) $A \cup B \cup C$ d) $A \cap B \cap C$

e) $B \cup (C \cap A)$ f) $(A \cup C) \cap B$

g) $A \backslash B$ h) $B \backslash A$

i) $\mathbb{R} \backslash C$ j) $C \backslash \{0, 1\}$

5-22   À l'aide des lois des exposants (*voir p. 9*), récrivez et simplifiez chaque expression.

5. $3^{10} \times 9^8$ **6.** $2^{16} \times 4^{10} \times 16^6$

7. $\dfrac{x^9 (2x)^4}{x^3}$ **8.** $\dfrac{a^n \times a^{2n+1}}{a^{n-2}}$

9. $\dfrac{a^{-3} \times b^4}{a^{-5} b^5}$ **10.** $\dfrac{x^{-1} + y^{-1}}{(x + y)^{-1}}$

11. $3^{-1/2}$ **12.** $96^{1/5}$

13. $125^{2/3}$ **14.** $64^{-4/3}$

15. $(2x^2 y^4)^{3/2}$ **16.** $(x^{-5} y^3 z^{10})^{-3/5}$

17. $\sqrt[5]{y^6}$ **18.** $\left(\sqrt[4]{a}\right)^3$

19. $\dfrac{1}{\left(\sqrt{t}\right)^5}$ **20.** $\dfrac{\sqrt[8]{x^5}}{\sqrt[4]{x^3}}$

21. $\sqrt[4]{\dfrac{t^{1/2} \sqrt{st}}{s^{2/3}}}$ **22.** $\sqrt[4]{r^{2n+1}} \times \sqrt[4]{r^{-1}}$

23-29   Simplifiez les radicaux.

23. $\sqrt{32}\sqrt{2}$ **24.** $\dfrac{\sqrt[3]{-2}}{\sqrt[3]{54}}$

25. $2\sqrt[4]{1250} + 4\sqrt[4]{32} - 6\sqrt[4]{162}$

26. $\dfrac{\sqrt[4]{32x^4}}{\sqrt[4]{2}}$

27. $\sqrt{xy}\sqrt{x^3y}$

28. $\sqrt{16a^4b^3}$

29. $\dfrac{\sqrt[5]{96a^6}}{\sqrt[5]{3a}}$

30-45 Développez et simplifiez l'expression.

30. $(-6ab)(0,5ac)$

31. $-(2x^2y)(-xy^4)$

32. $2x(x-5)$

33. $(4-3x)x$

34. $-2(4-3a)$

35. $8-(4+x)$

36. $4(x^2-x+2)-5(x^2-2x+1)$

37. $5(3t-4)-(t^2+2)-2t(t-3)$

38. $(4x-1)(3x+7)$

39. $x(x-1)(x+2)$

40. $(2x-1)^2$

41. $(2+3x)^2$

42. $y^4(6-y)(5+y)$

43. $(t-5)^2-2(t+3)(8t-1)$

44. $(1+2x)(x^2-3x+1)$

45. $(1+x-x^2)^2$

46-49 Calculez le quotient et le reste par division euclidienne.

46. $\dfrac{4x^2-3}{x+4}$

47. $\dfrac{x^2-6x-8}{x-4}$

48. $\dfrac{x^3+3x^2+4x+3}{3x+6}$

49. $\dfrac{2x^5-7x^4-13}{4x^2-6x+8}$

50-59 Effectuez les opérations indiquées et simplifiez.

50. $\dfrac{2+8x}{2}$

51. $\dfrac{9b-6}{3b}$

52. $\dfrac{1}{x+5}+\dfrac{2}{x-3}$

53. $\dfrac{1}{x+1}+\dfrac{1}{x-1}$

54. $u+1+\dfrac{u}{u+1}$

55. $\dfrac{2}{a^2}-\dfrac{3}{ab}+\dfrac{4}{b^2}$

56. $\dfrac{x/y}{z}$

57. $\dfrac{x}{y/z}$

58. $\left(\dfrac{-2r}{s}\right)\left(\dfrac{s^2}{-6t}\right)$

59. $\dfrac{a}{bc}\div\dfrac{b}{ac}$

60-79 Factorisez chaque expression.

60. $2x+12x^3$

61. $5ab-8abc$

62. x^2+7x+6

63. x^2-x-6

64. x^2-2x-8

65. $2x^2+7x-4$

66. $9x^2-36$

67. $8x^2+10x+3$

68. $6x^2-5x-6$

69. $x^2+10x+25$

70. t^3+1

71. $4t^2-9s^2$

72. $4t^2-12t+9$

73. x^3-27

74. x^3+2x^2+x

75. x^3-4x^2+5x-2

76. x^3+3x^2-x-3

77. $x^3-2x^2-23x+60$

78. $x^3+5x^2-2x-24$

79. $x^3-3x^2-4x+12$

80-85 Complétez le carré de chaque polynôme.

80. x^2+2x+5

81. $x^2-16x+80$

82. $x^2-5x+10$

83. x^2+3x+1

84. $4x^2+4x-2$

85. $3x^2-24x+50$

86-91 Résolvez chaque équation.

86. $x^2+9x-10=0$

87. $x^2-2x-8=0$

88. $x^2+9x-1=0$

89. $x^2-2x-7=0$

90. $3x^2+5x+1=0$

91. $2x^2+7x+2=0$

92-95 Parmi les expressions quadratiques suivantes, lesquelles sont irréductibles?

92. $2x^2+3x+4$

93. $2x^2+9x+4$

94. $3x^2+x-6$

95. x^2+3x+6

96-97 Résolvez chaque équation.

96. $x^3-2x+1=0$

97. $x^3+3x^2+x-1=0$

98-107 Simplifiez chaque expression.

98. $\dfrac{x^2+x-2}{x^2-3x+2}$

99. $\dfrac{2x^2-3x-2}{x^2-4}$

100. $\dfrac{x^2-1}{x^2-9x+8}$

101. $\dfrac{x^3+5x^2+6x}{x^2-x-12}$

102. $\dfrac{1}{x+3}+\dfrac{1}{x^2-9}$

103. $\dfrac{x}{x^2+x-2}-\dfrac{2}{x^2-5x+4}$

104. $\dfrac{1+\dfrac{1}{c-1}}{1-\dfrac{1}{c-1}}$

105. $1+\dfrac{1}{1+\dfrac{1}{1+x}}$

106. $\dfrac{2(x+1)^2}{\sqrt{2x-1}}+2\sqrt{2x-1}(x+1)$

107. $\dfrac{\dfrac{3x+8}{2\sqrt{x}}-3\sqrt{x}}{(3x+8)^2}$

108-115 Rationalisez chaque expression.

108. $\dfrac{\sqrt{x}-3}{x-9}$

109. $\dfrac{(1/\sqrt{x})-1}{x-1}$

110. $\dfrac{x\sqrt{x}-8}{x-4}$

111. $\dfrac{\sqrt{2+h}+\sqrt{2-h}}{h}$

112. $\dfrac{2}{3-\sqrt{5}}$

113. $\dfrac{1}{\sqrt{x}-\sqrt{y}}$

114. $\sqrt{x^2+3x+4}-x$

115. $\sqrt{x^2+x}-\sqrt{x^2-x}$

116-123 Déterminez si chaque équation est vérifiée pour tous les nombres réels.

116. $\sqrt{x^2} = x$

117. $\sqrt{x^2 + 4} = |x| + 2$

118. $\dfrac{16 + a}{16} = 1 + \dfrac{a}{16}$

119. $\dfrac{1}{x^{-1} + y^{-1}} = x + y$

120. $\dfrac{x}{x + y} = \dfrac{1}{1 + y}$

121. $\dfrac{2}{4 + x} = \dfrac{1}{2} + \dfrac{2}{x}$

122. $(x^3)^4 = x^7$

123. $6 - 4(x + a) = 6 - 4x - 4a$

124-127 Au moyen de la formule du binôme (*voir p. 19*), développez chaque expression.

124. $(a + b)^6$

125. $(a + b)^7$

126. $(x^2 - 1)^4$

127. $(3 + x^2)^5$

128-139 Récrivez chaque expression sans le symbole de valeur absolue.

128. $|5 - 23|$

129. $|5| - |-23|$

130. $|-\pi|$

131. $|\pi - 2|$

132. $|\sqrt{5} - 5|$

133. $||-2| - |-3||$

134. $|x - 2|$ si $x < 2$

135. $|x - 2|$ si $x > 2$

136. $|x + 1|$

137. $|2x - 1|$

138. $|x^2 + 1|$

139. $|1 - 2x^2|$

140-168 Résolvez chaque inéquation en termes d'intervalles et représentez l'ensemble solution sur l'axe des réels.

140. $2x + 7 > 3$

141. $3x - 11 < 4$

142. $1 - x \leq 2$

143. $4 - 3x \geq 6$

144. $2x + 1 < 5x - 8$

145. $1 + 5x > 5 - 3x$

146. $-1 < 2x - 5 < 7$

147. $1 < 3x + 4 \leq 16$

148. $0 \leq 1 - x < 1$

149. $-5 \leq 3 - 2x \leq 9$

150. $4x < 2x + 1 \leq 3x + 2$

151. $2x - 3 < x + 4 < 3x - 2$

152. $(x - 1)(x - 2) > 0$

153. $(2x + 3)(x - 1) \geq 0$

154. $2x^2 + x \leq 1$

155. $x^2 < 2x + 8$

156. $x^2 + x + 1 > 0$

157. $x^2 + x > 1$

158. $x^2 < 3$

159. $x^2 \geq 5$

160. $x^3 - x^2 \leq 0$

161. $(x + 1)(x - 2)(x + 3) \geq 0$

162. $x^3 > x$

163. $x^3 + 3x < 4x^2$

164. $\dfrac{1}{x} < 4$

165. $-3 < \dfrac{1}{x} \leq 1$

166. $\dfrac{-10}{(x - 5)(x - 4)} \geq 0$

167. $\dfrac{(3x - 5)^2(x + 4)}{3x - 1} \geq 0$

168. $\dfrac{5x + 1}{-2x^2 + 5x + 3} \geq 0$

169. La relation qui existe entre les échelles de température Celsius et Fahrenheit est donnée par $C = \frac{5}{9}(F - 32)$, où C est la température en degrés Celsius et F, la température en degrés Fahrenheit. Quel intervalle de l'échelle Celsius correspond à la plage de températures $50 \leq F \leq 95$?

170. À l'aide de la relation entre C et F donnée à l'exercice 169, déterminez l'intervalle de l'échelle Fahrenheit qui correspond à la plage de températures $20 \leq C \leq 30$.

171. Lorsque de l'air sec monte, il se dilate et, ce faisant, se refroidit d'environ 1 °C par 100 m d'altitude, jusqu'à 12 km environ.
a) Étant donné une température au sol de 20 °C, écrivez une formule de la température à l'altitude h.
b) Quelle plage de températures un pilote d'avion peut-il s'attendre à traverser entre le décollage et son altitude maximale de 5 km?

172. Si on lance une balle en l'air du haut d'un immeuble de 128 m de hauteur à une vitesse initiale de 16 m/s, la hauteur h de la balle au-dessus du sol après t secondes sera

$$h = 128 + 16t - 16t^2.$$

Durant quel intervalle de temps la balle sera-t-elle à au moins 32 m au-dessus du sol?

173-176 Résolvez chaque équation par rapport à x.

173. $|2x| = 3$

174. $|3x + 5| = 1$

175. $|x + 3| = |2x + 1|$

176. $\left|\dfrac{2x - 1}{x + 1}\right| = 3$

177-186 Résolvez chaque inéquation.

177. $|x| < 3$

178. $|x| \geq 3$

179. $|x - 4| < 1$

180. $|x - 6| < 0{,}1$

181. $|x + 5| \geq 2$

182. $|x + 1| \geq 3$

183. $|2x - 3| \leq 0{,}4$

184. $|5x - 2| < 6$

185. $1 \leq |x| \leq 4$

186. $0 < |x - 5| < \frac{1}{2}$

187-188 Résolvez chaque inéquation par rapport à x en supposant que a, b et c sont des constantes positives.

187. $a(bx - c) \geq bc$

188. $a \leq bx + c < 2a$

189-190 Résolvez chaque inéquation par rapport à x en supposant que a, b et c sont des constantes négatives.

189. $ax + b < c$

190. $\dfrac{ax + b}{c} \leq b$

191. Soit $|x - 2| < 0{,}01$ et $|y - 3| < 0{,}04$. Au moyen de l'inégalité du triangle (*voir p. 26*), montrez que $|(x + y) - 5| < 0{,}05$.

192. Montrez que, si $|x + 3| < \frac{1}{2}$, alors $|4x + 13| < 3$.

193. Montrez que, si $a < b$, alors $a < \dfrac{a + b}{2} < b$.

194. À l'aide de la règle 3 de l'énoncé **1.1.8** (*voir p. 22*), faites la démonstration de la règle 5.

195. Prouvez que $|ab| = |a||b|$. (*Conseil :* Utilisez l'égalité **1.1.10**, p. 25.)

196. Prouvez que $\left|\dfrac{a}{b}\right| = \dfrac{|a|}{|b|}$.

197. Montrez que, si $0 < a < b$, alors $a^2 < b^2$.

198. Prouvez que $|x - y| \geq |x| - |y|$. (*Conseil :* Utilisez l'inégalité du triangle, p. 26, avec $a = x - y$ et $b = y$.)

199. Montrez que la somme, la différence et le produit de nombres rationnels sont des nombres rationnels.

200. a) La somme de deux nombres irrationnels est-elle toujours un nombre irrationnel ?
b) Le produit de deux nombres irrationnels est-il toujours un nombre irrationnel ?

1.2   La géométrie analytique

De même qu'on peut désigner les points d'une droite par des nombres réels par assignation de coordonnées, comme l'explique la section 1.1, on peut identifier les points du plan par des couples de nombres réels. On commence par tracer deux droites de coordonnées perpendiculaires qui se coupent à l'origine O de chaque droite. En général, l'une des droites, appelée « axe des x », est horizontale et son sens positif est orienté vers la droite. L'autre, appelée « axe des y », est verticale et son sens positif est orienté vers le haut.

On peut localiser tout point P du plan au moyen d'un couple de nombres en procédant comme suit. On trace des droites passant par P et perpendiculaires aux axes. Comme le montre la figure 1.2.1, ces droites coupent les axes aux points de coordonnées a et b. Le couple (a, b) est ainsi assigné au point P. Le premier nombre, a, est l'**abscisse** de P ; le second, b, est l'**ordonnée** de P. On dit que les coordonnées de P sont (a, b), et on note le point « $P(a, b)$ ». Dans la figure 1.2.2, on peut voir plusieurs points désignés par leurs coordonnées.

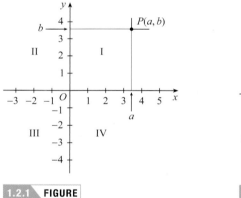

1.2.1 FIGURE

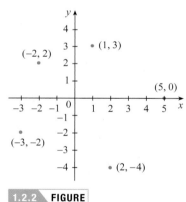

1.2.2 FIGURE

En inversant la démarche précédente, on peut, à partir d'un couple (a, b), arriver au point P correspondant. Comme les points sont couramment désignés par leurs coordonnées, on parlera du « point (a, b) ».

Ce système de coordonnées est appelé **système de coordonnées rectangulaires** ou **système d'axes cartésien**, du nom du mathématicien français René Descartes (1596-1650), bien qu'un autre Français, Pierre de Fermat (1601-1665), ait inventé les principes de la géométrie analytique presque en même temps que Descartes. Ce système de coordonnées s'accompagne d'un plan appelé **plan de coordonnées** ou **plan cartésien** et noté $\mathbb{R}^2$.

Appelés **axes des coordonnées**, les axes des x et des y divisent le plan cartésien en quatre quadrants, étiquetés I, II, III et IV (*voir la figure 1.2.1*). On remarque que les deux coordonnées des points du premier quadrant sont positives.

Exemple **1.2.1** Décrivons et représentons les régions définies par les ensembles suivants.

a) $\{(x, y) \mid x \geq 0\}$

b) $\{(x, y) \mid y = 1\}$

c) $\{(x, y) \mid |y| < 1\}$

Solution

a) Comme l'indique la région ombrée de la figure 1.2.3 a), les points dont l'abscisse est nulle ou positive sont situés sur l'axe des y ou à droite de celui-ci.

b) L'ensemble de tous les points dont l'ordonnée est 1 décrit une droite horizontale située une unité au-dessus de l'axe des x (*voir la figure 1.2.3 b*).

c) Comme il a été établi dans la section 1.1,

$$|y| < 1 \text{ si et seulement si } -1 < y < 1.$$

La région définie se compose de tous les points du plan dont l'ordonnée est située entre -1 et 1. Elle est donc constituée de tous les points situés entre (mais pas sur) les droites horizontales $y = 1$ et $y = -1$. (La figure 1.2.3 c) représente ces droites en tireté pour indiquer que leurs points n'appartiennent pas à l'ensemble.)

a)
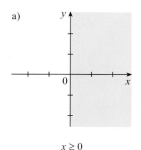
$x \geq 0$

b)
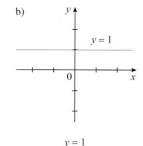
$y = 1$

c)
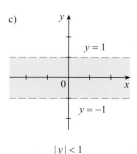
$|y| < 1$

1.2.3 FIGURE

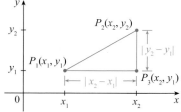

1.2.4 FIGURE

On peut voir dans la section 1.1 que la distance entre les points a et b d'un axe numérique est $|a - b| = |b - a|$. Ainsi, la distance entre les points $P_1(x_1, y_1)$ et $P_3(x_2, y_1)$ d'une droite horizontale doit être $|x_2 - x_1|$, et la distance entre $P_2(x_2, y_2)$ et $P_3(x_2, y_1)$ d'une droite verticale, $|y_2 - y_1|$ (*voir la figure 1.2.4*).

Pour déterminer la distance $|P_1P_2|$ entre deux points quelconques $P_1(x_1, y_1)$ et $P_2(x_2, y_2)$, on observe que le triangle $P_1P_2P_3$ de la figure 1.2.4 est un triangle rectangle et que, selon le théorème de Pythagore, on a

$$|P_1P_2| = \sqrt{|P_1P_3|^2 + |P_2P_3|^2}$$
$$= \sqrt{|x_2 - x_1|^2 + |y_2 - y_1|^2}$$
$$= \sqrt{(x_2 - x_1)^2 + (y_2 - y_1)^2}.$$

1.2.1	**La formule de la distance**

La distance entre les points $P_1(x_1, y_1)$ et $P_2(x_2, y_2)$ est égale à

$$|P_1P_2| = \sqrt{(x_2 - x_1)^2 + (y_2 - y_1)^2}.$$

Exemple `1.2.2` La distance entre $(1, -2)$ et $(5, 3)$ est de

Solution

$$\sqrt{(5-1)^2 + [3-(-2)]^2} = \sqrt{4^2 + 5^2}$$
$$= \sqrt{41}.$$

▶ Les droites

On cherche l'équation d'une droite L ; cette équation est vérifiée par les coordonnées des seuls points de L. Pour déterminer l'équation de L, on peut utiliser sa **pente**, qui est une mesure du taux de variation de la droite.

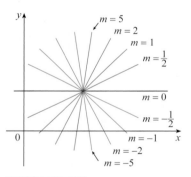

1.2.5 FIGURE

`1.2.2`	**Définition**

La **pente** d'une droite non verticale passant par les points $P_1(x_1, y_1)$ et $P_2(x_2, y_2)$ est donnée par

$$m = \frac{\Delta y}{\Delta x} = \frac{y_2 - y_1}{x_2 - x_1}.$$

La pente d'une droite verticale n'est pas définie.

La pente d'une droite est donc le rapport de la variation de y, notée Δy, sur la variation de x, notée Δx (*voir la figure 1.2.5*). Par conséquent, la pente est le taux de variation de y par rapport à x. La linéarité de la droite signifie que le taux de variation est constant.

La figure 1.2.6 montre plusieurs droites et leurs pentes respectives. On remarque que les droites de pente positive montent vers la droite, tandis que celles de pente négative descendent vers la droite. En outre, les droites les plus inclinées sont celles dont la valeur absolue de la pente est la plus grande. La pente d'une droite horizontale est nulle.

1.2.6 FIGURE

On cherche maintenant une équation de la droite de pente m qui passe par un point donné $P_1(x_1, y_1)$. Un point $P(x, y)$, où $x \neq x_1$, est situé sur cette droite si et seulement si la pente de la droite passant par P_1 et P est égale à m, c'est-à-dire que

$$\frac{y - y_1}{x - x_1} = m.$$

On peut récrire cette équation sous la forme

$$y - y_1 = m(x - x_1)$$

et observer qu'elle se vérifie aussi lorsque $x = x_1$ et $y = y_1$. C'est donc une équation de la droite donnée.

`1.2.3`	**La forme point-pente de l'équation d'une droite**

La droite qui passe par le point $P_1(x_1, y_1)$ et dont la pente est m a pour équation

$$y - y_1 = m(x - x_1)$$

ou

$$y = m(x - x_1) + y_1.$$

Exemple `1.2.3` Déterminons une équation de la droite de pente $-\frac{1}{2}$ qui passe par le point $(1, -7)$.

Solution   À l'aide de l'équation **1.2.3** avec $m = -\frac{1}{2}$, $x_1 = 1$ et $y_1 = -7$, on obtient une équation de la droite :

$$y = \left(-\tfrac{1}{2}\right)(x - 1) - 7$$

qu'on peut récrire

$$2y + 14 = -x + 1 \quad \text{ou} \quad x + 2y + 13 = 0.$$

Exemple `1.2.4` Déterminons une équation de la droite qui passe par les points $(-1, 2)$ et $(3, -4)$.

Solution   Selon la définition **1.2.2**, la pente de la droite est

$$m = \frac{-4 - 2}{3 - (-1)} = -\frac{3}{2}.$$

Avec $x_1 = -1$ et $y_1 = 2$, la forme point-pente donne

$$y = -\tfrac{3}{2}(x + 1) + 2$$

qui se simplifie comme suit :

$$3x + 2y = 1.$$

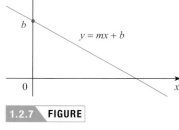

1.2.7   FIGURE

On suppose une droite non verticale de pente m et d'ordonnée à l'origine b (*voir la figure 1.2.7*). Cela signifie que la droite coupe l'axe des y au point $(0, b)$, de sorte que la forme point-pente de l'équation de la droite, avec $x_1 = 0$ et $y_1 = b$, devient

$$y = m(x - 0) + b.$$

Cette équation se simplifie comme suit.

1.2.4	La forme fonctionnelle de l'équation d'une droite

L'équation de la droite de pente m et d'ordonnée à l'origine b est

$$y = mx + b.$$

Une droite horizontale étant de pente $m = 0$, son équation est $y = b$, où b est l'ordonnée à l'origine (*voir la figure 1.2.8*). Bien qu'une droite verticale n'ait pas de pente, on peut écrire son équation sous la forme $x = a$, où a est l'abscisse à l'origine puisque tous les points de la droite ont a pour abscisse.

1.2.8   FIGURE

On se rappellera que l'équation de toute droite peut s'écrire sous la forme

1.2.5	$Ax + By + C = 0$

parce que l'équation d'une droite verticale est

$$x = a \text{ ou } x - a = 0 \;(A = 1,\ B = 0,\ C = -a)$$

et celle d'une droite non verticale,

$$y = mx + b \text{ ou } -mx + y - b = 0 \;(A = -m,\ B = 1,\ C = -b).$$

Si, à l'inverse, on part d'une équation générale du premier degré, donc une équation de la forme **1.2.5**, où A, B et C sont des constantes et où A et B ne sont pas tous deux nuls, alors on peut montrer qu'il s'agit de l'équation d'une droite. Si $B = 0$, l'équation devient

$$Ax + C = 0 \text{ ou } x = -C/A,$$

ce qui représente une droite verticale d'abscisse à l'origine $-C/A$. Si $B \neq 0$, on peut récrire l'équation en la résolvant par rapport à y :

$$y = -\frac{A}{B}x - \frac{C}{B}$$

et on reconnaît là la forme fonctionnelle de l'équation d'une droite ($m = -A/B$, $b = -C/B$). Par conséquent, on appelle l'équation de la forme **1.2.5 équation linéaire** ou **équation générale d'une droite**. Par souci de concision, on dit plus souvent « la droite $Ax + By + C = 0$ » que « la droite d'équation $Ax + By + C = 0$ ».

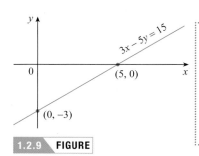

1.2.9 FIGURE

Exemple **1.2.5** Représentons graphiquement l'équation $3x - 5y = 15$.

Solution L'équation étant linéaire, elle se représente par une droite. Pour tracer cette droite, on peut tout simplement trouver deux de ses points. Le plus facile est de déterminer les coordonnées à l'origine. En effectuant la substitution $y = 0$ (l'équation de l'axe des x) dans l'équation donnée, on obtient $3x = 15$, de sorte que $x = 5$ est l'abscisse à l'origine. Puis, la substitution $x = 0$ révèle que l'ordonnée à l'origine est -3. On peut dès lors tracer la droite (*voir la figure 1.2.9*).

Exemple **1.2.6** Représentons graphiquement l'inégalité $x + 2y > 5$.

Solution Il s'agit ici de représenter l'ensemble $\{(x, y) \mid x + 2y > 5\}$. Pour ce faire, on commence par résoudre l'inégalité par rapport à y :

$$x + 2y > 5$$

$$2y > -x + 5$$

$$y > -\tfrac{1}{2}x + \tfrac{5}{2}.$$

En comparant cette inégalité avec l'équation $y = -\frac{1}{2}x + \frac{5}{2}$, qui représente une droite de pente $-\frac{1}{2}$ et d'ordonnée à l'origine $\frac{5}{2}$, on voit que la région est formée de points dont l'ordonnée est supérieure à celle des points de la droite $y = -\frac{1}{2}x + \frac{5}{2}$. La région à représenter est donc celle qui se situe au-dessus de la droite, comme l'illustre la figure 1.2.10.

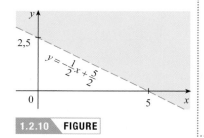

1.2.10 FIGURE

▶ Les droites parallèles et les droites perpendiculaires

La pente peut servir à démontrer que des droites sont parallèles ou perpendiculaires.

1.2.6	Les droites parallèles et les droites perpendiculaires

1. Deux droites non verticales sont parallèles si et seulement si leur pente est la même.

2. Deux droites de pentes m_1 et m_2 sont perpendiculaires si et seulement si $m_1 \bullet m_2 = -1$, c'est-à-dire que leurs pentes sont des inverses opposés :

$$m_2 = -\frac{1}{m_1}.$$

Exemple **1.2.7** Trouvons une équation de la droite qui passe par le point (5, 2) et qui est parallèle à la droite $4x + 6y + 5 = 0$.

Solution La droite donnée peut s'écrire

$$y = -\tfrac{2}{3}x - \tfrac{5}{6}$$

qui est la forme fonctionnelle avec $m = -\tfrac{2}{3}$. Comme des droites parallèles ont la même pente, la droite recherchée est de pente $-\tfrac{2}{3}$ et son équation, sous la forme point-pente, est

$$y = -\tfrac{2}{3}(x - 5) + 2.$$

Cette équation s'écrit aussi $2x + 3y = 16$.

Exemple **1.2.8** Montrons que les droites $2x + 3y = 1$ et $6x - 4y - 1 = 0$ sont perpendiculaires.

Solution Les équations données peuvent s'écrire

$$y = -\tfrac{2}{3}x + \tfrac{1}{3} \quad \text{et} \quad y = \tfrac{3}{2}x - \tfrac{1}{4}.$$

Ces expressions révèlent que les pentes sont

$$m_1 = -\tfrac{2}{3} \quad \text{et} \quad m_2 = \tfrac{3}{2}.$$

Comme $m_1 \cdot m_2 = -1$, les droites sont perpendiculaires.

Exercices **1.2**

1-6 Déterminez la distance entre les points donnés.

1. (1, 1), (4, 5)   **2.** (1, −3), (5, 7)

3. (6, −2), (−1, 3)   **4.** (1, −6), (−1, −3)

5. (2, 5), (4, −7)   **6.** (a, b), (b, a)

7-10 Déterminez la pente de la droite passant par P et Q.

7. $P(1, 5)$, $Q(4, 11)$ **8.** $P(-1, 6)$, $Q(4, -3)$

9. $P(-3, 3)$, $Q(-1, -6)$ **10.** $P(-1, -4)$, $Q(6, 0)$

11. Montrez que le triangle de sommets $A(0, 2)$, $B(-3, -1)$ et $C(-4, 3)$ est isocèle.

12. a) Au moyen de la réciproque du théorème de Pythagore, montrez que le triangle de sommets $A(6, -7)$, $B(11, -3)$ et $C(2, -2)$ est un triangle rectangle.
b) Servez-vous des pentes pour montrer que ABC est un triangle rectangle.
c) Déterminez l'aire du triangle.

13. Montrez que les points (−2, 9), (4, 6), (1, 0) et (−5, 3) sont les sommets d'un carré.

14. a) Montrez que les points $A(-1, 3)$, $B(3, 11)$ et $C(5, 15)$ sont colinéaires (ils appartiennent à une même droite) en montrant que $|AB| + |BC| = |AC|$.
b) À l'aide de pentes, montrez que A, B et C sont colinéaires.

15. Montrez que $A(1, 1)$, $B(7, 4)$, $C(5, 10)$ et $D(-1, 7)$ sont les sommets d'un parallélogramme.

16. Montrez que $A(1, 1)$, $B(11, 3)$, $C(10, 8)$ et $D(0, 6)$ sont les sommets d'un rectangle.

17-20 Représentez graphiquement l'équation.

17. $x = 3$ **18.** $y = -2$ **19.** $xy = 0$ **20.** $|y| = 1$

21-36 Trouvez une équation de la droite qui vérifie les conditions données.

21. Passe par (2, −3), de pente 6

22. Passe par (−1, 4), de pente −3

23. Passe par (1, 7), de pente $\tfrac{2}{3}$

24. Passe par (−3, −5), de pente $-\tfrac{7}{2}$

25. Passe par (2, 1) et (1, 6)

26. Passe par (−1, −2) et (4, 3)

27. De pente 3, d'ordonnée à l'origine −2

28. De pente $\tfrac{2}{5}$, d'ordonnée à l'origine 4

29. D'abscisse à l'origine 1, d'ordonnée à l'origine −3

30. D'abscisse à l'origine −8, d'ordonnée à l'origine 6

31. Passe par (4, 5), parallèle à l'axe des x

32. Passe par (4, 5), parallèle à l'axe des y

33. Passe par (1, −6), parallèle à la droite $x + 2y = 6$

34. D'ordonnée à l'origine 6, parallèle à la droite $2x + 3y + 4 = 0$

35. Passe par (−1, −2), perpendiculaire à la droite $2x + 5y + 8 = 0$

36. Passe par $(\frac{1}{2}, -\frac{2}{3})$, perpendiculaire à la droite $4x - 8y = 1$

37-42 Déterminez la pente et l'ordonnée à l'origine de la droite et tracez cette droite.

37. $x + 3y = 0$ **38.** $2x - 5y = 0$

39. $y = -2$ **40.** $2x - 3y + 6 = 0$

41. $3x - 4y = 12$ **42.** $4x + 5y = 10$

43-52 Représentez la région donnée du plan xy.

43. $\{(x, y) \mid x < 0\}$

44. $\{(x, y) \mid y > 0\}$

45. $\{(x, y) \mid xy < 0\}$

46. $\{(x, y) \mid x \geq 1 \text{ et } y < 3\}$

47. $\{(x, y) \mid |x| \leq 2\}$

48. $\{(x, y) \mid |x| < 3 \text{ et } |y| < 2\}$

49. $\{(x, y) \mid 0 \leq y \leq 4 \text{ et } x \leq 2\}$

50. $\{(x, y) \mid y > 2x - 1\}$

51. $\{(x, y) \mid 1 + x \leq y \leq 1 - 2x\}$

52. $\{(x, y) \mid -x \leq y < \frac{1}{2}(x + 3)\}$

53. Trouvez, sur l'axe des y, un point équidistant de (5, −5) et de (1, 1).

54. Vérifiez que le point milieu du segment de droite allant de $P_1(x_1, y_1)$ à $P_2(x_2, y_2)$ est

$$\left(\frac{x_1 + x_2}{2}, \frac{y_1 + y_2}{2} \right).$$

55. Déterminez le point milieu du segment de droite reliant les points donnés.
   a) (1, 3) et (7, 15)
   b) (−1, 6) et (8, −12)

56. Déterminez les longueurs des médianes du triangle de sommets $A(1, 0)$, $B(3, 6)$ et $C(8, 2)$. (Une médiane est un segment qui joint un sommet au milieu du côté opposé.)

57. Montrez que les droites $2x - y = 4$ et $6x - 2y = 10$ ne sont pas parallèles et déterminez leur point d'intersection.

58. Montrez que les droites $3x - 5y + 19 = 0$ et $10x + 6y - 50 = 0$ sont perpendiculaires et déterminez leur point d'intersection.

59. Trouvez une équation de la médiatrice du segment qui relie les points $A(1, 4)$ et $B(7, -2)$.

60. a) Trouvez des équations des côtés du triangle de sommets $P(1, 0)$, $Q(3, 4)$ et $R(-1, 6)$.
   b) Trouvez des équations des médianes de ce triangle. Où les médianes se coupent-elles ?

61. a) Montrez que, si l'abscisse et l'ordonnée à l'origine d'une droite sont des nombres a et b non nuls, alors l'équation de la droite peut prendre la forme

$$\frac{x}{a} + \frac{y}{b} = 1.$$

   Il s'agit de la **forme symétrique** de l'équation d'une droite.
   b) À l'aide de la partie a), trouvez une équation de la droite dont l'abscisse à l'origine est 6 et l'ordonnée à l'origine, −8.

62. Une voiture quitte Québec à 14 h et roule à vitesse constante sur l'autoroute 73S. À 14 h 50, la voiture longe Saint-Joseph-de-Beauce, située à 60 km au sud de Québec.
   a) Exprimez la distance parcourue en fonction du temps écoulé.
   b) Représentez graphiquement l'équation énoncée en a).
   c) Quelle est la pente de cette droite ? Que représente-t-elle ?

1.3 Quelques notions sur les fonctions

Une fonction apparaît dès qu'une grandeur dépend d'une autre. Voici quatre situations concrètes.

I. L'aire A d'un cercle dépend du rayon r du cercle. La règle qui lie r et A est donnée par l'équation $A = \pi r^2$. À chaque nombre positif r correspond une valeur de A. On dit que A est une fonction de r.

II. La population mondiale P dépend du temps t. La table de valeurs ci-après donne des estimations de la population $P(t)$ au moment t, pour certaines années. Par exemple,

$$P(1950) \approx 2\,560\,000\,000.$$

Année	Population (en millions)
1900	1650
1910	1750
1920	1860
1930	2070
1940	2300
1950	2560
1960	3040
1970	3710
1980	4450
1990	5280
2000	6080
2010	6870

Cependant, à chaque valeur de t correspond une valeur de P. On dit que P est une fonction de t.

III. Les frais d'affranchissement C d'une enveloppe dépendent de la masse m de l'enveloppe. Bien qu'aucune formule simple ne lie m et C, le bureau de poste utilise une règle pour déterminer C lorsque m est connu.

IV. L'accélération verticale a du sol que mesure un sismographe durant un tremblement de terre est une fonction du temps écoulé t. La figure 1.3.1 montre un sismogramme de l'activité sismique enregistrée durant le tremblement de terre de Northridge, qui s'est produit près de Los Angeles en 1994. Pour une certaine valeur de t, le graphique donne la valeur correspondante de a.

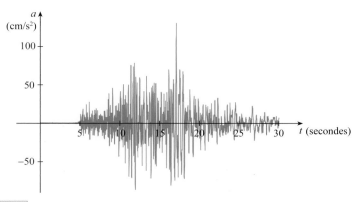

1.3.1 **FIGURE**

L'accélération verticale du sol durant le tremblement de terre de Northridge.

Chacun de ces exemples suggère une règle selon laquelle à un nombre (r, t, m ou t) donné est assigné un autre nombre (A, P, C ou a). Dans chaque cas, on dit que le second nombre est une fonction du premier.

> Une fonction f est une règle de correspondance qui assigne à chaque élément x d'un ensemble D exactement un élément, appelé $f(x)$, d'un ensemble E.

On considère généralement des fonctions pour lesquelles D et E sont des ensembles de nombres réels. L'ensemble D est le **domaine de définition** de la fonction. Le nombre $f(x)$ est la **valeur de f en x** et se lit «f de x». L'**image** de f est l'ensemble de toutes les valeurs $f(x)$ associées à tous les x du domaine. Une **variable indépendante** est un symbole représentant un nombre quelconque du domaine d'une fonction f. Une **variable dépendante** est un symbole représentant un nombre de l'image de f. Dans la situation I, r est la variable indépendante et A, la variable dépendante.

> **Égalité de deux fonctions**
>
> Deux fonctions f et g sont **égales** si elles ont le même domaine et si elles associent à tout x du domaine une même image. Autrement dit,
>
> $f = g$ si et seulement si dom $f =$ dom g et pour tout $x \in$ dom f, $f(x) = g(x)$.

1.3.2 **FIGURE**

La fonction f illustrée comme une machine.

Il s'avère utile de se représenter une fonction comme une **machine** (*voir la figure 1.3.2*). Si x appartient au domaine de la fonction f, la machine l'admet à l'entrée, le traite selon la règle de la fonction et produit $f(x)$ à la sortie. On peut donc voir le domaine comme l'ensemble des entrées possibles et l'image comme l'ensemble des sorties possibles.

Les fonctions préprogrammées d'une calculatrice illustrent bien l'analogie avec une machine. Par exemple, la touche racine carrée d'une calculatrice commande le calcul d'une fonction du même nom. On appuie sur la touche $\sqrt{\ }$ (ou $\sqrt{x}$) et on saisit la valeur de x. Si $x < 0$, alors x n'appartient pas au domaine de cette fonction, c'est-à-dire que x n'est pas une entrée acceptable et que la calculatrice signalera une erreur. Si $x \geq 0$, une approximation de $\sqrt{x}$ s'affiche. La touche $\sqrt{x}$ de la calculatrice n'est donc pas l'équivalent exact de la fonction mathématique f définie par $f(x) = \sqrt{x}$.

Le **diagramme sagittal** offre une autre façon de se représenter une fonction (*voir la figure 1.3.3*). Chaque flèche relie un élément de D à un élément de E. La flèche indique que $f(x)$ est associée à x, $f(a)$ à a et ainsi de suite.

Le plus souvent, on représente une fonction par son graphique. Si f est une fonction de domaine D, alors son **graphique** cartésien est l'ensemble des couples

$$\{(x, f(x)) \mid x \in D\}.$$

(On remarque qu'il s'agit de couples entrée-sortie.) En d'autres mots, le graphique de f est formé de tous les points (x, y) du plan des coordonnées cartésiennes tels que $y = f(x)$ et où x appartient au domaine de f.

Le graphique d'une fonction f donne un portrait éloquent du comportement de la fonction. Comme l'ordonnée de chaque point (x, y) du graphique est $y = f(x)$, on peut considérer la valeur de $f(x)$ comme la hauteur de la courbe au-dessus du point x (*voir la figure 1.3.4*). Le graphique de f permet également de visualiser le domaine de f sur l'axe des x et son image sur l'axe des y (*voir la figure 1.3.5*).

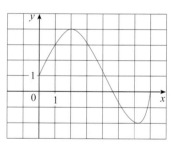

1.3.3 FIGURE

Le diagramme sagittal de f.

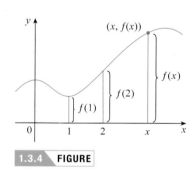

1.3.4 FIGURE

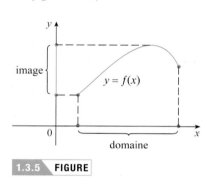

1.3.5 FIGURE

Exemple 1.3.1 La figure 1.3.6 montre le graphique d'une fonction f.

a) Trouvons les valeurs de $f(1)$ et de $f(5)$.

b) Quels sont le domaine et l'image de f?

Solution

a) Dans la figure 1.3.6, on voit que le point $(1, 3)$ appartient au graphique de f, de sorte que la valeur de f en 1 est $f(1) = 3$. (Autrement dit, le point de la courbe situé au-dessus de $x = 1$ se trouve 3 unités au-dessus de l'axe des x.)

Quand $x = 5$, la courbe se situe à environ 0,7 unité sous l'axe des x; on estime donc que $f(5) \approx -0,7$.

b) On voit que $f(x)$ est définie pour $0 \leq x \leq 7$, de sorte que le domaine de f est l'intervalle fermé $[0, 7]$. Puisque f prend toutes les valeurs de -2 à 4, son image est

$$\{y \mid -2 \leq y \leq 4\} = [-2, 4].$$

1.3.6 FIGURE

La notation d'intervalle est expliquée dans la section 1.1.

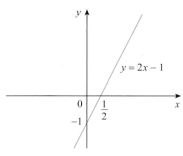

1.3.7 FIGURE

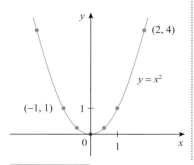

1.3.8 FIGURE

Appelée **quotient des variations**, l'expression

$$\frac{f(a+h)-f(a)}{h}$$

figurant dans l'exemple 1.3.3 se rencontre souvent en calcul différentiel et intégral. Comme on peut le voir au chapitre 2 (*p. 164*), le quotient des différences représente le taux de variation moyen de la fonction f entre $x = a$ et $x = a + h$.

Exemple 1.3.2 Esquissons le graphique et déterminons le domaine et l'image de chaque fonction.

a) $f(x) = 2x - 1$

b) $g(x) = x^2$

Solution

a) L'équation de la courbe est $y = 2x - 1$, que l'on reconnaît comme étant l'équation d'une droite de pente 2 et d'ordonnée à l'origine -1. (On se rappelle la forme fonctionnelle $y = mx + b$ de l'équation d'une droite. Voir l'équation **1.2.4**.) On peut esquisser une portion du graphique de f, comme dans la figure 1.3.7. L'expression $2x - 1$ étant définie pour tous les nombres réels, le domaine de f est l'ensemble des réels, noté $\mathbb{R}$. Le graphique montre que l'image est aussi $\mathbb{R}$.

b) Comme $g(2) = 2^2 = 4$ et $g(-1) = (-1)^2 = 1$, on peut tracer les points $(2, 4)$, $(-1, 1)$ et quelques autres puis les relier pour obtenir le graphique (*voir la figure 1.3.8*). L'équation de la courbe est $y = x^2$, ce qui représente une parabole (*voir l'annexe A*). Le domaine de g est $\mathbb{R}$. L'image de g est constituée de toutes les valeurs de $g(x)$, soit tous les nombres de la forme x^2. Cependant, $x^2 \geq 0$ pour tout nombre x, et tout nombre positif y est un carré. Ainsi, l'image de g est $\{y \mid y \geq 0\} = [0, \infty[$ ou plus simplement $\mathbb{R}_+$, ce que montre la figure 1.3.8.

Exemple 1.3.3 Sachant que $f(x) = 2x^2 - 5x + 1$ et que $h \neq 0$, évaluons

$$\frac{f(a+h)-f(a)}{h}.$$

Solution On commence par évaluer $f(a + h)$ en remplaçant x par $a + h$ dans l'expression de $f(x)$:

$$f(a + h) = 2(a + h)^2 - 5(a + h) + 1$$
$$= 2(a^2 + 2ah + h^2) - 5(a + h) + 1$$
$$= 2a^2 + 4ah + 2h^2 - 5a - 5h + 1.$$

On effectue ensuite la substitution dans l'expression et on simplifie :

$$\frac{f(a+h)-f(a)}{h} = \frac{(2a^2 + 4ah + 2h^2 - 5a - 5h + 1) - (2a^2 - 5a + 1)}{h}$$

$$= \frac{(2a^2 + 4ah + 2h^2 - 5a - 5h + 1 - 2a^2 + 5a - 1)}{h}$$

$$= \frac{4ah + 2h^2 - 5h}{h} = 4a + 2h - 5 \qquad \text{puisque } h \neq 0.$$

▶ La représentation des fonctions

Il existe quatre façons de représenter une fonction :

- verbalement (en la décrivant avec des mots) ;
- numériquement (en dressant une table de valeurs) ;
- visuellement (en traçant son graphique) ;
- algébriquement (en donnant sa formule explicite).

Lorsqu'on a affaire à une fonction qui se prête aux quatre représentations, on gagne à passer d'une représentation à l'autre afin de mieux connaître la fonction. (Dans l'exemple 1.3.2, on est passé des formules algébriques à la représentation graphique.)

Cela dit, certaines fonctions se décrivent plus naturellement d'une façon que d'une autre. C'est sous cet angle qu'on réexamine maintenant les quatre situations énoncées au début de la section.

I. La façon la plus utile de représenter l'aire d'un cercle en fonction de son rayon est sans doute la formule algébrique $A(r) = \pi r^2$, quoiqu'on puisse dresser une table de valeurs ou esquisser un graphique (la moitié d'une parabole). Comme le rayon d'un cercle doit être positif, le domaine de la fonction est $\{r \in \mathbb{R} \mid r > 0\} = \mathbb{R}_+$ et son image est aussi $\mathbb{R}_+$.

t	Population (en millions)
0	1650
10	1750
20	1860
30	2070
40	2300
50	2560
60	3040
70	3710
80	4450
90	5280
100	6080
110	6870

II. Une description verbale de la fonction est donnée : $P(t)$ est la population mondiale au moment t. On mesure t de manière que $t = 0$ corresponde à l'année 1900. La table de valeurs fournit une représentation utile de cette fonction. En traçant les points correspondant aux valeurs, on obtient le diagramme (dit *de dispersion*) montré dans la figure 1.3.9. Ce diagramme est, lui aussi, utile, car il révèle toutes les données d'un coup. Qu'en est-il d'une formule? Il serait évidemment impossible d'élaborer une formule qui donnerait la population $P(t)$ exacte à quelque moment t. En revanche, on peut trouver l'expression d'une fonction qui donne une approximation de $P(t)$. Ainsi, l'emploi de méthodes de régression exponentielle permet d'obtenir l'approximation

$$P(t) \approx f(t) = (1{,}436\,53 \times 10^9) \cdot (1{,}013\,95)^t.$$

La figure 1.3.10 montre que l'ajustement est plutôt bon. La fonction f est un modèle mathématique de la croissance démographique. Autrement dit, c'est une fonction de formule explicite qui approche le comportement de la fonction donnée. On verra cependant que la formule explicite n'est pas indispensable, car on peut appliquer les notions de calcul différentiel et intégral à une table de valeurs.

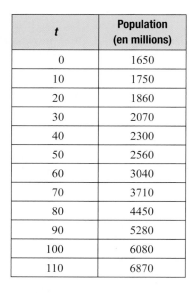

1.3.9 FIGURE

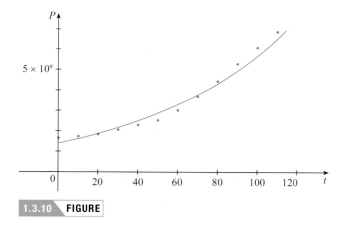

1.3.10 FIGURE

m (g)	$C(m)$ ($)
$0 < m \le 30$	1,05
$30 < m \le 50$	1,27
$50 < m \le 100$	1,90
$100 < m \le 200$	3,12
$200 < m \le 300$	4,34
$300 < m \le 400$	4,98
$400 < m \le 500$	5,35

La fonction P est typique des fonctions qui se manifestent dès qu'on cherche à appliquer le calcul différentiel et intégral à la réalité. Une fonction se décrit d'abord verbalement. On peut ensuite réussir à dresser une table de valeurs de la fonction, parfois d'après des relevés d'instrument. Comme on le verra tout au long du manuel, il est toujours possible de réaliser les opérations du calcul différentiel et intégral sur une telle fonction, même quand certaines valeurs manquent.

III. Voici une autre fonction décrite avec des mots : Soit $C(m)$, les frais d'affranchissement d'une grande enveloppe de masse m. En 2019, Postes Canada utilise la règle suivante : frais de 1,05 $ jusqu'à 30 g, frais de 1,27 $ pour un poids supérieur à 30 g mais d'au plus 50 g, frais de 1,90 $ pour un poids supérieur à 50 g mais d'au plus 100 g, etc. Bien qu'on puisse tracer un graphique de cette fonction (*voir l'exemple 1.3.11*), la table de valeurs ci-contre demeure la représentation la plus commode. Une telle fonction définie par une table des valeurs est dite *tabulaire*.

IV. Le graphique de la figure 1.3.1 est la représentation la plus naturelle de la fonction accélération verticale $a(t)$. S'il est vrai qu'on peut dresser une table de valeurs, voire développer une formule permettant d'approcher la fonction, c'est dans un graphique que les géologues trouvent le plus facilement ce qui les intéresse, à savoir les amplitudes et les modèles. (Il en va de même pour les modèles que révèlent les électrocardiogrammes ou les tests utilisant un polygraphe.)

Dans le prochain exemple, on trace le graphique d'une fonction définie verbalement.

Exemple 1.3.4 Quand on ouvre un robinet d'eau chaude, la température T de l'eau varie avec le temps. Esquissons un graphique de T en fonction du temps t écoulé depuis l'ouverture du robinet.

Solution La température initiale de l'eau qui coule avoisine la température ambiante parce que, jusque-là, l'eau séjournait dans les tuyaux. Dès que l'eau du chauffe-eau monte au robinet, T augmente rapidement. Durant la phase suivante, T se maintient à la température de réglage du chauffe-eau. Une fois ce dernier vidé, T diminue à la température de l'eau de distribution. Voilà comment on arrive à esquisser le graphique de T en fonction de t (*voir la figure 1.3.11*).

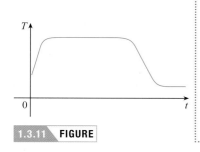

1.3.11 FIGURE

Dans l'exemple suivant, on traduit par une formule algébrique explicite la description verbale d'une fonction représentant une situation concrète. La capacité à effectuer la mathématisation d'une situation concrète se révélera utile pour résoudre des problèmes où l'on doit déterminer les valeurs maximales ou minimales de grandeurs données.

Exemple 1.3.5 Soit un conteneur rectangulaire sans couvercle de 10 m³ de volume. La longueur de la base fait deux fois sa largeur. Le matériau de fabrication de la base coûte 10 $ le mètre carré ; celui des côtés coûte 6 $ le mètre carré. Exprimons le coût total des matériaux en fonction de la largeur de la base.

Solution On dessine un schéma comme celui de la figure 1.3.12 et on y introduit une notation en posant L et $2L$, respectivement la largeur et la longueur de la base, et h, la hauteur.

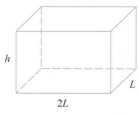

1.3.12 FIGURE

L'aire de la base étant donnée par $(2L)L = 2L^2$, le coût, en dollars, du matériau de la base est $10(2L^2)$. L'aire de deux des côtés mesure Lh, et celle des deux autres, $2Lh$, de sorte que le matériau de fabrication des côtés coûte $6[2(Lh) + 2(2Lh)]$. Ainsi, le coût total s'élève à

$$C = 10(2L^2) + 6[2(Lh) + 2(2Lh)] = 20L^2 + 36Lh.$$

Afin d'exprimer C en fonction de L seulement, on doit éliminer h et, pour ce faire, on utilise le fait que le volume est de 10 m³. À partir de

$$L(2L)h = 10$$

on arrive à

$$h = \frac{10}{2L^2} = \frac{5}{L^2}.$$

En substituant cette expression dans celle de C, on obtient

$$C = 20L^2 + 36L\left(\frac{5}{L^2}\right) = 20L^2 + \frac{180}{L}.$$

PRP Afin de poser des fonctions comme celles de l'exemple 1.3.5, il peut être utile de revoir les principes de la résolution de problèmes présentés à la page 92, notamment l'étape 1 : *Comprendre le problème*.

Par conséquent, l'équation

$$C(L) = 20L^2 + \frac{180}{L} \quad L > 0$$

exprime C en fonction de L.

▶ La recherche du domaine d'une fonction

On remarque que, dans l'exemple 1.3.5, la fonction C a pour domaine les réels positifs, bien que la formule qui la représente soit définie aussi pour les nombres réels négatifs. Dans ce cas-ci, le domaine dépend du contexte.

La convention concernant le domaine naturel

Si une fonction est définie par une formule sans que son domaine soit énoncé explicitement, par convention, le domaine est l'ensemble des nombres pour lesquels la formule a du sens et définit un nombre réel. On dit alors qu'il s'agit du «domaine naturel».

Exemple 1.3.6   Trouvons le domaine de chaque fonction.

a) $f(x) = \sqrt{x + 2}$

b) $g(x) = \dfrac{1}{x^2 - x}$

Solution

a) Comme la racine carrée d'un nombre négatif n'est pas définie (en tant que nombre réel), le domaine de f est constitué de toutes les valeurs de x telles que $x + 2 \geq 0$. Puisque cela équivaut à $x \geq -2$, le domaine est l'intervalle $[-2, \infty[$.

b) Comme

$$g(x) = \frac{1}{x^2 - x} = \frac{1}{x(x - 1)}$$

et que la division par 0 n'est pas admise, $g(x)$ n'est pas définie pour $x = 0$ ou $x = 1$. Le domaine de g est donc

$$\{x \mid x \neq 0, x \neq 1\} = \mathbb{R} \backslash \{0, 1\}$$

qu'on peut aussi noter en termes d'intervalles :

$$\text{dom } g =]{-\infty}, 0[\cup]0, 1[\cup]1, \infty[.$$

Pour trouver le domaine d'une fonction algébrique (*voir l'annexe B*), c'est-à-dire ni trigonométrique ni exponentielle ou logarithmique, il y a deux principales restrictions à respecter.

Restrictions pour le domaine d'une fonction algébrique

- Si la formule contient un dénominateur, alors le dénominateur doit être non nul.

- Si la formule contient une racine paire, $\sqrt[n]{A(x)}$ où n est pair, alors le radicande, $A(x)$, doit être positif ou nul.

Si la formule qui définit une fonction est complexe et contient à la fois un dénominateur et des racines paires, il faut s'assurer de respecter globalement toutes les restrictions à la fois afin de déterminer le domaine de cette fonction.

Exemple 1.3.7 Trouvons le domaine de chaque fonction.

a) $f(x) = \sqrt{\dfrac{x^2 - 7x + 10}{2x + 3}}$

b) $g(x) = \dfrac{2x + 3}{x - \sqrt{3x + 4}}$

Solution

a) D'abord, il faut que le dénominateur du radicande soit non nul, c'est-à-dire que $2x + 3 \neq 0$, d'où $x \neq -\frac{3}{2}$.

Ensuite, on doit trouver pour quelles valeurs de x le radicande est positif ou nul. Il faut donc résoudre l'inéquation suivante :

$$\frac{x^2 - 7x + 10}{2x + 3} \geq 0.$$

Pour ce faire, on trouve les racines de chaque facteur et on utilise un tableau de signes.

$$\frac{x^2 - 7x + 10}{2x + 3} = \frac{(x - 5)(x - 2)}{2x + 3} = 0 \ \text{ si et seulement si } x = 5 \text{ ou } x = 2,$$

d'où le tableau de signes suivant.

x		$-\frac{3}{2}$		2		5	
$x - 2$	$-$	$-$	$-$	0	$+$	$+$	$+$
$x - 5$	$-$	$-$	$-$	$-$	$-$	0	$+$
$2x + 3$	$-$	0	$+$	$+$	$+$	$+$	$+$
$\dfrac{(x - 5)(x - 2)}{2x + 3}$	$-$	$\nexists$	$+$	0	$-$	0	$+$

Ainsi, le domaine de la fonction f est

$$\left]-\tfrac{3}{2}, 2\right] \cup [5, \infty[.$$

b) Selon la première restriction à respecter, le dénominateur doit être différent de zéro. On résout alors l'équation $x - \sqrt{3x + 4} = 0$ pour connaître les cas où il est nul. On a $x = \sqrt{3x + 4}$ et, en appliquant le carré sur les deux membres de l'équation, on obtient :

$$x^2 = 3x + 4 \Leftrightarrow x^2 - 3x - 4 = 0 \Leftrightarrow (x - 4)(x + 1) = 0.$$

Même s'il y a deux solutions à cette équation, soit $x = 4$ et $x = -1$, seule $x = 4$ est une solution à l'équation initiale $x - \sqrt{3x + 4} = 0$ ($x = -1$ est à rejeter, car $-1 - \sqrt{3(-1) + 4} \neq 0$). Ainsi, on doit avoir $x \neq 4$.

Selon la seconde restriction, $3x + 4 \geq 0$, c'est-à-dire que $x \geq -\frac{4}{3}$.

Finalement, en respectant les deux restrictions, on obtient

$$\text{dom } g = [-\tfrac{4}{3}, \infty[\setminus \{4\}.$$

▶ **La représentation graphique d'une fonction dans le plan cartésien *xy***

Le graphique d'une fonction est une courbe du plan *xy*. Il en découle la question suivante : Quelles courbes du plan *xy* sont des graphiques de fonctions ? Cette question trouve sa réponse dans le test qui suit.

> **Le test de la droite verticale**
>
> Une courbe du plan *xy* est le graphique d'une fonction si et seulement si en aucun endroit du graphique une droite verticale ne le coupe plus d'une fois.

On peut constater la validité du test de la droite verticale dans la figure 1.3.13. Si une droite verticale $x = a$ coupe une courbe une seule fois, en (a, b), alors exactement une valeur fonctionnelle se trouve définie par $f(a) = b$. Si, par contre, une droite $x = a$ coupe la courbe plus d'une fois, en (a, b) et (a, c) par exemple, alors la courbe ne peut pas représenter une fonction puisqu'une fonction ne peut pas attribuer plus d'une valeur à *a*.

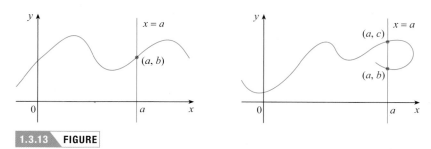

1.3.13 **FIGURE**

Par exemple, la parabole horizontale $x = y^2 - 2$ montrée dans la figure 1.3.14 a) n'est pas le graphique d'une fonction de *x* parce que, comme on le voit, des droites verticales la coupent deux fois. Cependant, la parabole horizontale contient les graphiques de deux fonctions de *x*. On remarque que l'équation $x = y^2 - 2$ implique $y^2 = x + 2$, donc $y = \pm\sqrt{x + 2}$. Ainsi, les moitiés supérieure et inférieure de la parabole sont les graphiques des fonctions $f(x) = \sqrt{x + 2}$ (de l'exemple 1.3.6 a) et $g(x) = -\sqrt{x + 2}$ (*voir les figures 1.3.14 b et 1.3.14 c*). On observe que, si les rôles de *x* et de *y* sont interchangés, l'équation $x = h(y) = y^2 - 2$ définit alors *x* en fonction de *y* (*y* étant, cette fois, la variable indépendante et *x*, la variable dépendante) et la parabole verticale apparaît maintenant comme le graphique de la fonction *h*.

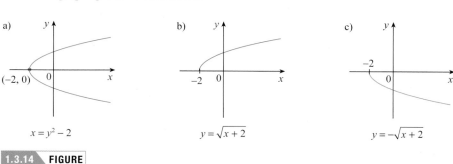

a) $x = y^2 - 2$

b) $y = \sqrt{x + 2}$

c) $y = -\sqrt{x + 2}$

1.3.14 **FIGURE**

▶ **Les fonctions définies par morceaux**

Les fonctions présentées dans les cinq prochains exemples sont définies par différentes formules selon les parties de leurs domaines. Les fonctions de ce type sont appelées **fonctions définies par morceaux** ou **fonctions par parties**.

···**Exemple** 1.3.8 Une fonction *f* est définie par

$$f(x) = \begin{cases} 1-x & \text{si} & x \leq -1 \\ x^2 & \text{si} & x > -1. \end{cases}$$

Évaluons $f(-2)$, $f(-1)$ et $f(0)$ et esquissons le graphique de la fonction.

Solution On se rappellera qu'une fonction est une règle de correspondance. La règle de cette fonction-ci est conditionnée : regarder d'abord la valeur d'entrée *x*. Si $x \leq -1$, alors la valeur de $f(x)$ est $1-x$. Par contre, si $x > -1$, alors la valeur de $f(x)$ est x^2.

Comme $-2 \leq -1$, on a $f(-2) = 1 - (-2) = 3$.

Comme $-1 \leq -1$, on a $f(-1) = 1 - (-1) = 2$.

Comme $0 > -1$, on a $f(0) = 0^2 = 0$.

Comment tracer le graphique de *f* ? On observe que, si $x \leq -1$, alors $f(x) = 1 - x$, de sorte que la partie du graphique de *f* située à gauche de la valeur $x = -1$ doit coïncider avec la droite $y = 1 - x$, dont la pente est -1 et l'ordonnée à l'origine, 1. Si $x > -1$, alors $f(x) = x^2$, et la partie du graphique de *f* située à droite de la valeur $x = -1$ doit coïncider avec le graphique de $y = x^2$, une parabole.

On peut ainsi esquisser le graphique (*voir la figure 1.3.15*). Le point plein indique que $(-1, 2)$ appartient au graphique, tandis que le point vide indique que $(-1, 1)$ en est exclu.

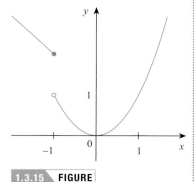

1.3.15 ▸ **FIGURE**

Dans l'exemple suivant, la fonction définie par morceaux est la fonction valeur absolue. On se rappelle que la **valeur absolue** d'un nombre *a*, notée $|a|$, est la distance qui sépare *a* de 0 sur la droite des nombres réels (*voir la section 1.1*). Comme les distances sont toujours positives ou nulles, on a

$$|a| \geq 0 \text{ pour tout } a.$$

Par exemple,

$$|3| = 3 \quad |-3| = 3 \quad |0| = 0 \quad |\sqrt{2} - 1| = \sqrt{2} - 1 \quad |3 - \pi| = \pi - 3.$$

En général, on a

(Rappel : Si *a* est négatif, alors $-a$ est positif.)

$$\begin{array}{ll} |a| = a & \text{si } a \geq 0 \\ |a| = -a & \text{si } a < 0. \end{array}$$

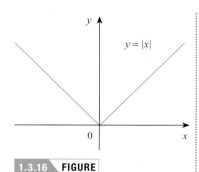

$y = |x|$

1.3.16 ▸ **FIGURE**

···**Exemple** 1.3.9 Esquissons le graphique de la fonction valeur absolue *f* définie par $f(x) = |x|$.

Solution Vu ce qui précède, on sait que

$$|x| = \begin{cases} x & \text{si} & x \geq 0 \\ -x & \text{si} & x < 0. \end{cases}$$

Reprenant la méthode employée à l'exemple 1.3.8, on voit que le graphique de *f* coïncide avec la droite $y = x$ à droite de l'axe des *y* et avec la droite $y = -x$ à gauche de l'axe des *y* (*voir la figure 1.3.16*).

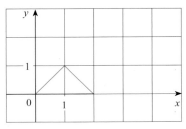

1.3.17 **FIGURE**

La forme point-pente de l'équation d'une droite est

$$y - y_1 = m(x - x_1) \text{ ou } y = m(x - x_1) + y_1$$

(*voir la section 1.2*).

Exemple **1.3.10** Trouvons la formule de la fonction f représentée dans la figure 1.3.17.

Solution Comme la droite qui passe par $(0, 0)$ et $(1, 1)$ a une pente $m = 1$ et une ordonnée à l'origine $b = 0$, son équation est $y = x$. On a donc, pour la partie du graphique de f qui relie $(0, 0)$ à $(1, 1)$,

$$f(x) = x \qquad \text{si } 0 \leq x \leq 1.$$

La droite qui passe par $(1, 1)$ et $(2, 0)$ étant de pente $m = -1$, sa forme point-pente est

$$y = (-1)(x - 2) + 0 \quad \text{ou} \quad y = 2 - x.$$

On a donc

$$f(x) = 2 - x \qquad \text{si } 1 < x \leq 2.$$

On voit aussi que, pour $x > 2$, le graphique de f coïncide avec l'axe des x. En combinant les éléments d'information, on obtient pour f la formule suivante en trois morceaux :

$$f(x) = \begin{cases} x & \text{si } 0 \leq x \leq 1 \\ 2 - x & \text{si } 1 < x \leq 2 \\ 0 & \text{si } x > 2. \end{cases}$$

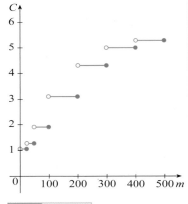

1.3.18 **FIGURE**

Exemple **1.3.11** Dans la situation III du début de la section, on a considéré le coût $C(m)$ d'affranchissement d'une grande enveloppe de masse m. En réalité, cette fonction est définie par morceaux puisque la table de valeurs de la page 40 permet de produire

$$C(m) = \begin{cases} 1,05 & \text{si} & 0 < m \leq 30 \\ 1,27 & \text{si} & 30 < m \leq 50 \\ 1,90 & \text{si} & 50 < m \leq 100 \\ 3,12 & \text{si} & 100 < m \leq 200 \\ 4,34 & \text{si} & 200 < m \leq 300 \\ 4,98 & \text{si} & 300 < m \leq 400 \\ 5,35 & \text{si} & 400 < m \leq 500. \end{cases}$$

Solution La figure 1.3.18 montre le graphique de cette fonction. On voit tout de suite pourquoi les fonctions de ce type sont dites **en escalier** – elles sautent d'une valeur à la suivante. Ces fonctions sont étudiées au chapitre 2.

Exemple **1.3.12** Déterminons le domaine de la fonction f définie par parties si

$$f(x) = \begin{cases} -2x + 5 & \text{si} & x \leq -3 \\ \dfrac{1}{3x - x^2} & \text{si} & -2 < x < 1 \\ \sqrt{x - 2} & \text{si} & x \geq 1. \end{cases}$$

Solution Pour déterminer le domaine d'une fonction par parties, on doit d'abord établir l'ensemble de départ, soit l'union des intervalles de définition. Ici, on a

$$x \in \,]{-\infty}, -3] \cup \,]{-2}, 1[\cup [1, \infty[\,=\,]{-\infty}, -3] \cup \,]{-2}, \infty[,$$

d'où il découle que la fonction n'est pas définie sur l'intervalle $]{-3}, -2]$.

Ensuite, on doit vérifier pour chaque partie de la fonction s'il y a des restrictions concernant un dénominateur ou une racine paire.

- Si $x \leq -3$: la fonction $f(x) = -2x + 5$ n'a ni dénominateur ni racine, donc la fonction est définie sur tout l'intervalle $]-\infty, -3]$.

- Si $-2 < x < 1$: le dénominateur de la fonction $f(x) = 1/(3x - x^2)$ doit être non nul, mais puisque $3x - x^2 = x(3 - x)$, le dénominateur est nul si $x = 0$ ou $x = 3$. On doit rejeter $x = 3$, car cette valeur n'est pas incluse dans l'intervalle $]-2, 1[$. Donc, pour cette partie, f est définie sur $]-2, 0[\cup]0, 1[$.

- Si $x \geq 1$: $f(x) = \sqrt{x - 2}$ et le radicande doit être positif ou nul, c'est-à-dire que $x - 2 \geq 0$, d'où $x \geq 2$. Ainsi, la fonction est définie sur l'intervalle $[2, \infty[$.

Donc, en prenant l'union des domaines de définition des trois parties, on obtient :

$$\text{dom } f =]-\infty, -3] \cup]-2, 0[\cup]0, 1[\cup [2, \infty[.$$

▶ La symétrie

Une fonction f qui satisfait à $f(-x) = f(x)$ pour tout nombre x de son domaine est une **fonction paire**. Ainsi, la fonction $f(x) = x^2$ est paire parce que

$$f(-x) = (-x)^2 = x^2 = f(x).$$

En termes géométriques, le graphique d'une fonction paire est symétrique par rapport à l'axe des y (*voir la figure 1.3.19*). Cela signifie que, si l'on a tracé le graphique de f pour $x \geq 0$, il suffit, pour obtenir le graphique complet, d'effectuer une réflexion par rapport à l'axe des y.

Si f satisfait à $f(-x) = -f(x)$ pour tout nombre x de son domaine, alors f est une **fonction impaire**. Ainsi, la fonction $f(x) = x^3$ est impaire parce que

$$f(-x) = (-x)^3 = -x^3 = -f(x).$$

Le graphique d'une fonction impaire est symétrique par rapport à l'origine (*voir la figure 1.3.20*). Si l'on a déjà tracé le graphique de f pour $x \geq 0$, on obtiendra le graphique complet en faisant subir à la partie tracée une rotation de 180° autour de l'origine.

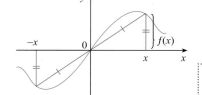

1.3.19 FIGURE

Une fonction paire.

1.3.20 FIGURE

Une fonction impaire.

Exemple 1.3.13 Dans chaque cas, déterminons si la fonction est paire, impaire ou ni paire ni impaire.

a) $f(x) = x^5 + x$ b) $g(x) = 1 - x^4$ c) $h(x) = 2x - x^2$

Solution

a)
$$f(-x) = (-x)^5 + (-x) = (-1)^5 x^5 + (-x)$$
$$= -x^5 - x = -(x^5 + x)$$
$$= -f(x)$$

Donc, f est une fonction impaire.

b)
$$g(-x) = 1 - (-x)^4 = 1 - x^4 = g(x)$$

Donc, g est paire.

c)
$$h(-x) = 2(-x) - (-x)^2 = -2x - x^2$$

Comme $h(-x) \neq h(x)$ et $h(-x) \neq -h(x)$, la fonction h n'est ni paire ni impaire.

Les graphiques des fonctions de l'exemple 1.3.13 sont montrés dans la figure 1.3.21. On remarque que le graphique de h n'est symétrique ni par rapport à l'axe des y ni par rapport à l'origine.

a)
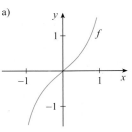

b)
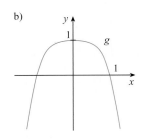

c)
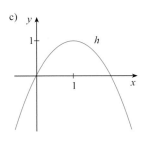

1.3.21 **FIGURE**

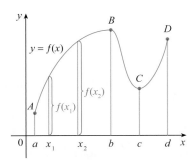

1.3.22 **FIGURE**

▶ Les fonctions croissantes et décroissantes

Le graphique montré dans la figure 1.3.22 monte de A à B, descend de B à C, puis remonte de C à D. On dit de cette fonction f qu'elle est croissante sur l'intervalle $[a, b]$, décroissante sur $[b, c]$ et de nouveau croissante sur $[c, d]$. On observe que, si x_1 et x_2 sont deux nombres quelconques entre a et b tels que $x_1 < x_2$, alors $f(x_1) \leq f(x_2)$. Cette propriété sert à définir une fonction croissante.

Une fonction f est dite **croissante** sur un intervalle I si

$$f(x_1) \leq f(x_2) \text{ lorsque } x_1 < x_2 \text{ dans } I.$$

Elle est dite **décroissante** sur I si

$$f(x_1) \geq f(x_2) \text{ lorsque } x_1 < x_2 \text{ dans } I.$$

Dans la définition d'une fonction croissante, il importe de souligner que l'inégalité $f(x_1) \leq f(x_2)$ doit être satisfaite pour chaque paire de nombres x_1 et x_2 de I tels que $x_1 < x_2$.

La figure 1.3.23 montre la fonction $f(x) = x^2$, qui est décroissante sur l'intervalle $]-\infty, 0[$ et croissante sur l'intervalle $]0, \infty[$.

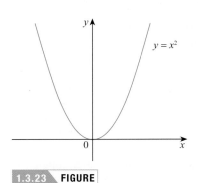

1.3.23 **FIGURE**

▶ Les combinaisons de fonctions

De la même manière qu'on additionne, soustrait, multiplie et divise des nombres réels, on peut combiner deux fonctions f et g pour former de nouvelles fonctions $f + g$, $f - g$, fg et f/g. Les fonctions somme et différence sont définies par

$$(f + g)(x) = f(x) + g(x) \qquad (f - g)(x) = f(x) - g(x).$$

Si le domaine de f est A et que le domaine de g est B, alors le domaine de $f + g$ est l'intersection $A \cap B$, car tant $f(x)$ que $g(x)$ doivent être définies. Par exemple, comme le domaine de $f(x) = \sqrt{x}$ est $A = [0, \infty[$ et celui de $g(x) = \sqrt{2 - x}$ est $B =]-\infty, 2]$, le domaine de $(f + g)(x) = \sqrt{x} + \sqrt{2 - x}$ est $A \cap B = [0, 2]$.

De même, les fonctions produit et quotient sont définies par

$$(fg)(x) = f(x)g(x) \qquad \left(\frac{f}{g}\right)(x) = \frac{f(x)}{g(x)}.$$

Le domaine de fg est $A \cap B$, mais, comme on ne peut pas diviser par 0, le domaine de f/g est $\{x \in A \cap B \mid g(x) \neq 0\}$. Si, par exemple, $f(x) = x^2$ et $g(x) = x - 1$, alors le domaine de la fonction rationnelle $(f/g)(x) = x^2/(x - 1)$ est $\mathbb{R} \setminus \{1\}$.

Voici une autre façon de combiner deux fonctions pour en obtenir une nouvelle. On suppose que $y = f(u) = \sqrt{u}$ et que $u = g(x) = x^2 + 1$. Comme y est une fonction de u et que u est, à son tour, une fonction de x, cela fait de y une fonction de x. Le calcul se fait par substitution :

$$y = f(u) = f(g(x)) = f(x^2 + 1) = \sqrt{x^2 + 1}.$$

On appelle ce procédé la **composition**, parce que la nouvelle fonction est composée des deux fonctions de départ f et g.

De manière générale, étant donné deux fonctions f et g, on commence par un nombre x du domaine de g et on trouve son image $g(x)$. Si ce nombre $g(x)$ appartient au domaine de f, on peut calculer la valeur de $f(g(x))$. On remarque que le résultat d'une fonction sert de donnée à introduire dans l'autre. Il en résulte une nouvelle fonction $h(x) = f(g(x))$ obtenue par substitution de g dans f. La nouvelle fonction, appelée **composée** de f et g, est notée $f \circ g$ («f rond g»).

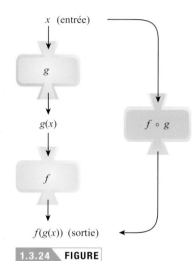

x (entrée)

g

$g(x)$

$f \circ g$

f

$f(g(x))$ (sortie)

1.3.24 **FIGURE**

La machine $f \circ g$ est composée (d'abord) de la machine g puis de la machine f.

> Étant donné deux fonctions f et g, la **fonction composée** $f \circ g$ (aussi appelée la «composée de f et g») est définie par
>
> $$(f \circ g)(x) = f(g(x)).$$

Le domaine de $f \circ g$ est l'ensemble de toutes les valeurs de x du domaine de g telles que $g(x)$ appartient au domaine de f. En d'autres mots, $(f \circ g)(x)$ est définie là où tant $g(x)$ que $f(g(x))$ sont définies. La figure 1.3.24 montre comment schématiser $f \circ g$ en termes de machines.

Exemple **1.3.14** Si $f(x) = x^2$ et $g(x) = x - 3$, quelles sont les fonctions composées $f \circ g$ et $g \circ f$?

Solution On a

$$(f \circ g)(x) = f(g(x)) = f(x-3) = (x-3)^2;$$
$$(g \circ f)(x) = g(f(x)) = g(x^2) = x^2 - 3.$$

NOTE L'exemple 1.3.14 montre que, en règle générale, $f \circ g \neq g \circ f$. On se rappellera que la notation $f \circ g$ signifie «commencer par g et finir par f». Dans l'exemple 1.3.14, $f \circ g$ est la fonction qui, d'abord, soustrait 3 et, ensuite, élève au carré ; $g \circ f$ est la fonction qui, d'abord, élève au carré et, ensuite, soustrait 3.

Exemple **1.3.15** Si $f(x) = \sqrt{x}$ et $g(x) = \sqrt{2-x}$, trouvons chaque fonction et son domaine.

a) $f \circ g$ b) $g \circ f$ c) $f \circ f$ d) $g \circ g$

Solution

a)
$$(f \circ g)(x) = f(g(x)) = f(\sqrt{2-x}) = \sqrt{\sqrt{2-x}} = \sqrt[4]{2-x}$$

Le domaine de $f \circ g$ est $\{x \in \mathbb{R} \mid 2 - x \geq 0\} = \{x \in \mathbb{R} \mid x \leq 2\} = \left]-\infty, 2\right]$.

b)
$$(g \circ f)(x) = g(f(x)) = g(\sqrt{x}) = \sqrt{2 - \sqrt{x}}$$

Si $0 \leq a \leq b$, alors $a^2 \leq b^2$.

Pour que $\sqrt{x}$ soit définie, il faut que $x \geq 0$. Pour que $\sqrt{2 - \sqrt{x}}$ soit définie, il faut que $2 - \sqrt{x} \geq 0$, c'est-à-dire que $\sqrt{x} \leq 2$ ou que $x \leq 4$. On a ainsi $0 \leq x \leq 4$, et donc le domaine de $g \circ f$ est l'intervalle fermé $[0, 4]$.

c)
$$(f \circ f)(x) = f\big(f(x)\big) = f(\sqrt{x}) = \sqrt{\sqrt{x}} = \sqrt[4]{x}$$

Le domaine de $f \circ f$ est $[0, \infty[$.

d)
$$(g \circ g)(x) = g\big(g(x)\big) = g(\sqrt{2-x}) = \sqrt{2 - \sqrt{2-x}}$$

Cette expression est définie lorsque tant $2 - x \geq 0$ que $2 - \sqrt{2-x} \geq 0$. La première inégalité signifie $x \leq 2$, et la seconde est équivalente à $\sqrt{2-x} \leq 2$, ou $2 - x \leq 4$, ou $x \geq -2$. Donc $-2 \leq x \leq 2$, de sorte que le domaine de $g \circ g$ est l'intervalle fermé $[-2, 2]$.

La composition s'applique aussi à trois fonctions ou plus. Par exemple, la fonction composée $f \circ g \circ h$ se trouve en appliquant d'abord h, puis g et enfin f comme suit :

$$(f \circ g \circ h)(x) = f\big(g\big(h(x)\big)\big).$$

Exemple 1.3.16   Trouvons $f \circ g \circ h$ pour $f(x) = x/(x + 1)$, $g(x) = x^{10}$ et $h(x) = x + 3$.

Solution

$$(f \circ g \circ h)(x) = f\big(g\big(h(x)\big)\big) = f\big(g(x+3)\big)$$
$$= f\big((x+3)^{10}\big) = \frac{(x+3)^{10}}{(x+3)^{10} + 1}.$$

On a jusqu'ici utilisé la composition pour procéder du simple au complexe. Or, en calcul différentiel et intégral, il peut être utile de savoir décomposer une fonction complexe en des fonctions plus simples, comme l'illustre l'exemple suivant.

Par convention, $[\cos x]^n = \cos^n x$ si $n \neq -1$.

Exemple 1.3.17   Étant donné $F(x) = \cos^2(x + 9)$, trouvons les fonctions f, g et h telles que $F = f \circ g \circ h$.

Solution   Comme $F(x) = [\cos(x + 9)]^2$, la formule de F dit de commencer par additionner 9, de prendre ensuite le cosinus du résultat et enfin d'élever au carré. On pose donc

$$h(x) = x + 9 \qquad g(x) = \cos x \qquad f(x) = x^2.$$

De là, on a

$$(f \circ g \circ h)(x) = f\big(g\big(h(x)\big)\big) = f\big(g(x+9)\big) = f\big(\cos(x+9)\big)$$
$$= [\cos(x+9)]^2 = F(x).$$

Exercices 1.3

1. Si $f(x) = x + \sqrt{2-x}$ et $g(u) = u + \sqrt{2-u}$, est-il vrai que $f = g$?

2. Si
$$f(x) = \frac{x^2 - x}{x - 1} \quad \text{et} \quad g(x) = x,$$
est-il vrai que $f = g$?

3. Le graphique d'une fonction f est donné.
   a) Quelle est la valeur de $f(1)$?
   b) Estimez la valeur de $f(-1)$.
   c) Pour quelles valeurs de x est-ce que $f(x) = 1$?

   d) Estimez la valeur de x telle que $f(x) = 0$.
   e) Déterminez le domaine et l'image de f.
   f) Sur quel intervalle f croît-elle ?

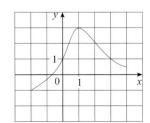

4. Les graphiques de f et de g sont donnés.

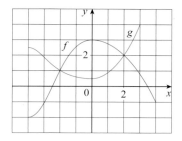

a) Évaluez $f(-4)$ et $g(3)$.
b) Pour quelles valeurs de x est-ce que $f(x) = g(x)$?
c) Estimez la solution de l'équation $f(x) = -1$.
d) Sur quel intervalle f décroît-elle ?
e) Déterminez le domaine et l'image de f.
f) Déterminez le domaine et l'image de g.

5. Le graphique de la figure 1.3.1 (*voir p. 37*) a été enregistré par un instrument exploité par le Bureau de recherches géologiques et minières de la Californie à l'hôpital universitaire de l'Université du Sud de la Californie (USC) à Los Angeles. Utilisez-le pour estimer l'image de la fonction accélération verticale du sol sur les lieux de l'USC lors du tremblement de terre de Northridge.

6. Cette section a présenté des exemples de fonctions concrètes : la population en fonction du temps, l'affranchissement du courrier en fonction de la masse, la température de l'eau en fonction du temps. Donnez trois autres exemples de fonctions concrètes décrites verbalement. Que pouvez-vous dire au sujet du domaine et de l'image de chacune de vos fonctions ? Si possible, esquissez un graphique de chaque fonction.

7-10 Indiquez si la courbe est le graphique d'une fonction de x. Le cas échéant, déterminez le domaine et l'image de la fonction.

7.

8.

9.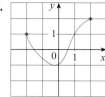

10.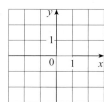

11. Le graphique donné représente la moyenne globale de la température T au xxe siècle.
a) Estimez la température moyenne en 1950.
b) En quelle année la température moyenne était-elle de 14,2 °C ?
c) En quelle année la température a-t-elle été la plus basse ? la plus élevée ?

d) Estimez l'image de T.

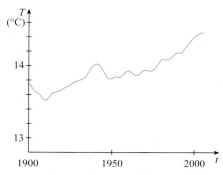

Source : Adaptation du *Globe and Mail*, 5 décembre 2009.

12. Les arbres poussent plus rapidement et forment des cernes annuels plus larges durant les années chaudes, tandis qu'ils poussent plus lentement et forment des cernes plus étroits durant les années froides. La figure donnée présente la largeur des cernes d'un pin de Sibérie de l'an 1500 à l'an 2000.

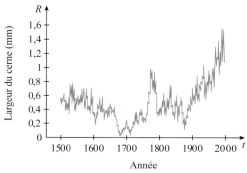

Source : Adaptation de G. Jacoby et coll., « Mongolian tree rings and 20th-century warming », *Science*, n° 273, 1996, p. 771-773.

a) Quelle est l'image de la fonction des cernes ?
b) Que peut-on déduire de ce graphique au sujet de la température sur Terre ? Ce graphique reflète-t-il les conséquences de l'éruption volcanique qui a eu lieu au milieu du xixe siècle ?

13. Vous mettez des glaçons dans un verre, remplissez le verre d'eau puis le laissez sur une table. Décrivez la variation de la température de l'eau avec le temps. Ensuite, esquissez un graphique de la température de l'eau en fonction du temps écoulé.

14. Trois coureurs s'affrontent dans une course de 100 mètres. Le graphique représente la distance parcourue par chacun en fonction du temps. Décrivez ce que le graphique révèle au sujet de la course. Qui a remporté la victoire ? Tous les coureurs ont-ils terminé la course ?

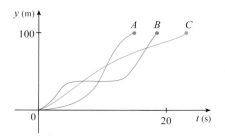

15. Voici le graphique de la consommation d'électricité, un jour de septembre, à San Francisco. (E est mesuré en mégawatts ; t est mesuré en heures à partir de minuit.)

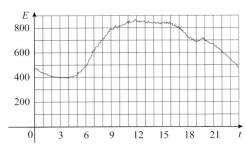

Source : Pacific Gas & Electric.

a) Quelle était la consommation à 6 h ? Quelle était-elle à 18 h ?

b) Quand la consommation a-t-elle été la plus faible ? Quand a-t-elle été la plus forte ? Ces heures vous semblent-elles plausibles ?

16. Esquissez un graphique du nombre d'heures de clarté en fonction de la période de l'année.

17. Esquissez un graphique de la température extérieure en fonction des heures d'une journée type de printemps.

18. Esquissez un graphique de la valeur marchande d'une voiture neuve en fonction du temps au cours d'une période de 20 ans. On suppose que la voiture est bien entretenue.

19. Esquissez un graphique de la quantité d'une certaine marque de café vendue dans un magasin en fonction du prix du café.

20. Vous mettez une tarte congelée au four et la faites cuire pendant une heure. Vous sortez ensuite la tarte et la laissez refroidir avant de la manger. Décrivez la variation de la température de la tarte avec le temps. Esquissez un graphique de la température de la tarte en fonction du temps.

21. Le propriétaire d'une maison tond sa pelouse tous les mercredis après-midi. Esquissez un graphique de la hauteur du gazon en fonction du temps, durant une période de quatre semaines.

22. Un avion décolle d'un aéroport et se pose, une heure plus tard, à un autre aéroport situé à 600 km de distance. Soit t, le temps, en minutes, depuis que l'avion a quitté l'aéroport, $x(t)$, la distance horizontale parcourue, et $y(t)$, l'altitude de l'avion.

a) Esquissez un graphique possible de $x(t)$.
b) Esquissez un graphique possible de $y(t)$.
c) Esquissez un graphique de la vitesse au sol.
d) Esquissez un graphique possible de la vitesse verticale.

23. Des chercheurs ont mesuré la concentration d'alcool dans le sang de huit sujets adultes masculins après l'ingestion rapide de 30 mL d'éthanol, ce qui correspond à deux consommations alcoolisées standard. Le tableau suivant présente la concentration moyenne d'alcool dans le sang des huit sujets selon le temps écoulé, en heures.

t (heures)	Concentration d'alcool dans le sang (mg/mL)	t (heures)	Concentration d'alcool dans le sang (mg/mL)
0	0	1,75	0,22
0,2	0,25	2,0	0,18
0,5	0,41	2,25	0,15
0,75	0,40	2,5	0,12
1,0	0,33	3,0	0,07
1,25	0,29	3,5	0,03
1,50	0,24	4,0	0,01

Source : Adaptation de P. Wilkinson et coll., « Pharmacokinetics of ethanol after oral administration in the fasting state », *Journal of Pharmacokinetics and Biopharmaceutics*, n° 5, 1977, p. 207-224.

a) Construisez le graphique de la concentration d'alcool dans le sang des sujets en fonction du temps, t.

b) Utilisez votre graphique pour décrire la variation de la concentration de l'alcool dans le sang au fil du temps.

24. Par une chaude journée de juillet, à Montréal, les températures T (en degrés Celsius) ont été relevées toutes les deux heures, entre minuit et 14 h. Le temps t est mesuré en heures à partir de minuit.

t	0	2	4	6	8	10	12	14
N	28	24	23	24	29	32	34	34

a) À partir des relevés, esquissez un graphique de T en fonction de t.

b) À l'aide de votre graphique, estimez la température à 9 h.

25. Sachant que $f(x) = 3x^2 - x + 2$, trouvez :
a) $f(2)$; b) $f(-2)$; c) $f(a)$; d) $f(-a)$; e) $f(a+1)$;
f) $2f(a)$; g) $f(2a)$; h) $f(a^2)$; i) $[f(a)]^2$; j) $f(a+h)$.

26. Soit un ballon sphérique de rayon r centimètres et de volume $V(r) = \frac{4}{3}\pi r^3$. Trouvez une fonction représentant la quantité d'air qu'il faut introduire dans le ballon pour faire passer son rayon de r centimètres à $r + 1$ centimètres.

27-30 Évaluez le quotient des variations de la fonction donnée. Simplifiez votre réponse.

27. $f(x) = 4 + 3x - x^2$, $\dfrac{f(3+h) - f(3)}{h}$

28. $f(x) = x^3$, $\dfrac{f(a+h) - f(a)}{h}$

29. $f(x) = \dfrac{1}{x}$, $\dfrac{f(x) - f(a)}{x - a}$

30. $f(x) = \dfrac{x+3}{x+1}$, $\dfrac{f(x) - f(1)}{x - 1}$

31-39 Déterminez le domaine de la fonction.

31. $f(x) = \dfrac{x+4}{x^2 - 9}$ **32.** $f(x) = \dfrac{2x^3 - 5}{x^2 + x - 6}$

33. $f(t) = \sqrt[3]{2t - 1}$ **34.** $g(t) = \sqrt{3 - t} - \sqrt{2 + t}$

35. $h(x) = \dfrac{1}{\sqrt[4]{x^2 - 5x}}$

36. $f(u) = \dfrac{u+1}{1 + \dfrac{1}{u+1}}$

37. $F(p) = \sqrt{2 - \sqrt{p}}$

38. $f(x) = \sqrt{\dfrac{x^2 + x - 2}{x^2 - x - 2}}$

39. $g(x) = \sqrt{\dfrac{x^2 - x - 2}{x^2 + x - 12}}$

40-43 Trouvez les valeurs de $f(-3)$, $f(0)$ et $f(2)$ de la fonction par morceaux et tracez-en le graphique.

40. $f(x) = \begin{cases} x+2 & \text{si} \quad x < 0 \\ 1-x & \text{si} \quad x \geq 0 \end{cases}$

41. $f(x) = \begin{cases} 3 - \frac{1}{2}x & \text{si} \quad x < 2 \\ 2x - 5 & \text{si} \quad x \geq 2 \end{cases}$

42. $f(x) = \begin{cases} x+1 & \text{si} \quad x \leq -1 \\ x^2 & \text{si} \quad x > -1 \end{cases}$

43. $f(x) = \begin{cases} -1 & \text{si} \quad x \leq 1 \\ 7 - 2x & \text{si} \quad x > 1 \end{cases}$

44-49 Tracez le graphique de la fonction.

44. $f(x) = x + |x|$

45. $f(x) = |x + 2|$

46. $g(t) = |1 - 3t|$

47. $h(t) = |t| + |t + 1|$

48. $f(x) = \begin{cases} |x| & \text{si} \quad |x| \leq 1 \\ 1 & \text{si} \quad |x| > 1 \end{cases}$

49. $g(x) = ||x| - 1|$

50-52 Déterminez le domaine de la fonction par morceaux.

50. $h(x) = \begin{cases} \dfrac{4}{x+5} & \text{si} \quad x < 0 \\ \dfrac{2x+1}{x^2 - 5x + 4} & \text{si} \quad x > 0 \end{cases}$

51. $f(t) = \begin{cases} \dfrac{2t}{t^2 - 9} & \text{si} \quad t \leq 2 \\ \dfrac{t+7}{t+5} & \text{si} \quad t > 2 \end{cases}$

52. $f(x) = \begin{cases} \sqrt{16 - x^2} & \text{si} \quad x \leq 0 \\ x^2 - 3x + 4 & \text{si} \quad 0 < x \leq 2 \\ \dfrac{1}{x^2 + 2x - 15} & \text{si} \quad x > 2 \end{cases}$

53. Déterminez le domaine et l'image de la fonction $h(x) = \sqrt{4 - x^2}$ et tracez son graphique.

54-65 Déterminez le domaine et tracez le graphique de la fonction.

54. $f(x) = 2 - 0{,}4x$

55. $F(x) = x^2 - 2x + 1$

56. $f(t) = 2t + t^2$

57. $H(t) = \dfrac{4 - t^2}{2 - t}$

58. $g(x) = \sqrt{x - 5}$

59. $F(x) = |2x + 1|$

60. $G(x) = \dfrac{3x + |x|}{x}$

61. $g(x) = |x| - x$

62. $f(x) = \begin{cases} x+2 & \text{si} \quad x < 0 \\ 1-x & \text{si} \quad x \geq 0 \end{cases}$

63. $f(x) = \begin{cases} 3 - \frac{1}{2}x & \text{si} \quad x \leq 2 \\ 2x - 5 & \text{si} \quad x > 2 \end{cases}$

64. $f(x) = \begin{cases} x+2 & \text{si} \quad x \leq -1 \\ x^2 & \text{si} \quad x > -1 \end{cases}$

65. $f(x) = \begin{cases} x+9 & \text{si} \quad x < -3 \\ -2x & \text{si} \quad |x| \leq 3 \\ -6 & \text{si} \quad x > 3 \end{cases}$

66-71 Trouvez une expression de la fonction dont le graphique est la courbe donnée.

66. Le segment de droite reliant les points $(1, -3)$ et $(5, 7)$

67. Le segment de droite reliant les points $(-5, 10)$ et $(7, -10)$

68. La moitié inférieure de la parabole horizontale $x + (y - 1)^2 = 0$

69. La moitié supérieure du cercle $x^2 + (y - 2)^2 = 4$

70.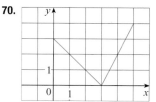

71.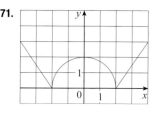

72-76 Trouvez une formule de la fonction décrite et déterminez son domaine.

72. Un rectangle mesure 20 m de périmètre. Exprimez l'aire du rectangle en fonction de la longueur d'un des côtés.

73. L'aire d'un rectangle est de 16 m². Exprimez le périmètre du rectangle en fonction de la longueur d'un des côtés.

74. Exprimez l'aire d'un triangle équilatéral en fonction de la longueur d'un côté.

75. Exprimez la surface d'un cube en fonction de son volume.

76. Soit une boîte rectangulaire sans couvercle, à base carrée, de 2 m³ de volume. Exprimez la surface totale de la boîte en fonction de la longueur d'un côté de la base.

77. Une fenêtre normande a la forme d'un rectangle surmonté d'un demi-cercle. Sachant que la fenêtre mesure 10 m de périmètre, exprimez son aire A en fonction de sa largeur x.

78. On doit fabriquer une boîte sans couvercle à partir d'une feuille de carton rectangulaire de 12 cm sur 20 cm en découpant des carrés égaux de côté x aux quatre coins puis en pliant les parois, comme dans la figure. Exprimez le volume V de la boîte en fonction de x.

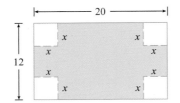

79. Un contrat de téléphonie cellulaire comporte un tarif forfaitaire de 35 $ par mois. Le contrat comprend 400 minutes gratuites et des frais de 10 ¢ par minute d'utilisation supplémentaire. Exprimez le coût mensuel C en fonction du nombre x de minutes d'utilisation et tracez le graphique de C en fonction de x pour $0 \leq x \leq 600$.

80. Dans une certaine région, la vitesse maximale permise sur les autoroutes est fixée à 100 km/h et la vitesse minimale, à 60 km/h. L'amende imposée pour une infraction à ces limites est de 15 $ pour chaque kilomètre par heure au-dessus de la vitesse maximale ou en dessous de la vitesse minimale. Exprimez le montant de l'amende A en fonction de la vitesse de conduite x et tracez le graphique de $A(x)$ pour $50 \leq x \leq 150$.

81. Une compagnie d'électricité impose à ses clients un tarif de base de 10 $ par mois, plus 6 ¢ par kilowatt-heure (kWh) pour la première tranche de 1200 kWh et 7 ¢ par kilowatt-heure supplémentaire. Exprimez les frais mensuels E en fonction de la quantité x d'électricité consommée. Ensuite, tracez le graphique de la fonction E pour $0 \leq x \leq 2000$.

82. Dans un certain pays, l'impôt sur le revenu est établi comme suit. Il n'y a pas d'impôt sur les revenus inférieurs à 10 000 $. Sur les revenus de 10 000 $ à 20 000 $, le taux d'imposition est de 10 %. Les revenus de plus de 20 000 $ sont imposés au taux de 15 %.
a) Esquissez le graphique du taux d'imposition R en fonction du revenu I.
b) À combien s'établit l'impôt sur un revenu de 14 000 $? sur un revenu de 26 000 $?
c) Esquissez le graphique de l'impôt total T établi en fonction du revenu I.

83. Les fonctions de l'exemple 1.3.11 (*voir p. 46*) et de l'exercice 82 sont appelées « fonctions en escalier » parce que leur graphique évoque des marches d'escalier. Donnez deux autres exemples de fonctions en escalier tirés de la vie courante.

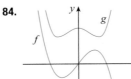 Les graphiques de f et de g sont donnés. Dans chaque cas, déterminez si la fonction est paire, impaire ou ni paire ni impaire. Justifiez votre réponse.

84. **85.**

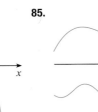

86. a) Si le point $(5, 3)$ appartient au graphique d'une fonction paire, quel autre point doit aussi appartenir à ce graphique ?
b) Si le point $(5, 3)$ appartient au graphique d'une fonction impaire, quel autre point doit aussi appartenir à ce graphique ?

87. Voici une partie du graphique d'une fonction f dont le domaine est $[-5, 5]$.

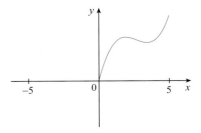

a) Complétez le graphique si f est une fonction paire.
b) Complétez le graphique si f est une fonction impaire.

88-93 Déterminez si f est paire, impaire ou ni paire ni impaire. Si vous disposez d'un outil graphique, vérifiez votre réponse visuellement.

88. $f(x) = \dfrac{x}{x^2 + 1}$

89. $f(x) = \dfrac{x^2}{x^4 + 1}$

90. $f(x) = \dfrac{x}{x + 1}$

91. $f(x) = x|x|$

92. $f(x) = 1 + 3x^2 - x^4$

93. $f(x) = 1 + 3x^3 - x^5$

94. Si les fonctions f et g sont toutes deux paires, $f + g$ est-elle paire ? Si f et g sont toutes deux impaires, $f + g$ est-elle impaire ? Qu'en serait-il si f était paire et g, impaire ? Justifiez vos réponses.

95. Si les fonctions f et g sont toutes deux paires, leur produit fg sera-t-il pair ? Si f et g sont toutes deux impaires, fg sera-t-elle impaire ? Qu'en serait-il si f était paire et g, impaire ? Justifiez vos réponses.

96-101 Trouvez les fonctions a) $f \circ g$, b) $g \circ f$, c) $f \circ f$ et d) $g \circ g$, et déterminez leurs domaines.

96. $f(x) = x^2 - 1$, $g(x) = 2x + 1$

97. $f(x) = x - 2$, $g(x) = x^2 + 3x + 4$

98. $f(x) = 1 - 3x$, $g(x) = \cos x$

99. $f(x) = \sqrt{x}$, $g(x) = \sqrt[3]{1-x}$

100. $f(x) = x + \dfrac{1}{x}$, $g(x) = \dfrac{x+1}{x+2}$

101. $f(x) = \dfrac{x}{1+x}$, $g(x) = \sin 2x$

102-105 Trouvez $f \circ g \circ h$.

102. $f(x) = 3x - 2$, $g(x) = \sin x$, $h(x) = x^2$

103. $f(x) = |x - 4|$, $g(x) = 2^x$, $h(x) = \sqrt{x}$

104. $f(x) = \sqrt{x-3}$, $g(x) = x^2$, $h(x) = x^3 + 2$

105. $f(x) = \tan x$, $g(x) = \dfrac{x}{x-1}$, $h(x) = \sqrt[3]{x}$

106-111 Exprimez la fonction dans la forme $f \circ g$.

106. $F(x) = (2x + x^2)^4$ **107.** $F(x) = \cos^2 x$

108. $F(x) = \dfrac{\sqrt[3]{x}}{1 + \sqrt[3]{x}}$ **109.** $G(x) = \sqrt[3]{\dfrac{x}{1+x}}$

110. $v(t) = \sec(t^2)\tan(t^2)$ **111.** $u(t) = \dfrac{\tan t}{1 + \tan t}$

112-114 Exprimez la fonction dans la forme $f \circ g \circ h$.

112. $R(x) = \sqrt{\sqrt{x} - 1}$ **113.** $H(x) = \sqrt[8]{2 + |x|}$

114. $S(t) = \sin^2(\cos t)$

115. Évaluez chaque expression à l'aide du tableau.

x	1	2	3	4	5	6
$f(x)$	3	1	4	2	2	5
$g(x)$	6	3	2	1	2	3

a) $f(g(1))$ b) $g(f(1))$
c) $f(f(1))$ d) $g(g(1))$
e) $(g \circ f)(3)$ f) $(f \circ g)(6)$

116. À l'aide des graphiques de f et de g donnés, évaluez chaque expression ou expliquez pourquoi elle n'est pas définie.

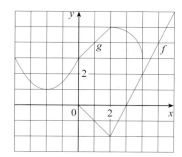

a) $f(g(2))$ b) $g(f(0))$
c) $(f \circ g)(0)$ d) $(g \circ f)(6)$
e) $(g \circ g)(-2)$ f) $(f \circ f)(4)$

117. À l'aide des graphiques de f et de g, estimez les valeurs de $f(g(x))$ pour les entiers $x = -5, -4, -3, \ldots, 5$. Utilisez vos estimations pour esquisser un graphique de $f \circ g$.

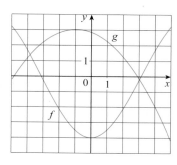

118. Un caillou jeté dans un lac crée une onde circulaire qui s'agrandit à la vitesse de 60 cm/s.
   a) Exprimez le rayon r de ce cercle comme une fonction du temps t (en secondes).
   b) Si A est l'aire du cercle en fonction du rayon, exprimez $A \circ r$ et donnez-en l'interprétation.

119. Le rayon d'un ballon sphérique que l'on gonfle augmente de 2 cm/s.
   a) Exprimez le rayon r du ballon en fonction du temps t (en secondes).
   b) Si V est le volume du ballon en fonction de son rayon, exprimez $V \circ r$ et donnez-en l'interprétation.

120. Un navire se déplace à 30 km/h, parallèlement à un littoral rectiligne. Naviguant à 6 km du littoral, il passe à la hauteur d'un phare à midi.
   a) Exprimez la distance s entre le phare et le navire en fonction de d, la distance que le navire a parcourue depuis midi; autrement dit, trouvez f telle que $s = f(d)$.
   b) Exprimez d en fonction de t, le temps écoulé depuis midi; autrement dit, trouvez g telle que $d = g(t)$.
   c) Déterminez $f \circ g$. Que représente cette fonction?

121. Un avion volant à 350 km/h et à 1 km d'altitude survole directement une station radar au moment $t = 0$.
   a) Exprimez la distance horizontale d (en kilomètres) que l'avion a parcourue en fonction de t.
   b) Exprimez la distance s séparant l'avion de la station radar en fonction de d.
   c) À l'aide de la composition, exprimez s en fonction de t.

122. La **fonction de Heaviside** H est définie par

$$H(t) = \begin{cases} 0 & \text{si} \quad t < 0 \\ 1 & \text{si} \quad t \geq 0. \end{cases}$$

Dans l'étude des circuits électriques, on utilise cette fonction pour représenter la pointe soudaine de courant, ou de tension, au moment où un interrupteur est actionné.
   a) Esquissez le graphique de la fonction de Heaviside.
   b) Esquissez le graphique de la tension $V(t)$ dans un circuit si l'interrupteur est actionné au moment $t = 0$ et qu'une tension de 120 volts est appliquée instantanément au circuit. Écrivez une formule de $V(t)$ en termes de $H(t)$.
   c) Esquissez le graphique de la tension $V(t)$ dans un circuit si l'interrupteur est actionné au moment $t = 5$ secondes et que 240 volts sont appliqués instantanément au circuit. Écrivez une formule de $V(t)$ en termes de $H(t)$. (Remarque : L'actionnement en $t = 5$ correspond à une translation.)

123. La fonction de Heaviside définie dans l'exercice précédent peut aussi servir à définir la **fonction rampe** $y = ctH(t)$, qui représente un accroissement graduel de la tension ou du courant dans un circuit.

a) Esquissez le graphique de la fonction rampe $y = tH(t)$.

b) Esquissez le graphique de la tension $V(t)$ dans un circuit si l'interrupteur est actionné au moment $t = 0$ et que la tension s'accroît graduellement pour atteindre 120 volts en l'espace de 60 secondes. Écrivez une formule de $V(t)$ en termes de $H(t)$ pour $t \leq 60$.

c) Esquissez le graphique de la tension $V(t)$ dans un circuit si l'interrupteur est actionné au moment $t = 7$ secondes et que la tension s'accroît graduellement pour atteindre 100 volts en l'espace de 25 secondes. Écrivez une formule de $V(t)$ en termes de $H(t)$ pour $t \leq 32$.

124. Soit f et g, des fonctions linéaires d'équations $f(x) = m_1 x + b_1$ et $g(x) = m_2 x + b_2$. La fonction $f \circ g$ est-elle aussi linéaire? Le cas échéant, quelle est la pente de son graphique?

125. Si l'on place x dollars à 4 % d'intérêt composé annuellement, le montant $A(x)$ du placement, après un an, sera de $A(x) = 1{,}04x$. Calculez $A \circ A$, $A \circ A \circ A$ et $A \circ A \circ A \circ A$. Que représentent ces compositions? Trouvez une formule de la composition A n fois.

126. a) Étant donné $g(x) = 2x + 1$ et $h(x) = 4x^2 + 4x + 7$, trouvez une fonction f telle que $f \circ g = h$. (Demandez-vous quelles opérations il faudrait faire sur la formule de g pour obtenir la formule de h.)

b) Étant donné $f(x) = 3x + 5$ et $h(x) = 3x^2 + 3x + 2$, trouvez une fonction g telle que $f \circ g = h$.

127. Étant donné $f(x) = x + 4$ et $h(x) = 4x - 1$, trouvez une fonction g telle que $g \circ f = h$.

128. Supposez que g est une fonction paire et que $h = f \circ g$. La fonction h est-elle toujours paire?

129. Supposez que g est une fonction impaire et que $h = f \circ g$. La fonction h est-elle toujours impaire? Qu'en est-il si f est impaire? Qu'en est-il si f est paire?

1.4 Les fonctions trigonométriques

▶ Les angles

Les angles se mesurent en degrés ou en radians (ayant pour symbole «rad»). L'angle correspondant à un tour complet mesure 360°, ou 2π rad. Par conséquent,

1.4.1	$\pi \, \text{rad} = 180°$
et	$1 \, \text{rad} = \left(\dfrac{180}{\pi}\right)° \approx 57{,}3° \qquad 1° = \dfrac{\pi}{180} \, \text{rad} \approx 0{,}017 \, \text{rad}.$

Exemple 1.4.1

a) Trouvons la mesure en radians de 60°.

b) Exprimons $5\pi/4$ rad en degrés.

Solution

a) On voit, d'après les équations **1.4.1**, qu'on doit multiplier les degrés par $\pi/180$ pour les convertir en radians. Ainsi,

$$60° = 60\left(\frac{\pi}{180}\right) = \frac{\pi}{3} \, \text{rad}.$$

b) Pour convertir des radians en degrés, on multiplie par $180/\pi$, d'où

$$\frac{5\pi}{4} \, \text{rad} = \frac{5\pi}{4}\left(\frac{180}{\pi}\right) = 225°.$$

En calcul différentiel et intégral, sauf indication contraire, on mesure les angles en radians. Le tableau 1.4.1 donne la correspondance entre les mesures en degrés et en radians de quelques angles courants qu'on appelle angles **remarquables**.

TABLEAU 1.4.1 ▶ Angles remarquables en degrés et radians

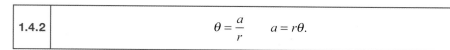

Degrés	0°	30°	45°	60°	90°	120°	135°	150°	180°	270°	360°
Radians	0	$\dfrac{\pi}{6}$	$\dfrac{\pi}{4}$	$\dfrac{\pi}{3}$	$\dfrac{\pi}{2}$	$\dfrac{2\pi}{3}$	$\dfrac{3\pi}{4}$	$\dfrac{5\pi}{6}$	π	$\dfrac{3\pi}{2}$	2π

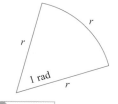

1.4.1 FIGURE

La figure 1.4.1 montre un secteur circulaire d'angle au centre θ et de rayon r sous-tendant un arc de longueur a. Comme la longueur de l'arc est proportionnelle à la mesure de l'angle, et comme la circonférence du cercle mesure $2\pi r$ et l'angle au centre, 2π, on a

$$\frac{\theta}{2\pi} = \frac{a}{2\pi r}.$$

En isolant θ et a dans cette égalité, on obtient

1.4.2	$\theta = \dfrac{a}{r} \qquad a = r\theta.$

On se rappellera que les égalités **1.4.2** ne sont valables que lorsque θ est mesuré en radians. Notamment, en y posant $a = r$, on voit qu'un angle au centre de 1 rad sous-tend un arc de longueur égale à celle du rayon du cercle (*voir la figure 1.4.2*).

1.4.2 FIGURE

Exemple 1.4.2

a) Si le rayon d'un cercle mesure 5 cm, quelle est la mesure de l'angle qui sous-tend un arc de 6 cm?

b) Si un cercle mesure 3 cm de rayon, quelle est la longueur de l'arc sous-tendu par un angle au centre de $3\pi/8$ rad?

Solution

a) En utilisant l'égalité **1.4.2** avec $a = 6$ et $r = 5$, on voit que l'angle mesure

$$\theta = \frac{6}{5} = 1,2 \text{ rad.}$$

b) Avec $r = 3$ cm et $\theta = 3\pi/8$ rad, l'arc mesure

$$a = r\theta = 3\left(\frac{3\pi}{8}\right) = \frac{9\pi}{8} \text{ cm.}$$

Un angle est en **position standard** lorsque son sommet se trouve à l'origine d'un système de coordonnées et son côté initial, sur l'axe des x positifs, comme dans la figure 1.4.3. On obtient un angle **positif** en faisant tourner son côté initial dans le sens antihoraire jusqu'à ce qu'il coïncide avec le côté final. De même, on obtient un angle **négatif** au moyen d'une rotation dans le sens horaire (*voir la figure 1.4.4*).

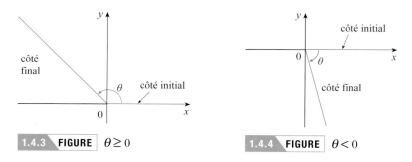

1.4.3 FIGURE $\theta \geq 0$

1.4.4 FIGURE $\theta < 0$

La figure 1.4.5 montre plusieurs exemples d'angles en position standard. On remarque que des angles différents peuvent avoir le même côté final. Ainsi, les angles $3\pi/4$, $-5\pi/4$ et $11\pi/4$ ont le même côté initial et le même côté final parce que

$$\frac{3\pi}{4} - 2\pi = -\frac{5\pi}{4} \quad \text{et} \quad \frac{3\pi}{4} + 2\pi = \frac{11\pi}{4}$$

et que 2π rad représente un tour complet.

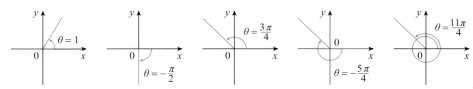

1.4.5 **FIGURE**   Des angles en position standard.

Les fonctions trigonométriques

Les six fonctions trigonométriques d'un angle aigu θ sont définies comme des rapports des longueurs des côtés d'un triangle rectangle, de la façon suivante (*voir la figure 1.4.6*).

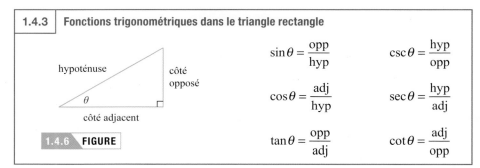

1.4.3 | **Fonctions trigonométriques dans le triangle rectangle**

$$\sin\theta = \frac{\text{opp}}{\text{hyp}} \qquad \csc\theta = \frac{\text{hyp}}{\text{opp}}$$

$$\cos\theta = \frac{\text{adj}}{\text{hyp}} \qquad \sec\theta = \frac{\text{hyp}}{\text{adj}}$$

1.4.6 **FIGURE**

$$\tan\theta = \frac{\text{opp}}{\text{adj}} \qquad \cot\theta = \frac{\text{adj}}{\text{opp}}$$

Cette définition ne s'applique pas aux angles obtus ou négatifs. Par conséquent, pour un angle général en position standard, on pose $P(x, y)$ un point quelconque du côté final de θ et r, la distance $|OP|$, comme dans la figure 1.4.7. On peut ensuite définir les fonctions trigonométriques.

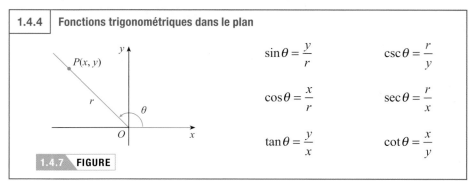

1.4.4 | **Fonctions trigonométriques dans le plan**

$$\sin\theta = \frac{y}{r} \qquad \csc\theta = \frac{r}{y}$$

$$\cos\theta = \frac{x}{r} \qquad \sec\theta = \frac{r}{x}$$

1.4.7 **FIGURE**

$$\tan\theta = \frac{y}{x} \qquad \cot\theta = \frac{x}{y}$$

Si l'on pose $r = 1$ dans la définition **1.4.4**, qu'on trace un cercle unitaire centré à l'origine et qu'on indique θ comme dans la figure 1.4.8, les coordonnées de P seront $(\cos\theta, \sin\theta)$.

Puisque la division par 0 n'est pas définie, $\tan\theta$ et $\sec\theta$ ne sont pas définies quand $x = 0$, et $\csc\theta$ et $\cot\theta$ ne sont pas définies quand $y = 0$. On remarque que les définitions **1.4.3** et **1.4.4** sont cohérentes dans le cas où θ est un angle aigu.

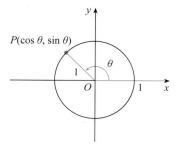

1.4.8   FIGURE

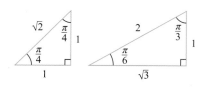

1.4.9   FIGURE

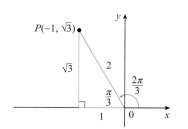

1.4.10   FIGURE

Si θ est un nombre, il est convenu que sin θ signifie le sinus de l'angle dont la mesure en radians est θ. Par exemple, l'expression sin 3 signifie qu'on a affaire à un angle de 3 rad. Lorsqu'on cherche une approximation de ce nombre à la calculatrice, on doit régler cette dernière en mode radians pour obtenir

$$\sin 3 \approx 0{,}141\ 12.$$

Pour connaître le sinus de l'angle de 3°, on saisira sin 3° à la calculatrice réglée en mode degrés pour obtenir

$$\sin 3° \approx 0{,}052\ 34.$$

Les rapports trigonométriques exacts de certains angles se lisent dans les triangles de la figure 1.4.9. Par exemple,

$$\sin\frac{\pi}{4} = \frac{1}{\sqrt{2}} = \frac{\sqrt{2}}{2} \qquad \sin\frac{\pi}{6} = \frac{1}{2} \qquad \sin\frac{\pi}{3} = \frac{\sqrt{3}}{2}$$

$$\cos\frac{\pi}{4} = \frac{1}{\sqrt{2}} = \frac{\sqrt{2}}{2} \qquad \cos\frac{\pi}{6} = \frac{\sqrt{3}}{2} \qquad \cos\frac{\pi}{3} = \frac{1}{2}$$

$$\tan\frac{\pi}{4} = 1 \qquad \tan\frac{\pi}{6} = \frac{1}{\sqrt{3}} = \frac{\sqrt{3}}{3} \qquad \tan\frac{\pi}{3} = \sqrt{3}$$

Exemple 1.4.3   Trouvons les rapports trigonométriques exacts pour $\theta = 2\pi/3$.

Solution   Dans la figure 1.4.10, on voit que le point $P(-1, \sqrt{3})$ appartient au côté final de $\theta = 2\pi/3$. Donc, en prenant

$$x = -1 \quad y = \sqrt{3} \quad r = 2$$

dans les définitions des rapports trigonométriques, on a

$$\sin\frac{2\pi}{3} = \frac{\sqrt{3}}{2} \qquad \cos\frac{2\pi}{3} = -\frac{1}{2} \qquad \tan\frac{2\pi}{3} = -\sqrt{3}$$

$$\csc\frac{2\pi}{3} = \frac{2}{\sqrt{3}} = \frac{2\sqrt{3}}{3} \qquad \sec\frac{2\pi}{3} = -2 \qquad \cot\frac{2\pi}{3} = -\frac{1}{\sqrt{3}} = -\frac{\sqrt{3}}{3}$$

Le tableau 1.4.2 donne des valeurs de sin θ et de cos θ obtenues par la méthode montrée à l'exemple 1.4.3.

TABLEAU 1.4.2 ▶ **Valeurs des fonctions sinus et cosinus aux angles remarquables**

θ	0	$\frac{\pi}{6}$	$\frac{\pi}{4}$	$\frac{\pi}{3}$	$\frac{\pi}{2}$	$\frac{2\pi}{3}$	$\frac{3\pi}{4}$	$\frac{5\pi}{6}$	π	$\frac{3\pi}{2}$	2π
sin θ	0	$\frac{1}{2}$	$\frac{\sqrt{2}}{2}$	$\frac{\sqrt{3}}{2}$	1	$\frac{\sqrt{3}}{2}$	$\frac{\sqrt{2}}{2}$	$\frac{1}{2}$	0	-1	0
cos θ	1	$\frac{\sqrt{3}}{2}$	$\frac{\sqrt{2}}{2}$	$\frac{1}{2}$	0	$-\frac{1}{2}$	$-\frac{\sqrt{2}}{2}$	$-\frac{\sqrt{3}}{2}$	-1	0	1

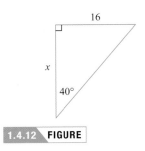

1.4.11 FIGURE

Exemple 1.4.4 Étant donné $\cos\theta = \frac{2}{5}$ et $0 < \theta < \pi/2$, trouvons les cinq autres fonctions trigonométriques de θ.

Solution Puisque $\cos\theta = \frac{2}{5}$, on peut établir que l'hypoténuse mesure 5 unités de longueur et le côté adjacent, 2 unités (*voir la figure 1.4.11*). Si le côté opposé à θ mesure x unités de longueur, alors, en vertu du théorème de Pythagore, on a $x^2 + 4 = 25$, donc $x^2 = 21$, $x = \sqrt{21}$, car $0 < \theta < \pi/2$. On peut maintenant écrire les cinq autres fonctions trigonométriques d'après le schéma :

$$\sin\theta = \frac{\sqrt{21}}{5} \qquad \tan\theta = \frac{\sqrt{21}}{2}$$

$$\csc\theta = \frac{5}{\sqrt{21}} = \frac{5\sqrt{21}}{21} \qquad \sec\theta = \frac{5}{2} \qquad \cot\theta = \frac{2}{\sqrt{21}} = \frac{2\sqrt{21}}{21}$$

Exemple 1.4.5 À l'aide d'une calculatrice, trouvons une valeur approximative de x dans la figure 1.4.12.

Solution D'après le schéma,

$$\tan 40° = \frac{16}{x}.$$

Par conséquent,

$$x = \frac{16}{\tan 40°} \approx 19,07.$$

1.4.12 FIGURE

▶ Les identités trigonométriques

Une identité trigonométrique est une relation d'égalité entre les fonctions trigonométriques. Les identités suivantes sont les plus élémentaires ; elles découlent immédiatement des définitions des fonctions trigonométriques.

1.4.5	Identités trigonométriques élémentaires

$$\csc\theta = \frac{1}{\sin\theta} \qquad \sec\theta = \frac{1}{\cos\theta} \qquad \cot\theta = \frac{1}{\tan\theta}$$

$$\tan\theta = \frac{\sin\theta}{\cos\theta} \qquad \cot\theta = \frac{\cos\theta}{\sin\theta}$$

Pour la prochaine identité, on retourne à la figure 1.4.7. La formule de la distance (de même que le théorème de Pythagore) dit que $x^2 + y^2 = r^2$. Dès lors,

$$\sin^2\theta + \cos^2\theta = \frac{y^2}{r^2} + \frac{x^2}{r^2} = \frac{x^2 + y^2}{r^2} = \frac{r^2}{r^2} = 1.$$

Est ainsi démontrée l'une des identités trigonométriques des plus utiles :

1.4.6	$\sin^2\theta + \cos^2\theta = 1.$

Si l'on divise les deux membres de l'équation **1.4.6** par $\cos^2\theta$ et qu'on utilise les équations **1.4.5**, on obtient

1.4.7	$\tan^2\theta + 1 = \sec^2\theta.$

De même, si l'on divise les deux membres de l'équation **1.4.6** par $\sin^2 \theta$, on obtient

1.4.8	$1 + \cot^2 \theta = \csc^2 \theta.$

Les identités

1.4.9a	$\sin(-\theta) = -\sin \theta$
1.4.9b	$\cos(-\theta) = \cos \theta$

Les fonctions impaires et les fonctions paires sont étudiées dans la section 1.3.

montrent que la fonction sinus est impaire et la fonction cosinus, paire. On les démontre facilement au moyen d'un schéma présentant θ et $-\theta$ en position standard (*voir l'exercice 39*).

Comme les angles θ et $\theta + 2\pi$ ont le même côté final, on a

1.4.10	$\sin(\theta + 2\pi) = \sin \theta$	$\cos(\theta + 2\pi) = \cos \theta.$

Ces identités montrent que les fonctions sinus et cosinus sont périodiques de période 2π.

Toutes les autres identités trigonométriques découlent de deux identités de base appelées **formules d'addition** :

Formules d'addition	
1.4.11a	$\sin(x + y) = \sin x \cos y + \cos x \sin y$
1.4.11b	$\cos(x + y) = \cos x \cos y - \sin x \sin y.$

Les preuves de ces formules d'addition sont esquissées dans les exercices 81, 82 et 83.

En substituant $-y$ à y dans les égalités **1.4.11** et en utilisant les égalités **1.4.9**, on obtient les **formules de soustraction** que voici :

Formules de soustraction	
1.4.12a	$\sin(x - y) = \sin x \cos y - \cos x \sin y$
1.4.12b	$\cos(x - y) = \cos x \cos y + \sin x \sin y.$

Puis, en divisant les formules des équations **1.4.11** ou des équations **1.4.12**, on obtient les formules correspondantes pour $\tan(x \pm y)$:

Formule d'addition et de soustraction pour tan	
1.4.13a	$\tan(x + y) = \dfrac{\tan x + \tan y}{1 - \tan x \tan y}$
1.4.13b	$\tan(x - y) = \dfrac{\tan x - \tan y}{1 + \tan x \tan y}.$

En posant $y = x$ dans les formules d'addition **1.4.11**, on obtient les **formules de l'angle double** :

Formules de l'angle double	
1.4.14a	$\sin 2x = 2\sin x \cos x$
1.4.14b	$\cos 2x = \cos^2 x - \sin^2 x.$

Puis, au moyen de l'identité $\sin^2 x + \cos^2 x = 1$, on obtient deux autres formes des formules de l'angle double pour $\cos 2x$:

Autres formules de l'angle double	
1.4.15a	$\cos 2x = 2\cos^2 x - 1$
1.4.15b	$\cos 2x = 1 - 2\sin^2 x.$

En isolant dans ces égalités $\cos^2 x$ et $\sin^2 x$, on obtient maintenant les **formules de réduction du carré**, utiles en calcul intégral :

Formules de réduction du carré	
1.4.16a	$\cos^2 x = \dfrac{1+\cos 2x}{2}$
1.4.16b	$\sin^2 x = \dfrac{1-\cos 2x}{2}$

Enfin, on arrive aux **formules de produit**, qu'on peut déduire en additionnant les égalités **1.4.11** et **1.4.12** :

Formules de produit	
1.4.17a	$\sin x \cos y = \frac{1}{2}[\sin(x+y) + \sin(x-y)]$
1.4.17b	$\cos x \cos y = \frac{1}{2}[\cos(x+y) + \cos(x-y)]$
1.4.17c	$\sin x \sin y = \frac{1}{2}[\cos(x-y) - \cos(x+y)]$

La plupart des identités trigonométriques dont il est question dans cette section sont répertoriées sur la page de références 2 à la fin de l'ouvrage.

Exemple 1.4.6 Trouvons la valeur exacte de chaque expression.

a) $\cos 15°$

b) $\cos \dfrac{\pi}{24}$

Solution

a) Puisque $15° = 45° - 30°$, on peut écrire, à l'aide de l'identité **1.4.12**,

$$\cos 15° = \cos(45° - 30°)$$
$$= \cos 45° \cos 30° + \sin 45° \sin 30° \quad \text{(identité 1.4.12)}$$
$$= \frac{\sqrt{2}}{2}\frac{\sqrt{3}}{2} + \frac{\sqrt{2}}{2}\frac{1}{2}$$
$$= \frac{\sqrt{6}+\sqrt{2}}{4}.$$

b) À l'aide de l'identité **1.4.16**,

$$\cos^2 \frac{\pi}{24} = \frac{1+\cos\left(2\cdot\dfrac{\pi}{24}\right)}{2}$$
$$= \frac{1+\cos\dfrac{\pi}{12}}{2}$$
$$= \frac{1+\dfrac{\sqrt{6}+\sqrt{2}}{4}}{2} \quad \left(\text{par a), puisque } \frac{\pi}{12}\text{ rad} = 15°\right)$$
$$= \frac{4+\sqrt{2}+\sqrt{6}}{8}.$$

Alors,

$$\cos \frac{\pi}{24} = \sqrt{\frac{4 + \sqrt{2} + \sqrt{6}}{8}} \qquad \left(\text{car } \cos \frac{\pi}{24} > 0 \right)$$

$$= \frac{1}{2} \sqrt{\frac{4 + \sqrt{2} + \sqrt{6}}{2}}.$$

Exemple 1.4.7 Démontrons l'identité $\dfrac{\sin t}{1 - \cos t} = \csc t + \cot t$.

Solution

$$\frac{\sin t}{1 - \cos t} = \frac{\sin t}{1 - \cos t} \cdot \frac{1 + \cos t}{1 + \cos t}$$

$$= \frac{\sin t \, (1 + \cos t)}{1 - \cos^2 t}$$

$$= \frac{\sin t \, (1 + \cos t)}{\sin^2 t} \qquad \text{(identité 1.4.6)}$$

$$= \frac{1 + \cos t}{\sin t}$$

$$= \frac{1}{\sin t} + \frac{\cos t}{\sin t}$$

$$= \csc t + \cot t \qquad \text{(identités 1.4.5)}$$

Il existe bien d'autres identités trigonométriques, mais celles qui figurent ici sont les plus couramment utilisées en calcul différentiel et intégral. En cas d'oubli des identités **1.4.12** à **1.4.17**, on se rappellera que toutes se déduisent des égalités **1.4.11**.

▶ La résolution des équations trigonométriques

Exemple 1.4.8 Trouvons toutes les solutions de l'équation

$$2 \cos^2 \theta - 3 \cos \theta + 1 = 0$$

pour $0 \le \theta < 2\pi$.

Solution L'équation étant de type quadratique en $\cos \theta$, on tente de la factoriser. On a

$$2 \cos^2 \theta - 3 \cos \theta + 1 = 0$$
$$(2 \cos \theta - 1)(\cos \theta - 1) = 0,$$

donc

$$2 \cos \theta - 1 = 0 \text{ ou } \cos \theta - 1 = 0$$

$$\cos \theta = \frac{1}{2} \text{ ou } \cos \theta = 1.$$

Dans le cercle trigonométrique de la figure 1.4.13, $\cos \theta = \dfrac{1}{2}$ lorsque $\theta = \dfrac{\pi}{3}, \dfrac{5\pi}{3}$. De même, $\cos \theta = 1$ lorsque $\theta = 0$.

Ainsi, sur l'intervalle $[0, 2\pi]$, l'équation possède quatre solutions : $0, \dfrac{\pi}{3}, \dfrac{5\pi}{3}$ et 2π.

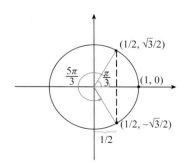

1.4.13 FIGURE

Attention, diviser les deux membres de l'égalité par sin x éliminerait les cas où sin $x = 0$.

Exemple 1.4.9   Déterminons toutes les valeurs de x de l'intervalle $[0, 2\pi]$ telles que $\sin x = \sin 2x$.

Solution   À l'aide de l'identité **1.4.14a** on récrit l'équation donnée comme suit :

$$\sin x = 2 \sin x \cos x \quad \text{ou} \quad \sin x (1 - 2 \cos x) = 0.$$

Il y a donc deux possibilités :

$$\sin x = 0 \qquad\qquad \text{ou} \qquad 1 - 2 \cos x = 0$$
$$x = 0, \pi, 2\pi \qquad\qquad\qquad \cos x = \tfrac{1}{2}$$
$$x = \frac{\pi}{3}, \frac{5\pi}{3}.$$

L'équation donnée a cinq solutions : $0, \dfrac{\pi}{3}, \pi, \dfrac{5\pi}{3}$ et 2π.

Exemple 1.4.10   Déterminons les valeurs de t comprises entre 0 et 2π telles que

$$7 \cos^2 t + 4 \cos^2 t \sin^2 t = 6.$$

Solution   Sous sa forme actuelle, l'équation contient un sinus et un cosinus carré. Toutefois, on peut utiliser l'identité $\sin^2 t + \cos^2 t = 1$ pour la transformer en une équation équivalente contenant uniquement des cosinus.

On a

$$7 \cos^2 t + 4 \cos^2 t \sin^2 t = 6$$
$$7 \cos^2 t + 4 \cos^2 t (1 - \cos^2 t) = 6$$
$$7 \cos^2 t + 4 \cos^2 t - 4 \cos^4 t = 6$$
$$11 \cos^2 t - 4 \cos^4 t = 6$$
$$4 \cos^4 t - 11 \cos^2 t + 6 = 0 \qquad \text{(quadratique en } \cos^2 t\text{)}$$
$$(\cos^2 t - 2)(4 \cos^2 t - 3) = 0,$$

donc

$$\cos^2 t - 2 = 0 \qquad \text{ou} \qquad 4 \cos^2 t - 3 = 0$$
$$\cos t = \pm\sqrt{2} \qquad\qquad \cos t = \pm\sqrt{\frac{3}{4}} = \pm\frac{\sqrt{3}}{2}.$$

L'égalité de gauche est impossible puisque $-1 \le \cos t \le 1$; pour l'égalité de droite, les solutions possibles sont $\dfrac{\pi}{6}, \dfrac{5\pi}{6}, \dfrac{7\pi}{6}$ et $\dfrac{11\pi}{6}$.

▶ Les graphiques des fonctions trigonométriques

Pour produire le graphique de la fonction $f(x) = \sin x$ que montre la figure 1.4.14 a), on trace les points pour $0 \le x \le 2\pi$, puis on se sert du caractère périodique de la fonction (d'après l'égalité **1.4.10**) pour compléter la courbe. On remarque que les zéros de la fonction sinus se produisent aux multiples entiers de π, c'est-à-dire

$$\sin x = 0 \qquad \text{pour tout } x = n\pi, \qquad \text{où } n \text{ est un entier.}$$

a) $f(x) = \sin x$

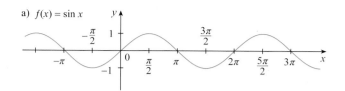

b) $g(x) = \cos x$

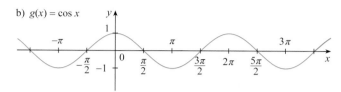

1.4.14 **FIGURE**

Étant donné l'identité

$$\cos x = \sin\left(x + \frac{\pi}{2}\right)$$

(qui se vérifie à l'aide de l'égalité **1.4.11a**), le graphique de la fonction cosinus s'obtient par translation du graphique de la fonction sinus de $\pi/2$ unités vers la gauche (*voir la figure 1.4.14 b*). On observe que, tant pour la fonction sinus que pour la fonction cosinus, le domaine est $\mathbb{R}$ et l'ensemble image est l'intervalle fermé $[-1, 1]$. Ainsi, pour toutes valeurs de x, on a

$$-1 \le \sin x \le 1 \quad -1 \le \cos x \le 1.$$

La figure 1.4.15 montre les graphiques et indique les domaines des quatre autres fonctions trigonométriques. On remarque que l'ensemble image des fonctions tangente et cotangente est $\mathbb{R}$, tandis que celui des fonctions cosécante et sécante est $]-\infty, -1] \cup [1, \infty[$. Les quatre fonctions sont périodiques : tangente et cotangente sont de période π, cosécante et sécante, de période 2π.

a)

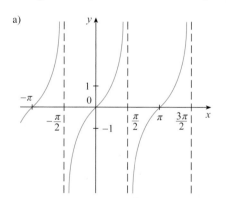

Domaine : $\mathbb{R} \setminus \left\{0, \pm\dfrac{\pi}{2}, \pm\dfrac{3\pi}{2}, \pm\dfrac{5\pi}{2}, ...\right\}$

$y = \tan x$

Image : $\mathbb{R}$, période : π

b)

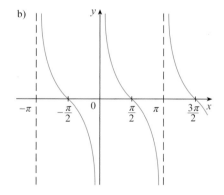

Domaine : $\mathbb{R} \setminus \left\{0, \pm\pi, \pm 2\pi, ...\right\}$

$y = \cot x$

Image : $\mathbb{R}$, période : π

1.4.15 **FIGURE** (*Suite à la page suivante*)

c)

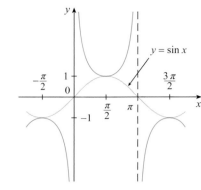

$y = \csc x$

Domaine : $\mathbb{R} \setminus \{0, \pm\pi, \pm 2\pi, ...\}$

Image : $\mathbb{R} \setminus \{0, \pm\pi, \pm 2\pi, ...\}$, période : 2π

d)

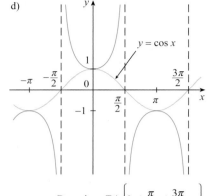

$y = \sec x$

Domaine : $\mathbb{R} \setminus \left\{0, \pm\dfrac{\pi}{2}, \pm\dfrac{3\pi}{2}, ...\right\}$

Image : $]-\infty, -1] \cup [1, \infty[$, période : 2π

1.4.15 FIGURE (*Suite*)

▶ Le domaine des fonctions trigonométriques

On peut voir à la section 1.3 que, pour trouver le domaine d'une fonction algébrique, il faut s'assurer de respecter les restrictions suivantes :

- Si l'expression algébrique contient un dénominateur, alors le dénominateur doit être non nul.

- Si l'expression contient une racine paire, alors le radicande doit être positif ou nul.

Puisque les fonctions trigonométriques tangente, cotangente, sécante et cosécante peuvent être exprimées comme des quotients formés des fonctions sinus et cosinus, on doit s'assurer dans ces cas que le dénominateur n'est pas nul.

Exemple 1.4.11 Déterminons le domaine des fonctions $\csc x$ et $\tan x$.

Solution La fonction cosécante est définie par $\csc x \equiv \dfrac{1}{\sin x}$ et n'existe que si $\sin x \neq 0$, c'est-à-dire si x n'est pas un multiple de π. Par conséquent, le domaine de la fonction cosécante est $\mathbb{R} \setminus \{k\pi \mid k \in \mathbb{Z}\}$. De la même manière, la fonction tangente est définie par

$$\tan x \equiv \frac{\sin x}{\cos x}$$

et n'existe que si $\cos x \neq 0$, d'où son domaine $\mathbb{R} \setminus \left\{\dfrac{\pi}{2} + k\pi \mid k \in \mathbb{Z}\right\}$.

On note l'ensemble des nombres entiers pairs par $\{2k \mid k \in \mathbb{Z}\}$ et l'ensemble des nombres entiers impairs par $\{2k + 1 \mid k \in \mathbb{Z}\}$ ou $\{2k - 1 \mid k \in \mathbb{Z}\}$.

Exemple 1.4.12 Déterminons le domaine des fonctions suivantes.

a) $f(x) = \sec 2x$ b) $g(x) = \cot\left(x - \frac{\pi}{2}\right)$

Solution À l'aide des identités **1.4.5**, on trouve l'équivalence de la fonction donnée en fonctions de sinus et de cosinus et on trouve ensuite le domaine.

a) Puisque $f(x) = \sec 2x = \dfrac{1}{\cos 2x}$, la fonction est définie seulement si $\cos 2x \neq 0$. Or, on sait que le cosinus s'annule à $\pm\dfrac{\pi}{2}$, $\pm\dfrac{3\pi}{2}$, $\pm\dfrac{5\pi}{2}$, $\cdots$, c'est-à-dire à tous les multiples impairs de $\dfrac{\pi}{2}$ (*voir la figure 1.4.14 b*), d'où $2x \neq (2k+1)\dfrac{\pi}{2}$ où $k \in \mathbb{Z}$. En isolant x dans cette dernière équation, on obtient $x \neq (2k+1)\dfrac{\pi}{4}$ où $k \in \mathbb{Z}$.

Ainsi, $\mathrm{dom}\, f = \left\{ x \in \mathbb{R} \mid x \neq (2k+1)\dfrac{\pi}{4} \text{ où } k \in \mathbb{Z} \right\}$, c'est-à-dire que la fonction f n'est pas définie pour tous les multiples impairs de $\dfrac{\pi}{4}$.

b) Puisque $g(x) = \cot\!\left(x - \dfrac{\pi}{2}\right) = \dfrac{\cos\!\left(x - \frac{\pi}{2}\right)}{\sin\!\left(x - \frac{\pi}{2}\right)}$, la fonction est définie seulement si $\sin\!\left(x - \dfrac{\pi}{2}\right) \neq 0$. Or, par l'identité **1.4.12b**, on a

$$\sin\!\left(x - \tfrac{\pi}{2}\right) = \sin x \cos \tfrac{\pi}{2} - \cos x \sin \tfrac{\pi}{2}$$
$$= \sin x \cdot 0 - \cos x \cdot 1$$
$$= -\cos x.$$

On doit donc chercher pour quelles valeurs de x le cosinus s'annule, soit à tous les multiples impairs de $\frac{\pi}{2}$. Ainsi, $\mathrm{dom}\, f = \left\{ x \in \mathbb{R} \mid x \neq (2k+1)\dfrac{\pi}{2} \text{ où } k \in \mathbb{Z} \right\}$.

Exercices 1.4

1-6 Convertissez les degrés en radians.

1. $210°$ **2.** $300°$ **3.** $9°$

4. $-315°$ **5.** $900°$ **6.** $36°$

7-12 Convertissez les radians en degrés.

7. 4π **8.** $-\dfrac{7\pi}{2}$ **9.** $\dfrac{5\pi}{12}$

10. $\dfrac{8\pi}{3}$ **11.** $-\dfrac{3\pi}{8}$ **12.** 5

13. Soit un cercle de 36 cm de rayon. Trouvez la longueur de l'arc sous-tendu par un angle de $\pi/12$ rad.

14. Si un cercle mesure 10 cm de rayon, quelle est la longueur de l'arc sous-tendu par un angle au centre de $72°$?

15. Soit un cercle de 1,5 m de rayon. Quelle est la mesure de l'angle au centre sous-tendu par un arc de 1 m de longueur?

16. Déterminez le rayon d'un secteur circulaire d'angle $3\pi/4$ et de longueur d'arc de 6 cm.

17-22 Dessinez en position standard l'angle dont la mesure est donnée.

17. $315°$ **18.** $-150°$ **19.** $-\dfrac{3\pi}{4}$ rad

20. $\dfrac{7\pi}{3}$ rad **21.** 2 rad **22.** -3 rad

23-28 Déterminez les rapports trigonométriques exacts de l'angle exprimé en radians.

23. $\dfrac{3\pi}{4}$ **24.** $\dfrac{4\pi}{3}$ **25.** $\dfrac{9\pi}{2}$

26. -5π **27.** $\dfrac{5\pi}{6}$ **28.** $\dfrac{11\pi}{4}$

29-34 Déterminez tous les autres rapports trigonométriques.

29. $\sin\theta = \dfrac{3}{5}$, $0 < \theta < \dfrac{\pi}{2}$

30. $\tan\alpha = 2$, $0 < \alpha < \dfrac{\pi}{2}$

31. $\sec\phi = -1{,}5$, $\dfrac{\pi}{2} < \phi < \pi$

32. $\cos x = -\dfrac{1}{3}$, $\pi < x < \dfrac{3\pi}{2}$

33. $\cot\beta = 3$, $\pi < \beta < 2\pi$

34. $\csc\theta = -\dfrac{4}{3}$, $\dfrac{3\pi}{2} < \theta < 2\pi$

35-38 Déterminez, à cinq décimales d'exactitude, la longueur du côté désigné par x.

35.
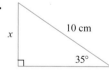

36.

37.
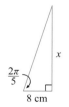

38.
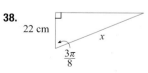

39-41 Prouvez chaque égalité.

39. a) $\sin(-\theta) = -\sin\theta$

b) $\cos(-\theta) = \cos\theta$

40. a) $\tan(x+y) = \dfrac{\tan x + \tan y}{1 - \tan x \tan y}$

b) $\tan(x-y) = \dfrac{\tan x - \tan y}{1 + \tan x \tan y}$

41. a) $\sin x \cos y = \frac{1}{2}[\sin(x+y) + \sin(x-y)]$

b) $\cos x \cos y = \frac{1}{2}[\cos(x+y) + \cos(x-y)]$

c) $\sin x \sin y = \frac{1}{2}[\cos(x-y) + \cos(x+y)]$

42-58 Prouvez l'identité.

42. $\cos\left(\dfrac{\pi}{2} - x\right) = \sin x$

43. $\sin\left(\dfrac{\pi}{2} + x\right) = \cos x$

44. $\sin(\pi - x) = \sin x$

45. $\sin\theta \cot\theta = \cos\theta$

46. $(\sin x + \cos x)^2 = 1 + \sin 2x$

47. $\sec y - \cos y = \tan y \sin y$

48. $\tan^2\alpha - \sin^2\alpha = \tan^2\alpha \sin^2\alpha$

49. $\cot^2\theta + \sec^2\theta = \tan^2\theta + \csc^2\theta$

50. $2\csc 2t = \sec t \csc t$

51. $\tan 2\theta = \dfrac{2\tan\theta}{1 - \tan^2\theta}$

52. $\dfrac{1}{1 - \sin\theta} + \dfrac{1}{1 + \sin\theta} = 2\sec^2\theta$

53. $\sin x \sin 2x + \cos x \cos 2x = \cos x$

54. $\sin^2 x - \sin^2 y = \sin(x+y)\sin(x-y)$

55. $\dfrac{\sin\phi}{1 - \cos\phi} = \csc\phi + \cot\phi$

56. $\tan x + \tan y = \dfrac{\sin(x+y)}{\cos x \cos y}$

57. $\sin 3\theta + \sin\theta = 2\sin 2\theta \cos\theta$

58. $\cos 3\theta = 4\cos^3\theta - 3\cos\theta$

59-64 Sachant que $\sin x = \frac{1}{3}$ et que $\sec y = \frac{5}{4}$, où x et y se situent entre 0 et $\pi/2$, évaluez l'expression.

59. $\sin(x+y)$

60. $\cos(x+y)$

61. $\cos(x-y)$

62. $\sin(x-y)$

63. $\sin 2y$

64. $\cos 2y$

65-72 Trouvez toutes les valeurs de x dans l'intervalle $[0, 2\pi]$ qui vérifient l'équation.

65. $2\cos x - 1 = 0$

66. $3\cot^2 x = 1$

67. $2\sin^2 x = 1$

68. $|\tan x| = 1$

69. $\sin 2x = \cos x$

70. $2\cos x + \sin 2x = 0$

71. $\sin x = \tan x$

72. $2 + \cos 2x = 3\cos x$

73-76 Trouvez toutes les valeurs de x dans l'intervalle $[0, 2\pi]$ qui vérifient l'inégalité.

73. $\sin x \le \frac{1}{2}$

74. $2\cos x + 1 > 0$

75. $-1 < \tan x < 1$

76. $\sin x > \cos x$

77. Prouvez la **loi des cosinus** : Si un triangle a des côtés de longueurs a, b et c, et que θ est l'angle formé par les côtés de longueurs a et b, alors

$$c^2 = a^2 + b^2 - 2ab\cos\theta$$

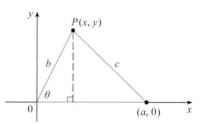

(*Conseil* : Considérez un système de coordonnées tel que θ soit en position standard, comme dans la figure. Exprimez x et y par rapport à θ, puis calculez c au moyen de la formule de la distance.)

78. Montrez que l'aire d'un triangle dont deux des côtés mesurent a et b et forment un angle θ est donnée par

$$A = \frac{1}{2}ab\sin\theta.$$

79. Déterminez l'aire du triangle ABC à cinq décimales d'exactitude, si

$$|AB| = 10 \text{ cm} \qquad |BC| = 3 \text{ cm} \qquad \angle ABC = 107°.$$

80. Afin de déterminer la largeur $|AB|$ d'une petite baie, on a situé un point C comme indiqué dans la figure et on a consigné les mesures suivantes :

$$\angle C = 103° \qquad |AC| = 820 \text{ m} \qquad |BC| = 910 \text{ m}$$

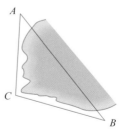

Au moyen de la loi des cosinus de l'exercice 77, calculez la largeur demandée.

81. Servez-vous de la figure pour prouver la formule de soustraction

$$\cos(\alpha - \beta) = \cos\alpha\cos\beta + \sin\alpha\sin\beta$$

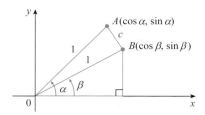

(*Conseil :* Calculez c^2 de deux façons – d'après la loi des cosinus de l'exercice 77 et d'après la formule de la distance –, puis comparez les deux expressions.)

82. Servez-vous de la formule de l'exercice 81 pour prouver la formule d'addition des cosinus (**1.4.11b**), à la page 61.

83. Utilisez la formule d'addition des cosinus et les identités

$$\cos\left(\frac{\pi}{2} - \theta\right) = \sin\theta \quad \sin\left(\frac{\pi}{2} - \theta\right) = \cos\theta$$

pour prouver la formule de soustraction (**1.4.12a**) de la fonction sinus, à la page 61.

84-91 Déterminez le domaine pour chacune des fonctions suivantes.

84. $f(x) = \dfrac{\cos x}{1 - \sin x}$

85. $g(x) = \dfrac{1}{1 - \tan x}$

86. $f(x) = \tan(x + \frac{\pi}{2})$

87. $f(x) = \dfrac{2x}{\cos x}$

88. $f(x) = \dfrac{\tan 2x}{x}$

89. $f(x) = \csc \dfrac{x}{2}$

90. $f(x) = \sqrt{\sin x}$

91. $f(x) = \sqrt{\cos x}$

1.5 Les fonctions exponentielles

La fonction $f(x) = 2^x$ est dite « exponentielle » parce que sa variable, x, est l'exposant. On veillera à ne pas la confondre avec la fonction puissance $g(x) = x^2$, dans laquelle la variable est la base.

De façon générale, une **fonction exponentielle** est une fonction de la forme

$$f(x) = b^x$$

où b est une constante positive. On peut rappeler ce que signifie cette expression.

Si $x = n$, un entier positif, alors

$$b^n = \underbrace{b \cdot b \cdot \ldots \cdot b}_{n \text{ facteurs}}.$$

L'expression 0^0 n'est pas définie. Si $x = 0$, alors $b^0 = 1$, et si $x = -n$, où n est un entier positif, alors

$$b^{-n} = \frac{1}{b^n} \text{ pour } b \neq 0.$$

Si x est un nombre rationnel, $x = p/q$, où p et q sont des entiers et $q > 0$, alors

$$b^x = b^{p/q} = \sqrt[q]{b^p} = (\sqrt[q]{b})^p.$$

Maintenant, si x est un nombre irrationnel, quelle sera la signification de b^x ? Que signifie, par exemple, $2^{\sqrt{3}}$ ou 5^π ?

Afin de répondre à cette question, on regarde d'abord, dans la figure 1.5.1, le graphique de la fonction $y = 2^x$, où x est rationnel. On cherche alors à étendre le domaine de $y = 2^x$ de manière qu'il comprenne aussi les nombres irrationnels.

Dans le graphique de la figure 1.5.1, il y a des trous à la place des valeurs irrationnelles de x. On veut combler ces trous en définissant $f(x) = 2^x$, où $x \in \mathbb{R}$, afin que f soit une fonction croissante. Notamment, comme le nombre irrationnel $\sqrt{3}$ satisfait à

$$1{,}7 < \sqrt{3} < 1{,}8$$

on doit avoir

$$2^{1{,}7} < 2^{\sqrt{3}} < 2^{1{,}8}$$

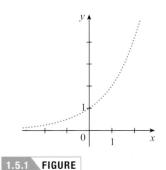

1.5.1 FIGURE

Représentation de $y = 2^x$, x rationnel.

et on sait ce que signifient $2^{1,7}$ et $2^{1,8}$ puisque 1,7 et 1,8 sont des nombres rationnels. De même, en utilisant de meilleures approximations de $\sqrt{3}$, on obtient de meilleures approximations de $2^{\sqrt{3}}$.

$$1,73 < \sqrt{3} < 1,74 \quad\Rightarrow\quad 2^{1,73} < 2^{\sqrt{3}} < 2^{1,74}$$

$$1,732 < \sqrt{3} < 1,733 \quad\Rightarrow\quad 2^{1,732} < 2^{\sqrt{3}} < 2^{1,733}$$

$$1,7320 < \sqrt{3} < 1,7321 \quad\Rightarrow\quad 2^{1,7320} < 2^{\sqrt{3}} < 2^{1,7321}$$

$$1,732\,05 < \sqrt{3} < 1,732\,06 \quad\Rightarrow\quad 2^{1,732\,05} < 2^{\sqrt{3}} < 2^{1,732\,06}$$
$$\vdots \qquad\qquad \vdots \qquad\qquad\qquad \vdots \qquad\qquad \vdots$$

Il est possible de prouver qu'il existe exactement un nombre qui est supérieur aux nombres

$$2^{1,7},\ 2^{1,73},\ 2^{1,732},\ 2^{1,7320},\ 2^{1,732\,05},\ \dots$$

et inférieur aux nombres

$$2^{1,8},\ 2^{1,74},\ 2^{1,733},\ 2^{1,7321},\ 2^{1,732\,06},\ \dots$$

On reconnaît $2^{\sqrt{3}}$ pour être ce nombre. Au moyen du précédent procédé d'approximation, on peut le calculer à six décimales d'exactitude :

$$2^{\sqrt{3}} \approx 3,321\,997.$$

De la même façon, on peut définir 2^x (ou b^x, si $b > 0$) pour tout x irrationnel. La figure 1.5.2 montre comment la totalité des trous de la figure 1.5.1 ont été comblés pour décrire le graphique de $f(x) = 2^x$, $x \in \mathbb{R}$.

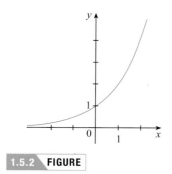

1.5.2 **FIGURE**

Représentation de $y = 2^x$, x réel.

La figure 1.5.3 montre les graphiques de fonctions de la famille $y = b^x$ pour différentes valeurs de la base b. Comme on le remarque, tous ces graphiques passent par le même point $(0, 1)$, car $b^0 = 1$ pour $b \neq 0$. Aussi, plus grande est la base b, plus la fonction exponentielle croît rapidement (pour $x > 0$).

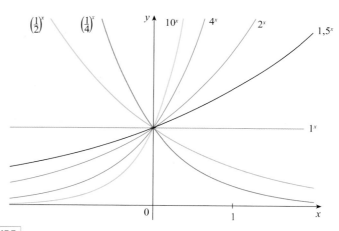

1.5.3 **FIGURE**

Si $0 < b < 1$, alors b^x s'approche de 0 lorsque x devient grand. Si $b > 1$, alors b^x s'approche de 0 lorsque x décroît dans les valeurs négatives. Dans les deux cas, l'axe des x est une asymptote horizontale. Ces questions sont étudiées dans la section 2.5.

On voit dans la figure 1.5.3 qu'il existe essentiellement trois types de fonctions exponentielles $y = b^x$. Quand $0 < b < 1$, la fonction exponentielle décroît ; quand $b = 1$, la fonction est une constante ; et quand $b > 1$, elle croît. La figure 1.5.4 illustre ces trois cas. On observe que, si $b \neq 1$, la fonction exponentielle $y = b^x$ a pour domaine $\mathbb{R}$ et pour image $]0, \infty[$. On aura aussi remarqué que, comme $(1/b)^x = 1/b^x = b^{-x}$, le graphique de $y = (1/b)^x$ n'est autre que la réflexion du graphique de $y = b^x$ par rapport à l'axe des y.

a)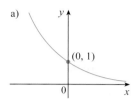

$y = b^x, 0 < b < 1$

b)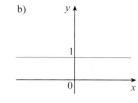

$y = 1^x$

c)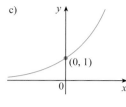

$y = b^x, b > 1$

1.5.4 FIGURE

L'importance de la fonction exponentielle réside notamment dans les propriétés suivantes. Pour des exposants rationnels, on se rappellera ces propriétés étudiées en algèbre élémentaire. On peut d'ailleurs démontrer qu'elles demeurent valables pour des exposants réels quelconques.

Les lois des exposants

Si a et b sont des nombres positifs et que x et y sont des nombres réels quelconques, alors

1. $b^{x+y} = b^x b^y$ **2.** $b^{x-y} = \dfrac{b^x}{b^y}$ **3.** $(b^x)^y = b^{xy}$ **4.** $(ab)^x = a^x b^x$

Exemple 1.5.1 Esquissons le graphique de la fonction $y = 3 - 2^x$ et déterminons son domaine et son image.

Solution On commence par réfléchir le graphique de $y = 2^x$ (montré dans la figure 1.5.5 a) par rapport à l'axe des x pour obtenir le graphique de $y = -2^x$ (*voir la figure 1.5.5 b*). On déplace ensuite le graphique de $y = -2^x$ de 3 unités vers le haut pour obtenir celui de $y = 3 - 2^x$ (*voir la figure 1.5.5 c*). Le domaine est $\mathbb{R}$ et l'image, $]-\infty, 3[$.

a)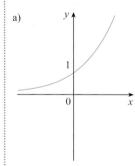

$y = 2^x$

b)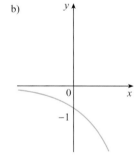

$y = -2^x$

c)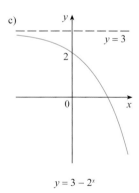

$y = 3 - 2^x$

1.5.5 FIGURE

Exemple 1.5.2 À l'aide d'un outil graphique, comparons la fonction exponentielle $f(x) = 2^x$ et la fonction puissance $g(x) = x^2$. Laquelle croît le plus rapidement quand x est grand?

Solution La figure 1.5.6 montre les graphiques des deux fonctions dans la fenêtre $[-2, 6]$ sur $[0, 40]$. On voit que les graphiques se coupent trois fois mais qu'à partir de $x > 4$ le graphique de $f(x) = 2^x$ reste au-dessus de celui de $g(x) = x^2$. Dans la représentation plus globale que donne la figure 1.5.7, on observe que, pour de grandes

L'exemple 1.5.2 montre que $y = 2^x$ croît plus rapidement que $y = x^2$. Voici une expérience mentale qui illustre bien la vitesse de croissance de $f(x) = 2^x$. On imagine une feuille de papier de un millième de centimètre d'épaisseur qu'on plie en deux 50 fois. À chaque pliage, l'épaisseur du papier double pour finir par atteindre $2^{50}/1000$ centimètres. À quoi peut ressembler cette épaisseur? Elle mesure plus de 11 millions de kilomètres!

valeurs de x, la fonction exponentielle $y = 2^x$ croît beaucoup plus rapidement que la fonction puissance $y = x^2$.

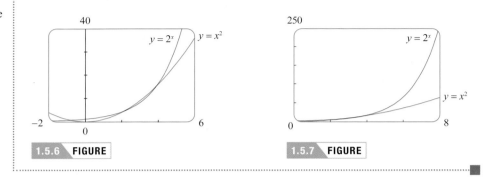

1.5.6 FIGURE

1.5.7 FIGURE

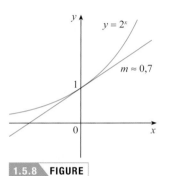

1.5.8 FIGURE

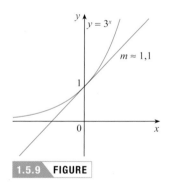

1.5.9 FIGURE

▶ Le nombre *e*

De toutes les bases possibles pour une fonction exponentielle, il y en a une qui convient particulièrement au calcul différentiel et intégral. Le choix d'une base b est influencé par la façon dont le graphique de $y = b^x$ coupe l'axe des y. Les figures 1.5.8 et 1.5.9 montrent les tangentes aux graphiques de $y = 2^x$ et $y = 3^x$ au point $(0, 1)$. (Les tangentes sont explicitées dans la section 2.7. Il suffit pour l'instant de se représenter une tangente à une courbe exponentielle en un point comme la droite qui ne touche la courbe qu'en ce point.) En mesurant les pentes de ces tangentes en $(0, 1)$, on constate que $m \approx 0,7$ pour $y = 2^x$ et que $m \approx 1,1$ pour $y = 3^x$.

Comme on peut le voir au chapitre 3, certaines formules du calcul différentiel et intégral se trouvent grandement simplifiées si l'on choisit la base b de façon que la pente de la tangente à $y = b^x$ en $(0, 1)$ soit de 1 exactement (*voir la figure 1.5.10*). De fait, ce nombre existe, et on le désigne par la lettre e. (C'est le mathématicien suisse Leonhard Euler qui, en 1727, a choisi cette notation, probablement parce que c'est la première lettre du mot *exponentiel*.) Au vu des figures 1.5.8 et 1.5.9, il n'est pas étonnant que le nombre e soit situé entre 2 et 3 ni que le graphique de $y = e^x$ se trouve entre ceux de $y = 2^x$ et $y = 3^x$ (*voir la figure 1.5.11*). Au chapitre 3, il est montré que la valeur de e, à cinq décimales d'exactitude, est de

$$e \approx 2,718\ 28.$$

On appelle la fonction $f(x) = e^x$ la **fonction exponentielle naturelle**.

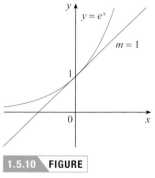

1.5.10 FIGURE

La fonction exponentielle naturelle coupe l'axe des y avec une pente 1.

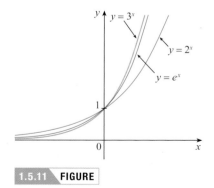

1.5.11 FIGURE

Exemple `1.5.3` Traçons le graphique de $y = \frac{1}{2}e^{-x} - 1$ et déterminons le domaine et l'image de cette fonction.

Solution D'abord, on reprend le graphique de $y = e^x$ des figures 1.5.10 et 1.5.12 a) et on le réfléchit par rapport à l'axe des y pour obtenir le graphique de $y = e^{-x}$ donné dans la figure 1.5.12 b). (On remarque que le graphique traverse l'axe des y avec une pente de -1.) On fait ensuite subir au graphique une contraction verticale de facteur 2 pour obtenir le graphique de $y = \frac{1}{2}e^{-x}$ (*voir la figure 1.5.12 c*). Enfin, on déplace le graphique de 1 unité vers le bas pour obtenir le graphique recherché (*voir la figure 1.5.12 d*). Le domaine est $\mathbb{R}$ et l'image, $]-1, \infty[$.

a)
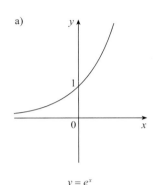
$y = e^x$

b)
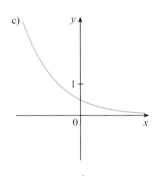
$y = e^{-x}$

c)
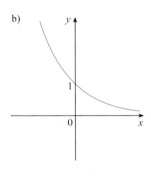
$y = \frac{1}{2}e^{-x}$

d)
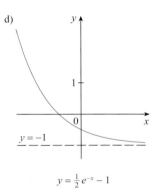
$y = \frac{1}{2}e^{-x} - 1$

`1.5.12` **FIGURE**

Jusqu'où faut-il aller vers la droite pour que la hauteur d'un point du graphique de $y = e^x$ dépasse un million? L'exemple suivant illustre la croissance rapide de cette fonction en apportant une réponse étonnante.

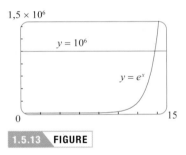

`1.5.13` **FIGURE**

Exemple `1.5.4` Au moyen d'une calculatrice à affichage graphique, trouvons les valeurs de x pour lesquelles $e^x > 1\,000\,000$.

Solution La figure 1.5.13 représente la fonction $y = e^x$ et la droite horizontale $y = 1\,000\,000$. On y voit que ces courbes se coupent quand $x \approx 13{,}8$. Donc, $e^x > 10^6$ quand $x > 13{,}8$. Il peut paraître étonnant que les valeurs de la fonction exponentielle dépassent le million alors que x ne vaut pas encore 14.

Exercices `1.5`

`1-4` Utilisez la loi des exposants pour récrire et simplifier l'expression.

1. a) $\dfrac{4^{-3}}{2^{-8}}$ b) $\dfrac{1}{\sqrt[3]{x^4}}$

2. a) $8^{4/3}$ b) $x(3x^2)^3$

3. a) $b^8(2b)^4$ b) $\dfrac{(6y^3)^4}{2y^5}$

4. a) $\dfrac{x^{2n} \cdot x^{3n-1}}{x^{n+2}}$ b) $\dfrac{\sqrt{a\sqrt{b}}}{\sqrt[3]{ab}}$

5. a) Écrivez une équation qui définit la fonction exponentielle de base $b > 0$.
b) Quel est le domaine de cette fonction?
c) Si $b \neq 1$, quelle est l'image de cette fonction?
d) Esquissez l'allure générale du graphique de la fonction exponentielle dans chacun des cas suivants.
   i) $b > 1$ ii) $b = 1$ iii) $0 < b < 1$

6. a) Comment le nombre e est-il défini?
b) Quelle est la valeur approximative de e?
c) Quelle est la fonction exponentielle naturelle?

7-10 Tracez les fonctions données sur le même écran. Qu'est-ce que les graphiques ont en commun ?

7. $y = 2^x$, $y = e^x$, $y = 5^x$, $y = 20^x$

8. $y = e^x$, $y = e^{-x}$, $y = 8^x$, $y = 8^{-x}$

9. $y = 3^x$, $y = 10^x$, $y = \left(\frac{1}{3}\right)^x$, $y = \left(\frac{1}{10}\right)^x$

10. $y = 0{,}9^x$, $y = 0{,}6^x$, $y = 0{,}3^x$, $y = 0{,}1^x$

11-12 Déterminez le domaine de chaque fonction.

11. a) $f(x) = \dfrac{1 - e^{x^2}}{1 - e^{1 - x^2}}$ b) $f(x) = \dfrac{1 + x}{e^{\cos x}}$

12. a) $g(t) = \sin(e^{-t})$ b) $g(t) = \sqrt{1 - 2^t}$

13-14 Déterminez la fonction exponentielle $f(x) = Cb^x$ dont le graphique est donné.

13. 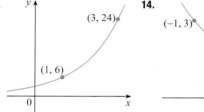 **14.**

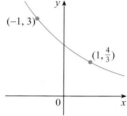

15. Étant donné $f(x) = 5^x$, montrez que
$$\frac{f(x+h) - f(x)}{h} = 5^x \left(\frac{5^h - 1}{h} \right).$$

16. Supposez qu'on vous offre un emploi d'une durée d'un mois. Des deux méthodes de paiement proposées, laquelle préférez-vous ?
a) Un million de dollars à la fin du mois
b) Un cent le premier jour du mois, deux cents le deuxième jour, quatre le troisième jour et, en général, 2^{n-1} cents le n^e jour

17. Soit les graphiques de $f(x) = x^2$ et de $g(x) = 2^x$, dessinés dans un système de coordonnées où l'unité de mesure est 1 cm. Montrez que, à 50 cm à droite de l'origine, la hauteur d'un point du graphique de f est de 25 m alors que celle d'un point du graphique de g est d'environ 11 milliards de kilomètres.

18. Comparez les fonctions $f(x) = x^5$ et $g(x) = 5^x$ en traçant leurs graphiques dans plusieurs fenêtres. Trouvez tous les points d'intersection des graphiques à une décimale d'exactitude. Laquelle des deux fonctions croît le plus rapidement lorsque x est grand ?

19. Comparez les fonctions $f(x) = x^{10}$ et $g(x) = e^x$ en traçant leurs graphiques dans plusieurs fenêtres. Quand le graphique de g finit-il par surpasser celui de f ?

20. À l'aide d'un graphique, estimez les valeurs de x telles que $e^x > 1\,000\,000\,000$.

21. Dans des conditions idéales, une certaine population de bactéries double toutes les trois heures. Supposez que la population initiale compte 100 bactéries.
a) Quelle est la taille de la population après 15 heures ?
b) Quelle est la taille de la population après t heures ?
c) Estimez la taille de la population après 20 heures.
d) Tracez le graphique de la fonction population et estimez le temps nécessaire pour que la population atteigne au moins 50 000 individus.

22. Une culture de bactéries compte initialement 500 individus et sa population double toutes les demi-heures.
a) Combien de bactéries y a-t-il après 3 heures ?
b) Combien de bactéries y a-t-il après t heures ?
c) Combien de bactéries y a-t-il après 40 minutes ?
d) Tracez le graphique de la fonction population et estimez le temps nécessaire pour que la population atteigne au moins 100 000 individus.

23. Si vous tracez le graphique de la fonction
$$f(x) = \frac{1 - e^{1/x}}{1 + e^{1/x}}$$
vous observerez que f paraît impaire. Prouvez qu'elle l'est.

24. Représentez graphiquement plusieurs fonctions de la famille
$$f(x) = \frac{1}{1 + ae^{bx}}$$
où $a > 0$. En quoi le graphique change-t-il lorsque seulement b varie ? En quoi change-t-il lorsque seulement a varie ?

1.6 Les fonctions réciproques et les logarithmes

Le tableau 1.6.1 présente les données d'une expérience sur une culture de bactéries comptant au départ 100 individus dans un milieu où la nourriture est limitée ; la taille de la population est consignée toutes les heures. Le nombre de bactéries N est une fonction du temps t : $N = f(t)$.

On suppose maintenant que la biologiste adopte un autre point de vue pour s'intéresser au temps nécessaire à la population pour atteindre différents niveaux. Autrement dit, elle veut déterminer t en fonction de N. Cette fonction est appelée la **fonction réciproque** de f, notée f^{-1} et se lit « fonction réciproque de f ». Donc, $t = f^{-1}(N)$ est le temps nécessaire pour que la population atteigne le niveau N. On peut trouver les valeurs de f^{-1} en lisant le tableau 1.6.1 de droite à gauche ou en consultant le tableau 1.6.2. Par exemple, $f^{-1}(550) = 6$ parce que $f(6) = 550$.

TABLEAU 1.6.1 ▶ *N* en fonction de *t*

t (heures)	*N* = *f*(*t*) = population au moment *t*
0	100
1	168
2	259
3	358
4	445
5	509
6	550
7	573
8	586

TABLEAU 1.6.2 ▶ *t* en fonction de *N*

N	*t* = $f^{-1}(N)$ = temps pour atteindre *N* bactéries
100	0
168	1
259	2
358	3
445	4
509	5
550	6
573	7
586	8

Les fonctions n'ont pas toutes une réciproque. Si l'on compare les fonctions *f* et *g*, dont les diagrammes sagittaux sont montrés dans la figure 1.6.1, on remarque que *f* ne prend jamais la même valeur deux fois (à chaque entrée en *A* correspond une sortie distincte), tandis que *g* prend deux fois la même valeur (les entrées 2 et 3 correspondent à la même sortie, 4). En notation symbolique, $g(2) = g(3)$, mais

$$f(x_1) \neq f(x_2) \text{ lorsque } x_1 \neq x_2.$$

Les fonctions qui possèdent cette propriété sont dites *injectives*.

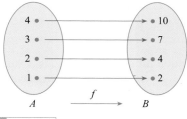

1.6.1 **FIGURE** *f* est injective ; *g* ne l'est pas.

En termes d'entrées et de sorties, cette définition dit que *f* est injective si chaque sortie correspond à une seule entrée.

1.6.1 | **Définition**

Une fonction *f* est **injective** si elle ne prend jamais la même valeur deux fois ; autrement dit,

$$f(x_1) \neq f(x_2) \text{ lorsque } x_1 \neq x_2.$$

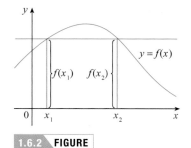

1.6.2 **FIGURE**

Cette fonction n'est pas injective, puisque $f(x_1) = f(x_2)$.

Si une droite horizontale coupe le graphique de *f* en plus d'un point, comme dans la figure 1.6.2, les nombres x_1 et x_2 sont tels que $f(x_1) = f(x_2)$. Cela signifie que *f* n'est pas injective. La méthode géométrique suivante permet de déterminer si une fonction est injective ou non.

Le test de la droite horizontale

Une fonction est injective si et seulement si aucune droite horizontale ne coupe son graphique plus d'une fois, c'est-à-dire en plus d'un point.

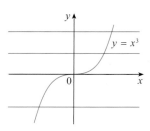

1.6.3 **FIGURE**

$f(x) = x^3$ est injective.

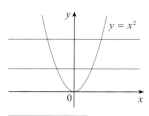

1.6.4 **FIGURE**

$g(x) = x^2$ n'est pas injective.

Exemple 1.6.1 La fonction $f(x) = x^3$ est-elle injective ?

Solution 1 Si $x_1 \neq x_2$, alors $x_1^3 \neq x_2^3$ (deux nombres différents ne peuvent avoir le même cube). Par conséquent, selon la définition **1.6.1**, $f(x) = x^3$ est injective.

Solution 2 La figure 1.6.3 montre qu'aucune droite horizontale ne coupe le graphique de $f(x) = x^3$ plus d'une fois. Ainsi, le test de la droite horizontale établit que f est injective.

Exemple 1.6.2 La fonction $g(x) = x^2$ est-elle injective ?

Solution 1 Cette fonction n'est pas injective, notamment parce que

$$g(1) = 1 = g(-1)$$

et, donc, 1 et −1 correspondent à la même sortie.

Solution 2 La figure 1.6.4 montre des droites horizontales coupant le graphique de g plus d'une fois. Ainsi, le test de la droite horizontale établit que g n'est pas injective.

Les fonctions injectives sont importantes parce qu'elles sont celles qui ont des fonctions réciproques, d'après la définition suivante.

1.6.2 | **Définition**

Soit f, une fonction injective de domaine A et d'image B. Alors, sa **fonction réciproque** f^{-1} a B pour domaine et A pour image, et elle est définie par

$$f^{-1}(y) = x \iff f(x) = y$$

pour tout y dans B.

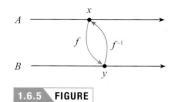

1.6.5 **FIGURE**

Cette définition dit que, si f applique x sur y, alors f^{-1} renvoie y sur x. (Si f n'était pas injective, f^{-1} ne serait pas univoquement définie.) Le diagramme sagittal de la figure 1.6.5 montre que f^{-1} a l'effet inverse de celui de f. On remarque que

---

domaine de f^{-1} = image de f ;

image de f^{-1} = domaine de f.

Par exemple, la fonction réciproque de $f(x) = x^3$ est $f^{-1}(x) = x^{1/3}$ parce que, si $y = x^3$, alors

$$f^{-1}(y) = f^{-1}(x^3) = (x^3)^{1/3} = x.$$

ATTENTION Il ne faut pas prendre le « −1 » dans la notation f^{-1} pour un exposant. Ainsi,

$$f^{-1}(x) \text{ ne signifie pas } \frac{1}{f(x)}.$$

On pourrait toutefois écrire l'inverse multiplicatif $\dfrac{1}{f(x)}$ sous la forme $[f(x)]^{-1}$.

Exemple 1.6.3 Étant donné $f(1) = 5$, $f(3) = 7$ et $f(8) = -10$ pour une fonction injective f, trouvons $f^{-1}(7)$, $f^{-1}(5)$ et $f^{-1}(-10)$.

Solution D'après la définition de f^{-1}, on a

$$f^{-1}(7) = 3 \quad \text{parce que} \quad f(3) = 7\,;$$
$$f^{-1}(5) = 1 \quad \text{parce que} \quad f(1) = 5\,;$$
$$f^{-1}(-10) = 8 \quad \text{parce que} \quad f(8) = -10.$$

Le diagramme de la figure 1.6.6 montre bien comment, dans ce cas-ci, f^{-1} a l'effet inverse de celui de f.

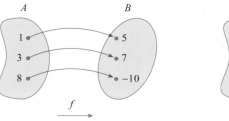

1.6.6 FIGURE La fonction réciproque interchange les rôles des entrées et des sorties.

Comme la lettre x désigne habituellement la variable indépendante, il est normal, quand on s'intéresse à f^{-1} plutôt qu'à f, qu'on interchange les rôles de x et de y dans la définition **1.6.2** :

1.6.3	$f^{-1}(x) = y \iff f(y) = x.$

En remplaçant y dans la définition **1.6.2** et x dans la définition **1.6.3**, on obtient les **formules de réciprocité** suivantes.

1.6.4	$f^{-1}(f(x)) = x$ pour tout x dans A
	$f(f^{-1}(x)) = x$ pour tout x dans B

La première formule de réciprocité dit que, si, partant de x, on applique f puis f^{-1}, on revient au point de départ x (*voir le schéma de la figure 1.6.7*). Ainsi, f^{-1} défait ce que f a fait. La seconde formule dit que f défait ce que f^{-1} a fait.

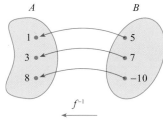

1.6.7 FIGURE

Si, par exemple, $f(x) = x^3$, alors $f^{-1}(x) = x^{1/3}$ et les formules de réciprocité deviennent

$$f^{-1}(f(x)) = (x^3)^{1/3} = x$$
$$f(f^{-1}(x)) = (x^{1/3})^3 = x.$$

Ces égalités disent essentiellement que la fonction cubique et la fonction racine cubique s'annulent l'une l'autre lorsqu'on les applique à la suite.

Voyons maintenant le calcul des fonctions réciproques. Si l'on a une fonction $y = f(x)$ et qu'on est capable de résoudre l'équation par rapport à x de façon unique, alors, selon la définition **1.6.2**, on doit avoir $x = f^{-1}(y)$. Si l'on veut désigner la variable indépendante par x, on doit permuter x et y et ainsi parvenir à l'équation $y = f^{-1}(x)$.

1.6.5	Comment trouver la fonction réciproque d'une fonction injective f

Étape 1   Écrire $y = f(x)$.

Étape 2   Résoudre l'équation par rapport à x (si possible).

Étape 3   Exprimer f^{-1} comme une fonction de x en interchangeant x et y. L'équation résultante est

$$y = f^{-1}(x).$$

Exemple **1.6.4** Trouvons la fonction réciproque de $f(x) = x^3 + 2$.

Solution   Suivant la démarche **1.6.5**, on écrit d'abord

$$y = x^3 + 2.$$

On résout ensuite cette équation par rapport à x :

$$x^3 = y - 2$$

$$x = \sqrt[3]{y - 2}.$$

Enfin, on permute x et y :

$$y = \sqrt[3]{x - 2}.$$

La fonction réciproque de f est donc définie par

$$f^{-1}(x) = \sqrt[3]{x - 2}.$$

On remarque, dans l'exemple 1.6.4, que f^{-1} a l'effet contraire de f. La fonction f est la règle « élever au cube, puis ajouter 2 », tandis que f^{-1} est la règle « soustraire 2, puis prendre la racine cubique ».

La permutation de x et de y pour trouver la fonction réciproque offre aussi une méthode pour obtenir le graphique de f^{-1} à partir de celui de f. Puisque $f(a) = b$ si et seulement si $f^{-1}(b) = a$, le point (a, b) n'appartient au graphique de f que si le point (b, a) appartient au graphique de f^{-1}. Or, on obtient (b, a) de (a, b) au moyen d'une réflexion par rapport à la droite $y = x$ (*voir la figure 1.6.8*).

Donc, comme l'illustre la figure 1.6.9 :

Le graphique de f^{-1} s'obtient par réflexion du graphique de f par rapport à la droite $y = x$.

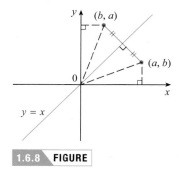

1.6.8 FIGURE

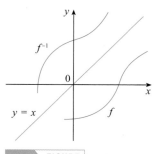

1.6.9 FIGURE

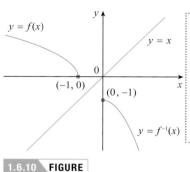

1.6.10 FIGURE

Exemple **1.6.5** Esquissons les graphiques de $f(x) = \sqrt{-1-x}$ et de sa réciproque dans le même système de coordonnées.

Solution On dessine d'abord la courbe $y = \sqrt{-1-x}$ (la moitié supérieure de la parabole $y^2 = -1-x$, ou $x = -y^2 - 1$), puis on lui fait subir une réflexion par rapport à la droite $y = x$ pour obtenir le graphique de f^{-1} (*voir la figure 1.6.10*). Afin de vérifier le graphique produit, on observe que l'expression de f^{-1} est $f^{-1}(x) = -x^2 - 1$, $x \geq 0$. Donc, le graphique de f^{-1} est la moitié droite de la parabole $y = -x^2 - 1$, ce qui, d'après la figure 1.6.10, semble vraisemblable.

▶ **Les fonctions logarithmiques**

Si $b > 0$ et $b \neq 1$, alors la fonction exponentielle $f(x) = b^x$ est soit croissante, soit décroissante. Selon le test de la droite horizontale, elle est injective et possède donc une réciproque f^{-1}, qu'on appelle **fonction logarithmique de base b** et qu'on note $\log_b$. Si on emploie l'expression de la fonction réciproque donnée dans la définition **1.6.3**,

$$f^{-1}(x) = y \Leftrightarrow f(y) = x,$$

on a alors

1.6.6	$\log_b x = y \iff b^y = x.$

Ainsi, quand $x > 0$, $\log_b x$ est l'exposant auquel il faut élever la base b pour obtenir x. Par exemple, $\log 0{,}001 = -3$ parce que $10^{-3} = 0{,}001$.

Lorsqu'on les applique aux fonctions $f(x) = b^x$ et $f^{-1}(x) = \log_b x$, les formules de réciprocité **1.6.4** deviennent

1.6.7	$\log_b (b^x) = x$ pour tout $x \in \mathbb{R}$ $b^{\log_b x} = x$ pour tout $x > 0$.

Le domaine de la fonction logarithmique $\log_b$ est $]0, \infty[$ et son image, $\mathbb{R}$. Le graphique de cette fonction s'obtient par réflexion du graphique de $y = b^x$ par rapport à la droite $y = x$.

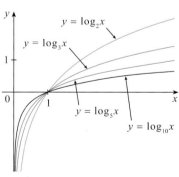

1.6.11 FIGURE

La figure 1.6.11 montre le cas où $b > 1$. (Les principales fonctions logarithmiques sont de base $b > 1$.) La croissance très rapide de la fonction $y = b^x$ pour $x > 0$ se traduit par une croissance très lente de $y = \log_b x$ pour $x > 1$.

La figure 1.6.12 montre les graphiques de $y = \log_b x$ pour différentes valeurs de la base $b > 1$. Comme $\log_b 1 = 0$, les graphiques de toutes les fonctions logarithmiques passent par le point $(1, 0)$.

Les propriétés suivantes des fonctions logarithmiques découlent des propriétés correspondantes des fonctions exponentielles énoncées dans la section 1.5.

Domaine : $]0, \infty[$

Image : $\mathbb{R}$

1.6.12 FIGURE

1.6.8	**Les lois des logarithmes**

Si x et y sont des nombres positifs, alors

1. $\log_b (xy) = \log_b x + \log_b y$

2. $\log_b \left(\dfrac{x}{y}\right) = \log_b x - \log_b y$

3. $\log_b (x^r) = r\log_b x$ (où r est un nombre réel quelconque).

Exemple 1.6.6 Utilisons les lois des logarithmes pour évaluer $\log_2 80 - \log_2 5$.

Solution Selon la loi 2 des logarithmes (**1.6.8**), on a

$$\log_2 80 - \log_2 5 = \log_2 \left(\frac{80}{5}\right)$$
$$= \log_2 16 = 4$$

parce que $2^4 = 16$.

▶ Les logarithmes naturels

Le chapitre 3 établit que, de toutes les bases b possibles pour des logarithmes, c'est le nombre e (défini dans la section 1.5) qui convient le mieux. Le logarithme de base e est appelé **logarithme naturel** et est désigné par une notation particulière :

$$\log_e x = \ln x.$$

Si l'on pose $b = e$ et qu'on remplace $\log_e$ par « ln » en **1.6.6** et en **1.6.7**, les propriétés qui définissent la fonction logarithmique naturelle deviennent

1.6.9	$\ln x = y \Leftrightarrow e^y = x$

1.6.10	$\ln(e^x) = x \qquad x \in \mathbb{R}$ $e^{\ln x} = x \qquad x > 0.$

En particulier, si l'on pose $x = 1$, on obtient

$$\ln e = 1.$$

Exemple 1.6.7 Trouvons x étant donné que $\ln x = 5$.

Solution 1 D'après la formule **1.6.9**, on observe que

$$\ln x = 5 \text{ signifie } e^5 = x.$$

Donc, $x = e^5$.

(Si la notation « ln » vous embête, remplacez-la par $\log_e$. L'équation deviendra alors $\log_e x = 5$; donc, selon la définition du logarithme, $e^5 = x$.)

Solution 2 On commence par poser l'équation

$$\ln x = 5$$

et on applique la fonction exponentielle à ses deux membres :

$$e^{\ln x} = e^5.$$

Cependant, la deuxième formule de réciprocité en **1.6.10** dit que $e^{\ln x} = x$.

Par conséquent, $x = e^5$.

Exemple 1.6.8 Résolvons l'équation $e^{5-3x} = 10$.

Solution On prend les logarithmes naturels des deux membres de l'équation, puis on applique **1.6.10** :

La notation des logarithmes

La plupart des manuels de calcul différentiel et intégral et de sciences, de même que les calculatrices, utilisent la notation $\ln x$ pour le logarithme naturel et la notation $\log x$ pour le logarithme décimal $\log_{10} x$.

$$\ln(e^{5-3x}) = \ln 10$$
$$5 - 3x = \ln 10$$
$$3x = 5 - \ln 10$$
$$x = \tfrac{1}{3}(5 - \ln 10).$$

Au moyen d'une calculatrice scientifique, on peut trouver une solution approximative à quatre décimales d'exactitude : $x \approx 0{,}8991$.

Exemple 1.6.9   Exprimons $\ln a + \tfrac{1}{2}\ln b$ en un seul logarithme.

Solution   Selon les lois 3 et 1 des logarithmes (**1.6.8**), on a

$$\ln a + \tfrac{1}{2}\ln b = \ln a + \ln b^{1/2}$$
$$= \ln a + \ln \sqrt{b}$$
$$= \ln(a\sqrt{b}).$$

La formule suivante montre que les logarithmes de n'importe quelle base peuvent s'exprimer en termes de logarithmes naturels.

1.6.11 | **La formule de changement de base**

Si a et b sont deux nombres positifs différents de 1, alors $\log_b(x) = \dfrac{\log_a(x)}{\log_a(b)}$. Cette égalité devient $\log_b(x) = \dfrac{\ln(x)}{\ln(b)}$ si on choisit la base naturelle.

DÉMONSTRATION   Soit $y = \log_b x$. Selon **1.6.6**, on a $b^y = x$. En prenant les logarithmes de base a des deux membres de cette équation, on obtient $y \log_a(b) = \log_a(x)$. Par conséquent,

$$y = \frac{\log_a(x)}{\log_a(b)}.$$

Comme les calculatrices scientifiques ont une touche « logarithme naturel », on peut, avec la formule **1.6.11**, calculer des logarithmes de toutes bases (comme le montre l'exemple suivant). La même formule permet également de faire tracer le graphique de n'importe quelle fonction logarithmique par un outil graphique (*voir les exercices 49 et 50*).

Exemple 1.6.10   Évaluons $\log_8 5$ à six décimales d'exactitude.

Solution   La formule **1.6.11** donne

$$\log_8 5 = \frac{\ln 5}{\ln 8} \approx 0{,}773\,976.$$

▶ **Le graphique et la croissance du logarithme naturel**

La figure 1.6.13 présente les graphiques de la fonction exponentielle $y = e^x$ et de sa réciproque, la fonction logarithmique naturelle. Puisque la courbe $y = e^x$ coupe l'axe des y avec une pente 1, il est naturel que son image par réflexion, $y = \ln x$, coupe l'axe des x avec une pente 1. Comme toutes les fonctions logarithmiques de base supérieure à 1, le logarithme naturel est une fonction croissante définie sur $]0, \infty[$ qui admet l'axe des y comme asymptote verticale. (Cela signifie que les valeurs de $\ln x$ deviennent très grandes négatives lorsque x s'approche de 0 par la droite.)

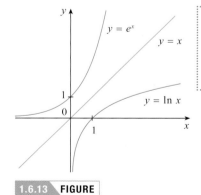

1.6.13 ▶ **FIGURE**

Le graphique de $y = \ln x$ est l'image du graphique de $y = e^x$ obtenue par réflexion par rapport à la droite $y = x$.

Exemple **1.6.11** Esquissons le graphique de la fonction $y = \ln(x - 2) - 1$.

Solution On part du graphique de $y = \ln x$ donné dans la figure 1.6.13. On déplace le graphique de 2 unités vers la droite pour obtenir le graphique de $y = \ln(x - 2)$, puis de 1 unité vers le bas pour obtenir le graphique de $y = \ln(x - 2) - 1$ (*voir la figure 1.6.14*).

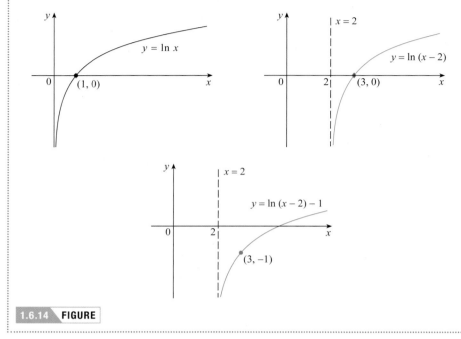

1.6.14 **FIGURE**

Bien que $\ln x$ soit une fonction croissante, elle croît très lentement quand $x > 1$. De fait, $\ln x$ croît plus lentement que n'importe quelle puissance positive de x. Pour illustrer cette lenteur, on compare les valeurs approximatives des fonctions $y = \ln x$ et $y = x^{1/2} = \sqrt{x}$ énumérées dans le tableau suivant, dont les graphiques sont montrés dans les figures 1.6.15 et 1.6.16. On voit que, au début, les graphiques de $y = \sqrt{x}$ et de $y = \ln x$ croissent à des vitesses comparables, mais que la fonction racine finit par distancer le logarithme de beaucoup.

x	1	2	5	10	50	100	500	1000	10 000	100 000
$\ln x$	0	0,69	1,61	2,30	3,91	4,6	6,2	6,9	9,2	11,5
$\sqrt{x}$	1	1,41	2,24	3,16	7,07	10,0	22,4	31,6	100	316
$\dfrac{\ln x}{\sqrt{x}}$	0	0,49	0,72	0,73	0,55	0,46	0,28	0,22	0,09	0,04

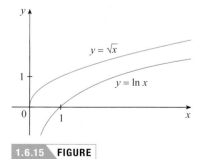

1.6.15 **FIGURE**

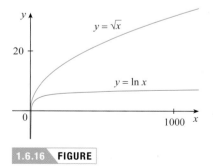

1.6.16 **FIGURE**

▶ La résolution des équations logarithmiques et exponentielles

Exemple `1.6.12` Résolvons l'équation $9xe^{3x} - xe^x = 0$ par rapport à x.

Solution Mettons en évidence le facteur commun xe^x :

$$xe^x(9e^{2x} - 1) = 0,$$

d'où

$$x = 0 \text{ ou } e^x = 0 \text{ ou } 9e^{2x} - 1 = 0.$$

La deuxième équation n'a pas de solution étant donné que $e^x > 0$. Résolvons la dernière équation exponentielle :

$$e^{2x} = \frac{1}{9}$$

$$2x = \ln\left(\frac{1}{9}\right) \quad \text{(propriété \textbf{1.6.9})}$$

$$x = \frac{1}{2}\ln\left(\frac{1}{9}\right)$$

Cette expression peut être simplifiée grâce à la loi 3 des logarithmes (**1.6.8**) :

$$x = \frac{1}{2}\ln(3^{-2}) = \frac{1}{2} \cdot (-2)\ln(3) = -\ln(3).$$

Les solutions sont donc 0 et $-\ln(3)$.

Exemple `1.6.13` Résolvons $2e^{2x} - 5e^x - 3 = 0$ par rapport à x.

Solution Posons $u = e^x$. L'équation devient la quadratique

$$2u^2 - 5u - 3 = 0$$

et, par double mise en évidence,

$$2u^2 - 6u + u - 3 = 0$$
$$2u(u - 3) + (u - 3) = 0$$
$$(2u + 1)(u - 3) = 0.$$

Dès lors, il y a deux possibilités :

$$u = -\frac{1}{2} \text{ ou } u = 3,$$

c'est-à-dire

$$e^x = -\frac{1}{2} \text{ ou } e^x = 3.$$

Puisque e^x est positif, la solution unique est $x = \ln 3$.

Exemple `1.6.14` Résolvons l'équation $\left(\dfrac{1}{10^2}\right)^{5-x}\left(\dfrac{1}{10}\right)^x = 10^5$ par rapport à x.

Solution On applique d'abord la loi des exposants pour l'inverse aux bases du membre de gauche pour obtenir

$$\left(\frac{1}{10^2}\right)^{5-x}\left(\frac{1}{10}\right)^x = 10^5$$

$$(10^2)^{-(5-x)}(10)^{-x} = 10^5$$

et on poursuit :

$$10^{-2(5-x)}(10)^{-x} = 10^5$$
$$10^{-10+2x}\,10^{-x} = 10^5$$
$$10^{-10+2x-x} = 10^5.$$

Finalement, on applique le logarithme base 10 aux deux membres :

$$\log(10^{-10+x}) = \log(10^5)$$
$$-10 + x = 5.$$

On obtient la solution $x = 15$.

Exemple `1.6.15` Résolvons l'équation $\log_5(x - 1) + \log_5(x + 6) = \log_{25}(4x^4)$ par rapport à x.

Solution Les logarithmes étant définis seulement pour les valeurs positives, on a les restrictions $x - 1 > 0$, $x + 6 > 0$ et $4x^4 > 0$ qui se résument à $x > 1$. Par la formule de changement de base **1.6.11**, on transforme le logarithme de base 25 à la base 5. L'égalité devient

$$\log_5(x - 1) + \log_5(x + 6) = \frac{\log_5(4x^4)}{\log_5(25)}$$

$$\log_5((x - 1)(x + 6)) = \frac{\log_5((2x^2)^2)}{2} \qquad \text{(application de la loi des logarithmes)}$$

$$\log_5(x^2 + 5x - 6) = \frac{\cancel{2}\log_5(2x^2)}{\cancel{2}}$$

$$\log_5(x^2 + 5x - 6) = \log_5(2x^2)$$

$$x^2 + 5x - 6 = 2x^2$$

$$x^2 - 5x + 6 = 0$$

$$(x - 6)(x - 1) = 0,$$

ce qui nous donne $x = 6$ et $x = 1$. Cependant, la deuxième solution doit être rejetée, vu la restriction $x > 1$. On trouve ainsi la solution unique $x = 6$.

Exemple `1.6.16` Résolvons l'équation $\left(\dfrac{x}{3}\right)^{\log_3 x} = 27x$ par rapport à x.

Solution Le logarithme entraîne la restriction $x > 0$. Prenons le logarithme base 3 de chaque membre et appliquons les lois **1.6.8** :

$$\log_3\left(\left(\frac{x}{3}\right)^{\log_3 x}\right) = \log_3 27x$$

$$\log_3 x \log_3\left(\frac{x}{3}\right) = \log_3 x + \log_3 27$$

$$\log_3 x\,(\log_3 x - \log_3 3) = \log_3 x + 3$$

$$\log_3 x\,(\log_3 x - 1) = \log_3 x + 3.$$

$$u(u - 1) = u + 3 \qquad \text{(substitution de } \log_3 x \text{ par } u)$$

$$u^2 - u = u + 3$$

$$u^2 - 2u - 3 = 0$$

$$(u - 3)(u + 1) = 0.$$

On obtient $u = 3$ et $u = -1$, soit $\log_3(x) = 3$ et $\log_3(x) = -1$; les solutions sont $x = 27$ et $x = 1/3$, qui respectent la restriction.

▶ Le domaine d'une fonction logarithmique composée

D'après la figure 1.6.13, on voit que le domaine de la fonction logarithmique naturelle est $]0, \infty[$. Il en est de même pour toutes les fonctions logarithmiques, quelle que soit la base b, comme le mentionne la définition **1.6.7**. Ainsi, si f est une fonction composée $g \circ h$ où g est une fonction logarithmique, alors f sera définie si et seulement si $h(x) > 0$ pour x faisant partie du domaine de h.

··Exemple 1.6.17   Trouvons le domaine pour les fonctions suivantes.

a) $f(x) = \log_{\frac{1}{2}}(5 - x)$ b) $f(x) = \ln(x^2 - 4)$

Solution   Puisque le logarithme est défini seulement sur les réels positifs, il faut trouver pour quelles valeurs de x la fonction h est positive.

a) Ici, $f(x) = \log_{\frac{1}{2}}\big(h(x)\big)$ où $h(x) = 5 - x$. La fonction h est définie sur les réels et elle est positive si $5 - x > 0$, c'est-à-dire si $x < 5$. Donc, le domaine de f est $]-\infty, 5[$.

b) Ici, $f(x) = \ln\big(h(x)\big)$ où $h(x) = x^2 - 4 = (x - 2)(x + 2)$. Selon le graphique de cette fonction (*voir la figure 1.6.17*), on a que h est positive si $x < -2$ ou si $x > 2$. De plus, h est définie sur les réels, alors le domaine de f est $]-\infty, -2[\cup]2, \infty[$.

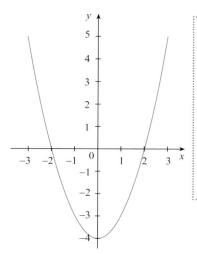

1.6.17 ◣ **FIGURE**

▶ Les fonctions trigonométriques réciproques (inverses)

Lorsqu'on cherche les réciproques de fonctions trigonométriques, on bute contre une difficulté : les fonctions trigonométriques n'étant pas injectives, elles n'ont pas de réciproques. Pour surmonter cette difficulté, on doit restreindre les domaines des fonctions de manière à rendre ces dernières injectives.

Sur les calculatrices, la fonction arcsinus s'obtient avec la touche $\sin^{-1}$.

On voit dans la figure 1.6.18 que la fonction sinus $y = \sin x$ n'est pas injective (une droite horizontale la coupe plusieurs fois). En revanche, la fonction $f(x) = \sin x$, $-\pi/2 \le x \le \pi/2$, est injective (*voir la figure 1.6.19*). La fonction réciproque de cette fonction sinus restreinte existe et se note arcsin. On l'appelle **fonction réciproque de la fonction sinus** ou **fonction arcsinus**.

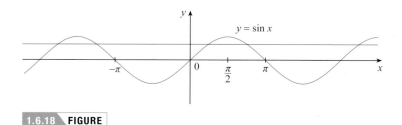

1.6.18 ◣ **FIGURE**

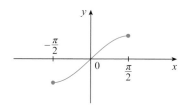

1.6.19 ◣ **FIGURE**

$y = \sin x, \ -\frac{\pi}{2} \le x \le \frac{\pi}{2}$

Comme la définition d'une fonction réciproque dit que

$$f^{-1}(x) = y \iff f(y) = x,$$

on a

1.6.12	$\arcsin x = y \iff \sin y = x \quad$ et $\quad -\dfrac{\pi}{2} \le y \le \dfrac{\pi}{2}.$

Donc, si $-1 \le x \le 1$, arcsin x est le nombre situé entre $-\pi/2$ et $\pi/2$ inclusivement dont le sinus est x.

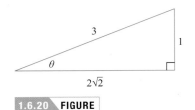

1.6.20   **FIGURE**

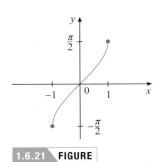

1.6.21   **FIGURE**

$y = \arcsin x$

Sur les calculatrices, la fonction arccosinus s'obtient avec la touche $\cos^{-1}$.

·· **Exemple**   **1.6.18**   Évaluons a) $\arcsin(\frac{1}{2})$ et b) $\tan(\arcsin\frac{1}{3})$.

Solution

a)   On a

$$\arcsin(\tfrac{1}{2}) = \frac{\pi}{6}$$

puisque $\sin(\pi/6) = \frac{1}{2}$ et que $\pi/6$ se trouve entre $-\pi/2$ et $\pi/2$.

b)   On pose $\theta = \arcsin\frac{1}{3}$, tel que $\sin\theta = \frac{1}{3}$. On peut alors dessiner un triangle rectangle dont un des angles mesure θ (*voir la figure 1.6.20*) et, s'appuyant sur le théorème de Pythagore, en déduire que le troisième côté mesure $\sqrt{9-1} = 2\sqrt{2}$ de longueur. La lecture du triangle indique que

$$\tan(\arcsin\tfrac{1}{3}) = \tan\theta = \frac{1}{2\sqrt{2}} = \frac{\sqrt{2}}{4}.$$

Dans ce cas-ci, les formules de réciprocité deviennent

1.6.13	$\arcsin(\sin x) = x \quad$ pour $-\dfrac{\pi}{2} \le x \le \dfrac{\pi}{2}$ $\sin(\arcsin x) = x \quad$ pour $-1 \le x \le 1$.

Le domaine de la fonction réciproque de la fonction sinus, arcsin, est $[-1, 1]$ et son image, $[-\pi/2, \pi/2]$. Le graphique de cette fonction, montré dans la figure 1.6.21, s'obtient par réflexion de la fonction sinus restreinte (*voir la figure 1.6.19*) par rapport à la droite $y = x$.

La **fonction réciproque de la fonction cosinus** se traite de la même manière. Comme la fonction cosinus restreinte $f(x) = \cos x$, $0 \le x \le \pi$, est injective (*voir la figure 1.6.22*), elle a une réciproque, appelée **arccosinus** et notée arccos.

1.6.14	$\arccos x = y \quad \Leftrightarrow \quad \cos y = x \qquad$ et $\qquad 0 \le y \le \pi$

Les formules de réciprocité sont

1.6.15	$\arccos(\cos x) = x \;$ pour $0 \le x \le \pi$ $\cos(\arccos x) = x \;$ pour $-1 \le x \le 1$.

Le domaine de la fonction réciproque du cosinus, arccos, est $[-1, 1]$ et son image est $[0, \pi]$. La figure 1.6.23 montre le graphique de cette fonction.

On peut rendre la fonction tangente injective en la restreignant à l'intervalle $]-\pi/2, \pi/2[$. La **fonction réciproque de la fonction tangente**, ou **fonction arctangente**, se définit donc comme étant la réciproque de la fonction $f(x) = \tan x$, $-\pi/2 < x < \pi/2$ (*voir la figure 1.6.24*). On la note arctan.

Sur les calculatrices, la fonction arctangente s'obtient avec la touche $\tan^{-1}$.

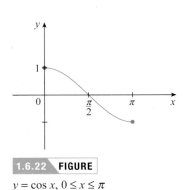

1.6.22   **FIGURE**

$y = \cos x$, $0 \le x \le \pi$

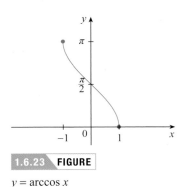

1.6.23   **FIGURE**

$y = \arccos x$

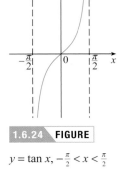

1.6.24   **FIGURE**

$y = \tan x$, $-\dfrac{\pi}{2} < x < \dfrac{\pi}{2}$

1.6.16	$\arctan x = y \quad \Leftrightarrow \quad \tan y = x \quad$ et $\quad -\dfrac{\pi}{2} < y < \dfrac{\pi}{2}$

Exemple 1.6.19 Simplifions l'expression $\cos(\arctan x)$.

Solution 1 Soit $y = \arctan x$. Alors, $\tan y = x$ et $-\pi/2 < y < \pi/2$. On cherche $\cos y$, mais, $\tan y$ étant connu, il sera plus facile de chercher d'abord $\sec y$:

$$\sec^2 y = 1 + \tan^2 y = 1 + x^2$$
$$\sec y = \sqrt{1 + x^2} \quad \text{(puisque } \sec y > 0 \text{ lorsque } -\pi/2 < y < \pi/2\text{).}$$

Ainsi,

$$\cos(\arctan x) = \cos y = \frac{1}{\sec y} = \frac{1}{\sqrt{1 + x^2}}.$$

Solution 2 Au lieu des identités trigonométriques utilisées dans la solution 1, on pourrait se faciliter la tâche au moyen d'un schéma. Si $y = \arctan x$, alors $\tan y = x$, et la figure 1.6.25 (qui illustre le cas où $y > 0$) révèle que

$$\cos(\arctan x) = \cos y = \frac{1}{\sqrt{1 + x^2}}.$$

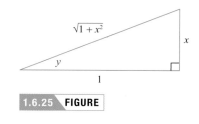

1.6.25 FIGURE

Le domaine de la fonction réciproque de la fonction tangente, arctan, est $\mathbb{R}$ et son image est $]-\pi/2, \pi/2[$. La figure 1.6.26 montre le graphique de la fonction.

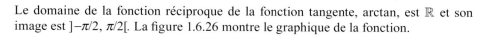

1.6.26 FIGURE

$y = \arctan x$

On sait que les droites $x = \pm\pi/2$ sont des asymptotes verticales du graphique de tan. Le graphique de arctan étant obtenu par réflexion du graphique de la fonction tangente restreinte par rapport à la droite $y = x$, il s'ensuit que les droites $y = \pi/2$ et $y = -\pi/2$ sont des asymptotes horizontales du graphique de arctan.

Les fonctions réciproques des autres fonctions trigonométriques sont moins usuelles. En voici les définitions.

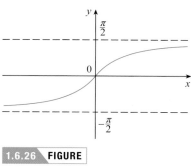

1.6.27 FIGURE

$y = \sec x$

1.6.17	$y = \operatorname{arccsc} x \ (|x| \geq 1) \quad \Leftrightarrow \quad \csc y = x \ $ et $\ y \in \ ]0, \pi/2] \cup \ ]\pi, 3\pi/2]$
	$y = \operatorname{arcsec} x \ (|x| \geq 1) \quad \Leftrightarrow \quad \sec y = x \ $ et $\ y \in [0, \pi/2[\ \cup \ [\pi, 3\pi/2[$
	$y = \operatorname{arccot} x \ (|x| \in \mathbb{R}) \quad \Leftrightarrow \quad \cot y = x \ $ et $\ y \in \ ]0, \pi[$

Dans les définitions de arccsc et arcsec restreintes, le choix des intervalles de y ne fait pas l'unanimité. Par exemple, certains auteurs utilisent $y \in [0, \pi/2[\ \cup \ ]\pi/2, \pi]$ dans la définition de arcsec. (Comme on le voit dans le graphique de la fonction sécante de la figure 1.6.27, tant ce choix que celui énoncé en **1.6.17** conviennent.)

Exercices 1.6

1. a) Qu'est-ce qu'une fonction injective?

b) Comment sait-on si une fonction est injective d'après son graphique?

2. a) Soit f, une fonction injective de domaine A et d'image B. Comment la fonction réciproque f^{-1} est-elle définie? Quel est le domaine de f^{-1}? Quelle est l'image de f^{-1}?

b) Étant donné une formule de f, comment trouverez-vous une formule de f^{-1}?

c) Étant donné le graphique de f, comment trouverez-vous le graphique de f^{-1}?

3-14 Une fonction est donnée par un tableau de valeurs, un graphique, une formule ou une description verbale. Déterminez si elle est injective.

3.

x	1	2	3	4	5	6
$f(x)$	1,5	2,0	3,6	5,3	2,8	2,0

4.

x	1	2	3	4	5	6
$f(x)$	1,0	1,9	2,8	3,5	3,1	2,9

5.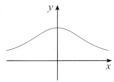

6.

7.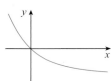

8.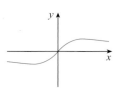

9. $f(x) = x^2 - 2x$

10. $f(x) = 10 - 3x$

11. $g(x) = 1/x$

12. $g(x) = \cos x$

13. $f(t)$ est la hauteur d'un ballon de football t secondes après le botté.

14. $f(t)$ est votre taille à l'âge t.

15. Soit f, une fonction injective.

a) Si $f(6) = 17$, que vaut $f^{-1}(17)$?

b) Si $f^{-1}(3) = 2$, que vaut $f(2)$?

16. Étant donné $f(x) = x^5 + x^3 + x$, calculez $f^{-1}(3)$ et $f(f^{-1}(2))$.

17. Étant donné $g(x) = 3 + x + e^x$, calculez $g^{-1}(4)$.

18. Le graphique de f est donné.

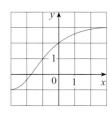

a) Pourquoi f est-elle injective?

b) Quels sont le domaine et l'image de f^{-1}?

c) Quelle est la valeur de $f^{-1}(2)$?

d) Estimez la valeur de $f^{-1}(0)$.

19. La formule $C = \frac{5}{9}(F - 32)$, où $F \geq -459{,}67$, exprime la température C en degrés Celsius en fonction de la température F en degrés Fahrenheit. Trouvez une formule de la fonction réciproque et interprétez-la. Quel est le domaine de la fonction réciproque?

20. En théorie de la relativité, la masse d'une particule se déplaçant à la vitesse v est

$$m = f(v) = \frac{m_0}{\sqrt{1 - v^2/c^2}}$$

où m_0 est la masse de la particule au repos et c est la vitesse de la lumière dans le vide. Trouvez la fonction réciproque de f et expliquez ce qu'elle signifie.

21-26 Trouvez une formule de la réciproque de la fonction donnée.

21. $f(x) = 1 + \sqrt{2 + 3x}$

22. $f(x) = \dfrac{4x - 1}{2x + 3}$

23. $f(x) = e^{2x-1}$

24. $y = x^2 - x$, $x \geq \frac{1}{2}$

25. $y = \ln(x + 3)$

26. $y = \dfrac{e^x}{1 + 2e^x}$

27-28 Cherchez une formule explicite de f^{-1} et utilisez-la pour tracer les graphiques respectifs de f^{-1} et de f ainsi que la droite $y = x$ sur le même écran. Pour vérifier votre travail, voyez si les graphiques de f et de f^{-1} sont symétriques l'un de l'autre par rapport à la droite.

27. $f(x) = x^4 + 1$, $x \geq 0$

28. $f(x) = 2 - e^x$

29-30 Utilisez le graphique donné de f pour esquisser celui de f^{-1}.

29.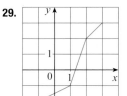

30.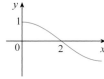

31. Soit $f(x) = \sqrt{1 - x^2}$, $0 \leq x \leq 1$.

a) Trouvez f^{-1} et dites en quoi elle est apparentée à f.

b) Identifiez le graphique de f et expliquez votre réponse en a).

32. Soit $g(x) = \sqrt[3]{1 - x^3}$.

a) Trouvez g^{-1} et dites en quoi elle est apparentée à g.

b) Tracez le graphique de g. Comment expliquez-vous votre réponse en a)?

33. a) Comment la fonction logarithmique $y = \log_b x$ est-elle définie?

b) Quel est le domaine de cette fonction?

c) Quelle est l'image de cette fonction?

d) Esquissez l'allure générale du graphique de la fonction $y = \log_b x$ pour $b > 1$.

34. a) Qu'appelle-t-on «logarithme naturel»?

b) Quel est le logarithme décimal?

c) Esquissez les graphiques de la fonction logarithmique naturelle et de la fonction exponentielle naturelle dans le même système d'axes.

35-42 Trouvez la valeur exacte de chaque expression, sans utiliser une calculatrice.

35. a) $\log_5 125$ b) $\log_3(\frac{1}{27})$

36. a) $\log_2 32$ b) $\log_8 2$

37. a) $\ln(1/e)$ b) $\log \sqrt{10}$

38. a) $\log_5 \frac{1}{125}$ b) $\ln(1/e^2)$

39. a) $\log_2 6 - \log_2 15 + \log_2 20$ b) $\log_3 100 - \log_3 18 - \log_3 50$

40. a) $\log_{10} 40 + \log_{10} 2{,}5$ b) $\log_8 60 - \log_8 3 - \log_8 5$

41. a) $e^{-2 \ln 5}$ b) $\ln\left(\ln e^{e^{10}}\right)$

42. a) $e^{-\ln 2}$ b) $e^{\ln (\ln e^3)}$

43-47 Écrivez l'expression comme un seul logarithme.

43. $\ln 5 + 5 \ln 3$

44. $\ln 10 + 2 \ln 5$

45. $\ln(a + b) + \ln(a - b) - 2 \ln c$

46. $\ln b + 2 \ln c - 3 \ln d$

47. $\frac{1}{3}\ln(x + 2)^3 + \frac{1}{2}[\ln x - \ln(x^2 + 3x + 2)^2]$

48. À l'aide de la formule **1.6.11** (*voir p. 81*) de changement de base, évaluez chaque logarithme à six décimales d'exactitude.

a) $\log_{12} 10$ b) $\log_2 8{,}4$

49-50 À l'aide de la formule **1.6.11** (*voir p. 81*), tracez les graphiques des fonctions données sur un même écran. En quoi ces graphiques sont-ils apparentés?

49. $y = \log_{1,5} x, y = \ln x, y = \log x, y = \log_{50} x$

50. $y = \ln x, y = \log x, y = e^x, y = 10^x$

51. Soit le graphique de $y = \log_2 x$ tracé dans un plan dont l'unité de mesure est le centimètre. À combien de kilomètres à droite de l'origine la courbe atteint-elle 40 cm de hauteur?

52. Comparez les fonctions $f(x) = x^{0,1}$ et $g(x) = \ln x$ en traçant leurs graphiques respectifs dans plusieurs fenêtres. Quand le graphique de f finit-il par dépasser celui de g?

53-54 Esquissez le graphique de chaque fonction. N'utilisez pas de calculatrice mais seulement les graphiques présentés dans les figures 1.6.12 (*voir p. 79*) et 1.6.13 (*voir p. 81*).

53. a) $y = \log(x + 5)$ b) $y = -\ln x$

54. a) $y = \ln(-x)$ b) $y = \ln |x|$

55-56

a) Quels sont le domaine et l'image de f?

b) Quelle est l'abscisse à l'origine du graphique de f?

c) Esquissez le graphique de f.

55. $f(x) = \ln x + 2$

56. $f(x) = \ln(x - 1) - 1$

57-60 Résolvez chaque équation par rapport à x.

57. a) $e^{7-4x} = 6$ b) $\ln(3x - 10) = 2$

58. a) $\ln(x^2 - 1) = 3$ b) $e^{2x} - 3e^x + 2 = 0$

59. a) $2^{x-5} = 3$ b) $\ln x + \ln(x - 1) = 1$

60. a) $\ln(\ln x) = 1$ b) $e^{ax} = Ce^{bx}$, où $a \neq b$

61-62 Résolvez chaque inégalité par rapport à x.

61. a) $\ln x < 0$ b) $e^x > 5$

62. a) $1 < e^{3x-1} < 2$ b) $1 - 2 \ln x < 3$

63. a) Déterminez le domaine de $f(x) = \ln(e^x - 3)$.

b) Déterminez f^{-1} et son domaine.

64. a) Que valent $e^{\ln 300}$ et $\ln(e^{300})$?

b) Évaluez $e^{\ln 300}$ et $\ln(e^{300})$ au moyen d'une calculatrice. Que remarquez-vous? Comment expliquez-vous la difficulté qu'a la calculatrice à faire le calcul?

LCS **65.** Tracez le graphique de $f(x) = \sqrt{x^3 + x^2 + x + 1}$ et expliquez pourquoi cette fonction est injective. Utilisez ensuite un logiciel de calcul symbolique pour trouver une expression explicite de $f^{-1}(x)$. (Votre logiciel de calcul symbolique produira trois expressions possibles. Expliquez pourquoi, dans le contexte, deux d'entre elles ne sont pas pertinentes.)

LCS **66.** a) Soit $g(x) = x^6 + x^4$, $x \geq 0$. À l'aide d'un système de calcul formel, trouvez une expression de $g^{-1}(x)$.

b) Utilisez l'expression trouvée en a) pour tracer les graphiques de $y = g(x)$, $y = x$ et $y = g^{-1}(x)$ sur le même écran.

67. Soit une population de bactéries qui compte initialement 100 individus et qui double toutes les trois heures, de sorte que le nombre de bactéries après t heures est $n = f(t) = 100 \cdot 2^{t/3}$ (*voir l'exercice 21 de la section 1.5, à la page 74*).

a) Trouvez la réciproque de cette fonction et donnez sa signification.

b) Quand la population atteindra-t-elle 50 000 individus?

68. Dès que le flash d'un appareil photo se déclenche, les piles se mettent à recharger le condensateur, qui stocke une charge électrique donnée par

$$Q(t) = Q_0(1 - e^{-t/a}).$$

(La capacité de charge maximale est Q_0 et t est mesuré en secondes.)

a) Trouvez la réciproque de cette fonction et donnez-en la signification.

b) En combien de temps le condensateur se recharge-t-il à 90 % de sa capacité si $a = 2$?

▲ 69-74 Trouvez la valeur exacte de chaque expression, sans utiliser une calculatrice.

69. a) $\arcsin(\sqrt{3}/2)$ b) $\arccos(-1)$

70. a) $\arctan(1/\sqrt{3})$ b) $\operatorname{arcsec} 2$

71. a) $\arctan 1$ b) $\arcsin(1/\sqrt{2})$

72. a) $\operatorname{arccot}(-\sqrt{3})$ b) $\arccos(-\frac{1}{2})$

73. a) $\tan(\arctan 10)$ b) $\arcsin(\sin(7\pi/3))$

74. a) $\tan(\operatorname{arcsec} 4)$ b) $\sin\left(2\arcsin(\frac{3}{5})\right)$

75. Prouvez que $\cos(\arcsin x) = \sqrt{1-x^2}$.

▲ 76-78 Simplifiez l'expression.

76. $\tan(\arcsin x)$

77. $\sin(\arctan x)$

78. $\cos(2\arctan x)$

⊞ 79-80 Tracez les graphiques des fonctions sur le même écran. En quoi les graphiques sont-ils apparentés?

▲ **79.** $y = \sin x$, $-\pi/2 \leq x \leq \pi/2$; $y = \arcsin x$; $y = x$

▲ **80.** $y = \tan x$, $-\pi/2 < x < \pi/2$; $y = \arctan x$; $y = x$

▲ **81.** Déterminez le domaine et l'image de la fonction

$$g(x) = \arcsin(3x + 1).$$

⊞▲ **82.** a) Tracez le graphique de la fonction $f(x) = \sin(\arcsin x)$ et expliquez son allure.
b) Tracez le graphique de la fonction $g(x) = \arcsin(\sin x)$. Comment expliquez-vous l'allure de ce graphique?

83. a) Si l'on déplace une courbe vers la gauche, qu'arrive-t-il à son image par réflexion par rapport à la droite $y = x$? Étant donné ce principe géométrique, trouvez une expression de la réciproque de $g(x) = f(x + c)$, où f est une fonction injective.
b) Trouvez une expression de la réciproque de $h(x) = f(cx)$, où $c \neq 0$.

Révision

Compréhension des concepts

1. a) Qu'est-ce qu'une fonction? Que sont le domaine et l'image d'une fonction?
b) Qu'est-ce que le graphique d'une fonction?
c) À quoi sait-on qu'une courbe donnée est le graphique d'une fonction?

2. Décrivez quatre façons de représenter une fonction et illustrez-les par des exemples.

3. a) Qu'est-ce qu'une fonction paire? Comment reconnaît-on une fonction paire d'après son graphique? Donnez trois exemples de fonction paire.
b) Qu'est-ce qu'une fonction impaire? Comment reconnaît-on une fonction impaire d'après son graphique? Donnez trois exemples de fonction impaire.

4. Qu'est-ce qu'une fonction croissante?

5. Qu'est-ce qu'un modèle mathématique?

6. Esquissez les graphiques des fonctions suivantes dans le même système d'axes.
a) $f(x) = x$ b) $g(x) = x^2$
c) $h(x) = x^3$ d) $j(x) = x^4$

▲ **7.** Esquissez le graphique de chaque fonction.
a) $y = \sin x$ b) $y = \tan x$ c) $y = e^x$
d) $y = \ln x$ e) $y = 1/x$ f) $y = |x|$
g) $y = \sqrt{x}$ h) $y = \arctan x$

8. Soit A, le domaine de f, et B, le domaine de g.
a) Quel est le domaine de $f + g$?
b) Quel est le domaine de fg?
c) Quel est le domaine de f/g?

9. Comment la fonction composée $f \circ g$ se définit-elle? Quel est son domaine?

10. a) Qu'est-ce qu'une fonction injective? À quoi reconnaissez-vous une fonction injective d'après son graphique?
b) Si f est une fonction injective, comment sa réciproque f^{-1} se définit-elle? Comment obtient-on le graphique de f^{-1} à partir de celui de f?

11. a) Comment la fonction arcsinus se définit-elle? Quels sont le domaine et l'image de cette fonction?
b) Comment la fonction arccosinus se définit-elle? Quels sont le domaine et l'image de cette fonction?
c) Comment la fonction arctangente se définit-elle? Quels sont son domaine et son image?

Vrai ou faux

Déterminez si la proposition est vraie ou fausse. Si elle est vraie, expliquez pourquoi. Si elle est fausse, expliquez pourquoi ou réfutez-la au moyen d'un contre-exemple.

1. Si f est une fonction, alors $f(s + t) = f(s) + f(t)$.

2. Si $f(s) = f(t)$, alors $s = t$.

3. Si f est une fonction, alors $f(3x) = 3f(x)$.

4. Si $x_1 < x_2$ et que f est une fonction décroissante, alors $f(x_1) \geq f(x_2)$.

5. Une droite verticale coupe le graphique d'une fonction au plus une fois.

6. Si f et g sont des fonctions, alors $f \circ g = g \circ f$.

7. Si f est injective, alors $f^{-1}(x) = \dfrac{1}{f(x)}$.

8. On peut toujours diviser par e^x.

9. Si $0 < a < b$, alors $\ln a < \ln b$.

10. Si $x > 0$, alors $(\ln x)^6 = 6 \ln x$.

11. Si $x > 0$ et que $a > 1$, alors $\dfrac{\ln x}{\ln a} = \ln \dfrac{x}{a}$.

12. $\arctan(-1) = 3\pi/4$

13. $\arctan x = \dfrac{\arcsin x}{\arccos x}$

14. Si x est un nombre réel quelconque, alors $\sqrt{x^2} = x$.

Exercices récapitulatifs

1. Soit f, la fonction dont le graphique est donné.

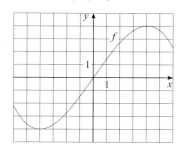

a) Estimez la valeur de $f(2)$.

b) Estimez les valeurs de x telles que $f(x) = 3$.

c) Déterminez le domaine de f.

d) Déterminez l'image de f.

e) Sur quel intervalle f est-elle croissante?

f) La fonction f est-elle injective? Justifiez votre réponse.

g) La fonction f est-elle paire, impaire ou ni paire ni impaire? Justifiez votre réponse.

2. Le graphique de g est donné.

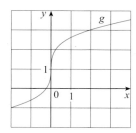

a) Évaluez $g(2)$.

b) Pourquoi g est-elle injective?

c) Estimez la valeur de $g^{-1}(2)$.

d) Estimez le domaine de g^{-1}.

e) Esquissez le graphique de g^{-1}.

3. Étant donné $f(x) = x^2 - 2x + 3$, évaluez le quotient des écarts

$$\frac{f(a+h) - f(a)}{h}.$$

4. Esquissez un graphique pour représenter la récolte d'une culture en fonction de la quantité d'engrais utilisée.

5-8 Déterminez le domaine et l'image de la fonction et écrivez-les en notation d'intervalles.

5. $f(x) = 2/(3x - 1)$

6. $g(x) = \sqrt{16 - x^4}$

7. $h(x) = \ln(x + 6)$

8. $F(t) = 3 + \cos 2t$

9. Dites si f est paire, impaire ou ni paire ni impaire.

a) $f(x) = 2x^5 - 3x^2 + 2$

b) $f(x) = x^3 - x^7$

c) $f(x) = e^{-x^2}$

d) $f(x) = 1 + \sin x$

10. Donnez une expression de la fonction dont le graphique est composé du segment reliant le point $(-2, 2)$ au point $(-1, 0)$ ainsi que de la moitié supérieure du cercle centré à l'origine de rayon 1.

11. Soit $f(x) = \ln x$ et $g(x) = x^2 - 9$. Trouvez les fonctions a) $f \circ g$, b) $g \circ f$, c) $f \circ f$ et d) $g \circ g$, et déterminez leurs domaines.

12. Exprimez la fonction $F(x) = 1/\sqrt{x + \sqrt{x}}$ comme la composée de trois fonctions.

13. Un fabricant de petits électroménagers constate que la production de 1000 grille-pain fours par semaine coûte 9000 \$ et que la production de 1500 grille-pain fours par semaine coûte 12 000 \$.

a) Exprimez le coût en fonction du nombre de grille-pain fours produits, en supposant que la fonction est linéaire. Esquissez le graphique de la fonction.

b) Quelle est la pente du graphique et que représente-t-elle?

c) Quelle est l'ordonnée à l'origine du graphique et que représente-t-elle?

14. Étant donné $f(x) = 2x + \ln x$, trouvez $f^{-1}(2)$.

15. Trouvez la fonction réciproque de $f(x) = \dfrac{x+1}{2x+1}$.

16. Trouvez la valeur exacte de chaque expression, sans utiliser une calculatrice.

a) $e^{2 \ln 3}$

b) $\log 25 + \log 4$

c) $\tan\left(\arcsin \frac{1}{2}\right)$

d) $\sin\left(\arccos\left(\frac{4}{5}\right)\right)$

17. Résolvez chaque équation par rapport à x.

a) $e^x = 5$

b) $\ln x = 2$

c) $e^{e^x} = 2$

d) $\arctan x = 1$

18. Comptant au départ 100 individus, la population d'une certaine espèce vivant dans un milieu dont la capacité porteuse est de 1000 individus est donnée par

$$P(t) = \frac{100\,000}{100 + 900e^{-t}}$$

où t est mesuré en années.

a) Tracez le graphique de cette fonction et estimez le temps nécessaire pour que la population atteigne 900 individus.

b) Trouvez la réciproque de cette fonction et expliquez sa signification.

c) À l'aide de la fonction réciproque, déterminez le temps nécessaire pour que la population atteigne au moins 900 individus. Comparez ce résultat avec votre réponse en a).

19. Sur le même écran, tracez les graphiques des trois fonctions $y = x^a$, $y = a^x$ et $y = \log_a x$ pour deux ou trois valeurs de $a > 1$. Pour les grandes valeurs de x, laquelle de ces fonctions prend les plus grandes valeurs? Laquelle prend les plus petites valeurs?

Problèmes supplémentaires

Les principes de la résolution de problèmes

En résolution de problèmes, il n'existe pas de règles immuables qui garantissent la réussite. On peut néanmoins exposer à grands traits les étapes générales du processus de résolution et poser quelques principes qui s'avéreront utiles pour résoudre certains problèmes. Ces étapes et principes ne traduisent en fait que le bon sens. Ils ont été adaptés du livre *Comment poser et résoudre un problème*, de George Polya.

1. Comprendre le problème

La première étape consiste à lire le problème et à s'assurer de bien le comprendre. Posez-vous les questions suivantes :

Quelle est l'inconnue?

Quelles sont les grandeurs données?

Quelles sont les conditions posées?

Dans bien des cas, il est utile de

dessiner un schéma

et de l'annoter en fonction des données et de l'inconnue.

En général, il faut

introduire une notation adéquate.

On désigne souvent les grandeurs inconnues par les lettres a, b, c, m, n, x et y, mais, dans certains cas, il est préférable d'employer les symboles du SI, qui sont plus suggestifs; par exemple V pour le volume, ou t pour le temps.

2. Élaborer un plan

Pour déterminer la valeur de l'inconnue, il faut trouver le lien qui l'unit aux données. On s'aidera en se posant la question : « Comment puis-je relier les données et l'inconnue? » Si le lien n'est pas évident, on s'inspirera des idées suivantes pour élaborer un plan.

Essayer de reconnaître quelque chose de familier

Rapprochez la situation décrite de vos connaissances antérieures. Considérant l'inconnue, tâchez de vous rappeler un problème familier où elle intervient.

Rechercher des régularités

La résolution de certains problèmes passe par la découverte d'une régularité géométrique, numérique ou algébrique. Toute structure répétitive vous aidera à conjecturer, puis à prouver, la règle de la régularité.

Employer une analogie

Pensez à un problème analogue – semblable ou comparable – mais plus facile. Le fait de résoudre le problème plus facile pourrait vous donner les indices nécessaires à la résolution du problème difficile. Par exemple, face à un problème comportant de très grands nombres, commencez par résoudre un problème similaire comportant des nombres plus petits. Ou encore, si vous devez résoudre un problème de géométrie à trois dimensions, cherchez à vous rappeler un problème comparable de géométrie plane. Si le problème à résoudre est général, essayez d'abord un cas particulier du problème.

Introduire quelque chose de plus

Il arrive parfois que, pour établir le lien entre les données et l'inconnue, on doive introduire une aide auxiliaire dans le problème. Par exemple, si la résolution demande un schéma, l'aide auxiliaire peut être une ligne ajoutée au schéma. Dans un problème plus algébrique, l'aide peut être une nouvelle inconnue liée à l'inconnue initiale.

Fragmenter le problème

On doit parfois fragmenter le problème en plusieurs cas et apporter une solution à chacun des cas. Cette stratégie s'emploie souvent lorsqu'on a affaire à des valeurs absolues.

Travailler à rebours

Il peut être utile d'imaginer le problème résolu et de remonter les étapes jusqu'aux données. Alors, en inversant l'ordre des étapes, on peut arriver à échafauder la solution du problème initial. Ce procédé s'emploie couramment pour résoudre des équations. Devant l'équation $3x - 5 = 7$, par exemple, on suppose que x est un nombre qui satisfait à $3x - 5 = 7$ et on procède à l'envers. On additionne 5 à chaque membre de l'équation, puis on divise chaque membre par 3 pour obtenir $x = 4$. Chacune de ces étapes pouvant être inversée, on a résolu le problème.

Se fixer des objectifs

Devant un problème complexe, il est souvent utile de procéder par objectifs (dont chacun ne satisfait la situation qu'en partie). Si l'on réussit à atteindre ces objectifs, on devrait pouvoir prendre appui sur eux afin de résoudre le problème.

Employer le raisonnement par l'absurde

Il convient parfois d'attaquer le problème indirectement. En employant le raisonnement par l'absurde pour prouver que P implique Q, on suppose que P est vraie et que Q est fausse, et on cherche à savoir pourquoi cela est impossible. On doit trouver une façon d'utiliser cette information afin de formuler le contraire de ce que l'on sait être vrai.

Employer le raisonnement par induction mathématique

Pour faire la preuve de propositions comportant un entier positif n, il est souvent utile d'avoir recours à l'axiome d'induction suivant.

L'axiome d'induction

Soit S_n un énoncé portant sur l'entier positif n. Supposons que

1. S_1 est vrai.

2. S_{k+1} est vrai lorsque S_k est vrai.

Alors, S_n est vrai quels que soient les entiers positifs n.

Cela est sensé puisque, S_1 étant vrai, il découle de la condition 2 (où $k = 1$) que S_2 est vrai. Puis, en prenant la condition 2 avec $k = 2$, on voit que S_3 est vrai. Et, en reprenant la condition 2, cette fois avec $k = 3$, on voit que S_4 est vrai. Cette récurrence peut se prolonger indéfiniment.

3. Exécuter le plan

Durant l'exécution du plan élaboré à l'étape 2, on doit vérifier chaque étape et la valider au moyen de notes écrites.

4. Passer la solution en revue

Une fois la solution achevée, on prend soin de la passer en revue, d'abord pour vérifier qu'elle ne contient pas d'erreur, ensuite pour voir si on aurait pu résoudre le problème plus facilement. La revue sert aussi à vous familiariser avec la méthode de résolution, ce qui peut s'avérer utile au moment de résoudre un problème futur. Descartes disait : « Chaque problème que j'ai résolu a donné lieu à une règle qui m'a ensuite servi à résoudre d'autres problèmes. »

Ces principes de résolution de problèmes sont illustrés dans les exemples suivants. Avant de regarder les solutions, essayez de résoudre les problèmes par vous-même, en consultant les principes de résolution au besoin. Cette section vous aidera également à faire les exercices des autres chapitres du manuel.

Exemple 1.P.1 Exprimons l'hypoténuse h d'un triangle rectangle dont l'aire mesure 25 m² en fonction du périmètre P du triangle.

Solution   On commence par classer l'information en distinguant la grandeur inconnue des données :

> *Inconnue :* hypoténuse h
>
> *Données :* périmètre P, aire 25 m²

On s'aide en dessinant le schéma de la figure 1.P.1.

PRP Comprendre le problème

PRP Dessiner un schéma

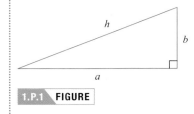

1.P.1   FIGURE

PRP Établir un lien entre les données et l'inconnue

PRP Introduire quelque chose de plus

Afin d'établir un lien entre les données et l'inconnue, on introduit deux variables, a et b, représentant les longueurs des deux autres côtés du triangle. On peut ainsi exprimer la condition posée, à savoir que le triangle est rectangle, au moyen de la relation de Pythagore :

$$h^2 = a^2 + b^2.$$

Les autres liens qui unissent les variables s'expriment par les formules de l'aire et du périmètre :

$$25 = \tfrac{1}{2} ab \quad P = a + b + h.$$

Comme P est donné, on a maintenant trois équations et trois inconnues, a, b et h :

1.P.1	$h^2 = a^2 + b^2$

1.P.2	$25 = \tfrac{1}{2} ab$

1.P.3	$P = a + b + h.$

PRP Reconnaître quelque chose de familier

Bien que le nombre d'équations soit approprié, ces dernières ne sont pas faciles à résoudre directement. Cependant, une méthode plus facile apparaît dès qu'on emploie la stratégie *reconnaître quelque chose de familier*. Regardez les membres de droite des équations **1.P.1**, **1.P.2** et **1.P.3**. Ces expressions vous rappellent-elles quelque chose ? Elles contiennent en effet les éléments d'une formule connue :

$$(a + b)^2 = a^2 + 2ab + b^2.$$

Au moyen de cette observation, on peut exprimer $(a + b)^2$ de deux façons. Des équations **1.P.1** et **1.P.2**, on obtient

$$(a + b)^2 = (a^2 + b^2) + 2ab = h^2 + 4(25).$$

De l'équation **1.P.3**, on tire :

$$(a + b)^2 = (P - h)^2 = P^2 - 2Ph + h^2.$$

Par conséquent,

$$h^2 + 100 = P^2 - 2Ph + h^2$$
$$2Ph = P^2 - 100$$
$$h = \frac{P^2 - 100}{2P}.$$

Voilà l'expression recherchée de h en fonction de P.

Comme l'illustre le prochain exemple, on doit souvent s'en remettre au principe de *fragmenter le problème* lorsque interviennent des valeurs absolues.

Exemple 1.P.2 Résolvons l'inégalité $|x - 3| + |x + 2| < 11$.

Solution On se rappelle la définition de la valeur absolue :

$$|x| = \begin{cases} x & \text{si} \quad x \geq 0 \\ -x & \text{si} \quad x < 0. \end{cases}$$

Il s'ensuit que

$$|x - 3| = \begin{cases} x - 3 & \text{si} \quad x - 3 \geq 0 \\ -(x - 3) & \text{si} \quad x - 3 < 0 \end{cases}$$
$$= \begin{cases} x - 3 & \text{si} \quad x \geq 3 \\ -x + 3 & \text{si} \quad x < 3. \end{cases}$$

De même,

$$|x + 2| = \begin{cases} x + 2 & \text{si} \quad x + 2 \geq 0 \\ -(x + 2) & \text{si} \quad x + 2 < 0 \end{cases}$$
$$= \begin{cases} x + 2 & \text{si} \quad x \geq -2 \\ -x - 2 & \text{si} \quad x < -2. \end{cases}$$

PRP Fragmenter le problème

Ces expressions révèlent trois cas à considérer :

$$x < -2 \qquad -2 \leq x < 3 \qquad x \geq 3.$$

CAS I Si $x < -2$, on a

$$|x + 3| + |x + 2| < 11$$
$$-x + 3 - x - 2 < 11$$
$$-2x < 10$$
$$x > -5.$$

CAS II Si $-2 \le x < 3$, l'inégalité donnée devient

$$-x + 3 + x + 2 < 11$$
$$5 < 11 \quad \text{(toujours vrai)}.$$

CAS III Si $x \ge 3$, l'inégalité devient

$$x - 3 + x + 2 < 11$$
$$2x < 12$$
$$x < 6.$$

Ensemble, les cas I, II et III indiquent que l'inégalité est satisfaite lorsque $-5 < x < 6$. La solution est donc l'intervalle $]-5, 6[$.

Dans l'exemple suivant, on commence par conjecturer la réponse en envisageant des cas particuliers dans lesquels on reconnaît une régularité. La conjecture sera ensuite démontrée par l'axiome d'induction.

La mise en application de cet axiome comprend trois étapes :

Étape 1 Prouver que S_n est vrai quand $n = 1$.

Étape 2 Supposer que S_n est vrai quand $n = k$ et en déduire que S_n est vrai quand $n = k + 1$.

Étape 3 Conclure que S_n est vrai pour tout n selon l'axiome d'induction.

Exemple 1.P.3 Soit $f_0(x) = x/(x + 1)$ et $f_{n+1} = f_0 \circ f_n$ pour $n = 0, 1, 2, \ldots$ Trouvons une formule pour $f_n(x)$.

PRP Analogie : Essayer un problème comparable mais plus simple

Solution On commence par trouver des formules de $f_n(x)$ dans les cas particuliers où $n = 1, 2$ et 3.

$$f_1(x) = (f_0 \circ f_0)(x) = f_0\big(f_0(x)\big) = f_0\left(\frac{x}{x+1}\right)$$

$$= \frac{\dfrac{x}{x+1}}{\dfrac{x}{x+1}+1} = \frac{\dfrac{x}{x+1}}{\dfrac{2x+1}{x+1}} = \frac{x}{2x+1}$$

$$f_2(x) = (f_0 \circ f_1)(x) = f_0\big(f_1(x)\big) = f_0\left(\frac{x}{2x+1}\right)$$

$$= \frac{\dfrac{x}{2x+1}}{\dfrac{x}{2x+1}+1} = \frac{\dfrac{x}{2x+1}}{\dfrac{3x+1}{2x+1}} = \frac{x}{3x+1}$$

$$f_3(x) = (f_0 \circ f_2)(x) = f_0\big(f_2(x)\big) = f_0\left(\frac{x}{3x+1}\right)$$

$$= \frac{\dfrac{x}{3x+1}}{\dfrac{x}{3x+1}+1} = \frac{\dfrac{x}{3x+1}}{\dfrac{4x+1}{3x+1}} = \frac{x}{4x+1}$$

PRP Chercher une régularité

On observe une régularité : le coefficient de x, dans le dénominateur de $f_n(x)$, est $n + 1$ dans les trois cas calculés. On peut donc conjecturer que, de manière générale,

1.P.4
$$f_n(x) = \frac{x}{(n+1)x + 1}.$$

Pour le démontrer, on a recours au raisonnement par récurrence. On a déjà vérifié que **1.P.4** est vraie pour $n = 1$. On la suppose maintenant vraie pour $n = k$.

Alors,

$$f_{k+1}(x) = (f_0 \circ f_k)(x) = f_0\big(f_k(x)\big) = f_0\left(\frac{x}{(k+1)x+1}\right)$$

$$= \frac{\dfrac{x}{(k+1)x+1}}{\dfrac{x}{(k+1)x+1}+1} = \frac{\dfrac{x}{(k+1)x+1}}{\dfrac{(k+2)x+1}{(k+1)x+1}} = \frac{x}{(k+2)x+1}.$$

Cette expression montre que **1.P.4** est vraie pour $n = k+1$. Donc, conformément au raisonnement par récurrence, elle est vraie pour tout entier positif n. ■

Problèmes

1. Une des cathètes d'un triangle rectangle mesure 4 cm. Exprimez la hauteur perpendiculaire à l'hypoténuse en fonction de la longueur de l'hypoténuse.

2. La hauteur perpendiculaire à l'hypoténuse d'un triangle rectangle mesure 12 cm. Exprimez la longueur de l'hypoténuse en fonction du périmètre.

3. Résolvez l'équation $|2x - 1| - |x + 5| = 3$.

4. Résolvez l'inégalité $|x - 1| - |x - 3| \geq 5$.

5. Esquissez le graphique de la fonction $f(x) = |x^2 - 4|x| + 3|$.

6. Esquissez le graphique de la fonction $g(x) = |x^2 - 1| - |x^2 - 4|$.

7. Tracez le graphique de l'équation $x + |x| = y + |y|$.

8. Esquissez la région du plan constituée de tous les points (x, y) tels que
$$|x - y| + |x| - |y| \leq 2.$$

▲ 9. La notation max$\{a, b, \ldots\}$ signifie «le plus grand des nombres a, b, …». Esquissez le graphique de chaque fonction.
   a) $f(x) = \max\{x, 1/x\}$ b) $f(x) = \max\{\sin x, \cos x\}$ c) $f(x) = \max\{x^2, 2 + x, 2 - x\}$

10. Esquissez la région du plan définie par chacune des expressions suivantes.
   a) $\max\{x, 2y\} = 1$ b) $-1 \leq \max\{x, 2y\} \leq 1$ c) $\max\{x, y^2\} = 1$

⊕ 11. Évaluez $(\log_2 3)(\log_3 4)(\log_4 5) \cdots (\log_{31} 32)$.

⊕ 12. a) Montrez que la fonction $f(x) = \ln(x + \sqrt{x^2 + 1})$ est impaire.
    b) Trouvez la fonction réciproque de f.

13. Résolvez l'inégalité $\ln(x^2 - 2x - 2) \leq 0$.

14. Avec un raisonnement par l'absurde, prouvez que $\log_2 5$ est un nombre irrationnel.

15. Une conductrice prend la route. Pendant la première moitié de son trajet, elle roule plutôt lentement, soit à 50 km/h ; elle parcourt la deuxième moitié à 100 km/h. À quelle vitesse moyenne fait-elle le trajet ?

16. Est-il vrai que $f \circ (g + h) = f \circ g + f \circ h$?

17. Prouvez que, si n est un entier positif, alors $7^n - 1$ est divisible par 6.

18. Prouvez que $1 + 3 + 5 + \cdots + (2n - 1) = n^2$.

19. Soit $f_0(x) = x^2$ et $f_{n+1}(x) = f_0(f_n(x))$ pour $n = 0, 1, 2, \ldots$ Trouvez une expression de $f_n(x)$.

20. a) Soit $f_0(x) = \dfrac{1}{2-x}$ et $f_{n+1}(x) = f_0 \circ f_n$ pour $n = 0, 1, 2, \ldots$ Trouvez une expression de $f_n(x)$ et démontrez-la par induction mathématique.
    ⊞ b) Tracez les graphiques respectifs de f_0, f_1, f_2, f_3 sur le même écran et décrivez les effets des compositions itérées.

CHAPITRE 2

LES LIMITES ET LES DÉRIVÉES

Le taux de croissance des ombles de fontaine est affecté par la température de l'eau. Comme on le verra à l'exercice 37 de la section 2.8, la variation de poids de ces poissons d'eau froide diminue avec l'augmentation de la température.

Dans le langage mathématique, la notion de limite sous-tend les différentes branches du calcul infinitésimal. C'est donc par l'étude des limites et de leurs propriétés que nous aborderons la matière. Le type particulier de limite qu'on utilise pour trouver les pentes des tangentes ainsi que les vitesses nous amène à la dérivée, objet central du calcul différentiel.

2.1 Les problèmes de la tangente et de la vitesse

Dans cette section, on voit comment la recherche de la vitesse instantanée d'un objet ou de la pente de la tangente à une courbe amène l'utilisation des limites.

▶ Le problème de la tangente

Le terme **tangente** vient du mot latin *tangens*, qui signifie « toucher ». Une tangente à une courbe est une droite qui touche cette courbe. Autrement dit, une tangente doit avoir la même direction que la courbe au point de rencontre. Comment peut-on préciser cette notion ?

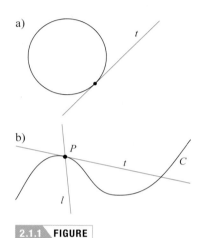

Dans le cas d'un cercle, on peut dire, tout comme Euclide, qu'une tangente est une droite qui coupe le cercle une et une seule fois (*voir la figure 2.1.1 a*). Cependant, cette définition se révèle inadéquate pour les courbes plus complexes. La figure 2.1.1 b) montre deux droites, *l* et *t*, passant par un point *P* de la courbe *C*. La droite *l* coupe *C* une seule fois, mais elle ne ressemble en rien à une tangente. Quant à la droite *t*, elle ressemble à une tangente, mais elle coupe *C* en deux points.

Le problème de l'exemple 2.1.1, qui vise à déterminer l'équation d'une tangente *t* à la parabole $y = x^2$, permet d'examiner le concept de la tangente de plus près.

2.1.1 FIGURE

Exemple 2.1.1 Écrivons une équation de la tangente à la parabole $y = x^2$ au point $P(1, 1)$.

Solution On pourra écrire une équation de la tangente *t* dès qu'on connaîtra la pente *m* de cette droite. La difficulté réside dans le fait qu'on ne connaît qu'un point, *P*, de *t*, alors qu'il faut en connaître deux pour calculer la pente. On peut toutefois obtenir une approximation de *m* en choisissant un point voisin $Q(x, x^2)$ sur la parabole (*voir la figure 2.1.2*) et en calculant la pente m_{PQ} de la sécante *PQ*. (Une **sécante**, du latin *secans* signifiant « couper », est une droite qui coupe une courbe en plus d'un point.)

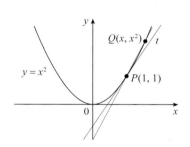

2.1.2 FIGURE

On choisit $x \neq 1$, tel que $Q \neq P$. Ainsi,

$$m_{PQ} = \frac{x^2 - 1}{x - 1}.$$

Par exemple, pour le point $Q(1,5 \,; 2,25)$, on obtient

$$m_{PQ} = \frac{2,25 - 1}{1,5 - 1} = \frac{1,25}{0,5} = 2,5.$$

Les tableaux ci-dessous indiquent les valeurs de m_{PQ} pour plusieurs valeurs de *x* proches de 1. Plus *Q* est proche de *P*, plus *x* l'est de 1, et, d'après les tableaux, plus m_{PQ} est proche de 2. Cela semble indiquer que la pente de la tangente *t* est $m = 2$.

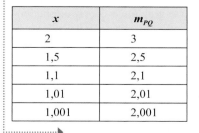

x	m_{PQ}
2	3
1,5	2,5
1,1	2,1
1,01	2,01
1,001	2,001

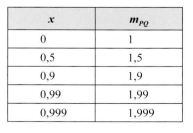

x	m_{PQ}
0	1
0,5	1,5
0,9	1,9
0,99	1,99
0,999	1,999

On dit que la pente de la tangente est la limite des pentes des sécantes, et on l'exprime symboliquement comme suit :

$$\lim_{Q \to P} m_{PQ} = m \quad \text{et} \quad \lim_{x \to 1} \frac{x^2 - 1}{x - 1} = 2.$$

En supposant que la pente de la tangente est bel et bien 2, on utilise la forme point-pente de l'équation d'une droite (*voir la section 1.2*) afin d'écrire l'équation de la tangente passant par le point (1, 1) comme suit :

$$y - 1 = 2(x - 1) \quad \text{ou} \quad y = 2x - 1.$$

La figure 2.1.3 illustre le phénomène de limite qui survient dans l'exemple précédent. À mesure que Q s'approche du point P de la parabole, les sécantes correspondantes pivotent autour de P et se rapprochent de la tangente t.

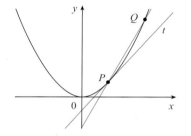
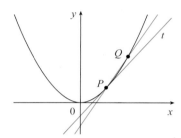
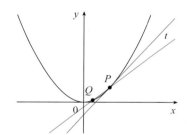

Q s'approche de P par la droite.

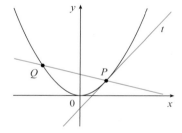
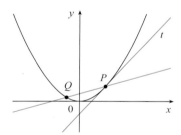
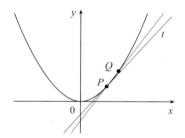

Q s'approche de P par la gauche.

2.1.3 FIGURE

En sciences, il existe de nombreuses fonctions qui ne s'expriment pas à l'aide d'équations explicites ; elles se définissent par des données expérimentales. L'exemple 2.1.2 montre comment estimer la pente de la tangente à la courbe d'une de ces fonctions.

t	Q
0,00	100,00
0,02	81,87
0,04	67,03
0,06	54,88
0,08	44,93
0,10	36,76

Exemple 2.1.2 Le flash d'un appareil photo emmagasine une charge dans un condensateur et la libère d'un coup lorsqu'il est actionné. Les données du tableau ci-contre représentent la charge Q (en microcoulombs) qu'il reste dans le condensateur au temps t (en secondes après le déclenchement de la lampe-éclair). À l'aide des données, traçons le graphique de cette fonction et estimons la pente de la tangente au point où $t = 0,04$. (*Note :* La pente de la tangente représente le courant électrique passant du condensateur à la lampe-éclair (en microampères).)

Solution On trace les points correspondant aux données et on esquisse une courbe qui s'approche du graphique de la fonction (*voir la figure 2.1.4*).

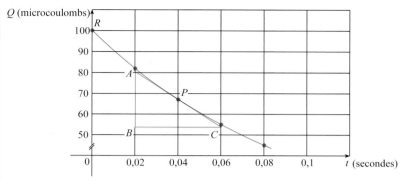

2.1.4 FIGURE

R	m_{PR}
(0,00 ; 100,00)	−824,25
(0,02 ; 81,87)	−742,00
(0,06 ; 54,88)	−607,50
(0,08 ; 44,93)	−552,50
(0,10 ; 36,76)	−504,50

À partir des points $P(0,04 ; 67,03)$ et $R(0,00 ; 100,00)$ du graphique, on détermine la pente de la sécante PR :

$$m_{PR} = \frac{100,00 - 67,03}{0,00 - 0,04} = -824,25.$$

Le tableau ci-contre donne les résultats de calculs similaires de la pente d'autres sécantes. D'après ce tableau, on pourrait s'attendre à ce que la pente de la tangente à $t = 0,04$ se situe entre −742 et −607,5. En fait, la moyenne des pentes des deux sécantes les plus proches est la suivante :

$$\frac{1}{2}(-742 - 607,5) = -674,75.$$

Cette méthode permet donc d'estimer la pente de la tangente à −675.

Sur le plan de la physique, la solution du problème de l'exemple 2.1.2 signifie que le courant électrique passant du condensateur à la lampe-éclair en 0,04 s est d'environ − 670 μA.

Une autre méthode consiste à tracer une approximation de la tangente au point P et à mesurer les côtés du triangle ABC représenté dans la figure 2.1.4. Cela permet d'estimer la pente de la tangente à

$$-\frac{|AB|}{|BC|} \approx -\frac{80,4 - 53,6}{0,06 - 0,02} = -670.$$

▶ Le problème de la vitesse

Lorsqu'on surveille l'indicateur de vitesse d'une voiture pendant un trajet en ville, on remarque que l'aiguille ne reste pas fixe très longtemps ; c'est que la vitesse du véhicule n'est pas constante. À observer l'indicateur, on suppose que la voiture roule à une vitesse précise à chaque instant, mais comment définit-on la vitesse « instantanée » ? Pour le savoir, on peut étudier l'exemple d'une balle en chute libre.

Exemple 2.1.3 Supposons qu'on laisse tomber une balle de l'observatoire supérieur de la Tour CN de Toronto, situé à 450 m au-dessus du sol. Quelle est la vitesse de la balle après 5 secondes ?

Solution Grâce aux expériences qu'il a menées il y a quatre siècles, Galilée a découvert que la distance parcourue par tout corps en chute libre est proportionnelle au carré du temps de chute écoulé. (Ce modèle ne tient pas compte de la résistance de l'air.) Si la distance parcourue après t secondes est désignée par $s(t)$ et mesurée en mètres, alors la loi de Galilée s'exprime par l'équation

$$s(t) = 4,9t^2.$$

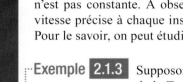

Le calcul de la vitesse après 5 s pose une difficulté du fait qu'on a affaire à un instant précis ($t = 5$) plutôt qu'à un intervalle de temps. Néanmoins, on peut déterminer une valeur approximative de la quantité cherchée en calculant la vitesse moyenne durant un bref intervalle de temps d'un dixième de seconde, soit de $t = 5$ à $t = 5,1$:

$$\text{vitesse moyenne} = \frac{\text{déplacement}}{\text{temps écoulé}}$$

$$= \frac{s(5,1) - s(5)}{0,1}$$

$$= \frac{4,9(5,1)^2 - 4,9(5)^2}{0,1} = 49,49 \text{ m/s}.$$

Le tableau suivant présente les résultats de calculs similaires de la vitesse moyenne au cours d'intervalles de temps de plus en plus petits.

Intervalle	Vitesse moyenne (m/s)
$5 \leq t \leq 6$	53,9
$5 \leq t \leq 5,1$	49,49
$5 \leq t \leq 5,05$	49,245
$5 \leq t \leq 5,01$	49,049
$5 \leq t \leq 5,001$	49,0049

Il semble que, plus l'intervalle diminue, plus la vitesse moyenne se rapproche de 49 m/s. La **vitesse instantanée** lorsque $t = 5$ se définit comme la limite des vitesses moyennes au cours d'intervalles de temps de plus en plus petits débutant à $t = 5$. Ainsi, la vitesse (instantanée) après 5 s est

$$v = 49 \text{ m/s}.$$

Il peut sembler que les calculs utilisés pour résoudre le problème de l'exemple 2.1.3 ressemblent beaucoup à ceux qui ont servi à déterminer les tangentes au début de la section. Il existe en effet un lien étroit entre le problème de la tangente et celui de la vitesse. Dans le graphique de la fonction représentant la distance de la balle (*voir la figure 2.1.5*), si l'on considère les points $P(a ; 4,9a^2)$ et $Q(a + h ; 4,9(a + h)^2)$, la pente de la sécante PQ est

$$m_{PQ} = \frac{4,9(a + h)^2 - 4,9a^2}{(a + h) - a},$$

ce qui équivaut à la vitesse moyenne sur l'intervalle $[a, a + h]$. Par conséquent, la vitesse au temps $t = a$ (limite de ces vitesses moyennes lorsque h s'approche de 0) doit être égale à la pente de la tangente au point P (limite des pentes des sécantes).

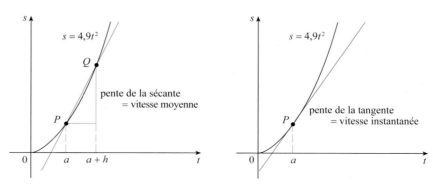

2.1.5 **FIGURE**

Les exemples 2.1.1 et 2.1.3 montrent que, pour résoudre des problèmes de tangente et de vitesse, on doit pouvoir trouver les limites. Les cinq prochaines sections présentent les méthodes de calcul des limites, puis la section 2.7 revient sur les problèmes de tangente et de vitesse.

Exercices 2.1

1. Un réservoir contient 1000 L d'eau. Il se vide par le fond en une demi-heure. Le tableau de valeurs donne le volume V d'eau (en litres) qu'il reste dans le réservoir après t minutes.

t (min)	5	10	15	20	25	30
V (L)	694	444	250	111	28	0

   a) Soit P, le point (15, 250) du graphique de V. Trouvez les pentes des sécantes PQ lorsque Q est le point de la courbe où $t = 5, 10, 20, 25$ et 30.

   b) Estimez la pente de la tangente au point P par la méthode qui consiste à calculer la moyenne des pentes de deux sécantes.

   c) À l'aide d'un graphique de la fonction, estimez la pente de la tangente au point P. (Cette pente représente la vitesse à laquelle l'eau du réservoir s'écoule après 15 minutes.)

2. Un moniteur cardiaque mesure la fréquence cardiaque d'un patient qui a subi une chirurgie. Il indique le nombre de battements de cœur après t minutes. Dans le graphique des données, la pente de la tangente représente la fréquence cardiaque, en battements par minute.

t (min)	36	38	40	42	44
Nombre de battements	2530	2661	2806	2948	3080

   Le moniteur estime cette valeur en calculant la pente d'une sécante. À partir des données du tableau et de la sécante qui passe par les points correspondant aux valeurs données de t, estimez la fréquence cardiaque du patient après 42 minutes.

   a) $t = 36$ et $t = 42$
   b) $t = 38$ et $t = 42$
   c) $t = 40$ et $t = 42$
   d) $t = 42$ et $t = 44$

   Quelles conclusions en tirez-vous ?

3. Soit le point $P(2, -1)$ de la courbe $y = 1/(1 - x)$.
   a) Soit Q, le point $(x, 1/(1 - x))$. À l'aide d'une calculatrice, trouvez la pente de la sécante PQ (à six décimales près) pour les valeurs suivantes de x :
      i) 1,5
      ii) 1,9
      iii) 1,99
      iv) 1,999
      v) 2,5
      vi) 2,1
      vii) 2,01
      viii) 2,001
   b) Utilisez les résultats obtenus en a) pour estimer la valeur de la pente de la tangente à la courbe au point $P(2, -1)$.

   c) À partir de la pente estimée en b), trouvez une équation de la tangente à la courbe au point $P(2, -1)$.

4. Le point $P(0,5 \, ; 0)$ appartient à la courbe $y = \cos \pi x$.
   a) Soit Q, le point $(x, \cos \pi x)$. À l'aide d'une calculatrice, trouvez la pente de la sécante PQ (à six décimales près) pour les valeurs suivantes de x :
      i) 0
      ii) 0,4
      iii) 0,49
      iv) 0,499
      v) 1
      vi) 0,6
      vii) 0,51
      viii) 0,501
   b) Utilisez les résultats obtenus en a) pour estimer la valeur de la pente de la tangente à la courbe au point $P(0,5 \, ; 0)$.
   c) À partir de la pente estimée en b), trouvez une équation de la tangente à la courbe au point $P(0,5 \, ; 0)$.
   d) Esquissez la courbe, deux des sécantes et la tangente.

5. À partir du sol, on lance une balle dans les airs à la vitesse de 12 m/s. La hauteur de la balle (en mètres), t secondes plus tard, est donnée par $y = 12t - 5t^2$.
   a) Trouvez la vitesse moyenne de la balle pendant l'intervalle qui débute à $t = 2$ et qui dure :
      i) 0,5 s   ii) 0,1 s
      iii) 0,05 s   iv) 0,01 s
   b) Estimez la vitesse instantanée lorsque $t = 2$.

6. Sur Mars, on lance, à partir du sol, une roche vers le haut à la vitesse de 10 m/s. La hauteur de la roche (en mètres), t secondes plus tard, est donnée par
$$y = 10t - 1,86t^2.$$
   a) Trouvez la vitesse moyenne de la roche durant les intervalles suivants :
      i) [1, 2]   ii) [1 ; 1,5]   iii) [1 ; 1,1]
      iv) [1 ; 1,01] v) [1 ; 1,001]
   b) Estimez la vitesse instantanée lorsque $t = 1$.

7. Les valeurs du tableau suivant indiquent la position d'une cycliste.

t (s)	0	1	2	3	4	5
s (m)	0	1,4	5,1	10,7	17,7	25,8

   a) Trouvez la vitesse moyenne de la cycliste durant chacun des intervalles suivants :
      i) [1, 3]   ii) [2, 3]
      iii) [3, 5]   iv) [3, 4]
   b) À l'aide du graphique de s en fonction de t, estimez la vitesse instantanée lorsque $t = 3$.

▲ **8.** Le déplacement (en centimètres) d'une particule qui oscille sur une ligne droite est donné par l'équation du mouvement $s = 2 \sin \pi t + 3 \cos \pi t$, où t est mesuré en secondes.

a) Trouvez la vitesse moyenne de la particule durant chacun des intervalles suivants :

   i) [1, 2]

   ii) [1 ; 1,1]

   iii) [1 ; 1,01]

   iv) [1 ; 1,001]

b) Estimez la vitesse instantanée de la particule lorsque $t = 1$.

▲ **9.** Soit le point $P(1, 0)$ de la courbe $y = \sin(10\pi/x)$.

a) Soit Q, le point $(x, \sin(10\pi/x))$. Trouvez la pente de la sécante PQ (à quatre décimales près) pour $x = 2$; 1,5 ; 1,4 ; 1,3 ; 1,2 ; 1,1 ; 0,5 ; 0,6 ; 0,7 ; 0,8 et 0,9. Les pentes semblent-elles s'approcher d'une limite ?

b) À l'aide d'un graphique de la courbe, expliquez pourquoi les pentes des sécantes en a) ne sont pas proches de la pente de la tangente au point P.

c) À l'aide de sécantes appropriées de votre choix, estimez la pente de la tangente au point P.

2.2 La limite d'une fonction

On sait d'après la section 2.1 que des limites apparaissent lorsqu'on détermine la tangente à une courbe ou la vitesse instantanée d'un objet. La présente section porte sur les limites elles-mêmes ainsi que sur les méthodes numériques et graphiques qui permettent de les calculer.

Pour ce faire, on examine le comportement de la fonction f définie par $f(x) = x^2 - x + 2$ pour des valeurs de x voisines de 2. Le tableau suivant donne les valeurs de $f(x)$ pour des valeurs de x proches de 2, mais différentes de 2.

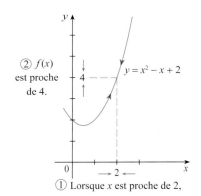

② $f(x)$ est proche de 4.

① Lorsque x est proche de 2,

2.2.1 FIGURE

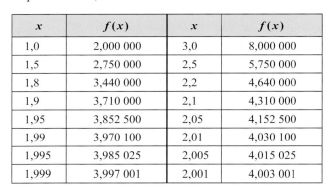

x	$f(x)$	x	$f(x)$
1,0	2,000 000	3,0	8,000 000
1,5	2,750 000	2,5	5,750 000
1,8	3,440 000	2,2	4,640 000
1,9	3,710 000	2,1	4,310 000
1,95	3,852 500	2,05	4,152 500
1,99	3,970 100	2,01	4,030 100
1,995	3,985 025	2,005	4,015 025
1,999	3,997 001	2,001	4,003 001

Le tableau et le graphique de f (une parabole), représenté dans la figure 2.2.1, indiquent que lorsque x est proche de 2 (d'un côté ou de l'autre de 2), $f(x)$ est proche de 4. Il semble d'ailleurs qu'on puisse obtenir des valeurs de $f(x)$ aussi proches de 4 qu'on le veut si on pose x égal à des valeurs suffisamment proches de 2. Cette situation s'exprime ainsi : « La limite de la fonction $f(x) = x^2 - x + 2$, lorsque x tend vers 2, est 4. » On écrit

$$\lim_{x \to 2}(x^2 - x + 2) = 4.$$

De manière générale, on utilise la notation suivante.

Un **voisinage** de a est un intervalle ouvert contenant a.

2.2.1 | **Définition de la limite**

Soit f, une fonction définie au voisinage de a, sauf peut-être en a. On dit que la **limite de $f(x)$ lorsque x tend vers a est égale à L** et on écrit

$$\lim_{x \to a} f(x) = L$$

si, quelle que soit la façon d'approcher x arbitrairement près du nombre a sans l'égaler, la valeur $f(x)$ s'approche toujours aussi près qu'on le veut du nombre L.

En gros, cela signifie que les valeurs de $f(x)$ tendent vers L lorsque x tend vers a. Autrement dit, les valeurs de $f(x)$ s'approchent du nombre L à mesure que x s'approche du nombre a (d'un côté ou de l'autre de a), mais $x \neq a$. (La définition formelle d'une limite est donnée à l'annexe C.)

On peut aussi noter

$$\lim_{x \to a} f(x) = L$$

sous la forme

$$f(x) \to L \text{ lorsque } x \to a$$

ce qui se lit: «$f(x)$ tend vers L lorsque x tend vers a.»

La proposition «mais $x \neq a$» dans la définition qui précède signifie que, dans la recherche de la limite de $f(x)$ lorsque x tend vers a, on ne considère jamais $x = a$. En fait, il n'y a pas lieu de définir $f(x)$ pour $x = a$. Tout ce qui importe, c'est la façon dont f est définie au voisinage de a.

La figure 2.2.2 présente les graphiques de trois fonctions. On peut remarquer, en c), que $f(a)$ n'est pas définie et, en b), que $f(a) \neq L$. Or, dans chaque cas, et sans égard à ce qui se passe en a, il est vrai que

$$\lim_{x \to a} f(x) = L.$$

a)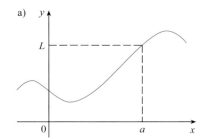

b)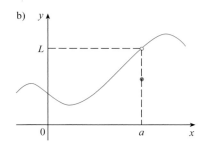

c)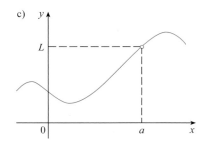

2.2.2 FIGURE $\lim_{x \to a} f(x) = L$ dans les trois cas.

$x < 1$	$f(x)$
0,5	0,666 667
0,9	0,526 316
0,99	0,502 513
0,999	0,500 250
0,9999	0,500 025

$x > 1$	$f(x)$
1,5	0,400 000
1,1	0,476 190
1,01	0,497 512
1,001	0,499 750
1,0001	0,499 975

1   0,5

Exemple 2.2.1 Conjecturons la valeur de $\lim_{x \to 1} \dfrac{x-1}{x^2-1}$.

Solution La fonction $f(x) = (x-1)/(x^2-1)$ n'est pas définie pour $x = 1$. Cela importe peu, car, selon la définition de $\lim_{x \to a} f(x)$, on considère les valeurs de x qui sont proches de a sans lui être égales.

Les tableaux ci-contre donnent les valeurs de $f(x)$ (à six décimales près) pour des valeurs de x voisines de 1 (mais différentes de 1). D'après ces valeurs, on tire la conjecture suivante:

$$\frac{x-1}{x^2-1} \to 0,5 \text{ lorsque } x \to 1$$

et on écrit alors

$$\lim_{x \to 1} \frac{x-1}{x^2-1} = 0,5.$$

Le graphique de f à la figure 2.2.3 fournit une illustration de l'exemple 2.2.1. On modifie légèrement f en lui donnant la valeur 2 lorsque $x = 1$ et en nommant g la fonction obtenue:

$$g(x) = \begin{cases} \dfrac{x-1}{x^2-1} & \text{si} \quad x \neq 1 \\ 2 & \text{si} \quad x = 1. \end{cases}$$

La nouvelle fonction, g, admet la même limite lorsque x tend vers 1 (*voir la figure 2.2.4*).

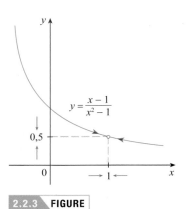

2.2.3 **FIGURE**

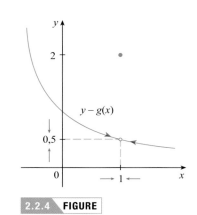

2.2.4 **FIGURE**

Exemple 2.2.2 Estimons la valeur de $\displaystyle\lim_{t \to 0} \frac{\sqrt{t^2+9}-3}{t^2}$.

Solution Le tableau ci-contre donne les valeurs de la fonction pour plusieurs valeurs de t voisines de 0.

Lorsque t tend vers 0, les valeurs de la fonction semblent tendre vers 0,166 666 6… On tire donc la conjecture suivante :

$$\frac{\sqrt{t^2+9}-3}{t^2} \to \frac{1}{6} \text{ lorsque } t \to 0$$

et on écrit alors

$$\lim_{t \to 0} \frac{\sqrt{t^2+9}-3}{t^2} = \frac{1}{6}.$$

t	$\dfrac{\sqrt{t^2+9}-3}{t^2}$
$\pm 1{,}0$	0,162 28
$\pm 0{,}5$	0,165 53
$\pm 0{,}1$	0,166 62
$\pm 0{,}05$	0,166 66
$\pm 0{,}01$	0,166 67

t	$\dfrac{\sqrt{t^2+9}-3}{t^2}$
$\pm 0{,}000\ 5$	0,168 00
$\pm 0{,}000\ 1$	0,200 00
$\pm 0{,}000\ 05$	0,000 00
$\pm 0{,}000\ 01$	0,000 00

Dans l'exemple 2.2.2, que serait-il arrivé si l'on avait pris des valeurs de t encore plus petites ? Le tableau ci-contre présente les résultats obtenus à l'aide d'une calculatrice ; on peut voir qu'il semble se produire quelque chose d'insolite.

Ces calculs peuvent donner des résultats différents selon la calculatrice utilisée, mais, en donnant à t une valeur suffisamment petite, on finit par obtenir la valeur 0. Cela signifie-t-il que la réponse est 0 plutôt que $\frac{1}{6}$? Non, la valeur limite est bien $\frac{1}{6}$, comme on le montre dans la section 2.6. Le fait est que **la calculatrice a rendu des valeurs fausses** puisque $\sqrt{t^2+9}$ est très proche de 3 lorsque t est petit. (D'ailleurs, lorsque t est suffisamment petit, la calculatrice évalue $\sqrt{t^2+9}$ à 3,000… à autant de décimales qu'elle peut en afficher.)

On observe un phénomène semblable quand on cherche à tracer le graphique de la fonction

$$f(t) = \frac{\sqrt{t^2+9}-3}{t^2}$$

de l'exemple 2.2.2 au moyen d'une calculatrice à affichage graphique ou d'un ordinateur. Les parties a) et b) de la figure 2.2.5 montrent des graphiques assez fidèles de *f*. À l'aide du mode TRACE (s'il est disponible), on peut facilement estimer la valeur limite à $\frac{1}{6}$. En revanche, si l'on grossit trop la région, comme dans les parties c) et d), on obtient des graphiques inexacts, toujours à cause de l'annulation catastrophique des chiffres significatifs en faisant la soustraction et des difficultés à avoir la précision nécessaire en évaluant la racine carrée.

a)
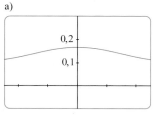
[−5, 5] sur [−0,1 ; 0,3].

b)
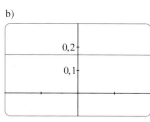
[−0,1 ; 0,1] sur [−0,1 ; 0,3].

c)
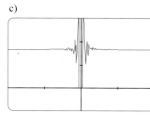
[−10⁻⁶, 10⁻⁶] sur [−0,1 ; 0,3].

d)
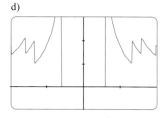
[−10⁻⁷, 10⁻⁷] sur [−0,1 ; 0,3].

2.2.5 FIGURE

x	$\dfrac{\sin x}{x}$
±1,0	0,841 470 98
±0,5	0,958 851 08
±0,4	0,973 545 86
±0,3	0,985 067 36
±0,2	0,993 346 65
±0,1	0,998 334 17
±0,05	0,999 583 39
±0,01	0,999 983 33
±0,005	0,999 995 83
±0,001	0,999 999 83

Exemple 2.2.3 Conjecturons la valeur de $\lim\limits_{x \to 0} \dfrac{\sin x}{x}$.

Solution La fonction $f(x) = (\sin x)/x$ n'est pas définie pour $x = 0$. À l'aide d'une calculatrice (et en se rappelant que, si $x \in \mathbb{R}$, $\sin x$ signifie «le sinus de l'angle dont le radian mesure x»), on construit une table de valeurs à huit décimales près. D'après le tableau ci-contre et le graphique de la figure 2.2.6, on tire la conjecture suivante :

$$\frac{\sin x}{x} \to 1 \text{ lorsque } x \to 0$$

et on écrit alors

$$\lim_{x \to 0} \frac{\sin x}{x} = 1.$$

Cette conjecture se vérifie par un raisonnement géométrique, comme on le démontre au chapitre 3.

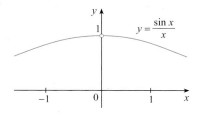

2.2.6 FIGURE

Les logiciels de calcul symbolique (LCS)

Un logiciel de calcul symbolique dispose de commandes spéciales pour calculer les limites. Programmé pour éviter les pièges illustrés dans les exemples 2.2.2 et 2.2.4, ces logiciels ne procèdent pas par expérimentation numérique pour trouver les limites. Ils utilisent plutôt des techniques avancées, tel le calcul de séries infinies. Si vous disposez d'un LCS, employez-le pour calculer les limites dont il est question dans les exemples de la présente section et vérifier vos réponses aux exercices du chapitre.

Exemple 2.2.4 Étudions $\lim\limits_{x \to 0} \sin \dfrac{\pi}{x}$.

Solution Cette fois encore, la fonction $f(x) = \sin(\pi/x)$ n'est pas définie en 0. En l'évaluant pour de petites valeurs de x, on obtient

$$f(1) = \sin \pi = 0 \qquad\qquad f\left(\tfrac{1}{2}\right) = \sin 2\pi = 0$$

$$f\left(\tfrac{1}{3}\right) = \sin 3\pi = 0 \qquad\qquad f\left(\tfrac{1}{4}\right) = \sin 4\pi = 0$$

$$f(0,1) = \sin 10\pi = 0 \qquad\qquad f(0,01) = \sin 100\pi = 0$$

De même, $f(0,001) = f(0,0001) = 0$. De cette information, on pourrait aisément tirer la conjecture suivante :

$$\lim_{x \to 0} \sin \frac{\pi}{x} = 0.$$

Or, cette fois, **la conjecture est fausse.** On remarque que, même si $f(1/n) = \sin n\pi = 0$ pour tout nombre entier n, il est aussi vrai que $f(x) = 1$ pour une infinité de valeurs x tendant vers 0, comme le montre le graphique de f représenté dans la figure 2.2.7.

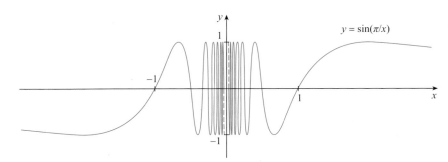

2.2.7   **FIGURE**

Le tireté près de l'axe des y indique que les valeurs de $\sin(\pi/x)$ oscillent indéfiniment entre 1 et −1 lorsque x tend vers 0 (*voir l'exercice 32*).

Comme les valeurs de $f(x)$ ne tendent pas vers un nombre précis L lorsque x tend vers 0,

$$\lim_{x \to 0} \sin \frac{\pi}{x}$$

n'existe pas.

L'exemple 2.2.4 met en relief **certains risques qu'il y a à conjecturer la valeur limite.** L'utilisation de valeurs inappropriées de x mène facilement à une valeur fausse, et il est difficile de savoir quand il faut cesser de calculer. De plus, comme l'indique la discussion suivant l'exemple 2.2.2, il arrive que les calculatrices et les ordinateurs produisent de fausses valeurs. Pour éviter ces pièges, la section 2.3 présente des méthodes sûres de calcul des limites.

▶ La limite à gauche ou à droite

Exemple   2.2.5   La fonction de Heaviside H est définie par

$$H(t) = \begin{cases} 0 & \text{si} \quad t < 0 \\ 1 & \text{si} \quad t \ge 0. \end{cases}$$

2.2.8   **FIGURE**

La fonction de Heaviside.

Du nom de l'ingénieur électricien Oliver Heaviside (1850-1925), cette fonction sert à représenter un générateur de courant continu qu'on met en marche au temps $t = 0$. Son graphique apparaît à la figure 2.2.8.

Lorsque t tend vers 0 par la gauche, $H(t)$ tend vers 0. Lorsque t tend vers 0 par la droite, $H(t)$ tend vers 1. Il n'existe pas de nombre unique vers lequel $H(t)$ tend lorsque t tend vers 0. En conséquence,

$$\lim_{t \to 0} H(t)$$

n'existe pas.

Dans l'exemple 2.2.5, on observe que $H(t)$ tend vers 0 lorsque t tend vers 0 par la gauche et que $H(t)$ tend vers 1 lorsque t tend vers 0 par la droite. Symboliquement, la situation se note

$$\lim_{t \to 0^-} H(t) = 0 \quad \text{et} \quad \lim_{t \to 0^+} H(t) = 1.$$

Le symbole « $t \to 0^-$ » indique que l'on ne considère que des valeurs de t inférieures à 0. De même, « $t \to 0^+$ » indique que seules les valeurs de t supérieures à 0 sont considérées.

2.2.2 | **Définition des limites unilatérales**

Soit f, une fonction définie au voisinage à gauche de a, sauf peut-être en a. On dit que la **limite de $f(x)$, lorsque x tend vers a par la gauche**, est égale à L et on écrit

$$\lim_{x \to a^-} f(x) = L$$

si, quelle que soit la façon d'approcher x arbitrairement près du nombre tout en étant plus petit que a, la valeur $f(x)$ s'approche toujours aussi près qu'on le veut de L. On peut aussi lire : « La limite à gauche de $f(x)$, lorsque x tend vers a, est égale à L. »

On appelle l'intervalle ouvert $]a - \varepsilon, a[$ où $\varepsilon > 0$ un voisinage à gauche du nombre réel a.

De même, on appelle l'intervalle ouvert $]a, a + \varepsilon[$ où $\varepsilon > 0$ un voisinage à droite du nombre réel a.

La seule différence entre les définitions **2.2.1** et **2.2.2** est que, dans la seconde, x doit être inférieur à a. Lorsque x doit être supérieur à a, on obtient : « La **limite de $f(x)$, lorsque x tend vers a par la droite**, est égale à L », et on note l'égalité comme suit :

$$\lim_{x \to a^+} f(x) = L.$$

Ainsi, le symbole « $x \to a^+$ » signifie que l'on ne considère que $x > a$. La figure 2.2.9 illustre ces deux définitions.

a)
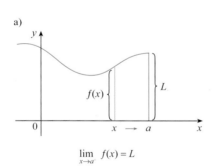
$$\lim_{x \to a^-} f(x) = L$$

b)
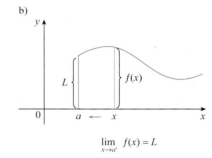
$$\lim_{x \to a^+} f(x) = L$$

2.2.9 **FIGURE**

En comparant la définition **2.2.1** avec les définitions des limites à gauche ou à droite, on constate que l'énoncé suivant se vérifie.

2.2.3 | **Théorème d'existence de la limite**

Soit f, une fonction définie au voisinage de a, sauf peut-être en a. Soit L un nombre réel, alors

$$\lim_{x \to a} f(x) = L$$

si et seulement si

$$\lim_{x \to a^-} f(x) = L \text{ et } \lim_{x \to a^+} f(x) = L.$$

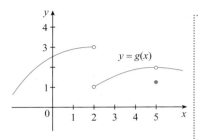

··Exemple **2.2.6** La figure 2.2.10 montre le graphique d'une fonction g. Utilisons ce graphique pour trouver, si elles existent, les valeurs limites suivantes :

a) $\lim_{x \to 2^-} g(x)$ b) $\lim_{x \to 2^+} g(x)$ c) $\lim_{x \to 2} g(x)$

d) $\lim_{x \to 5^-} g(x)$ e) $\lim_{x \to 5^+} g(x)$ f) $\lim_{x \to 5} g(x)$

Solution Le graphique montre que, plus x s'approche de 2 par la gauche, plus les valeurs de g(x) s'approchent de 3, mais que plus x s'approche de 2 par la droite, plus les valeurs de g(x) s'approchent de 1. En conséquence,

a) $\lim_{x \to 2^-} g(x) = 3$ et

b) $\lim_{x \to 2^+} g(x) = 1$.

c) Comme les limites à gauche et à droite sont différentes, on déduit du théorème **2.2.3** que $\lim_{x \to 2} g(x)$ n'existe pas.

Le graphique montre aussi que

d) $\lim_{x \to 5^-} g(x) = 2$ et

e) $\lim_{x \to 5^+} g(x) = 2$.

f) Cette fois-ci, les limites à gauche et à droite sont égales. On a donc, selon le théorème **2.2.3** :

$$\lim_{x \to 5} g(x) = 2.$$

Malgré ce qui précède, on remarque que $g(5) \neq 2$.

Exercices **2.2**

1. Expliquez dans vos mots ce que signifie l'égalité

$$\lim_{x \to 2} f(x) = 5.$$

Est-il possible que cet énoncé soit vrai même si $f(2) = 3$? Justifiez votre réponse.

2. Expliquez ce que signifie

$$\lim_{x \to 1^-} f(x) = 3 \text{ et } \lim_{x \to 1^+} f(x) = 7.$$

Dans cette situation, est-il possible que $\lim_{x \to 1} f(x)$ existe? Justifiez votre réponse.

3. Expliquez la signification de chaque égalité.

a) $\lim_{x \to -3} f(x) = \infty$ b) $\lim_{x \to 4^+} f(x) = -\infty$

4-5 À l'aide du graphique de f, trouvez, si elle existe, la valeur de chaque quantité. Si elle n'existe pas, expliquez pourquoi.

4. a) $\lim_{x \to 2^-} f(x)$

b) $\lim_{x \to 2^+} f(x)$

c) $\lim_{x \to 2} f(x)$

d) $f(2)$

e) $\lim_{x \to 4} f(x)$

f) $f(4)$

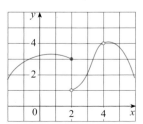

5. a) $\lim_{x \to 1} f(x)$

b) $\lim_{x \to 3^-} f(x)$

c) $\lim_{x \to 3^+} f(x)$

d) $\lim_{x \to 3} f(x)$

e) $f(3)$

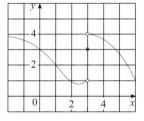

6. Pour la fonction h dont le graphique est donné, trouvez, si elle existe, la valeur de chaque quantité. Si elle n'existe pas, expliquez pourquoi.

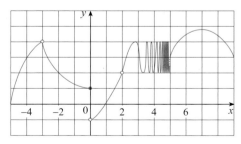

a) $\lim_{x \to -3^-} h(x)$ b) $\lim_{x \to -3^+} h(x)$ c) $\lim_{x \to -3} h(x)$

d) $h(-3)$ e) $\lim_{x \to 0^-} h(x)$ f) $\lim_{x \to 0^+} h(x)$

g) $\lim_{x \to 0} h(x)$ h) $h(0)$ i) $\lim_{x \to 2} h(x)$

j) $h(2)$ k) $\lim_{x \to 5^+} h(x)$ l) $\lim_{x \to 5^-} h(x)$

7. Pour la fonction g dont le graphique est donné, trouvez, si elle existe, la valeur de chaque quantité. Si elle n'existe pas, expliquez pourquoi.

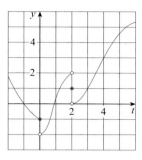

a) $\lim_{t \to 0^-} g(t)$ b) $\lim_{t \to 0^+} g(t)$ c) $\lim_{t \to 0} g(t)$

d) $\lim_{t \to 2^-} g(t)$ e) $\lim_{t \to 2^+} g(t)$ f) $\lim_{t \to 2} g(t)$

g) $g(2)$ h) $\lim_{t \to 4} g(t)$

8. Un patient reçoit une injection de 150 mg d'un médicament toutes les 4 heures. Le graphique représente la quantité $f(t)$ de médicament dans son sang après t heures. Trouvez

$$\lim_{t \to 12^-} f(t) \quad \text{et} \quad \lim_{t \to 12^+} f(t)$$

et expliquez l'importance de ces limites à gauche et à droite.

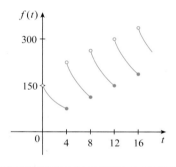

9-10 Esquissez le graphique de la fonction puis déterminez les valeurs de a pour lesquelles $\lim_{x \to a} f(x)$ existe.

9. $f(x) = \begin{cases} 1+x & \text{si} & x < -1 \\ x^2 & \text{si} & -1 \le x < 1 \\ 2-x & \text{si} & x \ge 1 \end{cases}$

▲ 10. $f(x) = \begin{cases} 1+\sin x & \text{si} & x < 0 \\ \cos x & \text{si} & 0 \le x \le \pi \\ \sin x & \text{si} & x > \pi \end{cases}$

11-12 D'après le graphique de la fonction f, trouvez la valeur de chaque limite, si elle existe. Si elle n'existe pas, expliquez pourquoi.

a) $\lim_{x \to 0^-} f(x)$ b) $\lim_{x \to 0^+} f(x)$ c) $\lim_{x \to 0} f(x)$

11. $f(x) = \dfrac{1}{1+e^{1/x}}$

12. $f(x) = \dfrac{x^2+x}{\sqrt{x^3+x^2}}$

13-16 Esquissez le graphique d'une fonction f qui satisfait toutes les conditions données.

13. $\lim_{x \to 0^-} f(x) = -1$, $\lim_{x \to 0^+} f(x) = 2$, $f(0) = 1$

14. $\lim_{x \to 0} f(x) = 1$, $\lim_{x \to 3^-} f(x) = -2$, $\lim_{x \to 3^+} f(x) = 2$, $f(0) = -1$, $f(3) = 1$

15. $\lim_{x \to 3^+} f(x) = 4$, $\lim_{x \to 3^-} f(x) = 2$, $\lim_{x \to -2} f(x) = 2$, $f(3) = 3$, $f(-2) = 1$

16. $\lim_{x \to 0^-} f(x) = 2$, $\lim_{x \to 0^+} f(x) = 0$, $\lim_{x \to 4^-} f(x) = 3$, $\lim_{x \to 4^+} f(x) = 0$, $f(0) = 2$, $f(4) = 1$

17-20 Conjecturez la valeur de la limite (si elle existe) en évaluant la fonction aux nombres donnés (à six décimales près).

17. $\lim_{x \to 2} \dfrac{x^2-2x}{x^2-x-2}$, $x = 2,5$; $2,1$; $2,05$; $2,01$; $2,005$; $2,001$; $1,9$; $1,95$; $1,99$; $1,995$; $1,999$

18. $\lim_{x \to -1} \dfrac{x^2-2x}{x^2-x-2}$, $x = 0$; $-0,5$; $-0,9$; $-0,95$; $-0,99$; $-0,999$; -2; $-1,5$; $-1,1$; $-1,01$; $-1,001$

19. $\lim_{t \to 0} \dfrac{e^{5t}-1}{t}$, $t = \pm 0,5$; $\pm 0,1$; $\pm 0,01$; $\pm 0,001$; $\pm 0,0001$

20. $\lim_{h \to 0} \dfrac{(2+h)^5-32}{h}$, $h = \pm 0,5$; $\pm 0,1$; $\pm 0,01$; $\pm 0,001$; $\pm 0,0001$

21-24 À l'aide d'une table de valeurs, estimez la valeur de chaque limite. Si possible, confirmez le résultat au moyen d'un outil technologique graphique.

21. $\lim_{x \to 0} \dfrac{\sqrt{x+4}-2}{x}$ **▲ 22.** $\lim_{x \to 0} \dfrac{\tan 3x}{\tan 5x}$

23. $\lim_{x \to 1} \dfrac{x^6-1}{x^{10}-1}$ **24.** $\lim_{x \to 0} \dfrac{9^x-5^x}{x}$

▲ 25. a) Tracez le graphique de $f(x) = (\cos 2x - \cos x)/x^2$, zoomez vers l'avant sur la région du point auquel le graphique coupe l'axe des y, puis estimez la valeur de $\lim_{x \to 0} f(x)$.

b) Vérifiez votre réponse en a) en évaluant $f(x)$ pour les valeurs de x qui s'approchent de 0.

▲ 26. a) Estimez la valeur de

$$\lim_{x \to 0} \dfrac{\sin x}{\sin \pi x}$$

après avoir tracé le graphique de $f(x) = (\sin x)/(\sin \pi x)$. Donnez votre réponse à deux décimales près.

b) Vérifiez votre réponse en a) en évaluant $f(x)$ pour les valeurs de x qui s'approchent de 0.

▲ 27. a) Tracez le graphique de $f(x) = (\tan 4x)/x$, zoomez vers l'avant sur la région du point auquel la courbe coupe l'axe des y, puis estimez la valeur de $\lim_{x \to 0} f(x)$.

b) Vérifiez votre réponse en a) en évaluant $f(x)$ pour les valeurs de x qui s'approchent de 0.

28. a) Estimez la valeur de $\lim_{x \to 0}(1+x)^{1/x}$ à cinq décimales près. Le nombre obtenu vous est-il familier?

b) Pour représenter a), tracez le graphique de la fonction $y = (1+x)^{1/x}$.

29. a) Tracez le graphique de $f(x) = e^x + \ln|x - 4|$ pour $0 \leq x \leq 5$. À votre avis, le graphique obtenu représente-t-il fidèlement f ?

b) Comment pourrait-on obtenir un graphique qui représente mieux f ?

30. a) Évaluez $f(x) = x^2 - (2^x/1000)$ pour $x = 1$; 0,8 ; 0,6 ; 0,4 ; 0,2 ; 0,1 et 0,05, puis conjecturez la valeur de

$$\lim_{x \to 0}\left(x^2 - \frac{2^x}{1000}\right).$$

b) Évaluez $f(x)$ pour $x = 0,04$; 0,02 ; 0,01 ; 0,005 ; 0,003 et 0,001. Formulez une nouvelle conjecture.

▲ **31.** a) Évaluez $h(x) = (\tan x - x)/x^3$ pour $x = 1$; 0,5 ; 0,1 ; 0,05 ; 0,01 et 0,005.

b) Conjecturez la valeur de $\displaystyle\lim_{x \to 0}\frac{\tan x - x}{x^3}$.

c) Évaluez $h(x)$ pour des valeurs de plus en plus petites de x jusqu'à ce que vous atteigniez une valeur de 0 pour $h(x)$. Maintenez-vous la conjecture formulée en b) ? Expliquez pourquoi vous avez fini par obtenir des valeurs de 0.

d) Tracez le graphique de la fonction h dans la fenêtre de visualisation $[-1, 1]$ sur $[0, 1]$. Ensuite, zoomez vers l'avant sur la région du point auquel la courbe coupe l'axe des y afin d'estimer la limite de $h(x)$ lorsque x s'approche de 0. Zoomez vers l'avant jusqu'à ce que vous observiez des déformations dans le graphique de h. Comparez vos observations avec vos résultats en c).

▲ **32.** Tracez le graphique de $f(x) = \sin(\pi/x)$ (*voir l'exemple 2.2.4, p. 107*) dans la fenêtre de visualisation $[-1, 1]$ sur $[-1, 1]$. Zoomez vers l'avant sur l'origine plusieurs fois. Commentez le comportement de cette fonction.

33. a) À l'aide d'outils numériques et graphiques, conjecturez la valeur de

$$\lim_{x \to 1}\frac{x^3 - 1}{\sqrt{x} - 1}.$$

b) À quelle distance x doit-il se trouver de 1 pour que la fonction en a) soit à l'intérieur d'une distance de 0,5 de sa limite ?

▲ **34.** Soit la fonction $f(x) = \tan\left(\dfrac{1}{x}\right)$.

a) Montrez que $f(x) = 0$ pour $x = \dfrac{1}{\pi}, \dfrac{1}{2\pi}, \dfrac{1}{3\pi}, \ldots$

b) Montrez que $f(x) = 1$ pour $x = \dfrac{4}{\pi}, \dfrac{4}{5\pi}, \dfrac{4}{9\pi}, \ldots$

c) Que peut-on conclure de $\displaystyle\lim_{x \to 0^+}\tan\left(\dfrac{1}{x}\right)$?

2.3 Le calcul des limites à l'aide des propriétés des limites

Dans la section 2.2, on se sert de la calculatrice et des graphiques pour conjecturer les valeurs des limites. Or, il apparaît que les réponses obtenues par ces moyens ne sont pas toujours exactes. La présente section traite du calcul des limites à l'aide des propriétés des limites.

Les propriétés des limites

Soit f et g, deux fonctions définies dans un même voisinage de a, sauf peut-être en a. On suppose que c est une constante et que les limites

$$\lim_{x \to a} f(x) \quad \text{et} \quad \lim_{x \to a} g(x)$$

existent.

Alors,

2.3.1 $\displaystyle\lim_{x \to a}[f(x) + g(x)] = \lim_{x \to a} f(x) + \lim_{x \to a} g(x)$

2.3.2 $\displaystyle\lim_{x \to a}[f(x) - g(x)] = \lim_{x \to a} f(x) - \lim_{x \to a} g(x)$

2.3.3 $\displaystyle\lim_{x \to a}[cf(x)] = c\lim_{x \to a} f(x)$

2.3.4 $\displaystyle\lim_{x \to a}[f(x)g(x)] = \lim_{x \to a} f(x) \cdot \lim_{x \to a} g(x)$

2.3.5 $\displaystyle\lim_{x \to a}\frac{f(x)}{g(x)} = \frac{\displaystyle\lim_{x \to a} f(x)}{\displaystyle\lim_{x \to a} g(x)}$ si $\displaystyle\lim_{x \to a} g(x) \neq 0$

Ces cinq propriétés s'expriment verbalement comme suit :

Règle de la somme **2.3.1** La limite d'une somme est égale à la somme des limites.

Règle de la différence **2.3.2** La limite d'une différence est égale à la différence des limites.

Propriété de la multiplication par une constante **2.3.3** La limite du produit d'une constante par une fonction est égale au produit de la constante par la limite de la fonction.

Règle du produit **2.3.4** La limite d'un produit est égale au produit des limites.

Règle du quotient **2.3.5** La limite d'un quotient est égale au quotient des limites (à condition que la limite du dénominateur soit non nulle).

La validité de ces propriétés est facile à admettre. Par exemple, si $f(x)$ est proche de L et que $g(x)$ est proche de M, on peut raisonnablement conclure que $f(x) + g(x)$ est proche de $L + M$. Cela permet d'admettre intuitivement la validité de la propriété **2.3.1**. L'annexe C donne une définition rigoureuse de la limite et prouve la validité de cette propriété. Les démonstrations des autres propriétés y sont également présentées.

Exemple 2.3.1 À l'aide des propriétés des limites et des graphiques de f et de g donnés dans la figure 2.3.1, évaluons les limites suivantes, si elles existent.

a) $\displaystyle\lim_{x \to -2}[f(x) + 5g(x)]$ b) $\displaystyle\lim_{x \to 1}[f(x)g(x)]$ c) $\displaystyle\lim_{x \to 2}\frac{f(x)}{g(x)}$

Solution

a) D'après les graphiques de f et de g, on constate que

$$\lim_{x \to -2} f(x) = 1 \quad \text{et} \quad \lim_{x \to -2} g(x) = -1.$$

On a donc

$$\lim_{x \to -2}[f(x) + 5g(x)] = \lim_{x \to -2} f(x) + \lim_{x \to -2}[5g(x)] \quad \text{(propriété 2.3.1)}$$
$$= \lim_{x \to -2} f(x) + 5\lim_{x \to -2} g(x) \quad \text{(propriété 2.3.3)}$$
$$= 1 + 5(-1) = -4.$$

b) On constate que $\displaystyle\lim_{x \to 1} f(x) = 2$, mais $\displaystyle\lim_{x \to 1} g(x)$ n'existe pas, puisque les limites à gauche et à droite sont différentes :

$$\lim_{x \to 1^-} g(x) = -2 \quad \text{et} \quad \lim_{x \to 1^+} g(x) = -1.$$

On ne peut donc pas utiliser la propriété **2.3.4** pour la limite demandée, mais on peut l'utiliser pour les limites à gauche et à droite :

$$\lim_{x \to 1^-}[f(x)g(x)] = 2 \cdot (-2) = -4 \quad \text{et} \quad \lim_{x \to 1^+}[f(x)g(x)] = 2 \cdot (-1) = -2.$$

Les deux limites n'étant pas égales, $\displaystyle\lim_{x \to 1}[f(x)g(x)]$ n'existe pas.

c) Les graphiques montrent que

$$\lim_{x \to 2} f(x) \approx 1{,}4 \quad \text{et} \quad \lim_{x \to 2} g(x) = 0.$$

Comme la limite du dénominateur est 0, on ne peut pas utiliser la propriété **2.3.5**. La limite donnée n'existe pas puisque le dénominateur s'approche de 0 alors que le numérateur s'approche d'un nombre non nul.

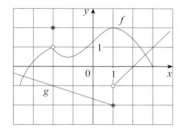

2.3.1 FIGURE

En utilisant à répétition la règle du produit avec $g(x) = f(x)$, on obtient la propriété suivante :

Règle des puissances **2.3.6** $\displaystyle\lim_{x \to a}[f(x)]^n = \left[\lim_{x \to a} f(x)\right]^n$ où n est un entier positif.

L'application de ces six propriétés requiert l'utilisation de deux limites particulières :

2.3.7	$\lim\limits_{x \to a} c = c$	2.3.8	$\lim\limits_{x \to a} x = a$

D'un point de vue intuitif, ces limites sont évidentes (on n'a qu'à les exprimer verbalement ou à représenter graphiquement $y = c$ et $y = x$). Si l'on pose $f(x) = x$ pour la propriété **2.3.6** et qu'on utilise la propriété **2.3.8**, on obtient une autre limite particulière.

2.3.9	$\lim\limits_{x \to a} x^n = a^n$ où n est un entier positif

Une limite similaire tient pour les racines, comme le montre la propriété **2.3.10**.

2.3.10	$\lim\limits_{x \to a} \sqrt[n]{x} = \sqrt[n]{a}$ où n est un entier positif (Si n est pair, on suppose que $a > 0$.)

La propriété suivante, dont la démonstration est donnée dans la section 2.4, découle de la propriété **2.3.10**.

Règle des racines

2.3.11	$\lim\limits_{x \to a} \sqrt[n]{f(x)} = \sqrt[n]{\lim\limits_{x \to a} f(x)}$ où n est un entier positif (Si n est pair, on suppose que $\lim\limits_{x \to a} f(x) > 0$.)

Newton et les limites

Isaac Newton est né le jour de Noël 1642, année de la mort de Galilée. À son entrée à l'Université de Cambridge en 1661, il ne sait pas grand-chose en mathématiques, mais il apprend vite en lisant Euclide et Descartes et en assistant aux cours d'Isaac Barrow. En 1665 et 1666, la grande peste force Cambridge à fermer, et Newton rentre chez lui pour deux années et en profite pour réaliser quatre de ses plus grandes découvertes : 1) la représentation des fonctions par des sommes de séries infinies, y compris le développement du binôme qui porte son nom ; 2) les travaux en calcul différentiel et intégral ; 3) les lois du mouvement et la théorie de l'attraction universelle ; et 4) les expériences avec les prismes sur la nature de la lumière et des couleurs. Craignant la controverse et la critique, Newton hésite à publier ses découvertes. Ce n'est donc qu'en 1687, à l'incitation de l'astronome Edmund Halley, que Newton publie *Principia Mathematica*. Dans cet ouvrage, Newton présente sa version du calcul et l'emploie pour étudier la mécanique, la dynamique des fluides et le mouvement ondulatoire, ainsi que pour expliquer le mouvement des planètes et des comètes.

Exemple **2.3.2** Évaluons les limites suivantes et justifions chaque étape.

a) $\lim\limits_{x \to 5} (2x^2 - 3x + 4)$

b) $\lim\limits_{x \to -2} \dfrac{x^3 + 2x^2 - 1}{5 - 3x}$

Solution

a)
$$\lim\limits_{x \to 5} (2x^2 - 3x + 4) = \lim\limits_{x \to 5}(2x^2) - \lim\limits_{x \to 5}(3x) + \lim\limits_{x \to 5} 4 \quad \text{(propriétés } \textbf{2.3.2} \text{ et } \textbf{2.3.1})$$
$$= 2\lim\limits_{x \to 5} x^2 - 3\lim\limits_{x \to 5} x + \lim\limits_{x \to 5} 4 \quad \text{(propriété } \textbf{2.3.3})$$
$$= 2(5^2) - 3(5) + 4 \quad \text{(propriétés } \textbf{2.3.9}, \textbf{2.3.8} \text{ et } \textbf{2.3.7})$$
$$= 39$$

b) On utilise d'abord la propriété **2.3.5**, mais cet emploi n'est pleinement justifié qu'à la phase finale, lorsqu'on s'aperçoit que les limites du numérateur et du dénominateur existent et que celle du dénominateur est différente de zéro.

$$\lim\limits_{x \to -2} \frac{x^3 + 2x^2 - 1}{5 - 3x} = \frac{\lim\limits_{x \to -2}(x^3 + 2x^2 - 1)}{\lim\limits_{x \to -2}(5 - 3x)} \quad \text{(propriété } \textbf{2.3.5})$$

$$= \frac{\lim\limits_{x \to -2} x^3 + 2\lim\limits_{x \to -2} x^2 - \lim\limits_{x \to -2} 1}{\lim\limits_{x \to -2} 5 - 3\lim\limits_{x \to -2} x} \quad \text{(propriétés } \textbf{2.3.1}, \textbf{2.3.2} \text{ et } \textbf{2.3.3})$$

$$= \frac{(-2)^3 + 2(-2)^2 - 1}{5 - 3(-2)} \quad \text{(propriétés } \textbf{2.3.9}, \textbf{2.3.8} \text{ et } \textbf{2.3.7})$$

$$= -\frac{1}{11}$$

Les débuts du calcul infinitésimal remontent aux calculs des aires et des volumes réalisés par les savants grecs de l'Antiquité, tels Eudoxe et Archimède. Bien que certains aspects de la notion de limite aient été implicites dans leur «méthode d'exhaustion», Eudoxe et Archimède n'ont jamais explicité cette notion. De même, les mathématiciens Cavalieri, Fermat et Barrow, précurseurs immédiats de Newton dans le développement du calcul, n'ont pas utilisé les limites. Isaac Newton est le premier à avoir parlé explicitement des limites. Il explique que le principe directeur des limites est que les valeurs «se rapprochent davantage qu'à une quelconque raison donnée». Il affirme que la limite constitue le fondement du calcul différentiel et intégral, mais ses idées sur les limites devront attendre la venue d'autres mathématiciens, tel Cauchy, pour être éclaircies.

NOTE Si l'on pose $f(x) = 2x^2 - 3x + 4$, alors $f(5) = 39$. Autrement dit, on aurait obtenu la bonne réponse, dans l'exemple 2.3.2 a), en substituant 5 à x. De même, la substitution directe conduit à la bonne réponse en b). L'exemple 2.3.2 porte sur une fonction polynomiale et une fonction rationnelle, et l'emploi similaire des propriétés des limites démontre que la substitution directe fonctionne toujours pour ces types de fonctions (*voir les exercices 28 et 29*). Ce fait s'exprime comme suit.

Substitution directe

Si f est une fonction polynomiale ou rationnelle et que a appartient au domaine de f, alors

$$\lim_{x \to a} f(x) = f(a).$$

Les fonctions possédant la propriété de substitution directe sont dites «continues en a» et font l'objet de la section 2.4. Cela dit, comme le montrent les exemples suivants, toutes les limites ne se prêtent pas à l'évaluation par substitution directe.

Exemple 2.3.3 Trouvons $\lim_{x \to 1} \dfrac{x-1}{x^2-1}$.

Solution Soit
$$f(x) = (x-1)\big/(x^2-1).$$

On ne peut pas trouver la limite en remplaçant x par 1, parce que $f(1)$ n'est pas définie. On ne peut pas non plus employer la règle du quotient, parce que la limite du dénominateur est nulle. En fait, en remplaçant x par 1, on obtient ce qu'on appelle une «indétermination de la forme 0/0». La résolution algébrique de ce type de limite est expliquée à la section 2.6. Par ailleurs, on a vu à l'exemple 2.2.1, grâce à des tables de valeurs, que cette limite est 0,5.

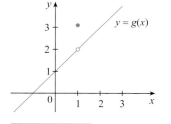

2.3.2 FIGURE

Exemple 2.3.4 Trouvons $\lim_{x \to 1} g(x)$ où

$$g(x) = \begin{cases} x+1 & \text{si} \quad x \neq 1 \\ \pi & \text{si} \quad x = 1. \end{cases}$$

Solution Ici, g est définie en $x = 1$ et $g(1) = \pi$, mais la valeur d'une limite lorsque x tend vers 1 ne dépend pas de la valeur de la fonction en 1 (*voir la figure 2.3.2*). Puisque $g(x) = x + 1$ pour $x \neq 1$, on a

$$\lim_{x \to 1} g(x) = \lim_{x \to 1}(x+1)$$
$$= 2.$$

Le calcul de certaines limites se fait mieux lorsqu'on trouve d'abord les limites à gauche et à droite. Le théorème suivant rappelle les observations faites dans la section 2.2. Il stipule qu'une limite bilatérale existe si et seulement si les deux limites unilatérales existent et sont égales à un même nombre L.

2.3.12 Théorème

Soit L, un nombre réel, alors $\lim_{x \to a} f(x) = L$ si et seulement si

$$\lim_{x \to a^-} f(x) = L = \lim_{x \to a^+} f(x).$$

De plus, les propriétés des limites s'appliquent également au calcul des limites à gauche ou à droite.

D'après la figure 2.3.3, le résultat obtenu à l'exemple 2.3.5 paraît plausible.

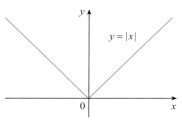

2.3.3 FIGURE

Exemple 2.3.5 Montrons que $\lim\limits_{x \to 0} |x| = 0$.

Solution On se rappelle que

$$|x| = \begin{cases} x & \text{si} \quad x \geq 0 \\ -x & \text{si} \quad x < 0. \end{cases}$$

Puisque $|x| = x$ pour $x > 0$, on a

$$\lim\limits_{x \to 0^+} |x| = \lim\limits_{x \to 0^+} x = 0.$$

Pour $x < 0$, on a $|x| = -x$, donc

$$\lim\limits_{x \to 0^-} |x| = \lim\limits_{x \to 0^-} (-x) = 0.$$

Par conséquent, selon le théorème **2.3.12**,

$$\lim\limits_{x \to 0} |x| = 0.$$

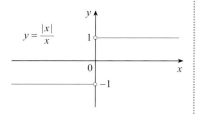

2.3.4 FIGURE

Exemple 2.3.6 Prouvons que $\lim\limits_{x \to 0} \dfrac{|x|}{x}$ n'existe pas.

Solution

$$\lim\limits_{x \to 0^+} \frac{|x|}{x} = \lim\limits_{x \to 0^+} \frac{x}{x} = \lim\limits_{x \to 0^+} 1 = 1$$

$$\lim\limits_{x \to 0^-} \frac{|x|}{x} = \lim\limits_{x \to 0^-} \frac{-x}{x} = \lim\limits_{x \to 0^-} (-1) = -1$$

Comme les limites à gauche et à droite sont différentes, $\lim\limits_{x \to 0} |x|/x$ n'existe pas selon le théorème **2.3.12**. Le graphique de la fonction $f(x) = |x|/x$ de la figure 2.3.4 confirme les limites à gauche et à droite qu'on a trouvées.

Exemple 2.3.7 Soit

$$f(x) = \begin{cases} 3x^2 - 1 & \text{si} \quad x \leq 2 \\ \dfrac{5x^2 + 2}{3x - 4} & \text{si} \quad 2 < x \leq 4 \\ \dfrac{x^2 - 1}{x^2 - 5x + 6} & \text{si} \quad x > 4. \end{cases}$$

Déterminons les limites suivantes, si elles existent.

a) $\lim\limits_{x \to 1} f(x)$

b) $\lim\limits_{x \to 2} f(x)$

c) $\lim\limits_{x \to 4} f(x)$

d) $\lim\limits_{x \to 5} f(x)$

Solution

a) Lorsque x est proche de 1, la fonction f est définie par $f(x) = 3x^2 - 1$. Donc,

$$\lim\limits_{x \to 1} f(x) = \lim\limits_{x \to 1} (3x^2 - 1)$$
$$= 3(1)^2 - 1 = 2.$$

b) Autour de $x = 2$, la fonction f est définie différemment si x est inférieur ou supérieur à 2. Il faut donc calculer séparément les limites à gauche et à droite :

$$\lim_{x \to 2^-} f(x) = \lim_{x \to 2^-} (3x^2 - 1)$$
$$= 3(2)^2 - 1 = 11$$
et
$$\lim_{x \to 2^+} f(x) = \lim_{x \to 2^+} \frac{5x^2 + 2}{3x - 4}$$
$$= \frac{5(2)^2 + 2}{3(2) - 4} = 11.$$

Puisque les deux limites sont égales, par le théorème **2.3.12**, $\lim\limits_{x \to 2} f(x) = 11$.

c) Tout comme en b), il faut calculer la limite à gauche et à droite de 4 :

$$\lim_{x \to 4^-} f(x) = \lim_{x \to 4^-} \frac{5x^2 + 2}{3x - 4}$$
$$= \frac{5(4)^2 + 2}{3(4) - 4} = \frac{41}{4}$$
et
$$\lim_{x \to 4^+} f(x) = \lim_{x \to 4^+} \frac{x^2 - 1}{x^2 - 5x + 6}$$
$$= \frac{(4)^2 - 1}{(4)^2 - 5(4) + 6} = \frac{15}{2}.$$

Puisque les deux limites ne sont pas égales, $\lim\limits_{x \to 4} f(x)$ n'existe pas.

d) Puisque, dans le voisinage de 5, $x > 4$, alors

$$\lim_{x \to 5} f(x) = \lim_{x \to 5} \frac{x^2 - 1}{x^2 - 5x + 6} = \frac{\lim\limits_{x \to 5} (x^2 - 1)}{\lim\limits_{x \to 5} (x^2 - 5x + 6)}$$

$$= \frac{(5)^2 - 1}{((5)^2 - 5(5) + 6)}$$

$$= \frac{24}{6} = 4.$$

Il est impossible d'évaluer cette limite par substitution puisque le dénominateur s'annule lorsque $x = 5$. On constate que si $x \to 5^-$, alors $(x - 3)(x - 5) \to 0^-$ et que si $x \to 5^+$, alors $(x - 3)(x - 5) \to 0^+$. Ainsi,

$$\lim_{x \to 5^-} f(x) = \lim_{x \to 5^-} \frac{\overset{24}{\overbrace{x^2 - 1}}}{\underset{0^-}{\underbrace{(x - 3)(x - 5)}}} = -\infty \quad \text{et} \quad \lim_{x \to 5^+} f(x) = \lim_{x \to 5^+} \frac{\overset{24}{\overbrace{x^2 - 1}}}{\underset{0^+}{\underbrace{(x - 3)(x - 5)}}} = \infty.$$

Donc, $\lim\limits_{x \to 5} f(x)$ n'existe pas.

Exemple 2.3.8 Soit

$$f(x) = \begin{cases} \sqrt{x - 4} & \text{si} \quad x > 4 \\ 8 - 2x & \text{si} \quad x < 4. \end{cases}$$

Déterminons si $\lim\limits_{x \to 4} f(x)$ existe.

Solution Puisque $f(x) = \sqrt{x - 4}$ pour $x > 4$, on a donc $x - 4 > 0$, d'où

$$\lim_{x \to 4^+} f(x) = \lim_{x \to 4^+} \sqrt{x - 4} = \sqrt{4 - 4} = 0.$$

Puisque $f(x) = 8 - 2x$ pour $x < 4$, on a

$$\lim_{x \to 4^-} f(x) = \lim_{x \to 4^-} (8 - 2x) = 8 - 2 \cdot 4 = 0.$$

La limite à gauche et la limite à droite sont égales. Ainsi, la limite existe et

$$\lim_{x \to 4} f(x) = 0.$$

La figure 2.3.5 montre le graphique de f.

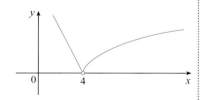

2.3.5 FIGURE

$[\![x]\!]$ se note aussi $[x]$ ou $\lfloor x \rfloor$. On appelle parfois la fonction partie entière la « fonction plancher ».

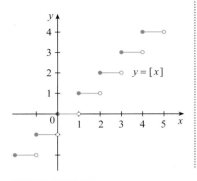

2.3.6 FIGURE

La fonction partie entière.

Exemple `2.3.9` La **fonction partie entière de x**, notée $[\![x]\!]$, est le plus grand entier inférieur ou égal à x. (Par exemple, $[\![4]\!] = 4$, $[\![4{,}8]\!] = 4$, $[\![\pi]\!] = 3$, $\left[\!\left[\sqrt{2}\,\right]\!\right] = 1$, $\left[\!\left[-\tfrac{1}{2}\right]\!\right] = -1$.) Montrons que $\lim\limits_{x\to 3} [\![x]\!]$ n'existe pas.

Solution Le graphique de la fonction partie entière apparaît à la figure 2.3.6. Puisque $[\![x]\!] = 3$ pour $3 \le x < 4$, on a

$$\lim_{x\to 3^+} [\![x]\!] = \lim_{x\to 3^+} 3 = 3.$$

Puisque $[\![x]\!] = 2$ pour $2 \le x < 3$, on a

$$\lim_{x\to 3^-} [\![x]\!] = \lim_{x\to 3^-} 2 = 2.$$

Les limites à gauche et à droite n'étant pas égales, $\lim\limits_{x\to 3}[\![x]\!]$ n'existe pas, selon le théorème **2.3.12**. ∎

Les deux théorèmes suivants apportent deux autres propriétés des limites. Leurs démonstrations se trouvent à l'annexe C.

2.3.13 | Théorème

Si $f(x) \le g(x)$ quand x est proche de a (sauf peut-être en a) et que les limites de f et de g existent lorsque x tend vers a, alors

$$\lim_{x\to a} f(x) \le \lim_{x\to a} g(x).$$

2.3.14 | Théorème du sandwich

Si $f(x) \le g(x) \le h(x)$ lorsque x est proche de a (sauf peut-être en a) et que

$$\lim_{x\to a} f(x) = \lim_{x\to a} h(x) = L,$$

alors

$$\lim_{x\to a} g(x) = L.$$

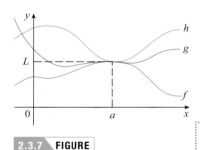

2.3.7 FIGURE

Le théorème du sandwich, aussi appelé « théorème des gendarmes » ou « théorème d'encadrement », est représenté dans la figure 2.3.7. Il stipule que, si $g(x)$ est coincé entre $f(x)$ et $h(x)$ au voisinage de a et que les fonctions f et h admettent la même limite L en a, alors g admet forcément la même limite L en a.

Exemple `2.3.10` Montrons que $\lim\limits_{x\to 0} x^2 \sin \dfrac{1}{x} = 0$.

Solution On note d'abord qu'on ne peut pas utiliser

$$\lim_{x\to 0} x^2 \sin \frac{1}{x} = \lim_{x\to 0} x^2 \cdot \lim_{x\to 0} \sin \frac{1}{x}$$

parce que $\lim\limits_{x\to 0} \sin(1/x)$ n'existe pas (*voir l'exemple 2.2.4*).

On emploie plutôt le théorème du sandwich, qui demande de trouver une fonction f inférieure à $g(x) = x^2 \sin(1/x)$ et une fonction h supérieure à g telle que $f(x)$ et $h(x)$ tendent toutes deux vers 0. Pour ce faire, on se rapporte à la fonction sinus. Comme le sinus de tout nombre se situe entre -1 et 1, on peut écrire

2.3.15
$$-1 \le \sin \frac{1}{x} \le 1.$$

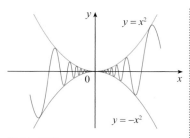

2.3.8 **FIGURE**

$y = x^2 \sin(1/x)$

Toute inégalité demeure vraie après la multiplication des deux membres par un nombre positif. Étant donné que $x^2 \geq 0$ pour toute valeur de x, la multiplication par x^2 de chaque membre de chaque inégalité en **2.3.15** permet d'obtenir

$$-x^2 \leq x^2 \sin \frac{1}{x} \leq x^2$$

comme l'illustre la figure 2.3.8. Par ailleurs, on sait que

$$\lim_{x \to 0} x^2 = 0 \quad \text{et} \quad \lim_{x \to 0} (-x^2) = 0.$$

En appliquant le théorème du sandwich aux fonctions $f(x) = -x^2$, $g(x) = x^2 \sin(1/x)$ et $h(x) = x^2$, on obtient

$$\lim_{x \to 0} x^2 \sin \frac{1}{x} = 0.$$

Exercices **2.3**

1. Sachant que

$$\lim_{x \to 2} f(x) = 4 \quad \lim_{x \to 2} g(x) = -2 \quad \lim_{x \to 2} h(x) = 0,$$

trouvez les limites qui existent. Si la limite n'existe pas, expliquez pourquoi.

a) $\lim_{x \to 2} [f(x) + 5g(x)]$
b) $\lim_{x \to 2} [g(x)]^3$

c) $\lim_{x \to 2} \sqrt{f(x)}$
d) $\lim_{x \to 2} \dfrac{3f(x)}{g(x)}$

e) $\lim_{x \to 2} \dfrac{g(x)}{h(x)}$
f) $\lim_{x \to 2} \dfrac{g(x)h(x)}{f(x)}$

2. À l'aide des graphiques de f et de g, évaluez chaque limite, si elle existe. Si la limite n'existe pas, expliquez pourquoi.

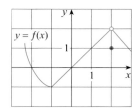
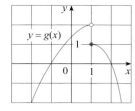

a) $\lim_{x \to 2} [f(x) + g(x)]$
b) $\lim_{x \to 1} [f(x) + g(x)]$

c) $\lim_{x \to 0} [f(x)g(x)]$
d) $\lim_{x \to -1} \dfrac{f(x)}{g(x)}$

e) $\lim_{x \to 2} [x^3 f(x)]$
f) $\lim_{x \to 1} \sqrt{3 + f(x)}$

3. À l'aide des graphiques de f et de g, évaluez chaque limite, si elle existe. Si la limite n'existe pas, expliquez pourquoi.

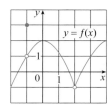
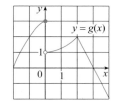

a) $\lim_{x \to 2} [f(x) + g(x)]$
b) $\lim_{x \to 0} [f(x) - g(x)]$

c) $\lim_{x \to -1} [f(x)g(x)]$
d) $\lim_{x \to 3} \dfrac{f(x)}{g(x)}$

e) $\lim_{x \to 2} [x^2 f(x)]$
f) $f(-1) + \lim_{x \to -1} g(x)$

4-10 Évaluez la limite et justifiez chaque étape en indiquant la ou les propriétés des limites qui s'appliquent.

4. $\lim_{x \to 3} (5x^3 - 3x^2 + x - 6)$
5. $\lim_{x \to -1} (x^4 - 3x)(x^2 + 5x + 3)$

6. $\lim_{t \to -2} \dfrac{t^4 - 2}{2t^2 - 3t + 2}$
7. $\lim_{u \to -2} \sqrt{u^4 + 3u + 6}$

8. $\lim_{x \to 8} (1 + \sqrt[3]{x})(2 - 6x^2 + x^3)$
9. $\lim_{t \to 2} \left(\dfrac{t^2 - 2}{t^3 - 3t + 5} \right)^2$

10. $\lim_{x \to 2} \sqrt{\dfrac{2x^2 + 1}{3x - 2}}$

11. À l'aide du théorème du sandwich, montrez que

$$\lim_{x \to 0} (x^2 \cos 20\pi x) = 0.$$

Illustrez votre démarche en traçant les graphiques de $f(x) = -x^2$, de $g(x) = x^2 \cos 20\pi x$ et de $h(x) = x^2$ dans la même fenêtre.

12. À l'aide du théorème du sandwich, montrez que

$$\lim_{x \to 0} \sqrt{x^3 + x^2} \sin \frac{\pi}{x} = 0.$$

Illustrez votre démarche en traçant les graphiques des fonctions f, g et h (dans la notation du théorème du sandwich) dans la même fenêtre.

13. Si $4x - 9 \leq f(x) \leq x^2 - 4x + 7$ pour $x \geq 0$, trouvez $\lim_{x \to 4} f(x)$.

14. Si $2x \leq g(x) \leq x^4 - x^2 + 2$ pour toute valeur de x, évaluez $\lim_{x \to 1} g(x)$.

15. Prouvez que $\lim_{x \to 0} x^4 \cos \dfrac{2}{x} = 0$.

16. Prouvez que $\lim_{x \to 0^+} \sqrt{x} e^{\sin(\pi/x)} = 0$.

17-18 Trouvez la limite.

17. $\displaystyle\lim_{x\to 3}(2x+|x-3|)$ **18.** $\displaystyle\lim_{x\to -2}\frac{2-|x|}{2-x}$

19. La fonction signe (ou *signum*, en latin) se note « sgn » et est définie par

$$\operatorname{sgn}x=\begin{cases} -1 & \text{si} \quad x<0 \\ 0 & \text{si} \quad x=0 \\ 1 & \text{si} \quad x>0. \end{cases}$$

a) Esquissez le graphique de cette fonction.

b) Trouvez chacune des limites suivantes ou, le cas échéant, expliquez pourquoi elle n'existe pas.

   i) $\displaystyle\lim_{x\to 0^+}\operatorname{sgn}x$ ii) $\displaystyle\lim_{x\to 0^-}\operatorname{sgn}x$

   iii) $\displaystyle\lim_{x\to 0}\operatorname{sgn}x$ iv) $\displaystyle\lim_{x\to 0}|\operatorname{sgn}x|$

▲ **20.** Soit $g(x)=\operatorname{sgn}(\sin x)$. (La fonction signe est définie à l'exercice 19.)

a) Trouvez chacune des limites suivantes, ou, le cas échéant, expliquez pourquoi elle n'existe pas.

   i) $\displaystyle\lim_{x\to 0^+}g(x)$ ii) $\displaystyle\lim_{x\to 0^-}g(x)$

   iii) $\displaystyle\lim_{x\to 0}g(x)$ iv) $\displaystyle\lim_{x\to \pi^+}g(x)$

   v) $\displaystyle\lim_{x\to \pi^-}g(x)$ vi) $\displaystyle\lim_{x\to \pi}g(x)$

b) Pour quelles valeurs de a $\displaystyle\lim_{x\to a}g(x)$ n'existe-t-elle pas?

c) Esquissez le graphique de g.

21. Soit

$$f(x)=\begin{cases} x^2+1 & \text{si} \quad x<1 \\ (x-2)^2 & \text{si} \quad x\geq 1. \end{cases}$$

a) Trouvez $\displaystyle\lim_{x\to 1^-}f(x)$ et $\displaystyle\lim_{x\to 1^+}f(x)$.

b) $\displaystyle\lim_{x\to 1}f(x)$ existe-t-elle?

c) Esquissez le graphique de f.

22. Soit $B(t)=\begin{cases} 4-\dfrac{1}{2}t & \text{si} \quad t<2 \\ \sqrt{t+c} & \text{si} \quad t\geq 2 \end{cases}$. Pour quelle valeur de c $\displaystyle\lim_{t\to 2}B(t)$ existe-t-elle?

23. Soit

$$g(x)=\begin{cases} x & \text{si} \quad x<1 \\ 3 & \text{si} \quad x=1 \\ 2-x^2 & \text{si} \quad 1<x\leq 2 \\ x-3 & \text{si} \quad x>2. \end{cases}$$

a) Évaluez chaque limite, si elle existe.

   i) $\displaystyle\lim_{x\to 1^-}g(x)$ ii) $\displaystyle\lim_{x\to 1}g(x)$

   iii) $g(1)$ iv) $\displaystyle\lim_{x\to 2^-}g(x)$

   v) $\displaystyle\lim_{x\to 2^+}g(x)$ vi) $\displaystyle\lim_{x\to 2}g(x)$

b) Esquissez le graphique de g.

24. a) Sachant que le symbole $[\![\ ]\!]$ désigne la fonction partie entière définie dans l'exemple 2.3.9 (*voir p. 118*), évaluez:

   i) $\displaystyle\lim_{x\to -2^+}[\![x]\!]$ ii) $\displaystyle\lim_{x\to -2}[\![x]\!]$ iii) $\displaystyle\lim_{x\to -2,4}[\![x]\!]$

b) Soit n, un nombre entier. Évaluez:

   i) $\displaystyle\lim_{x\to n^-}[\![x]\!]$ ii) $\displaystyle\lim_{x\to n^+}[\![x]\!]$

c) Pour quelles valeurs de a $\displaystyle\lim_{x\to a}[\![x]\!]$ existe-t-elle?

▲ **25.** Soit $f(x)=[\![\cos x]\!]$, $-\pi\leq x\leq\pi$.

a) Esquissez le graphique de f.

b) Évaluez chaque limite, si elle existe.

   i) $\displaystyle\lim_{x\to 0}f(x)$ ii) $\displaystyle\lim_{x\to(\pi/2)^-}f(x)$

   iii) $\displaystyle\lim_{x\to(\pi/2)^+}f(x)$ iv) $\displaystyle\lim_{x\to\pi/2}f(x)$

c) Pour quelles valeurs de a $\displaystyle\lim_{x\to a}f(x)$ existe-t-elle?

26. Sachant que $f(x)=[\![x]\!]+[\![-x]\!]$, montrez que $\displaystyle\lim_{x\to 2}f(x)$ existe, mais n'est pas égale à $f(2)$.

27. Dans la théorie de la relativité, la formule de contraction de Lorentz

$$L=L_0\sqrt{1-v^2/c^2}$$

exprime la longueur L d'un objet en fonction de sa vitesse v par rapport à un observateur, où L_0 est la longueur de l'objet au repos et c, la vitesse de la lumière. Trouvez $\displaystyle\lim_{v\to c^-}L$ et interprétez le résultat obtenu. Pourquoi faut-il une limite à gauche?

28. Soit p, un polynôme. Montrez que $\displaystyle\lim_{x\to a}p(x)=p(a)$.

29. Soit r, une fonction rationnelle. À partir de votre réponse à l'exercice 28, montrez que $\displaystyle\lim_{x\to a}r(x)=r(a)$ pour tout nombre a appartenant au domaine de r.

30. Soit

$$f(x)=\begin{cases} x^2 & \text{si} \quad x \text{ est rationnel} \\ 0 & \text{si} \quad x \text{ est irrationnel.} \end{cases}$$

Prouvez que $\displaystyle\lim_{x\to 0}f(x)=0$.

31. Au moyen d'un exemple, montrez que $\displaystyle\lim_{x\to a}[f(x)+g(x)]$ peut exister même si ni $\displaystyle\lim_{x\to a}f(x)$ ni $\displaystyle\lim_{x\to a}g(x)$ n'existent.

32. Au moyen d'un exemple, montrez que $\displaystyle\lim_{x\to a}[f(x)g(x)]$ peut exister même si ni $\displaystyle\lim_{x\to a}f(x)$ ni $\displaystyle\lim_{x\to a}g(x)$ n'existent.

33. La figure suivante montre un cercle fixe C_1 d'équation $(x-1)^2+y^2=1$ et un cercle rétrécissant C_2 de rayon r et centré à l'origine. P est le point $(0,r)$, Q est le point d'intersection supérieur des deux cercles et R est le point d'intersection de la droite PQ et de l'axe des x. Qu'arrive-t-il à R à mesure que C_2 rétrécit, ou lorsque $r\to 0^+$?

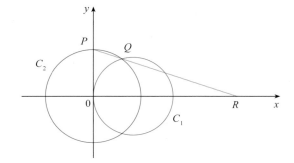

2.4 La continuité

Nous avons observé, dans la section 2.3, que la limite d'une fonction, pour x tendant vers a, se trouve souvent par simple évaluation de la fonction en a. Les fonctions qui possèdent cette propriété sont dites «continues en a». Dans la présente section, nous verrons que la définition mathématique de **continuité** est étroitement liée au sens courant du terme (*continu* : qui est sans interruption).

2.4.1	Définition (Continuité en un point)

Soit f, une fonction définie au voisinage de a. Alors f est **continue en a** si et seulement si

$$\lim_{x \to a} f(x) = f(a).$$

On remarque que la définition **2.4.1** pose implicitement trois conditions pour que f soit continue en a :

1. $f(a)$ est définie (c'est-à-dire que a appartient au domaine de f).

2. $\lim_{x \to a} f(x)$ existe.

3. $\lim_{x \to a} f(x) = f(a)$.

Comme l'illustre la figure 2.4.1, si f est continue, alors les points $(x, f(x))$ du graphique de f tendent vers le point $(a, f(a))$. La courbe ne présente donc pas de trou.

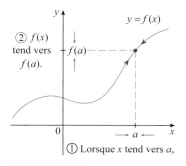

① Lorsque x tend vers a,
② $f(x)$ tend vers $f(a)$.

2.4.1 FIGURE

La définition dit que f est continue en a si $f(x)$ tend vers $f(a)$ lorsque x tend vers a. Ainsi, une fonction continue f est telle qu'une petite variation de x ne produit qu'une petite variation de $f(x)$. On peut d'ailleurs tenir la variation de $f(x)$ aussi petite que l'on veut en maintenant la variation de x suffisamment petite.

Si f est définie au voisinage de a (autrement dit, f est définie sur un intervalle ouvert contenant a, sauf peut-être pour $x = a$), on dit que f est **discontinue en a** (ou que f présente une **discontinuité** en a) si f n'est pas continue en a.

La plupart des phénomènes physiques peuvent se représenter par des fonctions continues. Par exemple, le déplacement ou la vitesse d'un véhicule, tout comme la taille d'une personne, varient continûment avec le temps. Par contre, une variation brusque de courant électrique peut se représenter par une discontinuité. Un tel cas est présenté à l'exemple 2.2.5, où la fonction de Heaviside est discontinue en 0 parce que

$$\lim_{t \to 0} H(t)$$

n'existe pas.

Sur le plan géométrique, bien que ce ne soit pas mathématiquement rigoureux, on peut se représenter une fonction continue en tout point d'un intervalle comme une fonction dont le graphique ne présente aucun saut, aucun trou. De plus, si elle se trace, on peut le faire sans lever le crayon.

En effet, il existe des fonctions continues qu'il n'est pas possible de tracer au crayon, par exemple la fonction fractale de Weierstrass (*voir la figure 2.4.2*). Cette fonction est à peu près impossible à dessiner : au voisinage de chacun de ses points, elle oscille indéfiniment et les oscillations s'écrasent un peu à la manière de la fonction continue

$$f(x) = \begin{cases} x \sin\left(\frac{1}{x}\right) & \text{si} \quad x \neq 0 \\ 0 & \text{si} \quad x = 0 \end{cases}$$

au voisinage de 0 (*voir la figure 2.4.3*).

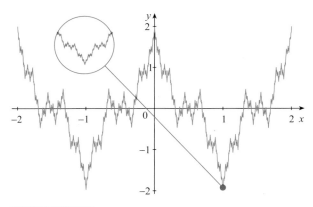

2.4.2 FIGURE

Fonction de Weierstrass.

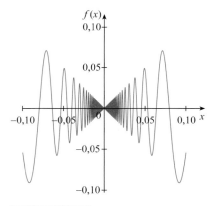

2.4.3 FIGURE

$$f(x) = \begin{cases} x \sin\left(\frac{1}{x}\right) & \text{si} \quad x \neq 0 \\ 0 & \text{si} \quad x = 0. \end{cases}$$

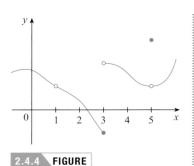

2.4.4 FIGURE

Exemple 2.4.1 La figure 2.4.4 montre le graphique d'une fonction *f*. Trouvons en quelles valeurs *f* est discontinue et justifions toute réponse.

Solution Il semble qu'il y ait une discontinuité en $x = 1$, car le graphique s'y interrompt. La raison formelle de la discontinuité de *f* en 1 est que $f(1)$ n'est pas définie.

Le graphique présente aussi une interruption en $x = 3$, mais cette discontinuité s'explique différemment. Ici, $f(3)$ est définie, mais $\lim_{x \to 3} f(x)$ n'existe pas, puisque les limites à gauche et à droite sont différentes. Donc, *f* est discontinue en 3.

Qu'en est-il de $x = 5$? Ici, $f(5)$ est définie et $\lim_{x \to 5} f(x)$ existe, puisque les limites à gauche et à droite sont égales. Toutefois,

$$\lim_{x \to 5} f(x) \neq f(5).$$

Donc, *f* est discontinue en 5.

L'exemple 2.4.2 illustre la façon de repérer les discontinuités d'une fonction définie par une formule.

Exemple 2.4.2 Trouvons en quels points chacune des fonctions suivantes est discontinue.

a) $f(x) = \dfrac{x^2 - x - 2}{x - 2}$

b) $f(x) = \begin{cases} \dfrac{x^2 - x - 2}{x - 2} & \text{si} \quad x \neq 2 \\ 1 & \text{si} \quad x = 2 \end{cases}$

c) $f(x) = [\![x]\!]$

Solution

a) Puisque $f(2)$ n'est pas définie, *f* est discontinue en 2. On décrit plus loin pourquoi *f* est continue en chacune des autres valeurs.

b) Ici, $f(2) = 1$ est définie, et

Dans la partie b), $\lim_{x \to 2} f(x)$ est une limite de forme indéterminée, 0/0. Les démarches pour lever ce type d'indétermination font l'objet de la section 2.6.

$$\lim_{x \to 2} f(x) = \lim_{x \to 2} \frac{x^2 - x - 2}{x - 2} = \lim_{x \to 2} \frac{(x - 2)(x + 1)}{x - 2} = \lim_{x \to 2} (x + 1) = 3$$

existe. Cependant,

$$\lim_{x \to 2} f(x) \neq f(2).$$

Donc, f n'est pas continue en 2.

c) La fonction partie entière de x, notée

$$f(x) = [\![x]\!],$$

présente une discontinuité pour chacune des valeurs entières, parce que $\lim_{x \to n} [\![x]\!]$ n'existe pas si n est un entier.

(*Voir l'exemple 2.3.9 et l'exercice 24 de la section 2.3.*)

La figure 2.4.5 montre les graphiques des fonctions de l'exemple 2.4.2. Aucun de ces graphiques ne peut être tracé d'un seul trait, que ce soit à cause d'un trou, d'un passage à l'infini ou d'un saut. La discontinuité illustrée en a) et en b) est dite **non essentielle** ou réductible, car on pourrait la supprimer en redéfinissant f à la seule valeur 2. (La fonction $g(x) = x + 1$ est continue partout.) La partie c) illustre des **discontinuités en saut**, parce que la fonction « saute » d'une valeur à l'autre.

a)
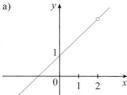

$$f(x) = \frac{x^2 - x - 2}{x - 2}$$

b)
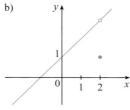

$$f(x) = \begin{cases} \dfrac{x^2 - x - 2}{x - 2} & \text{si} \quad x \neq 2 \\ 1 & \text{si} \quad x = 2 \end{cases}$$

c)
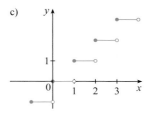

$$f(x) = [\![x]\!]$$

2.4.5   FIGURE

Les graphiques des fonctions de l'exemple 2.4.2.

2.4.2 | **Définition**

Une fonction f est **continue à droite en une valeur a** si

$$\lim_{x \to a^+} f(x) = f(a)$$

et f est **continue à gauche en a** si

$$\lim_{x \to a^-} f(x) = f(a).$$

Exemple 2.4.3   Pour chacune des valeurs entières n, la fonction

$$f(x) = [\![x]\!]$$

est continue à droite mais discontinue à gauche (*voir la figure 2.4.5 c*), car

$$\lim_{x \to n^+} f(x) = \lim_{x \to n^+} [\![x]\!] = n = f(n)$$

tandis que

$$\lim_{x \to n^-} f(x) = \lim_{x \to n^-} [\![x]\!] = n - 1 \neq f(n).$$

2.4.3 | **Définition**

Une fonction f est **continue sur un intervalle** ouvert $]a, b[$ si elle est continue pour chacune des valeurs de l'intervalle. Si a fait partie de l'intervalle, f doit être continue à droite en a et, de même, si b est inclus dans l'intervalle, alors f doit être continue à gauche en b.

Lorsqu'on cherche à déterminer si une fonction est continue sur un intervalle, il n'est ainsi jamais nécessaire de vérifier la limite à gauche au début de l'intervalle ni la limite à droite à la fin de l'intervalle.

Exemple 2.4.4 Montrons que la fonction $f(x) = 1 - \sqrt{1 - x^2}$ est continue sur l'intervalle $[-1, 1]$.

Solution Si $-1 < a < 1$, alors, selon les propriétés des limites, on a

$$\lim_{x \to a} f(x) = \lim_{x \to a}(1 - \sqrt{1 - x^2})$$

$$= 1 - \lim_{x \to a} \sqrt{1 - x^2} \qquad \text{(propriétés 2.3.2 et 2.3.7)}$$

$$= 1 - \sqrt{\lim_{x \to a}(1 - x^2)} \qquad \text{(propriété 2.3.11)}$$

$$= 1 - \sqrt{1 - a^2} \qquad \text{(propriétés 2.3.2, 2.3.7 et 2.3.9)}$$

$$= f(a).$$

Ainsi, selon la définition **2.4.1**, f est continue en a si $-1 < a < 1$. Des calculs comparables montrent que

$$\lim_{x \to -1^+} f(x) = 1 = f(-1) \quad \text{et} \quad \lim_{x \to 1^-} f(x) = 1 = f(1)$$

donc, f est continue à droite en -1 et continue à gauche en 1. Par conséquent, selon la définition **2.4.3**, f est continue sur $[-1, 1]$.

Le graphique de f est présenté dans la figure 2.4.6. Il s'agit de la moitié inférieure du cercle d'équation

$$x^2 + (y - 1)^2 = 1.$$

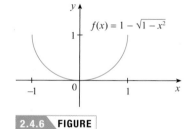

2.4.6 FIGURE

Au lieu de toujours s'en remettre aux définitions **2.4.1**, **2.4.2** et **2.4.3** pour vérifier la continuité d'une fonction, comme dans l'exemple 2.4.4, on préfère souvent avoir recours au théorème suivant, qui permet d'élaborer des fonctions continues complexes à partir d'autres, plus simples.

2.4.4 | **Théorème**

Soit f et g, deux fonctions définies dans un même voisinage de a. Si f et g sont continues en a et que c est une constante, alors les fonctions suivantes sont aussi continues en a:

1. $f + g$ **2.** $f - g$ **3.** cf

4. fg **5.** $\dfrac{f}{g}$ si $g(a) \neq 0$

DÉMONSTRATION Chacune des cinq parties de ce théorème découle de la propriété des limites correspondante (*voir la section 2.3*). Voici, à titre d'exemple, la démonstration de la partie 1. Puisque f et g sont continues en a, on a

$$\lim_{x \to a} f(x) = f(a) \quad \text{et} \quad \lim_{x \to a} g(x) = g(a).$$

Par conséquent,

$$\lim_{x \to a}(f+g)(x) = \lim_{x \to a}[f(x)+g(x)]$$

$$= \lim_{x \to a}f(x)+\lim_{x \to a}g(x) \quad \text{(propriété 2.3.1)}$$

$$= f(a)+g(a)$$

$$= (f+g)(a)$$

ce qui prouve que $f+g$ est continue en a. ■

Il découle du théorème **2.4.4** et de la définition **2.4.3** que, si f et g sont continues sur un intervalle, alors le sont aussi les fonctions $f+g$, $f-g$, cf, fg et (si g n'égale jamais 0) f/g. Le théorème suivant apparaît également dans la section 2.3 en tant que propriété de la substitution directe.

2.4.5 | **Théorème**

a) Toute fonction polynomiale est continue en tout point, c'est-à-dire qu'elle est continue sur $\mathbb{R} =]-\infty, \infty[$.

b) Toute fonction rationnelle est continue sur tout son domaine de définition.

DÉMONSTRATION

a) Une fonction polynomiale est une fonction de la forme

$$P(x) = c_n x^n + c_{n-1}x^{n-1} + \cdots + c_1 x + c_0$$

où c_0, c_1, ..., c_n sont des constantes. On sait que

$$\lim_{x \to a}c_0 = c_0 \quad \text{(propriété 2.3.7)}$$

et que

$$\lim_{x \to a}x^m = a^m \quad m = 1, 2, \ldots, n \quad \text{(propriété 2.3.9)}.$$

Cette égalité revient à dire que la fonction $f(x) = x^m$ est une fonction continue. Ainsi, selon la partie 3 du théorème **2.4.4**, la fonction $g(x) = cx^m$ est continue. Comme P est une somme de fonctions de cette forme et d'une fonction constante, il découle de la partie 1 du théorème **2.4.4** que P est continue.

b) Une fonction rationnelle est une fonction de la forme

$$f(x) = \frac{P(x)}{Q(x)}$$

où P et Q sont des polynômes. Le domaine de f est $D = \left\{x \in \mathbb{R} \mid Q(x) \neq 0\right\}$. Comme il est établi en a), P et Q sont continues en tout point. Ainsi, selon la partie 5 du théorème **2.4.4**, f est continue en chacune des valeurs de D. ■

Pour illustrer le théorème **2.4.5**, on peut dire d'une sphère que son volume varie en fonction de son rayon, parce que la formule $V(r) = \frac{4}{3}\pi r^3$ montre que V est une fonction polynomiale de r. De même, la hauteur atteinte par une balle qu'on lance verticalement dans les airs à la vitesse de 15 m/s, t secondes après le lancer, est donnée par la formule

$$h(t) = 15t - 5t^2.$$

Puisqu'il s'agit aussi d'une fonction polynomiale, la hauteur est une fonction continue du temps écoulé.

Le fait de savoir distinguer les fonctions continues permet d'évaluer certaines limites très rapidement, comme le montre l'exemple suivant, à comparer avec l'exemple 2.3.2 b).

Exemple 2.4.5 Trouvons $\lim\limits_{x \to -2} \dfrac{x^3 + 2x^2 - 1}{5 - 3x}$.

Solution La fonction

$$f(x) = \frac{x^3 + 2x^2 - 1}{5 - 3x}$$

est rationnelle. Donc, selon le théorème **2.4.5**, elle est continue sur son domaine, à savoir $\left\{ x \in \mathbb{R} \mid x \neq \frac{5}{3} \right\}$.

En conséquence,

$$\lim_{x \to -2} \frac{x^3 + 2x^2 - 1}{5 - 3x} = \lim_{x \to -2} f(x) = f(-2) = \frac{(-2)^3 + 2(-2)^2 - 1}{5 - 3(-2)} = -\frac{1}{11}.$$

Il s'avère que la plupart des fonctions usuelles sont continues en chacune des valeurs de leur domaine. Par exemple, la propriété **2.3.10** des limites exprime précisément la continuité des fonctions racines.

D'après les graphiques des fonctions sinus et cosinus (*voir la figure 1.4.14*), on dirait certainement que ces fonctions sont continues. Les définitions de $\sin \theta$ et de $\cos \theta$ indiquent que les coordonnées du point P de la figure 2.4.7 sont $(\cos \theta, \sin \theta)$. Lorsque $\theta \to 0$, P s'approche du point $(1, 0)$ et, donc, $\cos \theta \to 1$ et $\sin \theta \to 0$. Ainsi,

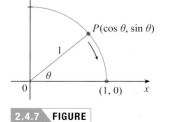

2.4.7 **FIGURE**

L'emploi du théorème du sandwich avec l'inégalité $\sin \theta < \theta$ (pour $\theta > 0$), prouvé dans la section 3.3, est une autre façon d'établir les limites en **2.4.6**.

2.4.6
$$\lim_{\theta \to 0} \cos \theta = 1, \qquad \lim_{\theta \to 0} \sin \theta = 0.$$

Puisque $\cos 0 = 1$ et que $\sin 0 = 0$, les égalités en **2.4.6** établissent que les fonctions cosinus et sinus sont continues en 0. On peut alors utiliser les formules d'addition des sinus et des cosinus pour déduire que ces fonctions sont continues en tout point (*voir les exercices 62 et 63*).

De la partie 5 du théorème **2.4.4**, il découle que

$$\tan x = \frac{\sin x}{\cos x}$$

est continue, sauf pour $\cos x = 0$. Cela se produit quand x est un multiple impair de $\pi/2$, de sorte que $y = \tan x$ présente des discontinuités infinies lorsque $x = \pm \pi/2, \pm 3\pi/2, \pm 5\pi/2$, et ainsi de suite (*voir la figure 2.4.8*).

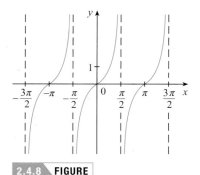

2.4.8 **FIGURE**

$y = \tan x$

2.4.7	**Théorème (Continuité de la fonction réciproque)**

Si f est une fonction injective, continue et définie sur un intervalle ouvert $]a, b[$, alors sa réciproque, notée f^{-1}, est aussi continue.

La fonction réciproque de toute fonction injective continue est, elle aussi, continue. (La démonstration de ce théorème est faite dans l'annexe C, mais on admet ici la plausibilité par intuition géométrique : le graphique de f^{-1} s'obtient par une réflexion du graphique de f par rapport à la droite $y = x$. Si le graphique de f n'est pas interrompu, celui de f^{-1} ne le sera pas non plus.) Ainsi, les fonctions trigonométriques réciproques sont continues.

Dans la section 1.5, on définit la fonction exponentielle $y = a^x$ afin de combler les trous du graphique de $y = a^x$, où x est un nombre rationnel. Autrement dit, la définition même de $y = a^x$ rend la fonction continue sur $\mathbb{R}$. En conséquence, la fonction réciproque $y = \log_a x$ est continue sur $]0, \infty[$.

2.4.8	**Théorème**

Les fonctions des types suivants sont continues en chacune des valeurs de leur domaine :

fonctions polynomiales	fonctions rationnelles	fonctions racines

fonctions trigonométriques	fonctions exponentielles	fonctions logarithmiques

fonctions trigonométriques réciproques

La section 1.6 présente une révision des fonctions trigonométriques réciproques.

Exemple 2.4.6 En quelles valeurs la fonction $f(x) = \dfrac{\ln x + \arctan x}{x^2 - 1}$ est-elle continue ?

Solution On sait par le théorème **2.4.7** que la fonction $y = \ln x$ est continue pour $x > 0$ et que $y = \arctan x$ est continue sur $\mathbb{R}$. Donc, selon la partie 1 du théorème **2.4.4**, $y = \ln x + \arctan x$ est continue sur $]0, \infty[$. Le dénominateur $y = x^2 - 1$ étant un polynôme, sa fonction est continue en tout point. Ainsi, d'après la partie 5 du théorème **2.4.4**, f est continue en chacune des valeurs positives de x, sauf pour $x^2 - 1 = 0$. Donc, f est continue sur les intervalles $]0, 1[$ et $]1, \infty[$.

Exemple 2.4.7 La fonction f définie par $f(x) = \begin{cases} 2x + 1 & \text{si} \quad x \le -3 \\ x - 2 & \text{si} \quad x > -3 \end{cases}$ est-elle continue en $x = -3$?

Solution Vérifions les trois conditions de la continuité de f en $x = -3$.

1. $f(-3) = 5$, donc $-3 \in \operatorname{dom} f$.

2. $\displaystyle\lim_{x \to -3^-} f(x) = \lim_{x \to -3^-} (2x + 1) = -6 + 1 = -5$

$\displaystyle\lim_{x \to -3^+} f(x) = \lim_{x \to -3^+} (x - 2) = -3 - 2 = -5$

3. $\displaystyle\lim_{x \to -3} f(x) = -5 = f(-3)$

Par conséquent, f est continue en -3.

Exemple 2.4.8 Étudions la continuité de la fonction f définie par

$$f(x) = \begin{cases} \dfrac{3x - 3}{2x + 1} & \text{si} \quad x < -2 \\ x + 5 & \text{si} \quad -2 \le x < 5 \\ x^2 - 9 & \text{si} \quad x \ge 5. \end{cases}$$

Solution Il faut étudier la continuité de f pour l'ensemble des nombres réels. On procède en deux étapes : d'abord en évaluant la continuité sur chaque intervalle, et ensuite en examinant ce qui se passe aux valeurs frontières, soit en $x = -2$ et $x = 5$.

1. Continuité de la fonction sur les trois sous-intervalles de définition :

a) Si $x < -2$, alors

$$f(x) = \frac{3x - 3}{2x + 1}.$$

C'est une fonction rationnelle qui est continue sur son domaine, quelle que soit $x \ne -\dfrac{1}{2}$. Or, $-\dfrac{1}{2} > -2$; donc, selon le théorème **2.4.8**, f est continue quelle que soit $x \in \,]-\infty, -2[$.

b) Si $-2 < x < 5$, alors $f(x) = x + 5$. Puisque c'est une fonction polynomiale, selon le théorème **2.4.8**, f est continue quelle que soit $x \in]-2, 5[$.

c) Si $x > 5$, alors $f(x) = x^2 - 9$. Cette fonction est également une fonction polynomiale, donc f est aussi continue quelle que soit $x \in]5, \infty[$.

2. Continuité de la fonction f aux valeurs frontières :

a) En $x = -2$: $f(-2) = -2 + 5 = 3$ est définie. Il faut évaluer séparément la limite à gauche et la limite à droite, puisque l'expression de la fonction est différente de part et d'autre de $x = -2$.

$$\lim_{x \to -2^-} f(x) = \lim_{x \to -2^-} \frac{3x - 3}{2x + 1} = \frac{-9}{-3} = 3 \text{ et } \lim_{x \to -2^+} f(x) = \lim_{x \to -2^+} (x + 5) = 3. \text{ Donc, puisque}$$

$\lim_{x \to -2^-} f(x) = \lim_{x \to -2^+} f(x) = 3 = f(-2)$, alors f est continue en $x = -2$.

b) En $x = 5$: $f(5) = 5^2 - 9 = 16$ est définie. Comme à l'étape précédente, on évalue séparément les deux limites :

$$\lim_{x \to 5^-} f(x) = \lim_{x \to 5^-} (x + 5) = 10 \text{ et } \lim_{x \to 5^+} f(x) = \lim_{x \to 5^+} (x^2 - 9) = 16.$$

Puisque ces deux limites sont différentes, $\lim_{x \to 5} f(x)$ n'existe pas, donc f est discontinue en $x = 5$.

On conclut que f est continue sur $\mathbb{R} \backslash \{5\}$.

Exemple 2.4.9 Soit

$$f(x) = \begin{cases} ax^2 - 5 & \text{si} \quad x < 2 \\ b & \text{si} \quad x = 2 \\ cx + d & \text{si} \quad x > 2. \end{cases}$$

Si i) $\lim_{x \to 2^+} f(x) = 7$,

ii) $\lim_{x \to 3} f(x) = 12$,

iii) f est continue sur $\mathbb{R}$,

déterminons les valeurs de a, b, c et d qui respectent ces trois conditions.

Solution Puisque f est continue quelle que soit $x \in \mathbb{R}$, f est nécessairement continue en $x = 2$ et en $x = 3$.

a) La continuité de f en $x = 2$ implique $f(2) = b = \lim_{x \to 2} f(x) = \lim_{x \to 2^-} f(x) = \lim_{x \to 2^+} f(x) = 7$, donc on obtient les équations suivantes :

$$b = 7 \tag{1}$$

$$\lim_{x \to 2^-} f(x) = 4a - 5 = 7 \Leftrightarrow a = 3 \tag{2}$$

$$\lim_{x \to 2^+} f(x) = 2c + d = 7. \tag{3}$$

b) De même, la continuité de f en $x = 3$ implique

$$\lim_{x \to 3} f(x) = \lim_{x \to 3}(cx + d) = 3c + d = 12. \tag{4}$$

De (3) et (4), on obtient le système d'équations $\begin{cases} 2c + d = 7 \\ 3c + d = 12 \end{cases}$ dont la solution est $c = 5$ et $d = -3$.

Donc, $a = 3$, $b = 7$, $c = 5$, $d = -3$ et $f(x) = \begin{cases} 3x^2 - 5 & \text{si} \quad x < 2 \\ 7 & \text{si} \quad x = 2 \\ 5x - 3 & \text{si} \quad x > 2. \end{cases}$

Exemple **2.4.10** Évaluons $\lim\limits_{x \to \pi} \dfrac{\sin x}{2 + \cos x}$.

Solution Le théorème **2.4.8** stipule que $y = \sin x$ est continue. Comme la fonction du dénominateur, $y = 2 + \cos x$, est la somme de deux fonctions continues, elle est continue. On remarque que cette fonction n'égale jamais 0, parce que $\cos x \geq -1$ pour toutes les valeurs de x et qu'il s'ensuit que $2 + \cos x > 0$ en tout point. Donc, le rapport

$$f(x) = \frac{\sin x}{2 + \cos x}$$

est continu en tout point. En conséquence, selon la définition d'une fonction continue,

$$\lim_{x \to \pi} \frac{\sin x}{2 + \cos x} = \lim_{x \to \pi} f(x)$$

$$= f(\pi) = \frac{\sin \pi}{2 + \cos \pi} = \frac{0}{2 - 1} = 0.$$

Une autre façon de combiner les fonctions continues f et g pour obtenir une nouvelle fonction continue consiste à former la fonction composée $f \circ g$. Ce fait découle du théorème suivant.

Selon ce théorème, on peut faire passer le symbole de limite à l'intérieur du symbole de la fonction si la fonction est continue et que la limite existe. En d'autres mots, on peut intervertir l'ordre des deux symboles.

2.4.9	**Théorème**

Si f est continue en b et que $\lim\limits_{x \to a} g(x) = b$, alors $\lim\limits_{x \to a} f(g(x)) = f(b)$. Autrement dit,

$$\lim_{x \to a} f(g(x)) = f\left(\lim_{x \to a} g(x)\right).$$

Intuitivement, on estime le théorème **2.4.9** plausible parce que, si x est proche de a, alors $g(x)$ est proche de b, et f étant continue en b, si $g(x)$ est proche de b, alors $f(g(x))$ est proche de $f(b)$. Une démonstration de ce théorème est donnée dans l'annexe C.

Exemple **2.4.11** Évaluons $\lim\limits_{x \to 1} \arcsin\left(\dfrac{2 - x^2}{1 + x}\right)$.

Solution Comme la fonction arcsinus est continue, le théorème **2.4.9** s'applique :

$$\lim_{x \to 1} \arcsin\left(\frac{2 - x^2}{1 + x}\right) = \arcsin\left(\lim_{x \to 1} \frac{2 - x^2}{1 + x}\right)$$

$$= \arcsin\frac{1}{2} = \frac{\pi}{6}.$$

On peut appliquer le théorème **2.4.9** au cas particulier où $f(x) = \sqrt[n]{x}$, le nombre n étant un entier positif. Alors,

$$f(g(x)) = \sqrt[n]{g(x)}$$

et

$$f\left(\lim_{x \to a} g(x)\right) = \sqrt[n]{\lim_{x \to a} g(x)}.$$

En réunissant ces expressions dans le théorème **2.4.9**, on obtient

$$\lim_{x \to a} \sqrt[n]{g(x)} = \sqrt[n]{\lim_{x \to a} g(x)},$$

ce qui établit la preuve de la propriété **2.3.11** des limites. (On suppose que les racines existent.)

| 2.4.10 | Théorème |

Si g est continue en a et que f est continue en $g(a)$, alors la fonction composée $f \circ g$ donnée par

$$(f \circ g)(x) = f\big(g(x)\big)$$

est continue en a.

Dans la langue courante, on exprime souvent ce théorème en disant que « la fonction continue d'une fonction continue est une fonction continue ».

DÉMONSTRATION   Puisque g est continue en a, on a

$$\lim_{x \to a} g(x) = g(a).$$

Comme f est continue en $g(a)$, on peut appliquer le théorème **2.4.9** pour obtenir

$$\lim_{x \to a} f\big(g(x)\big) = f\big(g(a)\big),$$

ce qui revient exactement à dire que la fonction $h(x) = f\big(g(x)\big)$ est continue en a; ainsi, $f \circ g$ est continue en a. ■

Exemple `2.4.12`   Trouvons en quels points les fonctions suivantes sont continues.

a) $h(x) = \sin(x^2)$

b) $F(x) = \ln(1 + \cos x)$

Solution
a) On a $h(x) = f\big(g(x)\big)$, où

$$g(x) = x^2 \quad \text{et} \quad f(x) = \sin x.$$

La fonction g est continue sur $\mathbb{R}$ parce qu'elle est polynomiale, et f est également continue en tout point. Donc, selon le théorème **2.4.10**, $h = f \circ g$ est continue sur $\mathbb{R}$.

b) Selon le théorème **2.4.8**, $f(x) = \ln x$ est continue, de même que $g(x) = 1 + \cos x$ (parce que tant $y = 1$ que $y = \cos x$ sont continues). Ainsi, selon le théorème **2.4.10**, $F(x) = f\big(g(x)\big)$ est continue sur tout son domaine de définition. Or, $\ln(1 + \cos x)$ est définie pour $1 + \cos x > 0$, donc indéfinie pour $\cos x = -1$, ce qui se produit lorsque $x = \pm\pi, \pm 3\pi\ldots$ En conséquence, F présente des discontinuités quand x est un multiple impair de π et elle est continue sur les intervalles situés entre ces valeurs (*voir la figure 2.4.9*).

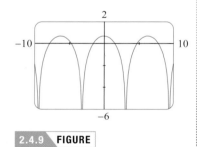

`2.4.9` **FIGURE**

$y = \ln(1 + \cos x)$

Le théorème suivant (dont la démonstration est donnée dans des manuels de calcul de niveau supérieur) énonce une propriété importante des fonctions continues.

| 2.4.11 | Théorème des valeurs intermédiaires |

Soit f, une fonction continue sur l'intervalle fermé $[a, b]$ et N, un nombre quelconque compris entre $f(a)$ et $f(b)$, pour $f(a) \neq f(b)$. Alors, il existe un nombre c dans $]a, b[$ tel que

$$f(c) = N.$$

La réciproque de cet énoncé est fausse. Une fonction possédant la propriété de la valeur intermédiaire n'est pas nécessairement continue. Un exemple classique est la fonction $f(x) = \sin(1/x)$ si $x \neq 0$ et $f(0) = 0$.

Le théorème des valeurs intermédiaires stipule qu'une fonction continue prend toutes les valeurs comprises entre les valeurs des fonctions $f(a)$ et $f(b)$. Il est illustré dans la figure 2.4.10. La valeur N peut être prise une fois (comme en a) ou plusieurs fois (comme en b).

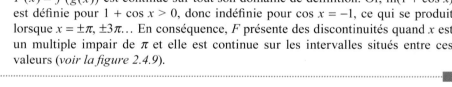

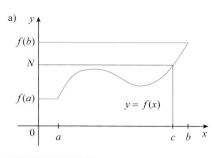

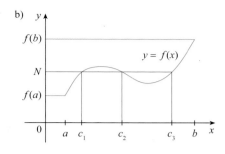

2.4.10   FIGURE

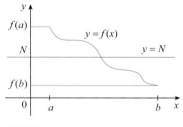

2.4.11   FIGURE

Si l'on considère une fonction continue comme une fonction dont le graphique ne présente ni trou ni interruption, on admettra facilement la véracité du théorème des valeurs intermédiaires. En termes géométriques, ce théorème implique que, pour toute droite horizontale $y = N$ donnée entre $y = f(a)$ et $y = f(b)$ telle que celle de la figure 2.4.11, la courbe de f ne peut pas sauter par-dessus la droite ; elle doit couper $y = N$ quelque part.

Dans le théorème **2.4.11**, il importe que la fonction f soit continue. En général, le théorème des valeurs intermédiaires ne se vérifie pas pour les fonctions discontinues (*voir l'exercice 48*).

Le théorème des valeurs intermédiaires sert, entre autres, à trouver les racines des équations, comme l'illustre l'exemple suivant.

Pour trouver les valeurs des racines avec une précision arbitraire, dans l'exemple 2.4.13, on utilisera la méthode de Newton présentée à l'annexe D.

Exemple 2.4.13   Montrons que l'équation

$$4x^3 - 6x^2 + 3x - 2 = 0$$

a une racine entre 1 et 2.

Solution   Soit $f(x) = 4x^3 - 6x^2 + 3x - 2$. On cherche une solution à l'équation donnée, c'est-à-dire un nombre c compris entre 1 et 2 tel que $f(c) = 0$. On utilise donc $a = 1$, $b = 2$ et $N = 0$ dans le théorème **2.4.11**, ce qui donne

$$f(1) = 4 - 6 + 3 - 2 = -1 < 0$$

et

$$f(2) = 32 - 24 + 6 - 2 = 12 > 0.$$

Ainsi, $f(1) < 0 < f(2)$; c'est donc dire que $N = 0$ est un nombre compris entre $f(1)$ et $f(2)$. Comme f est polynomiale, elle est continue, et selon le théorème des valeurs intermédiaires, il existe un nombre c entre 1 et 2 tel que $f(c) = 0$. Autrement dit, l'équation $4x^3 - 6x^2 + 3x - 2 = 0$ a au moins une racine c dans l'intervalle]1, 2[.

En réalité, on peut utiliser à nouveau le même théorème pour situer plus exactement une racine. Puisque

$$f(1,2) = -0,128 < 0 \text{ et } f(1,3) = 0,548 > 0,$$

il doit y avoir une racine entre 1,2 et 1,3. À la calculatrice, on obtient, par essais-erreurs,

$$f(1,22) = -0,007\ 008 < 0 \text{ et } f(1,23) = 0,056\ 068 > 0.$$

Il y a donc une racine dans l'intervalle]1,22 ; 1,23[.

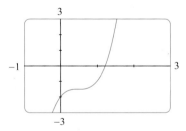

2.4.12   FIGURE

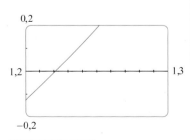

2.4.13   FIGURE

On peut se servir d'une calculatrice à affichage graphique ou d'un ordinateur pour illustrer l'emploi du théorème des valeurs intermédiaires dans l'exemple 2.4.13. La figure 2.4.12 montre le graphique de f dans la fenêtre $[-1, 3]$ sur $[-3, 3]$. On y voit que la courbe coupe l'axe des x entre 1 et 2. La figure 2.4.13 montre le résultat du grossissement de la fenêtre [1,2 ; 1,3] sur [−0,2 ; 0,2].

Le théorème des valeurs intermédiaires joue d'ailleurs un rôle dans le fonctionnement des outils graphiques. L'ordinateur calcule un nombre fini de points sur le graphique et allume les pixels contenant ces points. Il suppose que la fonction est continue et retient toutes les valeurs intermédiaires entre deux points consécutifs. Ainsi, l'ordinateur relie les pixels en allumant les pixels intermédiaires.

Exercices 2.4

1. Écrivez une équation signifiant qu'une fonction f est continue à la valeur 4.

2. Si f est continue sur $]-\infty,\infty[$, que pouvez-vous dire de son graphique ?

3. a) D'après le graphique de f, nommez les valeurs auxquelles f est discontinue. Justifiez votre réponse.
b) Pour chacune des valeurs nommées en a), déterminez si f est continue à droite, à gauche ou ni l'un ni l'autre.

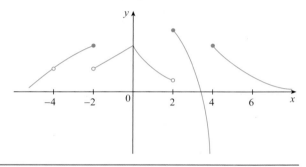

4-5 D'après le graphique de g, nommez les intervalles sur lesquels g est continue.

4.

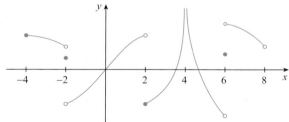

5.

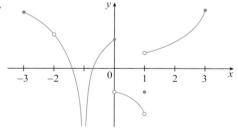

6-9 Esquissez le graphique d'une fonction f qui est continue, sauf pour la discontinuité énoncée.

6. Discontinue, mais continue à droite en 2.

7. Discontinuités en -1 et en 4, mais continue à gauche en -1 et à droite en 4.

8. Discontinuité non essentielle en 3, discontinuité par saut en 5.

9. Continue ni à gauche ni à droite en -2, continue à gauche seulement en 2.

10. Le droit de passage T exigé pour emprunter un certain tronçon d'autoroute à péage est de 5 \$, sauf aux heures de pointe (de 7 h à 10 h et de 16 h à 19 h), où il est de 7 \$.
a) Esquissez un graphique de T en fonction du temps t mesuré en heures après minuit.
b) Discutez les discontinuités de la fonction et leur importance pour un usager de l'autoroute en question.

11. Expliquez pourquoi chaque fonction est continue ou discontinue.
a) La température en un lieu précis comme une fonction du temps.
b) La température à un moment précis comme une fonction de la distance à l'ouest de la ville de Montréal.
c) La hauteur d'un Slinky descendant un escalier comme une fonction du temps.
d) L'altitude au-dessus du niveau de la mer comme une fonction de la distance à l'ouest de la ville de Québec.
e) La vitesse à laquelle un Slinky descend les marches d'un escalier comme une fonction du temps.
f) Le prix d'une course en taxi en fonction de la distance parcourue.
g) Le courant dans le circuit des lampes d'une pièce en fonction du temps.

12. Soit f et g, des fonctions continues telles que $g(2) = 6$ et
$$\lim_{x \to 2} [3f(x) + f(x)\,g(x)] = 36.$$
Trouvez $f(2)$.

13-15 À l'aide de la définition de la continuité et des propriétés des limites, montrez que la fonction est continue en a.

13. $f(x) = 3x^4 - 5x + \sqrt[3]{x^2 + 4}$, $a = 2$

14. $f(x) = (x + 2x^3)^4$, $a = -1$

15. $h(t) = \dfrac{2t - 3t^2}{1 + t^3}$, $a = 1$

16-17 À l'aide de la définition de la continuité et des propriétés des limites, montrez que la fonction est continue sur l'intervalle donné.

16. $f(x) = \dfrac{2x + 3}{x - 2}$, $]2, \infty[$

17. $g(x) = 2\sqrt{3 - x}$, $]-\infty, 3]$

18-19 Expliquez pourquoi la fonction est discontinue à la valeur de *a* donnée. Esquissez le graphique de la fonction.

18. $f(x) = \begin{cases} e^x & \text{si} \quad x < 0 \\ x^2 & \text{si} \quad x \geq 0 \end{cases} \quad a = 0$

19. $f(x) = \begin{cases} \cos x & \text{si} \quad x < 0 \\ 0 & \text{si} \quad x = 0 \\ 1 - x^2 & \text{si} \quad x > 0 \end{cases} \quad a = 0$

20-23 Étudiez la continuité des fonctions.

20. $f(x) = \dfrac{1 - x^3}{2x^2 - x + 5}$

21. $f(x) = \sqrt{\dfrac{x + 3}{x^2 - x - 2}}$

22. $f(x) = \begin{cases} \dfrac{x + 1}{x^2 - 2x - 3} & \text{si} \quad x < -2 \\ -1/5 & \text{si} \quad x = -2 \\ \sqrt[3]{\dfrac{2x + 3}{5(3 - x)^2}} & \text{si} \quad x > -2 \end{cases}$

23. $f(x) = \begin{cases} \dfrac{x + 5}{x + 3} & \text{si} \quad x < -1 \\ \dfrac{2}{1 + \sqrt{1 - x^2}} & \text{si} \quad -1 \leq x \leq 3 \\ \dfrac{x}{x^2 - 5x + 6} & \text{si} \quad x > 3 \end{cases}$

24-31 À l'aide des théorèmes **2.4.4**, **2.4.5**, **2.4.7** et **2.4.9** (*voir p. 124, 125, 126 et 129*), expliquez pourquoi la fonction est continue à chacune des valeurs de son domaine. Précisez ce domaine.

24. $F(x) = \dfrac{2x^2 - x - 1}{x^2 + 1}$

25. $G(x) = \dfrac{x^2 + 1}{2x^2 - x - 1}$

26. $Q(x) = \dfrac{\sqrt[3]{x - 2}}{x^3 - 2}$

27. $R(t) = \dfrac{e^{\sin t}}{2 + \cos \pi t}$

28. $A(t) = \arcsin(1 + 2t)$

29. $B(x) = \dfrac{\tan x}{\sqrt{4 - x^2}}$

30. $M(x) = \sqrt{1 + \dfrac{1}{x}}$

31. $N(r) = \arctan\left(1 + e^{-r^2}\right)$

32-33 Indiquez où sont situés les points de discontinuité de la fonction et représentez-les graphiquement.

32. $y = \dfrac{1}{1 + e^{1/x}}$

33. $y = \ln(\tan^2 x)$

34-37 Évaluez la limite au moyen de la continuité.

34. $\displaystyle\lim_{x \to 4} \dfrac{5 + \sqrt{x}}{\sqrt{5 + x}}$

35. $\displaystyle\lim_{x \to \pi} \sin(x + \sin x)$

36. $\displaystyle\lim_{x \to 1} e^{x^2 - x}$

37. $\displaystyle\lim_{x \to 2} \arctan\left(\dfrac{x^2 - 4}{3x^2 - 6x}\right)$

38-40 Montrez que *f* est continue sur $]-\infty, \infty[$.

38. $f(x) = \begin{cases} x^2 & \text{si} \quad x < 1 \\ \sqrt{x} & \text{si} \quad x \geq 1 \end{cases}$

39. $f(x) = \begin{cases} 1 - x^2 & \text{si} \quad x \leq 1 \\ \ln x & \text{si} \quad x > 1 \end{cases}$

40. $f(x) = \begin{cases} \sin x & \text{si} \quad x < \pi/4 \\ \cos x & \text{si} \quad x \geq \pi/4 \end{cases}$

41-43 Trouvez les valeurs auxquelles *f* est discontinue. Auxquelles de ces valeurs *f* est-elle continue à droite, à gauche ou ni l'un ni l'autre? Esquissez le graphique de *f*.

41. $f(x) = \begin{cases} 1 + x^2 & \text{si} \quad x \leq 0 \\ 2 - x & \text{si} \quad 0 < x \leq 2 \\ (x - 2)^2 & \text{si} \quad x > 2 \end{cases}$

42. $f(x) = \begin{cases} x + 1 & \text{si} \quad x \leq 1 \\ 1/x & \text{si} \quad 1 < x < 3 \\ \sqrt{x - 3} & \text{si} \quad x \geq 3 \end{cases}$

43. $f(x) = \begin{cases} x + 2 & \text{si} \quad x < 0 \\ e^x & \text{si} \quad 0 \leq x \leq 1 \\ 2 - x & \text{si} \quad x > 1 \end{cases}$

44. La force de gravitation que la Terre exerce sur une masse unitaire située à une distance *r* du centre de la planète est donnée par

$$F(r) = \begin{cases} \dfrac{GMr}{R^3} & \text{si} \quad r < R \\ \dfrac{GM}{r^2} & \text{si} \quad r \geq R, \end{cases}$$

où *M* est la masse de la Terre, *R*, son rayon, et *G*, la constante de gravitation. Est-ce que *F* est une fonction continue de *r*?

45. Trouvez les valeurs de *a* et de *b* sachant que:

 i) $f(x) = ax^2 + b$,

 ii) $f(3) = 6$,

 iii) $\displaystyle\lim_{x \to 1} f(x) = 2$.

46. Trouvez les valeurs de *a*, *b*, *c* et *d* sachant que:

 i) $f(x) = \begin{cases} ax + b & \text{si} \quad x < 1 \\ cx^2 + d & \text{si} \quad x \geq 1, \end{cases}$

 ii) $\displaystyle\lim_{x \to 1} f(x) = 2$,

 iii) $f(-2) = 5$,

 iv) $\displaystyle\lim_{x \to 2} f(x) = 4$.

47. Pour quelle valeur de la constante c la fonction f est-elle continue sur $]-\infty, \infty[$?

$$f(x) = \begin{cases} cx^2 + 2x & \text{si} \quad x < 2 \\ x^3 - cx & \text{si} \quad x \geq 2 \end{cases}$$

48. Trouvez les valeurs de a et de b qui rendent f continue en tout point.

$$f(x) = \begin{cases} \dfrac{(x-2)(x+2)}{x-2} & \text{si} \quad x < 2 \\ ax^2 - bx + 3 & \text{si} \quad 2 \leq x < 3 \\ 2x - a + b & \text{si} \quad x \geq 3 \end{cases}$$

49. Supposons qu'une fonction f est continue sur $[0, 1]$ sauf en 0,25, que $f(0) = 1$ et que $f(1) = 3$. Soit $N = 2$. Esquissez deux graphiques possibles de f, l'un montrant que f pourrait ne pas satisfaire la conclusion du théorème des valeurs intermédiaires, l'autre montrant que f pourrait tout de même satisfaire la conclusion du même théorème (sans satisfaire l'hypothèse).

▲ 50. Soit

$$f(x) = x^2 + 10 \sin x.$$

Montrez qu'il existe un nombre c tel que $f(c) = 1000$.

51. Supposons que f est continue sur $[1, 5]$ et que les seules solutions de l'équation $f(x) = 6$ sont $x = 1$ et $x = 4$. Si $f(2) = 8$, expliquez pourquoi $f(3) > 6$.

52-56 À l'aide du théorème des valeurs intermédiaires, montrez que l'équation donnée a une racine sur l'intervalle indiqué.

52. $x^4 + x - 3 = 0$, $]1, 2[$

53. $\sqrt[3]{x} = 1 - x$, $]0, 1[$

54. $\ln x = x - \sqrt{x}$, $]2, 3[$

55. $e^x = 3 - 2x$, $]0, 1[$

▲ 56. $\sin x = x^2 - x$, $]1, 2[$

57-58 a) Prouvez que l'équation a au moins une racine réelle.

    b) À l'aide de la calculatrice, trouvez un intervalle de longueur 0,01 comprenant une racine.

▲ 57. $\cos x = x^3$

58. $\ln x = 3 - 2x$

59-60 a) Prouvez que l'équation a au moins une racine réelle.

    b) À l'aide de la calculatrice à affichage graphique, trouvez la racine à trois décimales près.

59. $100e^{-x/100} = 0{,}01x^2$

▲ 60. $\arctan x = 1 - x$

61. Prouvez que f est continue en a si et seulement si

$$\lim_{h \to 0} f(a + h) = f(a).$$

▲ 62. Pour prouver que la fonction sinus est continue, on doit montrer que

$$\lim_{x \to a} \sin x = \sin a$$

pour toute valeur réelle de a.

D'après l'exercice 61, cela revient à dire que

$$\lim_{h \to 0} \sin(a + h) = \sin a.$$

À l'aide de **2.4.6** (*voir p. 126*), vérifiez ce qui précède.

▲ 63. Prouvez que la fonction cosinus est continue.

64. a) Prouvez la partie 3 du théorème **2.4.4** (*voir p. 124*).
    b) Prouvez la partie 5 du théorème **2.4.4** (*voir p. 124*).

65. Pour quelles valeurs de x la fonction f est-elle continue ?

$$f(x) = \begin{cases} 0 & \text{si} \quad x \text{ est rationnel} \\ 1 & \text{si} \quad x \text{ est irrationnel} \end{cases}$$

66. Pour quelles valeurs de x la fonction g est-elle continue ?

$$g(x) = \begin{cases} 0 & \text{si} \quad x \text{ est rationnel} \\ x & \text{si} \quad x \text{ est irrationnel} \end{cases}$$

67. Y a-t-il un nombre qui soit égal à exactement 1 de plus que son cube ?

68. Soit a et b, des nombres positifs. Prouvez que l'équation

$$\frac{a}{x^3 + 2x^2 - 1} + \frac{b}{x^3 + x - 2} = 0$$

a au moins une solution dans l'intervalle $]-1, 1[$.

▲ 69. Montrez que la fonction

$$f(x) = \begin{cases} x^4 \sin(1/x) & \text{si} \quad x \neq 0 \\ 0 & \text{si} \quad x = 0 \end{cases}$$

est continue sur $]-\infty, \infty[$.

70. a) Montrez que la fonction valeur absolue
$$F(x) = |x|$$
    est continue en tout point.

    b) Prouvez que, si f est une fonction continue sur un intervalle, $|f|$ l'est également.

    c) La réciproque du conditionnel énoncé en b) est-elle vraie ? Autrement dit, si $|f|$ est continue, s'ensuit-il que f est continue ? Dans l'affirmative, prouvez-le. Dans la négative, présentez un contre-exemple.

71. Un moine tibétain quitte son monastère à 7 h et, empruntant son chemin habituel, il arrive au sommet de la montagne à 19 h. Le lendemain matin, il quitte le sommet à 7 h et, par le même chemin, rentre au monastère à 19 h. À l'aide du théorème des valeurs intermédiaires, montrez que, sur le chemin, il y a un point que le moine franchit à la même heure les deux jours.

2.5   Les limites infinies et à l'infini

▶ L'arithmétique étendue

Avant de nous engager dans le calcul des limites infinies et à l'infini, explorons certains résultats de l'arithmétique étendue.

Les symboles de l'arithmétique étendue

Définissons d'abord de nouveaux symboles. On entend par :

0^+ un infiniment petit positif, c'est-à-dire une expression dont la valeur s'approche aussi près que l'on veut de 0 tout en étant supérieure à 0 ;

0^- un infiniment petit négatif, c'est-à-dire une expression dont la valeur s'approche aussi près que l'on veut de 0 tout en étant inférieure à 0.

De même, pour une constante c quelconque, on entend par :

c^+ une expression dont la valeur s'approche aussi près que l'on veut de c tout en étant supérieure à c ;

c^- une expression dont la valeur s'approche aussi près que l'on veut de c tout en étant inférieure à c.

De plus,

∞ désigne un infiniment grand positif, c'est-à-dire une expression dont la valeur devient aussi grande que l'on veut ;

$-\infty$ désigne un infiniment grand négatif, c'est-à-dire une expression de valeur négative dont la taille (valeur absolue) devient aussi grande que l'on veut.

Puisque les symboles 0^+, 0^-, c^+, c^-, ∞ et $-\infty$ ne sont pas des nombres au sens propre, on appellera **forme** une expression arithmétique contenant ces symboles.

Quelques opérations arithmétiques

Voyons maintenant quelques exemples d'opérations arithmétiques faisant intervenir ces symboles et un nombre réel quelconque c.

$c + \infty$ **La somme d'un nombre réel quelconque et d'un nombre aussi grand que l'on veut.**

Il est clair que la somme est un nombre aussi grand que l'on veut. Même si c est un grand nombre négatif, par exemple $-1\ 000\ 000\ 000$, on peut trouver un nombre suffisamment grand pour que leur somme soit arbitrairement grande.

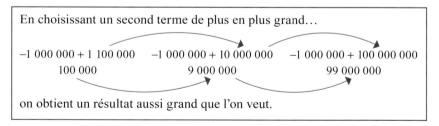

Pour indiquer ce fait, on écrit $c + \infty = \infty$, qu'on peut lire : « un nombre quelconque plus un nombre aussi grand que l'on veut donne un nombre arbitrairement grand ».

$c - \infty$ Par le même raisonnement, même si c est un grand nombre, on peut en trouver un autre suffisamment grand pour que leur différence donne un grand nombre négatif. On écrit $c - \infty = -\infty$.

ATTENTION Le symbole « = » n'a pas ici la signification habituelle. **Il n'indique pas que les nombres de part et d'autre sont égaux**, mais plutôt que les expressions se comportent de manière analogue. Utilisez-le donc avec précaution.

Poursuivons.

$c \cdot \infty$ **Le produit d'un nombre réel quelconque et d'un nombre aussi grand que l'on veut.**

Le produit de deux grands nombres est un grand nombre. Mais, même dans le cas où c est très petit, il suffit de prendre un autre facteur suffisamment grand pour avoir un produit arbitrairement grand.

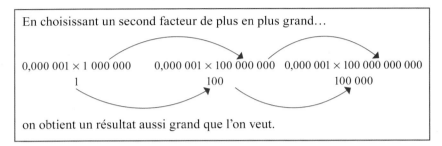

On écrit $c \cdot \infty = \infty$ si $c > 0$ et $c \cdot \infty = -\infty$ si $c < 0$.

$c/0^-$ **Le quotient d'un nombre réel non nul quelconque par un nombre négatif**
où **aussi près de 0 que l'on souhaite.**
$c \neq 0$

Quelle que soit la valeur de c, il suffit de le diviser par un nombre beaucoup plus petit pour obtenir un nombre arbitrairement grand positif ou négatif. Par exemple,

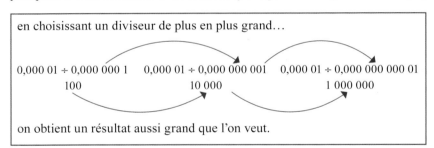

On écrit $c/0^- = -\infty$ si $c > 0$ et $c/0^- = \infty$ si $c < 0$.

Concluons avec ceci.

c/∞ **Le quotient d'un nombre réel non nul quelconque par un nombre aussi**
où **grand que l'on souhaite.**
$c \neq 0$

Que c soit n'importe quel nombre, même très grand, il suffit de le diviser par un nombre encore beaucoup plus grand pour obtenir un nombre arbitrairement petit. Par exemple,

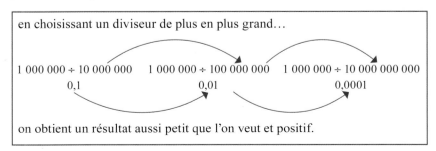

Selon la loi des signes, on écrit $c/\infty = 0^+$ si $c > 0$ et $c/\infty = 0^-$ si $c < 0$.

Le tableau 2.5.1 résume les résultats que l'on vient de voir et fournit quelques ajouts.

TABLEAU 2.5.1 ▶ **Quelques résultats de l'arithmétique étendue**

Forme				Résultat	
c	$\pm$	∞	$=$	$\pm\infty$	
$\pm\infty$	$+$	$\pm\infty$	$=$	$\pm\infty$	
c	$\times$	$\pm\infty$	$=$	$\pm\infty$	si $c > 0$
c	$\times$	$\pm\infty$	$=$	$\mp\infty$	si $c < 0$
$+\infty$	$\times$	$\pm\infty$	$=$	$\pm\infty$	
$-\infty$	$\times$	$\pm\infty$	$=$	$\mp\infty$	
c	$\div$	$\pm\infty$	$=$	$0^\pm$	si $c > 0$
c	$\div$	$\pm\infty$	$=$	$0^\mp$	si $c < 0$
$\pm\infty$	$\div$	c	$=$	$\pm\infty$	si $c > 0$
$\pm\infty$	$\div$	c	$=$	$\mp\infty$	si $c < 0$
$\pm\infty$	$\div$	0^+	$=$	$\pm\infty$	
$\pm\infty$	$\div$	0^-	$=$	$\mp\infty$	
c	$\div$	$0^\pm$	$=$	$\pm\infty$	si $c > 0$
c	$\div$	$0^\pm$	$=$	$\mp\infty$	si $c < 0$

L'utilisation des symboles $\pm$ ou $\mp$ dans une expression n'est qu'un moyen d'écrire deux énoncés en un. Par exemple, l'énoncé $\pm\infty + \pm\infty = \pm\infty$ est équivalent à $+\infty + +\infty = +\infty$ et $-\infty + -\infty = -\infty$. De même, l'énoncé $-\infty \times (\pm\infty) = \mp\infty$ est une façon de résumer les deux énoncés $-\infty \times (+\infty) = -\infty$ et $-\infty \times (-\infty) = +\infty$.

Ce tableau et les explications précédentes devraient vous permettre de justifier les résultats de l'exemple qui suit.

Exemple 2.5.1 Évaluez les expressions $0^\pm + \pm\infty$, $c \times 0^\pm$, $0^- \div \pm\infty$ et $0^+ - 0^+$ au sens de l'arithmétique étendue et donnez leur signification.

Solution $0^\pm + \pm\infty = \pm\infty$, car si à un grand nombre on ajoute un nombre très petit, positif ou négatif, le résultat sera quand même un grand nombre.

$$c \times 0^\pm = \begin{cases} 0^\pm & \text{si} \quad c > 0 \\ 0^\mp & \text{si} \quad c < 0 \end{cases},$$

car si un nombre quelconque est multiplié par un nombre suffisamment petit, le résultat sera aussi près de 0 que l'on veut.

$0^- \div \pm\infty = 0^\mp$, car si on divise un petit nombre par un grand nombre, le résultat est invariablement un petit nombre.

$0^+ - 0^+ = ?$ La soustraction de deux petits nombres donne toujours un petit nombre ; cependant, le signe de la réponse dépend de la grandeur relative des deux 0^+, ce que l'on ne connaît pas. Ainsi, on peut dire que la réponse est aussi près de 0 que l'on veut mais que le signe est, lui, indéterminé. Malheureusement, aucun des symboles 0, 0^+, 0^- ou $0^\pm$ tels que nous les avons définis n'exprime cette idée. Le tableau ci-contre résume ces résultats.

Forme				Résultat	
$0^\pm$	$+$	$\pm\infty$	$=$	$\pm\infty$	
c	$\times$	$0^\pm$	$=$	$\begin{cases} 0^\pm \\ 0^\mp \end{cases}$	$\begin{array}{l}\text{si } c > 0 \\ \text{si } c < 0\end{array}$
0^-	$\div$	$\pm\infty$	$=$	$0^\mp$	
0^+	$-$	0^+	$=$	0^+, 0^- ou $0^\pm$	

x	$\dfrac{1}{x^2}$
± 1	1
$\pm 0,5$	4
$\pm 0,2$	25
$\pm 0,1$	100
$\pm 0,05$	400
$\pm 0,01$	10 000
$\pm 0,001$	1 000 000

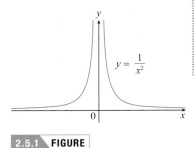

2.5.1 FIGURE

Dans le reste de la section ainsi qu'à la section 2.6, nous appliquons ces résultats et intuitions dans le contexte des limites.

▶ Les limites infinies et les asymptotes verticales

Exemple 2.5.2 Trouvons $\lim\limits_{x \to 0} \dfrac{1}{x^2}$ si elle existe.

Solution À mesure que x s'approche de 0, x^2 s'en approche aussi, et $1/x^2$ devient très grand. (*Voir le tableau ci-contre.*) En fait, d'après le graphique de la fonction

$$f(x) = \frac{1}{x^2}$$

de la figure 2.5.1, il semble que $f(x)$ puisse prendre des valeurs indéfiniment grandes lorsque x s'approche suffisamment de 0. Ainsi, les valeurs de $f(x)$ ne s'approchent pas d'un nombre et, par conséquent,

$$\lim_{x \to 0} \frac{1}{x^2}$$

n'existe pas.

La notation suivante permet d'exprimer le genre de comportement illustré dans l'exemple 2.5.2 :

$$\lim_{x \to 0} \frac{1}{x^2} = \infty.$$

 Cette notation ne signifie pas que l'on considère ∞ comme un nombre ni que la limite existe. **Elle ne fait qu'exprimer de quelle façon particulière la limite n'existe pas** : on peut rendre $1/x^2$ aussi grand que l'on veut en approchant suffisamment x de 0.

En général, on utilise la notation symbolique suivante :

$$\lim_{x \to a} f(x) = \infty$$

pour indiquer que les valeurs de $f(x)$ deviennent de plus en plus grandes (ou « augmentent sans borne ») à mesure que x s'approche de a.

2.5.1 | **La limite infinie positive**

Soit f, une fonction définie au voisinage de a, sauf peut-être en a. On dit que la limite de f est infinie et on écrit

$$\lim_{x \to a} f(x) = \infty$$

si, quelle que soit la façon dont x s'approche indéfiniment du nombre a sans l'égaler, $f(x)$ prend des valeurs arbitrairement grandes (aussi grandes que l'on veut).

On peut aussi noter $\lim\limits_{x \to a} f(x) = \infty$ comme suit :

$$f(x) \to \infty \text{ lorsque } x \to a.$$

RAPPEL Le symbole ∞ n'est pas un nombre ; toutefois, l'expression

$$\lim_{x \to a} f(x) = \infty$$

se lit souvent :

« La limite de $f(x)$, lorsque x tend vers a, est infinie » ;
« $f(x)$ tend vers l'infini lorsque x tend vers a » ;
« $f(x)$ augmente sans borne lorsque x tend vers a. »

La figure 2.5.2 illustre cette définition.

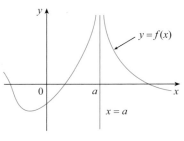

2.5.2 FIGURE

$\lim\limits_{x \to a} f(x) = \infty$

Un nombre dit «grand négatif» est un nombre négatif de grande taille (valeur absolue).

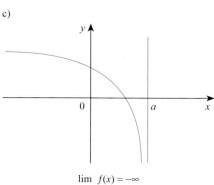

2.5.3   **FIGURE**

$$\lim_{x \to a} f(x) = -\infty$$

Une limite du même genre, pour les fonctions prenant de grandes valeurs négatives à mesure que x s'approche de a, est définie ci-dessous et illustrée dans la figure 2.5.3.

> **2.5.2** | **La limite infinie négative**
>
> Soit f, une fonction définie au voisinage de a, sauf peut-être en a. On dit que la limite de la fonction est infinie négative et on écrit
>
> $$\lim_{x \to a} f(x) = -\infty$$
>
> si, quelle que soit la façon dont x s'approche indéfiniment du nombre a sans l'égaler, $f(x)$ prend des valeurs négatives arbitrairement grandes (aussi grandes que l'on veut).

L'égalité $\lim\limits_{x \to a} f(x) = -\infty$ se lit: «La limite de $f(x)$, lorsque x tend vers a, est moins l'infini» ou « $f(x)$ tend vers moins l'infini lorsque x tend vers a» ou « $f(x)$ diminue sans borne à mesure que x se rapproche de a.» Par exemple:

$$\lim_{x \to 0}\left(-\frac{1}{x^2}\right) = -\infty.$$

On peut donner des définitions comparables des limites infinies à gauche ou à droite

$$\lim_{x \to a^-} f(x) = \infty \qquad \lim_{x \to a^+} f(x) = \infty$$

$$\lim_{x \to a^-} f(x) = -\infty \qquad \lim_{x \to a^+} f(x) = -\infty$$

en se rappelant que « $x \to a^-$ » signifie que l'on ne considère que $x < a$, et que « $x \to a^+$ » signifie que l'on ne considère que $x > a$. Les quatre situations sont illustrées dans la figure 2.5.4.

a)

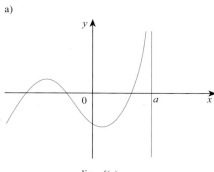

$$\lim_{x \to a^-} f(x) = \infty$$

b)

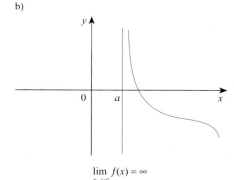

$$\lim_{x \to a^+} f(x) = \infty$$

c)

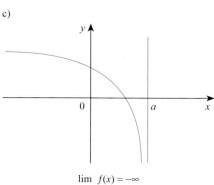

$$\lim_{x \to a^-} f(x) = -\infty$$

d)

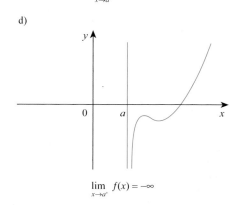

$$\lim_{x \to a^+} f(x) = -\infty$$

2.5.4   **FIGURE**

2.5.3 | Définition

La droite $x = a$ est une **asymptote verticale** de la courbe $y = f(x)$ si au moins une des égalités suivantes est vraie :

$$\lim_{x \to a} f(x) = \infty \qquad \lim_{x \to a^-} f(x) = \infty \qquad \lim_{x \to a^+} f(x) = \infty$$

$$\lim_{x \to a} f(x) = -\infty \qquad \lim_{x \to a^-} f(x) = -\infty \qquad \lim_{x \to a^+} f(x) = -\infty$$

Par exemple, l'axe des y est une asymptote verticale de la courbe $y = 1/x^2$ parce que $\lim_{x \to 0} (1/x^2) = \infty$. Dans chacun des graphiques de la figure 2.5.4, la droite $x = a$ est une asymptote verticale. De manière générale, la connaissance des asymptotes verticales s'avère très utile pour esquisser des graphiques.

Exemple 2.5.3 Trouvons $\lim_{x \to 3^+} \dfrac{2x}{x - 3}$ et $\lim_{x \to 3^-} \dfrac{2x}{x - 3}$.

Solution Si x s'approche de 3 d'aussi près que l'on veut tout en étant supérieur à 3, alors le dénominateur $x - 3$ devient aussi proche que l'on veut de 0 (arbitrairement petit) tout en restant positif. De même, le numérateur $2x$ s'approche de 6. Donc, le quotient $2x/(x - 3)$ tend vers un nombre aussi grand que l'on veut, ce qu'on note

$$\lim_{x \to 3^+} \frac{2x}{x - 3} \overset{\tfrac{6}{0^+}}{=} \infty.$$

De même, si x s'approche de 3 d'aussi près que l'on veut tout en demeurant inférieur à 3, alors le dénominateur $x - 3$ devient un nombre négatif arbitrairement petit, mais $2x$ est toujours un nombre positif (voisin de 6). Donc, $2x/(x - 3)$ tend vers un nombre négatif arbitrairement grand. Ainsi,

$$\lim_{x \to 3^-} \frac{2x}{x - 3} \overset{\tfrac{6}{0^-}}{=} -\infty.$$

La courbe $y = 2x/(x - 3)$ est représentée dans la figure 2.5.5. La droite $x = 3$ est une asymptote verticale.

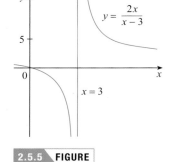

$$y = \frac{2x}{x - 3}$$

$$x = 3$$

2.5.5 FIGURE

Formalisons la démarche que nous venons d'utiliser dans l'exemple 2.5.3.

Démarche pour évaluer une limite de la forme *c*/0

La limite d'un quotient $\dfrac{f(x)}{g(x)}$ est de la forme $\dfrac{c}{0}$ lorsque le numérateur $f(x)$ s'approche d'un nombre c différent de 0 tandis que le dénominateur $g(x)$ s'approche de 0 lorsque x tend vers a sans être égal à a. Il faut donc trouver si ce dénominateur s'approche de 0 par des valeurs négatives (0^-) ou positives (0^+). Pour ce faire, il est plus facile de suivre les étapes suivantes :

1. Factoriser l'expression au dénominateur, s'il y a lieu.

2. Déterminer le signe du dénominateur en évaluant, séparément, la limite à gauche et la limite à droite de a.

3. Conclure de la façon suivante :

$$\text{si } c > 0, \text{ alors } \frac{c}{0^-} = -\infty \quad \text{et} \quad \frac{c}{0^+} = \infty$$

tandis que

$$\text{si } c < 0, \text{ alors } \frac{c}{0^-} = \infty \quad \text{et} \quad \frac{c}{0^+} = -\infty.$$

Exemple `2.5.4`   Évaluons les limites suivantes.

a) $\displaystyle\lim_{x\to 2}\frac{x-5}{x^2-2x}$ b) $\displaystyle\lim_{x\to 1}\frac{3x+2}{x^2-2x+1}$

Solution

a) **1.** $\displaystyle\lim_{x\to 2}\frac{x-5}{x^2-2x}=\lim_{x\to 2}\frac{x-5}{x(x-2)}$

2. $\displaystyle\lim_{x\to 2^-}\frac{\overset{-3}{\overbrace{x-5}}}{\underset{2(0^-)}{x(x-2)}}=\infty$ et $\displaystyle\lim_{x\to 2^+}\frac{\overset{-3}{\overbrace{x-5}}}{\underset{2(0^+)}{x(x-2)}}=-\infty$

3. Ainsi la limite à 2 n'existe pas.

b) **1.** $\displaystyle\lim_{x\to 1}\frac{3x+2}{x^2-2x+1}=\lim_{x\to 1}\frac{3x+2}{(x-1)^2}$

2. $\displaystyle\lim_{x\to 1^-}\frac{\overset{5}{\overbrace{3x+2}}}{\underset{(0^-)^2}{(x-1)^2}}=\infty$ et $\displaystyle\lim_{x\to 1^+}\frac{\overset{5}{\overbrace{3x+2}}}{\underset{(0^+)^2}{(x-1)^2}}=\infty$

3. Ainsi $\displaystyle\lim_{x\to 1}\frac{3x+2}{x^2-2x+1}=\infty$.

Exemple `2.5.5`   Trouvons les asymptotes verticales de $f(x)=\tan x$.

Solution   Puisque

$$\tan x=\frac{\sin x}{\cos x},$$

il y a des asymptotes verticales possibles là où $\cos x=0$. En fait, puisque $\cos x\to 0^+$ lorsque $x\to(\pi/2)^-$ et que $\cos x\to 0^-$ lorsque $x\to(\pi/2)^+$, alors que $\sin x$ est positif quand x est proche de $\pi/2$, on a

$$\lim_{x\to(\pi/2)^-}\tan x=\lim_{x\to(\pi/2)^-}\frac{\overset{1^-}{\overbrace{\sin x}}}{\underset{0^+}{\cos x}}=\infty\quad\text{et}\quad\lim_{x\to(\pi/2)^+}\tan x=\lim_{x\to(\pi/2)^+}\frac{\overset{1^+}{\overbrace{\sin x}}}{\underset{0^-}{\cos x}}=-\infty.$$

Ce raisonnement établit que la droite $x=\pi/2$ est une asymptote verticale. Un raisonnement du même ordre établit que les droites $x=(2n+1)\pi/2$, où n est un nombre entier, sont toutes des asymptotes verticales de $f(x)=\tan x$, comme le confirme la figure 2.5.6.

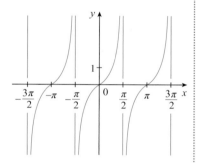

`2.5.6` **FIGURE**

$y=\tan x$

La fonction logarithmique naturelle $y=\ln x$ est un autre exemple de fonction dont le graphique admet une asymptote verticale. Dans la figure 2.5.7, on voit que

$$\lim_{x\to 0^+}\ln x=-\infty.$$

Donc, la droite $x=0$ (soit l'axe des y) est une asymptote verticale. D'ailleurs, cela est aussi vrai pour $y=\log_a x$, à la condition que $a>1$. (*Voir les figures 1.6.11 et 1.6.12.*)

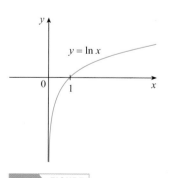

`2.5.7` **FIGURE**

L'axe des y est une asymptote verticale de la fonction logarithmique naturelle.

▶ Les limites à l'infini et les asymptotes horizontales

On veut maintenant rendre x infiniment grand (positif ou négatif) afin d'observer l'effet ainsi produit sur y.

x	$f(x)$
0	−1
±1	0
±2	0,600 000
±3	0,800 000
±4	0,882 353
±5	0,923 077
±10	0,980 198
±50	0,999 200
±100	0,999 800
±1000	0,999 998

Examinons d'abord le comportement de la fonction f définie par

$$f(x) = \frac{x^2 - 1}{x^2 + 1}$$

lorsque x devient grand positivement et négativement. Le tableau ci-contre donne des valeurs à six décimales de la fonction. Le graphique de f (*voir la figure 2.5.8*) a été tracé à l'ordinateur.

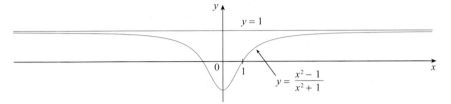

2.5.8 FIGURE

On observe que, plus les valeurs de x augmentent, plus les valeurs de $f(x)$ s'approchent de 1. Il semble d'ailleurs qu'on puisse rapprocher $f(x)$ de 1 autant qu'on le veut en donnant à x une valeur positive suffisamment grande. Voici l'expression symbolique de cette situation :

$$\lim_{x \to \infty} \frac{x^2 - 1}{x^2 + 1} = 1.$$

En règle générale, on utilise la notation

$$\lim_{x \to \infty} f(x) = L$$

pour indiquer que, plus x augmente, plus $f(x)$ s'approche de L.

2.5.4 | **Définition**

Soit f, une fonction définie sur un intervalle $]a, \infty[$. Alors,

$$\lim_{x \to \infty} f(x) = L$$

signifie que la valeur de $f(x)$ s'approche indéfiniment du nombre réel L lorsque la valeur de x est suffisamment grande et positive.

Voici une autre notation équivalente à $\lim\limits_{x \to \infty} f(x) = L$:

$$f(x) \to L \text{ lorsque } x \to \infty.$$

Le symbole ∞ ne représente pas un nombre. Néanmoins, l'expression

$$\lim_{x \to \infty} f(x) = L$$

se lit souvent de l'une des trois façons suivantes :

« La limite de $f(x)$, lorsque x tend vers l'infini, est L » ;
« La limite de $f(x)$, lorsque x devient infini, est L » ;
« La limite de $f(x)$, lorsque x augmente sans borne, est L. »

La signification de ces phrases est donnée dans la définition **2.5.4**. Une définition plus rigoureuse, comparable à la définition ε, δ, se trouve à l'annexe C.

La figure 2.5.9 présente des illustrations géométriques de la définition **2.5.4**. En regardant du côté droit de chaque illustration, on remarque que le graphique de f peut s'approcher de la droite $y = L$ (appelée **asymptote horizontale**) de différentes façons.

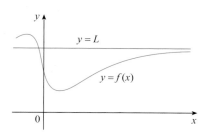

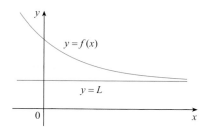

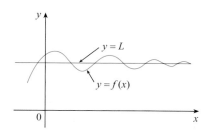

2.5.9 FIGURE

Quelques exemples de $\lim\limits_{x \to \infty} f(x) = L$.

Si l'on retourne à la figure 2.5.8, on remarque que, pour de grandes valeurs négatives de x, les valeurs de $f(x)$ sont proches de 1. En laissant x décroître sans borne par valeurs négatives, on peut rendre $f(x)$ aussi proche de 1 qu'on le veut. Cette situation se note

$$\lim_{x \to -\infty} \frac{x^2 - 1}{x^2 + 1} = 1$$

et sa définition générale est la suivante.

2.5.5	**Définition**

Soit f, une fonction définie sur un intervalle $]-\infty, a[$. Alors,

$$\lim_{x \to -\infty} f(x) = L$$

signifie que la valeur de $f(x)$ s'approche indéfiniment du nombre réel L lorsque la valeur de x est suffisamment grande et négative.

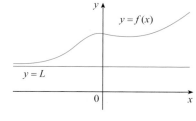

Encore une fois, le symbole $-\infty$ ne représente pas un nombre, mais l'expression $\lim\limits_{x \to -\infty} f(x) = L$ se lit souvent :

« La limite de $f(x)$, lorsque x tend vers moins l'infini, est L. »

La définition **2.5.5** est illustrée dans la figure 2.5.10. En regardant du côté gauche des illustrations, on remarque que la courbe s'approche de la droite $y = L$.

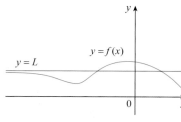

2.5.6	**Définition**

La droite $y = L$ est une **asymptote horizontale** de la courbe $y = f(x)$ si

$$\lim_{x \to \infty} f(x) = L \ \text{ ou } \ \lim_{x \to -\infty} f(x) = L.$$

2.5.10 FIGURE

Quelques exemples de $\lim\limits_{x \to -\infty} f(x) = L$.

Par exemple, la courbe illustrée à la figure 2.5.8 a pour asymptote horizontale la droite $y = 1$, parce que

$$\lim_{x \to \infty} \frac{x^2 - 1}{x^2 + 1} = 1.$$

Un exemple de courbe admettant deux asymptotes horizontales est donné par $y = \arctan x$ (*voir la figure 2.5.11*). Sachant que

2.5.7	$\lim\limits_{x \to -\infty} \arctan x = -\dfrac{\pi}{2}$ $\qquad$ $\lim\limits_{x \to \infty} \arctan x = \dfrac{\pi}{2}$

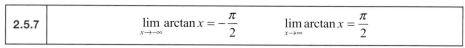

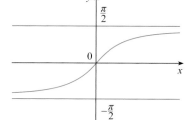

2.5.11 FIGURE

$y = \arctan x$

les droites $y = -\pi/2$ et $y = \pi/2$ sont toutes deux des asymptotes horizontales. (Cela découle de ce que les droites $x = \pm\pi/2$ sont des asymptotes verticales du graphe de tan.)

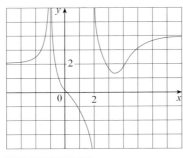

2.5.12 FIGURE

Exemple `2.5.6` Pour la fonction *f* dont le graphique est donné dans la figure 2.5.12, trouvons les limites infinies, les limites à l'infini et les asymptotes.

Solution On voit que les valeurs de $f(x)$ deviennent aussi grandes que l'on veut lorsque $x \to -1$ de part et d'autre. Ainsi, $\lim_{x \to -1} f(x) = \infty$.

On remarque que $f(x)$ est un nombre négatif devenant arbitrairement grand lorsque *x* s'approche de 2 par la gauche, mais qu'il devient un nombre positif arbitrairement grand lorsque *x* s'approche de 2 par la droite. Ainsi,

$$\lim_{x \to 2^-} f(x) = -\infty \quad \text{et} \quad \lim_{x \to 2^+} f(x) = \infty.$$

Donc, les droites $x = -1$ et $x = 2$ sont toutes deux des asymptotes verticales.

À mesure que *x* devient grand, il semble que $f(x)$ tende vers 4, mais à mesure que *x* décroît dans les valeurs négatives, il semble que $f(x)$ tende vers 2. Donc,

$$\lim_{x \to \infty} f(x) = 4 \quad \text{et} \quad \lim_{x \to -\infty} f(x) = 2.$$

Cela signifie que tant $y = 4$ que $y = 2$ sont des asymptotes horizontales. ∎

Exemple `2.5.7` Trouvons $\lim_{x \to \infty} \frac{1}{x}$ et $\lim_{x \to -\infty} \frac{1}{x}$.

Solution On observe que, lorsque *x* positif est grand, $1/x$ est proche de 0. Par exemple,

$$\frac{1}{100} = 0{,}01 \qquad \frac{1}{10\,000} = 0{,}0001 \qquad \frac{1}{1\,000\,000} = 0{,}000\,001.$$

En effet, en prenant *x* positif suffisamment grand, on peut rapprocher $1/x$ de 0 autant que l'on veut. Donc, conformément à la définition **2.5.4**, on a

$$\lim_{x \to \infty} \frac{1}{x} \underset{\infty}{\overset{1}{=}} 0.$$

Un raisonnement similaire montre que, lorsque *x* est grand négatif, $1/x$ est proche de 0. On a donc aussi

$$\lim_{x \to -\infty} \frac{1}{x} \underset{\infty}{\overset{1}{=}} 0.$$

Il s'ensuit que la droite $y = 0$ (l'axe des *x*) est une asymptote horizontale de la courbe $y = 1/x$. (Il s'agit d'une hyperbole équilatère – dont les asymptotes sont perpendiculaires (*voir la figure 2.5.13*).) ∎

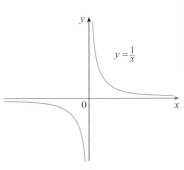

$$y = \frac{1}{x}$$

2.5.13 FIGURE

$$\lim_{x \to \infty} \frac{1}{x} = 0, \quad \lim_{x \to -\infty} \frac{1}{x} = 0$$

La majorité des propriétés des limites énoncées dans la section 2.3 sont également valables pour les limites à l'infini. On peut démontrer que les propriétés des limites énumérées dans la section 2.3 (à l'exception des propriétés **2.3.9** et **2.3.10**) demeurent valables lorsqu'on remplace «$x \to a$» par «$x \to \infty$» ou par «$x \to -\infty$». En outre, en combinant les propriétés **2.3.6** et **2.3.11** avec les résultats de l'exemple 2.5.7, on obtient la règle suivante, qui se révèle importante dans le calcul des limites.

2.5.8	**Théorème**

Si $r > 0$ est un nombre rationnel, alors

$$\lim_{x \to \infty} \frac{1}{x^r} = 0.$$

Si $r > 0$ est un nombre rationnel tel que x^r est défini pour tout *x*, alors

$$\lim_{x \to -\infty} \frac{1}{x^r} = 0.$$

Exemple **2.5.8**   Évaluons $\lim\limits_{x\to\infty}\dfrac{5}{1-x^{-1/3}}$ et indiquons les propriétés des limites utilisées à chaque étape.

Solution

$$\lim_{x\to\infty}\frac{5}{1-x^{-1/3}}=\frac{\displaystyle\lim_{x\to\infty}5}{\displaystyle\lim_{x\to\infty}(1-x^{-1/3})} \qquad \text{(propriété \textbf{2.3.5})}$$

$$=\frac{\displaystyle\lim_{x\to\infty}5}{\displaystyle\lim_{x\to\infty}1-\lim_{x\to\infty}\frac{1}{x^{1/3}}} \qquad \text{(propriété \textbf{2.3.2})}$$

$$=\frac{5}{1-0} \qquad \text{(propriété \textbf{2.3.7} et théorème \textbf{2.5.8})}$$

$$=5$$

Exemple **2.5.9**   Évaluons $\lim\limits_{x\to 2^{+}}\arctan\left(\dfrac{1}{x-2}\right)$.

Solution   On sait que, si l'on pose

$$t=1/(x-2),$$

alors $t\to\infty$ lorsque $x\to 2^{+}$. Par conséquent, selon la seconde équation en **2.5.7**, on a

$$\lim_{x\to 2^{+}}\arctan\left(\frac{1}{x-2}\right)=\lim_{t\to\infty}\arctan t=\frac{\pi}{2}.$$

Le graphique de la fonction exponentielle naturelle $y=e^{x}$ montre que la droite $y=0$ (l'axe des x) est une asymptote horizontale. (C'est le cas de toute fonction exponentielle.) D'ailleurs, la figure 2.5.14 et sa table de valeurs montrent que

2.5.9	$\lim\limits_{x\to-\infty}e^{x}=0.$

On remarque la rapidité avec laquelle les valeurs de e^{x} s'approchent de 0.

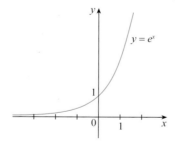

x	e^{x}
0	1,000 00
−1	0,367 88
−2	0,135 34
−3	0,049 79
−5	0,006 74
−8	0,000 34
−10	0,000 05

2.5.14   **FIGURE**

La stratégie de résolution des problèmes posés dans les exemples 2.5.9 et 2.5.10 consiste à introduire un nouvel élément (*voir la page 93*). Dans ce cas-ci, le nouvel élément est la variable *t*.

Exemple **2.5.10**   Évaluons $\lim\limits_{x\to 0^{-}}e^{1/x}$.

Solution   En posant $t=1/x$, on sait que $t\to-\infty$ lorsque $x\to 0^{-}$. Donc, selon **2.5.9**,

$$\lim_{x\to 0^{-}}e^{1/x}=\lim_{t\to-\infty}e^{t}=0.$$

Exemple 2.5.11   Évaluons $\lim\limits_{x \to \infty} \sin x$.

Solution   On observe que si on fait un choix particulier de valeurs successives de x, la fonction peut s'approcher de plusieurs valeurs différentes (*voir la figure 2.5.15*). Par exemple, pour les valeurs de x en rouge, la fonction tend vers 1. Par contre, si on choisit les valeurs en bleu ou en vert, la fonction s'approche plutôt de 0 ou de −1. On est en droit de soupçonner que la limite a plus d'une valeur, mais il n'en est rien. La définition 2.5.4 spécifie bien que l'on s'intéresse au comportement de la fonction quel que soit le choix des valeurs de x. Puisque les valeurs de $\sin x$ oscillent sans cesse entre 1 et −1 lorsque la valeur de x augmente, elles ne s'approchent pas d'un nombre particulier. Par conséquent, $\lim\limits_{x \to \infty} \sin x$ n'existe pas.

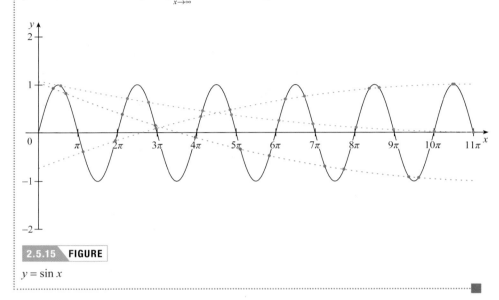

2.5.15   **FIGURE**

$y = \sin x$

▶ Les limites infinies à l'infini

La notation

$$\lim_{x \to \infty} f(x) = \infty$$

sert à exprimer que les valeurs de $f(x)$ deviennent arbitrairement grandes lorsque x positif devient arbitrairement grand. Les expressions suivantes ont des significations analogues :

$$\lim_{x \to -\infty} f(x) = \infty \qquad \lim_{x \to \infty} f(x) = -\infty \qquad \lim_{x \to -\infty} f(x) = -\infty$$

Exemple 2.5.12   Trouvons $\lim\limits_{x \to \infty} x^3$ et $\lim\limits_{x \to -\infty} x^3$.

Solution   Lorsque x positif devient grand, x^3 fait de même. Par exemple,

$$10^3 = 1000 \qquad 100^3 = 1\,000\,000 \qquad 1000^3 = 1\,000\,000\,000$$

On peut d'ailleurs rendre x^3 aussi grand que l'on veut en prenant x suffisamment grand. Bien que cette dernière limite n'existe pas, on écrira tout de même

$$\lim_{x \to \infty} x^3 = \infty.$$

De même, quand x est grand négatif, x^3 l'est aussi. Donc,

$$\lim_{x \to -\infty} x^3 = -\infty.$$

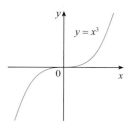

$$\lim_{x\to\infty} x^3 = \infty, \quad \lim_{x\to-\infty} x^3 = -\infty$$

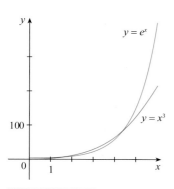

Lorsque x est suffisamment grand, e^x est beaucoup plus grand que x^3.

Le graphique de $y = x^3$ dans la figure 2.5.16 permet de confirmer ces énoncés. On peut rappeler que le symbole ∞ ne représente pas un nombre et donc qu'aucune des deux limites demandées n'existe.

L'examen de la figure 2.5.14 révèle que

$$\lim_{x\to\infty} e^x = \infty$$

mais, comme le montre la figure 2.5.17, $y = e^x$ devient grand beaucoup plus vite que $y = x^3$, lorsque $x \to \infty$.

Exemple 2.5.13 Évaluons les limites suivantes.

a) $\lim_{x\to\infty}\left(x^3 + \sqrt{x}\right)$

b) $\lim_{x\to-\infty} (x^3 + 20)$

c) $\lim_{x\to-\infty} -15x^4$

d) $\lim_{x\to-\infty} (x^3 - x^2)$

e) $\lim_{x\to-\infty} \dfrac{(2 - x^2)x^3}{5}$

f) $\lim_{x\to\infty} \dfrac{2}{5 - x}$

g) $\lim_{x\to\infty} \dfrac{5x^3 - 4}{\dfrac{2}{1 - x^2}}$

Solution

a) $\lim_{x\to\infty}\left(x^3 + \sqrt{x}\right) \overset{\infty+\infty}{=} \infty$

b) $\lim_{x\to-\infty} (x^3 + 20) \overset{-\infty+20}{=} -\infty$

c) $\lim_{x\to-\infty} -15x^4 \overset{(-15)(\infty)}{=} -\infty$

d) $\lim_{x\to-\infty} (x^3 - x^2) \overset{-\infty-\infty}{=} -\infty$

e) $\lim_{x\to-\infty} \dfrac{(2 - x^2)x^3}{5} \overset{\frac{(-\infty)(-\infty)}{5}}{=} \infty$

f) $\lim_{x\to\infty} \dfrac{2}{5 - x} \overset{\frac{2}{-\infty}}{=} 0$

g) $\lim_{x\to\infty} \dfrac{5x^3 - 4}{\dfrac{2}{1 - x^2}} \overset{\frac{\infty}{0^-}}{=} -\infty$

L'exemple suivant montre qu'en employant les limites infinies à l'infini ainsi que les coordonnées à l'origine, on peut se faire une idée générale du graphique d'une fonction polynomiale sans avoir à tracer un grand nombre de points.

Exemple 2.5.14 Esquissons le graphique de $y = (x - 2)^4(x + 1)^3(x - 1)$ d'après ses coordonnées à l'origine et ses limites lorsque $x \to \infty$ et lorsque $x \to -\infty$.

Solution L'ordonnée à l'origine est $f(0) = (-2)^4(1)^3(-1) = -16$, et on trouve les abscisses à l'origine en posant $y = 0$: $x = 2, -1, 1$. Comme $(x - 2)^4$ est positif, la fonction ne change pas de signe en 2 ; la courbe ne coupe donc pas l'axe des x en 2, mais plutôt en -1 et en 1.

Quand x est grand positif, les trois facteurs sont grands, donc

$$\lim_{x\to\infty}(x - 2)^4(x + 1)^3(x - 1) = \infty.$$

Quand x est grand négatif, le premier facteur est grand positif et les deuxième et troisième facteurs sont tous deux grands négatifs, donc

$$\lim_{x\to-\infty} (x - 2)^4(x + 1)^3(x - 1) = \infty.$$

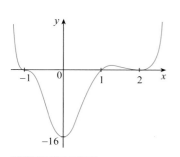

$y = (x - 2)^4 (x + 1)^3 (x - 1)$

La figure 2.5.18 montre le graphique qu'on a pu esquisser en combinant les éléments d'information donnés ci-dessus.

Exemple 2.5.15 Trouvons les asymptotes horizontale(s) et verticale(s) du graphique de la fonction

$$f(x) = \frac{1}{(x-3)(1+x^2)} - 2.$$

Solution Puisque $x - 3 \to \infty$ et $1 + x^2 \to \infty$ lorsque $x \to \infty$, la fraction algébrique $1/\big((x-3)(1+x^2)\big)$ tend vers 0. Ainsi,

$$\lim_{x \to \infty} \frac{1}{(x-3)(1+x^2)} - 2 = \lim_{x \to \infty} \frac{1}{(x-3)(1+x^2)} - \lim_{x \to \infty} 2$$
$$= 0 - 2$$
$$= -2.$$

De même, lorsque $x \to -\infty$, la fraction algébrique change de signe mais tend encore vers 0, c'est pourquoi

$$\lim_{x \to -\infty} \frac{1}{(x-3)(1+x^2)} - 2 = \lim_{x \to -\infty} \frac{1}{(x-3)(1+x^2)} - \lim_{x \to -\infty} 2$$
$$= 0 - 2$$
$$= -2.$$

La fonction a donc l'asymptote horizontale $y = -2$.

Puisque le numérateur est toujours égal à 1, on cherche l'asymptote verticale quand le dénominateur $(x-3)(1+x^2)$ égale 0, soit lorsque $x = 3$. Si x est proche de 3 et $x < 3$, alors le dénominateur est proche de 0 et négatif. Par conséquent,

$$\lim_{x \to 3^-} \frac{1}{(x-3)(1+x^2)} = -\infty \quad \text{et} \quad \lim_{x \to 3^-} \left(\frac{1}{(x-3)(1+x^2)} - 2 \right) = -\infty.$$

Si x est proche de 3 et $x > 3$, alors le dénominateur est proche de 0 et positif. Ainsi,

$$\lim_{x \to 3^+} \left(\frac{1}{(x-3)(1+x^2)} - 2 \right) = \infty.$$

Le tableau 2.5.2 est un résumé des résultats des opérations algébriques sur les infinis.

Les formes indéterminées sont étudiées dans la section 2.6.

TABLEAU 2.5.2 ▶ **Les principaux résultats des opérations algébriques sur les infinis**

$f(x)$ tend vers	Opération	$g(x)$ tend vers	Forme de $\lim_{x \to a} (f(x)$ opération $g(x))$	Résultat
$\pm\infty$	$+$	$\pm\infty$	$\pm\infty + \pm\infty$	$\pm\infty$
$\pm\infty$	$+$	$\mp\infty$	$\pm\infty + \mp\infty$	forme indéterminée
$c \in \mathbb{R}$	$+$	$\pm\infty$	$c + \pm\infty$	$\pm\infty$
$c \in \mathbb{R}^+$	$\times$	$\pm\infty$	$c \cdot \pm\infty$	$\pm\infty$
$c \in \mathbb{R}^-$	$\times$	$\pm\infty$	$c \cdot \pm\infty$	$\mp\infty$
$+\infty$	$\times$	$\pm\infty$	$+\infty \cdot \pm\infty$	$\pm\infty$
$-\infty$	$\times$	$\pm\infty$	$-\infty \cdot \pm\infty$	$\mp\infty$
0	$\times$	$\pm\infty$	$0 \cdot \pm\infty$	forme indéterminée
$c \in \mathbb{R}$	$\div$	$\pm\infty$	$c/\pm\infty$	0
$\pm\infty$	$\div$	$c \in \mathbb{R}^+$ ou 0^+	$\pm\infty/c$	$\pm\infty$
$\pm\infty$	$\div$	$c \in \mathbb{R}^-$ ou 0^-	$\pm\infty/c$	$\mp\infty$
$\pm\infty$	$\div$	$\pm\infty$	$+\infty/+\infty$	forme indéterminée
$\pm\infty$	$\div$	$\mp\infty$	$-\infty/\infty$	forme indéterminée

Exercices 2.5

1. Pour la fonction R dont le graphique est donné, trouvez ce qui suit.

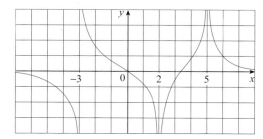

a) $\lim\limits_{x \to 2} R(x)$
b) $\lim\limits_{x \to 5} R(x)$
c) $\lim\limits_{x \to -3^-} R(x)$
d) $\lim\limits_{x \to -3^+} R(x)$
e) Les équations des asymptotes verticales

2. Pour la fonction f dont le graphique est donné, trouvez ce qui suit.

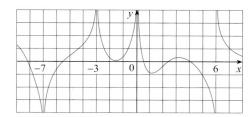

a) $\lim\limits_{x \to -7} f(x)$
b) $\lim\limits_{x \to -3} f(x)$
c) $\lim\limits_{x \to 0} f(x)$
d) $\lim\limits_{x \to 6^-} f(x)$
e) $\lim\limits_{x \to 6^+} f(x)$

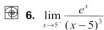 Déterminez la limite infinie des énoncés suivants.

3. $\lim\limits_{x \to -3^+} \dfrac{x+2}{x+3}$

4. $\lim\limits_{x \to -3^-} \dfrac{x+2}{x+3}$

5. $\lim\limits_{x \to 1} \dfrac{2-x}{(x-1)^2}$

6. $\lim\limits_{x \to 5^-} \dfrac{e^x}{(x-5)^3}$

7. $\lim\limits_{x \to 3^+} \ln(x^2-9)$

8. $\lim\limits_{x \to \pi^-} \cot x$

9. $\lim\limits_{x \to 2\pi^-} x \csc x$

10. $\lim\limits_{x \to 2^-} \dfrac{x^2-2x}{x^2-4x+4}$

11. $\lim\limits_{x \to 2^+} \dfrac{x^2-2x-8}{x^2-5x+6}$

12. $\lim\limits_{x \to 5^+} \dfrac{x+1}{x-5}$

13. $\lim\limits_{x \to 5^-} \dfrac{x+1}{x-5}$

14. $\lim\limits_{x \to 3^-} \dfrac{\sqrt{x}}{(x-3)^5}$

15. $\lim\limits_{x \to 0^+} \ln(\sin x)$

16. $\lim\limits_{x \to (\pi/2)^+} \dfrac{1}{x} \sec x$

17. $\lim\limits_{x \to 0^+} \left(\dfrac{1}{x} - \ln x\right)$

18. $\lim\limits_{x \to 0} (\ln x^2 - x^{-2})$

19. a) Trouvez les asymptotes verticales de la fonction
$$y = \dfrac{x^2+1}{3x-2x^2}.$$
b) Pour confirmer votre réponse en a), tracez le graphique de la fonction.

20. Déterminez $\lim\limits_{x \to 1^-} \dfrac{1}{x^3-1}$ et $\lim\limits_{x \to 1^+} \dfrac{1}{x^3-1}$
a) en évaluant $f(x) = 1/(x^3-1)$ pour des valeurs de x qui s'approchent de 1 par la gauche et par la droite ;
b) en appliquant le raisonnement illustré dans l'exemple 2.5.3 (*voir p. 140*) ;
c) d'après un graphique de f.

21. Selon la théorie de la relativité, la masse d'une particule se déplaçant à la vitesse v est
$$m = \dfrac{m_0}{\sqrt{1-v^2/c^2}}$$
où m_0 est la masse de la particule au repos et c, la vitesse de la lumière. Que se passe-t-il lorsque $v \to c^-$?

22. Au moyen d'une représentation graphique, estimez les équations de toutes les asymptotes verticales de la courbe
$$y = \tan(2\sin x) \quad -\pi \le x \le \pi.$$
Trouvez ensuite les équations exactes des asymptotes.

23-24 Trouvez la limite, si elle existe. Si elle n'existe pas, expliquez pourquoi.

23. $\lim\limits_{x \to -6} \dfrac{2x+5}{|x+6|}$

24. $\lim\limits_{x \to 0^-} \left(\dfrac{1}{x} - \dfrac{1}{|x|}\right)$

25. Soit
$$f(x) = \begin{cases} \dfrac{x-1}{x^2+6x+9} & \text{si} \quad x < -1 \\[2mm] \dfrac{x^3}{-3x^2+8} & \text{si} \quad -1 \le x < 2 \\[2mm] x^2-2x & \text{si} \quad x > 2. \end{cases}$$

Évaluez :

a) $\lim\limits_{x \to -3} f(x)$
b) $\lim\limits_{x \to -1} f(x)$
c) $\lim\limits_{x \to 2} f(x)$
d) $\lim\limits_{x \to 0} f(x)$
e) $\lim\limits_{x \to -2} f(x)$
f) $f(2)$

26-27 Expliquez pourquoi la fonction est discontinue à la valeur de *a* donnée. Esquissez le graphique de la fonction.

26. $f(x) = \dfrac{1}{x+2}$ $a = -2$

27. $f(x) = \begin{cases} \dfrac{1}{x+2} & \text{si} \quad x \neq -2 \\ 1 & \text{si} \quad x = -2 \end{cases}$ $a = -2$

28. Expliquez, dans vos mots, la signification de chaque expression.

a) $\lim\limits_{x \to \infty} f(x) = 5$ b) $\lim\limits_{x \to -\infty} f(x) = 3$

29. a) Le graphique de $y = f(x)$ peut-il couper une asymptote verticale? Peut-il couper une asymptote horizontale? Illustrez vos réponses par des esquisses de graphiques.

b) Combien d'asymptotes horizontales le graphique de $y = f(x)$ peut-il admettre? Esquissez des graphiques illustrant les possibilités.

30. Pour la fonction *f* dont le graphique est donné, trouvez ce qui suit.

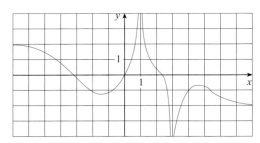

a) $\lim\limits_{x \to \infty} f(x)$ b) $\lim\limits_{x \to -\infty} f(x)$

c) $\lim\limits_{x \to 1} f(x)$ d) $\lim\limits_{x \to 3} f(x)$

e) Les équations des asymptotes

31. Pour la fonction *g* dont le graphique est donné, trouvez ce qui suit.

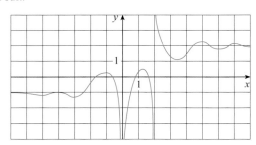

a) $\lim\limits_{x \to \infty} g(x)$ b) $\lim\limits_{x \to -\infty} g(x)$

c) $\lim\limits_{x \to 0} g(x)$ d) $\lim\limits_{x \to 2^-} g(x)$

e) $\lim\limits_{x \to 2^+} g(x)$ f) Les équations des asymptotes

32-37 Esquissez le graphique d'un exemple de fonction *f* satisfaisant toutes les conditions posées.

32. $\lim\limits_{x \to 0} f(x) = -\infty$, $\lim\limits_{x \to -\infty} f(x) = 5$, $\lim\limits_{x \to \infty} f(x) = -5$

33. $\lim\limits_{x \to 2} f(x) = \infty$, $\lim\limits_{x \to -2^+} f(x) = \infty$, $\lim\limits_{x \to -2^-} f(x) = -\infty$,

$\lim\limits_{x \to -\infty} f(x) = 0$, $\lim\limits_{x \to \infty} f(x) = 0$, $f(0) = 0$

34. $\lim\limits_{x \to 2} f(x) = -\infty$, $\lim\limits_{x \to \infty} f(x) = \infty$, $\lim\limits_{x \to -\infty} f(x) = 0$,

$\lim\limits_{x \to 0^+} f(x) = \infty$, $\lim\limits_{x \to 0^-} f(x) = -\infty$

35. $\lim\limits_{x \to \infty} f(x) = 3$, $\lim\limits_{x \to 2^-} f(x) = \infty$, $\lim\limits_{x \to 2^+} f(x) = -\infty$, *f* est impaire

36. $f(0) = 3$, $\lim\limits_{x \to 0^-} f(x) = 4$, $\lim\limits_{x \to 0^+} f(x) = 2$,

$\lim\limits_{x \to -\infty} f(x) = -\infty$, $\lim\limits_{x \to 4^-} f(x) = -\infty$,

$\lim\limits_{x \to 4^+} f(x) = \infty$, $\lim\limits_{x \to \infty} f(x) = 3$

37. $\lim\limits_{x \to 3} f(x) = -\infty$, $\lim\limits_{x \to \infty} f(x) = 2$, $f(0) = 0$, *f* est paire

38. Conjecturez la valeur de

$$\lim_{x \to \infty} \frac{x^2}{2^x}$$

en évaluant la fonction $f(x) = x^2/2^x$ pour $x = 0, 1, 2, 3, 4, 5, 6, 7, 8, 9, 10, 20, 50$ et 100. Appuyez ensuite votre réponse sur un graphique de *f*.

39. a) À l'aide d'un graphique de

$$f(x) = \left(1 - \frac{2}{x}\right)^x$$

estimez la valeur de $\lim\limits_{x \to \infty} f(x)$ à deux décimales près.

b) À l'aide d'une table de valeurs de $f(x)$, estimez la limite à quatre décimales près.

40-62 Trouvez la limite ou montrez qu'elle n'existe pas.

40. $\lim\limits_{t \to \infty} \dfrac{\sqrt{t} + t^2}{-1/t^2}$

41. $\lim\limits_{x \to -\infty} \dfrac{\sqrt{9/x^6}}{x^3 + 1}$

42. $\lim\limits_{x \to \infty}(\sqrt{9x^2 + x} + 3x)$

43. $\lim\limits_{x \to -\infty} (x - \sqrt{x^2 - 2x})$

44. $\lim\limits_{x \to \infty}\left(-\sqrt{x^2 + ax} - \sqrt{x^2 + bx}\right)$ si $a > 0$ et $b \geq 0$

45. $\lim\limits_{x \to \infty} \sqrt{x^2 + 1}$

46. $\lim\limits_{x \to -\infty} \dfrac{-2}{15\pi}$

47. $\lim\limits_{x \to \infty} \dfrac{\dfrac{2}{x^2}}{x - 1}$

48. $\lim\limits_{x \to -\infty} \sqrt{7 - 3x^2}$

49. $\lim\limits_{x \to \infty}(x^5 - 125)^3 \cdot \left(-(-4 - x^3)^2\right)$

50. $\lim\limits_{x \to -\infty} (x + 2x^3)^{-2}$

51. $\lim\limits_{x \to \infty} \dfrac{(2x)^3 (x - 1)^5}{-11}$

52. $\lim\limits_{x \to -\infty}\left(\dfrac{-1}{x^3} + \dfrac{6}{x^2}\right)$

53. $\lim\limits_{x \to \infty} \dfrac{-5}{-1 - x}$

54. $\lim\limits_{x \to -\infty} (x^4 + x^6)$

55. $\displaystyle\lim_{x\to-\infty}\dfrac{1+x^6}{\dfrac{2}{x^4+1}}$

56. $\displaystyle\lim_{x\to\infty}(e^{-x}+2\cos 3x)$

57. $\displaystyle\lim_{x\to\infty}\arctan(e^x)$

58. $\displaystyle\lim_{x\to\infty}\dfrac{e^{-x}-e^{-3x}}{e^{3x}+e^{-3x}}$

59. $\displaystyle\lim_{x\to\infty}\dfrac{1}{1+2e^x}$

60. $\displaystyle\lim_{x\to\infty}\dfrac{\sin^2 x}{x^2+1}$

61. $\displaystyle\lim_{x\to\infty}(e^{-2x}\cos x)$

62. $\displaystyle\lim_{x\to 0^+}\arctan(\ln x)$

63. Trouvez la formule d'une fonction f qui satisfasse les conditions suivantes :

$$\lim_{x\to\pm\infty}f(x)=0,\ \lim_{x\to 0}f(x)=-\infty,\ f(2)=0,$$
$$\lim_{x\to 3^-}f(x)=\infty,\ \lim_{x\to 3^+}f(x)=-\infty.$$

64. Trouvez la formule d'une fonction admettant les asymptotes verticales $x=1$ et $x=3$ et l'asymptote horizontale $y=1$.

65. Une fonction f représentant un rapport de polynômes du second degré admet une asymptote verticale, $x=4$, et une seule abscisse à l'origine, $x=1$. On sait que f présente une discontinuité réductible en $x=-1$ et une limite, $\displaystyle\lim_{x\to-1}f(x)=2$. Évaluez :

a) $f(0)$　　b) $\displaystyle\lim_{x\to\infty}f(x)$

66-68 Trouvez les limites lorsque $x\to\infty$ et lorsque $x\to-\infty$. À partir de ces éléments d'information et des coordonnées à l'origine, esquissez un graphique comparable à celui de l'exemple 2.5.14 (*voir p. 147*).

66. $y=x^3(x+2)^2(x-1)$

67. $y=(3-x)(1+x)^2(1-x)^4$

68. $y=x^2(x^2-1)^2(x+2)$

69. a) À l'aide du théorème du sandwich, évaluez

$$\lim_{x\to\infty}\frac{\sin x}{x}.$$

b) Tracez le graphique de
$$f(x)=\frac{\sin x}{x}.$$

Combien de fois la courbe coupe-t-elle l'asymptote ?

70. a) Esquissez la courbe $y=x^n$ (n est un nombre entier) dans les cinq cas suivants :

　i) $n=0$

　ii) $n>0$, n impair

　iii) $n>0$, n pair

　iv) $n<0$, n impair

　v) $n<0,$ n pair

b) À l'aide de vos esquisses, trouvez les limites suivantes.

　i) $\displaystyle\lim_{x\to 0^+}x^n$

　ii) $\displaystyle\lim_{x\to 0^-}x^n$

　iii) $\displaystyle\lim_{x\to\infty}x^n$

　iv) $\displaystyle\lim_{x\to-\infty}x^n$

71. Selon certaines hypothèses, la vitesse $v(t)$ d'une goutte de pluie qui tombe à l'instant t est

$$v(t)=v^*\bigl(1-e^{-gt/v^*}\bigr)$$

où g est l'accélération attribuable à la gravité et v^* est la vitesse finale de la goutte de pluie.

a) Trouvez $\displaystyle\lim_{t\to\infty}v(t)$.

b) Tracez le graphique de $v(t)$ pour $v^*=1$ m/s et $g=9{,}8$ m/s². Combien de temps la goutte met-elle à atteindre 99 % de sa vitesse finale ?

72. a) Tracez $y=e^{-x/10}$ et $y=0{,}1$ dans la même fenêtre et déterminez la grandeur qu'il faut donner à la valeur de x pour que $e^{-x/10}<0{,}1$.

b) Pouvez-vous répondre à la partie a) sans avoir recours à un outil graphique ?

2.6 Les formes indéterminées dans les limites

Dans la section 2.3, on évalue un bon nombre de limites en utilisant les propriétés des limites ou par substitution directe. Toutefois, comme le montre l'exemple suivant, ces approches ne suffisent pas pour évaluer toutes les limites.

Exemple 2.6.1 Trouvons $\displaystyle\lim_{x\to 1}\dfrac{x^2-1}{x-1}$.

Solution Soit $f(x)=(x^2-1)/(x-1)$. On ne peut pas trouver la limite en faisant la substitution $x=1$, car $f(1)$ n'est pas définie. On ne peut pas non plus employer la règle du quotient parce que la limite du dénominateur est nulle. S'imposent donc quelques transformations algébriques préliminaires. On factorise le numérateur sous forme de différence de carrés :

$$\frac{x^2-1}{x-1}=\frac{(x-1)(x+1)}{x-1}.$$

Le facteur $x - 1$ est commun au numérateur et au dénominateur. Si l'on prend la limite lorsque x tend vers 1, on doit regarder ce qui passe au voisinage de $x = 1$ sans considérer la valeur $x = 1$ elle-même, donc $x - 1 \neq 0$, et on peut diviser le numérateur par $x - 1$. On peut ainsi supprimer le facteur commun et calculer la limite comme suit :

$$\lim_{x \to 1} \frac{x^2 - 1}{x - 1} = \lim_{x \to 1} \frac{(x-1)(x+1)}{x - 1} = \lim_{x \to 1}(x+1)$$
$$= 1 + 1 = 2.$$

La limite de cet exemple apparaît dans la section 2.1, alors qu'on tâche de trouver la tangente à la parabole $y = x^2$ au point (1, 1).

NOTE Dans l'exemple 2.6.1, on calcule la limite en remplaçant la fonction donnée $f(x) = (x^2 - 1)/(x - 1)$ par une fonction plus simple, soit $g(x) = x + 1$, ayant la même limite. Ce procédé est valide parce que $f(x) = g(x)$ sauf lorsque $x = 1$, et que, dans le calcul d'une limite lorsque x tend vers 1, on ne considère pas la possibilité que x égale 1. Cette observation se traduit par la proposition suivante.

2.6.1	**Proposition**

Si $f(x) = g(x)$ lorsque $x \neq a$, alors $\lim_{x \to a} f(x) = \lim_{x \to a} g(x)$, à condition que les limites existent.

Lorsqu'on fait une substitution directe dans le calcul des limites et qu'on obtient l'une ou l'autre des expressions $0/0$, ∞/∞, $\infty - \infty$, $0 \times \infty$, 0^0, ∞^0 et 1^∞, on dit que la substitution directe donne une indétermination de la forme de l'expression obtenue. Compte tenu de la proposition **2.6.1**, on peut lever l'indétermination pour la majorité d'entre elles par de simples manipulations algébriques. La présente section traite de la façon de lever les indéterminations des formes $0/0$, ∞/∞ et $\infty - \infty$.

▶ L'indétermination de la forme 0/0

Pour cette forme d'indétermination, on tente de trouver un facteur commun au numérateur et au dénominateur de l'expression qui tend vers 0 lorsque $x \to a$. Pour y arriver, on utilise le plus souvent les procédés suivants :

- la simplification d'une expression complexe ;

- la factorisation des polynômes et la simplification de l'expression ;

- la multiplication par le conjugué de l'expression contenant une racine et qui entraîne la forme $0/0$.

On termine par la simplification des facteurs communs du numérateur et du dénominateur.

Il existe plusieurs formes indéterminées qu'on ne peut pas résoudre avec les méthodes algébriques proposées dans cette section.

Exemple 2.6.2 Évaluons $\lim_{h \to 0} \dfrac{(3+h)^2 - 9}{h}$.

Solution Si l'on pose

$$f(h) = \frac{(3+h)^2 - 9}{h},$$

alors, comme dans l'exemple 2.6.1, on ne peut pas calculer $\lim_{h \to 0} f(h)$ en admettant $h = 0$, car $f(0)$ n'est pas définie. Toutefois, si l'on simplifie $f(h)$ algébriquement, on obtient

$$f(h) = \frac{(9 + 6h + h^2) - 9}{h} = \frac{6h + h^2}{h} = 6 + h \qquad \text{si } h \neq 0.$$

(Rappel : Selon la définition **2.2.1** d'une limite, on considère $h \neq 0$ lorsqu'on admet que h s'approche de 0.) De là, la proposition **2.6.1** permet d'écrire

$$\lim_{h \to 0} \frac{(3+h)^2 - 9}{h} = \lim_{h \to 0}(6+h)$$
$$= 6.$$

Exemple `2.6.3` Évaluons $\lim_{x \to 5} \dfrac{2x^2 - 6x - 20}{3x^2 - 75}$.

Solution La substitution directe produit une indétermination de la forme 0/0. En utilisant la factorisation, on obtient

$$\lim_{x \to 5} \frac{2x^2 - 6x - 20}{3x^2 - 75} \overset{\frac{0}{0}}{=} \lim_{x \to 5} \frac{(2x+4)(x-5)}{3(x-5)(x+5)}$$
$$= \lim_{x \to 5} \frac{(2x+4)}{3(x+5)} \qquad (x - 5 \neq 0, \text{ car } x \neq 5)$$
$$= \frac{14}{30} = \frac{7}{15}.$$

Exemple `2.6.4` Évaluons $\lim_{x \to 4} \dfrac{\dfrac{1}{x-2} - \dfrac{1}{2}}{x-4}$.

Solution Cette limite, tout comme celle de l'exemple 2.6.3, est aussi une indétermination de la forme 0/0, mais la factorisation n'est pas la première étape à faire. C'est la simplification de cette fraction complexe en une fraction simple qui permet de lever l'indétermination. On a donc

$$\lim_{x \to 4} \frac{\dfrac{1}{x-2} - \dfrac{1}{2}}{x-4} \overset{\frac{0}{0}}{=} \lim_{x \to 4} \frac{\dfrac{2-(x-2)}{2(x-2)}}{x-4}$$
$$= \lim_{x \to 4} \frac{4-x}{2(x-2)(x-4)}$$
$$= \lim_{x \to 4} \frac{-(x-4)}{2(x-2)(x-4)}$$
$$= \lim_{x \to 4} \frac{-1}{2(x-2)} \qquad (x-4 \neq 0, \text{ car } x \neq 4)$$
$$= -\frac{1}{4}.$$

Exemple `2.6.5` Évaluons $\lim_{x \to -1} \dfrac{x^3 + x^2 + x + 1}{x^4 + x^3 + x^2 - x - 2}$.

Solution Cette limite présente une indétermination de la forme 0/0 mais, contrairement aux deux exemples précédents, la factorisation des polynômes n'est pas évidente. Puisque -1 est un zéro des deux polynômes, on sait que $(x + 1)$ est un facteur pour chacun d'eux par le théorème de factorisation **1.1.7**. En utilisant la division euclidienne (comme dans l'exemple 1.1.27), on obtient :

$$\lim_{x \to -1} \frac{x^3 + x^2 + x + 1}{x^4 + x^3 + x^2 - x - 2} \overset{\frac{0}{0}}{=} \lim_{x \to -1} \frac{(x+1)(x^2+1)}{(x+1)(x^3+x-2)}$$
$$= \frac{2}{-4} = -\frac{1}{2}.$$

Exemple 2.6.6 Trouvons $\displaystyle\lim_{t\to 0}\frac{\sqrt{t^2+9}-3}{t^2}$.

Solution L'indétermination est de la forme 0/0. Le calcul algébrique préalable permettant de lever l'indétermination consiste à rendre le numérateur rationnel en multipliant le numérateur et le dénominateur par le conjugué du numérateur :

$$\lim_{t\to 0}\frac{\sqrt{t^2+9}-3}{t^2}\overset{\frac{0}{0}}{=}\lim_{t\to 0}\frac{\sqrt{t^2+9}-3}{t^2}\cdot\frac{\sqrt{t^2+9}+3}{\sqrt{t^2+9}+3}\qquad\text{(multiplication par le conjugué)}$$

$$=\lim_{t\to 0}\frac{(t^2+9)-9}{t^2(\sqrt{t^2+9}+3)}$$

$$=\lim_{t\to 0}\frac{t^2}{t^2(\sqrt{t^2+9}+3)}$$

$$=\lim_{t\to 0}\frac{1}{\sqrt{t^2+9}+3}\qquad\text{(car }t\neq 0)$$

$$=\frac{1}{3+3}$$

$$=\frac{1}{6}.$$

Ce calcul vérifie la conjecture faite dans l'exemple 2.2.2.

Exemple 2.6.7 Évaluons $\displaystyle\lim_{x\to 1}\arcsin\left(\frac{1-\sqrt{x}}{1-x}\right)$.

Solution Comme la fonction arcsinus est continue, le théorème **2.4.9** s'applique, c'est-à-dire qu'on peut faire passer la limite à l'intérieur :

$$\lim_{x\to 1}\arcsin\left(\frac{1-\sqrt{x}}{1-x}\right)=\arcsin\left(\lim_{x\to 1}\frac{1-\sqrt{x}}{1-x}\right)$$

$$=\arcsin\left(\lim_{x\to 1}\frac{(1-\sqrt{x})(1+\sqrt{x})}{(1-x)(1+\sqrt{x})}\right)\qquad\text{(multiplication par le conjugué)}$$

$$=\arcsin\left(\lim_{x\to 1}\frac{1-x}{(1-x)(1+\sqrt{x})}\right)$$

$$=\arcsin\left(\lim_{x\to 1}\frac{1}{(1+\sqrt{x})}\right)\qquad(1-x\neq 0,\ \text{car }x\neq 1)$$

$$=\arcsin\frac{1}{2}$$

$$=\frac{\pi}{6}.$$

▶ L'indétermination de la forme ∞/∞

Pour lever cette forme d'indétermination, on peut effectuer une mise en évidence de la variable affectée du plus grand exposant au numérateur ainsi qu'au dénominateur, puis simplifier. Ce n'est pas la seule astuce possible, mais elle est simple et fonctionne toujours bien.

Exemple **2.6.8** Évaluons $\lim\limits_{x \to \infty} \dfrac{3x^2 - x - 2}{5x^2 + 4x + 1}$.

Solution

$$\lim_{x \to \infty} \frac{3x^2 - x - 2}{5x^2 + 4x + 1} \overset{\frac{\infty}{\infty}}{=} \lim_{x \to \infty} \frac{x^2\left(3 - \dfrac{1}{x} - \dfrac{2}{x^2}\right)}{x^2\left(5 + \dfrac{4}{x} + \dfrac{1}{x^2}\right)}$$

$$= \lim_{x \to \infty} \frac{3 - \dfrac{1}{x} - \dfrac{2}{x^2}}{5 + \dfrac{4}{x} + \dfrac{1}{x^2}} \quad \text{(car } x \neq 0 \text{ lorsque } x \to \infty\text{)}$$

$$= \frac{3 - 0 - 0}{5 + 0 + 0}$$

$$= \frac{3}{5}$$

Exemple **2.6.9** Trouvons $\lim\limits_{x \to -\infty} \dfrac{x^4 + 2x - 4}{x^3 - \sqrt{x^6 - 1}}$.

Solution

$$\lim_{x \to -\infty} \frac{x^4 + 2x - 4}{x^3 - \sqrt{x^6 - 1}} \overset{\frac{\infty - \infty}{-\infty}}{=} \lim_{x \to -\infty} \frac{x^4 + 2x - 4}{x^3 - \sqrt{x^6\left(1 - \dfrac{1}{x^6}\right)}}$$

$$= \lim_{x \to -\infty} \frac{x^4 + 2x - 4}{x^3 + x^3\sqrt{\left(1 - \dfrac{1}{x^6}\right)}} \quad \text{(car } \sqrt{x^6} = |x^3| = -x^3 \text{ lorsque } x < 0\text{)}$$

$$= \lim_{x \to -\infty} \frac{x^4\left(1 + \dfrac{2}{x^3} - \dfrac{4}{x^4}\right)}{x^3\left(1 + \sqrt{1 - \dfrac{1}{x^6}}\right)}$$

$$= \lim_{x \to -\infty} \frac{x\left(1 + \dfrac{2}{x^3} - \dfrac{4}{x^4}\right)}{1 + \sqrt{1 - \dfrac{1}{x^6}}} \quad (x \neq 0 \text{ lorsque } x \to -\infty)$$

$$\overset{\frac{-\infty}{2}}{=} -\infty$$

▶ L'indétermination de la forme ∞ − ∞

Comme pour la forme 0/0, il existe plusieurs astuces pour lever une indétermination de la forme ∞ − ∞. Voici les principales :

• la mise en évidence de la variable affectée du plus grand exposant ;

• lorsqu'il s'agit de la soustraction de deux fractions, la mise sous un dénominateur commun suivie d'une simplification ;

• la multiplication par le conjugué de l'expression contenant une ou des racines suivie d'une simplification.

Exemple **2.6.10** Trouvons $\lim\limits_{x \to \infty}(x^2 - 4x^3 + 2)$.

Solution Lorsque c'est possible, il est utile d'employer la factorisation pour lever une indétermination de ce type, mais dans le cas présent, le polynôme ne se factorise pas. On a donc recours à la mise en évidence de la variable affectée du plus grand exposant comme suit :

$$\lim_{x \to \infty}(x^2 - 4x^3 + 2) \overset{\infty - \infty}{=} \lim_{x \to \infty} x^3 \left(\frac{1}{x} - 4 + \frac{2}{x^3}\right)^{\infty(-4)} = -\infty.$$

Exemple **2.6.11** Trouvons $\lim\limits_{x \to 0^+}\left(\dfrac{1}{x} - \dfrac{1}{x^3}\right)$.

Solution On lève cette indétermination en mettant les deux fractions à un dénominateur commun :

$$\lim_{x \to 0^+}\left(\frac{1}{x} - \frac{1}{x^3}\right) \overset{\infty - \infty}{=} \lim_{x \to 0^+} \frac{x^2 - 1}{x^3}^{\frac{-1}{0^+}} = -\infty.$$

On peut considérer que la fonction donnée a 1 pour dénominateur.

Exemple **2.6.12** Calculons $\lim\limits_{x \to \infty}(\sqrt{x^2 + 1} - x)$.

Solution Comme $\sqrt{x^2 + 1}$ et x sont tous deux grands lorsque x est grand, il n'est pas facile de deviner l'effet que leur différence peut produire. Dans un tel cas, on multiplie l'expression à l'intérieur de la limite par le conjugué de cette expression, divisé par lui-même. On multiplie donc par 1, ce qui nous donne l'égalité suivante :

$$
\begin{aligned}
\lim_{x \to \infty}(\sqrt{x^2 + 1} - x) &\overset{\infty - \infty}{=} \lim_{x \to \infty}(\sqrt{x^2 + 1} - x) \cdot \frac{\sqrt{x^2 + 1} + x}{\sqrt{x^2 + 1} + x} \\
&= \lim_{x \to \infty} \frac{(x^2 + 1) - x^2}{\sqrt{x^2 + 1} + x} \\
&= \lim_{x \to \infty} \frac{1}{\sqrt{x^2 + 1} + x}^{\frac{1}{\infty}} = 0.
\end{aligned}
$$

La figure 2.6.1 illustre ce résultat.

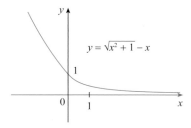

$$y = \sqrt{x^2 + 1} - x$$

2.6.1 **FIGURE**

▶ Les asymptotes verticales et horizontales

Exemple **2.6.13** Trouvons les asymptotes horizontale(s) et verticale(s) du graphique de la fonction

$$f(x) = \frac{\sqrt{2x^2 + 1}}{3x - 5}.$$

Solution   En mettant en évidence la plus grande puissance de x au numérateur et au dénominateur, on obtient

$$\lim_{x\to\infty}\frac{\sqrt{2x^2+1}}{3x-5}\overset{\frac{\infty}{\infty}}{=}\lim_{x\to\infty}\frac{x\sqrt{2+\dfrac{1}{x^2}}}{x\left(3-\dfrac{5}{x}\right)}\qquad(\text{puisque }\sqrt{x^2}=|x|=x\text{ pour }x>0)$$

$$=\lim_{x\to\infty}\frac{\sqrt{2+\dfrac{1}{x^2}}}{3-\dfrac{5}{x}}\qquad(\text{car }x\neq0\text{ lorsque }x\to\infty)$$

$$=\frac{\sqrt{2+0}}{3-0}=\frac{\sqrt{2}}{3}.$$

Par conséquent, la droite $y=\sqrt{2}/3$ est une asymptote horizontale du graphique de f.

Dans le calcul de la limite lorsque $x\to-\infty$, on doit se rappeler que, pour $x<0$, on a $\sqrt{x^2}=|x|=-x$. Ainsi, pour $x<0$, on obtient

$$\lim_{x\to-\infty}\frac{\sqrt{2x^2+1}}{3x-5}=\lim_{x\to-\infty}\frac{-x\sqrt{2+\dfrac{1}{x^2}}}{x\left(3-\dfrac{5}{x}\right)}=\lim_{x\to-\infty}\frac{-\sqrt{2+\dfrac{1}{x^2}}}{3-\dfrac{5}{x}}=-\frac{\sqrt{2}}{3}.$$

Par conséquent, la droite $y=-\sqrt{2}/3$ est aussi une asymptote horizontale.

L'existence d'une asymptote verticale est possible quand le dénominateur, $3x-5$, égale 0, soit lorsque $x=\frac{5}{3}$. Si x est proche de $\frac{5}{3}$ et que $x>\frac{5}{3}$, alors le dénominateur est proche de 0 et $3x-5$ est positif. Le numérateur $\sqrt{2x^2+1}$ étant toujours positif, $f(x)$ est grande positive. Par conséquent,

$$\lim_{x\to(5/3)^+}\frac{\sqrt{2x^2+1}}{3x-5}=\infty.$$

Si x est proche de $\frac{5}{3}$ et que $x<\frac{5}{3}$, alors $3x-5<0$, donc $f(x)$ est grande négative. Ainsi, on a

$$\lim_{x\to(5/3)^-}\frac{\sqrt{2x^2+1}}{3x-5}=-\infty.$$

L'asymptote verticale est $x=\frac{5}{3}$. Les trois asymptotes sont montrées dans la figure 2.6.2. ∎

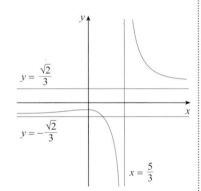

2.6.2   FIGURE

$$y=\frac{\sqrt{2x^2+1}}{3x-5}$$

Exercices   2.6

1. a) Pourquoi l'égalité suivante est-elle fausse ?

$$\frac{x^2+x-6}{x-2}=x+3$$

   b) En regard de a), expliquez pourquoi l'égalité suivante est vraie.

$$\lim_{x\to2}\frac{x^2+x-6}{x-2}=\lim_{x\to2}(x+3)$$

2-26   Évaluez la limite, si elle existe.

2. $\displaystyle\lim_{x\to5}\frac{x^2-6x+5}{x-5}$

3. $\displaystyle\lim_{x\to4}\frac{x^2-4x}{x^2-3x-4}$

4. $\displaystyle\lim_{x\to5}\frac{x^2-5x+6}{x-5}$

5. $\displaystyle\lim_{x\to-1}\frac{x^2-4x}{x^2-3x-4}$

6. $\displaystyle\lim_{t\to-3}\frac{t^2-9}{2t^2+7t+3}$

7. $\displaystyle\lim_{x\to-1}\frac{2x^2+3x+1}{x^2-2x-3}$

8. $\displaystyle\lim_{x\to-3}\frac{x^2+3x}{x^2-x-12}$

9. $\displaystyle\lim_{x\to4}\frac{x^2+3x}{x^2-x-12}$

10. $\lim\limits_{h \to 0} \dfrac{(-5+h)^2 - 25}{h}$

11. $\lim\limits_{h \to 0} \dfrac{(2+h)^3 - 8}{h}$

12. $\lim\limits_{x \to -2} \dfrac{x+2}{x^3+8}$

13. $\lim\limits_{t \to 1} \dfrac{t^4-1}{t^3-1}$

14. $\lim\limits_{h \to 0} \dfrac{\sqrt{9+h}-3}{h}$

15. $\lim\limits_{u \to 2} \dfrac{\sqrt{4u+1}-3}{u-2}$

16. $\lim\limits_{x \to -4} \dfrac{\frac{1}{4}+\frac{1}{x}}{4+x}$

17. $\lim\limits_{x \to -1} \dfrac{x^2+2x+1}{x^4-1}$

18. $\lim\limits_{x \to 2} \dfrac{x^2-4x+4}{x^4-3x^2-4}$

19. $\lim\limits_{t \to 0} \dfrac{\sqrt{1+t}-\sqrt{1-t}}{t}$

20. $\lim\limits_{t \to 0} \left(\dfrac{1}{t} - \dfrac{1}{t^2+t} \right)$

21. $\lim\limits_{x \to 16} \dfrac{4-\sqrt{x}}{16x-x^2}$

22. $\lim\limits_{h \to 0} \dfrac{(3+h)^{-1}-3^{-1}}{h}$

23. $\lim\limits_{t \to 0} \left(\dfrac{1}{t\sqrt{1+t}} - \dfrac{1}{t} \right)$

24. $\lim\limits_{x \to -4} \dfrac{\sqrt{x^2+9}-5}{x+4}$

25. $\lim\limits_{h \to 0} \dfrac{(x+h)^3-x^3}{h}$

26. $\lim\limits_{h \to 0} \dfrac{\frac{1}{(x+h)^2}-\frac{1}{x^2}}{h}$

27. a) Estimez la valeur de
$$\lim\limits_{x \to 0} \dfrac{x}{\sqrt{1+3x}-1}$$
en traçant le graphique de $f(x) = x/(\sqrt{1+3x}-1)$.

   b) Construisez une table de valeurs de $f(x)$ pour x au voisinage de 0 et conjecturez la valeur de la limite.

   c) À l'aide des propriétés des limites, prouvez l'exactitude de votre conjecture.

28. a) À l'aide d'un graphique de
$$f(x) = \dfrac{\sqrt{3+x}-\sqrt{3}}{x},$$
estimez la valeur de $\lim\limits_{x \to 0} f(x)$ à deux décimales près.

   b) À l'aide d'un tableau de valeurs de $f(x)$, estimez la limite à quatre décimales près.

   c) À l'aide des propriétés des limites, trouvez la limite exacte.

29-31 Trouvez la limite, si elle existe. Si la limite n'existe pas, expliquez pourquoi.

29. $\lim\limits_{x \to -6} \dfrac{2x+12}{|x+6|}$

30. $\lim\limits_{x \to -2} \dfrac{2-|x|}{2+x}$

31. $\lim\limits_{x \to 0^+} \left(\dfrac{1}{x} - \dfrac{1}{|x|} \right)$

32. Soit $g(x) = \dfrac{x^2+x-6}{|x-2|}$.

   a) Trouvez :
      i) $\lim\limits_{x \to 2^+} g(x)$ ii) $\lim\limits_{x \to 2^-} g(x)$

   b) Est-ce que $\lim\limits_{x \to 2} g(x)$ existe ?

   c) Esquissez le graphique de g.

33. Sachant que $\lim\limits_{x \to 1} \dfrac{f(x)-8}{x-1} = 10$, trouvez $\lim\limits_{x \to 1} f(x)$.

34. Sachant que $\lim\limits_{x \to 0} \dfrac{f(x)}{x^2} = 5$, trouvez les limites suivantes.

   a) $\lim\limits_{x \to 0} f(x)$ b) $\lim\limits_{x \to 0} \dfrac{f(x)}{x}$

35. Évaluez exactement $\lim\limits_{x \to 2} \dfrac{\sqrt{6-x}-2}{\sqrt{3-x}-1}$.

36. Y a-t-il un nombre a tel que
$$\lim\limits_{x \to -2} \dfrac{3x^2+ax+a+3}{x^2+x-2}$$
existe ? Dans l'affirmative, trouvez la valeur de a et celle de la limite.

37-38 Expliquez pourquoi la fonction est discontinue à la valeur de a donnée. Esquissez le graphique de la fonction.

37. $f(x) = \begin{cases} \dfrac{x^2-x}{x^2-1} & \text{si} \quad x \neq 1 \\ 1 & \text{si} \quad x = 1 \end{cases}$ $a = 1$

38. $f(x) = \begin{cases} \dfrac{2x^2-5x-3}{x-3} & \text{si} \quad x \neq 3 \\ 6 & \text{si} \quad x = 3 \end{cases}$ $a = 3$

39-40 Que feriez-vous pour « enlever la discontinuité » de f ? Autrement dit, comment définiriez-vous $f(2)$ afin de rendre f continue en 2 ?

39. $f(x) = \dfrac{x^2-x-2}{x-2}$

40. $f(x) = \dfrac{x^3-8}{x^2-4}$

41. Parmi les fonctions f suivantes, laquelle présente une discontinuité non essentielle en a ? Là où la discontinuité est non essentielle, trouvez une fonction g qui concorde avec f pour $x \neq a$ et qui est continue en a.

   a) $f(x) = \dfrac{x^4-1}{x-1}$, $a = 1$ b) $f(x) = \dfrac{x^3-x^2-2x}{x-2}$, $a = 2$

   c) $f(x) = [[\sin x]]$, $a = \pi$

42-43 Évaluez la limite et appuyez chaque étape du calcul sur les propriétés des limites appropriées.

42. $\lim\limits_{x \to \infty} \dfrac{3x^2-x+4}{2x^2+5x-8}$

43. $\lim\limits_{x \to \infty} \sqrt{\dfrac{12x^3-5x+2}{1+4x^2+3x^3}}$

44-67 Trouvez la limite ou montrez qu'elle n'existe pas.

44. $\lim\limits_{x \to \infty} \dfrac{3x-2}{2x+1}$

45. $\lim\limits_{x \to \infty} \dfrac{1-x^2}{x^3-x+1}$

46. $\lim\limits_{x \to -\infty} \dfrac{x-2}{x^2+1}$

47. $\lim\limits_{x \to -\infty} \dfrac{4x^3+6x^2-2}{2x^3-4x+5}$

48. $\lim\limits_{t \to \infty} \dfrac{\sqrt{t}+t^2}{2t-t^2}$

49. $\lim\limits_{t \to \infty} \dfrac{t-t\sqrt{t}}{2t^{3/2}+3t-5}$

50. $\lim\limits_{x \to \infty} \dfrac{(2x^2+1)^2}{(x-1)^2(x^2+x)}$

51. $\lim\limits_{x \to \infty} \dfrac{x^2}{\sqrt{x^4+1}}$

52. $\lim\limits_{x \to \infty} \dfrac{\sqrt{9x^6-x}}{x^3+1}$

53. $\lim\limits_{x \to -\infty} \dfrac{\sqrt{9x^6-x}}{x^3+1}$

54. $\lim\limits_{x \to \infty} \dfrac{\sqrt{x+3x^2}}{4x-1}$

55. $\lim\limits_{x \to \infty} \dfrac{x+3x^2}{4x-1}$

56. $\lim\limits_{x\to\infty}(\sqrt{9x^2+x}-3x)$

57. $\lim\limits_{x\to-\infty}(x+\sqrt{x^2+2x})$

58. $\lim\limits_{x\to\infty}(\sqrt{x^2+ax}-\sqrt{x^2+bx})$

59. $\lim\limits_{x\to-\infty}(\sqrt{4x^2+3x}+2x)$

60. $\lim\limits_{x\to-\infty}x^2+2x^7$

61. $\lim\limits_{x\to\infty}\dfrac{x^4-3x^2+x}{x^3-x+2}$

62. $\lim\limits_{x\to-\infty}(x^4+x^5)$

63. $\lim\limits_{x\to-\infty}\dfrac{1+x^6}{x^4+1}$

64. $\lim\limits_{x\to\infty}\dfrac{e^{3x}-e^{-3x}}{e^{3x}+e^{-3x}}$

65. $\lim\limits_{x\to\infty}\dfrac{1-e^x}{1+2e^x}$

66. $\lim\limits_{x\to\infty}[\ln(1+x^2)-\ln(1+x)]$

67. $\lim\limits_{x\to\infty}[\ln(2+x)-\ln(1+x)]$

68. a) Trouvez les limites données de la fonction $f(x)=\dfrac{x}{\ln x}$.

 i) $\lim\limits_{x\to0^+}f(x)$ ii) $\lim\limits_{x\to1^-}f(x)$ iii) $\lim\limits_{x\to1^+}f(x)$

 b) À l'aide d'une table de valeurs, évaluez $\lim\limits_{x\to\infty}f(x)$.

 c) Tracez l'esquisse du graphique de la fonction f à partir des résultats de a) et b).

69. Trouvez les limites suivantes de la fonction $f(x)=\dfrac{2}{x}-\dfrac{1}{\ln x}$.

 a) $\lim\limits_{x\to\infty}f(x)$ b) $\lim\limits_{x\to0^+}f(x)$

 c) $\lim\limits_{x\to1^-}f(x)$ d) $\lim\limits_{x\to1^+}f(x)$

 e) Tracez l'esquisse du graphique de la fonction f à partir des résultats obtenus de a) à d).

70. a) Estimez la valeur de

$$\lim\limits_{x\to-\infty}(\sqrt{x^2+x+1}+x)$$

 en traçant le graphique de la fonction
$$f(x)=\sqrt{x^2+x+1}+x.$$

 b) À l'aide d'un tableau de valeurs de $f(x)$, conjecturez la valeur de la limite.

 c) Prouvez l'exactitude de votre conjecture.

71. a) À l'aide d'un graphique de

$$f(x)=\sqrt{3x^2+8x+6}-\sqrt{3x^2+3x+1},$$

 estimez la valeur de $\lim\limits_{x\to\infty}f(x)$ à une décimale près.

 b) À l'aide d'une table de valeurs de $f(x)$, estimez la limite à quatre décimales près.

 c) Trouvez la valeur exacte de la limite.

72-79 Trouvez les asymptotes horizontale(s) et verticale(s) de chaque courbe. Si vous disposez d'un outil graphique, vérifiez votre travail en traçant le graphique de la courbe et en estimant les équations des asymptotes.

72. $y=\dfrac{2x+1}{x-2}$

73. $y=\dfrac{x^2+1}{2x^2-3x-2}$

74. $y=\dfrac{2x^2+x-1}{x^2+x-2}$

75. $y=\dfrac{5+4x}{x+3}$

76. $y=\dfrac{2x^2+1}{3x^2+2x-1}$

77. $y=\dfrac{1+x^4}{x^2-x^4}$

78. $y=\dfrac{x^3-x}{x^2-6x+5}$

79. $y=\dfrac{2e^x}{e^x-5}$

80. a) Tracez le graphique de la fonction

$$f(x)=\dfrac{\sqrt{2x^2+1}}{3x-5}.$$

 Combien d'asymptotes horizontales et verticales observez-vous? À l'aide du graphique, estimez les valeurs des limites

$$\lim\limits_{x\to\infty}\dfrac{\sqrt{2x^2+1}}{3x-5}\quad\text{et}\quad\lim\limits_{x\to-\infty}\dfrac{\sqrt{2x^2+1}}{3x-5}.$$

 b) Après avoir calculé les valeurs de $f(x)$, donnez des estimations numériques des limites en a).

 c) Calculez les valeurs exactes des limites en a). Ces valeurs sont-elles égales ou différentes? (En regard de votre réponse en a), vous devrez peut-être vérifier le calcul de la seconde limite.)

81. Trouvez la formule d'une fonction admettant les asymptotes verticales $x=1$ et $x=3$ et l'asymptote horizontale $y=1$.

82-83 Trouvez les limites lorsque $x\to\infty$ et lorsque $x\to-\infty$. À partir de ces éléments d'information et des coordonnées à l'origine, esquissez un graphique comparable à celui de l'exemple 2.5.14, p. 147.

82. $y=2x^3-x^4$

83. $y=x^4-x^6$

84. Par **comportement à l'infini** d'une fonction, on entend le comportement de ses valeurs lorsque $x\to\infty$ et lorsque $x\to-\infty$.

 a) Décrivez et comparez les comportements à l'infini des fonctions

$$P(x)=3x^5-5x^3+2x\quad\text{et}\quad Q(x)=3x^5$$

 en traçant les graphiques respectifs des fonctions dans les fenêtres $[-2,2]$ sur $[-2,2]$ et $[-10,10]$ sur $[-10\,000,10\,000]$.

 b) On dit de deux fonctions qu'elles ont le même comportement à l'infini si leur rapport tend vers 1 lorsque $x\to\infty$. Montrez que P et Q ont le même comportement à l'infini.

85. Soit P et Q, des polynômes. Trouvez

$$\lim\limits_{x\to\infty}\dfrac{P(x)}{Q(x)}$$

 si le degré de P est:
 a) inférieur au degré de Q;
 b) supérieur au degré de Q.

86. Trouvez $\lim\limits_{x\to\infty}f(x)$ si, pour tout $x>1$,

$$\dfrac{10e^x-21}{2e^x}<f(x)<\dfrac{5\sqrt{x}}{\sqrt{x-1}}.$$

87. a) Un réservoir contient 5000 L d'eau pure. De la saumure renfermant 30 g de sel par litre d'eau est versée dans le réservoir à raison de 25 L/min. Montrez que la concentration de sel (en grammes par litre) après t minutes est donnée par

$$C(t)=\dfrac{30t}{200+t}.$$

 b) Qu'arrive-t-il à la concentration lorsque $t\to\infty$?

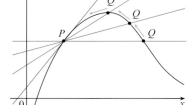

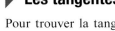

2.7.1   **FIGURE**

2.7   Les dérivées et les taux de variation

Comme on peut le constater dans la section 2.1, la recherche de la tangente à une courbe et de la vitesse d'un objet sont des problèmes qui demandent qu'on trouve des limites d'un même type. Les limites de ce type portent le nom de **dérivées**, et on verra que toutes les sciences de même que l'ingénierie y ont recours pour calculer des taux de variation.

▶ Les tangentes

Pour trouver la tangente à la courbe C d'équation $y = f(x)$ au point $P(a, f(a))$, on considère un point voisin $Q(x, f(x))$, où $x \neq a$, et on calcule la pente de la sécante PQ :

$$m_{PQ} = \frac{f(x) - f(a)}{x - a}.$$

Ensuite, on rapproche Q de P sur la courbe C en faisant tendre x vers a. Si m_{PQ} s'approche d'un nombre m, alors on définit la tangente t comme la droite de pente m passant par P. (Cela revient à dire que la tangente est la position limite de la sécante PQ lorsque Q tend vers P. *Voir la figure 2.7.1.*)

2.7.1 | **Définition**

La **droite tangente** à la courbe $y = f(x)$ au point $P(a, f(a))$ est la droite qui passe par P et dont la pente est

$$m = \lim_{x \to a} \frac{f(x) - f(a)}{x - a}$$

à condition que cette limite existe.

L'exemple 2.7.1 confirme la conjecture faite dans l'exemple 2.1.1.

La forme point-pente d'une droite de pente m passant par le point (x_1, y_1) est
$$y - y_1 = m(x - x_1).$$

Exemple 2.7.1 Trouvons une équation de la tangente à la parabole $y = x^2$ au point $P(1, 1)$.

Solution On pose ici $a = 1$ et $f(x) = x^2$; la pente est donc

$$
\begin{aligned}
m &= \lim_{x \to 1} \frac{f(x) - f(1)}{x - 1} = \lim_{x \to 1} \frac{x^2 - 1}{x - 1} \\
&= \lim_{x \to 1} \frac{(x-1)(x+1)}{x-1} \\
&= \lim_{x \to 1}(x + 1) \\
&= 1 + 1 = 2.
\end{aligned}
$$

Au moyen de la forme point-pente de l'équation d'une droite, on trouve une équation de la tangente en $(1, 1)$, soit

$$y - 1 = 2(x - 1) \qquad \text{ou} \qquad y = 2x - 1.$$

On appelle parfois la pente de la tangente à la courbe en un point **pente de la courbe** en ce point. Le fait est que, si l'on regarde le point d'assez près, la courbe ressemble beaucoup à une droite. La figure 2.7.2 illustre cette situation pour la courbe $y = x^2$ de l'exemple 2.7.1. Plus on agrandit la région du point, plus la parabole ressemble à une droite. Autrement dit, la courbe tend à se confondre avec sa tangente à proximité du point.

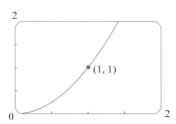

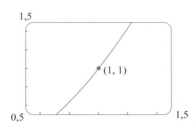

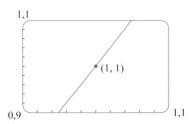

2.7.2 ▸ **FIGURE** Zoom au point $(1, 1)$ de la parabole $y = x^2$.

Il existe une autre expression de la pente d'une tangente, qui peut s'avérer plus facile à utiliser. Si $h = x - a$, alors $x = a + h$, et la pente de la sécante PQ est

$$m_{PQ} = \frac{f(a+h) - f(a)}{h}$$

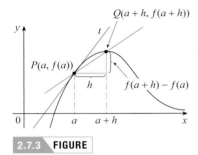

2.7.3 ▸ **FIGURE**

(*voir la figure 2.7.3* pour une illustration du cas où $h > 0$ et Q se trouve à la droite de P. Dans le cas où $h < 0$, cependant, Q serait à gauche de P).

On remarque que, lorsque x tend vers a, h s'approche de 0 (parce que $h = x - a$); ainsi, l'expression de la pente de la tangente, dans la définition **2.7.1**, devient

2.7.2	$m = \lim\limits_{h \to 0} \dfrac{f(a+h) - f(a)}{h}.$

Exemple **2.7.2** Trouvons une équation de la tangente à l'hyperbole $y = 3/x$ au point $(3, 1)$.

Solution Soit $f(x) = 3/x$. Alors, la pente de la tangente en $(3, 1)$ est

$$m = \lim_{h \to 0} \frac{f(3+h) - f(3)}{h}$$

$$= \lim_{h \to 0} \frac{\dfrac{3}{3+h} - 1}{h} = \lim_{h \to 0} \frac{\dfrac{3 - (3+h)}{3+h}}{h}$$

$$= \lim_{h \to 0} \frac{-h}{h(3+h)} = \lim_{h \to 0} \frac{-1}{3+h} = -\frac{1}{3}.$$

Par conséquent, une équation de la tangente au point $(3, 1)$ est

$$y - 1 = -\tfrac{1}{3}(x - 3),$$

qui se simplifie comme suit:

$$x + 3y - 6 = 0.$$

La figure 2.7.4 montre l'hyperbole et sa tangente.

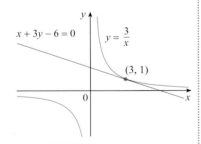

2.7.4 ▸ **FIGURE**

▸ Les vitesses

Dans la section 2.1, on étudie le mouvement d'une balle lâchée de la Tour CN et on définit la vitesse de l'objet comme la valeur limite des vitesses moyennes mesurées sur des intervalles de temps de plus en plus courts.

De manière générale, on suppose qu'un objet se déplace en ligne droite selon une équation du mouvement $s = f(t)$, où s est la distance orientée séparant l'objet de l'origine après t secondes. La fonction f qui décrit le mouvement est la **fonction position** de l'objet. Dans l'intervalle allant de $t = a$ à $t = a + h$, la variation de la position est

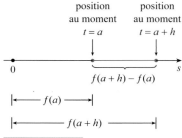

2.7.5 FIGURE

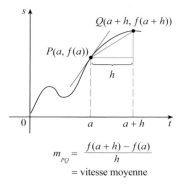

$$m_{PQ} = \frac{f(a+h) - f(a)}{h}$$
$$= \text{vitesse moyenne}$$

2.7.6 FIGURE

Rappel (section 2.1) : La distance parcourue (en mètres) après t secondes est $4,9t^2$.

$f(a + h) - f(a)$ (*voir la figure 2.7.5*). La vitesse moyenne durant cet intervalle est donnée par

$$\text{vitesse moyenne} = \frac{\text{déplacement}}{\text{temps écoulé}}$$
$$= \frac{f(a+h) - f(a)}{h},$$

qui est égale à la pente de la sécante PQ de la figure 2.7.6.

On suppose maintenant que l'on calcule les vitesses moyennes sur des intervalles de plus en plus courts $[a, a + h]$. Autrement dit, h tend vers 0. Comme dans l'exemple de la balle en chute, on définit la **vitesse** (ou **vitesse instantanée**) $v(a)$ à l'instant $t = a$ comme la limite de ces vitesses moyennes :

2.7.3	$v(a) = \lim\limits_{h \to 0} \dfrac{f(a+h) - f(a)}{h}.$

Cela signifie que la vitesse à l'instant $t = a$ est égale à la pente de la tangente en P (ce que confirme la comparaison des équations **2.7.2** et **2.7.3**).

Maintenant qu'on sait calculer les limites, on peut retourner au problème de la balle en chute libre.

Exemple 2.7.3 Supposons qu'on laisse tomber une balle de l'observatoire supérieur de la Tour CN, situé à 450 m au-dessus du sol.

a) Quelle est la vitesse de la balle après 5 secondes ?

b) Quelle est la vitesse de la balle au moment de son impact avec le sol ?

Solution Comme on doit trouver la vitesse au moment où $t = 5$ et au moment où la balle touche le sol, il est plus commode de trouver d'abord la vitesse à un moment quelconque $t = a$. À l'aide de l'équation du mouvement $s = f(t) = 4,9t^2$, on obtient

$$v(a) = \lim_{h \to 0} \frac{f(a+h) - f(a)}{h} = \lim_{h \to 0} \frac{4,9(a+h)^2 - 4,9a^2}{h}$$
$$= \lim_{h \to 0} \frac{4,9(a^2 + 2ah + h^2 - a^2)}{h} = \lim_{h \to 0} \frac{4,9(2ah + h^2)}{h}$$
$$= \lim_{h \to 0} 4,9(2a + h) = 9,8a.$$

a) La vitesse après 5 secondes est $v(5) = (9,8)(5) = 49$ m/s.

b) Comme l'observatoire supérieur est situé à 450 m au-dessus du sol, la balle touchera le sol à l'instant t_1 tel que $s(t_1) = 450$, soit

$$4,9t_1^2 = 450,$$

ce qui donne

$$t_1^2 = \frac{450}{4,9} \quad \text{et} \quad t_1 = \sqrt{\frac{450}{4,9}} \approx 9,6 \text{ s.}$$

Par conséquent, la vitesse de la balle au moment de l'impact est

$$v(t_1) = 9,8t_1 = 9,8\sqrt{\frac{450}{4,9}} \approx 94 \text{ m/s.}$$

▶ Les dérivées

Comme on l'a vu, que l'on cherche la pente d'une tangente (équation **2.7.2**) ou la vitesse d'un objet (équation **2.7.3**), on a affaire au même type de limite. En effet, les limites de la forme

$$\lim_{h \to 0} \frac{f(a+h) - f(a)}{h}$$

interviennent dans le calcul de tous les taux de variation utilisés en science, qu'il s'agisse de la vitesse de réaction en chimie ou du coût marginal en économie. Ce type de limite est tellement répandu qu'on le désigne par un nom particulier et une notation spécifique.

$f'(a)$ se lit «f prime de a».

2.7.4	**Définition**

La **dérivée d'une fonction f en un nombre a**, notée $f'(a)$, est

$$f'(a) = \lim_{h \to 0} \frac{f(a+h) - f(a)}{h}$$

si cette limite existe.

Si l'on écrit $x = a + h$, alors on a $h = x - a$ et h tend vers 0 si et seulement si x tend vers a. Il existe donc une autre façon de définir la dérivée, selon une forme qu'on a vue dans la recherche des tangentes, à savoir

2.7.5	$f'(a) = \lim_{x \to a} \dfrac{f(x) - f(a)}{x - a}.$

Exemple **2.7.4** Trouvons la dérivée de la fonction $f(x) = x^2 - 8x + 9$ en a.

Solution   En appliquant la définition **2.7.4**, on obtient

$$\begin{aligned}
f'(a) &= \lim_{h \to 0} \frac{f(a+h) - f(a)}{h} \\
&= \lim_{h \to 0} \frac{[(a+h)^2 - 8(a+h) + 9] - [a^2 - 8a + 9]}{h} \\
&= \lim_{h \to 0} \frac{a^2 + 2ah + h^2 - 8a - 8h + 9 - a^2 + 8a - 9}{h} \\
&= \lim_{h \to 0} \frac{2ah + h^2 - 8h}{h} = \lim_{h \to 0} (2a + h - 8) \\
&= 2a - 8.
\end{aligned}$$

Les concepts suivants sont équivalents :
1. La pente de la droite tangente à la courbe de f en $x = a$
2. La pente de la courbe de f en $x = a$
3. Le taux de variation instantané de $y = f(x)$ par rapport à x en $x = a$
4. Le taux d'accroissement de f en un nombre a
5. Le nombre dérivé en un point a de la fonction f
6. La dérivée de f en un nombre a
7. La vitesse d'un objet à la position $f(t)$ en $t = a$

On a défini la tangente à la courbe $y = f(x)$ au point $P(a, f(a))$ comme la droite qui passe par P et dont la pente m est donnée par l'équation **2.7.1** ou l'équation **2.7.2**. Puisque, selon la définition **2.7.4**, cette pente est égale à la dérivée $f'(a)$, on peut affirmer ce qui suit.

La tangente à $y = f(x)$ en $(a, f(a))$ est la droite passant par $(a, f(a))$ dont la pente est égale à $f'(a)$, la dérivée de f en a.

Au moyen de la forme canonique de l'équation d'une droite, on peut écrire une équation de la tangente à la courbe $y = f(x)$ au point $(a, f(a))$:

$$y = f'(a)(x - a) + f(a).$$

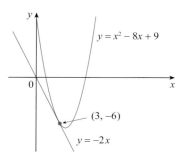

Exemple 2.7.5 Trouvons une équation de la tangente à la parabole $y = x^2 - 8x + 9$ au point $(3, -6)$.

Solution Suivant l'exemple 2.7.4, on sait que la dérivée de $f(x) = x^2 - 8x + 9$ en a est $f'(a) = 2a - 8$. Ainsi, la pente de la tangente en $(3, -6)$ est $f'(3) = 2(3) - 8 = -2$. Une équation de la tangente (montrée dans la figure 2.7.7) est donc

$$y = (-2)(x - 3) + (-6) \qquad \text{ou} \qquad y = -2x.$$

▶ **Les taux de variation**

On pose une quantité y dépendant d'une autre quantité, x. Donc, y est une fonction de x, et on écrit $y = f(x)$. Lorsque x varie de x_1 à x_2, la **variation en x** (aussi appelée « incrément de x ») est donnée par

$$\Delta x = x_2 - x_1$$

et la variation correspondante en y est

$$\Delta y = f(x_2) - f(x_1).$$

Le quotient des différences

$$\frac{\Delta y}{\Delta x} = \frac{f(x_2) - f(x_1)}{x_2 - x_1}$$

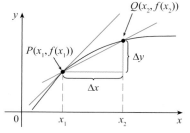

taux de variation moyen $= m_{PQ}$

taux de variation instantané =
pente de la tangente en P

s'appelle **taux de variation moyen de y par rapport à x** sur l'intervalle $[x_1, x_2]$, et on peut le considérer comme la pente de la sécante PQ dans la figure 2.7.8.

Par analogie avec la vitesse, on considère le taux de variation moyen sur des intervalles de plus en plus petits en rapprochant x_2 de x_1, ce qui fait tendre Δx vers 0. La limite des taux de variation moyens obtenus, appelée **taux de variation instantané de y par rapport à x** en $x = x_1$, est considérée comme la pente de la tangente à la courbe $y = f(x)$ au point $P(x_1, f(x_1))$:

2.7.6	taux de variation instantané $= \displaystyle\lim_{\Delta x \to 0} \frac{\Delta y}{\Delta x} = \lim_{x_2 \to x_1} \frac{f(x_2) - f(x_1)}{x_2 - x_1}.$

On reconnaît en cette limite la dérivée $f'(x_1)$.

À l'interprétation qu'on a déjà de la dérivée $f'(a)$, à savoir la pente de la tangente à la courbe $y = f(x)$ pour $x = a$, s'en ajoute une seconde :

> La dérivée $f'(a)$ est le taux de variation instantané de $y = f(x)$ par rapport à x quand $x = a$.

Voici comment on relie la seconde interprétation à la première : on esquisse la courbe $y = f(x)$ et on observe que le taux de variation instantané est la pente de la tangente à cette courbe au point où $x = a$. Cela signifie que, lorsque la valeur de la dérivée est grande (et que, par conséquent, la courbe est fortement inclinée, comme au point P dans la figure 2.7.9), les valeurs de y changent rapidement. Lorsque la valeur de la dérivée est petite, la courbe est presque horizontale (comme au point Q), et les valeurs de y changent lentement.

Dans le cas particulier où $s = f(t)$ est la fonction position d'une particule se déplaçant en ligne droite, $f'(a)$ représente le taux de variation de la position s par rapport au moment t. En d'autres termes, $f'(a)$ est la vitesse de la particule au moment $t = a$.

L'exemple suivant examine la signification de la dérivée d'une fonction définie verbalement.

Les valeurs de y changent rapidement en P et lentement en Q.

Exemple **2.7.6**   Une usine fabrique des rouleaux de tissu de largeur fixe. Le coût de production de x mètres de ce tissu est $C = f(x)$ dollars.

a) Que signifie la dérivée $f'(x)$? Dans quelles unités s'exprime-t-elle?

b) Dans la pratique, qu'entend-on par $f'(1000) = 9$?

c) Quel est le nombre le plus grand: $f'(50)$ ou $f'(500)$? Qu'en est-il de $f'(5000)$?

Solution

a) La dérivée $f'(x)$ est le taux de variation instantané de C par rapport à x; c'est donc dire que $f'(x)$ est le taux de variation du coût de production par rapport au nombre de mètres fabriqués. (Pour les économistes, ce taux de variation s'appelle **coût marginal**. Les sections 3.7 et 4.4 examinent cette notion de plus près.)

Comme

$$f'(x) = \lim_{\Delta x \to 0} \frac{\Delta C}{\Delta x},$$

les unités dans lesquelles s'exprime $f'(x)$ sont les mêmes que celles du quotient des différences $\Delta C / \Delta x$. Puisque ΔC est en dollars et Δx, en mètres, les unités de $f'(x)$ sont des dollars par mètre.

On suppose ici que la fonction coût se comporte bien, c'est-à-dire que $C(x)$ ne fluctue pas rapidement près de $x = 1000$.

b) L'énoncé $f'(1000) = 9$ signifie que, après la fabrication de 1000 m de tissu, le coût de production augmente au taux de 9 \$/m.

Comme $\Delta x = 1$ est petit par rapport à $x = 1000$, on peut utiliser l'approximation

$$f'(1000) \approx \frac{\Delta C}{\Delta x} = \frac{\Delta C}{1} = \Delta C$$

et dire que le coût de fabrication du 1000e mètre (ou du 1001e) est d'environ 9 \$.

c) Le taux d'accroissement du coût de production (par mètre) est probablement plus petit pour $x = 500$ que pour $x = 50$ (la fabrication du 500e mètre coûte moins cher que celle du 50e), en raison des économies d'échelle. (L'usine rentabilise mieux ses coûts de production fixes.) Donc,

$$f'(50) > f'(500).$$

Toutefois, à mesure que la production croît, l'activité à grande échelle peut devenir inefficace et entraîner des dépenses en heures supplémentaires. Il est donc possible que le taux d'accroissement des coûts finisse par augmenter. Ainsi, il se peut que

$$f'(5000) > f'(500).$$

Dans l'exemple suivant, on estime le taux de variation de la dette nationale par rapport au temps. Dans cette situation, la fonction est définie par une table de valeurs plutôt que par une formule.

t	$D(t)$
1960	112,5
1970	118,2
1980	227,7
1990	550,7
2000	603,3
2010	551,4

Exemple **2.7.7**   Soit $D(t)$, la dette nationale du Canada au temps t en dollars constants. Le tableau ci-contre donne des valeurs approximatives de cette fonction, établies en fin d'exercice pour les années 1960 à 2010, et exprimées en milliards de dollars. Interprétez et estimez la valeur de $D'(1990)$.

Solution   La dérivée $D'(1990)$ représente le taux de variation de D par rapport à t quand $t = 1990$, soit le taux d'accroissement de la dette nationale en 1990.

Selon l'égalité **2.7.5**,

$$D'(1990) = \lim_{t \to 1990} \frac{D(t) - D(1990)}{t - 1990}.$$

On calcule donc les valeurs du quotient des différences (les taux de variation moyens).

t	$\dfrac{D(t) - D(1990)}{t - 1990}$
1960	14,6
1970	21,6
1980	32,3
2000	5,26
2010	0,04

Ce tableau indique que $D'(1990)$ se situe quelque part entre 32,3 milliards et 5,26 milliards de dollars par année. (On suppose ici que la dette n'a pas connu de grandes fluctuations entre 1980 et 2000.) On estime donc que le taux d'accroissement de la dette nationale canadienne en 1990 était la moyenne de ces deux nombres, soit

$$D'(1990) \approx 18,8 \text{ milliards de dollars par année.}$$

Comme autre méthode, on pourrait tracer la fonction dette dans un système d'axes et estimer la pente de la tangente quand $t = 1990$.

Au sujet des unités

On exprime le taux de variation moyen $\Delta D / \Delta t$ en unités de ΔD divisées par les unités de Δt, soit en milliards de dollars par année. Le taux de variation instantané étant la limite des taux de variation moyens, ses unités de mesure sont les mêmes : des milliards de dollars par année.

Dans les exemples 2.7.3, 2.7.6 et 2.7.7, on peut voir trois situations dans lesquelles interviennent des taux de variation : la vitesse d'un objet est le taux de variation de la position par rapport au temps ; le coût marginal est le taux de variation de la production par rapport au nombre d'unités fabriquées ; le taux de variation de la dette par rapport au temps est un phénomène qui captive les économistes. Voici quelques exemples de plus : En physique, le taux de variation du travail par rapport au temps s'appelle **puissance**. Devant une réaction entre substances, le chimiste veut connaître le taux de variation de la concentration du réactant (appelé **taux de réaction**) par rapport au temps. Le biologiste s'intéresse au taux de variation d'une colonie de bactéries par rapport au temps. En somme, le calcul des taux de variation joue un rôle important dans toutes les sciences naturelles et humaines de même qu'en ingénierie. D'autres exemples sont donnés dans la section 3.7.

Tous ces taux de variation sont des dérivées et peuvent donc être considérés comme des pentes de tangentes. Cette caractéristique donne encore plus de poids à la solution du problème de la tangente. Lorsqu'on résout un problème où interviennent des tangentes, on ne fait pas que résoudre un problème de géométrie ; on résout du coup tout un éventail de problèmes scientifiques et techniques comportant des taux de variation.

Exercices 2.7

1. Soit une courbe d'équation $y = f(x)$.
   a) Écrivez une expression de la pente de la sécante passant par les points $P(3, f(3))$ et $Q(x, f(x))$.
   b) Écrivez une expression de la pente de la tangente en P.

 2. Tracez la courbe $y = e^x$ dans les fenêtres $[-1, 1]$ sur $[0, 2]$, $[-0,5\,;\,0,5]$ sur $[0,5\,;\,1,5]$ et $[-0,1\,;\,0,1]$ sur $[0,9\,;\,1,1]$. Que remarquez-vous au sujet de la courbe lorsque vous zoomez vers l'avant sur la région du point $(0, 1)$?

3. a) Trouvez la pente de la tangente à la parabole $y = 4x - x^2$ en $(1, 3)$
   i) à l'aide de la définition **2.7.1** ;
   ii) à l'aide de la définition **2.7.2**.
   b) Trouvez une équation de la tangente en a).
   c) Tracez la parabole et la tangente. Pour vérifier votre travail, zoomez vers l'avant sur la région du point $(1, 3)$ jusqu'à ce que la parabole et la tangente se confondent.

4. a) Trouvez la pente de la tangente à la courbe $y = x - x^3$ en $(1, 0)$
   i) à l'aide de la définition **2.7.1** ;
   ii) à l'aide de la définition **2.7.2**.
   b) Trouvez une équation de la tangente en a).
   c) Tracez la courbe et la tangente dans des fenêtres de plus en plus petites de centre $(1, 0)$ jusqu'à ce que la courbe et la droite semblent ne faire plus qu'une.

5-8 Trouvez une équation de la tangente à la courbe au point donné.

5. $y = 4x - 3x^2$, $(2, -4)$ **6.** $y = x^3 - 3x + 1$, $(2, 3)$

7. $y = \sqrt{x}$, $(1, 1)$ **8.** $y = \dfrac{2x+1}{x+2}$, $(1, 1)$

9. a) Trouvez la pente de la tangente à la courbe $y = 3 + 4x^2 - 2x^3$ au point où $x = a$.
   b) Trouvez les équations des tangentes aux points $(1, 5)$ et $(2, 3)$.
   c) Tracez la courbe et les deux tangentes sur le même écran.

10. a) Trouvez la pente de la tangente à la courbe $y = 1/\sqrt{x}$ au point où $x = a$.
   b) Trouvez les équations des tangentes aux points $(1, 1)$ et $(4, \frac{1}{2})$.
   c) Tracez la courbe et les deux tangentes sur le même écran.

11. a) Au départ, une particule se déplace horizontalement vers la droite ; le graphique de sa fonction position est donné en b). Quand la particule se déplace-t-elle vers la droite ? Quand se déplace-t-elle vers la gauche ? Quand est-elle immobile ?
   b) Dessinez le graphique de la fonction vitesse.

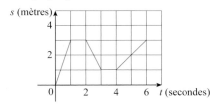

12. La figure montre les graphiques des fonctions position de deux coureurs à pied, A et B, qui s'affrontent dans une course de 100 m et finissent à égalité.

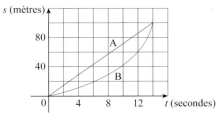

   a) Décrivez et comparez les courses respectives des deux athlètes.
   b) À quel moment la distance entre les coureurs est-elle la plus grande ?
   c) À quel moment les coureurs ont-ils la même vitesse ?

13. Une balle qu'on lance dans les airs à la vitesse de 12 m/s atteint, après t secondes, la hauteur (en mètres) donnée par $y = 12t - 5t^2$. Trouvez la vitesse de la balle quand $t = 2$.

14. Sur Mars, une roche qu'on lance vers le haut à la vitesse de 10 m/s atteint, après t secondes, la hauteur (en mètres) donnée par $H = 10t - 1{,}86t^2$.
   a) Trouvez la vitesse de la roche après une seconde.
   b) Trouvez la vitesse de la roche quand $t = a$.
   c) À quel moment la roche touchera-t-elle le sol de Mars ?
   d) À quelle vitesse la roche touchera-t-elle le sol ?

15. La distance parcourue (en mètres) par une particule en déplacement rectiligne est donnée par l'équation du mouvement $s = 1/t^2$, où t est mesuré en secondes. Trouvez la vitesse de la particule aux instants $t = a$, $t = 1$, $t = 2$ et $t = 3$.

16. La position (en mètres) d'une particule en déplacement rectiligne est donnée par

$$s = t^2 - 8t + 18,$$

où t est mesuré en secondes.
   a) Trouvez la vitesse moyenne sur chacun des intervalles suivants.
   i) $[3, 4]$
   ii) $[3{,}5 ; 4]$
   iii) $[4, 5]$
   iv) $[4 ; 4{,}5]$
   b) Trouvez la vitesse instantanée quand $t = 4$.
   c) Dessinez le graphique de s en fonction de t. Tracez les sécantes dont les pentes correspondent aux vitesses moyennes trouvées en a) et la tangente dont la pente représente la vitesse instantanée calculée en b).

17. Pour la fonction g dont le graphique est donné, placez les nombres suivants par ordre croissant et expliquez votre raisonnement.

$$0 \qquad g'(-2) \qquad g'(0) \qquad g'(2) \qquad g'(4)$$

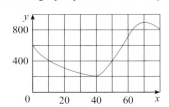

18. La figure montre le graphique de la fonction f.

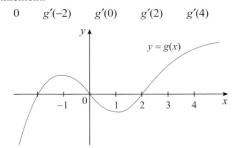

   a) Trouvez le taux de variation moyen de f dans l'intervalle $[20, 60]$.
   b) Dans quel intervalle le taux de variation moyen de f est-il 0 ?
   c) Sur quel intervalle le taux de variation moyen est-il le plus grand : $[40, 60]$ ou $[40, 70]$?
   d) Calculez $\dfrac{f(40) - f(10)}{40 - 10}$. Quelle est l'interprétation géométrique de cette valeur ?

19. Soit la fonction f représentée dans l'exercice 18.
   a) Quelle est la valeur de $f'(50)$?
   b) Est-ce que $f'(10) > f'(30)$?
   c) Est-ce que $f'(60) > \dfrac{f(80) - f(40)}{80 - 40}$?

20. Trouvez une équation de la tangente à la courbe de $y = g(x)$ en $x = 5$ quand $g(5) = -3$ et $g'(5) = 4$.

21. Soit $y = 4x - 5$, une équation de la tangente à la courbe $y = f(x)$ au point où $a = 2$. Trouvez $f(2)$ et $f'(2)$.

22. Soit la tangente à $y = f(x)$ en $(4, 3)$ passant par le point $(0, 2)$. Trouvez $f(4)$ et $f'(4)$.

23. Esquissez le graphique d'une fonction f telle que $f(0) = 0$, $f'(0) = 3$, $f'(1) = 0$ et $f'(2) = -1$.

24. Esquissez le graphique d'une fonction g telle que
$g(0) = g(2) = g(4) = 0$, $g'(1) = g'(3) = 0$, $g'(0) = g'(4) = 1$,
$g'(2) = -1$, $\lim\limits_{x \to \infty} g(x) = \infty$ et $\lim\limits_{x \to -\infty} g(x) = -\infty$.

25. Soit
$$f(x) = 3x^2 - x^3.$$
Après avoir trouvé $f'(1)$, utilisez-la pour déterminer une équation de la tangente à la courbe $y = 3x^2 - x^3$ au point $(1, 2)$.

26. Soit
$$g(x) = x^4 - 2.$$
Après avoir trouvé $g'(1)$, utilisez-la pour déterminer une équation de la tangente à la courbe $y = x^4 - 2$ au point $(1, -1)$.

27. Esquissez le graphique d'une fonction g continue dans le domaine $]{-}5, 5[$ telle que $g(0) = 1$, $g'(0) = 1$, $g'(-2) = 0$, $\lim\limits_{x \to -5^+} g(x) = \infty$ et $\lim\limits_{x \to 5^-} g(x) = 3$.

28. Esquissez le graphique d'une fonction f dont le domaine est $]{-}2, 2[$ telle que $f'(0) = -2$, $\lim\limits_{x \to 2^-} f(x) = \infty$, f étant continue pour tous les nombres de ce domaine à l'exception de ± 1, et f étant impaire.

29. a) Soit $F(x) = 5x/(1 + x^2)$. Après avoir trouvé $F'(2)$, utilisez-la pour déterminer une équation de la tangente à la courbe $y = 5x/(1 + x^2)$ au point $(2, 2)$.
   b) Pour illustrer la partie a), tracez la courbe et sa tangente sur le même écran.

30. a) Soit $G(x) = 4x^2 - x^3$. Après avoir trouvé $G'(a)$, utilisez-la pour déterminer des équations des tangentes à la courbe $y = 4x^2 - x^3$ aux points $(2, 8)$ et $(3, 9)$.
   b) Pour illustrer la partie a), tracez la courbe et ses tangentes sur un même écran.

31-36 Trouvez $f'(a)$.

31. $f(x) = 3x^2 - 4x + 1$ **32.** $f(t) = 2t^3 + t$

33. $f(t) = \dfrac{2t + 1}{t + 3}$ **34.** $f(x) = x^{-2}$

35. $f(x) = \sqrt{1 - 2x}$ **36.** $f(x) = \dfrac{4}{\sqrt{1 - x}}$

37-44 Chacune des limites données représente la dérivée d'une certaine fonction f à un certain nombre a. Déterminez f et a dans chaque cas.

37. $\lim\limits_{h \to 0} \dfrac{\sqrt{9 + h} - 3}{h}$ **38.** $\lim\limits_{x \to 1/4} \dfrac{\dfrac{1}{x} - 4}{x - 1/4}$

39. $\lim\limits_{h \to 0} \dfrac{(1 + h)^{10} - 1}{h}$ **40.** $\lim\limits_{h \to 0} \dfrac{\sqrt[4]{16 + h} - 2}{h}$

41. $\lim\limits_{x \to 5} \dfrac{2^x - 32}{x - 5}$ **▲ 42.** $\lim\limits_{x \to \pi/4} \dfrac{\tan x - 1}{x - \pi/4}$

▲ 43. $\lim\limits_{h \to 0} \dfrac{\cos(\pi + h) + 1}{h}$ **44.** $\lim\limits_{t \to 1} \dfrac{t^4 + t - 2}{t - 1}$

45-46 Une particule se déplace en ligne droite suivant l'équation du mouvement $s = f(t)$, où s est mesuré en mètres et t, en secondes. Trouvez la vitesse instantanée si $t = 5$.

45. $f(t) = 100 + 50t - 4{,}9t^2$ **46.** $f(t) = t^{-1} - t$

47. On met une cannette de boisson gazeuse tiède dans un réfrigérateur froid. Esquissez le graphique de la température de la boisson en fonction du temps. Le taux de variation initial de la température est-il supérieur ou inférieur au taux de variation après une heure?

48. Une dinde rôtie est sortie du four lorsque sa température atteint 85 °C, et déposée sur la table dans une pièce où il fait 25 °C. Le graphique représente la baisse de température graduelle de la dinde, qui finit par approcher la température ambiante. Après avoir mesuré la pente de la tangente, estimez le taux de variation de la température après une heure.

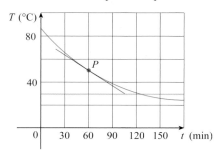

49. Des chercheurs ont mesuré la concentration d'alcool dans le sang (CAS) de huit sujets adultes masculins après l'ingestion rapide de 30 mL d'éthanol, ce qui correspond à deux consommations alcoolisées standard. Les mesures ont été prises une heure après l'ingestion, puis toutes les demi-heures. Le tableau suivant donne la moyenne des données recueillies.

t (heures)	$C(t)$ (mg/mL)
1,0	0,33
1,5	0,24
2,0	0,18
2,5	0,12
3,0	0,07

Source: Adaptation de P. Wilkinson et coll., «Pharmacokinetics of ethanol after oral administration in the fasting state», *Journal of Pharmacokinetics and Biopharmaceutics*, nº 5, 1977, p. 207–224.

   a) Trouvez le taux de variation moyen de C en fonction du temps (t) pour chaque intervalle de temps et spécifiez les unités de mesure de ces résultats.
   i) $[1{,}0 \,; 2{,}0]$ ii) $[1{,}5 \,; 2{,}0]$
   iii) $[2{,}0 \,; 2{,}5]$ iv) $[2{,}0 \,; 3{,}0]$
   b) Évaluez le taux de variation instantané lorsque $t = 2$ et interprétez votre résultat. Quelles en sont les unités de mesure?

50. Le tableau suivant donne le nombre N d'établissements d'une grande chaîne de cafés. (Les données représentent les établissements au 1er octobre.)

Année	2004	2006	2008	2010	2012
N	8569	12 440	16 680	16 858	18 066

a) Trouvez le taux de croissance moyen de N
   i) de 2006 à 2008 ;
   ii) de 2008 à 2010.
   Dans chaque cas, indiquez les unités. Quelle conclusion tirez-vous de ces résultats ?

b) Estimez le taux de croissance instantané en 2010 d'après la moyenne de deux taux de variation moyens. Quelles sont les unités ?

c) Estimez le taux de croissance instantané en 2010 d'après la pente d'une tangente.

51. Le coût (en dollars) de fabrication de x unités d'un certain bien est donné par

$$C(x) = 5000 + 10x + 0{,}05x^2.$$

a) Trouvez le taux de variation moyen de C par rapport à x quand le niveau de production passe
   i) de $x = 100$ à $x = 105$;
   ii) de $x = 100$ à $x = 101$.

b) Trouvez le taux de variation instantané de C par rapport à x quand $x = 100$. (Ce taux porte le nom de **coût marginal**, dont l'importance est expliquée dans la section 3.7.)

52. Une citerne contient 400 000 L d'eau et se vide par le fond en une heure. Selon la formule de Torricelli, le volume V d'eau qu'il reste dans la citerne après t minutes est

$$V(t) = 400\,000\left(1 - \tfrac{1}{60}t\right)^2, \quad 0 \le t \le 60.$$

a) Trouvez la vitesse à laquelle l'eau s'écoule de la citerne (le taux de variation instantané de V par rapport à t) en fonction de t. En quelles unités l'exprime-t-on ?

b) Calculez le taux d'écoulement de l'eau et la quantité d'eau restante aux instants $t = 0$, 10, 20, 30, 40, 50 et 60 min. Résumez vos résultats en une ou deux phrases. À quel moment le taux d'écoulement est-il le plus fort ? À quel moment est-il le plus faible ?

53. Le coût de production de x onces d'or extrait d'une nouvelle mine est donné par $C = f(x)$ dollars.

a) Que signifie la dérivée $f'(x)$? En quelles unités s'exprime-t-elle ?

b) Que signifie l'égalité $f'(800) = 17$?

c) À votre avis, les valeurs de $f'(x)$ vont-elles croître ou décroître à court terme ? Que feront-elles à long terme ? Expliquez vos réponses.

54. Dans le cadre d'une expérience contrôlée, le nombre de bactéries après t heures est donné par $n = f(t)$.

a) Que signifie la dérivée $f'(5)$? En quelles unités s'exprime-t-elle ?

b) Supposons que les bactéries ne sont limitées ni par l'espace ni par la quantité de nourriture. Quel nombre est le plus grand : $f'(5)$ ou $f'(10)$? Votre réponse changerait-elle si la quantité de nourriture était limitée ? Expliquez vos réponses.

55. Soit $T(t)$, la température (en degrés Celcius) à Sainte-Foy, t heures après minuit, le 19 novembre 2011. Le tableau ci-dessous donne les valeurs de cette fonction, consignées toutes les deux heures. Que signifie $T'(10)$? Estimez sa valeur.

t	0	2	4	6	8	10	12	14
T	0,3	1,2	1,4	1,4	1,5	4,5	6,1	6,9

56. La quantité (en kilogrammes) d'un café fin qu'un torréfacteur vend au prix de p dollars le kilogramme est donnée par $Q = f(p)$.

a) Que signifie la dérivée $f'(3)$? En quelles unités s'exprime-t-elle ?

b) Est-ce que $f'(3)$ est positive ou négative ? Expliquez votre réponse.

57. La quantité d'oxygène qui peut se dissoudre dans l'eau dépend de la température de l'eau. (La pollution thermique influence donc la teneur en oxygène de l'eau.) La figure ci-dessous montre la façon dont la solubilité S de l'oxygène varie en fonction de la température T de l'eau.

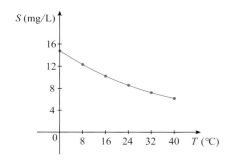

a) Que signifie la dérivée $S'(T)$? En quelles unités s'exprime-t-elle ?

b) Estimez la valeur de $S'(16)$ et interprétez-la.

58. Le graphique ci-dessous représente l'influence de la température T sur la vitesse maximale de nage S du saumon coho.

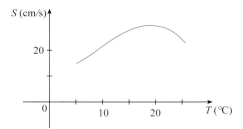

a) Que signifie la dérivée $S'(T)$? En quelles unités s'exprime-t-elle ?

b) Estimez et interprétez les valeurs de $S'(15)$ et de $S'(25)$.

59-60 Déterminez si $f'(0)$ existe.

▲ **59.** $f(x) = \begin{cases} x\sin\dfrac{1}{x} & \text{si} \quad x \ne 0 \\ 0 & \text{si} \quad x = 0 \end{cases}$

▲ **60.** $f(x) = \begin{cases} x^2\sin\dfrac{1}{x} & \text{si} \quad x \ne 0 \\ 0 & \text{si} \quad x = 0 \end{cases}$

2.8 La dérivée comme fonction

Dans la section précédente, on considère la dérivée d'une fonction f à un nombre fixe a :

2.8.1
$$f'(a) = \lim_{h \to 0} \frac{f(a+h) - f(a)}{h}.$$

On change maintenant de point de vue pour considérer le nombre a comme une variable. En remplaçant a, dans l'égalité **2.8.1**, par une variable x, on obtient la définition suivante.

2.8.2 | **Définition de la fonction dérivée**

La fonction dérivée de f par rapport à la variable x est la fonction f' définie par

$$f'(x) = \lim_{h \to 0} \frac{f(x+h) - f(x)}{h}$$

pour tout x où la limite existe.

À tout nombre x pour lequel cette limite existe, on attribue le nombre $f'(x)$. On peut alors considérer f' comme une nouvelle fonction appelée **dérivée de** f et définie par l'égalité **2.8.2**. On sait que, géométriquement, la valeur de f' en x, $f'(x)$, représente la pente de la tangente à la courbe de f au point $(x, f(x))$.

On appelle la fonction f' « dérivée de f » parce qu'elle a été « dérivée » de f par l'opération de limite présente dans l'égalité **2.8.2**. Le domaine de f' est l'ensemble

$$\left\{ x \in \mathbb{R} \,\middle|\, f'(x) \text{ existe} \right\}.$$

Le domaine de f' peut être le même que celui de f ou être un sous-ensemble strict de celui-ci.

Exemple 2.8.1 À partir du graphique de f donné dans la figure 2.8.1, traçons le graphique de la dérivée f'.

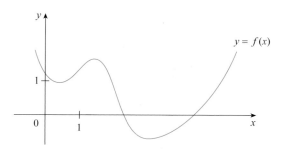

2.8.1 FIGURE

Solution On peut estimer la valeur de la dérivée à n'importe quelle valeur de x en traçant la tangente au point $(x, f(x))$ et en estimant sa pente. Prenant $x = 5$, par exemple, on trace la tangente en P (*voir la figure 2.8.2 a*) et on estime sa pente à environ $\frac{3}{2}$, de sorte que $f'(5) \approx 1,5$. On peut alors tracer le point P' (5 ; 1,5) du graphique de f'. La répétition du procédé pour plusieurs points finit par donner le graphique montré dans la figure 2.8.2 b). On remarque que les tangentes, en A, B et C, sont horizontales ; la dérivée y est donc nulle, et le graphique de f' traverse l'axe des x aux points de mêmes abscisses A', B' et C'. Entre A et B, les tangentes ont une pente positive, de sorte que $f'(x)$ y est positive. Entre B et C, par contre, les tangentes ont une pente négative, et $f'(x)$ y est négative.

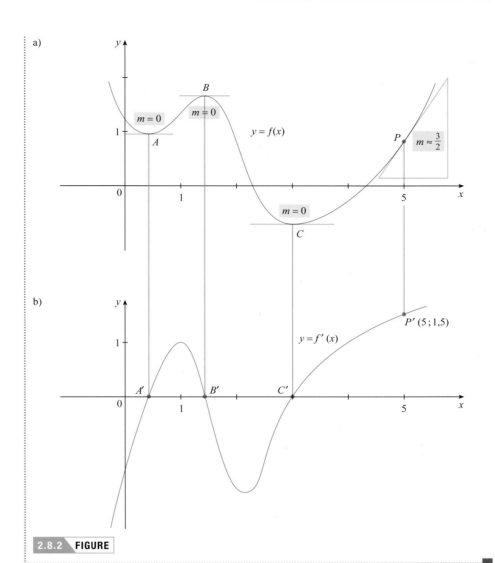

a)

b)

2.8.2 **FIGURE**

Exemple 2.8.2

a) Soit $f(x) = x^3 - x$. Trouvons une formule pour $f'(x)$.

b) Illustrons la réponse en comparant les graphiques de f et de f'.

Solution

a) Lorsqu'on utilise l'égalité **2.8.2** pour calculer la dérivée, on doit se rappeler que h est la variable et que, le temps du calcul de la limite, x est considéré comme une constante :

$$f'(x) = \lim_{h \to 0} \frac{f(x+h) - f(x)}{h} = \lim_{h \to 0} \frac{[(x+h)^3 - (x+h)] - [x^3 - x]}{h}$$

$$= \lim_{h \to 0} \frac{x^3 + 3x^2h + 3xh^2 + h^3 - x - h - x^3 + x}{h}$$

$$= \lim_{h \to 0} \frac{3x^2h + 3xh^2 + h^3 - h}{h}$$

$$= \lim_{h \to 0} (3x^2 + 3xh + h^2 - 1) = 3x^2 - 1.$$

b) Un outil graphique permet de tracer f et f' (*voir la figure 2.8.3*). On remarque que $f'(x) = 0$ là où les tangentes à la courbe de f sont horizontales et que $f'(x)$ est positive là où la pente des tangentes est positive. Ainsi, ces graphiques permettent une certaine validation du calcul effectué en a).

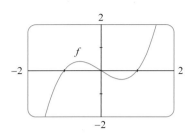 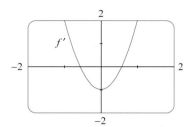

2.8.3 FIGURE

Exemple 2.8.3 Soit $f(x) = \sqrt{x}$. Trouvons la dérivée de f et déterminons son domaine de définition.

Solution

$$f'(x) = \lim_{h \to 0} \frac{f(x+h) - f(x)}{h} = \lim_{h \to 0} \frac{\sqrt{x+h} - \sqrt{x}}{h}$$

$$= \lim_{h \to 0} \left(\frac{\sqrt{x+h} - \sqrt{x}}{h} \cdot \frac{\sqrt{x+h} + \sqrt{x}}{\sqrt{x+h} + \sqrt{x}} \right) \quad \text{(rationalisation du numérateur)}$$

$$= \lim_{h \to 0} \frac{(x+h) - x}{h(\sqrt{x+h} + \sqrt{x})} = \lim_{h \to 0} \frac{1}{\sqrt{x+h} + \sqrt{x}}$$

$$= \frac{1}{\sqrt{x} + \sqrt{x}} = \frac{1}{2\sqrt{x}}$$

On voit que $f'(x)$ existe si $x > 0$; le domaine de f' est donc $]0, \infty[$. Le domaine de f' n'est pas égal à celui de f, qui est $[0, \infty[$. Le domaine de f' est donc un sous-ensemble strict de celui de f.

a)

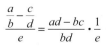

$$f(x) = \sqrt{x}$$

b)

$$f'(x) = \frac{1}{2\sqrt{x}}$$

2.8.4 FIGURE

$$\frac{\dfrac{a}{b} - \dfrac{c}{d}}{e} = \frac{ad - bc}{bd} \cdot \frac{1}{e}$$

Pour vérifier la vraisemblance du résultat de l'exemple 2.8.3, on examine les graphiques de f et de f' dans la figure 2.8.4. Lorsque x est proche de 0, $\sqrt{x}$ l'est aussi, et $f'(x) = 1/(2\sqrt{x})$ est donc très grande. Cela correspond aux tangentes abruptes qui sont au voisinage de $(0, 0)$, dans la figure 2.8.4 a), et aux grandes valeurs de $f'(x)$ juste à droite de 0, dans la figure 2.8.4 b). Lorsque x est grand, $f'(x)$ est très petite, ce qui correspond aux tangentes moins inclinées à l'extrémité droite de la courbe de f et à l'asymptote horizontale de la courbe de f'.

Exemple 2.8.4 Trouvons f' pour $f(x) = \dfrac{1-x}{2+x}$.

Solution

$$f'(x) = \lim_{h \to 0} \frac{f(x+h) - f(x)}{h} = \lim_{h \to 0} \frac{\dfrac{1-(x+h)}{2+(x+h)} - \dfrac{1-x}{2+x}}{h}$$

$$= \lim_{h \to 0} \frac{(1-x-h)(2+x) - (1-x)(2+x+h)}{h(2+x+h)(2+x)}$$

$$= \lim_{h \to 0} \frac{(2-x-2h-x^2-xh) - (2-x+h-x^2-xh)}{h(2+x+h)(2+x)}$$

$$= \lim_{h \to 0} \frac{-3h}{h(2+x+h)(2+x)} = \lim_{h \to 0} \frac{-3}{(2+x+h)(2+x)} = -\frac{3}{(2+x)^2}$$

▶ D'autres notations

L'emploi de la notation traditionnelle $y = f(x)$ pour indiquer que x est la variable indépendante et y, la variable dépendante, donne lieu à quelques autres notations courantes pour désigner la dérivée :

$$f'(x) = y' = \frac{dy}{dx} = \frac{df}{dx} = \frac{d}{dx}f(x) = Df(x) = D_x f(x).$$

On appelle les symboles D et d/dx des **opérateurs de dérivation**, parce qu'ils indiquent l'opération à effectuer pour calculer une dérivée.

Le symbole dy/dx, introduit par Leibniz, ne doit pas être vu comme un rapport (pour le moment), mais comme un simple synonyme de $f'(x)$. Néanmoins, c'est une notation très utile et suggestive, surtout quand on l'utilise avec la notation de variation. Dans l'équation **2.7.6**, la notation de Leibniz permet de récrire la définition de la dérivée sous la forme

$$\frac{dy}{dx} = \lim_{\Delta x \to 0} \frac{\Delta y}{\Delta x}.$$

Si l'on veut indiquer la valeur de la dérivée dy/dx, en notation de Leibniz, en un nombre a particulier, on écrit

$$\frac{dy}{dx}\bigg|_{x=a} \quad \text{ou} \quad \frac{dy}{dx}\bigg]_{x=a}$$

qui est synonyme de $f'(a)$. La barre verticale signifie « évaluée à ».

2.8.3 | **Définition**

Une fonction f est **dérivable en a** si $f'(a)$ existe. Elle est **dérivable sur un intervalle ouvert** $]a, b[$ (ou $]a, \infty[$ ou $]-\infty, a[$ ou $]-\infty, \infty[$) si elle est dérivable en chacune des valeurs de l'intervalle.

Exemple **2.8.5**   Où la fonction $f(x) = |x|$ est-elle dérivable ?

Solution   Si $x > 0$, alors $|x| = x$, et l'on peut choisir h suffisamment petit pour que $x + h > 0$ et donc que $|x + h| = x + h$. Par conséquent, pour $x > 0$, on a

$$f'(x) = \lim_{h \to 0} \frac{|x+h| - |x|}{h} = \lim_{h \to 0} \frac{(x+h) - x}{h}$$
$$= \lim_{h \to 0} \frac{h}{h} = \lim_{h \to 0} 1 = 1.$$

Ainsi, f est dérivable pour tout $x > 0$.

De même, si $x < 0$, on a $|x| = -x$ et on peut choisir h suffisamment petit pour que $x + h < 0$ et donc que $|x + h| = -(x + h)$. Par conséquent, pour $x < 0$,

$$f'(x) = \lim_{h \to 0} \frac{|x+h| - |x|}{h} = \lim_{h \to 0} \frac{-(x+h) - (-x)}{h}$$
$$= \lim_{h \to 0} \frac{-h}{h} = \lim_{h \to 0}(-1) = -1.$$

Ainsi, f est dérivable pour tout $x < 0$.

Pour $x = 0$, on doit calculer

$$f'(0) = \lim_{h \to 0} \frac{f(0+h) - f(0)}{h}$$

$$= \lim_{h \to 0} \frac{|0+h| - |0|}{h} \qquad \text{(si elle existe).}$$

On calcule séparément les limites à gauche et à droite :

$$\lim_{h \to 0^+} \frac{|0+h| - |0|}{h} = \lim_{h \to 0^+} \frac{|h|}{h} = \lim_{h \to 0^+} \frac{h}{h} = \lim_{h \to 0^+} 1 = 1$$

et

$$\lim_{h \to 0^-} \frac{|0+h| - |0|}{h} = \lim_{h \to 0^-} \frac{|h|}{h} = \lim_{h \to 0^-} \frac{-h}{h} = \lim_{h \to 0^-} (-1) = -1.$$

Puisque ces limites sont différentes, $f'(0)$ n'existe pas. Ainsi, f est dérivable en toutes valeurs de x sauf 0.

Une formule de f' peut être donnée par

$$f'(x) = \begin{cases} 1 & \text{si} \quad x > 0 \\ -1 & \text{si} \quad x < 0 \end{cases}$$

et son graphique est montré dans la figure 2.8.5 b). Sur le plan géométrique, le fait que $f'(0)$ n'existe pas se voit à ce que la courbe $y = |x|$ n'a pas de tangente en (0, 0) (*voir la figure 2.8.5 a*).

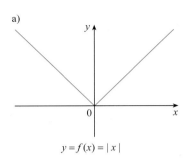

a)

$$y = f(x) = |x|$$

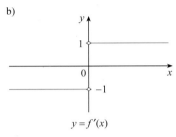

b)

$$y = f'(x)$$

2.8.5 FIGURE

Pour une fonction, la continuité et la dérivabilité sont toutes deux des propriétés souhaitables. Le théorème suivant établit le lien qui unit ces propriétés.

2.8.4	Théorème

Si f est dérivable en a, alors elle est continue en a.

DÉMONSTRATION Afin de prouver que f est continue en a, il faut montrer que

$$\lim_{x \to a} f(x) = f(a),$$

ce qu'on fera en établissant que la différence $f(x) - f(a)$ tend vers 0.

L'hypothèse est que f est dérivable en a, c'est-à-dire que

$$f'(a) = \lim_{x \to a} \frac{f(x) - f(a)}{x - a}$$

Chercher à établir un lien entre les données et les inconnues constitue un aspect important de la résolution de problèmes. Voir à ce sujet l'étape 2 (Élaborer un plan) des *Principes de la résolution de problèmes*, aux pages 92 et 93.

existe (*voir l'équation 2.7.5*). Pour établir un lien entre les données et les inconnues, on divise et multiplie $f(x) - f(a)$ par $x - a$ (ce qu'on peut faire lorsque $x \neq a$) :

$$f(x) - f(a) = \frac{f(x) - f(a)}{x - a}(x - a).$$

Ensuite, à l'aide de la règle du produit et de l'hypothèse, on peut écrire

$$\lim_{x \to a}[f(x) - f(a)] = \lim_{x \to a} \frac{f(x) - f(a)}{x - a}(x - a)$$

$$= \lim_{x \to a} \frac{f(x) - f(a)}{x - a} \cdot \lim_{x \to a}(x - a)$$

$$= f'(a) \cdot 0 = 0.$$

Afin d'employer ce qu'on vient de prouver, on part de $f(x)$ et on additionne et soustrait $f(a)$:

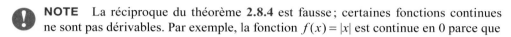

$$\lim_{x \to a} f(x) = \lim_{x \to a}[f(a)+(f(x)-f(a))]$$
$$= \lim_{x \to a} f(a) + \lim_{x \to a}[f(x)-f(a)]$$
$$= f(a)+0 = f(a).$$

Par conséquent, f est continue en a.   ∎

> **NOTE**   La réciproque du théorème **2.8.4** est fausse ; certaines fonctions continues ne sont pas dérivables. Par exemple, la fonction $f(x)=|x|$ est continue en 0 parce que

$$\lim_{x \to 0} f(x) = \lim_{x \to 0}|x| = 0 = f(0)$$

(*voir l'exemple 2.3.7*). On a cependant montré, dans l'exemple 2.8.5, que f n'était pas dérivable en 0. En revanche, la contraposée du théorème **2.8.4**, qui est logiquement équivalente, est vraie et affirme que si la fonction n'est pas continue en un point, alors elle n'y est pas dérivable.

▶ La non-dérivabilité de certaines fonctions

Comme le montre l'exemple 2.8.5, la fonction $y = |x|$ n'est pas dérivable en 0 et son graphique (*voir la figure 2.8.5 a*) change brusquement de direction en $x = 0$. En règle générale, en un point où le graphique d'une fonction f présente un « angle » ou une « irrégularité », le graphique n'a pas de tangente et la fonction n'est pas dérivable. (En essayant de calculer $f'(a)$, on se rend compte que les limites à gauche et à droite sont différentes.)

Le théorème **2.8.4** suggère une autre raison de la non-dérivabilité d'une fonction. Selon la contraposée de ce théorème, si f n'est pas continue en a, alors elle n'est pas dérivable en a. Ainsi, en tout point de discontinuité (discontinuité par saut, par exemple), f n'est pas dérivable.

Troisième possibilité : la courbe a une **tangente verticale** en $x = a$; autrement dit, f est continue en a et

$$\lim_{x \to a}|f'(x)| = \infty.$$

Dans cette situation, les tangentes se font de plus en plus abruptes lorsque $x \to a$. La figure 2.8.6 illustre un cas possible (point de rebroussement), la figure 2.8.7 c) en illustre un autre. La figure 2.8.7 montre les trois possibilités discutées.

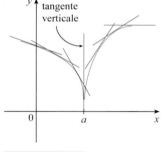

2.8.6   FIGURE

Un point de rebroussement.

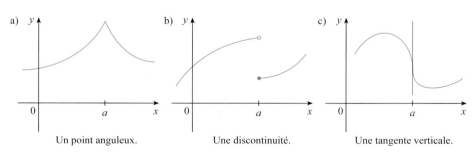

a) Un point anguleux.   b) Une discontinuité.   c) Une tangente verticale.

2.8.7   FIGURE

Trois cas de non-dérivabilité de f en a.

Le recours à un outil graphique permet de voir la dérivabilité différemment. Lorsque f est dérivable en a, on peut, en zoomant vers l'avant au voisinage du point $(a, f(a))$, voir que la courbe s'adoucit au point de ressembler de plus en plus à une droite (*voir la figure 2.8.8*; la figure 2.7.2 donne un autre exemple de cette situation). Par contre, aucun grossissement au voisinage du point montré dans les figures 2.8.6 ou 2.8.7 a) ne permettra d'éliminer l'angle que présente le graphique (*voir la figure 2.8.9*).

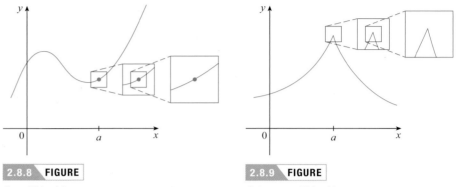

2.8.8 **FIGURE**

f est dérivable en *a*.

2.8.9 **FIGURE**

f n'est pas dérivable en *a*.

▶ Les dérivées d'ordre supérieur

Si *f* est une fonction dérivable, alors sa dérivée *f'* est aussi une fonction, et elle peut avoir sa propre dérivée, notée $(f')' = f''$. Cette nouvelle fonction *f''* s'appelle **dérivée seconde** de *f* parce qu'elle est la dérivée de la dérivée de *f*. En notation de Leibniz, on désigne la dérivée seconde de $y = f(x)$ comme suit :

$$\underbrace{\frac{d}{dx}}_{\text{Dérivée de}} \underbrace{\left(\frac{dy}{dx}\right)}_{\substack{\text{Dérivée} \\ \text{première}}} = \underbrace{\frac{d^2 y}{dx^2}}_{\substack{\text{Dérivée} \\ \text{seconde}}}$$

Exemple **2.8.6** Soit $f(x) = x^3 - x$. Trouvons et interprétons $f''(x)$.

Solution Dans l'exemple 2.8.2, on a trouvé la dérivée première, soit $f'(x) = 3x^2 - 1$. La dérivée seconde est donc

$$
\begin{aligned}
f''(x) = (f')'(x) &= \lim_{h \to 0} \frac{f'(x+h) - f'(x)}{h} \\
&= \lim_{h \to 0} \frac{[3(x+h)^2 - 1] - [3x^2 - 1]}{h} \\
&= \lim_{h \to 0} \frac{3x^2 + 6xh + 3h^2 - 1 - 3x^2 + 1}{h} \\
&= \lim_{h \to 0} (6x + 3h) = 6x.
\end{aligned}
$$

La figure 2.8.10 montre les graphiques de *f*, de *f'* et de *f''*.

On peut considérer $f''(x)$ comme la pente de la courbe $y = f'(x)$ au point $(x, f'(x))$. En d'autres termes, elle représente le taux de variation de la pente de la courbe initiale $y = f(x)$.

Dans la figure 2.8.10, on remarque que $f''(x)$ est négative quand la pente de $y = f'(x)$ est négative, et positive quand la pente de $y = f'(x)$ est positive. Les graphiques viennent donc vérifier les calculs effectués. ∎

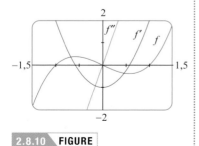

2.8.10 **FIGURE**

On peut, de manière générale, voir une dérivée seconde comme un taux de variation d'un taux de variation. Un exemple courant est fourni par l'**accélération**, qu'on définit comme suit.

Soit $s = s(t)$, la fonction position d'un mobile en déplacement rectiligne, dont on sait que la dérivée première représente la vitesse $v(t)$ du mobile en fonction du temps :

$$v(t) = s'(t) = \frac{ds}{dt}.$$

Le taux de variation instantané de la vitesse par rapport au temps est l'accélération $a(t)$ du mobile. Ainsi, la fonction accélération est la dérivée de la fonction vitesse et, par conséquent, la dérivée seconde de la fonction position :

$$a(t) = v'(t) = s''(t)$$

ou, en notation de Leibniz :

$$a = \frac{dv}{dt} = \frac{d^2 s}{dt^2}.$$

La **dérivée troisième** f''' est la dérivée de la dérivée seconde : $f''' = (f'')'$. On peut donc considérer $f'''(x)$ comme la pente de la courbe $y = f''(x)$ ou comme le taux de variation de $f''(x)$. Pour $y = f(x)$, les autres notations de la dérivée troisième sont

$$y''' = f'''(x) = \frac{d}{dx}\left(\frac{d^2 y}{dx^2}\right) = \frac{d^3 y}{dx^3}.$$

On peut poursuivre le processus. La dérivée quatrième f'''' se note habituellement $f^{(4)}$. En général, la dérivée n^e se note $f^{(n)}$ et s'obtient après n dérivations de f. Si $y = f(x)$, on écrit

$$y^{(n)} = f^{(n)}(x) = \frac{d^n y}{dx^n}.$$

Exemple 2.8.7   Soit $f(x) = x^3 - x$. Trouvons $f'''(x)$ et $f^{(4)}(x)$.

Solution   Dans l'exemple 2.8.6, on a trouvé que $f''(x) = 6x$. Le graphique de la dérivée seconde étant d'équation $y = 6x$, il présente une droite de pente 6. Comme la dérivée $f'''(x)$ représente la pente de la courbe de $f''(x)$, on a

$$f'''(x) = 6$$

pour toutes les valeurs de x. Ainsi, f''' est une fonction constante, et son graphique est une droite horizontale. Par conséquent, pour chacune des valeurs de x,

$$f^{(4)}(x) = 0.$$

Dans un cas où la fonction est la fonction position $s = s(t)$ d'un objet se déplaçant en ligne droite, on peut donner une interprétation physique de la dérivée troisième. Comme $s''' = (s'')' = a'$, la dérivée troisième de la fonction position est la dérivée de la fonction accélération, et elle s'appelle **suraccélération** :

$$j = \frac{da}{dt} = \frac{d^3 s}{dt^3}.$$

La suraccélération j est donc le taux de variation de l'accélération. Bien nommée, elle est reliée à un changement de l'accélération.

On a étudié une application des dérivées seconde et troisième en analysant le mouvement d'objets où intervenaient l'accélération et la suraccélération. Une autre application des dérivées secondes est examinée dans la section 4.2, où l'on montre en quoi la connaissance de f'' renseigne sur la forme du graphique de f.

Exercices 2.8

1-2 À l'aide du graphique donné, estimez la valeur de chaque dérivée. Ensuite, esquissez le graphique de f'.

1. a) $f'(-3)$ b) $f'(-2)$ c) $f'(-1)$ d) $f'(0)$
    e) $f'(1)$ f) $f'(2)$ g) $f'(3)$

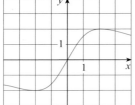

2. a) $f'(0)$ b) $f'(1)$ c) $f'(2)$ d) $f'(3)$
    e) $f'(4)$ f) $f'(5)$ g) $f'(6)$ h) $f'(7)$

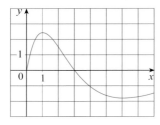

3. Associez le graphique de chaque fonction en a) à d) au graphique de la dérivée correspondante, en I à IV. Justifiez chacun de vos choix.

a) 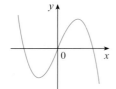   b)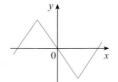

c) 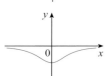   d)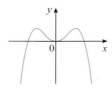

I 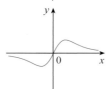   II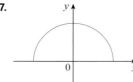

III 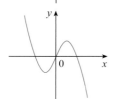   IV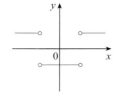

4-11 Tracez ou recopiez le graphique de la fonction f donnée. (Tenez pour acquis que les axes ont la même échelle.) À l'aide de la méthode de l'exemple 2.8.1, esquissez le graphique de f' sous celui de f.

4.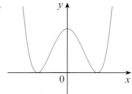

5.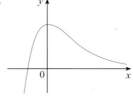

6.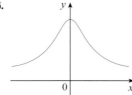

7.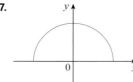

8.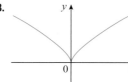

9.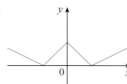

10.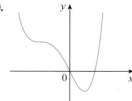

11.

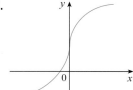

12. Ce graphique représente la fonction population $P(t)$ d'une culture de cellules de levure en laboratoire. À l'aide de la méthode de l'exemple 2.8.1, tracez le graphique de la dérivée $P'(t)$. Que vous indique le graphique de P' sur la population de la culture de cellules de levure?

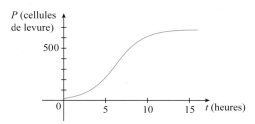

13. On branche une pile rechargeable sur un chargeur. Le graphique représente $C(t)$, le pourcentage de capacité que la pile atteint en fonction du temps t écoulé (en heures).

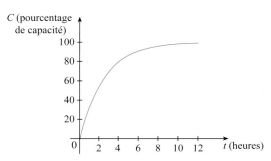

a) Que signifie la dérivée $C'(t)$?

b) Esquissez le graphique de $C'(t)$ et dites ce qu'il vous apprend.

14. Le graphique suivant représente l'effet de la vitesse d'une voiture sur la consommation d'essence. L'économie d'essence E est mesurée en litres par 100 kilomètres, et la vitesse v, en kilomètres à l'heure.

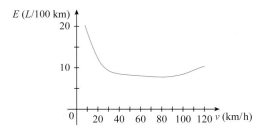

a) Que signifie la dérivée $E'(v)$?

b) Esquissez le graphique de $E'(v)$.

c) À quelle vitesse doit-on rouler pour économiser l'essence?

15. Le graphique suivant représente la variation de l'âge moyen auquel les hommes japonais ont contracté leur premier mariage, durant la seconde moitié du XXe siècle. Esquissez le graphique de la fonction dérivée $M'(t)$. En quelles années la dérivée a-t-elle été négative?

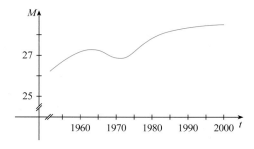

16-18 Esquissez soigneusement le graphique de f et, en-dessous, esquissez le graphique de f' de la même manière qu'aux exercices 4 à 11. D'après le graphique obtenu, pouvez-vous conjecturer une formule de $f'(x)$?

▲ 16. $f(x) = \sin x$ **17.** $f(x) = e^x$

18. $f(x) = \ln x$

19. Soit $f(x) = x^2$.

a) À l'aide d'un outil permettant de grossir les régions du graphique de f, estimez les valeurs de $f'(0)$, $f'(\frac{1}{2})$, $f'(1)$ et $f'(2)$.

b) Par symétrie, déduisez les valeurs de $f'(-\frac{1}{2})$, $f'(-1)$ et $f'(-2)$.

c) D'après les résultats obtenus en a) et en b), conjecturez une formule de $f'(x)$.

d) À partir de la définition de la dérivée, prouvez que votre conjecture en c) est juste.

20. Soit $f(x) = x^3$.

a) À l'aide d'un outil permettant de grossir les régions du graphique de f, estimez les valeurs de $f'(0)$, $f'(\frac{1}{2})$, $f'(1)$, $f'(2)$ et $f'(3)$.

b) Par symétrie, déduisez les valeurs de $f'(-\frac{1}{2})$, $f'(-1)$, $f'(-2)$ et $f'(-3)$.

c) D'après les valeurs obtenues en a) et en b), tracez le graphique de f'.

d) Conjecturez une formule de $f'(x)$.

e) À partir de la définition de la dérivée, prouvez que votre conjecture en d) est juste.

21-31 Trouvez la dérivée de la fonction à l'aide de la définition de la dérivée. Précisez les domaines respectifs de la fonction et de sa dérivée.

21. $f(x) = \frac{1}{2}x - \frac{1}{3}$

22. $f(x) = mx + b$

23. $f(t) = 5t - 9t^2$

24. $f(x) = 1{,}5x^2 - x + 3{,}7$

25. $f(x) = x^2 - 2x^3$

26. $g(t) = \dfrac{1}{\sqrt{t}}$

27. $g(x) = \sqrt{9-x}$

28. $f(x) = \dfrac{x^2-1}{2x-3}$

29. $G(t) = \dfrac{1-2t}{3+t}$

30. $f(x) = x^{3/2}$

31. $f(x) = x^4$

32. Soit $f(x) = \sqrt{6-x}$.
   a) Esquissez le graphique de cette fonction.
   b) À l'aide du graphique obtenu en a), esquissez le graphique de f'.
   c) Trouvez $f'(x)$ à l'aide de la définition de la dérivée. Quels sont les domaines respectifs de f et de f'?
   d) Au moyen d'un outil graphique, tracez le graphique de f' et comparez-le avec l'esquisse réalisée en b).

33. Soit $f(x) = x^4 + 2x$.
   a) Trouvez $f'(x)$.
   b) Pour vérifier la vraisemblance de votre réponse en a), comparez les graphiques de f et de f'.

34. Soit $f(x) = x + 1/x$.
   a) Trouvez $f'(x)$.
   b) Pour vérifier la vraisemblance de votre réponse en a), comparez les graphiques de f et de f'.

35. Le taux de chômage $C(t)$ varie avec le temps. Le tableau suivant, établi à partir des données de l'Institut de la statistique du Québec, donne le pourcentage de sans-emploi dans la population active pour l'ensemble du Québec entre 2006 et 2015.

t	$C(t)$
2006	8,1
2007	7,3
2008	7,2
2009	8,6
2010	8,0
2011	7,9
2012	7,7
2013	7,6
2014	7,7
2015	7,6

   a) Que signifie $C'(t)$? En quelles unités s'exprime-t-elle?
   b) Dressez un tableau des valeurs estimées de $C'(t)$.

36. Soit $P(t)$, le pourcentage de la population canadienne de moins de 15 ans au temps t. Le tableau suivant donne les valeurs de cette fonction pour les années de recensement entre 1956 et 2016.

t	$P(t)$
1956	32,5
1966	32,9
1976	25,6
1986	21,3
1996	20,5
2006	17,7
2016	16,6

   a) Que signifie $P'(t)$? En quelles unités s'exprime-t-elle?
   b) Dressez un tableau des valeurs estimées de $P'(t)$.
   c) Tracez les graphiques de P et de P'.
   d) Comment pourrait-on obtenir des valeurs plus précises de $P'(t)$?

37. La température de l'eau affecte le taux de croissance des ombles de fontaine. Le tableau suivant montre la variation du poids des ombles de fontaine après avoir passé 24 jours dans une eau à la température donnée.

Température (°C)	Variation de poids (g)
15,5	37,2
17,7	31,0
20,0	19,8
22,4	9,7
24,4	−9,8

Source: Adaptation de J. Chadwick Jr., *Temperature Effects on Growth and Stress Physiology of Brook Trout: Implications for Climate Change Impacts on an Iconic Cold-Water Fish*, mémoire de maîtrise, University of Massachusetts Amherst, 2012, scholarworks.umass.edu/theses/897

Sachant que $m(x)$ représente la variation de poids à une température x, dressez une table des valeurs estimées de m' et tracez-en le graphique. Quelle est l'unité de $m'(x)$?

38. Supposons que P représente le pourcentage de l'alimentation électrique produite par des panneaux solaires dans une ville, t années après le 1er janvier de l'an 2000.
   a) Que représente dP/dt dans ce contexte?
   b) Interprétez le résultat

$$\left.\frac{dP}{dt}\right|_{t=2} = 3,5.$$

39-42 Voici le graphique de f. Déterminez les nombres auxquels f n'est pas dérivable et justifiez votre réponse.

39.

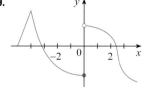

40.

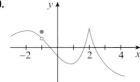

41.

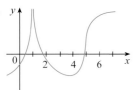

42.

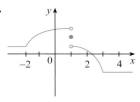

43. Tracez le graphique de

$$f(x) = x + \sqrt{|x|}.$$

Effectuez des grossissements répétés, d'abord sur la région du point $(-1, 0)$, puis sur l'origine. En quoi le comportement de f est-il différent au voisinage de ces deux points ? Qu'en concluez-vous au sujet de la dérivabilité de f ?

44. Grossissez la région des points $(1, 0)$, $(0, 1)$ et $(-1, 0)$ du graphique de la fonction

$$g(x) = (x^2 - 1)^{2/3}.$$

Que remarquez-vous ? Expliquez vos observations quant à la dérivabilité de g.

45-46 Chaque graphique montre la fonction f et sa dérivée f'. Quelle est la valeur la plus élevée, $f'(-1)$ ou $f''(1)$?

45.

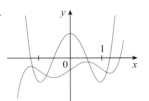

46.

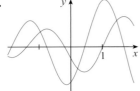

47. Cette figure montre les graphiques de f, de f' et de f''. Identifiez chaque courbe et justifiez vos choix.

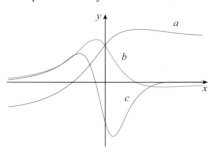

48. Cette figure montre les graphiques de f, de f', de f'', et de f'''. Identifiez chaque courbe et justifiez vos choix.

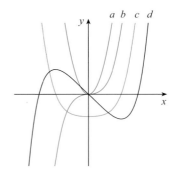

49. La figure ci-dessous montre les graphiques de trois fonctions. L'une des courbes est la fonction position d'une voiture, une deuxième représente la vitesse de la voiture et la dernière montre son accélération. Identifiez chaque courbe et justifiez vos choix.

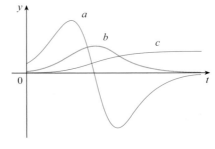

50. La figure ci-dessous montre les graphiques de quatre fonctions. L'une des courbes est la fonction position d'une voiture, une deuxième représente la vitesse de la voiture, une troisième représente son accélération et une dernière, sa suraccélération. Identifiez chaque courbe et justifiez vos choix.

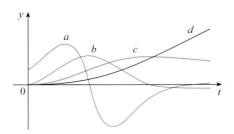

51-52 À l'aide de la définition de la dérivée, trouvez $f'(x)$ et $f''(x)$. Ensuite, tracez les graphiques de f, de f' et de f'' sur un même écran et vérifiez la vraisemblance de vos réponses.

51. $f(x) = 3x^2 + 2x + 1$

52. $f(x) = x^3 - 3x$

53. Soit

$$f(x) = 2x^2 - x^3.$$

Trouvez $f'(x)$, $f''(x)$, $f'''(x)$ et $f^{(4)}(x)$. Tracez les graphiques de f, de f', de f'' et de f''' sur un même écran. Les graphiques concordent-ils avec les interprétations géométriques des dérivées ?

54. Le graphique ci-dessous représente la fonction position d'une voiture où s est mesuré en mètres et t, en secondes.

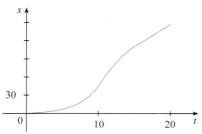

a) Servez-vous de cette représentation pour tracer les graphiques de la vitesse et de l'accélération de la voiture. Quelle est l'accélération en $t = 10$ s ?
b) À l'aide de la courbe de l'accélération tracée en a), estimez la suraccélération en $t = 10$ s. En quelles unités s'exprime la suraccélération ?

55. Soit $f(x) = \sqrt[3]{x}$.
a) Pour $a \neq 0$, trouvez $f'(a)$ à l'aide de l'équation **2.7.5** (*voir p. 163*).
b) Montrez que $f'(0)$ n'existe pas.
c) Montrez que $y = \sqrt[3]{x}$ a une tangente verticale en $(0, 0)$. (Rappelez-vous la forme du graphique de f. *Voir la figure A.13 de l'annexe A, p. 346.*)

56. Soit $g(x) = x^{2/3}$.
a) Montrez que $g'(0)$ n'existe pas.
b) Pour $a \neq 0$, trouvez $g'(a)$.
c) Montrez que $y = x^{2/3}$ a une tangente en $(0, 0)$.
d) Illustrez votre réponse en c) en traçant $y = x^{2/3}$.

57. Montrez que la fonction

$$f(x) = |x - 6|$$

n'est pas dérivable en 6. Trouvez une formule et esquissez le graphique de f'.

58. En quels points la fonction partie entière

$$f(x) = [\![x]\!]$$

n'est-elle pas dérivable ? Trouvez une formule et esquissez le graphique de f'.

59. Soit $f(x) = x\,|x|$.
a) Esquissez le graphique de cette fonction.
b) En quelles valeurs de x la fonction f est-elle dérivable ?
c) Trouvez une formule de f'.

60. Les **dérivées à gauche et à droite** de f en a sont définies par

$$f'_-(a) = \lim_{h \to 0^-} \frac{f(a+h) - f(a)}{h}$$

et

$$f'_+(a) = \lim_{h \to 0^+} \frac{f(a+h) - f(a)}{h}$$

si ces limites existent. Ainsi, $f'(a)$ existe si et seulement si ces deux semi-dérivées existent et sont égales.
a) Trouvez $f'_-(4)$ et $f'_+(4)$ pour la fonction

$$f(x) = \begin{cases} 0 & \text{si} \quad x \leq 0 \\ 5 - x & \text{si} \quad 0 < x < 4 \\ \dfrac{1}{5 - x} & \text{si} \quad x \geq 4. \end{cases}$$

b) Esquissez le graphique de f.
c) En quels points f est-elle discontinue ?
d) En quels points f n'est-elle pas dérivable ?

61. Rappelez-vous qu'une fonction f est dite paire si $f(-x) = f(x)$ ou impaire si $f(-x) = -f(x)$ pour tout x de son domaine de définition. Démontrez la justesse de chacun des énoncés suivants.
a) La dérivée d'une fonction paire est une fonction impaire.
b) La dérivée d'une fonction impaire est une fonction paire.

62. Nicolas commence sa séance d'entraînement par un jogging suivi d'une course rapide durant trois minutes, puis il marche cinq minutes. Il s'arrête à une intersection pendant deux minutes, reprend la course rapide durant cinq minutes, puis marche pendant quatre minutes.
a) Tracez un graphique de la distance que Nicolas pourrait avoir parcourue après t minutes.
b) Tracez le graphique de ds/dt.

63. Quand on ouvre le robinet d'eau chaude, la température T de l'eau dépend du temps pendant lequel on laisse couler l'eau.
a) Esquissez un graphique possible de T en fonction du temps t écoulé depuis l'ouverture du robinet.
b) Décrivez la façon dont le taux de variation de T par rapport à t évolue quand t croît.
c) Esquissez un graphique de la dérivée de T.

64. Soit ℓ, la tangente à la parabole $y = x^2$ au point $(1, 1)$. L'**angle d'inclinaison** de ℓ est l'angle ϕ que ℓ forme avec la direction positive de l'axe des x. Calculez ϕ au degré près.

Les limites

La définition de la limite

On dit que la **limite de $f(x)$ lorsque x tend vers a est égale à L** et on écrit $\lim_{x \to a} f(x) = L$ si, lorsque x s'approche indéfiniment du nombre a sans l'égaler, la valeur $f(x)$ s'approche d'aussi près qu'on le veut du nombre L.

La définition de la limite à gauche ou à droite

On appelle $\lim_{x \to a^-} f(x)$ la **limite à gauche de $f(x)$ lorsque x tend vers a** et $\lim_{x \to a^+} f(x)$ la **limite à droite de $f(x)$ lorsque x tend vers a**.

L'existence de la limite

$\lim_{x \to a} f(x) = L$ si et seulement si $\lim_{x \to a^-} f(x) = L$ et $\lim_{x \to a^+} f(x) = L$.

L'évaluation de la limite d'une fonction définie par morceaux

Pour déterminer la limite en une des valeurs frontières a, il faut absolument évaluer séparément les limites à gauche et à droite de a, et comparer ces limites pour conclure.

L'évaluation d'une limite de la forme $c/0$

1. Factoriser l'expression au dénominateur, s'il y a lieu.

2. Évaluer séparément la limite à gauche et la limite à droite de a.

Si $c > 0$, alors $\begin{cases} c/0^+ = \infty \\ c/0^- = -\infty \end{cases}$. Lorsque $c < 0$, les signes sont inversés.

3. Conclure pour la limite lorsque $x \to a$.

L'évaluation de $\lim_{x \to a} f(x)$ lorsque $a \notin$ dom f ou que f n'est pas continue en $x = a$

Arithmétique étendue					Forme indéterminée 0/0
Faire usage des résultats ci-dessous ou du tableau 2.5.2.					On tente de retirer les facteurs qui deviennent nuls lorsque $x = a$.
$\pm\infty$	$+$	$\pm\infty$	$=$	$\pm\infty$	1. Factoriser le numérateur et le dénominateur. Utiliser les procédés suivants :
c	$\pm$	∞	$=$	$\pm\infty$	a) mise des fractions sur le même dénominateur ;
$c \in \mathbb{R}^+$	$\times$	$\pm\infty$	$=$	$\pm\infty$	b) simplification des fractions complexes ;
$c \in \mathbb{R}^-$	$\times$	$\pm\infty$	$=$	$\mp\infty$	c) factorisation des polynômes ;
$+\infty$	$\times$	$\pm\infty$	$=$	$\pm\infty$	d) multiplication par le conjugué
$-\infty$	$\times$	$\pm\infty$	$=$	$\mp\infty$	de l'expression contenant une racine ;
$c \in \mathbb{R}^+$	$\div$	$\pm\infty$	$=$	$0^\pm$	e) division du numérateur et du dénominateur par le facteur
$c \in \mathbb{R}^-$	$\div$	$\pm\infty$	$=$	$0^\mp$	$(x - a)$.
$\pm\infty$	$\div$	$c \in \mathbb{R}^+$ ou 0^+	$=$	$\pm\infty$	2. Simplifier les facteurs communs au numérateur et au dénominateur.
$\pm\infty$	$\div$	$c \in \mathbb{R}^-$ ou 0^-	$=$	$\mp\infty$	
$c \in \mathbb{R}^+$	$\div$	$0^\pm$	$=$	$\pm\infty$	
$c \in \mathbb{R}^-$	$\div$	$0^\pm$	$=$	$\mp\infty$	

Forme indéterminée ∞/∞	Forme indéterminée ∞ − ∞
On tente de retirer ce qui devient grand. Effectuer une mise en évidence de la variable affectée du plus grand exposant au numérateur ainsi qu'au dénominateur, puis simplifier.	Les principales astuces sont : **1.** la mise en évidence de la variable affectée du plus grand exposant ; **2.** lorsqu'il s'agit de la soustraction de deux fractions, la mise sur un dénominateur commun suivie d'une simplification ; **3.** la multiplication par le conjugué de l'expression contenant une ou des racines suivies d'une simplification.

La continuité

Pour démontrer que la fonction *f* **est continue en** *a* :

> **1.** Évaluer $f(a)$; en effet, *a* doit faire partie du domaine de *f*.
> **2.** Évaluer $\lim_{x \to a} f(x)$ et s'assurer qu'elle existe $\left(\lim_{x \to a^-} f(x) = \lim_{x \to a^+} f(x) \right)$.
> **3.** S'assurer que $\lim_{x \to a} f(x) = f(a)$.

ATTENTION Si l'une de ces trois étapes est fausse, alors *f* est discontinue en *a*.

- Si $\lim_{x \to a^+} f(x) = f(a)$, alors *f* est **continue à droite en** *a*, et si $\lim_{x \to a^-} f(x) = f(a)$, alors *f* est **continue à gauche en** *a*.

- Une fonction *f* est **continue sur un intervalle** ouvert $]a, b[$ si elle est continue pour chacune des valeurs de l'intervalle. Si *f* est continue à droite en *a*, alors on inclut *a* dans l'intervalle et, de même, si *f* est continue à gauche en *b*, on inclut *b* dans l'intervalle.

Les asymptotes

L'asymptote verticale

| La droite $x = a$ est une **asymptote verticale** de la courbe $y = f(x)$ si au moins une des égalités suivantes est vraie :

$\lim_{x \to a^-} f(x) = \pm\infty$

ou $\lim_{x \to a^+} f(x) = \pm\infty$ | **Si on cherche la position d'une asymptote verticale, on doit :**

1. trouver les valeurs *a* pour lesquelles l'évaluation de $f(a)$ entraîne une division par zéro (forme $c/0^\pm$) ;
2. pour chaque *a*, vérifier que l'on a affaire à une asymptote en évaluant $\lim_{x \to a^-} f(x)$ et $\lim_{x \to a^+} f(x)$. |

L'asymptote horizontale

| La droite $y = L$ est une **asymptote horizontale** de la courbe $y = f(x)$ si $\lim_{x \to \infty} f(x) = L$ ou $\lim_{x \to -\infty} f(x) = L$.

- Une fonction peut comporter 0, 1 ou 2 asymptotes horizontales.
- La courbe de la fonction peut croiser l'asymptote horizontale, même en plusieurs points. | 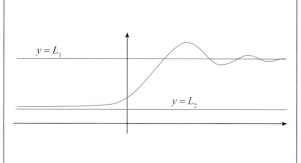 |

Le taux de variation moyen

Si l'on cherche:		il faut évaluer:
1. la **pente de la droite sécante** à la courbe de f aux points d'abscisse a et b; 2. le **taux de variation moyen** de $y = f(x)$ par rapport à x sur $[a, b]$; 3. le **taux moyen d'accroissement** de f sur $[a, b]$; 4. la **vitesse moyenne** d'un mobile dont la position est $f(t)$ entre les instants $t = a$ et $t = b$;	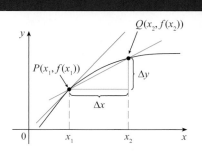	$TVM_{[a,\,a+\Delta x]}f = \dfrac{f(a+\Delta x) - f(a)}{\Delta x}$ ou $TVM_{[a,\,b]}f = \dfrac{f(b) - f(a)}{b - a}$. Les deux formules donnent le même résultat. TVM: taux de variation moyen

La dérivée en un point

Si l'on cherche:		il faut évaluer:
1. la **pente de la droite tangente** à la courbe de f en $x = a$; 2. la **pente de la courbe de la fonction** f en $x = a$; 3. le **taux de variation instantané** de $y = f(x)$ par rapport à x en $x = a$; 4. le **taux d'accroissement** de f en un nombre a; 5. le **nombre dérivé en un point** a de la fonction f; 6. la **dérivée** de f en un nombre a; 7. la **vitesse** d'un objet de position $f(t)$ à $t = a$;	$Q(a+h, f(a+h))$ t $P(a, f(a))$ h $f(a+h) - f(a)$ a $a+h$	$f'(a) = \displaystyle\lim_{h \to 0} \dfrac{f(a+h) - f(a)}{h}$ ou $f'(a) = \displaystyle\lim_{x \to a} \dfrac{f(x) - f(a)}{x - a}$. Les deux formules donnent le même résultat.

La fonction dérivée

Afin de trouver la fonction dérivée de f par rapport à la variable x, à l'aide de la définition, on calcule la limite suivante:

$$f'(x) = \lim_{h \to 0} \frac{f(x+h) - f(x)}{h},$$

si elle existe.

L'équation de la droite tangente

Si l'on cherche:		on doit:
l'**équation de la droite tangente** à la courbe de f en $x = a$;	$f(a)$ $f(x)$ a	1. trouver les coordonnées du point $(a, f(a))$; 2. calculer la pente à ce point: $f'(a)$; 3. écrire l'équation de la droite: $y = f'(a)(x - a) + f(a)$.

La fonction dérivée et la continuité

Si une fonction f est dérivable en $x = a$	alors	elle est continue en $x = a$	**Attention!** La réciproque n'est pas vraie…	La fonction $|x|$ est continue mais n'est pas dérivable en $x = 0$.	$|x|$
$f'(a)$ existe	$\Rightarrow$	$\lim\limits_{x \to a} f(x) = f(a)$			

La notation des dérivées

	Ordre	1er	2^e	3^e	n^e
Si $y = f(x)$	Dérivée	$\dfrac{dy}{dx}, f'(x)$	$\dfrac{d^2 y}{dx^2}, f''(x)$	$\dfrac{d^3 y}{dx^3}, f'''(x)$	$\dfrac{d^n y}{dx^n}, f^{(n)}(x)$
	Dérivée évaluée en $x = a$	$\dfrac{dy}{dx}\Big|_{x=a}, f'(a)$	$\dfrac{d^2 y}{dx^2}\Big|_{x=a}, f''(a)$	$\dfrac{d^3 y}{dx^3}\Big|_{x=a}, f'''(a)$	$\dfrac{d^n y}{dx^n}\Big|_{x=a}, f^{(n)}(a)$

Révision

Compréhension des concepts

1. Expliquez ce que signifie chaque énoncé et accompagnez votre réponse d'une esquisse.

   a) $\lim\limits_{x \to a} f(x) = L$
   b) $\lim\limits_{x \to a^+} f(x) = L$
   c) $\lim\limits_{x \to a^-} f(x) = L$
   d) $\lim\limits_{x \to a} f(x) = \infty$
   e) $\lim\limits_{x \to \infty} f(x) = L$

2. Décrivez plusieurs situations de non-existence d'une limite en un point ou à l'infini, ou les deux, et illustrez-les graphiquement.

3. Énoncez les propriétés des limites.
   a) Règle de la somme
   b) Propriété de la multiplication par une constante
   c) Règle du quotient
   d) Règle des racines
   e) Règle de la différence
   f) Règle du produit
   g) Règle des puissances

4. Que stipule le théorème du sandwich?

5. a) Que signifie l'énoncé « la droite $x = a$ est une asymptote verticale de la courbe $y = f(x)$ »? Dessinez des courbes illustrant toutes les possibilités.
   b) Que signifie l'énoncé « la droite $y = L$ est une asymptote horizontale de la courbe $y = f(x)$ »? Dessinez des courbes illustrant toutes les possibilités.

6. Parmi les courbes suivantes, lesquelles admettent des asymptotes verticales? Lesquelles admettent des asymptotes horizontales?

   a) $y = x^4$
   b) $y = \sin x$
   c) $y = \tan x$
   d) $y = \arctan x$
   e) $y = e^x$
   f) $y = \ln x$
   g) $y = 1/x$
   h) $y = \sqrt{x}$

7. a) Que signifie « f est continue en a »?
   b) Que signifie « f est continue sur l'intervalle $]-\infty, \infty[$ »? Que pouvez-vous dire au sujet du graphique d'une telle fonction?

8. Que stipule le théorème des valeurs intermédiaires?

9. Écrivez une expression de la pente de la tangente à la courbe $y = f(x)$ au point $(a, f(a))$.

10. Un objet se déplace en ligne droite et sa position est donnée par $f(t)$ au temps t. Écrivez une expression de la vitesse instantanée de l'objet en $t = a$. Interprétez cette vitesse d'après le graphique de f.

11. Soit $y = f(x)$, et x passe de x_1 à x_2. Écrivez une expression pour chacun des rapports suivants.
    a) Le taux de variation moyen de y par rapport à x sur l'intervalle $[x_1, x_2]$.
    b) Le taux de variation instantané de y par rapport à x en $x = x_1$.

12. Définissez la dérivée $f'(a)$. Proposez deux interprétations de ce nombre.

13. Définissez la dérivée seconde de f. Si $f(t)$ est la fonction position d'une particule, comment interprétez-vous la dérivée seconde?

14. a) Que signifie «*f* est dérivable en *a*»?

b) Quel lien y a-t-il entre la dérivabilité et la continuité d'une fonction?

c) Esquissez le graphique d'une fonction qui est continue mais non dérivable en $a = 2$.

15. Décrivez plusieurs situations de non-dérivabilité d'une fonction. Accompagnez votre réponse d'esquisses.

Vrai ou faux

Déterminez si la proposition est vraie ou fausse. Si elle est vraie, expliquez pourquoi. Si elle est fausse, expliquez pourquoi ou réfutez-la au moyen d'un exemple.

1. $\lim\limits_{x \to 4} \left(\dfrac{2x}{x-4} - \dfrac{8}{x-4} \right) = \lim\limits_{x \to 4} \dfrac{2x}{x-4} - \lim\limits_{x \to 4} \dfrac{8}{x-4}$

2. $\lim\limits_{x \to 1} \dfrac{x^2 + 6x - 7}{x^2 + 5x - 6} = \dfrac{\lim\limits_{x \to 1}(x^2 + 6x - 7)}{\lim\limits_{x \to 1}(x^2 + 5x - 6)}$

3. $\lim\limits_{x \to 1} \dfrac{x-3}{x^2 + 2x - 4} = \dfrac{\lim\limits_{x \to 1}(x-3)}{\lim\limits_{x \to 1}(x^2 + 2x - 4)}$

4. $\dfrac{x^2 - 9}{x - 3} = x + 3$

5. $\lim\limits_{x \to 3} \dfrac{x^2 - 9}{x - 3} = \lim\limits_{x \to 3} x + 3$

6. Si $\lim\limits_{x \to 5} f(x) = 2$ et $\lim\limits_{x \to 5} g(x) = 0$, alors $\lim\limits_{x \to 5} \left[f(x)/g(x) \right]$ n'existe pas.

7. Si $\lim\limits_{x \to 5} f(x) = 0$ et $\lim\limits_{x \to 5} g(x) = 0$, alors $\lim\limits_{x \to 5} \left[f(x)/g(x) \right]$ n'existe pas.

8. Si ni $\lim\limits_{x \to a} f(x)$ ni $\lim\limits_{x \to a} g(x)$ n'existent, alors $\lim\limits_{x \to a} \left[f(x) + g(x) \right]$ n'existe pas.

9. Si $\lim\limits_{x \to a} f(x)$ existe mais que $\lim\limits_{x \to a} g(x)$ n'existe pas, alors $\lim\limits_{x \to a} \left[f(x) + g(x) \right]$ n'existe pas.

10. Si $\lim\limits_{x \to 6} \left[f(x)\, g(x) \right]$ existe, alors la limite doit être $f(6)\, g(6)$.

11. Si p est un polynôme, alors $\lim\limits_{x \to b} p(x) = p(b)$.

12. Si $\lim\limits_{x \to 0} f(x) = \infty$ et $\lim\limits_{x \to 0} g(x) = \infty$, alors $\lim\limits_{x \to 0} \left[f(x) - g(x) \right] = 0$.

13. Une fonction peut admettre deux asymptotes horizontales distinctes.

14. Si f est définie sur $[0, \infty[$ et n'a pas d'asymptote horizontale, alors $\lim\limits_{x \to \infty} f(x) = \infty$ ou $\lim\limits_{x \to \infty} f(x) = -\infty$.

15. Si la droite $x = 1$ est une asymptote verticale de $y = f(x)$, alors f n'est pas définie en 1.

16. Si $f(1) > 0$ et $f(3) < 0$, alors il existe un nombre c, situé entre 1 et 3, tel que $f(c) = 0$.

17. Si f est continue en 5, que $f(5) = 2$ et que $f(4) = 3$, alors $\lim\limits_{x \to 2} f(4x^2 - 11) = 2$.

18. Si f est continue sur $[-1, 1]$, que $f(-1) = 4$ et que $f(1) = 3$, alors il existe un nombre r tel que $|r| < 1$ et $f(r) = \pi$.

19. Si $f(x) > 1$ pour toute valeur de x et que $\lim\limits_{x \to 0} f(x)$ existe, alors $\lim\limits_{x \to 0} f(x) > 1$.

20. Si f est continue en a, alors f est dérivable en a.

21. Si $f'(r)$ existe, alors $\lim\limits_{x \to r} f(x) = f(r)$.

22. $\dfrac{d^2 y}{dx^2} = \left(\dfrac{dy}{dx} \right)^2$

23. L'équation $x^{10} - 10x^2 + 5 = 0$ a une racine dans l'intervalle $]0, 2[$.

24. Si f est continue en a, $|f|$ l'est aussi.

25. Si $|f|$ est continue en a, f l'est aussi.

Exercices récapitulatifs

1. Soit le graphique de f donné.

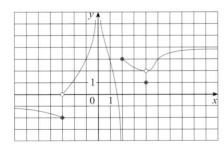

a) Dans chaque cas, trouvez la limite ou expliquez pourquoi elle n'existe pas.

i) $\lim\limits_{x \to 2^+} f(x)$ ii) $\lim\limits_{x \to -3^+} f(x)$

iii) $\lim\limits_{x \to -3} f(x)$ iv) $\lim\limits_{x \to 4} f(x)$

v) $\lim\limits_{x \to 0} f(x)$ vi) $\lim\limits_{x \to 2^-} f(x)$

vii) $\lim\limits_{x \to \infty} f(x)$ viii) $\lim\limits_{x \to -\infty} f(x)$

b) Donnez les équations des asymptotes horizontales.

c) Donnez les équations des asymptotes verticales.

d) En quelles valeurs f est-elle discontinue? Expliquez votre réponse.

2. Esquissez le graphique d'une fonction f qui satisferait à l'ensemble des conditions suivantes:

$$\lim\limits_{x \to -\infty} f(x) = -2, \ \lim\limits_{x \to 0} f(x) = 0, \ \lim\limits_{x \to -3^-} f(x) = \infty,$$

$$\lim\limits_{x \to 3^-} f(x) = -\infty, \ \lim\limits_{x \to 3^+} f(x) = 2,$$

f est continue à droite en 3.

3-20 Trouvez la limite.

3. $\lim\limits_{x \to 1} e^{x^3 - x}$

4. $\lim\limits_{x \to 3} \dfrac{x^2 - 9}{x^2 + 2x - 3}$

5. $\lim\limits_{x \to -3} \dfrac{x^2 - 9}{x^2 + 2x - 3}$

6. $\lim\limits_{x \to 1^+} \dfrac{x^2 - 9}{x^2 + 2x - 3}$

7. $\lim\limits_{h \to 0} \dfrac{(h-1)^3 + 1}{h}$

8. $\lim\limits_{t \to 2} \dfrac{t^2 - 4}{t^3 - 8}$

9. $\lim\limits_{r \to 9} \dfrac{\sqrt{r}}{(r-9)^4}$

10. $\lim\limits_{v \to 4^+} \dfrac{4 - v}{|4 - v|}$

11. $\lim\limits_{u \to 1} \dfrac{u^4 - 1}{u^3 + 5u^2 - 6u}$

12. $\lim\limits_{x \to 3} \dfrac{\sqrt{x+6} - x}{x^3 - 3x^2}$

13. $\lim\limits_{x \to \infty} \dfrac{\sqrt{x^2 - 9}}{2x - 6}$

14. $\lim\limits_{x \to -\infty} \dfrac{\sqrt{x^2 - 9}}{2x - 6}$

15. $\lim\limits_{x \to \pi^-} \ln(\sin x)$

16. $\lim\limits_{x \to -\infty} \dfrac{1 - 2x^2 - x^4}{5 + x - 3x^3}$

17. $\lim\limits_{x \to \infty} (\sqrt{x^2 + 4x + 1} - x)$

18. $\lim\limits_{x \to \infty} e^{x - x^2}$

19. $\lim\limits_{x \to 0^+} \arctan(1/x)$

20. $\lim\limits_{x \to 1} \left(\dfrac{1}{x - 1} + \dfrac{1}{x^2 - 3x + 2} \right)$

21-22 À l'aide de graphiques, découvrez les asymptotes de la courbe. Ensuite, prouvez ce que vous avez découvert.

21. $y = \dfrac{\cos^2 x}{x^2}$

22. $y = \sqrt{x^2 + x + 1} - \sqrt{x^2 - x}$

23. Sachant que $2x - 1 \le f(x) \le x^2$ pour $0 < x < 3$, trouvez $\lim\limits_{x \to 1} f(x)$.

24. Prouvez que $\lim\limits_{x \to 0} x^2 \cos(1/x^2) = 0$.

25. Soit

$$f(x) = \begin{cases} \sqrt{-x} & \text{si} \quad x < 0 \\ 3 - x & \text{si} \quad 0 \le x < 3 \\ (x - 3)^2 & \text{si} \quad x > 3. \end{cases}$$

a) Évaluez chaque limite, si elle existe.

i) $\lim\limits_{x \to 0^+} f(x)$ ii) $\lim\limits_{x \to 0^-} f(x)$

iii) $\lim\limits_{x \to 0} f(x)$ iv) $\lim\limits_{x \to 3^-} f(x)$

v) $\lim\limits_{x \to 3^+} f(x)$ vi) $\lim\limits_{x \to 3} f(x)$

b) Où f est-elle discontinue?

c) Esquissez le graphe de f.

26. Soit

$$g(x) = \begin{cases} 2x - x^2 & \text{si} \quad 0 \le x \le 2 \\ 2 - x & \text{si} \quad 2 < x \le 3 \\ x - 4 & \text{si} \quad 3 < x < 4 \\ \pi & \text{si} \quad x \ge 4. \end{cases}$$

a) Pour chacun des nombres 2, 3 et 4, déterminez si g est continue à gauche, à droite ou au nombre en question.

b) Esquissez le graphe de g.

27-28 Montrez que la fonction est continue sur son domaine de définition et précisez le domaine.

27. $h(x) = x e^{\sin x}$

28. $g(x) = \dfrac{\sqrt{x^2 - 9}}{x^2 - 2}$

29-30 À l'aide du théorème des valeurs intermédiaires, montrez que l'équation a une racine dans l'intervalle donné.

29. $x^5 - x^3 + 3x - 5 = 0$, $(1, 2)$

30. $\cos \sqrt{x} = e^x - 2$, $(0, 1)$

31. a) Trouvez la pente de la tangente à la courbe $y = 9 - 2x^2$ au point $(2, 1)$.

b) Trouvez une équation de cette tangente.

32. Trouvez des équations des tangentes à la courbe

$$y = \dfrac{2}{1 - 3x}$$

aux points d'abscisse 0 et −1.

33. La distance parcourue (en mètres) par un objet en déplacement rectiligne est donnée par $s = 1 + 2t + \frac{1}{4}t^2$, où t est mesuré en secondes.

a) Trouvez la vitesse moyenne sur chaque intervalle de temps.

i) $[1, 3]$ ii) $[1, 2]$

iii) $[1 ; 1,5]$ iv) $[1 ; 1,1]$

b) Trouvez la vitesse instantanée en $t = 1$.

34. Selon la loi de Boyle, si la température d'un gaz confiné est stable, alors le produit de la pression P et du volume V est une constante. Supposons que, pour un certain gaz, $PV = 800$, où P est mesuré en kilopascals et V, en litres.

a) Trouvez le taux de variation moyen de P lorsque V augmente de 200 L³ à 250 L³.

b) Exprimez V en fonction de P et montrez que le taux de variation instantané de V par rapport à P est inversement proportionnel au carré de P.

35. a) À l'aide de la définition de la dérivée, trouvez $f'(2)$, où $f(x) = x^3 - 2x$.

b) Trouvez une équation de la tangente à la courbe $y = x^3 - 2x$ au point $(2, 4)$.

c) Pour illustrer votre réponse en b), tracez la courbe et la tangente sur le même écran.

36. Trouvez une fonction f et un nombre a tels que

$$\lim\limits_{h \to 0} \dfrac{(2 + h)^6 - 64}{h} = f'(a).$$

37. Le coût d'un prêt d'études au taux d'intérêt de r % par année est donné par $C = f(r)$.

a) Que signifie la dérivée $f'(r)$? En quelles unités s'exprime-t-elle?

b) Que signifie $f'(10) = 1200$?

c) La fonction $f'(r)$ est-elle toujours positive ou change-t-elle de signe?

38-40 Calquez ou recopiez le graphique de la fonction, puis, directement en dessous, esquissez le graphique de la dérivée.

38.

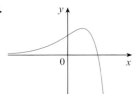

39.

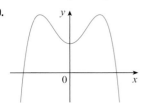

40.

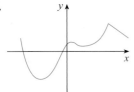

41. a) Soit
$$f(x) = \sqrt{3 - 5x}.$$
À l'aide de la définition de la dérivée, trouvez $f'(x)$.
b) Trouvez les domaines de définition de f et de f'.
c) Tracez les courbes de f et de f' sur le même écran. Comparez ces courbes afin de vérifier la vraisemblance de votre réponse en a).

42. a) Trouvez les asymptotes de la courbe de
$$f(x) = \frac{4 - x}{3 + x}$$
et servez-vous-en pour esquisser le graphique de la fonction.
b) À partir de votre graphique en a), esquissez le graphique de f'.
c) Trouvez $f'(x)$ à l'aide de la définition de la dérivée.
d) Au moyen d'un outil graphique, tracez la courbe de f' puis comparez-la avec votre esquisse en b).

43. Le graphique de f est donné. Dites en quels nombres f n'est pas dérivable et justifiez votre réponse.

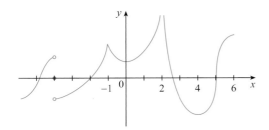

44. La figure ci-dessous montre les graphiques de f, de f' et de f''. Identifiez chaque courbe et justifiez vos choix.

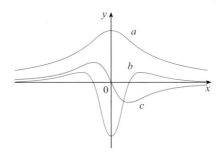

45. Soit $M(t)$, le montant total des prêts personnels au Canada au temps t. Le tableau ci-dessous donne des valeurs de cette fonction entre 1990 et 2010, enregistrées en janvier et exprimées en milliards de dollars. Estimez et interprétez la valeur de $M'(2000)$.

t	1990	1995	2000	2005	2010
$M(t)$	62,3	177,8	105,2	190,9	338,5

46. L'**indice synthétique de fécondité** au temps t, désigné par $F(t)$, est une estimation du nombre moyen d'enfants nés de chaque femme (en supposant que les taux de natalité actuels demeurent constants). Le graphique ci-dessous montre les fluctuations de l'indice synthétique de fécondité au Québec entre 1950 et 2010.

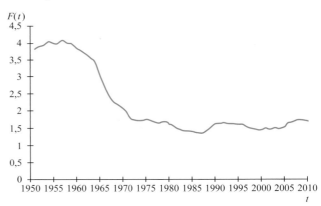

a) Estimez les valeurs de $F'(1957)$, de $F'(1965)$ et de $F'(2005)$.
b) Que signifient les dérivées citées en a)?

47. Sachant que $|f(x)| \leq g(x)$ pour tout x, où $\lim_{x \to a} g(x) = 0$, trouvez $\lim_{x \to a} f(x)$.

48. Soit $f(x) = [\![x]\!] + [\![-x]\!]$.
a) Pour quelles valeurs de a $\lim_{x \to a} f(x)$ existe-t-elle?
b) À quels nombres f est-elle discontinue?

Problèmes supplémentaires

Dans l'exposé traitant des principes de résolution de problèmes, il est question de la stratégie *Introduire quelque chose de plus* (*voir la page 93*). L'exemple suivant illustre l'utilité de cette stratégie dans l'évaluation des limites. Il s'agit de changer la variable – en en introduisant une nouvelle, qui soit liée à la variable initiale – afin de simplifier le problème.

Exemple 2.P.1 Évaluons $\displaystyle\lim_{x \to 0} \frac{\sqrt[3]{1+cx}-1}{x}$, où c est une constante.

Solution Dans son état actuel, cette limite pose un défi. Dans la section 2.6, on a vu comment évaluer plusieurs limites dans lesquelles tant le numérateur que le dénominateur tendaient vers 0. On adopte dans ce cas une stratégie algébrique de simplification. Or, dans le présent cas, on ne saurait trop quel moyen algébrique choisir.

On introduit donc une nouvelle variable, t, définie par l'équation

$$t = \sqrt[3]{1+cx}.$$

Comme on doit aussi pouvoir exprimer x en fonction de t, on résout l'équation :

$$t^3 = 1 + cx$$
$$x = \frac{t^3 - 1}{c} \quad \text{(si } c \neq 0\text{).}$$

On remarque que $x \to 0$ équivaut à $t \to 1$. Ainsi, on peut convertir la limite donnée en une autre, qui comprend t :

$$\lim_{x \to 0} \frac{\sqrt[3]{1+cx}-1}{x} = \lim_{t \to 1} \frac{t-1}{(t^3-1)/c}$$
$$= \lim_{t \to 1} \frac{c(t-1)}{t^3 - 1}.$$

Ce changement de variable permet de remplacer une limite plutôt compliquée par une limite plus simple et plus familière. Après factorisation du dénominateur en différence de cubes, on obtient :

$$\lim_{t \to 1} \frac{c(t-1)}{t^3 - 1} = \lim_{t \to 1} \frac{c(t-1)}{(t-1)(t^2 + t + 1)}$$
$$= \lim_{t \to 1} \frac{c}{t^2 + t + 1} = \frac{c}{3}.$$

En changeant de variable, on a dû exclure le cas $c = 0$. Or, si $c = 0$, la fonction égale 0 pour tout x non nul et sa limite est 0. Donc, dans tous les cas, la limite est $c/3$.

Les problèmes suivants visent à mettre vos habiletés de résolution à l'épreuve. Certains demandent passablement de temps de réflexion ; il ne faut donc pas céder au découragement. Si vous butez contre une difficulté, consultez la section discutant les principes de la résolution de problèmes, aux pages 92 à 94.

Problèmes

1. Évaluez $\displaystyle\lim_{x \to 1} \frac{\sqrt[3]{x}-1}{\sqrt{x}-1}$.

2. Déterminez les nombres a et b tels que $\displaystyle\lim_{x \to 0} \frac{\sqrt{ax+b}-2}{x} = 1$.

3. Évaluez $\lim\limits_{x \to 0} \dfrac{|2x-1| - |2x+1|}{x}$.

4. La figure ci-dessous montre un point P de la parabole $y = x^2$ et le point Q où la médiatrice de OP coupe l'axe des y. Lorsque P s'approche de l'origine le long de la parabole, qu'arrive-t-il à Q? Le point Q a-t-il une position limite? Si oui, quelle est-elle?

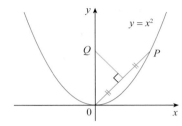

5. Évaluez, si elles existent, les limites suivantes, où $[\![x]\!]$ désigne la fonction partie entière.

a) $\lim\limits_{x \to 0} \dfrac{[\![x]\!]}{x}$

b) $\lim\limits_{x \to 0} x[\![1/x]\!]$

6. Esquissez la région du plan définie par chaque équation.

a) $[\![x]\!]^2 + [\![y]\!]^2 = 1$

b) $[\![x]\!]^2 - [\![y]\!]^2 = 3$

c) $[\![x+y]\!]^2 = 1$

d) $[\![x]\!] + [\![y]\!] = 1$

7. Trouvez toutes les valeurs de a telles que f est continue sur $\mathbb{R}$:

$$f(x) = \begin{cases} x+1 & \text{si} \quad x \le a \\ x^2 & \text{si} \quad x > a. \end{cases}$$

8. Un **point fixe** d'une fonction f est un nombre c de son domaine de définition tel que $f(c) = c$. (La fonction ne déplace pas c, qui reste fixe.)

a) Esquissez la courbe d'une fonction continue dont le domaine est $[0, 1]$ et dont l'image est $[0, 1]$. Situez un point fixe de f.

b) Tentez de tracer le graphique d'une fonction continue dont le domaine est $[0, 1]$ et l'ensemble-image, $[0, 1]$, et qui n'a pas de point fixe. Quel obstacle rencontrez-vous?

c) À l'aide du théorème des valeurs intermédiaires, prouvez que toute fonction continue dont le domaine est $[0, 1]$ et l'ensemble-image $[0, 1]$ doit avoir un point fixe.

9. Sachant que $\lim\limits_{x \to a} \big[f(x) + g(x) \big] = 2$ et que $\lim\limits_{x \to a} \big[f(x) - g(x) \big] = 1$, trouvez

$$\lim\limits_{x \to a} \big[f(x)g(x) \big].$$

10. La figure ci-dessous montre un triangle isocèle ABC dont $\angle B = \angle C$. La bissectrice de l'angle B coupe le côté AC au point P. Supposons que la base BC soit fixe, mais que la hauteur $|AM|$ du triangle tende vers 0, de sorte que A tende vers le point milieu M de BC.

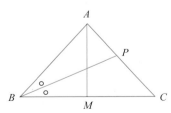

a) Qu'arrive-t-il alors à P? Le point P a-t-il une position limite? Si oui, quelle est-elle?

b) Essayez d'esquisser la trajectoire de P durant le processus posé en a). Ensuite, trouvez une équation de la courbe et esquissez cette dernière à l'aide de l'équation trouvée.

11. En allant vers l'ouest à partir de la latitude 0°, on peut noter $T(x)$ la température au point x à un moment donné.

   a) En supposant que T est une fonction continue de x, montrez que, à tout moment fixé, il y a au moins deux points diamétralement opposés sur l'équateur où il fait exactement la même température.

   b) Le résultat obtenu en a) est-il valable pour les points de tout cercle à la surface de la Terre ?

   c) Le résultat obtenu en a) s'applique-t-il à la pression barométrique et aux altitudes supérieures au niveau de la mer ?

12. Sachant que f est une fonction dérivable et que

$$g(x) = x f(x),$$

   utilisez la définition de la dérivée pour montrer que

$$g'(x) = x f'(x) + f(x).$$

13. Soit f, une fonction satisfaisant l'égalité

$$f(x + y) = f(x) + f(y) + x^2 y + xy^2$$

   pour tous nombres réels x et y. Soit aussi

$$\lim_{x \to 0} \frac{f(x)}{x} = 1.$$

   a) Trouvez $f(0)$.
   b) Trouvez $f'(0)$.
   c) Trouvez $f'(x)$.

14. Soit f, une fonction telle que

$$|f'(x)| \le x^2$$

   pour tout x. Montrez que $f(0) = 0$. Montrez ensuite que $f'(0) = 0$.

CHAPITRE 3
LES RÈGLES DE DÉRIVATION

Pour effectuer un atterrissage en douceur, le pilote d'un gros porteur doit amorcer la descente de l'appareil lorsqu'il se trouve à la bonne distance de l'aéroport. Et c'est ce que vous apprendrez à calculer dans la rubrique « Application » présentée à la page 229.

Nous avons appris à interpréter les dérivées comme des pentes et des taux de variation. Nous avons vu comment estimer les dérivées de fonctions données par des tableaux de valeurs. Nous savons comment tracer les graphiques des dérivées de fonctions à partir du graphique de ces fonctions. Nous avons utilisé la définition de la dérivée pour calculer les dérivées de fonctions définies par des formules. Ces connaissances étant acquises, il serait tout de même fastidieux de s'en remettre toujours à la définition. Voilà pourquoi, dans le présent chapitre, nous élaborerons des règles qui nous permettront de trouver les dérivées sans avoir à utiliser la définition. Grâce à celles-ci, nous pourrons facilement calculer les dérivées des polynômes, des fonctions rationnelles, des fonctions algébriques, des fonctions exponentielles et logarithmiques, ainsi que des fonctions trigonométriques et trigonométriques réciproques. Ensuite, nous entreprendrons de résoudre des problèmes de taux de variation et d'approximation de fonctions.

3.1 Les dérivées de fonctions polynomiales et de fonctions exponentielles

Cette section traite de la dérivation des fonctions constantes, puissances, polynomiales et exponentielles.

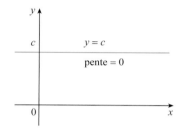

3.1.1 FIGURE

Le graphique de $f(x) = c$ est la droite $y = c$, donc $f'(x) = 0$.

Voyons d'abord la plus simple des fonctions, à savoir la fonction constante $f(x) = c$. Le graphique de cette fonction est la droite horizontale $y = c$. La pente étant 0, il faut que $f'(x) = 0$ (*voir la figure 3.1.1*). On peut facilement en donner une preuve formelle à partir de la définition de la dérivée :

$$f'(x) = \lim_{h \to 0} \frac{f(x+h) - f(x)}{h}$$
$$= \lim_{h \to 0} \frac{c - c}{h} = \lim_{h \to 0} 0$$
$$= 0.$$

En notation de Leibniz, cette formule s'exprime comme suit.

3.1.1	La dérivée d'une fonction constante
	$$\frac{d}{dx}(c) = 0$$

▶ Les fonctions puissances

On regarde ensuite les fonctions $f(x) = x^n$, où n est un entier positif. Si $n = 1$, le graphique de $f(x) = x$ est la droite $y = x$ de pente 1 (*voir la figure 3.1.2*). Donc,

3.1.2	$$\frac{d}{dx}(x) = 1.$$

3.1.2 FIGURE

Le graphique de $f(x) = x$ est la droite $y = x$, donc $f'(x) = 1$.

(On peut aussi vérifier l'égalité **3.1.2** au moyen de la définition de la dérivée.) On a déjà étudié les cas $n = 2$ et $n = 3$. De fait, aux exercices 19 et 20 de la section 2.8, on a constaté que

 3.1.3 $$\frac{d}{dx}(x^2) = 2x \qquad \frac{d}{dx}(x^3) = 3x^2.$$

Pour $n = 4$, la dérivée de $f(x) = x^4$ se trouve comme suit :

$$\begin{aligned} f'(x) &= \lim_{h\to 0}\frac{f(x+h)-f(x)}{h} = \lim_{h\to 0}\frac{(x+h)^4 - x^4}{h} \\ &= \lim_{h\to 0}\frac{x^4 + 4x^3h + 6x^2h^2 + 4xh^3 + h^4 - x^4}{h} \\ &= \lim_{h\to 0}\frac{4x^3h + 6x^2h^2 + 4xh^3 + h^4}{h} \\ &= \lim_{h\to 0}(4x^3 + 6x^2h + 4xh^2 + h^3) = 4x^3. \end{aligned}$$

Ainsi,

3.1.4
$$\frac{d}{dx}(x^4) = 4x^3.$$

En comparant les égalités **3.1.2**, **3.1.3** et **3.1.4**, il semble raisonnable de conjecturer que, lorsque n est un entier positif, $(d/dx)(x^n) = nx^{n-1}$. Cette conjecture se révèle exacte.

3.1.5 La règle de dérivation d'une puissance

Si n est un entier positif, alors

$$\frac{d}{dx}(x^n) = nx^{n-1}.$$

PREMIÈRE DÉMONSTRATION La formule

$$x^n - a^n = (x-a)(x^{n-1} + x^{n-2}a + \cdots + xa^{n-2} + a^{n-1})$$

se vérifie par simple multiplication du membre de droite. Si $f(x) = x^n$, on peut utiliser l'égalité **2.7.5** pour $f'(a)$ et l'équation ci-dessus pour écrire

$$\begin{aligned} f'(a) &= \lim_{x\to a}\frac{f(x)-f(a)}{x-a} = \lim_{x\to a}\frac{x^n - a^n}{x-a} \\ &= \lim_{x\to a}\frac{(x-a)(x^{n-1} + x^{n-2}a + \cdots + xa^{n-2} + a^{n-1})}{x-a} \\ &= \lim_{x\to a}(x^{n-1} + x^{n-2}a + \cdots + xa^{n-2} + a^{n-1}) \\ &= a^{n-1} + a^{n-2}a + \cdots + aa^{n-2} + a^{n-1} \\ &= na^{n-1}. \end{aligned}$$

SECONDE DÉMONSTRATION

$$f'(x) = \lim_{h\to 0}\frac{f(x+h)-f(x)}{h} = \lim_{h\to 0}\frac{(x+h)^n - x^n}{h}$$

La formule du binôme de Newton est donnée à la page 19, en encadré.

Pour trouver la dérivée de x^4, il a fallu développer $(x + h)^4$. Ici, on doit développer $(x + h)^n$ et, pour ce faire, on utilise la formule du binôme de Newton :

$$\begin{aligned} f'(x) &= \lim_{h\to 0}\frac{\left[x^n + nx^{n-1}h + \frac{n(n-1)}{2}x^{n-2}h^2 + \cdots + nxh^{n-1} + h^n\right] - x^n}{h} \\ &= \lim_{h\to 0}\frac{nx^{n-1}h + \frac{n(n-1)}{2}x^{n-2}h^2 + \cdots + nxh^{n-1} + h^n}{h} \\ &= \lim_{h\to 0}\left[nx^{n-1} + \frac{n(n-1)}{2}x^{n-2}h + \cdots + nxh^{n-2} + h^{n-1}\right] \\ &= nx^{n-1} \end{aligned}$$

parce que tous les termes, sauf le premier, ont le facteur h et tendent donc vers 0. ■

L'exemple 3.1.1 illustre la règle de dérivation d'une puissance à l'aide de différentes notations.

Exemple 3.1.1

a) Si $f(x) = x^6$, alors $f'(x) = 6x^5$.

b) Si $y = x^{1000}$, alors $y' = 1000x^{999}$.

c) Si $y = t^4$, alors $\dfrac{dy}{dt} = 4t^3$.

d) $\dfrac{d}{dr}(r^3) = 3r^2$

Qu'en est-il des fonctions puissances dont les exposants sont des entiers négatifs ? L'exercice 65 demande de vérifier, à partir de la définition de la dérivée, que

$$\frac{d}{dx}\left(\frac{1}{x}\right) = -\frac{1}{x^2}.$$

On peut récrire cette égalité comme suit :

$$\frac{d}{dx}(x^{-1}) = (-1)x^{-2}.$$

Donc, la règle de dérivation d'une puissance se vérifie lorsque $n = -1$. On montre d'ailleurs dans la section 3.2 (*voir l'exercice 64 b*) que cette règle vaut pour tous les entiers négatifs.

Qu'arrive-t-il quand l'exposant est une fraction ? Dans l'exemple 2.8.3 on établit que

$$\frac{d}{dx}\sqrt{x} = \frac{1}{2\sqrt{x}},$$

qu'on peut écrire

$$\frac{d}{dx}(x^{1/2}) = \frac{1}{2}x^{-1/2}.$$

Cela montre que la règle de dérivation d'une puissance est valable même lorsque $n = \frac{1}{2}$. On montre dans la section 3.6 qu'elle est en fait valable pour tous les nombres réels n.

3.1.6	La règle de dérivation d'une puissance (version générale)

Si n est un nombre réel quelconque, alors

$$\frac{d}{dx}(x^n) = nx^{n-1}.$$

La figure 3.1.3 montre la fonction y de l'exemple 3.1.2 b) et sa dérivée y'. On remarque que y n'est pas dérivable en 0 (y' n'y est pas définie) et que y' est positive lorsque y croît et négative lorsque y décroît. On démontre cette propriété dans la section 4.2.

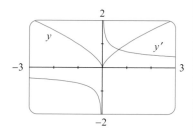

3.1.3 FIGURE

$y = \sqrt[3]{x^2}$

Exemple 3.1.2 Trouvons la dérivée de chacune des fonctions suivantes.

a) $f(x) = \dfrac{1}{x^2}$

b) $y = \sqrt[3]{x^2}$

Solution Dans chaque cas, on récrit la fonction comme une puissance de x.

a) Comme $f(x) = x^{-2}$, on utilise la règle de dérivation d'une puissance avec $n = -2$:

$$f'(x) = \frac{d}{dx}(x^{-2}) = -2x^{-2-1} = -2x^{-3} = -\frac{2}{x^3}.$$

b) $\dfrac{dy}{dx} = \dfrac{d}{dx}(\sqrt[3]{x^2}) = \dfrac{d}{dx}(x^{2/3}) = \dfrac{2}{3}x^{(2/3)-1} = \dfrac{2}{3}x^{-1/3} = \dfrac{2}{3\sqrt[3]{x}}$

La règle de dérivation d'une puissance permet de trouver des tangentes sans avoir à recourir à la définition de la dérivée. Elle permet aussi de trouver les droites normales. La **normale** à une courbe C en un point P est la droite perpendiculaire à la tangente en P. (En optique, il faut considérer l'angle formé par un rayon lumineux et la normale à une lentille.)

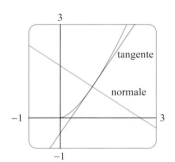

3.1.4 FIGURE

$y = x\sqrt{x}$

Exemple 3.1.3 Trouvons les équations de la tangente et de la normale à la courbe $y = x\sqrt{x}$ au point (1, 1). Représentons graphiquement la courbe et les droites.

Solution La dérivée de $f(x) = x\sqrt{x} = xx^{1/2} = x^{3/2}$ est

$$f'(x) = \tfrac{3}{2}x^{(3/2)-1} = \tfrac{3}{2}x^{1/2} = \tfrac{3}{2}\sqrt{x}.$$

Donc, la pente de la tangente en (1, 1) est $f'(1) = \tfrac{3}{2}$. Ainsi,

$$y - 1 = \tfrac{3}{2}(x-1) \qquad \text{ou} \qquad y = \tfrac{3}{2}x - \tfrac{1}{2}$$

est une équation de la tangente. La normale étant perpendiculaire à la tangente, sa pente est l'opposé de l'inverse de $\tfrac{3}{2}$, soit $-\tfrac{2}{3}$. On a donc, comme équation de la normale,

$$y - 1 = -\tfrac{2}{3}(x-1) \qquad \text{ou} \qquad y = -\tfrac{2}{3}x + \tfrac{5}{3}.$$

La figure 3.1.4 montre la courbe, sa tangente et sa normale au point (1, 1).

▶ De nouvelles dérivées à partir d'anciennes

Lorsqu'on a affaire à de nouvelles fonctions qui, par addition, soustraction ou multiplication par une constante, ont été formées d'anciennes fonctions, on peut calculer leurs dérivées en termes de dérivées des fonctions antécédentes. La règle suivante dit notamment que la dérivée du produit d'une constante par une fonction est égale au produit de la constante par la dérivée de la fonction.

Interprétation géométrique de la règle de dérivation du produit par une constante

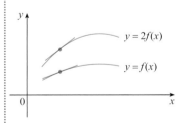

La multiplication par $c = 2$ fait subir à la courbe un étirement vertical de facteur 2. Toutes les variations verticales sont doublées, alors que les variations horizontales restent inchangées. Les pentes s'en trouvent également doublées.

3.1.7	La règle de dérivation du produit par une constante

Si c est une constante et f, une fonction dérivable, alors

$$\frac{d}{dx}[cf(x)] = c\frac{d}{dx}f(x).$$

DÉMONSTRATION Soit $g(x) = cf(x)$. Alors

$$g'(x) = \lim_{h \to 0}\frac{g(x+h)-g(x)}{h} = \lim_{h \to 0}\frac{cf(x+h)-cf(x)}{h}$$

$$= \lim_{h \to 0} c\left[\frac{f(x+h)-f(x)}{h}\right]$$

$$= c\lim_{h \to 0}\frac{f(x+h)-f(x)}{h} \qquad \text{(propriété 2.3.3 des limites)}$$

$$= cf'(x).$$

Exemple 3.1.4

a) $\dfrac{d}{dx}(3x^4) = 3\dfrac{d}{dx}(x^4) = 3(4x^3) = 12x^3$

b) $\dfrac{d}{dx}(-x) = \dfrac{d}{dx}[(-1)x] = (-1)\dfrac{d}{dx}(x) = -1(1) = -1$

La règle suivante dit que la dérivée d'une somme de fonctions est égale à la somme des dérivées de ces fonctions.

En utilisant la notation prime (aussi appelée «notation de Lagrange»), la règle de dérivation d'une somme s'écrit

$$(f+g)' = f' + g'.$$

| 3.1.8 | **La règle de dérivation d'une somme** |

Si f et g sont toutes deux dérivables, alors

$$\frac{d}{dx}[f(x) + g(x)] = \frac{d}{dx}f(x) + \frac{d}{dx}g(x).$$

DÉMONSTRATION Soit $F(x) = f(x) + g(x)$. Alors

$$\begin{aligned}
F'(x) &= \lim_{h \to 0} \frac{F(x+h) - F(x)}{h} \\
&= \lim_{h \to 0} \frac{[f(x+h) + g(x+h)] - [f(x) + g(x)]}{h} \\
&= \lim_{h \to 0} \left[\frac{f(x+h) - f(x)}{h} + \frac{g(x+h) - g(x)}{h} \right] \\
&= \lim_{h \to 0} \frac{f(x+h) - f(x)}{h} + \lim_{h \to 0} \frac{g(x+h) - g(x)}{h} \qquad \text{(propriété 2.3.1)} \\
&= f'(x) + g'(x).
\end{aligned}$$

On peut étendre la règle de dérivation d'une somme à la somme d'un nombre quelconque de fonctions. Ainsi, en utilisant ce théorème deux fois, on obtient

$$\begin{aligned}
(f + g + h)' &= [(f + g) + h]' \\
&= (f + g)' + h' \\
&= f' + g' + h'.
\end{aligned}$$

Si l'on exprime $f - g$ sous la forme algébrique $f + (-1)g$ et qu'on emploie les règles de dérivation de la somme et du produit par une constante, on obtient la règle suivante.

| 3.1.9 | **La règle de dérivation d'une différence** |

Si f et g sont toutes deux dérivables, alors

$$\frac{d}{dx}[f(x) - g(x)] = \frac{d}{dx}f(x) - \frac{d}{dx}g(x).$$

Comme l'illustrent les exemples suivants, la combinaison des règles de dérivation du produit par une constante, d'une somme et d'une différence avec la règle de dérivation d'une puissance permet de dériver toute fonction polynomiale.

Exemple 3.1.5

$$\frac{d}{dx}(x^8 + 12x^5 - 4x^4 + 10x^3 - 6x + 5)$$

$$\begin{aligned}
&= \frac{d}{dx}(x^8) + 12\frac{d}{dx}(x^5) - 4\frac{d}{dx}(x^4) + 10\frac{d}{dx}(x^3) - 6\frac{d}{dx}(x) + \frac{d}{dx}(5) \\
&= 8x^7 + 12(5x^4) - 4(4x^3) + 10(3x^2) - 6(1) + 0 \\
&= 8x^7 + 60x^4 - 16x^3 + 30x^2 - 6
\end{aligned}$$

Exemple **3.1.6** Trouvons les points de la courbe $y = x^4 - 6x^2 + 4$ où la tangente est horizontale.

Solution Les tangentes horizontales existent là où la dérivée est nulle. On a

$$\frac{dy}{dx} = \frac{d}{dx}(x^4) - 6\frac{d}{dx}(x^2) + \frac{d}{dx}(4)$$
$$= 4x^3 - 12x + 0$$
$$= 4x(x^2 - 3).$$

Donc, $dy/dx = 0$ si $x = 0$ ou que $x^2 - 3 = 0$, c'est-à-dire que $x = \pm\sqrt{3}$. Ainsi, la courbe donnée admet des tangentes horizontales en $x = 0$, $\sqrt{3}$ et $-\sqrt{3}$. Les points correspondants sont $(0, 4)$, $(\sqrt{3}, -5)$ et $(-\sqrt{3}, -5)$ (*voir la figure 3.1.5*). ∎

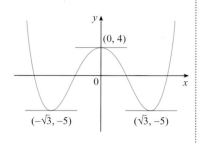

3.1.5 FIGURE

La courbe $y = x^4 - 6x^2 + 4$ et ses tangentes horizontales.

Exemple **3.1.7** L'équation du mouvement d'une particule est donnée par

$$s = 2t^3 - 5t^2 + 3t + 4,$$

où s est mesuré en centimètres et t, en secondes. Trouvons l'accélération en fonction du temps. Quelle est l'accélération après 2 secondes ?

Solution La vitesse et l'accélération sont

$$v(t) = \frac{ds}{dt} = 6t^2 - 10t + 3$$
$$a(t) = \frac{dv}{dt} = 12t - 10.$$

L'accélération après 2 s est égale à $a(2) = 14$ cm/s². ∎

▶ Les fonctions exponentielles

On tente ici de calculer la dérivée de la fonction exponentielle $f(x) = b^x$ au moyen de la définition de la dérivée :

$$f'(x) = \lim_{h \to 0} \frac{f(x+h) - f(x)}{h} = \lim_{h \to 0} \frac{b^{x+h} - b^x}{h}$$
$$= \lim_{h \to 0} \frac{b^x b^h - b^x}{h} = \lim_{h \to 0} \frac{b^x(b^h - 1)}{h}.$$

Comme le facteur b^x ne dépend pas de h, on peut le placer devant l'expression de la limite :

$$f'(x) = b^x \lim_{h \to 0} \frac{b^h - 1}{h}.$$

On remarque que la limite est la valeur de la dérivée de f en 0, c'est-à-dire que

$$\lim_{h \to 0} \frac{b^h - 1}{h} = f'(0).$$

On a ainsi montré que, si la fonction exponentielle $f(x) = b^x$ est dérivable en 0, alors elle est dérivable partout et

3.1.10
$$f'(x) = f'(0)b^x.$$

Cette égalité dit que le taux de variation de toute fonction exponentielle est proportionnel à la fonction elle-même. (La pente est proportionnelle à la hauteur.)

h	$\dfrac{2^h - 1}{h}$	$\dfrac{3^h - 1}{h}$
0,1	0,7177	1,1612
0,01	0,6956	1,1047
0,001	0,6934	1,0992
0,0001	0,6932	1,0987

Le tableau ci-contre fournit un argument numérique de l'existence de $f'(0)$ dans les cas $b = 2$ et $b = 3$. (Les valeurs sont exactes jusqu'à la quatrième décimale.) Il semble que les limites existent et,

$$\text{pour } b = 2, \quad f'(0) = \lim_{h \to 0} \frac{2^h - 1}{h} \approx 0,69\,;$$

$$\text{pour } b = 3, \quad f'(0) = \lim_{h \to 0} \frac{3^h - 1}{h} \approx 1,10.$$

On peut prouver que ces limites existent et que leurs valeurs, exactes à six décimales, sont

$$\frac{d}{dx}(2^x)\bigg|_{x=0} \approx 0,693\,147 \qquad \frac{d}{dx}(3^x)\bigg|_{x=0} \approx 1,098\,612.$$

Donc, d'après l'équation **3.1.10**, on a

3.1.11	$\dfrac{d}{dx}(2^x) \approx (0,69)2^x \qquad \dfrac{d}{dx}(3^x) \approx (1,10)3^x.$

De tous les choix possibles comme base b dans l'égalité **3.1.10**, la formule de dérivation la plus simple se trouve lorsque $f'(0) = 1$. Vu les estimations de $f'(0)$ pour $b = 2$ et $b = 3$, il semble qu'il y ait un nombre b, situé entre 2 et 3, tel que $f'(0) = 1$. On désigne généralement cette valeur par la lettre e. (C'est d'ailleurs ainsi qu'on présente e dans la section 1.5.) Sa définition est la suivante.

L'exercice 1 permet de constater que e se situe entre 2,7 et 2,8. Dans la section 3.6, on montre que, exprimé à cinq décimales d'exactitude,

$$e \approx 2,718\,28.$$

3.1.12	**Définition du nombre e**
	Le nombre e est un nombre tel que $\displaystyle \lim_{h \to 0} \frac{e^h - 1}{h} = 1.$

Géométriquement, cela signifie que, de toutes les fonctions exponentielles $y = b^x$ possibles, la fonction $f(x) = e^x$ est celle dont la tangente en $(0, 1)$ a une pente $f'(0)$ exactement égale à 1 (*voir les figures 3.1.6 et 3.1.7*).

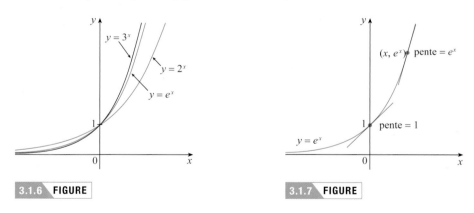

3.1.6 **FIGURE**   **3.1.7** **FIGURE**

Si l'on pose $b = e$ et, donc, $f'(0) = 1$ dans l'égalité **3.1.10**, on obtient l'importante formule de dérivation qui suit.

3.1.13	**La dérivée de la fonction exponentielle naturelle**
	$\dfrac{d}{dx}(e^x) = e^x$

La fonction exponentielle $f(x) = e^x$ a donc la propriété d'être sa propre dérivée. Au plan géométrique, cette propriété signifie que la pente d'une tangente à la courbe $y = e^x$ est égale à l'ordonnée du point (*voir la figure 3.1.7*).

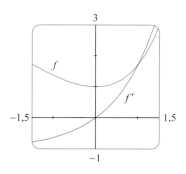

3.1.8 FIGURE

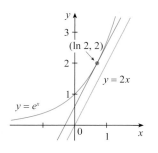

3.1.9 FIGURE

Exemple 3.1.8 Soit $f(x) = e^x - x$. Trouvons f' et f''. Comparons les courbes respectives de f et de f'.

Solution Selon la règle de dérivation d'une différence, on a

$$f'(x) = \frac{d}{dx}(e^x - x) = \frac{d}{dx}(e^x) - \frac{d}{dx}(x) = e^x - 1.$$

Dans la section 2.8, on définit la dérivée seconde comme la dérivée de f', donc

$$f''(x) = \frac{d}{dx}(e^x - 1) = \frac{d}{dx}(e^x) - \frac{d}{dx}(1) = e^x.$$

Les courbes de f et de sa dérivée f' sont montrées dans la figure 3.1.8. Comme on le remarque, f admet une tangente horizontale en $x = 0$, ce qui concorde avec le fait que $f'(0) = 0$. On observe également que, pour $x > 0$, $f'(x)$ est positive et f est croissante. Lorsque $x < 0$, $f'(x)$ est négative et f, décroissante.

Exemple 3.1.9 En quel point de la courbe $y = e^x$ la tangente est-elle parallèle à la droite $y = 2x$?

Solution Puisque $y = e^x$, alors $y' = e^x$. Si a représente l'abscisse du point en question, alors la pente de la tangente en ce point est e^a. Cette tangente sera parallèle à la droite $y = 2x$ si elle est de même pente, soit 2. En posant que ces pentes sont égales, on obtient

$$e^a = 2 \qquad a = \ln 2.$$

Par conséquent, le point recherché est $(a, e^a) = (\ln 2, 2)$ (*voir la figure 3.1.9*).

Exercices 3.1

 1. a) Comment définit-on le nombre e?
   b) À l'aide d'une calculatrice, estimez les limites

$$\lim_{h \to 0} \frac{2,7^h - 1}{h} \quad \text{et} \quad \lim_{h \to 0} \frac{2,8^h - 1}{h},$$

   et exprimez-les à deux décimales d'exactitude. Qu'en concluez-vous, au sujet de la valeur de e?

2. a) Esquissez le graphique de la fonction $f(x) = e^x$ en prêtant attention à la façon dont il coupe l'axe des y. Qu'est-ce qui vous permet de le faire?
   b) À quels types de fonctions appartiennent $f(x) = e^x$ et $g(x) = x^e$? Comparez les dérivées de f et de g.
   c) Des deux fonctions en b), laquelle croît plus rapidement lorsque x est grand?

3-34 Trouvez la dérivée de la fonction.

3. $f(x) = 2^{40}$

4. $f(x) = e^5$

5. $f(t) = 2 - \frac{2}{3}t$

6. $F(x) = \frac{3}{4}x^8$

7. $f(x) = x^3 - 4x + 6$

8. $f(t) = 1,4t^5 - 2,5t^2 + 6,7$

9. $g(x) = x^2(1 - 2x)$

10. $h(x) = (x - 2)(2x + 3)$

11. $H(u) = (3u - 1)(u + 2)$

12. $g(t) = 2t^{-3/4}$

13. $B(y) = cy^{-6}$

14. $A(s) = -\frac{12}{s^5}$

15. $y = x^{5/3} - x^{2/3}$

16. $R(a) = (3a + 1)^2$

17. $h(t) = \sqrt[4]{t} - 4e^t$

18. $S(p) = \sqrt{p} - p$

19. $y = \sqrt[3]{x}(2 + x)$

20. $y = \sqrt{x}(x - 1)$

21. $y = 3e^x + \frac{4}{\sqrt[3]{x}}$

22. $S(R) = 4\pi R^2$

23. $h(u) = Au^3 + Bu^2 + Cu$

24. $y = \frac{\sqrt{x} + x}{x^2}$

25. $y = \frac{x^2 + 4x + 3}{\sqrt{x}}$

26. $G(t) = \sqrt{5t} + \frac{\sqrt{7}}{t}$

27. $j(x) = x^{2,4} + e^{2,4}$

28. $k(r) = e^r + r^e$

29. $H(x) = (x + x^{-1})^3$

30. $F(z) = \frac{A + Bz + Cz^2}{z^2}$

31. $f(v) = \frac{\sqrt[3]{v} - 2ve^v}{v}$

32. $D(t) = \frac{1 + 16t^2}{(4t)^3}$

33. $z = \frac{A}{y^{10}} + Be^y$

34. $y = e^{x+1} + 1$

35-38 Trouvez l'équation de la tangente à la courbe au point indiqué.

35. $y = 2x^3 - x^2 + 2$, (1, 3)

36. $y = 2e^x + x$, (0, 2)

37. $y = x + \frac{2}{x}$, (2, 3)

38. $y = \sqrt[4]{x} - x$, (1, 0)

39-40 Trouvez les équations de la tangente et de la normale à la courbe au point indiqué.

39. $y = x^4 + 2e^x$, (0, 2)

40. $y = x^2 - x^4$, (1, 0)

41-42 Trouvez l'équation de la tangente à la courbe au point indiqué. Pour illustrer votre réponse, tracez la courbe et la tangente sur le même écran.

41. $y = 3x^2 - x^3$, $(1, 2)$

42. $y = x - \sqrt{x}$, $(1, 0)$

43-44 Trouvez $f'(x)$. Comparez les courbes respectives de f et de f' et servez-vous-en pour justifier votre réponse.

43. $f(x) = x^4 - 2x^3 + x^2$

44. $f(x) = x^5 - 2x^3 + x - 1$

45. a) À l'aide d'un outil graphique, tracez le graphique de la fonction $f(x) = x^4 - 3x^3 - 6x^2 + 7x + 30$ dans la fenêtre de $[-3, 5]$ sur $[-10, 50]$.

b) À partir du graphique obtenu en a), estimez les pentes et faites une esquisse du graphique de f' (*voir l'exemple 2.8.1, p. 170*).

c) Calculez $f'(x)$ et utilisez l'expression pour tracer le graphique de f' à l'aide d'un outil graphique. Comparez le graphique obtenu avec votre esquisse en b).

46. a) À l'aide d'un outil graphique, tracez le graphique de la fonction $g(x) = e^x - 3x^2$ dans la fenêtre de $[-1, 4]$ sur $[-8, 8]$.

b) À partir du graphique obtenu en a), estimez les pentes et faites une esquisse du graphique de g' (*voir l'exemple 2.8.1, p. 170*).

c) Calculez $g'(x)$ et utilisez l'expression pour tracer le graphique de g' à l'aide d'un outil graphique. Comparez le graphique obtenu avec votre esquisse en b).

47-48 Trouvez les dérivées première et seconde de la fonction.

47. $f(x) = 10x^{10} + 5x^5 - x$

48. $G(r) = \sqrt{r} + \sqrt[3]{r}$

49-50 Trouvez les dérivées première et seconde de la fonction. Pour vérifier la vraisemblance de vos réponses, comparez les graphiques respectifs de f, de f' et de f''.

49. $f(x) = 2x - 5x^{3/4}$

50. $f(x) = e^x - x^3$

51. L'équation du mouvement d'une particule est donnée par $s = t^3 - 3t$, où s est mesuré en mètres et t, en secondes. Trouvez:

a) la vitesse et l'accélération en fonction de t;

b) l'accélération après 2 s;

c) l'accélération lorsque la vitesse est nulle.

52. L'équation du mouvement d'une particule est donnée par $s = t^4 - 2t^3 + t^2 - t$, où s est mesuré en mètres et t, en secondes.

a) Trouvez la vitesse et l'accélération en fonction de t.

b) Trouvez l'accélération après 1 s.

c) Tracez les fonctions position, vitesse et accélération sur le même écran.

53. Selon la loi de Boyle, dans une quantité de gaz comprimé à une pression constante, la pression P du gaz est inversement proportionnelle au volume V de gaz.

a) Supposons que la pression d'un volume d'air occupant $0{,}106$ m^3 à 25 °C soit de 50 kPa. Exprimez V en fonction de P.

b) Calculez dV/dP quand $P = 50$ kPa. Que signifie la dérivée? En quelles unités s'exprime-t-elle?

54. Pour éviter l'usure prématurée des pneus d'automobile par surgonflement ou sous-gonflement, on doit gonfler les pneus convenablement. Les valeurs données dans le tableau montrent la durée de vie V (en milliers de kilomètres) d'un certain type de pneu gonflé à différentes pressions P (en kilopascals).

P	179	193	214	241	262	290	310
V	80	106	126	130	119	113	95

a) À l'aide d'un outil graphique, modélisez la durée de vie du pneu au moyen d'une fonction du second degré de la pression.

b) À partir de votre modèle, estimez dV/dP en $P = 200$ et en $P = 280$. Que signifie la dérivée? En quelles unités s'exprime-t-elle? Que signifient les signes des dérivées?

55. Trouvez les points de la courbe $y = 2x^3 + 3x^2 - 12x + 1$ où la tangente est horizontale.

56. Pour quelle valeur de x la courbe de $f(x) = e^x - 2x$ admet-elle une tangente horizontale?

57. Montrez que la courbe $y = 2e^x + 3x + 5x^3$ n'a pas de tangente de pente 2.

58. Trouvez l'équation de la tangente à la courbe $y = x^4 + 1$ qui est parallèle à la droite $32x - y = 15$.

59. Trouvez les équations de deux droites tangentes à la courbe $y = x^3 - 3x^2 + 3x - 3$ et parallèles à la droite $3x - y = 15$.

60. En quel point de la courbe $y = 1 + 2e^x - 3x$ la tangente est-elle parallèle à la droite $3x - y = 5$? Pour illustrer votre réponse, tracez la courbe et les deux droites.

61. Trouvez l'équation de la normale à la courbe $y = \sqrt{x}$ qui est parallèle à la droite $2x + y = 1$.

62. En quel point la normale à la parabole $y = x^2 - 1$ au point $(-1, 0)$ intercepte-t-elle cette parabole une seconde fois? Tracez-en l'esquisse.

63. Dessinez un schéma montrant que deux tangentes à la parabole $y = x^2$ passent par le point $(0, -4)$. Trouvez les coordonnées des points auxquels ces tangentes coupent la parabole.

64. a) Trouvez les équations des deux droites passant par le point $(2, -3)$ qui sont tangentes à la parabole $y = x^2 + x$.

b) Montrez que la parabole n'admet pas de tangente qui passe par le point $(2, 7)$. Dessinez ensuite un schéma pour voir pourquoi elle n'en admet pas.

65. À l'aide de la définition de la dérivée, montrez que, si $f(x) = 1/x$, alors $f'(x) = -1/x^2$. (Cet énoncé prouve la règle de dérivation d'une puissance dans le cas $n = -1$.)

66. Trouvez la dérivée n-ième de chaque fonction en calculant quelques-unes des dérivées premières et conjecturez une formule donnant cette dérivée n-ième.

a) $f(x) = x^n$

b) $f(x) = 1/x$

67. Trouvez un polynôme P du second degré tel que $P(2) = 5$, $P'(2) = 3$ et $P''(2) = 2$.

68. On appelle $y'' + y' - 2y = x^2$ une **équation différentielle** parce qu'elle renferme une fonction inconnue y et ses dérivées y' et y''. Trouvez des constantes A, B et C telles que la fonction $y = Ax^2 + Bx + C$ satisfait à cette équation.

69. Trouvez une fonction cubique $y = ax^3 + bx^2 + cx + d$ dont le graphique admet des tangentes horizontales aux points $(-2, 6)$ et $(2, 0)$.

70. Trouvez une parabole d'équation $y = ax^2 + bx + c$ qui soit de pente 4 en $x = 1$, de pente -8 en $x = -1$ et qui passe par le point $(2, 15)$.

71. Soit

$$f(x) = \begin{cases} x^2 + 1 & \text{si } x < 1 \\ x + 1 & \text{si } x \geq 1. \end{cases}$$

La fonction f est-elle dérivable en 1 ? Esquissez les graphiques de f et de f'.

72. En quels nombres la fonction g est-elle dérivable ?

$$g(x) = \begin{cases} 2x & \text{si } x \leq 0 \\ 2x - x^2 & \text{si } 0 < x < 2 \\ 2 - x & \text{si } x \geq 2 \end{cases}$$

Donnez une formule de g' et esquissez les graphiques de g et de g'.

73. a) Pour quelles valeurs de x la fonction $f(x) = |x^2 - 9|$ est-elle dérivable ? Trouvez une formule pour f'.
b) Esquissez les graphiques de f et de f'.

74. Où la fonction $h(x) = |x - 1| + |x + 2|$ est-elle dérivable ? Donnez une formule de h' et esquissez les graphiques de h et de h'.

75. Trouvez une parabole d'équation $y = ax^2 + bx$ dont la tangente en $(1, 1)$ est d'équation $y = 3x - 2$.

76. Supposons que la courbe $y = x^4 + ax^3 + bx^2 + cx + d$ a une tangente en $x = 0$ d'équation $y = 2x + 1$ et une tangente en $x = 1$ d'équation $y = 2 - 3x$. Trouvez les valeurs respectives de a, de b, de c et de d.

77. Pour quelles valeurs de a et de b la droite $2x + y = b$ est-elle tangente à la parabole $y = ax^2$ en $x = 2$?

78. Trouvez la valeur de c pour laquelle la droite $y = \frac{3}{2}x + 6$ est tangente à la courbe $y = c\sqrt{x}$.

79. Pour quelle valeur de c la droite $y = 2x + 3$ est-elle tangente à la parabole $y = cx^2$?

80. Le graphique de toute fonction quadratique $f(x) = ax^2 + bx + c$ est une parabole. Démontrez que la moyenne des pentes des tangentes à une parabole aux extrémités d'un quelconque intervalle $[p, q]$ est égale à la pente de la tangente au point central de l'intervalle.

81. Soit

$$f(x) = \begin{cases} x^2 & \text{si } x \leq 2 \\ mx + b & \text{si } x > 2. \end{cases}$$

Trouvez les valeurs de m et de b qui rendent f dérivable partout.

82. On trace une tangente à l'hyperbole $xy = c$ (c non nul) en un point P.
a) Montrez que le point milieu du segment de droite de cette tangente que coupent les axes de coordonnées est le point P.
b) Montrez que l'aire du triangle formé par la tangente et les axes de coordonnées demeure toujours la même, où que P se trouve sur l'hyperbole.

83. Évaluez $\lim\limits_{x \to 1} \dfrac{x^{1000} - 1}{x - 1}$.

84. Dessinez un schéma montrant deux droites perpendiculaires qui se coupent sur l'axe des y et qui sont toutes deux tangentes à la parabole $y = x^2$. Où ces droites se coupent-elles ?

85. Lorsque $c > \frac{1}{2}$, combien de droites passant par le point $(0, c)$ sont des normales à la parabole $y = x^2$? Qu'en est-il lorsque $c \leq \frac{1}{2}$?

86. Esquissez les paraboles $y = x^2$ et $y = x^2 - 2x + 2$. À votre avis, existe-t-il une droite qui soit tangente à ces deux courbes ? Si oui, donnez son équation. Sinon, expliquez votre réponse.

● APPLICATION

Concevoir de meilleures montagnes russes

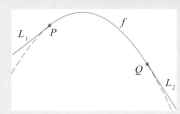

Une entreprise vous a demandé de concevoir les plans de la première montée et de la première descente de ses nouvelles montagnes russes. Après avoir étudié des photographies de montagnes russes existantes, vous décidez de donner à la montée une pente de 0,8 et à la descente une pente de $-1,6$. Vous choisissez de raccorder ces deux tronçons rectilignes, $y = L_1(x)$ et $y = L_2(x)$, au moyen d'une partie de parabole

$$y = f(x) = ax^2 + bx + c,$$

où x et $f(x)$ sont mesurés en mètres. Pour être lisse, la piste ne doit pas présenter de changements de direction brusques ; il faut donc que les segments de premier degré L_1 et L_2 soient tangents à la parabole aux points de raccordement P et Q (*voir la figure*). Pour simplifier les équations, vous situez l'origine en P.

1. a) Supposons que la distance horizontale entre P et Q est de 100 m. Écrivez des équations en a, en b et en c qui vous assurent que la piste sera lisse aux points de raccordement.

   b) Résolvez les équations en a) par rapport à a, à b et à c afin de trouver une formule pour $f(x)$.

   c) Pour vérifier graphiquement que les raccordements sont lisses, tracez L_1, f et L_2.

   d) Trouvez la différence d'altitude entre P et Q.

2. La solution du problème 1 peut sembler lisse en théorie mais ne pas l'être en pratique, parce que la fonction définie par morceaux (constituée de $L_1(x)$ pour $x < 0$, de $f(x)$ pour $0 \leq x \leq 100$ et de $L_2(x)$ pour $x > 100$) n'a pas de dérivée seconde continue. Vous décidez donc d'améliorer la conception en utilisant une fonction du second degré $q(x) = ax^2 + bx + c$ seulement sur l'intervalle $10 \leq x \leq 90$ et en la raccordant aux fonctions du premier degré au moyen de deux fonctions cubiques :

$$g(x) = kx^3 + lx^2 + mx + n \qquad 0 \leq x < 10$$

$$h(x) = px^3 + qx^2 + rx + s \qquad 90 < x \leq 100.$$

   a) Écrivez un système d'équations à 11 inconnues qui vous assure que les fonctions et leurs deux premières dérivées coïncideront aux points de raccordement.

   b) Afin de trouver des formules pour $q(x)$, $g(x)$ et $h(x)$, résolvez les équations en a) à l'aide d'un logiciel de calcul symbolique.

   c) Tracez L_1, g, q, h et L_2, et comparez-les avec les représentations graphiques que vous avez faites en 1 c).

3.2 Les règles de dérivation d'un produit et d'un quotient

Les règles présentées dans cette section permettent de dériver, par multiplication ou division, de nouvelles fonctions formées d'anciennes.

▶ La règle de dérivation d'un produit

En suivant l'ordre d'idées des règles de dérivation d'une somme ou d'une différence, on pourrait, tel Leibniz il y a trois siècles, conjecturer que la dérivée d'un produit est le produit des dérivées. Or, comme l'illustre l'exemple suivant, cette conjecture est fausse. Soit $f(x) = x$ et $g(x) = x^2$. Alors, selon la règle de dérivation d'une puissance, $f'(x) = 1$ et $g'(x) = 2x$. Cependant, $(fg)(x) = x^3$, donc $(fg)'(x) = 3x^2$. Par conséquent, $(fg)' \neq f'g'$. La formule juste, que Leibniz a découverte peu après son mauvais départ, est appelée « règle de dérivation d'un produit ».

Avant d'énoncer la règle de dérivation d'un produit, on va essayer de la découvrir. On pose d'abord que $u = f(x)$ et $v = g(x)$ sont des fonctions dérivables positives. On peut ainsi voir le produit uv comme l'aire d'un rectangle (*voir la figure 3.2.1*). Quand x varie d'une quantité Δx, u et v subissent les changements correspondants suivants :

$$\Delta u = f(x + \Delta x) - f(x) \qquad \Delta v = g(x + \Delta x) - g(x)$$

et la nouvelle valeur du produit, $(u + \Delta u)(v + \Delta v)$, peut être vue comme l'aire du grand rectangle de la figure 3.2.1 (à condition que Δu et Δv soient positifs).

Le changement observé dans l'aire du rectangle est

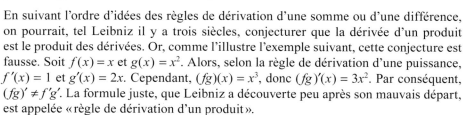

3.2.1 FIGURE

La géométrie de la règle de dérivation d'un produit.

$$\boxed{3.2.1} \qquad \Delta(uv) = (u + \Delta u)(v + \Delta v) - uv = u\,\Delta v + v\,\Delta u + \Delta u\,\Delta v$$

$$= \text{la somme des trois aires ombrées.}$$

En divisant cette valeur par Δx, on obtient

$$\frac{\Delta(uv)}{\Delta x} = u\frac{\Delta v}{\Delta x} + v\frac{\Delta u}{\Delta x} + \Delta u\frac{\Delta v}{\Delta x}.$$

Rappel : En notation de Leibniz, la définition de la dérivée peut s'écrire

$$\frac{dy}{dx} = \lim_{\Delta x \to 0} \frac{\Delta y}{\Delta x}.$$

Si l'on pose maintenant $\Delta x \to 0$, on obtient la dérivée de uv :

$$\frac{d}{dx}(uv) = \lim_{\Delta x \to 0} \frac{\Delta(uv)}{\Delta x} = \lim_{\Delta x \to 0}\left(u\frac{\Delta v}{\Delta x} + v\frac{\Delta u}{\Delta x} + \Delta u\frac{\Delta v}{\Delta x} \right)$$

$$= u\lim_{\Delta x \to 0}\frac{\Delta v}{\Delta x} + v\lim_{\Delta x \to 0}\frac{\Delta u}{\Delta x} + \left(\lim_{\Delta x \to 0}\Delta u\right)\left(\lim_{\Delta x \to 0}\frac{\Delta v}{\Delta x}\right)$$

$$= u\frac{dv}{dx} + v\frac{du}{dx} + 0 \cdot \frac{dv}{dx}.$$

$$\boxed{3.2.2} \qquad \frac{d}{dx}(uv) = u\frac{dv}{dx} + v\frac{du}{dx}$$

(Notons que $\Delta u \to 0$ quand $\Delta x \to 0$, parce que f est dérivable et, donc, continue.)

Bien que, aux fins de l'interprétation géométrique, on ait commencé par supposer que toutes les quantités étaient positives, l'équation **3.2.1** demeure toujours vraie. (Les calculs algébriques sont valables, que u, v, Δu et Δv soient positifs ou négatifs.) On a donc prouvé l'égalité **3.2.2**, nommée «règle de dérivation d'un produit de deux fonctions», pour toutes les fonctions dérivables u et v.

En notation prime, on a :
$$(fg)' = f'g + fg'.$$

3.2.3 | **La règle de dérivation d'un produit**

Si f et g sont toutes deux dérivables, alors

$$\frac{d}{dx}[f(x)g(x)] = \frac{d}{dx}[f(x)] \cdot g(x) + f(x) \cdot \frac{d}{dx}[g(x)].$$

DÉMONSTRATION Soit f et g, deux fonctions dérivables. Alors, selon la définition **3.2.2** de la dérivée,

$$\frac{d}{dx}[f(x)g(x)] = \lim_{h \to 0}\frac{f(x+h)g(x+h) - f(x)g(x)}{h}$$

$$= \lim_{h \to 0}\frac{f(x+h)g(x+h) - f(x)g(x+h) + f(x)g(x+h) - f(x)g(x)}{h}$$

$$\text{(utilisation d'une astuce)}$$

$$= \lim_{h \to 0}\frac{(f(x+h) - f(x))g(x+h) + f(x)(g(x+h) - g(x))}{h}$$

$$= \lim_{h \to 0}\left[\frac{(f(x+h) - f(x))}{h} \cdot g(x+h) + f(x) \cdot \frac{(g(x+h) - g(x))}{h}\right]$$

$$= \lim_{h \to 0}\left[\frac{(f(x+h) - f(x))}{h} \cdot g(x+h)\right] + \lim_{h \to 0}\left[f(x) \cdot \frac{(g(x+h) - g(x))}{h}\right]$$

$$= \lim_{h \to 0}\frac{f(x+h) - f(x)}{h} \cdot \lim_{h \to 0}g(x+h) + \lim_{h \to 0}f(x) \cdot \lim_{h \to 0}\frac{g(x+h) - g(x)}{h}$$

$$= \frac{d}{dx}[f(x)] \cdot \lim_{h \to 0}g(x+h) + \lim_{h \to 0}f(x) \cdot \frac{d}{dx}[g(x)] \quad \text{(définition de la dérivée de } f \text{ et } g\text{)}$$

$$= \frac{d}{dx}[f(x)] \cdot g(x) + f(x) \cdot \frac{d}{dx}[g(x)]. \quad \text{(car } g \text{ est continue en } x, \text{ théorème } \mathbf{2.8.4})$$

Selon la règle de dérivation d'un produit, la dérivée d'un produit de deux fonctions est égale à la somme de la dérivée de la première fonction multipliée par la seconde fonction et de la première fonction multipliée par la dérivée de la seconde fonction.

La figure 3.2.2 montre les graphiques de la fonction f de l'exemple 3.2.1 et de sa dérivée f'. On observe que $f'(x)$ est positive quand f croît et négative quand f décroît.

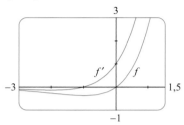

3.2.2 FIGURE

Exemple 3.2.1

a) Sachant que $f(x) = xe^x$, trouvons $f'(x)$.

b) Trouvons la n-ième dérivée, $f^{(n)}(x)$.

Solution

a) Suivant la règle de dérivation d'un produit, on obtient

$$f'(x) = \frac{d}{dx}(xe^x)$$
$$= \frac{d}{dx}(x) \cdot e^x + x\frac{d}{dx}(e^x)$$
$$= 1 \cdot e^x + xe^x$$
$$= (1+x)e^x.$$

b) En appliquant la même règle une seconde fois, on obtient

$$f''(x) = \frac{d}{dx}[(1+x)e^x]$$
$$= \frac{d}{dx}(1+x) \cdot e^x + (1+x)\frac{d}{dx}(e^x)$$
$$= 1 \cdot e^x + (1+x)e^x$$
$$= (2+x)e^x.$$

Des applications subséquentes de la règle de dérivation d'un produit donnent

$$f'''(x) = (3+x)e^x, \quad f^{(4)}(x) = (4+x)e^x.$$

Comme on le voit, chaque dérivation supplémentaire ajoute un terme e^x, d'où

$$f^{(n)}(x) = (n+x)e^x.$$

Dans l'exemple 3.2.2, a et b sont des constantes. En mathématiques, il est coutume de désigner les constantes par les lettres du début de l'alphabet et les variables par les lettres de la fin.

Exemple 3.2.2 Dérivons la fonction $f(t) = \sqrt{t}(a+bt)$.

Solution 1 Suivant la règle de dérivation d'un produit, on obtient

$$f'(t) = \frac{d}{dt}(\sqrt{t})(a+bt) + \sqrt{t}\frac{d}{dt}(a+bt)$$
$$= \frac{1}{2}t^{-1/2}(a+bt) + \sqrt{t} \cdot b$$
$$= \frac{a+bt}{2\sqrt{t}} + b\sqrt{t} = \frac{a+3bt}{2\sqrt{t}}.$$

Solution 2 Si l'on commence par récrire $f(t)$ selon les lois des exposants, on peut procéder sans avoir recours à la règle de dérivation d'un produit:

$$f(t) = a\sqrt{t} + bt\sqrt{t} = at^{1/2} + bt^{3/2}$$
$$f'(t) = \frac{1}{2}at^{-1/2} + \frac{3}{2}bt^{1/2}$$
$$= \frac{1}{2}t^{-1/2}(a+3bt)$$
$$= \frac{a+3bt}{2\sqrt{t}},$$

ce qui équivaut au résultat obtenu dans la solution 1.

L'exemple 3.2.2 montre qu'il est parfois plus facile de simplifier un produit de fonctions avant d'effectuer la dérivation que d'utiliser la règle de dérivation d'un produit. Cette dernière représente cependant la seule façon de résoudre le problème de l'exemple 3.2.1.

Exemple 3.2.3 Sachant que $f(x) = \sqrt{x}g(x)$, où $g(4) = 2$ et $g'(4) = 3$, trouvons $f'(4)$.

Solution En employant la règle de dérivation d'un produit, on obtient

$$
\begin{aligned}
f'(x) &= [\sqrt{x}g(x)]' \\
&= [\sqrt{x}]'g(x) + \sqrt{x}[g(x)]' \\
&= \frac{1}{2}x^{-1/2} \cdot g(x) + \sqrt{x}g'(x) \\
&= \frac{g(x)}{2\sqrt{x}} + \sqrt{x}g'(x).
\end{aligned}
$$

Donc,

$$
\begin{aligned}
f'(4) &= \frac{g(4)}{2\sqrt{4}} + \sqrt{4}g'(4) \\
&= \frac{2}{2 \cdot 2} + 2 \cdot 3 = \frac{13}{2}.
\end{aligned}
$$

▶ La règle de dérivation d'un quotient

On cherche une règle de dérivation du quotient de deux fonctions dérivables $u = f(x)$ et $v = g(x)$ de la même manière qu'on a cherché la règle de dérivation d'un produit. Si x, u et v changent à raison de Δx, Δu et Δv, alors le quotient u/v subit le changement correspondant

$$
\begin{aligned}
\Delta\left(\frac{u}{v}\right) &= \frac{u + \Delta u}{v + \Delta v} - \frac{u}{v} \\
&= \frac{(u + \Delta u)v - u(v + \Delta v)}{v(v + \Delta v)} \\
&= \frac{v\Delta u - u\Delta v}{v(v + \Delta v)}
\end{aligned}
$$

d'où

$$
\begin{aligned}
\frac{d}{dx}\left(\frac{u}{v}\right) &= \lim_{\Delta x \to 0}\frac{\Delta(u/v)}{\Delta x} \\
&= \lim_{\Delta x \to 0}\frac{v\dfrac{\Delta u}{\Delta x} - u\dfrac{\Delta v}{\Delta x}}{v(v + \Delta v)}.
\end{aligned}
$$

Si $\Delta x \to 0$, alors $\Delta v \to 0$ aussi, parce que $v = g(x)$ est dérivable et, donc, continue. Suivant les propriétés des limites, on obtient

$$
\begin{aligned}
\frac{d}{dx}\left(\frac{u}{v}\right) &= \frac{v\displaystyle\lim_{\Delta x \to 0}\frac{\Delta u}{\Delta x} - u\displaystyle\lim_{\Delta x \to 0}\frac{\Delta v}{\Delta x}}{v\displaystyle\lim_{\Delta x \to 0}(v + \Delta v)} \\
&= \frac{v\dfrac{du}{dx} - u\dfrac{dv}{dx}}{v^2}.
\end{aligned}
$$

En notation prime, on a :

$$\left(\frac{f}{g}\right)' = \frac{f'g - fg'}{g^2}.$$

| **3.2.4** | **La règle de dérivation d'un quotient** |

Si f et g sont dérivables, alors

$$\frac{d}{dx}\left[\frac{f(x)}{g(x)}\right] = \frac{\dfrac{d}{dx}[f(x)] \cdot g(x) - f(x) \cdot \dfrac{d}{dx}[g(x)]}{[g(x)]^2}.$$

DÉMONSTRATION Soit f et g, deux fonctions dérivables. Si $g(x) \neq 0$, alors

$$\frac{d}{dx}\left[\frac{f(x)}{g(x)}\right] = \lim_{h \to 0} \frac{\dfrac{f(x+h)}{g(x+h)} - \dfrac{f(x)}{g(x)}}{h} = \lim_{h \to 0} \frac{f(x+h)g(x) - f(x)g(x+h)}{h\,g(x)g(x+h)}$$

$$= \lim_{h \to 0} \frac{f(x+h)g(x) - f(x)g(x) - f(x)g(x+h) + f(x)g(x)}{h\,g(x)g(x+h)} \qquad \text{(utilisation d'une astuce)}$$

$$= \lim_{h \to 0} \frac{\big(f(x+h) - f(x)\big)g(x) - f(x)\big(g(x+h) - g(x)\big)}{h\,g(x)g(x+h)}$$

$$= \lim_{h \to 0} \frac{\dfrac{\big(f(x+h) - f(x)\big)g(x)}{h} - \dfrac{f(x)\big(g(x+h) - g(x)\big)}{h}}{g(x)g(x+h)}$$

$$= \lim_{h \to 0} \frac{\left[\dfrac{\big(f(x+h) - f(x)\big)}{h} \cdot g(x)\right] - \left[f(x) \cdot \dfrac{\big(g(x+h) - g(x)\big)}{h}\right]}{g(x)g(x+h)}$$

$$= \frac{\lim\limits_{h \to 0}\left[\dfrac{\big(f(x+h) - f(x)\big)}{h} \cdot g(x)\right] - \lim\limits_{h \to 0}\left[f(x) \cdot \dfrac{\big(g(x+h) - g(x)\big)}{h}\right]}{\lim\limits_{h \to 0} g(x)g(x+h)}$$

$$= \frac{\lim\limits_{h \to 0}\left[\dfrac{\big(f(x+h) - f(x)\big)}{h} \cdot g(x)\right] - \lim\limits_{h \to 0}\left[f(x) \cdot \dfrac{\big(g(x+h) - g(x)\big)}{h}\right]}{\lim\limits_{h \to 0} g(x)g(x+h)}$$

$$= \frac{\lim\limits_{h \to 0}\dfrac{f(x+h) - f(x)}{h} \cdot \lim\limits_{h \to 0} g(x) - \lim\limits_{h \to 0} f(x) \cdot \lim\limits_{h \to 0} \dfrac{g(x+h) - g(x)}{h}}{\lim\limits_{h \to 0} g(x) \cdot \lim\limits_{h \to 0} g(x+h)}$$

$$= \frac{\dfrac{d}{dx}[f(x)] \cdot \lim\limits_{h \to 0} g(x) - \lim\limits_{h \to 0} f(x) \cdot \dfrac{d}{dx}[g(x)]}{\lim\limits_{h \to 0} g(x) \cdot \lim\limits_{h \to 0} g(x+h)} \qquad \text{(définition de la dérivée de } f \text{ et } g\text{)}$$

$$= \frac{\dfrac{d}{dx}[f(x)] \cdot g(x) - f(x) \cdot \dfrac{d}{dx}[g(x)]}{[g(x)]^2} \qquad (g \text{ est continue en } x, \text{ théorème } \mathbf{2.8.4})$$

Selon la règle de dérivation d'un quotient, la dérivée du quotient de deux fonctions est égale à la dérivée du numérateur multipliée par le dénominateur, moins le numérateur multiplié par la dérivée du dénominateur, le tout divisé par le carré du dénominateur.

Grâce à la règle de dérivation d'un quotient et aux autres formules de dérivation, on peut calculer la dérivée de n'importe quelle fonction rationnelle, comme l'illustre l'exemple suivant.

Pour vérifier la vraisemblance de la réponse à l'exemple 3.2.4, on peut utiliser un outil graphique. La figure 3.2.3 montre les graphiques de la fonction de cet exemple et de sa dérivée. On y observe que, lorsque y croît rapidement (près de -2), y' est grand ; lorsque y croît lentement, y' est proche de 0.

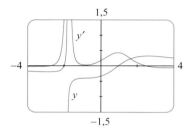

3.2.3 FIGURE

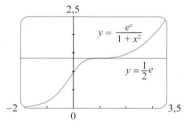

3.2.4 FIGURE

Exemple 3.2.4 Soit $y = \dfrac{x^2 + x - 2}{x^3 + 6}$. Alors

$$y' = \frac{(x^2 + x - 2)'(x^3 + 6) - (x^2 + x - 2)(x^3 + 6)'}{(x^3 + 6)^2}$$

$$= \frac{(2x + 1)(x^3 + 6) - (x^2 + x - 2)(3x^2)}{(x^3 + 6)^2}$$

$$= \frac{(2x^4 + x^3 + 12x + 6) - (3x^4 + 3x^3 - 6x^2)}{(x^3 + 6)^2}$$

$$= \frac{-x^4 - 2x^3 + 6x^2 + 12x + 6}{(x^3 + 6)^2}.$$

Exemple 3.2.5 Trouvons l'équation de la tangente à la courbe $y = e^x/(1 + x^2)$ au point $(1, \frac{1}{2}e)$.

Solution Suivant la règle de dérivation d'un quotient, on a

$$\frac{dy}{dx} = \frac{\left[\dfrac{d}{dx}(e^x)\right] \cdot (1 + x^2) - e^x \cdot \left[\dfrac{d}{dx}(1 + x^2)\right]}{(1 + x^2)^2}$$

$$= \frac{e^x(1 + x^2) - e^x(2x)}{(1 + x^2)^2} = \frac{e^x(x^2 - 2x + 1)}{(1 + x^2)^2} = \frac{e^x(1 - x)^2}{(1 + x^2)^2}.$$

Donc, la pente de la tangente en $(1, \frac{1}{2}e)$ est

$$\left.\frac{dy}{dx}\right|_{x=1} = 0.$$

Ce résultat signifie que la tangente en $(1, \frac{1}{2}e)$ est horizontale et que son équation est $y = \frac{1}{2}e$ (*voir la figure 3.2.4* ; on remarque que la fonction est croissante et qu'elle coupe sa tangente en $(1, \frac{1}{2}e)$).

NOTE La règle de dérivation d'un quotient n'est pas à utiliser chaque fois qu'on rencontre un quotient. Il est parfois plus facile de récrire le quotient dans une forme simplifiée avant de dériver. Par exemple, bien qu'il soit possible de dériver la fonction

$$F(x) = \frac{3x^2 + 2\sqrt{x}}{x}$$

au moyen de la règle de dérivation d'un quotient, il est beaucoup plus facile de procéder à la dérivation après avoir effectué la division et écrit la fonction sous la forme

$$F(x) = 3x + 2x^{-1/2}.$$

Voici un résumé des règles de dérivation étudiées jusqu'ici.

Table des règles de dérivation		
$\dfrac{d}{dx}(c) = 0$	$\dfrac{d}{dx}(x^n) = nx^{n-1}$	$\dfrac{d}{dx}(e^x) = e^x$
$(cf)' = cf'$	$(f + g)' = f' + g'$	$(f - g)' = f' - g'$
$(fg)' = f'g + fg'$	$\left(\dfrac{f}{g}\right)' = \dfrac{f'g - fg'}{g^2}$	

Exercices 3.2

1. Trouvez la dérivée de

$$f(x) = (1 + 2x^2)(x - x^2)$$

de deux manières : par la règle de dérivation d'un produit, puis en commençant par la multiplication. Vos réponses concordent-elles ?

2. Trouvez la dérivée de la fonction

$$F(x) = \frac{x^4 - 5x^3 + \sqrt{x}}{x^2}$$

de deux manières : par la règle de dérivation d'un quotient, puis en commençant par simplifier la fraction. Montrez que vos réponses sont équivalentes. Quelle méthode préférez-vous ?

3-26 Calculez la dérivée.

3. $f(x) = (x^3 + 2x)e^x$

4. $g(x) = (x + 2\sqrt{x})e^x$

5. $y = \dfrac{x}{e^x}$

6. $y = \dfrac{e^x}{1 - e^x}$

7. $g(x) = \dfrac{1 + 2x}{3 - 4x}$

8. $G(x) = \dfrac{x^2 - 2}{2x + 1}$

9. $H(u) = (u - \sqrt{u})(u + \sqrt{u})$

10. $J(v) = (v^3 - 2v)(v^{-4} + v^{-2})$

11. $F(y) = \left(\dfrac{1}{y^2} - \dfrac{3}{y^4}\right)(y + 5y^3)$

12. $f(z) = (1 - e^z)(z + e^z)$

13. $y = \dfrac{x^2 + 1}{x^3 - 1}$

14. $y = \dfrac{\sqrt{x}}{2 + x}$

15. $y = \dfrac{t^3 + 3t}{t^2 - 4t + 3}$

16. $y = \dfrac{1}{t^3 + 2t^2 - 1}$

17. $y = e^p(p + p\sqrt{p})$

18. $h(r) = \dfrac{ae^r}{b + e^r}$

19. $y = \dfrac{s - \sqrt{s}}{s^2}$

20. $y = (z^2 + e^z)\sqrt{z}$

21. $f(t) = \dfrac{\sqrt[3]{t}}{t - 3}$

22. $V(t) = \dfrac{4 + t}{te^t}$

23. $f(x) = \dfrac{x^2 e^x}{x^2 + e^x}$

24. $F(t) = \dfrac{At}{Bt^2 + Ct^3}$

25. $f(x) = \dfrac{x}{x + \dfrac{c}{x}}$

26. $f(x) = \dfrac{ax + b}{cx + d}$

27-30 Trouvez $f'(x)$ et $f''(x)$.

27. $f(x) = (x^3 + 1)e^x$

28. $f(x) = \sqrt{x}e^x$

29. $f(x) = \dfrac{x^2}{1 + 2x}$

30. $f(x) = \dfrac{x}{x^2 - 1}$

31-32 Trouvez l'équation de la tangente à la courbe donnée au point indiqué.

31. $y = \dfrac{x^2 - 1}{x^2 + x + 1}$, $(1, 0)$

32. $y = \dfrac{e^x}{x}$, $(1, e)$

33-34 Trouvez les équations de la tangente et de la normale à la courbe donnée au point indiqué.

33. $y = 2xe^x$, $(0, 0)$

34. $y = \dfrac{2x}{x^2 + 1}$, $(1, 1)$

35. a) La courbe $y = 1/(1 + x^2)$ est appelée **sorcière d'Agnesi**. Trouvez l'équation de la tangente à cette courbe au point $(-1, \frac{1}{2})$.

b) Pour illustrer votre réponse en a), tracez le graphique de la courbe et de sa tangente sur le même écran.

36. a) La courbe $y = x/(1 + x^2)$ est appelée **serpentine**. Trouvez l'équation de la tangente à cette courbe au point $(3 ; 0,3)$.

b) Pour illustrer votre réponse en a), tracez le graphique de la courbe et de sa tangente sur le même écran.

37. a) Sachant que $f(x) = (x^3 - x)e^x$, trouvez $f'(x)$.

b) Pour vérifier la vraisemblance de votre réponse en a), comparez les courbes de f et de f'.

38. a) Sachant que $f(x) = e^x/(2x^2 + x + 1)$, trouvez $f'(x)$.

b) Pour vérifier la vraisemblance de votre réponse en a), comparez les courbes de f et de f'.

39. a) Sachant que $f(x) = (x^2 - 1)/(x^2 + 1)$, trouvez $f'(x)$ et $f''(x)$.

b) Pour vérifier la vraisemblance de vos réponses en a), comparez les courbes de f, de f' et de f''.

40. a) Sachant que $f(x) = (x^2 - 1)e^x$, trouvez $f'(x)$ et $f''(x)$.

b) Pour vérifier la vraisemblance de vos réponses en a), comparez les courbes de f, de f' et de f''.

41. Sachant que $f(x) = x^2/(1 + x)$, trouvez $f''(1)$.

42. Sachant que $g(x) = x/e^x$, trouvez $g^{(n)}(x)$.

43. Soit $f(5) = 1$, $f'(5) = 6$, $g(5) = -3$ et $g'(5) = 2$. Trouvez les valeurs suivantes.

a) $(fg)'(5)$ 　　 b) $(f/g)'(5)$ 　　 c) $(g/f)'(5)$

44. Soit $f(2) = -3$, $g(2) = 4$, $f'(2) = -2$ et $g'(2) = 7$. Trouvez $h'(2)$.

a) $h(x) = 5f(x) - 4g(x)$ 　　 b) $h(x) = f(x)g(x)$

c) $h(x) = \dfrac{f(x)}{g(x)}$ 　　 d) $h(x) = \dfrac{g(x)}{1 + f(x)}$

45. Sachant que $f(x) = e^x g(x)$, où $g(0) = 2$ et $g'(0) = 5$, trouvez $f'(0)$.

46. Sachant que $h(2) = 4$ et que $h'(2) = -3$, trouvez

$$\frac{d}{dx}\left(\frac{h(x)}{x}\right)\Bigg|_{x=2}.$$

47. Sachant que $g(x) = xf(x)$, où $f(3) = 4$ et $f'(3) = -2$, trouvez l'équation de la tangente à la courbe de g en $x = 3$.

48. Sachant que $f(2) = 10$ et que $f'(x) = x^2 f(x)$ pour toute valeur de x, trouvez $f''(2)$.

49. Soit f et g, les fonctions représentées, et soit $u(x) = f(x)g(x)$ et $v(x) = f(x)/g(x)$.

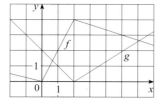

a) Trouvez $u'(1)$. b) Trouvez $v'(5)$.

50. Soit $P(x) = F(x)G(x)$ et $Q(x) = F(x)/G(x)$, où F et G sont les fonctions représentées.

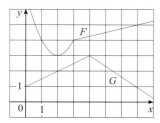

a) Trouvez $P'(2)$. b) Trouvez $Q'(7)$.

51. Sachant que g est une fonction dérivable, trouvez une expression de la dérivée de chacune des fonctions suivantes.

a) $y = xg(x)$ b) $y = \dfrac{x}{g(x)}$ c) $y = \dfrac{g(x)}{x}$

52. Sachant que f est une fonction dérivable, trouvez une expression de la dérivée de chacune des fonctions suivantes.

a) $y = x^2 f(x)$ b) $y = \dfrac{f(x)}{x^2}$

c) $y = \dfrac{x^2}{f(x)}$ d) $y = \dfrac{1 + x f(x)}{\sqrt{x}}$

53. Combien de tangentes à la courbe $y = x/(x + 1)$ passent par le point $(1, 2)$? En quels points ces tangentes touchent-elles la courbe?

54. Trouvez les équations des tangentes à la courbe

$$y = \frac{x - 1}{x + 1}$$

qui sont parallèles à la droite $x - 2y = 2$.

55. Trouvez $R'(0)$, où

$$R(x) = \frac{x - 3x^3 + 5x^5}{1 + 3x^3 + 6x^6 + 9x^9}.$$

Conseil: Au lieu de commencer par chercher $R'(x)$, posez $f(x)$ comme numérateur et $g(x)$ comme dénominateur de $R(x)$, puis calculez $R'(0)$ à partir de $f(0)$, de $f'(0)$, de $g(0)$ et de $g'(0)$.

56. Par la méthode employée à l'exercice 55, calculez $Q'(0)$, où

$$Q(x) = \frac{1 + x + x^2 + xe^x}{1 - x + x^2 - xe^x}.$$

57. Cet exercice consiste à estimer le taux d'accroissement des revenus totaux personnels dans la région de Lanaudière, au Québec. En 2015, la région comptait 496 000 habitants, et la population augmentait d'environ 7100 habitants par an. Établi à 25 420 $ par habitant, le revenu annuel moyen croissait d'environ 470 $ par an. À l'aide de ces données et de la règle de dérivation d'un produit, estimez le taux

d'accroissement du revenu personnel dans la région de Lanaudière en 2015. Expliquez la signification de chacun des termes de la règle de dérivation.

58. Une usine fabrique des rouleaux de tissu de largeur fixe. La quantité q de tissu (mesurée en mètres) vendue est en fonction du prix de vente p (en dollars par mètre), de sorte qu'on peut écrire $q = f(p)$. Ainsi, le revenu correspondant au prix de vente p est $R(p) = pf(p)$.

a) Que signifient $f(20) = 10\,000$ et $f'(20) = -350$?

b) D'après les valeurs exprimées en a), trouvez $R'(20)$ et interprétez votre réponse.

59. L'équation de Michaelis-Menten de l'enzyme chymotrypsine est

$$v = \frac{0,14[\text{S}]}{0,015 + [\text{S}]}$$

dans laquelle v correspond au taux de réaction enzymatique et $[\text{S}]$, à la concentration d'un substrat S. Calculez $dv/d[\text{S}]$ et faites-en l'interprétation.

60. La biomasse $B(t)$ d'une population de poissons est la masse totale de tous ses membres à un moment t. Il s'agit du produit du nombre d'individus $N(t)$ de la population et de la masse moyenne $M(t)$ d'un poisson au moment t. Chez les guppys, la reproduction est continuelle, à un taux de 50 individus par semaine. La masse moyenne d'un individu est de 1,2 g et son taux de croissance, de 0,14 g par semaine. Quelle est la biomasse des guppys après $t = 4$ semaines si la population atteint 820 individus?

61. a) Utilisez la règle de dérivation d'un produit deux fois afin de prouver que, si f, g et h sont dérivables, alors

$$(fgh)' = f'gh + fg'h + fgh'.$$

b) Reprenant $f = g = h$ en a), montrez que

$$\frac{d}{dx}[f(x)]^3 = 3[f(x)]^2 f'(x).$$

c) À l'aide de la formule en b), dérivez $y = e^{3x}$.

62. a) Sachant que $F(x) = f(x)g(x)$, où f et g ont des dérivées de tous ordres, montrez que

$$F'' = f''g + 2f'g' + fg''.$$

b) Trouvez des formules comparables pour F''' et $F^{(4)}$.

c) Conjecturez une formule pour $F^{(n)}$.

63. Trouvez des expressions pour les cinq premières dérivées de $f(x) = x^2 e^x$. Conjecturez une formule pour $f^{(n)}(x)$ et prouvez-la au moyen du raisonnement par récurrence.

64. a) Soit la fonction dérivable g. La **règle de dérivation de l'inverse** dit que

$$\frac{d}{dx}\left[\frac{1}{g(x)}\right] = \frac{-g'(x)}{[g(x)]^2}.$$

Servez-vous de la règle de dérivation d'un quotient pour prouver la règle de dérivation de l'inverse.

b) Au moyen de la règle de dérivation de l'inverse, vérifiez que la règle de dérivation d'une puissance est valable pour les entiers négatifs, c'est-à-dire que

$$\frac{d}{dx}(x^{-n}) = -nx^{-n-1}$$

pour tout entier positif n.

3.3 Les dérivées de fonctions trigonométriques

La section 1.4 présente une révision des fonctions trigonométriques.

Avant d'entreprendre cette section, il peut être utile de revoir les fonctions trigonométriques. Il importe notamment de se rappeler que, lorsqu'on parle de la fonction *f* définie sur tous les nombres réels *x* par

$$f(x) = \sin x,$$

on convient que sin *x* désigne le sinus de l'angle dont la mesure en radians est *x*. Cette convention touche aussi les autres fonctions trigonométriques : cosinus, tangente, cosécante, sécante et cotangente. On se rappellera également que toutes les fonctions trigonométriques sont continues en chacune des valeurs de leurs domaines de définition, comme l'indique la section 2.4.

Si l'on esquisse le graphique de la fonction $f(x) = \sin x$ et qu'on utilise l'interprétation de la dérivée comme pente de la tangente pour esquisser le graphique de *f′* (*voir l'exercice 16 de la section 2.8*), il semble que le graphique de *f′* soit pareil à celui de la fonction cosinus (*voir la figure 3.3.1*).

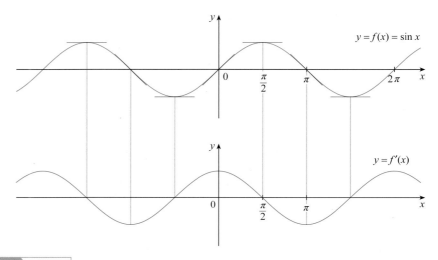

3.3.1 **FIGURE**

On tente ici de confirmer la conjecture faite plus haut, à savoir que si $f(x) = \sin x$, alors $f'(x) = \cos x$. D'après la définition de la dérivée, on a

On peut utiliser la formule d'addition du sinus 1.4.11a.

$$f'(x) = \lim_{h \to 0} \frac{f(x+h) - f(x)}{h} = \lim_{h \to 0} \frac{\sin(x+h) - \sin x}{h}$$

$$= \lim_{h \to 0} \frac{\sin x \cos h + \cos x \sin h - \sin x}{h}$$

$$= \lim_{h \to 0} \left[\frac{\sin x \cos h - \sin x}{h} + \frac{\cos x \sin h}{h} \right]$$

$$= \lim_{h \to 0} \left[\sin x \left(\frac{\cos h - 1}{h} \right) + \cos x \left(\frac{\sin h}{h} \right) \right]$$

3.3.1
$$= \lim_{h \to 0} \sin x \cdot \lim_{h \to 0} \frac{\cos h - 1}{h} + \lim_{h \to 0} \cos x \cdot \lim_{h \to 0} \frac{\sin h}{h}.$$

Deux de ces quatre limites sont faciles à évaluer. Puisque l'on considère *x* comme une constante, dans le calcul d'une limite où $h \to 0$, on a

$$\lim_{h \to 0} \sin x = \sin x \quad \text{et} \quad \lim_{h \to 0} \cos x = \cos x.$$

La limite de $(\sin h)/h$ n'est pas évidente. Dans l'exemple 2.2.3, on a conjecturé, d'après les données numériques et graphiques, que

3.3.2	$\displaystyle \lim_{\theta \to 0} \frac{\sin \theta}{\theta} = 1.$

Afin d'établir l'égalité **3.3.2** au moyen d'un argument géométrique, on suppose d'abord que θ se situe entre 0 et $\pi/2$. La figure 3.3.2 a) montre un secteur d'un cercle de centre O, d'angle au centre θ et de rayon 1. BC est perpendiculaire à OA. Selon la définition de la mesure du radian, l'arc $AB = \theta$. En outre, $|BC| = |OB| \sin \theta = \sin \theta$. Le schéma illustre que

$$|BC| < |AB| < \text{arc } AB.$$

a)

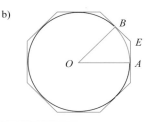

Par conséquent,

$$\sin \theta < \theta, \quad \text{donc} \quad \frac{\sin \theta}{\theta} < 1.$$

Les tangentes en A et en B se coupent en E. La figure 3.3.2 b) permet de constater que la circonférence d'un cercle est inférieure à la longueur d'un polygone circonscrit et, donc, que l'arc $AB < |AE| + |EB|$. Ainsi,

$$\begin{aligned} \theta = \text{arc } AB &< |AE| + |EB| \\ &< |AE| + |ED| \\ &= |AD| = |OA| \tan \theta \\ &= \tan \theta. \end{aligned}$$

b)

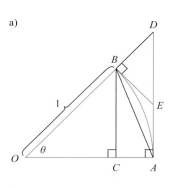

(Contrairement à ce qu'on vient de faire par intuition géométrique, l'annexe E prouve l'inégalité $\theta \le \tan \theta$ directement d'après la définition de la longueur d'un arc.) On a donc

$$\theta < \frac{\sin \theta}{\cos \theta}$$

d'où

$$\cos \theta < \frac{\sin \theta}{\theta} < 1.$$

Sachant que $\lim\limits_{\theta \to 0} 1 = 1$ et $\lim\limits_{\theta \to 0} \cos \theta = 1$, on obtient, par le théorème du sandwich,

$$\lim_{\theta \to 0^+} \frac{\sin \theta}{\theta} = 1.$$

De plus, comme la fonction $(\sin \theta)/\theta$ est paire, ses limites à droite et à gauche doivent être égales. On a donc

$$\lim_{\theta \to 0} \frac{\sin \theta}{\theta} = 1,$$

ce qui établit l'égalité **3.3.2**.

On peut déduire la valeur de la dernière limite de la ligne 1 comme suit :

On multiplie le numérateur et le dénominateur par $\cos \theta + 1$ afin de mettre la fonction dans une forme qui permet l'emploi des limites que l'on connaît.

$$\begin{aligned} \lim_{\theta \to 0} \frac{\cos \theta - 1}{\theta} &= \lim_{\theta \to 0} \left(\frac{\cos \theta - 1}{\theta} \cdot \frac{\cos \theta + 1}{\cos \theta + 1} \right) = \lim_{\theta \to 0} \frac{\cos^2 \theta - 1}{\theta(\cos \theta + 1)} \\ &= \lim_{\theta \to 0} \frac{-\sin^2 \theta}{\theta(\cos \theta + 1)} = -\lim_{\theta \to 0} \left(\frac{\sin \theta}{\theta} \cdot \frac{\sin \theta}{\cos \theta + 1} \right) \\ &= -\lim_{\theta \to 0} \frac{\sin \theta}{\theta} \cdot \lim_{\theta \to 0} \frac{\sin \theta}{\cos \theta + 1} \\ &= -1 \cdot \left(\frac{0}{1+1} \right) = 0. \quad \text{(par l'égalité **3.3.2**)} \end{aligned}$$

3.3.3	$$\lim_{\theta \to 0} \frac{\cos\theta - 1}{\theta} = 0$$

En substituant les limites **3.3.2** et **3.3.3** dans la limite **3.3.1**, on obtient

$$f'(x) = \lim_{h \to 0} \sin x \cdot \lim_{h \to 0} \frac{\cos h - 1}{h} + \lim_{h \to 0} \cos x \cdot \lim_{h \to 0} \frac{\sin h}{h}$$
$$= (\sin x) \cdot 0 + (\cos x) \cdot 1 = \cos x.$$

On a ainsi prouvé la formule de la dérivée de la fonction sinus :

3.3.4	$$\frac{d}{dx}(\sin x) = \cos x.$$

La figure 3.3.3 superpose dans un même graphique les tracés de la fonction de l'exemple 3.3.1 et de sa dérivée. On y remarque que $y' = 0$ là où y a une tangente horizontale.

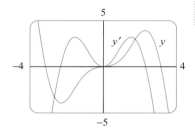

Exemple 3.3.1 Dérivons $y = x^2 \sin x$.

Solution Au moyen de la règle de dérivation d'un produit et de la formule **3.3.4**, on obtient

$$y' = (x^2)' \sin x + x^2 (\sin x)'$$
$$= 2x \sin x + x^2 \cos x.$$

Un développement similaire à celui de la démonstration de la formule **3.3.4** permet de prouver (*voir l'exercice 26*) que

3.3.5	$$\frac{d}{dx}(\cos x) = -\sin x.$$

On peut aussi dériver la fonction tangente à l'aide de la définition de la dérivée, mais il est plus facile d'utiliser la règle de dérivation d'un quotient avec les formules **3.3.4** et **3.3.5** :

$$\frac{d}{dx}(\tan x) = \frac{d}{dx}\left(\frac{\sin x}{\cos x}\right)$$
$$= \frac{\left[\dfrac{d}{dx}\sin x\right] \cdot \cos x - \sin x \left[\dfrac{d}{dx}\cos x\right]}{\cos^2 x}$$
$$= \frac{\cos x \cdot \cos x - \sin x(-\sin x)}{\cos^2 x}$$
$$= \frac{\cos^2 x + \sin^2 x}{\cos^2 x}$$
$$= \frac{1}{\cos^2 x}$$
$$= \sec^2 x.$$

3.3.6	$$\frac{d}{dx}(\tan x) = \sec^2 x$$

Les dérivées des autres fonctions trigonométriques – cosécante, sécante et cotangente – s'obtiennent aussi facilement par la règle de dérivation d'un quotient (*voir les exercices 23 à 25*). Le tableau suivant regroupe toutes les formules de dérivation des fonctions trigonométriques. On se rappellera que ces formules ne sont valables que lorsque x est mesuré en radians.

3.3.7	Les dérivées des fonctions trigonométriques

$$\frac{d}{dx}(\sin x) = \cos x \qquad\qquad \frac{d}{dx}(\csc x) = -\csc x \cot x$$

$$\frac{d}{dx}(\cos x) = -\sin x \qquad\qquad \frac{d}{dx}(\sec x) = \sec x \tan x$$

$$\frac{d}{dx}(\tan x) = \sec^2 x \qquad\qquad \frac{d}{dx}(\cot x) = -\csc^2 x$$

On mémorise plus facilement ce tableau quand on remarque que les signes moins vont avec les dérivées des «cofonctions», c'est-à-dire cosinus, cosécante et cotangente.

·· **Exemple** `3.3.2` Dérivons $f(x) = \dfrac{\sec x}{1 + \tan x}$. Pour quelles valeurs de x le graphique de f a-t-il une tangente horizontale?

Solution La règle de dérivation d'un quotient donne

$$f'(x) = \frac{(\sec x)'(1 + \tan x) - \sec x(1 + \tan x)'}{(1 + \tan x)^2}$$

$$= \frac{\sec x \tan x(1 + \tan x) - \sec x \cdot \sec^2 x}{(1 + \tan x)^2}$$

$$= \frac{\sec x(\tan x + \tan^2 x - \sec^2 x)}{(1 + \tan x)^2}$$

$$= \frac{\sec x(\tan x - 1)}{(1 + \tan x)^2}.$$

Pour simplifier la réponse, on a utilisé l'identité $\tan^2 x + 1 = \sec^2 x$.

Comme $\sec x$ n'égale jamais 0, $f'(x) = 0$ lorsque $\tan x = 1$, ce qui s'observe quand $x = \pi/4 + n\pi$, où n est un entier (*voir la figure 3.3.4*).

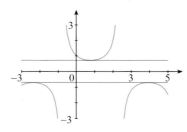

`3.3.4` **FIGURE**

Les tangentes horizontales de l'exemple 3.3.2.

Les fonctions trigonométriques servent souvent à modéliser des phénomènes concrets. On les utilise notamment pour décrire les vibrations, les ondes, les mouvements élastiques et d'autres quantités qui varient de manière périodique. L'exemple suivant illustre une situation de mouvement harmonique simple.

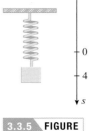

`3.3.5` **FIGURE**

·· **Exemple** `3.3.3` Un objet fixé à l'extrémité d'un ressort vertical est abaissé de 4 cm par rapport à sa position de repos puis relâché à l'instant $t = 0$. (On remarque, dans la figure 3.3.5, que la direction vers le bas est positive.) La position de l'objet au temps t est

$$s = f(t) = 4 \cos t.$$

Trouvons la vitesse et l'accélération à l'instant t et utilisons-les pour analyser le mouvement de l'objet.

3.3.6 **FIGURE**

PRP Chercher une régularité.

Solution La vitesse et l'accélération sont

$$v = \frac{ds}{dt} = \frac{d}{dt}(4\cos t) = 4\frac{d}{dt}(\cos t) = -4\sin t$$

$$a = \frac{dv}{dt} = \frac{d}{dt}(-4\sin t) = -4\frac{d}{dt}(\sin t) = -4\cos t.$$

L'objet oscille entre sa position la plus basse ($s = 4$ cm) et sa position la plus haute ($s = -4$ cm). La période de l'oscillation est 2π, période de $\cos t$.

La vitesse, $|v| = 4|\sin t|$, atteint un maximum lorsque $|\sin t| = 1$, c'est-à-dire quand $\cos t = 0$. L'objet se déplace donc plus vite lorsqu'il passe par sa position d'équilibre ($s = 0$). Sa vitesse est nulle quand $\sin t = 0$, donc aux points le plus haut et le plus bas.

L'accélération $a = -4\cos t = 0$ quand $s = 0$. Elle est maximale aux points le plus haut et le plus bas (*voir les courbes de la figure 3.3.6*).

Exemple **3.3.4** Trouvons la dérivée 27e de $\cos x$.

Solution Les premières dérivées de $f(x) = \cos x$ sont les suivantes :

$$f'(x) = -\sin x$$

$$f''(x) = -\cos x$$

$$f'''(x) = \sin x$$

$$f^{(4)}(x) = \cos x$$

$$f^{(5)}(x) = -\sin x.$$

On voit que les dérivées successives observent un cycle de longueur 4 et, en particulier, que $f^{(n)}(x) = \cos x$ lorsque n est un multiple de 4. En conséquence,

$$f^{(24)}(x) = \cos x$$

et, après trois autres dérivations, on obtient

$$f^{(27)}(x) = \sin x.$$

La limite de l'égalité **3.3.2** a surtout servi à prouver la formule de dérivation de la fonction sinus. Or, comme l'illustrent les deux exemples suivants, elle peut aussi servir à déterminer certaines autres limites trigonométriques.

Exemple **3.3.5** Trouvons $\lim\limits_{x \to 0} \dfrac{\sin 7x}{4x}$.

Solution Pour pouvoir utiliser l'égalité **3.3.2**, on commence par récrire la fonction en multipliant et en divisant ses facteurs par 7 :

$$\frac{\sin 7x}{4x} = \frac{\sin 7x}{4x} \cdot \frac{7}{7} = \frac{7}{4}\left(\frac{\sin 7x}{7x}\right).$$

Si l'on pose $\theta = 7x$, alors $\theta \to 0$ lorsque $x \to 0$ et, selon l'égalité **3.3.2**, on a

$$\lim_{x \to 0} \frac{\sin 7x}{4x} = \frac{7}{4}\lim_{x \to 0}\left(\frac{\sin 7x}{7x}\right)$$

$$= \frac{7}{4}\lim_{\theta \to 0}\frac{\sin \theta}{\theta} = \frac{7}{4} \cdot 1 = \frac{7}{4}.$$

Attention : $\sin 7x \neq 7\sin x$.

Exemple **3.3.6** Calculons $\lim\limits_{x \to 0} x \cot x$.

Solution Ici, on divise le numérateur et le dénominateur par x :

$$\lim_{x \to 0} x \cot x = \lim_{x \to 0} \frac{x \cos x}{\sin x}$$

$$= \lim_{x \to 0} \frac{\cos x}{\dfrac{\sin x}{x}} = \frac{\lim\limits_{x \to 0} \cos x}{\lim\limits_{x \to 0} \dfrac{\sin x}{x}}$$

$$= \frac{\cos 0}{1} \qquad \text{(par la continuité du cosinus et selon l'égalité \textbf{3.3.2})}$$

$$= 1.$$

Exercices 3.3

1-22 Calculez la dérivée.

1. $f(x) = 3x^2 - 2 \cos x$

2. $f(x) = \sqrt{x} \sin x$

3. $f(x) = \sin x + \frac{1}{2} \cot x$

4. $f(x) = x^2 \sin x$

5. $f(x) = x \cos x + 2 \tan x$

6. $f(x) = e^x \cos x$

7. $y = 2 \sec x - \csc x$

8. $y = \sec \theta \tan \theta$

9. $g(\theta) = e^{\theta}(\tan \theta - \theta)$

10. $y = c \cos t + t^2 \sin t$, c étant une constante

11. $f(t) = \dfrac{\cot t}{e^t}$

12. $y = \dfrac{x}{2 - \tan x}$

13. $y = \sin \theta \cos \theta$

14. $f(\theta) = \dfrac{\sec \theta}{1 + \sec \theta}$

15. $f(\theta) = \dfrac{\sin \theta}{1 + \cos \theta}$

16. $y = \dfrac{\cos x}{1 - \sin x}$

17. $y = \dfrac{t \sin t}{1 + t}$

18. $y = \dfrac{1 - \sec x}{\tan x}$

19. $y = \dfrac{\sin t}{1 + \tan t}$

20. $f(t) = t e^t \cot t$

21. $f(x) = x e^x \csc x$

22. $y = x^2 \sin x \tan x$

23. Prouvez que $\dfrac{d}{dx}(\csc x) = -\csc x \cot x$.

24. Prouvez que $\dfrac{d}{dx}(\sec x) = \sec x \tan x$.

25. Prouvez que $\dfrac{d}{dx}(\cot x) = -\csc^2 x$.

26. Au moyen de la définition de la dérivée, prouvez que, si $f(x) = \cos x$, alors $f'(x) = -\sin x$.

27-30 Trouvez l'équation de la tangente à la courbe donnée au point indiqué.

27. $y = \sin x + \cos x$, $(0, 1)$

28. $y = e^x \cos x$, $(0, 1)$

29. $y = \cos x - \sin x$, $(\pi, -1)$

30. $y = x + \tan x$, (π, π)

31. a) Trouvez l'équation de la tangente à la courbe $y = 2x \sin x$ au point $(\pi/2, \pi)$.
b) Pour illustrer votre réponse en a), superposez dans un même graphique les tracés de la courbe et de la tangente.

32. a) Trouvez l'équation de la tangente à la courbe $y = 3x + 6 \cos x$ au point $(\pi/3, \pi + 3)$.
b) Pour illustrer votre réponse en a), superposez dans un même graphique les tracés de la courbe et de la tangente.

33. a) Sachant que $f(x) = \sec x - x$, trouvez $f'(x)$.
b) Pour vérifier la vraisemblance de votre réponse en a), superposez dans un même graphique les tracés de f et de f' pour $|x| < \pi/2$.

34. a) Sachant que $f(x) = e^x \cos x$, trouvez $f'(x)$ et $f''(x)$.
b) Pour vérifier la vraisemblance de vos réponses en a), superposez dans un même graphique les tracés de f, de f' et de f''.

35. Sachant que $H(\theta) = \theta \sin \theta$, trouvez $H'(\theta)$ et $H''(\theta)$.

36. Si $f(t) = \sec t$, trouvez $f''(\pi/4)$.

37. Soit $f(x) = \dfrac{\tan x - 1}{\sec x}$.

a) Dérivez cette fonction f à l'aide de la règle de dérivation d'un quotient.

b) Simplifiez l'expression de $f(x)$ en l'écrivant en termes de $\sin x$ et de $\cos x$, puis trouvez $f'(x)$.

c) Montrez que vos réponses en a) et en b) sont égales.

38. Soit $f(\pi/3) = 4$ et $f'(\pi/3) = -2$, et soit $g(x) = f(x) \sin x$ et $h(x) = (\cos x)/f(x)$. Trouvez

a) $g'(\pi/3)$ 　　　　　　　　b) $h'(\pi/3)$

39-40 Pour quelles valeurs de x le graphique de f a-t-il une tangente horizontale?

39. $f(x) = x + 2\sin x$ 　　　⊕ **40.** $f(x) = e^x \cos x$

41. Une masse fixée au bout d'un ressort vibre horizontalement sur une surface lisse (*voir la figure*). Son équation du mouvement est $x(t) = 8 \sin t$, où t est exprimé en secondes et x, en centimètres.

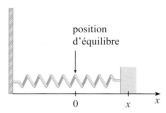

position d'équilibre

a) Trouvez la vitesse et l'accélération au moment t.

b) Trouvez la position, la vitesse et l'accélération de la masse au moment $t = 2\pi/3$. Dans quelle direction (vers la gauche ou vers la droite) la masse se déplace-t-elle à ce moment-là?

⊞ **42.** Une masse est suspendue à l'extrémité inférieure d'un élastique qui pend à un crochet. Lorsqu'on la tire vers le bas et qu'on la relâche, la masse vibre verticalement. L'équation du mouvement est $s = 2\cos t + 3\sin t$, $t \geq 0$, où s est mesuré en centimètres et t, en secondes. (Tenez pour positive la direction vers le bas.)

a) Trouvez la vitesse et l'accélération au moment t.

b) Tracez les graphiques des fonctions vitesse et accélération.

c) À quel moment la masse passe-t-elle par la position d'équilibre pour la première fois?

d) À quelle distance de sa position d'équilibre la masse se rend-elle?

e) À quel moment la vitesse est-elle la plus grande?

43. Une échelle de 3 m de longueur repose contre un mur vertical. Soit θ, l'angle formé par le haut de l'échelle et le mur, et soit x, la distance qui sépare le pied de l'échelle du mur. Si le pied de l'échelle s'éloignait du mur en glissant, à quelle vitesse x varierait-il par rapport à θ quand $\theta = \pi/3$?

44. Un objet de poids P est tiré sur un plan horizontal par une force exercée le long d'une corde fixée à l'objet. Si la corde et le plan forment un angle θ, alors l'intensité de la force est donnée par

$$F = \frac{\mu P}{\mu \sin\theta + \cos\theta}$$

où μ est une constante appelée **coefficient de friction**.

a) Trouvez le taux de variation de F par rapport à θ.

b) À quel moment ce taux est-il égal à 0?

⊞ c) Soit $P = 20$ kg et $\mu = 0{,}6$. Tracez le graphique de F en fonction de θ et servez-vous-en pour situer la valeur de θ pour laquelle $dF/d\theta = 0$. Cette valeur concorde-t-elle avec votre réponse en b)?

45-56 Trouvez la limite.

45. $\displaystyle\lim_{x\to 0} \frac{\sin 3x}{x}$ 　　　　**46.** $\displaystyle\lim_{x\to 0} \frac{\sin 5x}{3x}$

47. $\displaystyle\lim_{x\to 0} \frac{\sin x}{\sin \pi x}$ 　　　　**48.** $\displaystyle\lim_{t\to 0} \frac{\tan 6t}{\sin 2t}$

49. $\displaystyle\lim_{\theta\to 0} \frac{\cos\theta - 1}{\sin\theta}$ 　　　　**50.** $\displaystyle\lim_{x\to 0} \frac{\sin 3x}{5x^3 - 4x}$

51. $\displaystyle\lim_{x\to 0} \frac{\sin 3x \sin 5x}{x^2}$ 　　　　**52.** $\displaystyle\lim_{\theta\to 0} \frac{\sin\theta}{\theta + \tan\theta}$

53. $\displaystyle\lim_{x\to 0} \csc x \sin(\sin x)$ 　　　　**54.** $\displaystyle\lim_{x\to 0} \frac{\sin(x^2)}{x}$

55. $\displaystyle\lim_{x\to \pi/4} \frac{1 - \tan x}{\sin x - \cos x}$ 　　　　**56.** $\displaystyle\lim_{x\to 1} \frac{\sin(x-1)}{x^2 + x - 2}$

57-58 Trouvez la dérivée indiquée en déterminant les premières dérivées et la régularité qui s'en dégage.

57. $\displaystyle\frac{d^{99}}{dx^{99}}(\sin x)$ 　　　　**58.** $\displaystyle\frac{d^{35}}{dx^{35}}(x \sin x)$

59. Déterminez les constantes A et B telles que la fonction $y = A\sin x + B\cos x$ satisfera l'équation différentielle $y'' + y' - 2y = \sin x$.

60. a) Évaluez $\displaystyle\lim_{x\to\infty} x\sin\frac{1}{x}$. 　　b) Évaluez $\displaystyle\lim_{x\to 0} x\sin\frac{1}{x}$.

⊞ c) Pour illustrer vos réponses en a) et en b), tracez le graphique de $y = x\sin(1/x)$.

61. Dérivez chaque membre de l'identité trigonométrique afin d'obtenir une identité nouvelle (ou familière).

a) $\tan x = \dfrac{\sin x}{\cos x}$

b) $\sec x = \dfrac{1}{\cos x}$

c) $\sin x + \cos x = \dfrac{1 + \cot x}{\csc x}$

62. Un demi-cercle de diamètre PQ est posé contre un triangle isocèle PQR pour former avec lui une figure ressemblant à un cornet de crème glacée (*voir la figure*). Sachant que $A(\theta)$ est l'aire du demi-cercle et $B(\theta)$, celle du triangle, trouvez

$$\lim_{\theta\to 0^+} \frac{A(\theta)}{B(\theta)}.$$

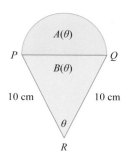

63. La figure ci-contre montre un arc de cercle de longueur s et une corde de longueur d, tous deux sous-tendus par un angle au centre θ. Trouvez

$$\lim_{\theta \to 0^+} \frac{s}{d}.$$

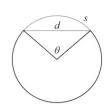

64. Soit $f(x) = \dfrac{x}{\sqrt{1 - \cos 2x}}$.

a) Tracez le graphique de f. Quel type de discontinuité f semble-t-elle présenter en 0 ?

b) Calculez les limites à gauche et à droite de f en 0. Ces valeurs appuient-elles votre réponse en a) ?

3.4 La règle de dérivation en chaîne

Supposez qu'on vous demande de dériver la fonction

$$F(x) = \sqrt{x^2 + 1}.$$

Les formules de dérivation étudiées dans les sections précédentes du chapitre ne permettent pas de calculer $F'(x)$.

La section 1.3 présente une révision des fonctions composées.

On observe que F est une fonction composée. Si l'on pose

$$y = f(u) = \sqrt{u} \text{ et } u = g(x) = x^2 + 1,$$

alors on peut écrire

$$y = F(x) = f\big(g(x)\big), \text{ c'est-à-dire } F = f \circ g.$$

Sachant comment dériver f et g, on aurait intérêt à connaître une règle de dérivation de $F = f \circ g$ en termes des dérivées de f et de g.

Il se trouve que la dérivée de la fonction composée $f \circ g$ est égale au produit des dérivées de f et g. Cette connaissance constitue l'une des plus importantes règles de dérivation, qu'on appelle **règle de dérivation en chaîne**. Et elle paraît fondée, si l'on considère les dérivées comme des taux de variation.

Soit du/dx, le taux de variation de u par rapport à x, dy/du, le taux de variation de y par rapport à u, et dy/dx, le taux de variation de y par rapport à x. Si u varie deux fois plus vite que x et si y varie trois fois plus vite que u, il semble alors vraisemblable que y varie six fois plus vite que x, et on peut donc s'attendre à ce que

$$\frac{dy}{dx} = \frac{dy}{du}\frac{du}{dx}.$$

La règle de dérivation en chaîne

Si g est dérivable en x et si f est dérivable en $g(x)$, alors la fonction composée $F = f \circ g$ définie par $F(x) = f(g(x))$ est dérivable en x, et F' est donnée par le produit

$$F'(x) = (f' \circ g)(x) \cdot g'(x)$$
$$= f'\big(g(x)\big) \cdot g'(x).$$

En notation de Leibniz : Si les fonctions $y = f(u)$ et $u = g(x)$ sont toutes deux dérivables respectivement en u et en x, alors

$$\frac{dy}{dx} = \frac{dy}{du}\frac{du}{dx}.$$

James Gregory

On doit la première formulation de la règle de dérivation en chaîne au mathématicien écossais James Gregory (1638-1675), qui a aussi créé le télescope à réflexion. Gregory a découvert les fondements du calcul infinitésimal presque en même temps que Newton. Premier professeur de mathématiques à l'Université St. Andrews, il devint aussi professeur à l'Université d'Édimbourg, un poste qu'il n'occupa qu'une année, puisqu'il mourut à l'âge de 36 ans.

COMMENTAIRES SUR LA PREUVE DE LA RÈGLE DE DÉRIVATION EN CHAÎNE

Soit Δu, la variation en u correspondant à une variation de Δx en x, c'est-à-dire

$$\Delta u = g(x + \Delta x) - g(x).$$

Alors la variation correspondante en y est

$$\Delta y = f(u + \Delta u) - f(u).$$

On serait tenté d'écrire

$$\frac{dy}{dx} = \lim_{\Delta x \to 0} \frac{\Delta y}{\Delta x}$$

$$= \lim_{\Delta x \to 0} \frac{\Delta y}{\Delta u} \cdot \frac{\Delta u}{\Delta x}$$

| 3.4.1 |

$$= \lim_{\Delta x \to 0} \frac{\Delta y}{\Delta u} \cdot \lim_{\Delta x \to 0} \frac{\Delta u}{\Delta x}$$

$$= \lim_{\Delta u \to 0} \frac{\Delta y}{\Delta u} \cdot \lim_{\Delta x \to 0} \frac{\Delta u}{\Delta x} \quad \text{(Comme } g \text{ est continue, } \Delta u \to 0 \text{ lorsque } \Delta x \to 0.)}$$

$$= \frac{dy}{du} \frac{du}{dx}.$$

L'unique faille dans ce développement est que, dans **3.4.1**, il peut arriver que $\Delta u = 0$ (même quand $\Delta x \neq 0$), et on ne peut évidemment pas diviser par 0. Néanmoins, ce raisonnement suggère à tout le moins la véracité de la règle de dérivation en chaîne. Une démonstration complète de cette règle est donnée à la fin de la présente section.

La règle de dérivation en chaîne s'exprime soit en notation prime,

| 3.4.2 |

$$(f \circ g)'(x) = f'\big(g(x)\big) \cdot g'(x),$$

soit, si $y = f(u)$ et $u = g(x)$, en notation de Leibniz :

| 3.4.3 |

$$\frac{dy}{dx} = \frac{dy}{du} \frac{du}{dx}.$$

L'égalité **3.4.3** est facile à retenir parce que, si dy/du et du/dx étaient de véritables quotients, on pourrait simplifier du. On se rappellera cependant que du n'a pas été défini et donc que du/dx ne doit pas être vu comme un véritable quotient.

Exemple **3.4.1** Trouvons $F'(x)$ sachant que $F(x) = \sqrt{x^2 + 1}$.

Solution 1 (avec l'égalité 3.4.2)   Au début de la section, on a exprimé F comme

$$F(x) = (f \circ g)(x) = f\big(g(x)\big),$$

où $f(u) = \sqrt{u}$ et $g(x) = x^2 + 1$. Comme

$$f'(u) = \tfrac{1}{2} u^{-1/2} = \frac{1}{2\sqrt{u}} \quad \text{et} \quad g'(x) = 2x,$$

on a

$$F'(x) = f'\big(g(x)\big) \cdot g'(x)$$

$$= \frac{1}{2\sqrt{x^2 + 1}} \cdot 2x = \frac{x}{\sqrt{x^2 + 1}}.$$

Solution 2 (avec l'égalité 3.4.3)   Si l'on pose $u = x^2 + 1$ et $y = \sqrt{u}$, alors

$$F'(x) = \frac{dy}{du} \frac{du}{dx} = \frac{1}{2\sqrt{u}}(2x) = \frac{1}{2\sqrt{x^2 + 1}}(2x) = \frac{x}{\sqrt{x^2 + 1}}.$$

Lorsqu'on utilise l'égalité **3.4.3**, on doit se rappeler que dy/dx se rapporte à la dérivée de y quand y est considérée comme une fonction de x (appelée **dérivée de y par rapport à x**), tandis que dy/du se rapporte à la dérivée de y quand elle est considérée comme une fonction de u (la dérivée de y par rapport à u). Ainsi, dans l'exemple 3.4.1, on peut voir y comme une fonction de x ($y = \sqrt{x^2 + 1}$) ou comme une fonction de u ($y = \sqrt{u}$). On remarque que

$$\frac{dy}{dx} = F'(x) = \frac{x}{\sqrt{x^2 + 1}} \quad \text{tandis que} \quad \frac{dy}{du} = f'(u) = \frac{1}{2\sqrt{u}}.$$

NOTE   La règle de dérivation en chaîne s'applique de l'extérieur vers l'intérieur. Suivant l'égalité **3.4.2**, on dérive la fonction extérieure f (par rapport à la fonction intérieure $g(x)$), puis on multiplie par la dérivée de la fonction intérieure.

$$\frac{d}{dx} \underbrace{f}_{\substack{\text{fonction} \\ \text{extérieure}}} \underbrace{(g(x))}_{\substack{\text{évaluée en} \\ \text{la fonction} \\ \text{intérieure}}} = \underbrace{f'}_{\substack{\text{dérivée de} \\ \text{la fonction} \\ \text{extérieure}}} \underbrace{(g(x))}_{\substack{\text{évaluée en} \\ \text{la fonction} \\ \text{intérieure}}} \cdot \underbrace{g'(x)}_{\substack{\text{dérivée de} \\ \text{la fonction} \\ \text{intérieure}}}$$

Exemple 3.4.2   Dérivons a) $y = \sin(x^2)$ et b) $y = \sin^2 x$.

Solution

a) Si $y = \sin(x^2)$, alors la fonction extérieure est la fonction sinus, et la fonction intérieure est la fonction qui élève au carré ; la règle de dérivation en chaîne donne donc

$$\frac{dy}{dx} = \frac{d}{dx} \underbrace{\sin}_{\substack{\text{fonction} \\ \text{extérieure}}} \underbrace{(x^2)}_{\substack{\text{évaluée en} \\ \text{la fonction} \\ \text{intérieure}}} = \underbrace{\cos}_{\substack{\text{dérivée de} \\ \text{la fonction} \\ \text{extérieure}}} \underbrace{(x^2)}_{\substack{\text{évaluée en} \\ \text{la fonction} \\ \text{intérieure}}} \cdot \underbrace{2x}_{\substack{\text{dérivée de} \\ \text{la fonction} \\ \text{intérieure}}}$$

$$= 2x \cos(x^2).$$

b) On remarque que $\sin^2 x = (\sin x)^2$. Ici, la fonction extérieure est la fonction qui élève au carré, et la fonction intérieure est la fonction sinus. Donc,

$$\frac{dy}{dx} = \frac{d}{dx} \underbrace{(\sin x)^2}_{\substack{\text{fonction} \\ \text{intérieure}}} = \underbrace{2}_{\substack{\text{dérivée de} \\ \text{la fonction} \\ \text{extérieure}}} \cdot \underbrace{(\sin x)}_{\substack{\text{évaluée en} \\ \text{la fonction} \\ \text{intérieure}}} \cdot \underbrace{\cos x}_{\substack{\text{dérivée de} \\ \text{la fonction} \\ \text{intérieure}}} .$$

On peut laisser la réponse dans la forme $2 \sin x \cos x$ ou l'écrire $\sin 2x$ (selon l'identité trigonométrique **1.4.14a**, appelée « formule de l'angle double »).

Dans l'exemple 3.4.2 a), on a combiné la règle de dérivation en chaîne avec celle de la fonction sinus. En général, si $y = \sin u$, où u est une fonction dérivable de x, alors, selon la règle de dérivation en chaîne,

$$\frac{dy}{dx} = \frac{dy}{du} \frac{du}{dx} = \cos u \frac{du}{dx},$$

d'où

$$\frac{d}{dx}(\sin u) = \cos u \frac{du}{dx}.$$

De même, toutes les formules de dérivation de fonctions trigonométriques peuvent être combinées avec la règle de dérivation en chaîne.

Le cas particulier d'une dérivation en chaîne où la fonction extérieure f est une fonction puissance mérite cependant qu'on s'y arrête. Si $y = [g(x)]^n$, alors on peut écrire $y = f(u) = u^n$ où $u = g(x)$. Ensemble, la règle de dérivation en chaîne et celle d'une puissance donnent

$$\frac{dy}{dx} = \frac{dy}{du} \frac{du}{dx} = nu^{n-1} \frac{du}{dx} = n[g(x)]^{n-1} g'(x).$$

3.4.4 | **La règle de dérivation d'une puissance combinée avec la règle de dérivation en chaîne**

Si n est un nombre réel quelconque et que la fonction $u = g(x)$ est dérivable, alors

$$\frac{d}{dx}(u^n) = nu^{n-1}\frac{du}{dx}$$

ou

$$\frac{d}{dx}[g(x)]^n = n[g(x)]^{n-1} \cdot g'(x).$$

On remarque que la dérivée de l'exemple 3.4.1 pourrait être calculée en prenant $n = \frac{1}{2}$ dans la règle **3.4.4**.

Exemple **3.4.3** Dérivons $y = (x^3 - 1)^{100}$.

Solution En prenant $u = g(x) = x^3 - 1$ et $n = 100$ dans la règle **3.4.4**, on obtient

$$\frac{dy}{dx} = \frac{d}{dx}(x^3 - 1)^{100} = 100(x^3 - 1)^{99}\frac{d}{dx}(x^3 - 1)$$
$$= 100(x^3 - 1)^{99} \cdot 3x^2 = 300x^2(x^3 - 1)^{99}.$$

NOTE Pour une expression de la forme $\dfrac{k}{f(x)}$ où k est une constante, l'utilisation de la règle du quotient est inutilement laborieuse. Il est préférable de récrire l'expression sous la forme $k\big(f(x)\big)^{-1}$ et d'utiliser la règle de dérivation d'une puissance et la règle de dérivation en chaîne.

Exemple **3.4.4** Trouvons $f'(x)$ sachant que $f(x) = \dfrac{1}{\sqrt[3]{x^2 + x + 1}}$.

Solution On récrit d'abord f: $f(x) = (x^2 + x + 1)^{-1/3}$.

Alors, on obtient

$$f'(x) = -\tfrac{1}{3}(x^2 + x + 1)^{-4/3}(x^2 + x + 1)'$$
$$= -\tfrac{1}{3}(x^2 + x + 1)^{-4/3}(2x + 1)$$
$$= \frac{-2x - 1}{3\sqrt[3]{(x^2 + x + 1)^4}}.$$

Exemple **3.4.5** Trouvons la dérivée de la fonction

$$g(t) = \left(\frac{t - 2}{2t + 1}\right)^9.$$

Solution Par combinaison des règles de dérivation d'une puissance, d'un quotient et en chaîne, on obtient

$$g'(t) = 9\left(\frac{t - 2}{2t + 1}\right)^8\left(\frac{t - 2}{2t + 1}\right)'$$
$$= 9\left(\frac{t - 2}{2t + 1}\right)^8\frac{1 \cdot (2t + 1) - (t - 2) \cdot 2}{(2t + 1)^2}$$
$$= \frac{45(t - 2)^8}{(2t + 1)^{10}}.$$

La figure 3.4.1 montre les graphiques des fonctions y et y' de l'exemple 3.4.6. On y voit que y' est grand lorsque y croît rapidement et que $y' = 0$ quand y a une tangente horizontale. La réponse trouvée semble donc vraisemblable.

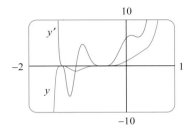

3.4.1 FIGURE

Exemple 3.4.6 Dérivons $y = (2x + 1)^5(x^3 - x + 1)^4$.

Solution Dans cet exemple, il faut faire précéder la règle de dérivation en chaîne de la règle de dérivation d'un produit :

$$\frac{dy}{dx} = \frac{d}{dx}\left((2x+1)^5\right)(x^3 - x + 1)^4 + (2x+1)^5 \frac{d}{dx}\left((x^3 - x + 1)^4\right)$$

$$= 5(2x+1)^4 \frac{d}{dx}(2x+1) \cdot (x^3 - x + 1)^4 + (2x+1)^5 \cdot 4(x^3 - x + 1)^3 \frac{d}{dx}(x^3 - x + 1)$$

$$= 5(2x+1)^4 \cdot 2(x^3 - x + 1)^4 + 4(2x+1)^5(x^3 - x + 1)^3 (3x^2 - 1).$$

Ayant remarqué que les deux termes ont le facteur commun $2(2x + 1)^4 (x^3 - x + 1)^3$, on peut mettre en évidence ce dernier et écrire la réponse comme suit :

$$\frac{dy}{dx} = 2(2x+1)^4(x^3 - x + 1)^3 \left(5(x^3 - x + 1) + 2(2x+1)(3x^2 - 1)\right)$$

$$= 2(2x+1)^4(x^3 - x + 1)^3(17x^3 + 6x^2 - 9x + 3).$$

Exemple 3.4.7 Dérivons $y = e^{\sin x}$.

Solution Ici, la fonction intérieure est $g(x) = \sin x$ et la fonction extérieure est la fonction exponentielle $f(x) = e^x$. Ainsi, l'application de la règle de dérivation en chaîne donne

$$\frac{dy}{dx} = \frac{d}{dx}(e^{\sin x}) = e^{\sin x} \frac{d}{dx}(\sin x) = e^{\sin x} \cos x.$$

De manière plus générale, la règle de dérivation en chaîne donne

$$\frac{d}{dx}(e^u) = e^u \frac{du}{dx}.$$

La règle de dérivation en chaîne permet de dériver toute fonction exponentielle de base $b > 0$. On se rappellera (*voir la section 1.6*) que $b = e^{\ln b}$. Ainsi,

$$b^x = (e^{\ln b})^x = e^{(\ln b)x}$$

et la règle de dérivation en chaîne donne

$$\frac{d}{dx}(b^x) = \frac{d}{dx}(e^{(\ln b)x}) = e^{(\ln b)x} \frac{d}{dx}(\ln b)x$$

$$= e^{(\ln b)x} \cdot \ln b = b^x \ln b$$

parce que $\ln b$ est une constante. On a donc la formule

On évitera de confondre la formule **3.4.5** (où x est l'exposant) avec la règle de dérivation d'une puissance (où x est la base) :

$$\frac{d}{dx}(x^n) = nx^{n-1}.$$

3.4.5	$\dfrac{d}{dx}(b^x) = b^x \ln b.$

En particulier, si $b = 2$, on obtient

3.4.6	$\dfrac{d}{dx}(2^x) = 2^x \ln 2.$

Dans la section 3.1, on a produit l'estimation

$$\frac{d}{dx}(2^x) \approx (0{,}69)2^x,$$

ce qui concorde avec l'égalité **3.4.6** puisque $\ln 2 \approx 0{,}693\ 147$.

Pour comprendre la pertinence de l'appellation « règle de dérivation en chaîne », il suffit d'ajouter un maillon. Si l'on pose $y = f(u)$, $u = g(x)$ et $x = h(t)$, où f, g et h sont des fonctions dérivables, on peut alors calculer la dérivée de y par rapport à t en appliquant deux fois la règle de dérivation en chaîne :

$$\frac{dy}{dt} = \frac{dy}{dx}\frac{dx}{dt} = \frac{dy}{du}\frac{du}{dx}\frac{dx}{dt}.$$

Exemple 3.4.8 Si $f(t) = \sin(\cos(\tan t))$, alors :

Solution 1 Posons $x = \tan t$, $u = \cos x$ et $y = \sin u$. Ainsi, en appliquant la dérivation en chaîne, on obtient

$$\begin{aligned} f'(t) = \frac{dy}{dt} &= \frac{dy}{du}\frac{du}{dx}\frac{dx}{dt} \\ &= \frac{d}{du}(\sin u)\frac{d}{dx}(\cos x)\frac{d}{dt}(\tan t) \\ &= \cos u(-\sin x)\sec^2 t \\ &= -\cos(\cos x)(\sin x)\sec^2 t \\ &= -\cos\big(\cos(\tan t)\big)\sin(\tan t)\sec^2 t \end{aligned}$$

Solution 2

$$\begin{aligned} f'(t) &= \cos\big(\cos(\tan t)\big)\frac{d}{dt}[\cos(\tan t)] \\ &= \cos\big(\cos(\tan t)\big)[-\sin(\tan t)]\frac{d}{dt}(\tan t) \\ &= -\cos\big(\cos(\tan t)\big)\sin(\tan t)\sec^2 t \end{aligned}$$

La règle de dérivation en chaîne a été utilisée deux fois.

Exemple 3.4.9 Dérivons $y = e^{\sec 3\theta}$.

Solution La fonction extérieure est la fonction exponentielle, celle du milieu est la fonction sécante et la fonction intérieure est celle qui multiplie par trois. On a donc

$$\begin{aligned} \frac{dy}{d\theta} &= e^{\sec 3\theta}\frac{d}{d\theta}(\sec 3\theta) \\ &= e^{\sec 3\theta}\sec 3\theta \tan 3\theta \frac{d}{d\theta}(3\theta) \\ &= 3e^{\sec 3\theta}\sec 3\theta \tan 3\theta. \end{aligned}$$

▶ Comment démontrer la règle de dérivation en chaîne

On se rappellera que, si $y = f(x)$ et que x varie de a à $a + \Delta x$, alors on définit l'accroissement de y comme suit :

$$\Delta y = f(a + \Delta x) - f(a).$$

Selon la définition de la dérivée,

$$\lim_{\Delta x \to 0}\frac{\Delta y}{\Delta x} = f'(a).$$

Ainsi, si l'on désigne par ε la différence entre le quotient des différences et la dérivée, on obtient

$$\lim_{\Delta x \to 0}\varepsilon = \lim_{\Delta x \to 0}\left(\frac{\Delta y}{\Delta x} - f'(a)\right) = f'(a) - f'(a) = 0.$$

Cependant,

$$\varepsilon = \frac{\Delta y}{\Delta x} - f'(a) \quad \Rightarrow \quad \Delta y = f'(a)\Delta x + \varepsilon\,\Delta x.$$

Si l'on attribue à ε la valeur 0 lorsque $\Delta x = 0$, alors ε devient une fonction continue de Δx. En conséquence, on peut écrire, pour une fonction dérivable f,

3.4.7 $\Delta y = f'(a)\Delta x + \varepsilon\,\Delta x$ où $\varepsilon \to 0$ quand $\Delta x \to 0$

et ε est une fonction continue de Δx. C'est cette propriété, appelée **différentiabilité**, des fonctions dérivables qui permet de prouver la règle de dérivation en chaîne.

DÉMONSTRATION DE LA RÈGLE DE DÉRIVATION EN CHAÎNE   On pose que $u = g(x)$ est dérivable en a et que $y = f(u)$ l'est en $b = g(a)$. Si Δx représente un accroissement de x et que Δu et Δy représentent les accroissements correspondants de u et de y, alors l'égalité **3.4.7** permet d'écrire

3.4.8 $\Delta u = g'(a)\,\Delta x + \varepsilon_1\Delta x = [g'(a) + \varepsilon_1]\,\Delta x$

où $\varepsilon_1 \to 0$ lorsque $\Delta x \to 0$. De même,

3.4.9 $\Delta y = f'(b)\,\Delta u + \varepsilon_2\Delta u = [f'(b) + \varepsilon_2]\,\Delta u$

où $\varepsilon_2 \to 0$ lorsque $\Delta u \to 0$. Si l'on substitue maintenant l'expression de Δu (égalité **3.4.8**) dans l'égalité **3.4.9**, on obtient

$$\Delta y = [f'(b) + \varepsilon_2][g'(a) + \varepsilon_1]\,\Delta x\,;$$

donc,

$$\frac{\Delta y}{\Delta x} = [f'(b) + \varepsilon_2][g'(a) + \varepsilon_1].$$

L'égalité **3.4.8** montre que, lorsque $\Delta x \to 0$, $\Delta u \to 0$. Ainsi, $\varepsilon_1 \to 0$ et $\varepsilon_2 \to 0$ lorsque $\Delta x \to 0$. Par conséquent,

$$\frac{dy}{dx} = \lim_{\Delta x \to 0} \frac{\Delta y}{\Delta x} = \lim_{\Delta x \to 0} [f'(b) + \varepsilon_2][g'(a) + \varepsilon_1]$$
$$= f'(b)g'(a) = f'(g(a))g'(a).$$

Ainsi est faite la preuve de la règle de dérivation en chaîne.   ∎

Exercices 3.4

1-6 Écrivez la fonction composée dans la forme $f(g(x))$. (Identifiez la fonction intérieure $u = g(x)$ et la fonction extérieure $y = f(u)$.) Trouvez ensuite la dérivée dy/dx.

1. $y = \sqrt[3]{1 + 4x}$

2. $y = (2x^3 + 5)^4$

▲ **3.** $y = \tan \pi x$

▲ **4.** $y = \sin(\cot x)$

⊕ **5.** $y = e^{\sqrt{x}}$

⊕ **6.** $y = \sqrt{2 - e^x}$

7-65 Trouvez la dérivée de chaque fonction.

7. $F(x) = (5x^6 + 2x^3)^4$

8. $F(x) = (1 + x + x^2)^{99}$

9. $f(x) = \sqrt{5x + 1}$

▲ **10.** $f(x) = \dfrac{1}{(1 + \sec x)^2}$

11. $f(z) = \dfrac{1}{z^2 + 1}$

12. $f(x) = \dfrac{1}{\sqrt[3]{x^2 - 1}}$

▲ **13.** $f(\theta) = \cos(\theta^2)$

▲ **14.** $g(\theta) = \cos^2 \theta$

⊕ **15.** $y = x^2 e^{-3x}$

▲ **16.** $f(t) = t \sin \pi t$

⊕▲ **17.** $f(t) = e^{at} \sin bt$

⊕ **18.** $g(x) = e^{x^2 - x}$

⊕▲ **19.** $f(t) = \sin(e^t) + e^{\sin t}$

▲ **20.** $y = \cos(a^3 + x^3)$ où a est une constante

▲ **21.** $y = a^3 + \cos^3 x$ où a est une constante

22. $y = xe^{-kx}$ où k est une constante

▲ **23.** $y = e^{-2t} \cos 4t$

24. $f(x) = (2x - 3)^4 (x^2 + x + 1)^5$

25. $g(x) = (x^2 + 1)^3 (x^2 + 2)^6$

26. $h(t) = (t + 1)^{2/3} (2t^2 - 1)^3$

27. $F(t) = (3t - 1)^4 (2t + 1)^{-3}$

28. $y = \left(\dfrac{x^2 + 1}{x^2 - 1} \right)^3$

29. $f(s) = \sqrt{\dfrac{s^2 + 1}{s^2 + 4}}$

30. $y = \sqrt{\dfrac{x}{x + 1}}$

31. $y = \left(x + \dfrac{1}{x} \right)^5$

32. $y = \sqrt{1 + 2e^{3x}}$

33. $y = 10^{1 - x^2}$

34. $y = 5^{-1/x}$

▲ **35.** $y = e^{\tan \theta}$

36. $f(t) = 2^{t^3}$

37. $g(u) = \left(\dfrac{u^3 - 1}{u^3 + 1} \right)^8$

▲ **38.** $s(t) = \sqrt{\dfrac{1 + \sin t}{1 + \cos t}}$

39. $r(t) = 10^{2\sqrt{t}}$

40. $f(z) = e^{z/(z - 1)}$

41. $G(y) = \dfrac{(y - 1)^4}{(y^2 + 2y)^5}$

42. $y = \dfrac{r}{\sqrt{r^2 + 1}}$

43. $y = \dfrac{e^u - e^{-u}}{e^u + e^{-u}}$

▲ **44.** $F(t) = e^{t \sin 2t}$

45. $F(v) = \left(\dfrac{v}{v^3 + 1} \right)^6$

46. $G(x) = 4^{C/x}$

47. $U(y) = \left(\dfrac{y^4 + 1}{y^2 + 1} \right)^5$

▲ **48.** $y = \sin(\tan 2x)$

▲ **49.** $y = \sec^2(m\theta)$, où m est une constante

▲ **50.** $y = 2^{\sin \pi x}$

51. $y = x^2 e^{-1/x}$

▲ **52.** $y = \cos\left(\dfrac{1 - e^{2x}}{1 + e^{2x}} \right)$

53. $y = \sqrt{1 + xe^{-2x}}$

▲ **54.** $y = \cot^2(\sin \theta)$

▲ **55.** $y = e^{k \tan \sqrt{x}}$ où k est une constante

▲ **56.** $f(t) = \tan(e^t) + e^{\tan t}$

▲ **57.** $y = \sin(\sin(\sin x))$

▲ **58.** $f(t) = \tan(\sec(\cos t))$

▲ **59.** $y = e^{\sin 2x} + \sin(e^{2x})$

▲ **60.** $f(t) = \sin^2(e^{\sin^2 t})$

61. $y = \sqrt{x + \sqrt{x + \sqrt{x}}}$

62. $g(x) = (2ra^{rx} + n)^p$ où a, r, n et p sont des constantes

63. $y = 2^{3^{x^2}}$

▲ **64.** $y = \cos \sqrt{\sin(\tan \pi x)}$

▲ **65.** $y = [x + (x + \sin^2 x)^3]^4$

66-70 Trouvez y' et y''.

▲ **66.** $y = \cos(\sin 3\theta)$

▲ **67.** $y = \cos^2 x$

▲ **68.** $y = \dfrac{1}{(1 + \tan x)^2}$

▲ **69.** $y = \sqrt{1 - \sec t}$

70. $y = e^{e^x}$

71-74 Trouvez l'équation de la tangente à la courbe au point indiqué.

71. $y = 2^x$, $(0, 1)$

72. $y = \sqrt{1 + x^3}$, $(2, 3)$

▲ **73.** $y = \sin(\sin x)$, $(\pi, 0)$

74. $y = xe^{-x^2}$, $(0, 0)$

75. a) Trouvez l'équation de la tangente à la courbe $y = 2/(1 + e^{-x})$ au point $(0, 1)$.

b) Pour illustrer votre réponse en a), superposez dans un même graphique les tracés de la courbe et de la tangente.

76. a) La courbe $y = |x| / \sqrt{2 - x^2}$ est appelée **courbe en nez d'obus**. Trouvez l'équation de la tangente à cette courbe au point $(1, 1)$.

b) Pour illustrer votre réponse en a), superposez dans un même graphique les tracés de la courbe et de la tangente.

77. a) Sachant que $f(x) = x\sqrt{2 - x^2}$, trouvez $f'(x)$.

b) Pour vérifier la vraisemblance de votre réponse en a), comparez les graphiques respectifs de f et de f'.

▲ **78.** La fonction $f(x) = \sin(x + \sin 2x)$, $0 \le x \le \pi$, joue un rôle dans les synthétiseurs (synthèses sonores) utilisant la synthèse de modulation de fréquences FM.

a) À partir du graphique de f produit par un outil graphique, esquissez le graphique de f'.

b) Calculez $f'(x)$ et utilisez son expression pour tracer le graphique de f' à l'aide d'un outil graphique. Comparez ce graphique avec votre esquisse en a).

▲ **79.** Déterminez tous les points du graphique de

$$f(x) = 2 \sin x + \sin^2 x$$

auxquels la tangente est horizontale.

80. À quel point de la courbe $y = \sqrt{1 + 2x}$ passe la tangente perpendiculaire à la droite $6x + 2y = 1$?

81. Sachant que $F(x) = f(g(x))$, où $f(-2) = 8$, $f'(-2) = 4$, $f'(5) = 3$, $g(5) = -2$ et $g'(5) = 6$, trouvez $F'(5)$.

82. Sachant que $h(x) = \sqrt{4 + 3f(x)}$, où $f(1) = 7$ et $f'(1) = 4$, trouvez $h'(1)$.

83. Voici un tableau de valeurs des fonctions f, g, f' et g'.

x	$f(x)$	$g(x)$	$f'(x)$	$g'(x)$
1	3	2	4	6
2	1	8	5	7
3	7	2	7	9

a) Sachant que $h(x) = f(g(x))$, trouvez $h'(1)$.

b) Sachant que $H(x) = g(f(x))$, trouvez $H'(1)$.

84. Soit *f* et *g*, les fonctions de l'exercice 83.
   a) Sachant que $F(x) = f(f(x))$, trouvez $F'(2)$.
   b) Sachant que $G(x) = g(g(x))$, trouvez $G'(3)$.

85. Soit *f* et *g*, les fonctions représentées ci-dessous, et soit $u(x) = f(g(x))$, $v(x) = g(f(x))$ et $w(x) = g(g(x))$. Trouvez chaque dérivée, si elle existe. Sinon, expliquez pourquoi elle n'existe pas.

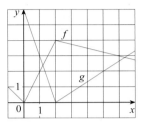

   a) $u'(1)$ b) $v'(1)$ c) $w'(1)$

86. Soit *f*, la fonction représentée ci-dessous, et soit $h(x) = f(f(x))$ et $g(x) = f(x^2)$. À partir du graphique de *f*, estimez la valeur de chaque dérivée.

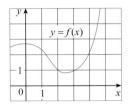

   a) $h'(2)$ b) $g'(2)$

87. Sachant que $g(x) = \sqrt{f(x)}$ et que le graphique ci-dessous est celui de *f*, évaluez $g'(3)$.

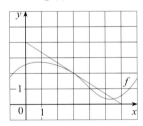

88. Soit *f*, une fonction dérivable sur $\mathbb{R}$ et α, un nombre réel, et soit $F(x) = f(x^\alpha)$ et $G(x) = [f(x)]^\alpha$. Trouvez des expressions de a) $F'(x)$ et b) $G'(x)$.

89. Soit *f*, une fonction dérivable sur $\mathbb{R}$, et soit $F(x) = f(e^x)$ et $G(x) = e^{f(x)}$. Trouvez des expressions de a) $F'(x)$ et b) $G'(x)$.

90. Soit $g(x) = e^{cx} + f(x)$ et $h(x) = e^{kx}f(x)$, où $f(0) = 3$, $f'(0) = 5$ et $f''(0) = -2$.
   a) Trouvez $g'(0)$ et $g''(0)$ en termes de *c*.
   b) Trouvez, en termes de *k*, une équation de la tangente à la courbe de *h* au point où $x = 0$.

91. Soit $r(x) = f(g(h(x)))$, où $h(1) = 2$, $g(2) = 3$, $h'(1) = 4$, $g'(2) = 5$ et $f'(3) = 6$. Trouvez $r'(1)$.

92. Sachant que *g* est une fonction deux fois dérivable et que $f(x) = xg(x^2)$, trouvez f'' en termes de *g*, de *g'* et de *g''*.

93. Sachant que $F(x) = f\big(3f\big(4f(x)\big)\big)$, où $f(0) = 0$ et $f'(0) = 2$, trouvez $F'(0)$.

94. Sachant que $F(x) = f\big(xf\big(xf(x)\big)\big)$, où $f(1) = 2$, $f(2) = 3$, $f'(1) = 4$, $f'(2) = 5$ et $f'(3) = 6$, trouvez $F'(1)$.

95. Montrez que la fonction $y = e^{2x}(A \cos 3x + B \sin 3x)$ satisfait à l'équation différentielle $y'' - 4y' + 13y = 0$.

96. Pour quelles valeurs de *r* la fonction $y = e^{rx}$ satisfait-elle à l'équation différentielle $y'' - 4y' + y = 0$?

97. Trouvez la dérivée 50e de $y = \cos 2x$.

98. Trouvez la dérivée 1000e de $f(x) = xe^{-x}$.

99. Le déplacement d'une particule sur une corde vibrante est donné par l'équation

$$s(t) = 10 + \tfrac{1}{4}\sin(10\pi t),$$

où *s* est mesuré en centimètres et *t*, en secondes. Trouvez la vitesse de la particule après *t* secondes.

100. Lorsque l'équation du mouvement d'une particule est donnée par $s = A\cos(\omega t + \delta)$, on dit de la particule qu'elle est soumise à un **mouvement harmonique simple**.
   a) Trouvez la vitesse de la particule au temps *t*.
   b) À quel moment la vitesse est-elle nulle?

101. La céphéide est une étoile pulsante dont l'éclat augmente et diminue suivant une période. Dans cette famille d'étoiles, la plus facile à observer s'appelle delta Céphée, dont l'intervalle entre les moments d'éclat maximum est de 5,4 jours. L'éclat moyen de cette étoile est de 4,0, et son éclat varie de $\pm 0{,}35$. À partir de ces données, on a modélisé par la fonction suivante l'éclat *E* de delta Céphée au temps *t*, où *t* est mesuré en jours:

$$E(t) = 4{,}0 + 0{,}35\sin\!\left(\frac{2\pi t}{5{,}4}\right).$$

   a) Trouvez le taux de variation de l'éclat après *t* jours.
   b) Trouvez, à deux décimales d'exactitude, le taux d'accroissement de l'éclat après un jour.

102. Pour modéliser le mouvement d'un ressort soumis à une force de frottement ou d'amortissement (comme l'amortisseur de choc d'une voiture), on utilise souvent le produit d'une fonction exponentielle et d'une fonction sinus ou cosinus. Supposons que le mouvement d'un point sur un tel ressort est donné par l'équation

$$s(t) = 2e^{-1{,}5t}\sin 2\pi t$$

où *s* est mesuré en centimètres et *t*, en secondes. Trouvez la vitesse après *t* secondes et représentez dans un même graphique les fonctions position et vitesse en $0 \le t \le 2$.

103. Des chercheurs ont mesuré la concentration d'alcool dans le sang de huit sujets adultes masculins après l'ingestion de 15 mL d'éthanol, ce qui correspond à une consommation standard. Ils ont modélisé les données obtenues dans une fonction $C(t) = 0{,}0225te^{-0{,}046\,7t}$, où *t* représente les minutes après la consommation et *C*, la concentration d'alcool dans le sang (mg/mL).
   a) À quel rythme montait la concentration d'alcool dans le sang 10 minutes après l'ingestion de l'éthanol?
   b) À quel rythme descendait-elle une demi-heure plus tard?

Source: Adaptation de P. Wilkinson et coll., «Pharmacokinetics of ethanol after oral administration in the fasting state», *Journal of Pharmacokinetics and Biopharmaceutics*, n° 5, 1977, p. 207-224.

104. Une particule se déplace en ligne droite sur une distance $s(t)$, à la vitesse $v(t)$ et selon l'accélération $a(t)$. Montrez que

$$a(t) = v(t)\frac{dv}{ds}.$$

Expliquez la différence de signification entre les dérivées dv/dt et dv/ds.

105. On gonfle d'air un ballon météorologique sphérique. À tout moment t, le volume du ballon est $V(t)$ et son rayon, $r(t)$.
a) Que représentent les dérivées dV/dr et dV/dt?
b) Exprimez dV/dt en termes de dr/dt.

106. Le flash d'un appareil photo emmagasine sa charge sur un condensateur et la libère tout d'un coup, dès que la lampe est actionnée. Les données suivantes représentent la charge Q (en microcoulombs, μC) qu'il reste sur le condensateur au temps t (en secondes).

t	0,00	0,02	0,04	0,06	0,08	0,10
Q	100,00	81,87	67,03	54,88	44,93	36,76

a) À l'aide d'un outil graphique, ajustez un modèle exponentiel de la charge en fonction du temps.
b) La dérivée $Q'(t)$ représente le courant électrique (en microampères, μA) passant du condensateur à la lampe. Servez-vous de votre réponse en a) pour estimer le courant lorsque $t = 0,04$ s. Comparez votre réponse avec le résultat de l'exemple 2.1.2 (*voir p. 100*).

107. Ce tableau donne la population du Canada entre les années 1851 et 1921.

Année	Population
1851	2 436 000
1861	3 230 000
1871	3 689 000
1881	4 325 000
1891	4 833 000
1901	5 371 000
1911	7 207 000
1921	8 788 000

a) Au moyen d'un outil graphique, ajustez une fonction exponentielle convenant à ces données. Tracez les points de données et la courbe de votre modèle exponentiel. Quelle est la justesse du modèle?
b) Estimez les taux de croissance démographique en 1861 et en 1911 en calculant la moyenne des pentes des sécantes.
c) À l'aide du modèle exponentiel en a), estimez les taux de croissance en 1861 et en 1911. Comparez ces estimations avec celles de la partie b).
d) Servez-vous de votre modèle exponentiel pour prédire la population en 1931. Comparez votre résultat avec la population effective de 10 377 000 habitants. Comment expliquez-vous l'écart entre la taille de la population en 1931 et celle prédite par votre modèle pour cette même année?

108. Prouvez chaque énoncé à l'aide de la règle de dérivation en chaîne.
a) La dérivée d'une fonction paire est une fonction impaire.
b) La dérivée d'une fonction impaire est une fonction paire.

109. À l'aide des règles de dérivation en chaîne et de dérivation d'un produit, élaborez une autre preuve de la règle de dérivation d'un quotient.

Conseil: Posez $f(x)/g(x) = f(x)[g(x)]^{-1}$.

▲ 110. Soit n, un entier positif.

a) Prouvez que

$$\frac{d}{dx}(\sin^n x\cos nx) = n\sin^{n-1} x\cos(n+1)x.$$

b) Trouvez une formule de la dérivée de

$$y = \cos^n x \cos nx$$

qui est semblable à celle en a).

111. Soit $y = f(x)$, une courbe toujours située au-dessus de l'axe des x n'admettant aucune tangente horizontale et où f est dérivable partout. Pour quelle valeur de y le taux de variation de y^5 par rapport à x égale-t-il 80 fois le taux de variation de y par rapport à x?

▲ 112. Utilisez la règle de dérivation en chaîne pour montrer que, si θ est mesuré en degrés, alors

$$\frac{d}{d\theta}(\sin\theta) = \frac{\pi}{180}\cos\theta.$$

(C'est l'une des raisons d'être de la convention voulant qu'on utilise toujours la mesure en radians pour traiter les fonctions trigonométriques en calcul différentiel et intégral: si l'unité de mesure était le degré, les formules de dérivation ne seraient pas aussi simples.)

113. a) Écrivez $|x| = \sqrt{x^2}$ et utilisez la règle de dérivation en chaîne pour montrer que

$$\frac{d}{dx}|x| = \frac{x}{|x|}.$$

▲ b) Sachant que

$$f(x) = |\sin x|,$$

trouvez $f'(x)$ et esquissez dans un même graphique les tracés de f et de f'. Où f n'est-elle pas dérivable?

▲ c) Sachant que

$$g(x) = \sin |x|,$$

trouvez $g'(x)$ et esquissez les graphiques de g et de g'. Où g n'est-elle pas dérivable?

114. Soit $y = f(u)$ et $u = g(x)$, où f et g sont deux fois dérivables. Montrez que

$$\frac{d^2 y}{dx^2} = \frac{d^2 y}{du^2}\left(\frac{du}{dx}\right)^2 + \frac{dy}{du}\frac{d^2 u}{dx^2}.$$

115. Soit $y = f(u)$ et $u = g(x)$, où f et g ont des dérivées troisièmes. Trouvez une formule de $d^3 y/dx^3$ qui soit semblable à celle donnée à l'exercice 114.

APPLICATION

Où le pilote doit-il amorcer la descente ?

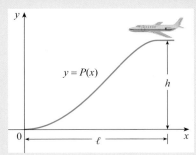

$y = P(x)$

h

ℓ

La figure montre la trajectoire d'approche d'un avion qui s'apprête à atterrir. La trajectoire satisfait aux conditions suivantes :

i) L'altitude de croisière est h au moment où la descente commence à une distance horizontale ℓ du point d'atterrissage (contact au sol) situé à l'origine.

ii) Durant la descente, le pilote doit garder une vitesse horizontale constante v.

iii) La valeur absolue de l'accélération verticale ne doit pas dépasser une constante k (bien inférieure à l'accélération due à la pesanteur).

1. Trouvez une fonction polynomiale cubique $P(x) = ax^3 + bx^2 + cx + d$ qui satisfait à la condition i) en imposant les conditions appropriées à $P(x)$ et à $P'(x)$ au début de la descente et au point d'atterrissage.

2. Servez-vous des conditions énoncées en ii) et en iii) pour montrer que

$$\frac{6hv^2}{\ell^2} \le k.$$

3. Supposons qu'une ligne aérienne interdise à ses pilotes toute accélération verticale dépassant $k = 1400$ km/h^2. Si l'altitude de croisière d'un avion est de 10 500 m et que sa vitesse est de 500 km/h, à quelle distance de l'aéroport le pilote doit-il amorcer sa descente ?

4. Tracez le graphique d'une trajectoire d'approche qui satisfait aux conditions posées à la question 3.

3.5 La dérivation implicite

Les fonctions étudiées jusqu'ici peuvent être décrites par l'expression explicite d'une variable par rapport à une autre ; par exemple

$$y = \sqrt{x^3 + 1} \quad \text{ou} \quad y = x \sin x$$

ou, de manière générale, $y = f(x)$. En revanche, d'autres fonctions sont définies implicitement par une relation existant entre x et y, par exemple

3.5.1 $$x^2 + y^2 = 25$$

ou

3.5.2 $$x^3 + y^3 = 6xy.$$

Dans certains cas, on peut isoler y afin de former une fonction explicite (ou plusieurs) de x. Dans l'équation **3.5.1**, par exemple, si l'on isole y, on obtient $y = \pm\sqrt{25 - x^2}$, de sorte que les deux fonctions déterminées par l'équation implicite **3.5.1** sont

$$f(x) = \sqrt{25 - x^2} \text{ et } g(x) = -\sqrt{25 - x^2}.$$

Les graphiques respectifs de f et de g sont les demi-cercles supérieur et inférieur du cercle $x^2 + y^2 = 25$ (voir la figure 3.5.1).

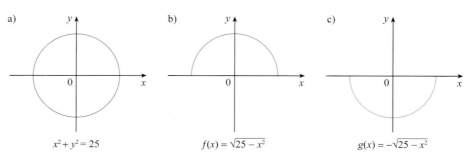

$x^2 + y^2 = 25$ $f(x) = \sqrt{25 - x^2}$ $g(x) = -\sqrt{25 - x^2}$

3.5.1 **FIGURE**

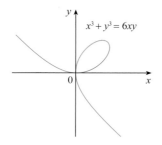

$x^3 + y^3 = 6xy$

3.5.2 **FIGURE**

Le folium de Descartes.

Par contre, il n'est pas facile de résoudre l'équation **3.5.2** à la main en isolant *y*. (Un logiciel de calcul symbolique le fait sans difficulté, mais en produisant des expressions très compliquées.) Néanmoins, cette équation est celle d'une courbe appelée **folium de Descartes** (*voir la figure 3.5.2*), et elle définit implicitement *y* comme plusieurs fonctions de *x*. Les graphiques de trois de ces fonctions sont montrés dans la figure 3.5.3. Lorsqu'on dit que *f* est une fonction définie implicitement par l'équation **3.5.2**, on entend que l'équation

$$x^3 + [f(x)]^3 = 6x f(x)$$

se vérifie pour toutes les valeurs de *x* appartenant au domaine de *f*.

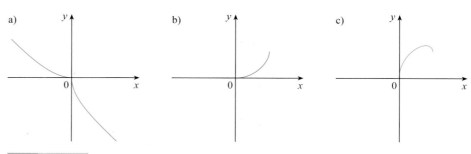

3.5.3 **FIGURE**

Les graphiques de trois fonctions définies par le folium de Descartes.

Heureusement, on peut trouver la dérivée de *y* sans avoir à résoudre une équation pour *y* en termes de *x*. Pour ce faire, on emploie la méthode de la **dérivation implicite**. Cette méthode consiste à dériver les deux membres de l'équation par rapport à *x* (ou la variable indépendante de l'équation) puis à résoudre l'équation résultante en isolant *y′*.

Exemple **3.5.1**

a) Sachant que $x^2 + y^2 = 25$, trouvons $\dfrac{dy}{dx}$.

b) Trouvons l'équation de la tangente au cercle $x^2 + y^2 = 25$ au point (3, 4).

Solution 1

a) On dérive les deux membres de l'équation $x^2 + y^2 = 25$:

$$\frac{d}{dx}(x^2 + y^2) = \frac{d}{dx}(25)$$
$$\frac{d}{dx}(x^2) + \frac{d}{dx}(y^2) = 0.$$

En se rappelant que y est une fonction implicite de x, on utilise la règle de dérivation en chaîne, qui donne

$$\frac{d}{dx}(y^2) = \frac{d}{dy}(y^2)\frac{dy}{dx} = 2y\frac{dy}{dx},$$

d'où

$$2x + 2y\frac{dy}{dx} = 0.$$

On résout maintenant l'équation en isolant dy/dx :

$$\frac{dy}{dx} = -\frac{x}{y}.$$

b) Au point $(3, 4)$, $x = 3$ et $y = 4$; ainsi,

$$\left.\frac{dy}{dx}\right|_{\substack{x=3 \\ y=4}} = -\frac{3}{4}.$$

L'équation de la tangente au cercle en $(3, 4)$ est donc

$$y - 4 = -\frac{3}{4}(x - 3) \quad \text{ou} \quad 3x + 4y = 25.$$

Solution 2

b) La résolution de l'équation $x^2 + y^2 = 25$ donne $y = \pm\sqrt{25 - x^2}$. Comme le point $(3, 4)$ appartient au demi-cercle supérieur $y = \sqrt{25 - x^2}$, on considère la fonction

$$f(x) = \sqrt{25 - x^2}.$$

La dérivation de f au moyen de la règle de dérivation en chaîne donne

$$\begin{aligned}
f'(x) &= \frac{1}{2}(25 - x^2)^{-1/2}(25 - x^2)' \\
&= \frac{1}{2}(25 - x^2)^{-1/2}(-2x) \\
&= -\frac{x}{\sqrt{25 - x^2}}.
\end{aligned}$$

Donc,

$$f'(3) = -\frac{3}{\sqrt{25 - 3^2}} = -\frac{3}{4}$$

et, comme dans la solution 1, l'équation de la tangente est $3x + 4y = 25$. ∎

L'exemple 3.5.1 montre que, même quand il est possible de résoudre une équation de forme explicite, il peut s'avérer plus facile d'utiliser la dérivation implicite.

NOTE 1   Dans la solution 1, l'expression $dy/dx = -x/y$ donne la dérivée en termes de x et de y. Elle est juste, quelle que soit la fonction y déterminée par l'équation donnée. Par exemple, pour $y = f(x) = \sqrt{25 - x^2}$, on a

$$\frac{dy}{dx} = -\frac{x}{y} = -\frac{x}{\sqrt{25 - x^2}}$$

tandis que, pour $y = g(x) = -\sqrt{25 - x^2}$, on a

$$\frac{dy}{dx} = -\frac{x}{y} = -\frac{x}{-\sqrt{25 - x^2}} = \frac{x}{\sqrt{25 - x^2}}.$$

··Exemple 3.5.2

a) Trouvons y' sachant que $x^3 + y^3 = 6xy$.

b) Trouvons la tangente au folium de Descartes $x^3 + y^3 = 6xy$ au point $(3, 3)$.

c) En quel point du premier quadrant la tangente est-elle horizontale?

Solution

a) Il s'agit ici de dériver les deux membres de $x^3 + y^3 = 6xy$ par rapport à x en considérant y comme une fonction implicite de x et d'appliquer la règle de dérivation en chaîne au terme y^3 et la règle de dérivation d'un produit au terme $6xy$, ce qui permet d'obtenir

$$3x^2 + 3y^2y' = 6y + 6xy'$$

ou

$$x^2 + y^2y' = 2y + 2xy'.$$

On résout maintenant par rapport à y':

$$y^2y' - 2xy' = 2y - x^2$$
$$(y^2 - 2x)y' = 2y - x^2$$
$$y' = \frac{2y - x^2}{y^2 - 2x}.$$

b) Quand $x = y = 3$,

$$y'\Big|_{\substack{x=3 \\ y=3}} = \frac{2 \cdot 3 - 3^2}{3^2 - 2 \cdot 3} = -1$$

et un coup d'œil à la figure 3.5.4 confirme que cette valeur de la pente en $(3, 3)$ est vraisemblable. Ainsi, l'équation de la tangente au folium en $(3, 3)$ est

$$y - 3 = -1(x - 3) \text{ ou } x + y = 6.$$

c) La tangente est horizontale si $y' = 0$. L'expression de y' trouvée en a) indique que $y' = 0$ quand $2y - x^2 = 0$ (pourvu que $y^2 - 2x \neq 0$). En substituant $\frac{1}{2}x^2$ à y dans l'équation de la courbe, on obtient

$$x^3 + \left(\tfrac{1}{2}x^2\right)^3 = 6x\left(\tfrac{1}{2}x^2\right)$$

qui se simplifie en $x^6 = 16x^3$. Puisque $x \neq 0$ dans le premier quadrant, on a $x^3 = 16$. Si $x = 16^{1/3} = 2^{4/3}$, alors $y = \frac{1}{2}(2^{8/3}) = 2^{5/3}$. La tangente est donc horizontale en $(2^{4/3}, 2^{5/3}) = (2\sqrt[3]{2}, 2\sqrt[3]{4})$, soit approximativement $(2{,}5198\,;\,3{,}1748)$. La figure 3.5.5 indique que cette réponse est vraisemblable. ∎

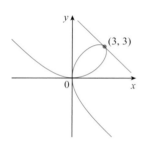

3.5.4 FIGURE

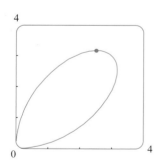

3.5.5 FIGURE

Abel et Galois

Le mathématicien norvégien Niels Abel a démontré, en 1824, qu'aucune formule générale ne permettait d'exprimer les racines d'une équation du cinquième degré en termes de radicaux. Plus tard, le mathématicien français Évariste Galois a établi l'impossibilité de trouver une formule générale des racines d'une équation de degré n (en termes d'opérations algébriques sur les coefficients) où n est un entier supérieur à 4.

NOTE 2   Comme pour les équations du second degré, une formule existe pour trouver les racines des équations du troisième degré, mais elle est très compliquée. Si on utilisait cette formule (ou un logiciel de calcul symbolique) pour résoudre l'équation $x^3 + y^3 = 6xy$ en exprimant y en termes de x, on obtiendrait trois fonctions définies par l'équation

$$y = f(x) = \sqrt[3]{-\tfrac{1}{2}x^3 + \sqrt{\tfrac{1}{4}x^6 - 8x^3}} + \sqrt[3]{-\tfrac{1}{2}x^3 - \sqrt{\tfrac{1}{4}x^6 - 8x^3}}$$

et par l'équation

$$y = \tfrac{1}{2}\left[-f(x) \pm \sqrt{-3}\left(\sqrt[3]{-\tfrac{1}{2}x^3 + \sqrt{\tfrac{1}{4}x^6 - 8x^3}} - \sqrt[3]{-\tfrac{1}{2}x^3 - \sqrt{\tfrac{1}{4}x^6 - 8x^3}}\right)\right].$$

(Ces fonctions sont celles que montre la figure 3.5.3.) On constate que, dans des cas semblables, la méthode de la dérivation implicite évite beaucoup de travail. En outre, elle est tout aussi facile à appliquer aux équations telles que

$$y^5 + 3x^2y^2 + 5x^4 = 12$$

où il est impossible d'exprimer explicitement y en fonction de x.

Exemple 3.5.3 Trouvons dv/du sachant que $\sin(u + v) = v^2 \cos u$.

Solution En dérivant implicitement par rapport à u et en traitant v comme une fonction implicite de u, on obtient

$$\cos(u + v) \cdot (1 + v') = 2vv'(\cos u) + v^2(-\sin u).$$

(On a appliqué la règle de dérivation en chaîne au membre de gauche ; au membre de droite, on a appliqué la règle de dérivation d'un produit et celle de dérivation en chaîne.)

En regroupant les termes qui contiennent v', on obtient

$$\cos(u + v) + v^2 \sin u = (2v \cos u)v' - \cos(u + v) \cdot v',$$

d'où

$$v' = \frac{v^2 \sin u + \cos(u + v)}{2v \cos u - \cos(u + v)}.$$

Produite par un logiciel de calcul symbolique et sa commande de tracés de fonctions implicites, la figure 3.5.6 montre une partie de la courbe

$$\sin(u + v) = v^2 \cos u.$$

En guise de vérification des calculs, notez que $v' = -1$ lorsque $u = v = 0$. On observe justement dans le graphique une pente d'environ −1 à l'origine.

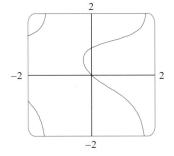

3.5.6 FIGURE

Les figures 3.5.7, 3.5.8 et 3.5.9 montrent trois autres courbes produites par un logiciel de calcul symbolique à commande de dessin de fonction implicite. Les exercices 46 et 47 vous donneront l'occasion de créer et d'examiner des courbes inhabituelles de cette nature.

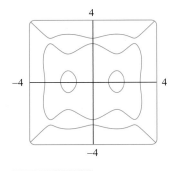

3.5.7 FIGURE

$(x^2 - 1)(x^2 - 4)(x^2 - 9)$
$\quad = y^2(y^2 - 4)(y^2 - 9)$

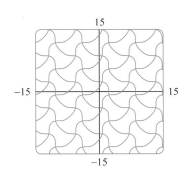

3.5.8 FIGURE

$\cos(x - \sin y) = \sin(y - \sin x)$

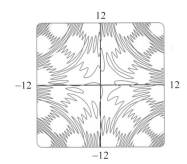

3.5.9 FIGURE

$\sin(xy) = \sin x + \sin y$

L'exemple suivant montre comment trouver la dérivée seconde d'une fonction implicite.

La figure 3.5.10 montre le graphique de la courbe $x^4 + y^4 = 16$ de l'exemple 3.5.4. Cette courbe est une version étirée et aplatie du cercle $x^2 + y^2 = 4$. Elle commence abruptement à gauche mais s'aplatit vite, comme l'indique l'expression

$$y' = -\frac{x^3}{y^3} = -\left(\frac{x}{y}\right)^3.$$

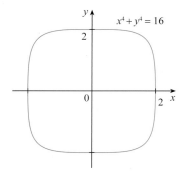

3.5.10 FIGURE

Exemple 3.5.4 Trouvons y'' sachant que $x^4 + y^4 = 16$.

Solution En dérivant l'équation implicitement par rapport à x, on obtient

$$4x^3 + 4y^3 y' = 0.$$

En isolant y', on obtient

3.5.3 $\qquad\qquad y' = -\dfrac{x^3}{y^3}.$

Afin de trouver y'', on dérive cette expression pour y' au moyen de la règle de dérivation d'un quotient, en se rappelant que y est une fonction de x :

$$y'' = \left(-\frac{x^3}{y^3}\right)' = -\frac{(x^3)' y^3 - x^3 (y^3)'}{(y^3)^2} = -\frac{3x^2 y^3 - x^3 (3y^2 y')}{y^6}.$$

La substitution de l'équation **3.5.3** dans cette expression permet d'obtenir

$$y'' = -\frac{3x^2 y^3 - 3x^3 y^2 \left(-\dfrac{x^3}{y^3}\right)}{y^6} = -\frac{3(x^2 y^4 + x^6)}{y^7} = -\frac{3x^2(y^4 + x^4)}{y^7}.$$

Toutefois, les valeurs de x et de y doivent satisfaire à l'équation de départ $x^4 + y^4 = 16$. On simplifie donc la réponse comme suit :

$$y'' = -\frac{3x^2(16)}{y^7} = -48\frac{x^2}{y^7}.$$

▶ Les dérivées des fonctions trigonométriques réciproques (inverses)

Après avoir revu les fonctions trigonométriques réciproques dans la section 1.6, on a étudié leur continuité dans la section 2.4 et leurs asymptotes dans la section 2.5. Dans la présente section, on utilise la dérivation implicite pour trouver les dérivées des fonctions trigonométriques réciproques, en admettant que ces dernières soient dérivables. (On peut effectivement prouver que la réciproque f^{-1} de toute fonction injective dérivable f est également dérivable, sauf là où elle admet des tangentes verticales. Cela est vraisemblable parce que le graphique d'une fonction dérivable ne présente ni angle ni anomalie, de sorte qu'après réflexion par rapport à $y = x$, le graphique de la fonction réciproque n'en présente pas non plus.)

Rappelons la définition de la fonction arcsinus :

$$y = \arcsin x \quad \text{signifie} \quad \sin y = x \quad \text{et} \quad -\frac{\pi}{2} \le y \le \frac{\pi}{2}.$$

En dérivant implicitement $\sin y = x$ par rapport à x, on obtient

$$\cos y \frac{dy}{dx} = 1 \quad \text{ou} \quad \frac{dy}{dx} = \frac{1}{\cos y}.$$

Puisque $-\pi/2 \le y \le \pi/2$, alors $\cos y \ge 0$ et donc

$$\cos y = \sqrt{1 - \sin^2 y} = \sqrt{1 - x^2}$$

$$\frac{dy}{dx} = \frac{1}{\cos y} = \frac{1}{\sqrt{1 - x^2}}.$$

Un raisonnement semblable peut servir à trouver une formule de dérivation de toute fonction réciproque (*voir l'exercice 83*).

Par conséquent,

$$\frac{d}{dx}(\arcsin x) = \frac{1}{\sqrt{1-x^2}}.$$

La figure 3.5.11 montre le graphique de $f(x) = \arctan x$ et de sa dérivée $f'(x) = 1/(1+x^2)$. On y voit que f est croissante et $f'(x)$, toujours positive. Le fait que $\arctan x \to \pm\pi/2$ lorsque $x \to \pm\infty$ concorde avec le fait que $f'(x) \to 0$ lorsque $x \to \pm\infty$.

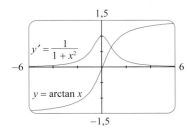

3.5.11 FIGURE

La formule de dérivation de la fonction arctangente s'obtient de la même façon. Si $y = \arctan x$, alors $\tan y = x$. La dérivation implicite de cette dernière équation par rapport à x donne

$$\sec^2 y \frac{dy}{dx} = 1$$

$$\frac{dy}{dx} = \frac{1}{\sec^2 y} = \frac{1}{1+\tan^2 y} = \frac{1}{1+x^2}.$$

$$\frac{d}{dx}(\arctan x) = \frac{1}{1+x^2}$$

Exemple 3.5.5 Dérivons a) $y = \dfrac{1}{\arcsin x}$ et b) $f(x) = x\arctan\sqrt{x}$.

Solution

a)
$$\frac{dy}{dx} = \frac{d}{dx}(\arcsin x)^{-1}$$
$$= -(\arcsin x)^{-2}\frac{d}{dx}(\arcsin x)$$
$$= -\frac{1}{(\arcsin x)^2\sqrt{1-x^2}}$$

b)
$$f'(x) = \arctan\sqrt{x} + x\frac{1}{1+(\sqrt{x})^2}\left(\tfrac{1}{2}x^{-1/2}\right)$$
$$= \arctan\sqrt{x} + \frac{\sqrt{x}}{2(1+x)}$$
$$= \frac{2(1+x)\arctan\sqrt{x}+\sqrt{x}}{2(1+x)}$$

Les fonctions trigonométriques réciproques les plus courantes sont celles qu'on vient d'étudier. On retrouve dans le tableau suivant les dérivées des quatre autres fonctions. Leurs preuves sont à faire dans les exercices.

Les formules de dérivation de arccsc x et de arcsec x dépendent des définitions employées pour ces fonctions (*voir l'exercice 70*).

3.5.4	Les dérivées des fonctions trigonométriques réciproques
$\dfrac{d}{dx}(\arcsin x) = \dfrac{1}{\sqrt{1-x^2}}$	$\dfrac{d}{dx}(\text{arccsc}\,x) = -\dfrac{1}{x\sqrt{x^2-1}}$
$\dfrac{d}{dx}(\arccos x) = -\dfrac{1}{\sqrt{1-x^2}}$	$\dfrac{d}{dx}(\text{arcsec}\,x) = \dfrac{1}{x\sqrt{x^2-1}}$
$\dfrac{d}{dx}(\arctan x) = \dfrac{1}{1+x^2}$	$\dfrac{d}{dx}(\text{arccot}\,x) = -\dfrac{1}{1+x^2}$

Exercices 3.5

1-4

a) Trouvez y' par dérivation implicite.

b) Résolvez l'équation explicitement pour y et dérivez pour obtenir y' par rapport à x.

c) Vérifiez la cohérence de vos solutions en a) et en b) en substituant l'expression de y à y dans votre réponse en a).

1. $9x^2 - y^2 = 1$ **2.** $2x^2 + x + xy = 1$

3. $\sqrt{x} + \sqrt{y} = 1$ **4.** $\dfrac{2}{x} - \dfrac{1}{y} = 4$

5-24 Par dérivation implicite, trouvez :

5. dy/dx si $x^3 + y^3 = 1$

6. dy/dx si $2x^2 + xy - y^2 = 2$

7. du/dv si $u^2 + 2uv - v^2 = 4$

8. dy/dt si $2t^3 + t^2y - ty^3 = 2$

9. dy/dx si $\dfrac{x^2}{x+y} = y^2 + 1$

10. dx/dt si $t^4(t+x) = x^2(3t - x)$

11. dx/dy si $ye^x = y - x$

▲ **12.** dy/dx si $y \cos x = x^2 + y^2$

▲ **13.** $d\theta/dt$ si $\cos(t\theta) = 1 + \sin \theta$

14. dy/dx si $\sqrt{x+y} = x^4 + y^4$

▲ **15.** $d\beta/d\alpha$ si $4 \cos \alpha \sin \beta = 1$

▲ **16.** dw/dy si $e^w \sin y = y + yw$

17. dy/dx si $e^{x/y} = x - y$

18. dr/dh si $\sqrt{h+r} = 1 + h^2r^2$

19. dy/dx si $xy = \sqrt{x^2 + y^2}$

▲ **20.** dy/dx si $\arctan(x^2y) = x + xy^2$

▲ **21.** dz/dx si $x \sin z + z \sin x = 1$

▲ **22.** dy/dx si $\sin(xy) = \cos(x + y)$

▲ **23.** dy/dx si $e^y \cos x = 1 + \sin(xy)$

▲ **24.** dy/dx si $\tan(x - y) = \dfrac{y}{1+x^2}$

25. Sachant que $f(x) + x^2[f(x)]^3 = 10$ et que $f(1) = 2$, trouvez $f'(1)$.

▲ **26.** Sachant que $g(x) + x \sin g(x) = x^2$, trouvez $g'(0)$.

27-28 Considérant y comme la variable indépendante et x comme la variable dépendante, trouvez dx/dy par dérivation implicite.

27. $x^4y^2 - x^3y + 2xy^3 = 0$

▲ **28.** $y \sec x = x \tan y$

29-36 Par dérivation implicite, trouvez l'équation de la tangente à la courbe au point indiqué.

▲ **29.** $y \sin 2x = x \cos 2y$, $(\pi/2, \pi/4)$

▲ **30.** $\sin(x + y) = 2x - 2y$, (π, π)

31. $x^2 + xy + y^2 = 3$, $(1, 1)$ (ellipse)

32. $x^2 + 2xy - y^2 + x = 2$, $(1, 2)$ (hyperbole)

33. $x^2 + y^2 = (2x^2 + 2y^2 - x)^2$ **34.** $x^{2/3} + y^{2/3} = 4$

$\left(0, \frac{1}{2}\right)$ $\left(-3\sqrt{3}, 1\right)$

(cardioïde)   (astroïde)

     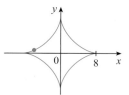

35. $2(x^2 + y^2)^2 = 25(x^2 - y^2)$ **36.** $y^2(y^2 - 4) = x^2(x^2 - 5)$

$(3, 1)$ $(0, -2)$

(lemniscate)   (courbe du diable)

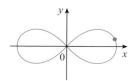   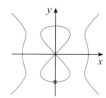

37. a) La courbe d'équation $y^2 = 5x^4 - x^2$ s'appelle **kampyle d'Eudoxe**. Trouvez l'équation de la tangente à cette courbe au point $(1, 2)$.

     b) Pour illustrer votre réponse en a), superposez dans un même graphique les tracés de la courbe et de la tangente. (Si votre outil graphique permet de tracer des courbes définies implicitement, optez pour cette façon de faire. Sinon, produisez la courbe en traçant séparément ses moitiés supérieure et inférieure.)

38. a) La courbe d'équation $y^2 = x^3 + 3x^2$ est appelée **cubique de Tschirnhausen**. Trouvez l'équation de la tangente à cette courbe au point $(1, -2)$.

     b) En quels points cette courbe admet-elle des tangentes horizontales ?

     c) Pour illustrer vos réponses en a) et en b), superposez dans un même graphique les tracés de la courbe et de la tangente.

39-43 Trouvez y'' par dérivation implicite.

39. $9x^2 + y^2 = 9$

40. $\sqrt{x} + \sqrt{y} = 1$

41. $x^2 + xy + y^2 = 3$

▲ **42.** $\sin y + \cos x = 1$

43. $x^3 - y^3 = 7$

44. Sachant que $xy + e^y = e$, évaluez y'' au point où $x = 0$.

45. Sachant que $x^2 + xy + y^3 = 1$, évaluez y''' au point où $x = 1$.

LCS 46. La fonction de tracés de courbes définies implicitement d'un logiciel de calcul symbolique permet de tracer des figures insolites.
a) Tracez la courbe d'équation
$$y(y^2 - 1)(y - 2) = x(x - 1)(x - 2).$$
En combien de points cette courbe admet-elle des tangentes horizontales? Estimez les abscisses de ces points.
b) Trouvez les équations des tangentes aux points $(0, 1)$ et $(0, 2)$.
c) Trouvez les abscisses exactes des points en a).
d) Créez des courbes encore plus extraordinaires en modifiant l'équation en a).

LCS 47. a) On dit de la courbe d'équation
$$2y^3 + y^2 - y^5 = x^4 - 2x^3 + x^2$$
qu'elle évoque une voiture cahotante. Découvrez pourquoi en traçant la courbe au moyen d'un logiciel de calcul symbolique.
b) En combien de points cette courbe admet-elle des tangentes horizontales? Trouvez les abscisses de ces points.

48. Trouvez les points de la lemniscate de l'exercice 35 auxquels la tangente est horizontale.

49. Par dérivation implicite, montrez que l'équation de la tangente à l'ellipse
$$\frac{x^2}{a^2} + \frac{y^2}{b^2} = 1$$
au point (x_0, y_0) est
$$\frac{x_0 x}{a^2} + \frac{y_0 y}{b^2} = 1.$$

50. Trouvez l'équation de la tangente à l'hyperbole
$$\frac{x^2}{a^2} - \frac{y^2}{b^2} = 1$$
au point (x_0, y_0).

51. Montrez que la somme des coordonnées à l'origine de toute tangente à la courbe $\sqrt{x} + \sqrt{y} = \sqrt{c}$ est égale à c.

52. Par dérivation implicite, montrez que la tangente en P à un cercle de centre O est perpendiculaire au rayon OP.

53. On peut utiliser la dérivation implicite pour prouver la règle de dérivation d'une puissance dans le cas où n est un nombre rationnel, où $n = p/q$ et où la fonction $y = f(x) = x^n$ est déjà considérée comme dérivable. Si $y = x^{p/q}$, alors $y^q = x^p$. Par dérivation implicite, montrez que
$$y' = \frac{p}{q} x^{(p/q)-1}.$$

54-66 Trouvez la dérivée de la fonction. Simplifiez lorsque c'est possible.

△ 54. $y = (\arctan x)^2$

△ 55. $y = \arctan(x^2)$

△ 56. $y = \arcsin(2x + 1)$

△ 57. $g(x) = \arccos\sqrt{x}$

△ 58. $G(x) = \sqrt{1 - x^2} \arccos x$

△ 59. $y = \arctan(x - \sqrt{1 + x^2})$

△ 60. $h(t) = \text{arccot}(t) + \text{arccot}(1/t)$

△ 61. $R(t) = \arcsin(1/t)$

△ 62. $F(\theta) = \arcsin\sqrt{\sin\theta}$

△ 63. $y = x \arcsin x + \sqrt{1 - x^2}$

△ 64. $y = \arccos(\arcsin t)$

△ 65. $y = \arccos\left(\frac{b + a\cos x}{a + b\cos x}\right),\ 0 \le x \le \pi, a > b > 0$

△ 66. $y = \arctan\sqrt{\frac{1 - x}{1 + x}}$

67-68 Trouvez $f'(x)$. Pour vérifier la vraisemblance de votre réponse, comparez les graphiques de f et de f'.

△ 67. $f(x) = \sqrt{1 - x^2}\ \arcsin x$

△ 68. $f(x) = \arctan(x^2 - x)$

△ 69. Prouvez la formule de $(d/dx)(\arccos x)$ avec un développement semblable à celui donnant la formule de $(d/dx)(\arcsin x)$.

△ 70. a) On peut définir arcsec x en posant que $y = \text{arcsec } x \Leftrightarrow \sec y = x$ et $0 \le y < \pi/2$ ou $\pi \le y < 3\pi/2$. Montrez que, selon cette définition,
$$\frac{d}{dx}(\text{arcsec } x) = \frac{1}{x\sqrt{x^2 - 1}}.$$
b) Une autre définition de arcsec x consiste à poser que $y = \text{arcsec } x \Leftrightarrow \sec y = x$ et $0 \le y \le \pi, y \ne 0$. Montrez que, selon cette définition,
$$\frac{d}{dx}(\text{arcsec } x) = \frac{1}{|x|\sqrt{x^2 - 1}}.$$

71-74 Deux courbes sont dites **orthogonales** si leurs tangentes sont perpendiculaires en chacun des points où elles se coupent. Montrez que les familles de courbes données sont des **trajectoires orthogonales** les unes des autres, c'est-à-dire que chaque courbe d'une famille est orthogonale à chaque courbe de l'autre famille. Esquissez les deux familles de courbes dans le même système d'axes.

71. $x^2 + y^2 = r^2,\ ax + by = 0$ **72.** $x^2 + y^2 = ax, x^2 + y^2 = by$

73. $y = cx^2, x^2 + 2y^2 = k$ **74.** $y = ax^3, x^2 + 3y^2 = b$

75. Montrez que l'ellipse $x^2/a^2 + y^2/b^2 = 1$ et l'hyperbole $x^2/A^2 - y^2/B^2 = 1$ sont des trajectoires orthogonales si $A^2 < a^2$ et $a^2 - b^2 = A^2 + B^2$ (de sorte que l'ellipse et l'hyperbole ont les mêmes foyers).

76. Trouvez la valeur du nombre a telle que les familles de courbes $y = (x + c)^{-1}$ et $y = a(x + k)^{1/3}$ sont des trajectoires orthogonales.

77. a) L'équation de **Van der Waals** pour n moles d'un gaz donné est
$$\left(P + \frac{n^2 a}{V^2}\right)(V - nb) = nRT$$
où P est la pression, V est le volume et T est la température du gaz. La constante R est la constante des gaz parfaits, et a et b sont des constantes positives spécifiques à un gaz donné. Par dérivation implicite, trouvez dV/dP dans une situation où T demeure constante.

b) Trouvez le taux de variation du volume par rapport à la pression de 1 mol de dioxyde de carbone de volume $V = 10$ L et de pression $P = 2,5$ atm. Utilisez $a = 3,592$ L^2-atm/mol^2 et $b = 0,042\,67$ L/mol.

78. a) Par dérivation implicite, trouvez y' sachant que

$$x^2 + xy + y^2 + 1 = 0.$$

LCS b) Tracez la courbe définie en a). Que voyez-vous? Prouvez que ce que vous observez est juste.

c) Étant donné la partie b), que pouvez-vous dire de l'expression de y' trouvée en a)?

79. L'équation $x^2 - xy + y^2 = 3$ représente une ellipse qui a subi une rotation; les axes de l'ellipse ne sont donc pas parallèles aux axes des coordonnées. Trouvez les points auxquels l'ellipse coupe l'axe des x et montrez que les tangentes en ces points sont parallèles.

80. a) Où la normale à l'ellipse $x^2 - xy + y^2 = 3$ au point $(-1, 1)$ coupe-t-elle l'ellipse une seconde fois?

b) Pour illustrer votre réponse en a), tracez l'ellipse et la normale.

81. Trouvez tous les points de la courbe $x^2y^2 + xy = 2$ où la pente de la tangente est égale à -1.

82. Trouvez les équations des deux tangentes à l'ellipse $x^2 + 4y^2 = 36$ passant par le point $(12, 3)$.

83. a) Soit f, une fonction injective dérivable et f^{-1}, sa fonction réciproque, également dérivable. Utilisez la dérivation implicite pour montrer que

$$(f^{-1})'(x) = \frac{1}{f'\left(f^{-1}(x)\right)}$$

à condition que le dénominateur ne soit pas nul.

b) Sachant que $f(4) = 5$ et que $f'(4) = \frac{2}{3}$, trouvez $(f^{-1})'(5)$.

84. a) Montrez que $f(x) = x + e^x$ est injective.

b) Quelle est la valeur de $f^{-1}(1)$?

c) Trouvez $(f^{-1})'(1)$ au moyen de la formule de l'exercice 83 a).

85. La **fonction de Bessel** d'ordre 0, $y = J(x)$, satisfait à l'équation différentielle $xy'' + y' + xy = 0$ pour toutes les valeurs de x, et sa valeur en 0 est $J(0) = 1$.

a) Trouvez $J'(0)$.

b) Trouvez $J''(0)$ par la dérivation implicite.

86. La figure ci-dessous représente une lampe située trois unités à droite de l'axe des y et l'ombre créée par la région elliptique $x^2 + 4y^2 \leq 5$. Si le point $(-5, 0)$ est situé sur le pourtour de l'ombre, à quelle distance au-dessus de l'axe des x la lampe se trouve-t-elle?

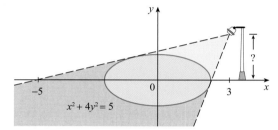

PROJET DE LABORATOIRE

LCS ### Les familles de courbes implicites

Ce travail vous invite à explorer les formes changeantes que prennent les courbes définies implicitement lorsqu'on varie les paramètres de la famille de courbes et à déterminer les caractéristiques communes à tous les membres de la famille.

1. Soit la famille de courbes

$$y^2 - 2x^2(x + 8) = c[(y + 1)^2(y + 9) - x^2].$$

a) Tracez les courbes de cette famille avec $c = 0$ et $c = 2$ afin de déterminer le nombre de points d'intersection entre les deux courbes. (Vous devrez peut-être faire des plans rapprochés.)

b) À vos graphiques en a), ajoutez les courbes pour $c = 5$ et $c = 10$. Que remarquez-vous? Qu'en est-il des autres valeurs de c?

2. a) Tracez les graphiques de plusieurs membres de la famille de courbes

$$x^2 + y^2 + cx^2y^2 = 1.$$

Décrivez les transformations graphiques que produit la variation de la valeur de c.

b) Qu'arrive-t-il à la courbe lorsque $c = -1$? Décrivez ce qui apparaît à l'écran. Pouvez-vous prouver cette observation algébriquement?

c) Trouvez y' par dérivation implicite. Pour le cas où $c = -1$, votre expression de y' concorde-t-elle avec ce que vous avez découvert en b)?

3.6 Les dérivées des fonctions logarithmiques

Dans cette section, on emploie la dérivation implicite pour calculer les dérivées des fonctions logarithmiques $y = \log_b x$ (de base $b > 0$) et, notamment, de la fonction logarithmique naturelle $y = \ln x$. (On peut prouver que les fonctions logarithmiques sont dérivables, comme le suggèrent leurs graphiques, par exemple la figure 1.6.12.)

3.6.1	$\dfrac{d}{dx}(\log_b x) = \dfrac{1}{x \ln b}$

DÉMONSTRATION Soit $y = \log_b x$. Alors,

$$b^y = x.$$

Selon la formule 3.4.5,

$$\frac{d}{dx}(b^x) = b^x \ln b.$$

Quand on dérive implicitement cette équation par rapport à x et qu'on utilise la formule **3.4.5**, on obtient

$$b^y (\ln b) \frac{dy}{dx} = 1$$

et, de là,

$$\frac{dy}{dx} = \frac{1}{b^y \ln b} = \frac{1}{x \ln b}.$$

Si l'on pose $b = e$ dans la formule **3.6.1**, alors le facteur $\ln b$ du membre de droite devient $\ln e = 1$, et on obtient la formule de la dérivée de la fonction logarithmique naturelle $\log_e x = \ln x$:

3.6.2	$\dfrac{d}{dx}(\ln x) = \dfrac{1}{x}.$

À la comparaison des formules **3.6.1** et **3.6.2**, on découvre une raison importante d'utiliser les logarithmes naturels (de base e) en calcul : la formule de dérivation est dans sa forme la plus simple lorsque $b = e$ puisque $\ln e = 1$.

Exemple 3.6.1 Dérivons $y = \ln(x^3 + 1)$.

Solution Afin d'utiliser la règle de dérivation en chaîne, on pose $u = x^3 + 1$. Alors, $y = \ln u$, et donc

$$\frac{dy}{dx} = \frac{dy}{du}\frac{du}{dx} = \frac{1}{u}\frac{du}{dx}$$

$$= \frac{1}{x^3+1}(3x^2)$$

$$= \frac{3x^2}{x^3+1}.$$

En général, la combinaison de la formule **3.6.2** avec la règle de dérivation en chaîne, comme dans l'exemple 3.6.1, donne

3.6.3	$\dfrac{d}{dx}(\ln u) = \dfrac{1}{u}\dfrac{du}{dx}$ \quad ou \quad $\dfrac{d}{dx}[\ln g(x)] = \dfrac{g'(x)}{g(x)}.$

Exemple 3.6.2 Trouvons $\dfrac{d}{dx}\ln(\sin x)$.

Solution La formule **3.6.3** permet d'obtenir

$$\frac{d}{dx}\ln(\sin x) = \frac{1}{\sin x}\frac{d}{dx}(\sin x) = \frac{1}{\sin x}\cos x = \cot x.$$

Exemple 3.6.3 Dérivons $f(x) = \sqrt{\ln x}$.

Solution Cette fois-ci, le logarithme est la fonction intérieure. L'emploi de la règle de dérivation en chaîne donne donc

$$f'(x) = \frac{1}{2}(\ln x)^{-1/2}(\ln x)' = \frac{1}{2\sqrt{\ln x}} \cdot \frac{1}{x} = \frac{1}{2x\sqrt{\ln x}}.$$

Exemple 3.6.4 Dérivons $f(x) = \log(2 + \sin x)$.

Solution En employant la formule **3.6.1** avec $b = 10$, on obtient

$$f'(x) = \left[\log(2 + \sin x)\right]'$$
$$= \frac{1}{(2 + \sin x)\ln 10}(2 + \sin x)'$$
$$= \frac{\cos x}{(2 + \sin x)\ln 10}.$$

La figure 3.6.1, qui montre les tracés respectifs de la fonction f de l'exemple 3.6.5 et de sa dérivée, permet de vérifier visuellement les calculs effectués. On y remarque que $f'(x)$ est grande négative lorsque f décroît rapidement.

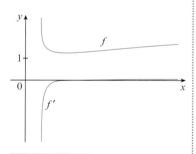

Exemple 3.6.5 Trouvons $\dfrac{d}{dx}\ln\dfrac{x+1}{\sqrt{x-2}}$.

Solution 1

$$\frac{d}{dx}\ln\frac{x+1}{\sqrt{x-2}} = \frac{1}{\dfrac{x+1}{\sqrt{x-2}}}\frac{d}{dx}\frac{x+1}{\sqrt{x-2}}$$
$$= \frac{\sqrt{x-2}}{x+1} \cdot \frac{1 \cdot \sqrt{x-2} - (x+1)\left(\frac{1}{2}\right)(x-2)^{-1/2}}{x-2}$$
$$= \frac{x - 2 - \frac{1}{2}(x+1)}{(x+1)(x-2)}$$
$$= \frac{x - 5}{2(x+1)(x-2)}$$

Solution 2 Afin de faciliter la dérivation, on commence par simplifier la fonction donnée selon les propriétés des logarithmes :

$$\frac{d}{dx}\ln\frac{x+1}{\sqrt{x-2}} = \frac{d}{dx}\left[\ln(x+1) - \frac{1}{2}\ln(x-2)\right]$$
$$= \frac{1}{x+1} - \frac{1}{2}\left(\frac{1}{x-2}\right)$$
$$= \frac{(2x-4) - (x+1)}{2(x+1)(x-2)}$$
$$= \frac{x - 5}{2(x+1)(x-2)}$$

(il s'agit de la même réponse qu'à la solution 1).

La figure 3.6.2 montre les tracés respectifs de la fonction $f(x) = \ln|x|$ de l'exemple 3.6.6 et de sa dérivée $f'(x) = 1/x$. On remarque que, lorsque x est petit, la pente du graphique de $y = \ln|x|$ est prononcée et que, par conséquent, la valeur de $f'(x)$ est grande (positive ou négative).

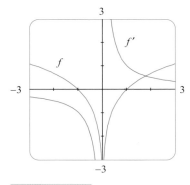

f'
f
3
−3
3
−3

3.6.2 FIGURE

Exemple 3.6.6 Trouvons $f'(x)$ sachant que $f(x) = \ln|x|$.

Solution Puisque

$$f(x) = \begin{cases} \ln x & \text{si} \quad x > 0 \\ \ln(-x) & \text{si} \quad x < 0, \end{cases}$$

il s'ensuit que

$$f'(x) = \begin{cases} \dfrac{1}{x} & \text{si} \quad x > 0 \\ \dfrac{1}{-x}(-1) = \dfrac{1}{x} & \text{si} \quad x < 0. \end{cases}$$

Par conséquent, $f'(x) = 1/x$ pour toute valeur de x non nulle.

Le résultat de l'exemple 3.6.6 mérite d'être retenu.

3.6.4	$\dfrac{d}{dx}\ln|x| = \dfrac{1}{x}$

▶ La dérivation logarithmique

Souvent, les propriétés des logarithmes permettent de simplifier le calcul des dérivées de fonctions compliquées comportant des produits, des quotients ou des puissances. L'exemple suivant illustre l'emploi de la méthode dite de **dérivation logarithmique**.

Exemple 3.6.7 Dérivons $y = \dfrac{x^{3/4}\sqrt{x^2+1}}{(3x+2)^5}$.

Solution Avant de procéder à la dérivation, on prend les logarithmes naturels des deux membres de l'équation et on développe à l'aide des propriétés des logarithmes :

$$\ln y = \frac{3}{4}\ln x + \frac{1}{2}\ln(x^2+1) - 5\ln(3x+2).$$

En dérivant implicitement par rapport à x, on obtient

$$\frac{1}{y}\frac{dy}{dx} = \frac{3}{4}\cdot\frac{1}{x} + \frac{1}{2}\cdot\frac{2x}{x^2+1} - 5\cdot\frac{3}{3x+2}.$$

La résolution pour dy/dx donne

$$\frac{dy}{dx} = y\left(\frac{3}{4x} + \frac{x}{x^2+1} - \frac{15}{3x+2}\right)$$

$$= -y\frac{39x^3 - 14x^2 + 51x - 6}{4x(x^2+1)(3x+2)}.$$

Comme on a une expression explicite de y, on peut l'y substituer et écrire

$$\frac{dy}{dx} = -\frac{1}{4}\frac{x^{3/4}\sqrt{x^2+1}}{(3x+2)^5}\cdot\frac{39x^3 - 14x^2 + 51x - 6}{x(x^2+1)(3x+2)}$$

$$= -\frac{1}{4}\cdot\frac{39x^3 - 14x^2 + 51x - 6}{\sqrt[4]{x}\sqrt{x^2+1}\,(3x+2)^6}.$$

Si l'on n'avait pas utilisé la dérivation logarithmique dans l'exemple 3.6.7, il aurait fallu employer les règles de dérivation d'un quotient et d'un produit, et les calculs auraient été très laborieux.

3.6.5 | **Les étapes de la dérivation logarithmique**

1. Prendre les logarithmes naturels des deux membres de l'équation $y = f(x)$ et simplifier au moyen des propriétés des logarithmes.

2. Dériver implicitement par rapport à x.

3. Résoudre l'équation obtenue par rapport à y'.

Si $f(x) < 0$ pour certaines valeurs de x, alors $\ln f(x)$ n'est pas définie, mais on peut écrire $|y| = |f(x)|$ et utiliser l'équation **3.6.4**. Pour illustrer la méthode, on fera ci-après la démonstration de la version générale de la règle de dérivation d'une puissance, comme annoncé dès la section 3.1.

3.6.6 | **La règle de dérivation d'une puissance**

Si n est un nombre réel quelconque et que $f(x) = x^n$, alors

$$f'(x) = nx^{n-1}.$$

Si $x = 0$, on peut montrer, à partir de la définition de la dérivée, que $f'(0) = 0$ pour $n > 1$.

DÉMONSTRATION   On pose $y = x^n$ et on utilise la dérivation logarithmique :

$$\ln |y| = \ln |x|^n = n \ln |x| \qquad x \neq 0.$$

Ainsi,

$$\frac{y'}{y} = \frac{n}{x}.$$

Par conséquent,

$$y' = n\frac{y}{x} = n\frac{x^n}{x} = nx^{n-1}.$$

 On veillera à distinguer la règle de dérivation d'une puissance $[(x^n)' = nx^{n-1}]$, où la base est variable et l'exposant, constant, de la règle de dérivation des fonctions exponentielles $[(b^x)' = b^x \ln b]$, où la base est constante et l'exposant, variable.

De manière générale, les bases et les exposants donnent lieu à quatre cas :

Base constante, exposant constant

1. $\dfrac{d}{dx}(b^k) = 0$ (b et k sont des constantes)

Base variable, exposant constant

2. $\dfrac{d}{dx}\Big[(f(x))^k\Big] = k[f(x)]^{k-1}f'(x)$

Base constante, exposant variable

3. $\dfrac{d}{dx}[b^{g(x)}] = b^{g(x)}(\ln b)g'(x)$

Base variable, exposant variable

4. Pour trouver $\dfrac{d}{dx}\Big[(f(x))^{g(x)}\Big]$, on peut employer la dérivation logarithmique, comme dans l'exemple suivant.

Exemple 3.6.8   Dérivons $y = x^{\sqrt{x}}$.

Solution 1   Comme la base et l'exposant sont tous deux variables, on procède par dérivation logarithmique :

$$\ln y = \ln x^{\sqrt{x}} = \sqrt{x} \ln x$$

$$\frac{y'}{y} = \frac{1}{2\sqrt{x}}(\ln x) + \sqrt{x} \cdot \frac{1}{x}$$

$$y' = y\left(\frac{\ln x}{2\sqrt{x}} + \frac{1}{\sqrt{x}}\right) = x^{\sqrt{x}}\left(\frac{2 + \ln x}{2\sqrt{x}}\right).$$

La figure 3.6.3 illustre l'exemple 3.6.8 en montrant les tracés respectifs de $f(x) = x^{\sqrt{x}}$ et de sa dérivée dans un même graphique.

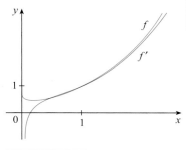

3.6.3   FIGURE

Solution 2   Selon un autre développement, on posera $x^{\sqrt{x}} = (e^{\ln x})^{\sqrt{x}}$.

$$\frac{d}{dx}(x^{\sqrt{x}}) = \frac{d}{dx}(e^{\sqrt{x}\ln x}) = e^{\sqrt{x}\ln x}\frac{d}{dx}(\sqrt{x}\ln x)$$

$$= x^{\sqrt{x}}\left(\frac{2 + \ln x}{2\sqrt{x}}\right) \quad \text{(comme dans la solution 1)}$$

▶ Le nombre *e* comme limite

On a montré que, si $f(x) = \ln x$, alors $f'(x) = 1/x$ et donc, $f'(1) = 1$. On utilise ici cette donnée pour exprimer le nombre *e* comme une limite.

D'après la définition de la dérivée en tant que limite,

$$f'(1) = \lim_{h\to 0}\frac{f(1+h) - f(1)}{h} = \lim_{x\to 0}\frac{f(1+x) - f(1)}{x}$$

$$= \lim_{x\to 0}\frac{\ln(1+x) - \ln 1}{x} = \lim_{x\to 0}\frac{1}{x}\ln(1+x)$$

$$= \lim_{x\to 0}\ln(1+x)^{1/x}.$$

Comme $f'(1) = 1$, on a

$$\lim_{x\to 0}\ln(1+x)^{1/x} = 1.$$

Ainsi, suivant le théorème **2.5.8** et la continuité de la fonction exponentielle, on a

$$e = e^1 = e^{\lim_{x\to 0}\ln(1+x)^{1/x}} = \lim_{x\to 0}e^{\ln(1+x)^{1/x}} = \lim_{x\to 0}(1+x)^{1/x}.$$

3.6.7	$e = \lim_{x\to 0}(1+x)^{1/x}$

La formule **3.6.7** est illustrée par le graphique de la fonction $y = (1 + x)^{1/x}$ (*voir la figure 3.6.4*) et un tableau de petites valeurs de *x*. On peut ainsi observer que, à sept décimales d'exactitude,

$$e \approx 2{,}718\ 281\ 8.$$

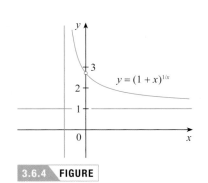

3.6.4   FIGURE

$x \to 0^+$	$(1+x)^{1/x}$	$x \to 0^-$	$(1+x)^{1/x}$
0,1	2,593 742 460	−0,1	2,867 971 991
0,01	2,704 813 829	−0,01	2,731 999 026
0,001	2,716 923 932	−0,001	2,719 642 216
0,000 1	2,718 145 927	−0,000 1	2,718 417 755
0,000 01	2,718 268 237	−0,000 01	2,718 295 420
0,000 001	2,718 280 469	−0,000 001	2,718 283 188
0,000 000 1	2,718 281 692	−0,000 000 1	2,718 281 964
0,000 000 01	2,718 281 815	−0,000 000 01	2,718 281 842

Si l'on pose $n = 1/x$ dans la formule **3.6.7**, alors $n \to \infty$ lorsque $x \to 0^+$, ce qui fournit une autre expression de *e*:

3.6.8	$e = \lim_{n\to\infty}\left(1 + \frac{1}{n}\right)^n.$

Exercices 3.6

1. Expliquez pourquoi, en calcul, on se sert beaucoup plus souvent de la fonction logarithmique naturelle $y = \ln x$ que des autres fonctions logarithmiques $y = \log_b x$.

2-29 Dérivez chaque fonction.

2. $f(x) = x \ln x - x$

▲ 3. $f(x) = \sin(\ln x)$

▲ 4. $f(x) = \ln(\sin^2 x)$

5. $f(x) = \ln \dfrac{1}{x}$

6. $y = \dfrac{1}{\ln x}$

▲ 7. $f(x) = \log(1 + \cos x)$

8. $f(x) = \log \sqrt{x}$

9. $g(x) = \ln(xe^{-2x})$

10. $f(x) = \log(x^3 + 1)$

11. $f(x) = \log_5(xe^x)$

▲ 12. $f(x) = \sin x \ln(5x)$

13. $f(u) = \dfrac{u}{1 + \ln u}$

▲ 14. $F(t) = (\ln t)^2 \sin t$

15. $h(x) = \ln(x + \sqrt{x^2 - 1})$

16. $G(y) = \ln \dfrac{(2y + 1)^5}{\sqrt{y^2 + 1}}$

17. $g(r) = r^2 \ln(2r + 1)$

18. $P(v) = \dfrac{\ln v}{1 - v}$

19. $F(s) = \ln(\ln s)$

20. $y = \ln|1 + t - t^3|$

21. $T(z) = 2^z \log_2 z$

▲ 22. $y = \ln(\csc x - \cot x)$

▲ 23. $y = \tan[\ln(ax + b)]$, où a et b sont des constantes

▲ 24. $y = \ln|\cos(\ln x)|$

25. $y = \ln(e^{-x} + xe^{-x})$

26. $H(z) = \ln\sqrt{\dfrac{a^2 - z^2}{a^2 + z^2}}$, où a est une constante

27. $y = 2x \log \sqrt{x}$

▲ 28. $y = \log_2(e^{-x} \cos \pi x)$

29. $y = \log_2(x \log_5 x)$

30-33 Trouvez y' et y''.

30. $y = \sqrt{x} \ln x$

31. $y = \dfrac{\ln x}{1 + \ln x}$

▲ 32. $y = \ln|\sec x|$

▲ 33. $y = \ln(\sec x + \tan x)$

34-37 Dérivez f et déterminez son domaine.

34. $f(x) = \dfrac{x}{1 - \ln(x - 1)}$

35. $f(x) = \sqrt{2 + \ln x}$

36. $f(x) = \ln(x^2 - 2x)$

37. $f(x) = \ln(\ln(\ln x))$

38. Sachant que $f(x) = \ln(x + \ln x)$, trouvez $f'(1)$.

▲ 39. Sachant que $f(x) = \cos(\ln x^2)$, trouvez $f'(1)$.

40-41 Trouvez l'équation de la tangente à la courbe au point indiqué.

40. $y = \ln(x^2 - 3x + 1)$, $(3, 0)$

41. $y = x^2 \ln x$, $(1, 0)$

▲ 42. Sachant que

$$f(x) = \sin x + \ln x,$$

trouvez $f'(x)$.

Pour vérifier la vraisemblance de votre réponse, comparez, dans un même graphique, les tracés respectifs de f et de f'.

43. Trouvez les équations des tangentes à la courbe $y = (\ln x)/x$ aux points $(1, 0)$ et $(e, 1/e)$. Pour illustrer votre réponse, tracez la courbe et ses tangentes dans un même graphique.

▲ 44. Soit $f(x) = cx + \ln(\cos x)$. Pour quelle valeur de c a-t-on $f'(\pi/4) = 6$?

45. Soit $f(x) = \log_b(3x^2 - 2)$. Pour quelle valeur de b a-t-on $f'(1) = 3$?

46-57 Trouvez la dérivée de la fonction au moyen de la dérivation logarithmique.

46. $y = (x^2 + 2)^2(x^4 + 4)^4$

▲ 47. $y = \dfrac{e^{-x} \cos^2 x}{x^2 + x + 1}$

48. $y = \sqrt{\dfrac{x - 1}{x^4 + 1}}$

49. $y = \sqrt{x} e^{x^2 - x} (x + 1)^{2/3}$

50. $y = x^x$

▲ 51. $y = x^{\cos x}$

▲ 52. $y = x^{\sin x}$

53. $y = (\sqrt{x})^x$

▲ 54. $y = (\cos x)^x$

▲ 55. $y = (\sin x)^{\ln x}$

▲ 56. $y = (\tan x)^{1/x}$

▲ 57. $y = (\ln x)^{\cos x}$

58. Trouvez y' sachant que $y = \ln(x^2 + y^2)$.

59. Trouvez y' sachant que $x^y = y^x$.

60. Soit $f(x) = \ln(x - 1)$. Trouvez une formule de $f^{(n)}(x)$.

61. Trouvez $\dfrac{d^9}{dx^9}(x^8 \ln x)$.

62. À l'aide de la définition de la dérivée, prouvez que

$$\lim_{x \to 0} \frac{\ln(1 + x)}{x} = 1.$$

63. Montrez que $\displaystyle\lim_{n \to \infty}\left(1 + \frac{x}{n}\right)^n = e^x$ pour tout $x > 0$.

3.7 Les taux de variation en sciences naturelles et en sciences humaines

On sait que, si $y = f(x)$, sa dérivée dy/dx peut être interprétée comme le taux de variation de y par rapport à x. La présente section porte sur quelques-uns des emplois de cette notion en physique, en chimie, en biologie, en économie et dans d'autres sciences.

Revenons d'abord sur l'idée de base des taux de variation, présentée dans la section 2.7. Si x passe de x_1 à x_2, alors la variation de x est

$$\Delta x = x_2 - x_1$$

et la variation correspondante de y est

$$\Delta y = f(x_2) - f(x_1).$$

Le quotient des différences

$$\frac{\Delta y}{\Delta x} = \frac{f(x_2) - f(x_1)}{x_2 - x_1}$$

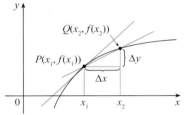

m_{PQ} = taux de variation moyen
$m = f'(x_1)$ = taux de variation instantané

3.7.1 FIGURE

est **le taux de variation moyen de y par rapport à x** sur l'intervalle $[x_1, x_2]$, et on peut voir ce taux comme la pente de la sécante PQ représentée dans la figure 3.7.1. Sa limite, lorsque $\Delta x \to 0$ (x_1 demeurant fixe), est la dérivée $f'(x_1)$, qu'on peut interpréter comme le **taux de variation instantané de y par rapport à x en x_1** ou comme la pente de la tangente en $P(x_1, f(x_1))$. En notation de Leibniz, cette démarche s'exprime comme suit :

$$\frac{dy}{dx} = \lim_{\Delta x \to 0} \frac{\Delta y}{\Delta x}.$$

Dès que la fonction $y = f(x)$ a une signification propre à une science, sa dérivée s'interprète en tant que taux de variation. (Comme on l'a vu dans la section 2.7, les unités de dy/dx sont les unités de y divisées par les unités de x.) Examinons maintenant quelques-unes de ces interprétations en sciences naturelles et en sciences humaines.

▶ La physique

Si $s = f(t)$ est la fonction position d'une particule en déplacement rectiligne, alors $\Delta s / \Delta t$ représente la vitesse moyenne sur un intervalle de temps Δt, et $v = ds/dt$ représente la **vitesse** instantanée (le taux de variation de la position par rapport au temps). Le taux de variation instantané de la vitesse par rapport au temps est l'**accélération** : $a(t) = v'(t) = s''(t)$. Ces notions font l'objet des sections 2.7 et 2.8, mais, à la lumière des formules de dérivation, on peut plus facilement résoudre des problèmes de mouvement.

Exemple **3.7.1**   La position d'une particule en mouvement sur un axe est donnée par l'équation

$$s = f(t) = t^3 - 6t^2 + 9t$$

où t est mesuré en secondes et s, en mètres.

a) Trouvons la vitesse à l'instant t.

b) Quelle est la vitesse après 2 s ? Quelle est-elle après 4 s ?

c) Quand la particule est-elle instantanément au repos ?

d) Quand la particule avance-t-elle (c'est-à-dire quand se déplace-t-elle dans le sens positif de l'axe) ?

e) Dessinons un schéma du mouvement de la particule.

f) Trouvons la distance totale parcourue par la particule durant les cinq premières secondes.

g) Trouvons l'accélération à l'instant t et après 4 s.

h) Dans un même graphique, traçons les fonctions position, vitesse et accélération pour $0 \leq t \leq 5$.

i) Quand la particule accélère-t-elle ? Quand ralentit-elle ?

Solution

a) La fonction vitesse est la dérivée de la fonction position.

$$s = f(t) = t^3 - 6t^2 + 9t$$

$$v(t) = \frac{ds}{dt} = 3t^2 - 12t + 9$$

b) La vitesse après 2 s équivaut à la vitesse instantanée lorsque $t = 2$, c'est-à-dire

$$v(2) = \frac{ds}{dt}\bigg|_{t=2} = 3(2)^2 - 12(2) + 9 = -3 \text{ m/s}.$$

La vitesse après 4 s est

$$v(4) = 3(4)^2 - 12(4) + 9 = 9 \text{ m/s}.$$

c) La particule est instantanément au repos lorsque $v(t) = 0$, c'est-à-dire lorsque

$$3t^2 - 12t + 9 = 3(t^2 - 4t + 3) = 3(t - 1)(t - 3) = 0,$$

ce qui est vrai en $t = 1$ comme en $t = 3$. La particule est donc au repos après 1 s et après 3 s.

d) La particule avance quand $v(t) > 0$, c'est-à-dire lorsque

$$3t^2 - 12t + 9 = 3(t - 1)(t - 3) > 0.$$

Cette inégalité se vérifie lorsque les deux facteurs sont positifs ($t > 3$) ou lorsqu'ils sont négatifs ($t < 1$). La particule se déplace dans le sens positif dans les intervalles $0 \leq t < 1$ et $t > 3$, donc durant la première seconde et après trois secondes. Elle recule (se déplace dans le sens négatif) lorsque $1 < t < 3$, c'est-à-dire durant les deuxième et troisième secondes.

e) À partir des résultats obtenus en d), on trace un schéma du mouvement de la particule vers l'avant et vers l'arrière, le long d'une droite (l'axe des s) (*voir la figure 3.7.2*).

f) Étant donné les résultats obtenus en d) et en e), on doit calculer séparément les distances parcourues sur les intervalles $[0, 1]$, $[1, 3]$ et $[3, 5]$.

La distance parcourue durant la première seconde est

$$|f(1) - f(0)| = |4 - 0| = 4 \text{ m}.$$

De $t = 1$ à $t = 3$, la distance parcourue est

$$|f(3) - f(1)| = |0 - 4| = 4 \text{ m}.$$

De $t = 3$ à $t = 5$, la distance parcourue est

$$|f(5) - f(3)| = |20 - 0| = 20 \text{ m}.$$

La distance totale est de $4 + 4 + 20 = 28$ m.

g) L'accélération est la dérivée de la fonction vitesse :

$$a(t) = \frac{d^2s}{dt^2} = \frac{dv}{dt} = 6t - 12$$

$$a(4) = 6(4) - 12 = 12 \text{ m/s}^2.$$

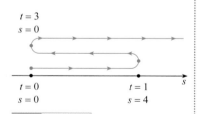

$t = 3$
$s = 0$

$t = 0$
$s = 0$

$t = 1$
$s = 4$

s

3.7.2 FIGURE

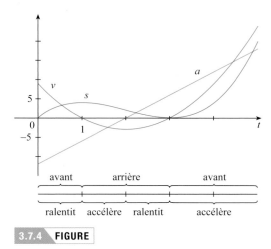

25

v s a

0   5

−12

3.7.3 FIGURE

h) La figure 3.7.3 montre les tracés respectifs de s, de v et de a.

i) La particule accélère quand la vitesse est positive et croissante (v et a sont toutes deux positives) et quand la vitesse est négative et décroissante (v et a sont toutes deux négatives). Autrement dit, la particule accélère quand la vitesse et l'accélération sont de même signe. (La particule est ainsi poussée dans la direction de son mouvement.) La figure 3.7.3 montre que cela se produit quand $1 < t < 2$ et quand $t > 3$. La particule ralentit lorsque v et a sont de signes opposés, soit quand $0 \leq t < 1$ et quand $2 < t < 3$. La figure 3.7.4 illustre les composantes du mouvement de la particule.

3.7.4 FIGURE

Exemple **3.7.2** Une tige ou un fil métallique qui est homogène a une densité linéaire uniforme, définie comme sa masse par unité de longueur ($\rho = m/l$) et mesurée en kilogrammes par mètre. Prenons donc plutôt une tige qui n'est pas homogène, dont la masse, mesurée de l'extrémité gauche à un point x, est $m = f(x)$, comme l'illustre la figure 3.7.5.

x

x_1 x_2

Masse de cette partie de la tige : $f(x)$

3.7.5 FIGURE

La masse du segment de la tige situé entre $x = x_1$ et $x = x_2$ est donnée par $\Delta m = f(x_2) - f(x_1)$, de sorte que la densité moyenne de ce segment est

$$\text{densité moyenne} = \frac{\Delta m}{\Delta x} = \frac{f(x_2) - f(x_1)}{x_2 - x_1}.$$

Si l'on fait tendre Δx vers 0 (c'est-à-dire que $x_2 \to x_1$), on calcule la densité moyenne sur des intervalles de plus en plus petits. La **densité linéaire** ρ en x_1 est la limite de ces densités moyennes lorsque $\Delta x \to 0$. Autrement dit, la densité linéaire est le taux de variation de la masse par rapport à la longueur. Voici son expression symbolique :

$$\rho = \lim_{\Delta x \to 0} \frac{\Delta m}{\Delta x} = \frac{dm}{dx}.$$

Ainsi, la densité linéaire de la tige de fil métallique est la dérivée de la masse par rapport à la longueur.

Si, par exemple, $m = f(x) = \sqrt{x}$, où x est mesuré en mètres et m, en kilogrammes, alors la densité moyenne du segment donné par $1 \le x \le 1,2$ est

$$\frac{\Delta m}{\Delta x} = \frac{f(1,2) - f(1)}{1,2 - 1} = \frac{\sqrt{1,2} - 1}{0,2} \approx 0,48 \text{ kg/m}$$

tandis que la densité en $x = 1$ exactement est

$$\rho = \frac{dm}{dx}\bigg|_{x=1} = \frac{1}{2\sqrt{x}}\bigg|_{x=1} = 0,50 \text{ kg/m}.$$

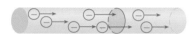

3.7.6 FIGURE

Exemple 3.7.3 Pour qu'il y ait un courant, il faut que des charges électriques soient en mouvement. La figure 3.7.6 montre un segment de fil à l'intérieur duquel des électrons en mouvement traversent une surface plane (en rouge). Si ΔQ est la charge nette traversant cette surface au cours d'une période Δt, alors le courant moyen pendant cet intervalle de temps se définit par

$$\text{courant moyen} = \frac{\Delta Q}{\Delta t} = \frac{Q_2 - Q_1}{t_2 - t_1}.$$

Si l'on prend la limite de ce courant moyen sur des intervalles de temps de plus en plus courts, on obtient ce qu'on appelle le **courant** I à un instant donné t_1 :

$$I = \lim_{\Delta t \to 0} \frac{\Delta Q}{\Delta t} = \frac{dQ}{dt}.$$

Le courant est donc la vitesse à laquelle la charge traverse la surface. On le mesure en unités de charge par unité de temps (souvent les coulombs par seconde, appelés « ampères »).

Outre la vitesse, la densité et le courant, de nombreux taux de variation s'utilisent en physique, par exemple la puissance (vitesse à laquelle un travail s'effectue), le flux thermique, le gradient thermique (taux de variation de la température en fonction de la position) et le taux de décroissance d'une matière radioactive (en physique nucléaire).

▶ La chimie

Exemple 3.7.4 Toute réaction chimique donne lieu à la formation d'une ou de plusieurs substances (les produits) à partir d'une ou de plusieurs substances initiales (les réactifs). Par exemple, l'« équation »

$$2H_2 + O_2 \rightarrow 2H_2O$$

signifie que deux molécules d'hydrogène et une molécule d'oxygène forment deux molécules d'eau. Prenons la réaction

$$A + B \rightarrow C$$

où A et B sont les réactifs et C, le produit. La **concentration** du réactif A est le nombre de moles (1 mole = $6,022 \times 10^{23}$ molécules) par litre ; on la note [A]. Comme la concentration varie au cours d'une réaction, [A], [B] et [C] sont toutes des fonctions du temps t. Le taux de réaction moyen du produit C sur un intervalle de temps $t_1 \le t \le t_2$ est

$$\frac{\Delta[C]}{\Delta t} = \frac{[C](t_2) - [C](t_1)}{t_2 - t_1}.$$

Cela dit, les chimistes s'intéressent davantage au **taux de réaction instantané**, qu'on obtient en prenant la limite du taux de réaction moyen lorsque la durée Δt tend vers 0 :

$$\text{taux de réaction} = \lim_{\Delta t \to 0} \frac{\Delta[C]}{\Delta t} = \frac{d[C]}{dt}.$$

Comme le produit se concentre au fur et à mesure de la réaction, la dérivée $d[C]/dt$ sera positive, et le taux de réaction de C sera aussi positif. Par contre, les concentrations des réactifs diminuent durant la réaction, de sorte que, pour rendre les taux de réaction de A et de B positifs, on précède les dérivées $d[A]/dt$ et $d[B]/dt$ de signes moins. Puisque $[A]$ et $[B]$ décroissent à la même vitesse que $[C]$ s'accroît, on a

$$\text{taux de réaction} = \frac{d[C]}{dt} = -\frac{d[A]}{dt} = -\frac{d[B]}{dt}.$$

De manière plus générale, il s'avère que pour une réaction de la forme

$$a\text{A} + b\text{B} \to c\text{C} + d\text{D}$$

on a

$$-\frac{1}{a}\frac{d[A]}{dt} = -\frac{1}{b}\frac{d[B]}{dt} = \frac{1}{c}\frac{d[C]}{dt} = \frac{1}{d}\frac{d[D]}{dt}.$$

On peut déterminer le taux de réaction au moyen de données et de méthodes graphiques. Dans certains cas, on peut se servir des formules explicites de la concentration en fonction du temps qui permettent de calculer le taux de réaction (*voir l'exercice 24*).

Exemple 3.7.5 En thermodynamique, la compressibilité représente une mesure d'intérêt. Lorsqu'une certaine substance est maintenue à température constante, son volume V dépend de sa pression P. On peut donc considérer le taux de variation du volume par rapport à la pression, c'est-à-dire la dérivée dV/dP. Lorsque P augmente, V diminue, et donc $dV/dP < 0$. On définit la **compressibilité** en introduisant un signe moins et en divisant cette dérivée par le volume V :

$$\text{compressibilité isotherme} = \beta = -\frac{1}{V}\frac{dV}{dP}.$$

Ainsi, β mesure la vitesse, par unité de volume, à laquelle le volume d'une substance diminue sous l'effet d'une augmentation de la pression à température constante.

Par exemple, le volume V (en mètres cubes) d'un échantillon d'air à 25 °C est lié à la pression P (en kilopascals) selon l'équation

$$V = \frac{5,3}{P}.$$

Le taux de variation de V par rapport à P lorsque $P = 50$ kPa est

$$\left.\frac{dV}{dP}\right|_{P=50} = \left.-\frac{5,3}{P^2}\right|_{P=50}$$

$$= -\frac{5,3}{2500} = -0,002\,12 \text{ m}^3/\text{kPa}.$$

À cette pression, la compressibilité est

$$\beta = -\frac{1}{V}\left.\frac{dV}{dP}\right|_{P=50} = -\frac{1}{\dfrac{5,3}{50}}\left(\frac{5,3}{2500}\right) = \frac{1}{50} = 0,02\,(\text{m}^3/\text{kPa})\big/\text{m}^3.$$

▶ **La biologie**

Exemple **3.7.6** Soit $n = f(t)$, le nombre d'individus constituant une population animale ou végétale au moment t. La variation de la taille de la population entre les moments $t = t_1$ et $t = t_2$ est exprimée par $\Delta n = f(t_2) - f(t_1)$, de sorte que le taux de croissance moyen durant la période de temps $t_1 \leq t \leq t_2$ est donné par

$$\text{taux de croissance moyen} = \frac{\Delta n}{\Delta t} = \frac{f(t_2) - f(t_1)}{t_2 - t_1}.$$

Le **taux de croissance instantané** s'obtient à partir du taux moyen, en faisant tendre la période Δt vers 0 :

$$\text{taux de croissance} = \lim_{\Delta t \to 0} \frac{\Delta n}{\Delta t} = \frac{dn}{dt}.$$

À vrai dire, cela n'est pas tout à fait juste, parce que le graphique d'une fonction population $n = f(t)$ montrerait une fonction en escalier qui serait discontinue dès que surviendrait une naissance ou un décès, donc non dérivable. Néanmoins, dans le cas d'une population nombreuse, on peut remplacer le graphique par une courbe approximative lisse, comme celle de la figure 3.7.7.

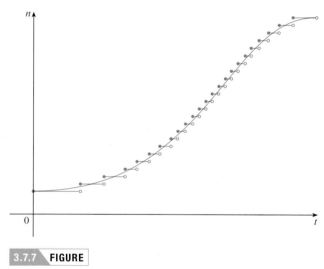

3.7.7 **FIGURE**

Une courbe lisse approximant une fonction de croissance.

Voici un exemple moins équivoque dans lequel on considère une population de bactéries dans un milieu nutritionnellement homogène. En échantillonnant la population à intervalles réguliers, on détermine que la population double toutes les heures. Si la population initiale est n_0 et que le temps t est mesuré en heures, alors

$$f(1) = 2f(0) = 2n_0$$
$$f(2) = 2f(1) = 2^2 n_0$$
$$f(3) = 2f(2) = 2^3 n_0$$

et, de façon générale,

$$f(t) = 2^t n_0.$$

La fonction population est $n = n_0 2^t$.

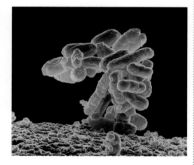

La bactérie *E. coli* mesure environ 2 μm (micromètres) de long et 0,75 μm d'épaisseur. L'image a été produite par un microscope électronique.

Dans la section 3.4, on montre que

$$\frac{d}{dx}(b^x) = b^x \ln b.$$

Donc, le taux de croissance de la population de bactéries à l'instant t est

$$\frac{dn}{dt} = \frac{d}{dt}(n_0 2^t) = n_0 2^t \ln 2.$$

Si l'on prend comme population initiale $n_0 = 100$ bactéries, alors le taux de croissance après 4 heures est égal à

$$\left.\frac{dn}{dt}\right|_{t=4} = 100 \cdot 2^4 \ln 2 = 1600 \ln 2 \approx 1109.$$

Cela signifie que, après 4 heures, la population de bactéries augmente à la vitesse approximative de 1109 bactéries par heure.

Exemple `3.7.7` Pour considérer la circulation du sang dans un vaisseau sanguin, soit une veine ou une artère, on peut représenter le vaisseau par un tube cylindrique de rayon R et de longueur l comme celui que montre la figure 3.7.8.

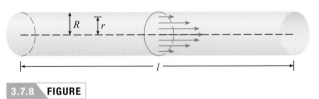

`3.7.8` **FIGURE**

La circulation sanguine dans une artère.

En raison du frottement sur la paroi du tube, la vitesse v d'écoulement du sang est plus grande le long de l'axe central du tube, et elle diminue lorsque la distance r de l'axe augmente, jusqu'à devenir nulle contre la paroi. La relation entre v et r est donnée par la **loi de l'écoulement laminaire**, découverte en 1840 par le physicien français Jean-Louis-Marie Poiseuille. Selon cette loi,

`3.7.1`
$$v = \frac{P}{4\eta l}(R^2 - r^2)$$

où η représente la viscosité du sang et P, la différence de pression entre les extrémités du tube. Si P et l sont constants, alors v est une fonction de r dont le domaine de définition est $[0, R]$.

Le taux de variation moyen de la vitesse, depuis $r = r_1$ jusqu'à un rayon plus grand $r = r_2$, est donné par

$$\frac{\Delta v}{\Delta r} = \frac{v(r_2) - v(r_1)}{r_2 - r_1}$$

et, si l'on fait tendre Δr vers 0, on obtient le **gradient de vitesse**, c'est-à-dire le taux de variation instantané de la vitesse par rapport à r :

$$\text{gradient de vitesse} = \lim_{\Delta r \to 0} \frac{\Delta v}{\Delta r} = \frac{dv}{dr}.$$

En introduisant l'équation **3.7.1**, on obtient

$$\frac{dv}{dr} = \frac{P}{4\eta l}(0 - 2r)$$

$$= -\frac{Pr}{2\eta l}.$$

Pour l'une des plus petites artères du corps humain, on peut prendre $\eta = 0{,}027$, $R = 0{,}008$ cm, $l = 2$ cm et $P = 4000$ dynes/cm^2, ce qui donne

$$v = \frac{4000}{4(0{,}027)2}(0{,}000\,064 - r^2)$$

$$\approx 1{,}85 \times 10^4 (6{,}4 \times 10^{-5} - r^2).$$

En $r = 0{,}002$ cm, le sang circule à la vitesse de

$$v(0{,}002) \approx 1{,}85 \times 10^4 (64 \times 10^{-6} - 4 \times 10^{-6})$$

$$= 1{,}11 \text{ cm/s}$$

et le gradient de vitesse en ce point est

$$\left.\frac{dv}{dr}\right|_{r=0{,}002} = -\frac{4000(0{,}002)}{2(0{,}027)2} \approx -74 \text{ (cm/s)}/\text{cm}.$$

Pour mieux comprendre l'importance de ce résultat, on remplace ici les centimètres par des micromètres (1 cm = 10 000 μm), ce qui donne à l'artère un rayon de 80 μm. La vitesse le long de l'axe central est de 11 850 μm/s, et elle diminue à 11 110 μm/s à une distance $r = 20$ μm. Le fait que $dv/dr = -74$ (μm/s)/μm signifie que, lorsque $r = 20$ μm, la vitesse diminue à une vitesse approximative de 74 μm/s par micromètre d'éloignement par rapport à l'axe central.

▶ L'économie

Exemple 3.7.8 Soit $C(x)$, le total des frais engagés par une entreprise pour produire x unités d'un bien quelconque. La fonction C est appelée **fonction de coût**. Si le nombre d'unités produites augmente de x_1 à x_2, alors le coût additionnel s'exprime par $\Delta C = C(x_2) - C(x_1)$, et le taux de variation moyen du coût est égal à

$$\frac{\Delta C}{\Delta x} = \frac{C(x_2) - C(x_1)}{x_2 - x_1} = \frac{C(x_1 + \Delta x) - C(x_1)}{\Delta x}.$$

En économie, la limite de cette quantité lorsque Δx tend vers 0, c'est-à-dire le taux de variation instantané du coût par rapport au nombre d'unités produites, porte le nom de **coût marginal**:

$$\text{coût marginal} = \lim_{\Delta x \to 0} \frac{\Delta C}{\Delta x} = \frac{dC}{dx}.$$

(Comme x ne prend souvent que des valeurs entières, il n'est peut-être pas raisonnable de faire tendre Δx vers 0, mais on peut toujours faire une approximation de $C(x)$ par une courbe lisse approximative, comme dans l'exemple 3.7.6.)

En prenant $\Delta x = 1$ et n grand (afin que Δx soit petit par rapport à n), on a

$$C'(n) \approx C(n + 1) - C(n).$$

Ainsi, le coût marginal de production de n unités est à peu près égal au coût de production d'une unité de plus [la $(n + 1)^e$]. (Autrement dit, le coût marginal estime, lorsqu'il y a une production de n unités de bien, ce qu'il en coûte pour produire une unité supplémentaire.)

Il convient souvent d'exprimer une fonction de coût total par un polynôme :

$$C(x) = a + bx + cx^2 + dx^3$$

où a représente les frais généraux (loyer, chauffage, entretien) et les autres termes, le coût des matières premières, de la main-d'œuvre, etc. (Le coût des matières premières peut être proportionnel à x, mais celui de la main-d'œuvre pourrait dépendre en partie de puissances supérieures de x, à cause des heures supplémentaires et de l'inefficacité qu'entraînent les activités de production à grande échelle.)

Supposons, par exemple, qu'une entreprise ait estimé le coût (en dollars) de production de x unités à

$$C(x) = 10\,000 + 5x + 0{,}01x^2.$$

Alors, la fonction de coût marginal est

$$C'(x) = 5 + 0{,}02x.$$

Au niveau de production de 500 unités, le coût marginal est

$$C'(500) = 5 + 0{,}02(500) = 15 \text{ \$/unité}.$$

Ce calcul donne le taux auquel les coûts augmentent par rapport au niveau de production lorsque $x = 500$ et prédit le coût de la 501e unité.

Le coût réel de production de la 501e unité est

$$C(501) - C(500) = [10\,000 + 5(501) + 0{,}01(501)^2] - [10\,000 + 5(500) + 0{,}01(500)^2]$$

$$= 15{,}01 \text{ \$}.$$

On remarque que $C'(500) \approx C(501) - C(500)$.

Les économistes étudient également la demande marginale, le revenu marginal et le profit marginal, qui sont les dérivées des fonctions de demande, de revenu et de profit. On se penche sur ces fonctions et dérivées au chapitre 4, après avoir élaboré les méthodes de recherche des valeurs maximales et minimales des fonctions.

▶ Les autres sciences

Toutes les sciences ont recours aux taux de variation. Les géologues veulent connaître la vitesse à laquelle une masse de roche fondue se refroidit par conduction de chaleur dans un milieu rocheux. Les ingénieurs doivent déterminer le taux d'écoulement de l'eau d'un réservoir qui se vide ou se remplit. Les géographes urbains veulent savoir comment varie la densité de population d'une ville à mesure qu'on s'éloigne du centre. Les météorologues se servent du taux de variation de la pression atmosphérique en fonction de l'altitude.

En psychologie, les gens qui s'intéressent à la théorie de l'apprentissage étudient la « courbe d'apprentissage », représentant le progrès $P(t)$ d'une personne qui apprend une habileté en fonction du temps de formation t. Le rythme auquel l'exécution s'améliore avec le temps, soit dP/dt, présente un intérêt particulier.

En sociologie, le calcul différentiel sert à analyser la propagation des rumeurs (ou celle des nouveautés, des engouements, des modes). Si $p(t)$ désigne la proportion d'une population au fait d'une rumeur à l'instant t, alors la dérivée dp/dt représente la vitesse de propagation de la rumeur.

▶ **Une idée, plusieurs interprétations**

Vitesse, densité, courant, puissance et gradient thermique en physique ; taux de réaction et compressibilité en chimie ; taux de croissance et gradient de circulation sanguine en biologie ; coût marginal et profit marginal en économie ; flux thermique en géologie ; taux d'amélioration de l'exécution en psychologie ; vitesse de propagation d'une rumeur en sociologie – autant d'applications particulières rendues possibles grâce à un seul et même concept mathématique : la dérivée.

L'énumération précédente illustre que la beauté des mathématiques réside en partie dans leur caractère abstrait. Le fait qu'un seul concept mathématique abstrait (la dérivée, par exemple) puisse avoir autant d'interprétations différentes selon les sciences est impressionnant. Une fois ses propriétés établies, le concept mathématique peut servir dans toutes les sciences. Cela s'avère beaucoup plus efficace que de développer les propriétés de concepts particuliers à chaque science. Comme le disait en peu de mots le mathématicien Joseph Fourier (1768-1830) : «Les mathématiques comparent les phénomènes les plus divers et découvrent les analogies secrètes qui les unissent. »

Exercices 3.7

1-4 La position d'une particule se déplaçant selon une trajectoire rectiligne est donnée par $s = f(t)$, $t \geq 0$, où t est mesuré en secondes et s, en mètres.

a) Trouvez la vitesse à l'instant t.

b) Quelle est la vitesse après 1 s ?

c) Quand la particule est-elle instantanément au repos ?

d) Quand la particule se déplace-t-elle dans le sens positif ?

e) Trouvez la distance totale parcourue durant les 6 premières secondes.

f) Dessinez un schéma comparable à celui de la figure 3.7.2 (*voir p. 246*) illustrant le mouvement de la particule.

g) Trouvez l'accélération à l'instant t et après 1 s.

h) Dans un même graphique, tracez les fonctions position, vitesse et accélération pour $0 \leq t \leq 6$.

i) Quand la particule accélère-t-elle ? Quand ralentit-elle ?

1. $f(t) = t^3 - 8t^2 + 24t$　　**2.** $f(t) = \dfrac{9t}{t^2 + 9}$

▲ **3.** $f(t) = \sin(\pi t/2)$　　 **4.** $f(t) = t^2 e^{-t}$

5. Voici les graphiques des fonctions vitesse de deux particules, où t est mesuré en secondes. Dites quand chaque particule accélère et quand chacune ralentit. Justifiez vos réponses.

a) 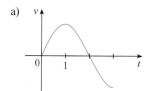　　b)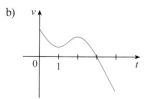

6. Voici les graphiques des fonctions position de deux particules, où t est mesuré en secondes. Dites quand chaque particule accélère et quand chacune ralentit. Justifiez vos réponses.

a) 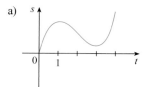　　b)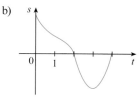

7. Soit $h = 2 + 24{,}5t - 4{,}9t^2$, la hauteur (en mètres) d'un projectile t secondes après qu'on l'a lancé verticalement vers le haut depuis un point situé 2 m au-dessus du sol avec une vitesse initiale de 24,5 m/s.

a) Trouvez la vitesse après 2 s et après 4 s.

b) Quand le projectile atteint-il sa hauteur maximale ?

c) Quelle est la hauteur maximale ?

d) Quand le projectile touche-t-il le sol ?

e) À quelle vitesse touche-t-il le sol ?

8. Si on lance une balle en l'air verticalement à la vitesse de 25 m/s, la hauteur h de la balle après t secondes est égale à $h = 25t - 5t^2$.

a) Quelle hauteur maximale la balle atteint-elle ?

b) Quelle est la vitesse de la balle lorsqu'elle est à 30 m de hauteur en montant ? Quelle est sa vitesse à 30 m de hauteur en descendant ?

9. Si, sur Mars, on lance une roche en l'air verticalement à la vitesse de 15 m/s, la hauteur de la roche après t secondes est égale à $h = 15t - 1{,}86t^2$.

a) Quelle est la vitesse de la roche après 2 s ?

b) Quelle est la vitesse de la roche lorsqu'elle est à 25 m de hauteur en montant ? Quelle est sa vitesse à 25 m de hauteur en descendant ?

10. Voici la fonction position d'une particule en mouvement :

$$s = t^4 - 4t^3 - 20t^2 + 20t \qquad t \geq 0.$$

a) À quel moment la particule se déplace-t-elle à 20 m/s ?

b) À quel moment l'accélération est-elle nulle ? Quelle est l'importance de cette valeur de t ?

11. a) Une entreprise fabrique des puces électroniques à partir de plaquettes carrées de silicium. Elle tient à garder la longueur de côté de la plaquette très près de 15 mm et cherche à savoir comment l'aire $A(x)$ d'une plaquette varie en fonction de la longueur de côté x. Trouvez $A'(15)$ et expliquez ce qu'elle signifie dans le contexte.

b) Montrez que le taux de variation de l'aire d'un carré par rapport à la longueur de son côté est égal à la moitié du périmètre du carré. Afin de donner une explication géométrique, dessinez un carré dont la longueur de côté x est augmentée de Δx. Comment peut-on approximer la variation ΔA de l'aire qui en résulte lorsque Δx est petit?

12. a) Pour obtenir des cristaux de chlorate de sodium en forme de cubes, il suffit de laisser s'évaporer lentement une solution d'eau et de chlorate de sodium. Sachant que V est le volume d'un de ces cubes ayant une longueur d'arête x, calculez dV/dx quand $x = 3$ mm et expliquez la signification de cette valeur.

b) Montrez que le taux de variation du volume d'un cube par rapport à la longueur de son arête est égal à la moitié de la surface du cube. Donnez une explication géométrique de ce résultat par analogie avec l'exercice 11 b).

13. a) Trouvez le taux de variation moyen de l'aire d'un cercle par rapport à son rayon r lorsque r passe
  i) de 2 à 3 ;   ii) de 2 à 2,5 ;
  iii) de 2 à 2,1.

b) Trouvez le taux de variation instantané lorsque $r = 2$.

c) Montrez que le taux de variation de l'aire d'un cercle par rapport à son rayon (quel que soit r) est égal à la circonférence du cercle. Donnez une explication géométrique en dessinant un cercle dont le rayon est augmenté de Δr. Comment peut-on approximer la variation ΔA de l'aire qui en résulte lorsque Δr est petit?

14. Un caillou lancé dans un lac crée une onde circulaire qui se propage vers l'extérieur à la vitesse de 60 cm/s. Trouvez la vitesse à laquelle l'aire intérieure du cercle augmente après a) 1 s ; b) 3 s ; c) 5 s. Quelle conclusion en tirez-vous ?

15. On gonfle un ballon sphérique. Trouvez le taux d'accroissement de la surface ($S = 4\pi r^2$) du ballon par rapport à son rayon r lorsque r est égal à a) 1 dm ; b) 2 dm ; c) 3 dm. Quelle conclusion en tirez-vous ?

16. a) Le volume d'une cellule sphérique en croissance est $V = \frac{4}{3}\pi r^3$, où le rayon r est mesuré en micromètres (1 μm = 10^{-6} m). Trouvez le taux de variation moyen de V par rapport à r lorsque r passe
  i) de 5 à 8 μm ;   ii) de 5 à 6 μm ;
  iii) de 5 à 5,1 μm.

b) Trouvez le taux de variation instantané de V par rapport à r lorsque $r = 5$ μm.

c) Montrez que le taux de variation du volume d'une sphère par rapport à son rayon est égal à sa surface. Donnez une explication géométrique du résultat et défendez-la par analogie avec l'exercice 13 c).

17. La masse du segment d'une tige de métal qui s'étend de l'extrémité gauche de la tige à un point situé x mètres à droite est de $3x^2$ kg. Trouvez la densité linéaire (*voir l'exemple 3.7.2, p. 247*) lorsque x est égal à a) 1 m ; b) 2 m ; c) 3 m. Où la densité est-elle la plus forte ? Où est-elle la plus faible ?

18. Soit une citerne de 20 000 L d'eau qui se vide par le fond en 40 minutes. Selon la loi de Torricelli, le volume V d'eau qu'il reste dans la citerne après t minutes est

$$V = 20\,000(1 - \tfrac{1}{40}t)^2 \quad 0 \le t \le 40.$$

Trouvez la vitesse à laquelle l'eau s'écoule de la citerne après a) 5 min ; b) 10 min ; c) 20 min ; d) 40 min. À quel moment l'eau s'écoule-t-elle le plus vite ? À quel moment s'écoule-t-elle le plus lentement ? Résumez vos résultats.

19. La quantité de charge Q, en coulombs (C), qui a franchi un certain point d'un fil métallique au moment t (mesuré en secondes) est donnée par $Q(t) = t^3 - 2t^2 + 6t + 2$. Déterminez le courant lorsque a) $t = 0,5$ s ; b) $t = 1$ s. (*Voir l'exemple 3.7.3, p. 248.* L'unité de mesure du courant est l'ampère (1 A = 1 C/s).) À quel moment le courant est-il le plus faible ?

20. Selon la loi de la gravitation de Newton, la force F exercée par un corps de masse m sur un corps de masse M est

$$F = \frac{GmM}{r^2}$$

où G est la constante gravitationnelle et r, la distance entre les corps.

a) Trouvez dF/dr et expliquez sa signification. Qu'est-ce que le signe moins indique ?

b) Supposez que la Terre attire un objet avec une force qui décroît à la vitesse de 2 N/km lorsque $r = 20\,000$ km. À quelle vitesse cette force varie-t-elle quand $r = 10\,000$ km ?

21. La force F agissant sur un corps de masse m et de vitesse v est le taux de variation de la quantité de mouvement : $F = \dfrac{d}{dt}(mv)$. Lorsque m est une constante, l'équation devient $F = ma$, où $a = dv/dt$ est l'accélération. Cependant, selon la théorie de la relativité, la masse d'une particule varie avec v comme suit : $m = m_0 \big/ \sqrt{1 - v^2/C^2}$, où m_0 est la masse de la particule au repos et C, la vitesse de la lumière. Montrez que

$$F = \frac{m_0 a}{(1 - v^2/C^2)^{3/2}}.$$

▲ **22.** La baie de Fundy, sur la côte atlantique du Canada, est reconnue pour ses grandes marées. À Hopewell Cape, la profondeur d'eau est d'environ 2,0 m à marée basse et d'environ 12,0 m à marée haute. La période d'oscillation dépasse légèrement 12 heures. Le 10 juin 2019, la marée haute a eu lieu à 6 h 15. Ces données permettent d'expliquer le modèle suivant de la profondeur d'eau h (en mètres) en fonction du temps t (en heures après minuit) ce jour-là :

$$h(t) = 7 + 5\cos[0,503(t - 6,25)].$$

À quelle vitesse la marée montait-elle (ou descendait-elle) aux heures suivantes ?
a) 3 h 00
b) 6 h 00
c) 9 h 00
d) Midi

23. Selon la loi de Boyle, lorsqu'un gaz est confiné à température constante, le produit de la pression et du volume demeure constant : $PV = C$.

a) Trouvez le taux de variation du volume par rapport à la pression.

b) Dans un contenant, un gaz est confiné à basse pression et comprimé à température constante pendant 10 minutes. Le volume de gaz diminue-t-il plus rapidement au début ou à la fin des 10 minutes? Justifiez votre réponse.

c) Prouvez que la compressibilité isotherme (*voir l'exemple 3.7.5, p. 249*) est donnée par $\beta = 1/P$.

24. Si, comme dans l'exemple 3.7.4 (*voir p. 249*), une molécule du produit C se forme à partir d'une molécule du réactif A et d'une molécule du réactif B, et que les concentrations initiales de A et de B sont de valeur égale [A] = [B] = a mol/L, alors [C] = $a^2kt/(akt + 1)$, où k est une constante.

a) Trouvez le taux de réaction au moment t.

b) Montrez que, si x = [C], alors $\dfrac{dx}{dt} = k(a - x)^2$.

c) Qu'arrive-t-il à la concentration lorsque $t \to \infty$?

d) Qu'arrive-t-il au taux de réaction lorsque $t \to \infty$?

e) Que signifient concrètement les résultats obtenus en c) et en d)?

25. Dans l'exemple 3.7.6 (*voir p. 250*), on a étudié le cas d'une population de bactéries qui double toutes les heures. Soit un autre cas, où la population initiale de 400 bactéries triple toutes les heures. Trouvez une expression du nombre n de bactéries après t heures et utilisez-la pour estimer le taux d'accroissement de la population après 2,5 heures.

26. Durant la culture en laboratoire, le nombre de cellules de levure augmente rapidement au début mais finit par se stabiliser. La population de cellules s'exprime par la fonction

$$n = f(t) = \frac{a}{1 + be^{-0,7t}}$$

où t est mesuré en heures. La population, de 20 cellules au moment $t = 0$, augmente à la vitesse de 12 cellules/heure. Trouvez les valeurs de a et de b. Selon ce modèle, qu'arrive-t-il à la population de levure à long terme?

27. Ce tableau fait état de la population mondiale depuis le début du XXᵉ siècle.

Année	Population (en millions de personnes)	Année	Population (en millions de personnes)
1900	1650	1960	3040
1910	1750	1970	3710
1920	1860	1980	4450
1930	2070	1990	5280
1940	2300	2000	6080
1950	2560	2010	6870

a) Estimez le taux d'accroissement démographique en 1920 et en 1980 en prenant la moyenne des pentes de deux sécantes.

b) Au moyen d'un outil graphique, trouvez une fonction cubique (un polynôme du troisième degré) qui modélise les données.

c) À l'aide de votre modèle en b), trouvez un modèle du taux d'accroissement démographique au XXᵉ siècle.

d) Servez-vous de votre réponse en c) pour estimer les taux d'accroissement en 1920 et en 1980. Comparez ces taux à vos estimations en a).

e) Dans la section 1.3 (*voir p. 40*), nous avons modélisé la population avec la fonction exponentielle

$$f(t) = (1,436\,53 \times 10^9) \cdot (1,013\,95)^t$$

où $t = 0$ correspond à l'année 1900. Servez-vous de ce modèle pour établir le modèle du taux de croissance de la population.

f) Utilisez le modèle que vous avez établi en e) pour évaluer le taux de croissance en 1920 et en 1980. Comparez ces résultats à ceux obtenus en a) et en d).

g) Estimez le taux d'accroissement démographique en 1985.

28. Ce tableau montre l'évolution de l'âge moyen auquel les femmes japonaises ont contracté leur premier mariage entre 1950 et 2010.

t	$A(t)$	t	$A(t)$
1950	23,0	1985	25,5
1955	23,8	1990	25,9
1960	24,4	1995	26,3
1965	24,5	2000	27,0
1970	24,2	2005	28,0
1975	24,7	2010	28,8
1980	25,2		

a) Au moyen d'un outil graphique, trouvez un polynôme du quatrième degré qui modélise ces données.

b) À l'aide de votre réponse en a), trouvez un modèle de $A'(t)$.

c) Estimez le taux de variation de l'âge du mariage des femmes en 1990.

d) Dans un même graphique, tracez les points de données et le modèle de A; dans un autre graphique, tracez le modèle de A'.

29. Reportez-vous à la loi de l'écoulement laminaire donnée dans l'exemple 3.7.7 (*voir p. 251*). Soit un vaisseau sanguin mesurant 0,01 cm de rayon et 3 cm de longueur, dont la différence de pression est égale à 3000 dynes/cm² et la viscosité, à $\eta = 0,027$.

a) Trouvez la vitesse de circulation du sang dans l'axe central $r = 0$, au rayon $r = 0,005$ cm, et contre la paroi où $r = R = 0,01$ cm.

b) Trouvez le gradient de vitesse en $r = 0$, en $r = 0,005$ et en $r = 0,01$.

c) Où la vitesse est-elle la plus grande? Où la vitesse varie-t-elle le plus?

30. La fréquence des vibrations d'une corde de violon est donnée par

$$f = \frac{1}{2L}\sqrt{\frac{T}{\rho}}$$

où L est la longueur de la corde, T est sa tension et ρ, sa densité linéaire.

a) Trouvez le taux de variation de la fréquence par rapport
   i) à la longueur (quand T et ρ sont constants);
   ii) à la tension (quand L et ρ sont constants);
   iii) à la densité linéaire (quand L et T sont constants).

b) La tonie (son aigu ou grave) d'une note dépend de la fréquence f. (Plus la fréquence est élevée, plus la tonie est élevée.) À l'aide des signes des dérivées trouvées en a), déterminez ce qui arrive à la tonie d'une note

   i) quand on raccourcit la corde en appuyant dessus de manière à faire vibrer seulement une partie de la corde;

   ii) quand on augmente la tension en tournant une cheville;

   iii) quand on augmente la densité linéaire en passant à une autre corde.

31. Le coût, en dollars, de fabrication de x mètres d'un tissu est donné par

$$C(x) = 1200 + 12x - 0,1x^2 + 0,0005x^3.$$

a) Trouvez la fonction de coût marginal.

b) Trouvez $C'(200)$ et expliquez sa signification. Que prédit cette valeur?

c) Comparez $C'(200)$ avec le coût de fabrication du 201e mètre de tissu.

32. La fonction de coût de fabrication d'un bien est

$$C(x) = 339 + 25x - 0,09x^2 + 0,0004x^3.$$

a) Trouvez et interprétez $C'(100)$.

b) Comparez $C'(100)$ avec le coût de fabrication de la 101e unité.

33. Si $p(x)$ représente la valeur de la production quand il y a x travailleurs à l'usine, alors la productivité moyenne M de la main-d'œuvre de l'usine est

$$M(x) = \frac{p(x)}{x}.$$

a) Trouvez $M'(x)$. Pourquoi l'entreprise embaucherait-elle davantage de travailleurs quand $M'(x) > 0$?

b) Montrez que $M'(x) > 0$ lorsque $p'(x)$ est supérieur à la productivité moyenne.

34. Si R désigne la réaction du corps à un stimulus de force x, la sensibilité S est le taux de variation de la réaction par rapport à x. Par exemple, lorsque l'intensité x d'une source de lumière augmente, l'œil réagit en diminuant l'aire R de la pupille. La formule expérimentale

$$R = \frac{40 + 24x^{0,4}}{1 + 4x^{0,4}}$$

modélise la dépendance de R par rapport à x lorsque R est mesuré en millimètres carrés et x, en unités appropriées de luminosité.

a) Déterminez la sensibilité.

b) Pour illustrer votre réponse en a), dans un même graphique, tracez R et S en fonction de x. Commentez les valeurs de R et de S quand les degrés de luminosité sont faibles. Vous attendiez-vous à ce résultat?

35. Les personnes souffrant d'insuffisance rénale chronique reçoivent des traitements par dialyse, c'est-à-dire qu'elles sont branchées sur une machine qui filtre leur sang pour en éliminer l'urée. Dans certaines conditions, la durée requise de dialyse, lorsque la concentration en urée est $c > 1$, est donnée par l'équation

$$t = \ln\left(\frac{3c + \sqrt{9c^2 - 8c}}{2}\right).$$

Calculez la dérivée de t par rapport à la concentration et interprétez le résultat.

36. Les espèces envahissantes prolifèrent souvent de façon démesurée lorsqu'elles colonisent de nouveaux territoires. Selon certains modèles mathématiques de dispersion et de reproduction, la vitesse à laquelle prolifèrent certaines de ces espèces est donnée par la fonction

$$f(r) = 2\sqrt{Dr},$$

où r correspond au taux de reproduction des individus et D, à un paramètre quantitatif de dispersion. Calculez la dérivée de la vitesse de prolifération par rapport au taux de reproduction r et expliquez sa signification.

37. La loi des gaz parfaits, pour un gaz à température absolue T (en kelvins), de pression P (en atmosphères) et de volume V (en litres), s'exprime par $PV = nRT$, où n est le nombre de moles du gaz et $R = 0,0821$ est la constante d'un gaz donné. Supposez que, à un certain moment, $P = 8,0$ atm et croît à $0,10$ atm/min et que $V = 10$ L et décroît à $0,15$ L/min. Trouvez le taux de variation de T par rapport au temps à ce moment-là si $n = 10$ mol.

38. Dans un centre de pisciculture, on procède régulièrement à l'alevinage de l'étang et à la récolte de poissons. Un modèle du taux de variation de la population de poissons est donné par l'équation

$$\frac{dP}{dt} = r_0\left(1 - \frac{P(t)}{P_c}\right)P(t) - \beta P(t)$$

où r_0 est le taux de naissance des poissons, P_c est la population maximale que l'étang peut soutenir (appelée «capacité de charge») et β est le pourcentage de poissons récoltés.

a) Quelle valeur de dP/dt correspond à une population stable?

b) Si l'étang peut assurer la subsistance de 10 000 poissons, que le taux de naissance est de 5% et le taux de récolte, de 4%, quel est le niveau de population stable?

c) Que se produit-il lorsque β augmente à 5%?

39. Dans l'étude des écosystèmes, on a souvent recours aux modèles proie-prédateur pour se renseigner sur les interactions entre espèces. Prenons les populations de loups arctiques $L(t)$ et de caribous $C(t)$ du Nord canadien. On a modélisé l'interaction par les équations

$$\frac{dC}{dt} = aC - bCL \qquad \frac{dL}{dt} = -cL + dCL.$$

a) Quelles valeurs de dC/dt et de dL/dt correspondent à des populations stables?

b) Comment exprime-t-on mathématiquement l'énoncé «le caribou disparaît»?

c) Supposez que $a = 0,05$, $b = 0,001$, $c = 0,05$ et $d = 0,0001$. Trouvez toutes les combinaisons (C, L) qui mènent à des populations stables. D'après ce modèle, est-il possible que les deux espèces vivent en harmonie, ou faut-il s'attendre à la disparition de l'une d'elles ou des deux?

3.8 Les taux de variation liés

Lorsqu'on gonfle un ballon avec de l'air, tant le volume que le rayon du ballon augmentent, et les taux auxquels ils croissent sont liés l'un à l'autre. Il est cependant beaucoup plus facile de mesurer directement le taux d'accroissement du volume que celui du rayon.

Pour résoudre un problème de taux de variation liés, on doit calculer le taux de variation d'une grandeur en fonction de celui de l'autre (souvent plus facile à mesurer). La démarche consiste à trouver une équation qui lie les deux grandeurs, puis, au moyen de la règle de dérivation en chaîne, à dériver les deux membres par rapport au temps.

Exemple 3.8.1 Sous l'effet du gonflement à l'air, un ballon sphérique augmente de volume à raison de 100 cm³/s. À quelle vitesse le rayon du ballon augmente-t-il lorsque le diamètre est de 50 cm ?

PRP Selon les principes de la résolution de problèmes présentés en page 92, la première étape consiste à comprendre le problème posé. Pour ce faire, on doit lire l'énoncé attentivement, identifier les données et les inconnues, et traduire le problème dans une notation symbolique qui convient.

Solution On commence par identifier deux éléments :

l'information donnée,

le taux d'accroissement du volume d'air est de 100 cm³/s ;

et l'inconnue,

le taux d'accroissement du rayon lorsque le diamètre est de 50 cm.

Afin d'exprimer ces grandeurs mathématiquement, on emploie une notation suggestive :

Soit V, le volume du ballon, et r, son rayon.

L'essentiel à se rappeler est que les taux de variation sont des dérivées. Dans ce problème, le volume et le rayon sont tous deux des fonctions du temps t. Le taux d'accroissement du volume par rapport au temps est la dérivée dV/dt, et le taux d'accroissement du rayon est dr/dt. Cela permet de reformuler comme suit les données et les inconnues :

$$\text{Données : } \frac{dV}{dt} = 100 \text{ cm}^3/\text{s}$$

$$\text{Inconnues : } \frac{dr}{dt} \text{ lorsque } r = 25 \text{ cm}$$

PRP En deuxième lieu, dans la résolution d'un problème, on conçoit une façon de lier les données aux inconnues.

Afin de lier dV/dt et dr/dt, on écrit la relation entre V et r, soit la formule du volume d'une sphère :

$$V = \frac{4}{3}\pi r^3.$$

Pour pouvoir utiliser l'information donnée, on dérive chaque membre de cette équation par rapport à t. En dérivant le membre de droite au moyen de la règle de dérivation en chaîne, on obtient :

$$\frac{dV}{dt} = \frac{dV}{dr}\frac{dr}{dt} = 4\pi r^2 \frac{dr}{dt}.$$

On isole ensuite la grandeur inconnue :

$$\frac{dr}{dt} = \frac{1}{4\pi r^2}\frac{dV}{dt}.$$

On remarque que dV/dt est constant, tandis que dr/dt ne l'est pas.

En utilisant $r = 25$ et $dV/dt = 100$ dans cette équation, on obtient :

$$\left.\frac{dr}{dt}\right|_{r=25} = \frac{1}{4\pi(25)^2}100 = \frac{1}{25\pi}.$$

Le rayon du ballon s'accroît à la vitesse de $1/(25\pi) \approx 0,0127$ cm/s.

mur

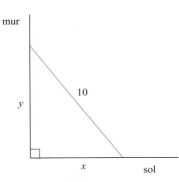

3.8.1 **FIGURE**

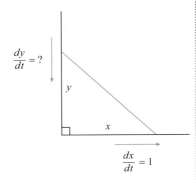

3.8.2 **FIGURE**

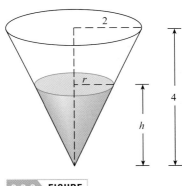

3.8.3 **FIGURE**

Exemple **3.8.2**   Une échelle de 10 m de longueur est appuyée contre un mur vertical. Si, en glissant, le pied de l'échelle s'éloigne du mur à raison de 1 m/s, à quelle vitesse le haut de l'échelle glisse-t-il vers le bas du mur lorsque le pied se trouve à 6 m du mur ?

Solution   D'abord, on dessine un schéma et on l'annote (*voir la figure 3.8.1*). Soit x mètres, la distance entre le pied de l'échelle et le mur, et y mètres, la distance entre le haut de l'échelle et le sol. On remarque que x et y sont toutes deux fonctions de t (le temps, mesuré en secondes).

Sachant que $dx/dt = 1$ m/s, on doit trouver dy/dt lorsque $x = 6$ m (*voir la figure 3.8.2*). Dans ce problème, la relation entre x et y est donnée par le théorème de Pythagore :

$$x^2 + y^2 = 100.$$

En dérivant chaque membre par rapport à t au moyen de la règle de dérivation en chaîne, on obtient

$$2x\frac{dx}{dt} + 2y\frac{dy}{dt} = 0$$

et la résolution de l'équation par rapport au taux recherché donne

$$\frac{dy}{dt} = -\frac{x}{y}\frac{dx}{dt}.$$

Lorsque $x = 6$, par le théorème de Pythagore, $y = 8$, et donc, en substituant ces valeurs et $dx/dt = 1$, on obtient

$$\frac{dy}{dt}\bigg|_{\substack{x=6\\y=8}} = -\frac{6}{8}(1) = -\frac{3}{4} \text{ m/s}.$$

Le fait que dy/dt soit négatif signifie que la distance entre le haut de l'échelle et le sol diminue à la vitesse de $\frac{3}{4}$ m/s. Autrement dit, le haut de l'échelle glisse vers le bas du mur à la vitesse de $\frac{3}{4}$ m/s.

Exemple **3.8.3**   Soit un réservoir d'eau en forme de cône à base circulaire renversé mesurant 2 m de rayon à la base et 4 m de hauteur. Si l'on pompe de l'eau dans le réservoir à raison de 2 m³/min, à quelle vitesse le niveau d'eau monte-t-il au moment où il est de 3 m ?

Solution   On commence par faire une esquisse annotée du cône (*voir la figure 3.8.3*). On pose V, r et h, respectivement le volume d'eau, le rayon de la surface et la hauteur de l'eau à l'instant t, où t est mesuré en minutes.

On sait que $dV/dt = 2$ m³/min, et on doit trouver dh/dt lorsque $h = 3$ m. Les grandeurs V et h sont liées par l'équation

$$V = \frac{1}{3}\pi r^2 h,$$

mais il serait préférable d'exprimer V en fonction de h seulement. Afin d'éliminer r, on se sert des triangles semblables de la figure 3.8.3 pour écrire

$$\frac{r}{h} = \frac{2}{4} \qquad r = \frac{h}{2}$$

et transformer l'expression de V :

$$V = \frac{1}{3}\pi\left(\frac{h}{2}\right)^2 h = \frac{\pi}{12}h^3.$$

On peut maintenant dériver chaque membre par rapport à t :

$$\frac{dV}{dt} = \frac{\pi}{4} h^2 \frac{dh}{dt}$$

d'où

$$\frac{dh}{dt} = \frac{4}{\pi h^2} \frac{dV}{dt}.$$

En effectuant les substitutions $h = 3$ m et $dV/dt = 2$ m³/min, on obtient

$$\left.\frac{dh}{dt}\right|_{h=3} = \frac{4}{\pi(3)^2} \cdot 2$$

$$= \frac{8}{9\pi}.$$

Le niveau de l'eau monte à la vitesse de $8/(9\pi) \approx 0{,}28$ m/min.

PRP En résumé : Quels aspects des exemples 3.8.1 à 3.8.3 peuvent être utiles pour résoudre d'autres problèmes ?

❗ ATTENTION La substitution hâtive des valeurs numériques (aux variables qui dépendent du temps) constitue une erreur courante. Les substitutions doivent se faire après la dérivation. (L'étape 7 suit l'étape 6.) Ainsi, dans l'exemple 3.8.3, on a traité des valeurs générales de h avant de finir par substituer 3 à h. (Si l'on avait posé $h = 3$ plus tôt, on aurait obtenu $dV/dt = 0$, ce qui est manifestement inexact.)

Stratégie de résolution de problèmes

Il s'avère utile de se rappeler quelques-uns des principes de résolution de problèmes énoncés en page 92 et, à la lumière du travail fait dans les exemples 3.8.1 à 3.8.3, de les adapter aux taux de variation liés :

1. Lire attentivement l'énoncé.

2. Si possible, dessiner un schéma.

3. Introduire une notation suggestive. Affecter des symboles à toutes les grandeurs qui sont fonctions du temps.

4. Exprimer l'information donnée et le taux recherché en termes de dérivées.

5. Écrire une équation qui lie les variables du problème. Au besoin, employer la géométrie pour éliminer une des variables par substitution (comme dans l'exemple 3.8.3).

6. Au moyen de la règle de dérivation en chaîne, dériver les deux membres de l'équation par rapport à t.

7. Effectuer les substitutions dans l'équation résultante et résoudre par rapport au taux inconnu.

Les exemples qui suivent fournissent d'autres illustrations de la stratégie.

Exemple 3.8.4 La voiture A se déplace vers l'ouest à 50 km/h, et la voiture B se déplace vers le nord à 60 km/h. Les deux se dirigent vers l'intersection que forment leurs routes respectives. À quelle vitesse les voitures se rapprochent-elles l'une de l'autre au moment où la voiture A se trouve à 0,3 km de l'intersection et la voiture B, à 0,4 km ?

Solution On dessine la figure 3.8.4, où C est l'intersection des routes. À un instant donné t, la voiture A est à une distance x de C, la voiture B est à une distance y de C, et les deux voitures sont à une distance z l'une de l'autre, x, y et z étant mesurées en kilomètres.

On sait que $dx/dt = -50$ km/h et que $dy/dt = -60$ km/h. (Les dérivées sont négatives parce que x et y sont décroissantes.) On doit trouver dz/dt. L'équation qui lie x, y et z est donnée par le théorème de Pythagore :

$$z^2 = x^2 + y^2.$$

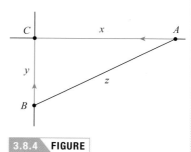

3.8.4 **FIGURE**

En dérivant chaque membre de l'équation par rapport à t, on obtient

$$2z\frac{dz}{dt} = 2x\frac{dx}{dt} + 2y\frac{dy}{dt}$$

$$\frac{dz}{dt} = \frac{1}{z}\left(x\frac{dx}{dt} + y\frac{dy}{dt}\right).$$

Lorsque $x = 0,3$ km et que $y = 0,4$ km, le théorème de Pythagore donne $z = 0,5$ km, d'où

$$\left.\frac{dz}{dt}\right|_{\substack{x=0,3\\y=0,4\\z=0,5}} = \frac{1}{0,5}[0,3(-50)+0,4(-60)]$$

$$= -78 \text{ km/h}.$$

Les voitures se rapprochent à la vitesse de 78 km/h.

Exemple 3.8.5 Un homme court sur un chemin rectiligne à la vitesse de 4 m/s. Sur le sol, à 20 m du chemin, un projecteur orientable est braqué sur le coureur. À quelle vitesse le projecteur tourne-t-il lorsque le coureur se trouve à 15 m du point du chemin qui est le plus proche du projecteur?

Solution On dessine la figure 3.8.5 et on pose x, la distance (en mètres) entre le coureur et le point du chemin le plus proche du projecteur, et θ, l'angle (en radians) que forment le faisceau du projecteur et la perpendiculaire au chemin.

On sait que $dx/dt = 4$ m/s, et on doit trouver $d\theta/dt$ lorsque $x = 15$ m. On peut écrire l'équation qui lie x et θ d'après la figure 3.8.5 :

$$\frac{x}{20} = \tan\theta$$

$$x = 20\tan\theta.$$

En dérivant chaque membre par rapport à t, on obtient

$$\frac{dx}{dt} = 20\sec^2\theta\,\frac{d\theta}{dt}$$

d'où

$$\frac{d\theta}{dt} = \frac{1}{20}\cos^2\theta\,\frac{dx}{dt}$$

$$= \frac{1}{20}\cos^2\theta(4)$$

$$= \frac{1}{5}\cos^2\theta.$$

Lorsque $x = 15$, la longueur du faisceau est de 25, donc $\cos\theta = \frac{4}{5}$ et

$$\left.\frac{d\theta}{dt}\right|_{x=15} = \frac{1}{5}\left(\frac{4}{5}\right)^2$$

$$= \frac{16}{125}$$

$$= 0,128.$$

Le projecteur tourne à la vitesse de 0,128 rad/s.

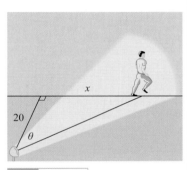

3.8.5 FIGURE

Exercices 3.8

1. Sachant que V est le volume d'un cube de longueur d'arête x et que le cube s'agrandit avec le temps, trouvez dV/dt en termes de dx/dt.

2. a) Sachant que A est l'aire d'un cercle de rayon r et que le cercle s'agrandit avec le temps, trouvez dA/dt en termes de dr/dt.
   b) Supposez que du pétrole fuit d'un pétrolier et se répand en une nappe circulaire. Si le rayon de la nappe croît à la vitesse constante de 1 m/s, à quelle vitesse l'aire de la nappe s'accroît-elle au moment où le rayon mesure 30 m?

3. Chaque côté d'un carré croît à la vitesse de 6 cm/s. À quelle vitesse l'aire du carré croît-elle au moment où elle mesure 16 cm²?

4. La longueur d'un rectangle augmente de 8 cm/s et sa largeur, de 3 cm/s. Au moment où la longueur est de 20 cm et la largeur, de 10 cm, à quelle vitesse l'aire du rectangle augmente-t-elle?

5. Soit une citerne cylindrique reposant sur sa base de 5 m de rayon qu'on remplit d'eau à la vitesse de 3 m³/min. À quelle vitesse le niveau d'eau monte-t-il?

6. Le rayon d'une sphère augmente de 4 mm/s. À quelle vitesse le volume de la sphère augmente-t-il lorsque son diamètre mesure 80 mm?

7. Le rayon d'une boule sphérique augmente de 2 cm/min. À quelle vitesse varie la surface de cette boule au moment où le rayon atteint 8 cm?

▲ 8. L'aire d'un triangle dont les côtés a et b forment un angle θ est donnée par la formule

$$A = \frac{1}{2}ab\sin\theta.$$

   a) Si $a = 2$ cm, $b = 3$ cm et θ augmente de 0,2 rad/min, à quelle vitesse l'aire varie-t-elle lorsque $\theta = \pi/3$?
   b) Si $a = 2$ cm, b augmente de 1,5 cm/min et θ augmente de 0,2 rad/min, à quelle vitesse l'aire varie-t-elle lorsque $b = 3$ cm et $\theta = \pi/3$?
   c) Si a augmente de 2,5 cm/min, b augmente de 1,5 cm/min et θ augmente de 0,2 rad/min, à quelle vitesse l'aire varie-t-elle lorsque $a = 2$ cm, $b = 3$ cm et $\theta = \pi/3$?

9. Soit $y = \sqrt{2x+1}$, où x et y sont des fonctions de t.
   a) Sachant que $dx/dt = 3$, trouvez dy/dt quand $x = 4$.
   b) Sachant que $dy/dt = 5$, trouvez dx/dt quand $x = 12$.

10. Soit $4x^2 + 9y^2 = 36$, où x et y sont des fonctions de t.
    a) Sachant que $dy/dt = \frac{1}{3}$, trouvez dx/dt quand $x = 2$ et $y = \frac{2}{3}\sqrt{5}$.
    b) Sachant que $dx/dt = 3$, trouvez dy/dt quand $x = -2$ et $y = \frac{2}{3}\sqrt{5}$.

11. Sachant que $x^2 + y^2 + z^2 = 9$, que $dx/dt = 5$ et que $dy/dt = 4$, trouvez dz/dt quand $(x, y, z) = (2, 2, 1)$.

12. Une particule se déplace sur l'hyperbole $xy = 8$. Lorsque la particule atteint le point $(4, 2)$, l'ordonnée décroît de 3 cm/s. À quelle vitesse l'abscisse varie-t-elle à ce moment-là?

13-16

a) Quelles grandeurs sont données dans l'énoncé du problème?

b) Quelle est l'inconnue?

c) Dessinez un croquis de la situation à un moment t quelconque.

d) Écrivez une équation qui lie les grandeurs.

e) Résolvez le problème.

13. Un avion volant horizontalement à 2 km d'altitude et à la vitesse de 800 km/h survole une station radar. Trouvez la vitesse à laquelle la distance entre l'avion et la station augmente au moment où cette distance est de 4 km.

14. Si une boule de neige fond de manière que sa surface diminue de 1 cm²/min, à quelle vitesse son diamètre diminue-t-il lorsque celui-ci mesure 10 cm?

15. Une lampe est fixée au sommet d'un lampadaire de 6 m de hauteur. Un homme de 2 m s'éloigne du lampadaire en marchant en ligne droite à la vitesse de 2 m/s. À quelle vitesse la pointe de son ombre se déplace-t-elle au moment où l'homme se trouve à 20 m du lampadaire?

16. À midi, le navire A est à 150 km à l'ouest du navire B. Le navire A file vers l'est à 35 km/h; le navire B file vers le nord à 25 km/h. À quelle vitesse varie la distance entre les deux navires à 16 h?

17. Deux voitures quittent le même lieu. L'une roule vers le sud à 60 km/h, l'autre vers l'ouest à 25 km/h. Deux heures plus tard, à quelle vitesse la distance entre les deux voitures augmente-t-elle?

18. Un projecteur installé sur le sol éclaire un mur situé à 12 m de distance. Depuis le projecteur, un homme mesurant 2 m marche vers le mur à la vitesse de 1,6 m/s. À quelle vitesse la longueur de son ombre sur le mur décroît-elle lorsque l'homme se trouve à 4 m du mur?

19. Un homme part du point P et court vers le nord à 4 m/s. Cinq minutes plus tard, une femme part d'un point situé à 500 m à l'est du point P et court vers le sud à 5 m/s. Quinze minutes après le départ de la femme, à quelle vitesse les deux personnes s'éloignent-elles l'une de l'autre?

20. Au baseball, le champ intérieur est un carré d'environ 27 m de côté. Au marbre, un frappeur frappe la balle et court vers le premier but à la vitesse de 7 m/s.

   a) Quand le frappeur est à mi-chemin, à quelle vitesse se rapproche-t-il du deuxième but?

b) Au même moment, à quelle vitesse le frappeur s'éloigne-t-il du troisième but ?

21. La hauteur d'un triangle augmente de 1 cm/min tandis que son aire augmente de 2 cm²/min. Quand la hauteur est de 10 cm et l'aire, de 100 cm², à quelle vitesse la base du triangle varie-t-elle ?

22. On tire un bateau vers le quai au moyen d'un câble fixé à sa proue. Le câble passe par une poulie qui, installée sur le quai, se trouve 1 m plus haut que la proue du bateau. Si le câble est tiré à la vitesse de 1 m/s, à quelle vitesse le bateau se rapproche-t-il du quai quand il est à 8 m de ce dernier ?

23. À midi, le navire A se trouve à 100 km à l'ouest du navire B. Le navire A file vers le sud à 35 km/h ; le navire B va vers le nord à 25 km/h. À quelle vitesse la distance entre les deux navires varie-t-elle à 16 h ?

▲ 24. Une particule se déplace sur la courbe

$$y = 2 \sin(\pi x/2).$$

Lorsqu'elle passe par le point $(\frac{1}{3}, 1)$, son abscisse croît à la vitesse de $\sqrt{10}$ cm/s. À ce moment-là, à quelle vitesse la distance entre la particule et l'origine varie-t-elle ?

25. De l'eau fuit d'un réservoir conique inversé à raison de 10 000 cm³/min, en même temps que de l'eau est pompée dans le réservoir à une vitesse constante. Le réservoir mesure 6 m de hauteur et, au sommet, 4 m de diamètre. Si le niveau d'eau monte de 20 cm/min au moment où il est de 2 m, à quelle vitesse pompe-t-on l'eau dans le réservoir ?

26. Soit un fossé de 3 m de longueur dont les extrémités, en forme de triangles isocèles, mesurent 1 m de largeur et 30 cm de hauteur. Si le fossé se remplit d'eau à raison de 0,3 m³/min, à quelle vitesse le niveau d'eau monte-t-il au moment où il est de 15 cm ?

27. Soit un abreuvoir de 10 m de longueur dont la coupe transversale décrit un trapézoïde isocèle de 30 cm de largeur à la base, de 80 cm de largeur au sommet et de 50 cm de hauteur. Si l'on remplit l'abreuvoir d'eau à raison de 0,2 m³/min, à quelle vitesse le niveau d'eau monte-t-il au moment où il est de 30 cm ?

28. Une piscine mesure 10 m de largeur sur 20 m de longueur ; en profondeur, sa partie peu profonde mesure 1 m et sa partie profonde, 4 m. Sa coupe transversale est montrée dans la figure ci-dessous. Si l'on remplit la piscine à raison de 0,02 m³/min, à quelle vitesse le niveau d'eau monte-t-il au moment où, dans la partie profonde, la profondeur atteint 1,6 m ?

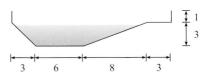

29. Du gravier est déversé par un convoyeur à bande à raison de 1 m³/min. Son calibre est tel que le gravier s'entasse en formant un cône dont le diamètre à la base et la hauteur sont toujours égaux. À quelle vitesse la hauteur du tas augmente-t-elle au moment où la hauteur atteint 3 m ?

▲ 30. À 30 m au-dessus du sol, un cerf-volant se déplace horizontalement à 3 m/s. À quelle vitesse l'angle d'élévation diminue-t-il au moment où 60 m de ficelle ont été débobinés ?

31. Les côtés d'un triangle équilatéral augmentent de 10 cm/min. À quelle vitesse l'aire de ce triangle varie-t-elle au moment où les côtés atteignent 30 cm de longueur ?

▲ 32. À quelle vitesse l'angle formé par l'échelle et le sol, dans l'exemple 3.8.2 (*voir p. 259*), varie-t-il lorsque le pied de l'échelle se trouve à 6 m du mur ?

33. Le haut d'une échelle glisse vers le bas d'un mur vertical à raison de 0,15 m/s. Au moment où le pied de l'échelle est à 3 m du mur, il s'en éloigne de 0,2 m/s. Quelle est la longueur de l'échelle ?

34. Un robinet dont le débit est de 2 L/min sert à remplir d'eau un bassin hémisphérique de 60 cm de diamètre. Trouvez la vitesse à laquelle l'eau monte dans le bassin quand ce dernier est à moitié plein. (Données à utiliser : 1 L = 1000 cm³. Le volume de la portion d'une sphère de rayon r, depuis le fond jusqu'à une hauteur h, est $V = \pi(rh^2 - \frac{1}{3}h^3)$.)

35. Selon la loi de Boyle, lorsqu'un échantillon de gaz est comprimé à température constante, la pression P et le volume V satisfont à l'équation $PV = C$, où C est une constante. Supposez qu'à un moment donné le volume est de 600 cm³ et la pression, de 150 kPa, pression qui augmente de 20 kPa/min. À quelle vitesse le volume diminue-t-il à ce moment-là ?

36. Lorsque l'air se dilate adiabatiquement (sans perte ni gain de chaleur), sa pression P et son volume V sont liés par l'équation $PV^{1,4} = C$, où C est une constante. Supposez qu'à un moment donné le volume est de 400 cm³ et la pression, de 80 kPa, pression qui diminue de 10 kPa/min. À quelle vitesse le volume augmente-t-il à ce moment-là ?

37. Soit deux conducteurs électriques de résistances respectives R_1 et R_2, connectés en parallèle (comme dans la figure à la page suivante). Leur résistance totale R, mesurée en ohms (Ω), est donnée par

$$\frac{1}{R} = \frac{1}{R_1} + \frac{1}{R_2}.$$

Si R_1 et R_2 augmentent de 0,3 Ω/s et de 0,2 Ω/s respectivement, à quelle vitesse R varie-t-elle quand $R_1 = 80\,Ω$ et $R_2 = 100\,Ω$?

38. Chez les poissons, la masse du cerveau C en fonction de la masse du corps M est modélisée par la fonction puissance $C = 0,007M^{2/3}$, où C et M sont mesurés en grammes. Un modèle du poids corporel en fonction de la longueur du corps L (mesurée en centimètres) est donné par $M = 0,12L^{2,53}$. Si, en l'espace de 10 millions d'années, la longueur moyenne d'une espèce de poisson est passée de 15 cm à 20 cm à un rythme constant, à quelle vitesse la masse du cerveau de cette espèce croissait-elle au moment où la longueur moyenne était de 18 cm ?

▲ 39. Deux côtés d'un triangle mesurent respectivement 12 m et 15 m. L'angle qu'ils forment augmente de 2°/min. À quelle vitesse la longueur du troisième côté augmente-t-elle quand l'angle formé par les côtés de longueurs fixes est de 60° ?

40. Une caméra de télévision est installée à 1200 m de la base d'une plate-forme de lancement pour fusée. L'angle d'élévation doit varier à la vitesse qui permettra à la caméra de suivre la fusée en mouvement. En outre, le mécanisme de mise au point doit tenir compte de la distance croissante entre la caméra et la fusée en ascension. Supposez que la fusée s'élève verticalement et que sa vitesse, à 1000 m d'altitude, est de 200 m/s.
   a) À quelle vitesse la distance entre la caméra et la fusée varie-t-elle à ce moment-là ?
   b) Si la caméra reste braquée sur la fusée, à quelle vitesse l'angle de site de la caméra varie-t-il au même moment ?

▲ 41. Les chariots A et B sont reliés par une corde de 13 m de longueur qui passe par une poulie P (*voir la figure*). Le point Q se trouve sur le sol, entre les chariots, à 4 m sous P. On tire sur le chariot A en l'éloignant du point Q avec une vitesse de 0,6 m/s. À quelle vitesse le chariot B se rapproche-t-il du point Q au moment où le chariot A est à 1,5 m du point Q ?

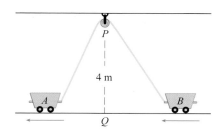

▲ 42. Le phare d'une petite île est situé à 3 km du point P le plus proche d'un rivage rectiligne, et son feu accomplit quatre tours par minute. À quelle vitesse le faisceau lumineux balaie-t-il le rivage au moment où il est à 1 km du point P ?

▲ 43. Un avion qui vole horizontalement à 5 km d'altitude survole un télescope de poursuite installé au sol. Quand l'angle de site mesure $\pi/3$ radian, il diminue à la vitesse de $\pi/6$ rad/min. À quelle vitesse l'avion vole-t-il à ce moment-là ?

▲ 44. Une grande roue de 10 m de rayon accomplit un tour toutes les 2 minutes. À quelle vitesse un passager de la roue s'élève-t-il quand son siège se trouve à 16 m au-dessus du sol ?

▲ 45. Un avion volant à la vitesse constante de 300 km/h et à une altitude de 1 km survole une station radar terrestre puis monte selon un angle de 30°. À quelle vitesse la distance entre l'avion et la station augmente-t-elle une minute plus tard ?

▲ 46. Deux personnes quittent le même lieu. L'une marche vers l'est à 5 km/h ; l'autre marche vers le nord-est à 3 km/h. À quelle vitesse la distance qui les sépare varie-t-elle après 15 minutes ?

▲ 47. Une coureuse à pied tourne autour d'une piste circulaire de 100 m de rayon à la vitesse constante de 7 m/s. Son ami se tient debout à 200 m du centre de la piste. À quelle vitesse la distance entre les deux personnes varie-t-elle lorsqu'elle est de 200 m ?

▲ 48. L'aiguille des minutes d'une montre mesure 8 mm de longueur et celle des heures, 4 mm. À quelle vitesse la distance entre les extrémités des deux aiguilles varie-t-elle à 13 h ?

3.9 ## Les approximations affines et les différentielles

On sait que, à proximité du point de tangence, une courbe passe très près de sa tangente. De fait, en zoomant sur une région du graphique d'une fonction dérivable, on observe que la courbe se confond de plus en plus avec sa tangente (*voir la figure 2.7.2*). De cette observation découle une méthode de recherche des valeurs approximatives de fonctions.

En effet, s'il est facile de calculer une valeur $f(a)$ d'une fonction, il peut se révéler difficile (voire impossible) de calculer des valeurs voisines de f. On retient donc les valeurs facilement calculables de la fonction affine L dont le graphique est la tangente de f en $(a, f(a))$ (*voir la figure 3.9.1*).

3.9.1 FIGURE

Autrement dit, on utilise la tangente en $(a, f(a))$ comme approximation de la courbe $y = f(x)$ quand x est proche de a. Une équation de cette tangente est

$$y = f(a) + f'(a)(x - a)$$

et l'approximation

3.9.1 $$f(x) \approx f(a) + f'(a)(x - a)$$

s'appelle **approximation affine** ou **approximation affine tangente** de f en a. La fonction affine dont le graphique est cette tangente, soit

3.9.2 $$L(x) = f(a) + f'(a)(x - a)$$

s'appelle **linéarisation** de f en a.

Exemple 3.9.1 Trouvons la linéarisation de la fonction $f(x) = \sqrt{x + 3}$ en $a = 1$ et servons-nous-en pour estimer les nombres $\sqrt{3{,}98}$ et $\sqrt{4{,}05}$. Ces nombres seront-ils surestimés ou sous-estimés ?

Solution La dérivée de $f(x) = (x + 3)^{1/2}$ est

$$f'(x) = \frac{1}{2}(x + 3)^{-1/2}$$

$$= \frac{1}{2\sqrt{x + 3}}.$$

On a donc $f(1) = 2$ et $f'(1) = \frac{1}{4}$. En substituant ces valeurs dans l'équation **3.9.2**, on obtient la linéarisation

$$L(x) = f(1) + f'(1)(x - 1)$$

$$= 2 + \frac{1}{4}(x - 1)$$

$$= \frac{7}{4} + \frac{x}{4}.$$

L'approximation affine correspondante **3.9.1** est

$$\sqrt{x + 3} \approx \frac{7}{4} + \frac{x}{4} \quad \text{(quand } x \text{ est proche de 1).}$$

En particulier,

$$\sqrt{3{,}98} \approx \frac{7}{4} + \frac{0{,}98}{4} = 1{,}995 \quad \text{et} \quad \sqrt{4{,}05} \approx \frac{7}{4} + \frac{1{,}05}{4} = 2{,}0125.$$

La figure 3.9.2 illustre l'approximation affine. On y voit en effet que l'approximation affine tangente est une bonne approximation de la fonction donnée pour les valeurs de x proches de 1. En outre, comme la tangente se trouve au-dessus de la courbe, on constate que chaque valeur obtenue est une surestimation.

Bien sûr, on pourrait demander à une calculatrice de produire des approximations de $\sqrt{3{,}98}$ et de $\sqrt{4{,}05}$, mais l'approximation affine vaut sur tout un intervalle.

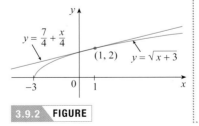

3.9.2 FIGURE

Le tableau suivant compare les estimations obtenues par la linéarisation de l'exemple 3.9.1 avec les valeurs exactes. Dans ce tableau comme dans la figure 3.9.2, on remarque que la linéarisation donne de bonnes estimations lorsque x est proche de 1, mais qu'elle perd en précision lorsque x s'éloigne de 1.

	x	De $L(x)$	Valeur exacte
$\sqrt{3,9}$	0,9	1,975	1,974 841 76...
$\sqrt{3,98}$	0,98	1,995	1,994 993 73...
$\sqrt{4}$	1	2	2,000 000 00...
$\sqrt{4,05}$	1,05	2,0125	2,012 461 17...
$\sqrt{4,1}$	1,1	2,025	2,024 845 67...
$\sqrt{5}$	2	2,25	2,236 067 97...
$\sqrt{6}$	3	2,5	2,449 489 74...

Dans quelle mesure l'approximation obtenue dans l'exemple 3.9.1 est-elle juste ? L'exemple suivant montre que l'on peut, à l'aide d'un outil graphique, déterminer un intervalle pour lequel cette approximation affine revêt une certaine précision désirée.

Exemple **3.9.2** Pour quelles valeurs de x l'approximation affine

$$\sqrt{x+3} \approx \frac{7}{4} + \frac{x}{4}$$

fournit-elle une précision à moins de 0,5 ? Pour quelles valeurs fournit-elle une précision à moins de 0,1 ?

Solution Une précision à moins de 0,5 signifie que les fonctions diffèrent de moins de 0,5 :

$$\left| \sqrt{x+3} - \left(\frac{7}{4} + \frac{x}{4} \right) \right| < 0,5.$$

On pourrait aussi écrire l'équivalence

$$\sqrt{x+3} - 0,5 < \frac{7}{4} + \frac{x}{4} < \sqrt{x+3} + 0,5.$$

Cette expression signifie que la fonction de linéarisation doit se situer entre les courbes obtenues par translation de $y = \sqrt{x+3}$ vers le haut et vers le bas de 0,5. La figure 3.9.3 montre la tangente $y = (7+x)/4$ et les points P et Q en lesquels elle coupe la courbe supérieure $y = \sqrt{x+3} + 0,5$. En zoomant vers l'avant sur la région et en utilisant le curseur, on estime l'abscisse de P à −2,66 et celle de Q à 8,66. Donc, d'après le graphique, l'approximation

$$\sqrt{x+3} \approx \frac{7}{4} + \frac{x}{4}$$

donne une précision à moins de 0,5 lorsque $-2,6 < x < 8,6$. (On a arrondi par précaution.)

De la même façon, la figure 3.9.4 indique que l'approximation est précise à moins de 0,1 lorsque $-1,1 < x < 3,9$.

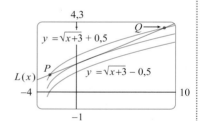

3.9.3 **FIGURE**

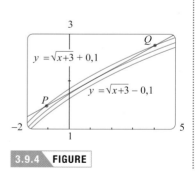

3.9.4 **FIGURE**

▶ Des applications en physique

La physique a souvent recours aux approximations affines. Pour pouvoir analyser les effets d'une équation, les physiciens doivent parfois simplifier une fonction en la remplaçant par sa linéarisation. Par exemple, dans la mise au point d'une formule de la période d'un pendule, ils posent d'abord l'expression $a_T = -g \sin \theta$ pour l'accélération tangentielle, puis remplacent $\sin \theta$ par θ en justifiant que $\sin \theta$ est très proche de θ lorsque θ n'est pas trop grand. On peut vérifier que la linéarisation de la fonction $f(x) \sin x$ en $a = 0$ est $L(x) = x$ et donc que l'approximation affine en 0 est

$$\sin x \approx x$$

(*voir l'exercice 43*). Ainsi, la simplification de la formule de la période d'un pendule utilise la linéarisation de la fonction sinus.

Autre exemple : en optique, les rayons lumineux peu inclinés sur l'axe optique sont appelés **rayons paraxiaux**. En optique paraxiale (ou gaussienne), tant $\sin \theta$ que $\cos \theta$ sont remplacés par leurs linéarisations. En d'autres termes, on utilise les approximations affines

$$\sin \theta \approx \theta \quad \text{et} \quad \cos \theta \approx 1$$

parce que l'angle d'incidence θ est proche de 0. Les résultats des calculs faits avec ces approximations en sont venus à servir de base théorique pour la conception des lentilles.

▶ Les différentielles

Les idées relatives aux approximations affines se formulent et se notent parfois en termes de différentielles.

Si $dx \neq 0$, on peut diviser les deux membres de l'égalité **3.9.3** par dx pour obtenir

$$\frac{dy}{dx} = f'(x).$$

On a déjà vu ce genre d'égalité, mais, maintenant, on peut véritablement interpréter le membre de gauche comme un quotient de deux différentielles.

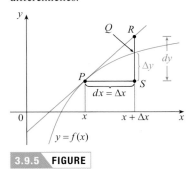

3.9.5 FIGURE

La figure 3.9.6 montre la fonction de l'exemple 3.9.3 et une comparaison de dy et Δy lorsque $a = 2$. La fenêtre de visualisation est de $[1,8 ; 2,5]$ sur $[6, 18]$.

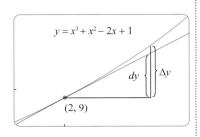

3.9.6 FIGURE

Si $y = f(x)$, où f est une fonction dérivable, alors la **différentielle** dx est une variable indépendante, c'est-à-dire qu'on peut attribuer à dx la valeur de n'importe quel nombre réel. La **différentielle** dy est alors définie en termes de dx par l'égalité

3.9.3
$$dy = f'(x)dx.$$

Dès lors, dy est une variable dépendante ; elle dépend des valeurs de x et de dx. Si l'on attribue à dx une certaine valeur et à x, un certain nombre du domaine de définition de f, la valeur numérique de dy s'en trouvera déterminée.

La figure 3.9.5 montre l'interprétation géométrique des différentielles. Soit $P(x, f(x))$ et $Q(x + \Delta x, f(x + \Delta x))$, des points sur le graphique de f, et $dx = \Delta x$. La variation correspondante de y est

$$\Delta y = f(x + \Delta x) - f(x).$$

La pente de la tangente PR est la dérivée $f'(x)$. La distance orientée de S à R est donc $f'(x)\, dx = dy$. Par conséquent, dy représente la mesure dans laquelle la tangente monte ou descend (la variation de la linéarisation), tandis que Δy représente la mesure dans laquelle la courbe $y = f(x)$ monte ou descend lorsque x varie de dx.

Exemple 3.9.3 Comparons les valeurs de Δy et de dy sachant que

$$y = f(x) = x^3 + x^2 - 2x + 1$$

et que x varie a) de 2 à 2,05 et b) de 2 à 2,01.

Solution

a) On a d'une part

$$f(2) = 2^3 + 2^2 - 2(2) + 1 = 9$$

$$f(2,05) = (2,05)^3 + (2,05)^2 - 2(2,05) + 1 = 9,717\,625$$

$$\Delta y = f(2,05) - f(2) = 0,717\,625$$

et, d'autre part,

$$dy = f'(x)\, dx = (3x^2 + 2x - 2)\, dx.$$

Ainsi, lorsque $x = 2$ et que $dx = \Delta x = 0,05$, l'égalité devient

$$dy = [3(2)^2 + 2(2) - 2]0,05 = 0,7.$$

b)
$$f(2,01) = (2,01)^3 + (2,01)^2 - 2(2,01) + 1 = 9,140\ 701$$

$$\Delta y = f(2,01) - f(2) = 0,140\ 701$$

Lorsque $dx = \Delta x = 0,01$,

$$dy = [3(2)^2 + 2(2) - 2]0,01 = 0,14.$$

▶ Erreurs d'approximation

On remarque, dans l'exemple 3.9.3, que l'approximation $\Delta y \approx dy$ s'améliore à mesure que Δx diminue. De même, dy a été plus facile à calculer que Δy. Pour des fonctions plus complexes, il peut s'avérer impossible d'effectuer un calcul exact de Δy. Dans ces cas-là, l'approximation par les différentielles est particulièrement utile.

Dans la notation des différentielles, l'approximation affine **3.9.1** peut s'écrire

$$f(a + dx) \approx f(a) + dy.$$

Ainsi, pour la fonction $f(x) = \sqrt{x + 3}$ de l'exemple 3.9.1, on a

$$dy = f'(x)dx$$

$$= \frac{dx}{2\sqrt{x + 3}}.$$

Si $a = 1$ et $dx = \Delta x = 0,05$, alors

$$dy = \frac{0,05}{2\sqrt{1 + 3}}$$

$$= 0,0125$$

et

$$\sqrt{4,05} = f(1,05) \approx f(1) + dy = 2,0125$$

comme le résultat obtenu dans l'exemple 3.9.1.

Dans les applications en sciences, lorsque deux grandeurs x et y sont reliées par une égalité $y = f(x)$, une erreur Δx de mesure de la grandeur x entraîne une erreur Δy sur la mesure de la grandeur y. On estime alors cette erreur avec la différentielle dy. Dans ce contexte, on parle du calcul de l'**erreur absolue** ou **relative** et de leur estimation quand f est dérivable. Le tableau 3.9.1 résume le rôle des valeurs Δy et dy dans l'évaluation et l'estimation de ces erreurs.

TABLEAU 3.9.1 ▶ **L'évaluation et l'estimation des erreurs absolue et relative**

	Évaluation	Estimation
Erreur absolue	$\Delta y = f(x + \Delta x) - f(x)$	$dy = f'(x)\,dx$
Erreur relative	$\dfrac{\Delta y}{y} = \dfrac{f(x + \Delta x) - f(x)}{f(x)}$	$\dfrac{dy}{y} = \dfrac{f'(x)\,dx}{f(x)}$

Le dernier exemple illustre l'utilité des différentielles pour estimer les erreurs qui découlent de mesures approximatives.

Exemple **3.9.4** La mesure du rayon d'une sphère est établi à 21 cm. Cette mesure comporte une erreur possible d'au plus 0,05 cm. Quelle est l'erreur maximale à prévoir dans le calcul du volume de la sphère à l'aide de cette mesure du rayon?

Solution Si le rayon de la sphère est r, alors son volume est $V = \frac{4}{3}\pi r^3$. Et si l'on désigne par $dr = \Delta r$ l'erreur de la valeur mesurée de r, alors l'erreur correspondante, dans le calcul de la valeur de V, sera ΔV, qu'on peut estimer par la différentielle

$$dV = 4\pi r^2 dr.$$

Pour $r = 21$ et $dr = 0{,}05$, la différentielle devient

$$dV = 4\pi (21)^2 \, 0{,}05 \approx 277.$$

Dans le calcul du volume, l'erreur maximale est d'environ 277 cm³.

NOTE L'erreur possible de l'exemple 3.9.4 paraît grande, mais on en aura une idée plus nette en considérant l'**erreur relative**, que l'on calcule en divisant l'erreur par le volume total :

$$\frac{\Delta V}{V} \approx \frac{dV}{V} = \frac{4\pi r^2 dr}{\frac{4}{3}\pi r^3} = 3\frac{dr}{r}.$$

Ainsi, l'erreur relative concernant le volume est environ le triple de celle de la mesure du rayon. Dans l'exemple 3.9.4, l'erreur relative sur le rayon est d'environ $dr/r = 0{,}05/21 \approx 0{,}0024$, ce qui entraîne une erreur relative de quelque 0,007 dans le calcul du volume. Exprimées en **pourcentages**, ces erreurs sont de 0,24 % pour le rayon et de 0,7 % pour le volume.

Exercices 3.9

1-5 Déterminez la linéarisation $L(x)$ de chaque fonction en a.

1. $f(x) = x^4 + 3x^2$, $a = -1$

▲ **2.** $f(x) = \sin x$, $a = \pi/6$

3. $f(x) = \sqrt{x}$, $a = 4$

4. $f(x) = x^{3/4}$, $a = 16$

5. $f(x) = 2^x$, $a = 0$

6. Trouvez l'approximation affine de la fonction $f(x) = \sqrt{1-x}$ en $a = 0$ et utilisez-la pour estimer les nombres $\sqrt{0{,}9}$ et $\sqrt{0{,}99}$. Pour illustrer votre réponse, représentez f et sa tangente dans un même graphique.

7. Trouvez l'approximation affine de la fonction $g(x) = \sqrt[3]{1+x}$ en $a = 0$ et utilisez-la pour estimer les nombres $\sqrt[3]{0{,}95}$ et $\sqrt[3]{1{,}1}$. Pour illustrer votre réponse, représentez g et sa tangente dans un même graphique.

8-11 Vérifiez l'approximation affine donnée en $a = 0$. Déterminez ensuite les valeurs de x pour lesquelles l'approximation est précise à moins de 0,1.

8. $\ln(1 + x) \approx x$

9. $(1 + x)^{-3} \approx 1 - 3x$

10. $\sqrt[4]{1 + 2x} \approx 1 + \frac{1}{2}x$

▲ **11.** $e^x \cos x = 1 + x$

12-15 Trouvez la différentielle dy de chaque fonction.

12. a) $y = xe^{-4x}$ b) $y = \sqrt{1 - t^4}$

13. a) $y = \dfrac{1 + 2u}{1 + 3u}$ ▲ b) $y = \theta^2 \sin 2\theta$

▲ **14.** a) $y = \tan\sqrt{t}$ b) $y = \dfrac{1 - v^2}{1 + v^2}$

▲ **15.** a) $y = \ln(\sin\theta)$ b) $y = \dfrac{e^x}{1 - e^x}$

16-19 a) Trouvez la différentielle dy et b) évaluez dy pour les valeurs données de x et de dx.

16. $y = e^{x/10}$, $x = 0$, $dx = 0{,}1$

▲ **17.** $y = \cos \pi x$, $x = \frac{1}{3}$, $dx = -0{,}02$

18. $y = \sqrt{3 + x^2}$, $x = 1$, $dx = -0{,}1$

19. $y = \dfrac{x + 1}{x - 1}$, $x = 2$, $dx = 0{,}05$

20-23 Calculez Δy et dy pour les valeurs données de x et $dx = \Delta x$. Esquissez ensuite un schéma comme celui de la figure 3.9.5 (*voir p. 267*), montrant les segments de longueurs dx, dy et Δy.

20. $y = x^2 - 4x$, $x = 3$, $\Delta x = 0{,}5$

21. $y = x - x^3$, $x = 0$, $\Delta x = -0{,}3$

22. $y = \sqrt{x - 2}$, $x = 3$, $\Delta x = 0{,}8$

23. $y = e^x$, $x = 0$, $\Delta x = 0{,}5$

24-29 Estimez le nombre donné à l'aide d'une approximation affine (ou de différentielles).

24. $(1{,}999)^4$

25. $e^{0{,}1}$

26. $\sqrt[3]{1001}$

27. $1/4{,}002$

28. $\sqrt{100{,}5}$

▲ **29.** $\cos 29°$

30-32 Expliquez, en termes d'approximations affines ou de différentielles, pourquoi l'approximation est raisonnable.

▲ 30. $\sec 0{,}08 \approx 1$

31. $\sqrt{4{,}02} \approx 2{,}005$

32. $\dfrac{1}{9{,}98} \approx 0{,}1002$

33. Soit

$$f(x) = (x-1)^2,$$
$$g(x) = e^{-2x}$$

et

$$h(x) = 1 + \ln(1-2x).$$

a) Trouvez les linéarisations de f, de g et de h en $a = 0$. Que remarquez-vous? Comment expliquez-vous vos observations?

b) Tracez les graphiques respectifs de f, de g et de h et leurs approximations affines. Pour quelle fonction l'approximation affine est-elle la meilleure? Pour laquelle est-elle la plus mauvaise? Expliquez vos réponses.

34. La mesure de l'arête d'un cube est établie à 30 cm, mais pourrait comporter une erreur de 0,1 cm. Au moyen des différentielles, estimez l'erreur maximale possible, l'erreur relative et le pourcentage d'erreur dans le calcul a) du volume du cube; b) de la surface du cube.

35. On établit à 24 cm la mesure du rayon d'un disque et à 0,2 cm l'erreur maximale de mesure.
a) Au moyen des différentielles, estimez l'erreur maximale dans le calcul de l'aire du disque.
b) Quelle est l'erreur relative? Quel est le pourcentage d'erreur?

36. On établit à 84 cm la circonférence d'une sphère et à 0,5 cm l'erreur possible.
a) Au moyen des différentielles, estimez l'erreur maximale dans le calcul de la surface de la sphère. Quelle est l'erreur relative?
b) Au moyen des différentielles, estimez l'erreur maximale dans le calcul du volume de la sphère. Quelle est l'erreur relative?

37. Au moyen des différentielles, estimez la quantité de peinture qu'il faut pour couvrir un dôme hémisphérique de 50 m de diamètre d'une couche de 0,05 cm d'épaisseur.

38. a) Utilisez les différentielles pour trouver une formule du volume approximatif d'une fine coquille cylindrique de hauteur h, de rayon intérieur r et d'épaisseur Δr.
b) Quelle erreur comporte la formule en a)?

▲ 39. Soit un triangle rectangle dont un côté mesure 20 cm de longueur et l'angle qui lui est opposé, 30° à ±1° près.
a) Au moyen des différentielles, estimez l'erreur dans le calcul de la longueur de l'hypoténuse.
b) Quel est le pourcentage d'erreur?

40. Pour un courant I passant par un conducteur de résistance R, la loi d'Ohm dit que la chute de tension est donnée par $V = RI$. Sachant que V est une constante et que la mesure de R comporte une certaine erreur, utilisez les différentielles pour montrer que l'erreur relative, dans le calcul de I, est à peu près égale (en valeur absolue) à l'erreur relative sur R.

41. Lorsque le sang circule dans un vaisseau sanguin, le flux F (le volume de sang qui traverse une aire donnée pendant l'unité de temps) est proportionnel à la quatrième puissance du rayon R du vaisseau:

$$F = kR^4$$

(il s'agit de la loi de Poiseuille). On peut dilater une artère partiellement bouchée en pratiquant une angioplastie, opération par laquelle un cathéter terminé par un ballonnet est gonflé à l'intérieur de l'artère afin d'élargir cette dernière et de rétablir la circulation normale. Montrez que la variation relative de F est environ quatre fois supérieure à la variation relative de R. Quel sera l'effet sur la circulation d'une augmentation de 5% du rayon?

42. Faites la preuve des règles suivantes d'utilisation des différentielles (où c désigne une constante et où u et v sont des fonctions de x).
a) $dc = 0$ b) $d(cu) = c\,du$
c) $d(u+v) = du + dv$ d) $d(uv) = u\,dv + v\,du$
e) $d\left(\dfrac{u}{v}\right) = \dfrac{v\,du - u\,dv}{v^2}$ f) $d(x^n) = nx^{n-1}\,dx$

▲ 43. Dans le développement permettant d'établir la formule $T = 2\pi\sqrt{L/g}$ de la période d'un pendule de longueur L, on a posé l'égalité $a_T = -g\sin\theta$ pour l'accélération tangentielle de la masse du pendule. L'argument évoqué pour ce faire a été le suivant: «Pour les petits angles, la valeur de θ en radians est très proche de la valeur de $\sin\theta$; jusqu'à 20°, ces valeurs diffèrent de moins de 2%.»
a) Vérifiez que l'approximation affine de la fonction sinus en 0 est

$$\sin x \approx x.$$

b) Au moyen d'un outil graphique, déterminez les valeurs de x pour lesquelles $\sin x$ et x diffèrent de moins de 2%. Montrez ensuite la justesse de l'argument évoqué en convertissant les radians en degrés.

44. Supposez que la seule information qu'on a sur une fonction f est que $f(1) = 5$ et que le graphique de sa dérivée est celui que montre la figure ci-dessous.

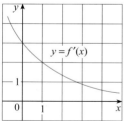

a) Au moyen d'une approximation affine, estimez $f(0{,}9)$ et $f(1{,}1)$.
b) Vos estimations en a) sont-elles trop grandes ou trop petites? Justifiez votre réponse.

45. Supposez qu'on ne connaît pas la formule de $g(x)$, mais qu'on sait que $g(2) = -4$ et que $g'(x) = \sqrt{x^2 + 5}$ pour toutes les valeurs de x.
a) Au moyen d'une approximation affine, estimez $g(1{,}95)$ et $g(2{,}05)$.
b) Vos estimations en a) sont-elles trop grandes ou trop petites? Justifiez votre réponse.

◼ PROJET DE LABORATOIRE

⊞ ## Les polynômes de Taylor

L'approximation affine tangente $L(x)$ est la meilleure approximation du premier degré de $f(x)$ au voisinage de $x = a$ parce que $f(x)$ et $L(x)$ ont le même taux de variation (ou la même dérivée) en a. Afin d'améliorer cette approximation, on peut essayer une approximation du second degré (ou quadratique) $P(x)$. Il s'agit d'approcher une courbe par une parabole plutôt que par une droite. Pour que l'approximation soit bonne, il faudra que :

i) $P(a) = f(a)$ (P et f doivent avoir la même valeur en a.)

ii) $P'(a) = f'(a)$ (P et f doivent avoir le même taux de variation en a.)

iii) $P''(a) = f''(a)$ (Les pentes de P et de f doivent avoir le même taux de variation en a.)

1. Trouvez l'approximation quadratique $P(x) = A + Bx + Cx^2$ de la fonction $f(x) = \cos x$ qui satisfait aux conditions i), ii) et iii) en $a = 0$. Dans un même graphique, tracez P, f et l'approximation affine $L(x) = 1$. Commentez la justesse avec laquelle les fonctions P et L approchent la fonction f.

2. Déterminez les valeurs de x pour lesquelles l'approximation quadratique $f(x) \approx P(x)$ obtenue à l'étape 1 est précise à 0,1 près. (*Conseil* : Représentez $y = P(x)$, $y = \cos x - 0,1$ et $y = \cos x + 0,1$ dans un même graphique.)

3. Pour approcher une fonction f par une fonction du second degré P au voisinage d'un nombre a, il est préférable d'exprimer P dans la forme

$$P(x) = A + B(x - a) + C(x - a)^2.$$

Montrez que la fonction du second degré qui satisfait aux conditions i), ii) et iii) est

$$P(x) = f(a) + f'(a)(x - a) + \frac{1}{2} f''(a)(x - a)^2.$$

4. Trouvez l'approximation quadratique de $f(x) = \sqrt{x + 3}$ au voisinage de $a = 1$. Sur le même graphique, représentez f, l'approximation quadratique et l'approximation affine de l'exemple 3.9.2 (*voir p. 266*). Quelles conclusions en tirez-vous ?

5. Trouvant insatisfaisantes les approximations du premier ou du second degré de $f(x)$ au voisinage de $x = a$, vous tentez d'en obtenir de meilleures au moyen de polynômes de degré supérieur. Vous cherchez un polynôme de degré n

$$T_n(x) = c_0 + c_1(x - a) + c_2(x - a)^2 + c_3(x - a)^3 + \cdots + c_n(x - a)^n$$

tel que T_n et ses n premières dérivées auront les mêmes valeurs en $x = a$ que f et ses n premières dérivées. En calculant les dérivées successives en $x = a$, montrez que ces conditions sont satisfaites si $c_0 = f(a)$, $c_1 = f'(a)$, $c_2 = \frac{1}{2} f''(a)$ et, de manière générale, si

$$c_k = \frac{f^{(k)}(a)}{k!}$$

où $k! = 1 \times 2 \times 3 \times 4 \times \cdots \times k$. Le polynôme

$$T_n(x) = f(a) + f'(a)(x - a) + \frac{f''(a)}{2!}(x - a)^2 + \cdots + \frac{f^{(n)}(a)}{n!}(x - a)^n$$

qui en résulte s'appelle le **polynôme de Taylor de degré n de f centré en a**.

6. Trouvez le polynôme de Taylor de degré 8 centré en $a = 0$ de la fonction $f(x) = \cos x$. Dans un même graphique, tracez f et les polynômes de Taylor T_2, T_4, T_6, T_8 dans la fenêtre $[-5, 5]$ sur $[-1,4 ; 1,4]$ et commentez la justesse de leur approximation de f.

La dérivation

Les propriétés (si *f* et *g* sont deux fonctions dérivables)

P1. $[cf(x)]' = cf'(x)$ **P2.** $[f(x) \pm g(x)]' = f'(x) \pm g'(x)$

P3. $[f(x)\,g(x)]' = f'(x)\,g(x) + f(x)\,g'(x)$ **P4.** $\left[\dfrac{f(x)}{g(x)}\right]' = \dfrac{f'(x)g(x) - f(x)g'(x)}{\left[g(x)\right]^2}$

$$\text{si } g(x) \neq 0$$

P5. $\left[f\big(g(x)\big)\right]' = f'\big(g(x)\big)g'(x)$

Les règles (si *u* est une fonction dérivable de *x*)

1. $(c)' = 0$ **2.** $(x)' = 1$ **3.** $(u^n)' = nu^{n-1}u'$

4. $(e^u)' = e^u u'$ **5.** $(a^u)' = a^u \ln(a)\,u'$ **6.** $(\ln u)' = \dfrac{1}{u}u'$

7. $(\log_a u)' = \dfrac{1}{u\ln a}u'$ **8.** $(\sin u)' = \cos(u)\,u'$ **9.** $(\cos u)' = -\sin(u)\,u'$

10. $(\tan u)' = \sec^2(u)\,u'$ **11.** $(\csc u)' = -\csc(u)\cot(u)\,u'$ **12.** $(\sec u)' = \sec(u)\tan(u)\,u'$

13. $(\cot u)' = -\csc^2(u)\,u'$ **14.** $(\arcsin u)' = \dfrac{1}{\sqrt{1-u^2}}u'$ **15.** $(\arccos u)' = \dfrac{-1}{\sqrt{1-u^2}}u'$

16. $(\arctan u)' = \dfrac{1}{1+u^2}u'$ **17.** $(\text{arccot}\, u)' = \dfrac{-1}{1+u^2}u'$ **18.** $(\text{arcsec}\, u)' = \dfrac{1}{u\sqrt{u^2-1}}u'$

19. $(\text{arccsc}\, u)' = \dfrac{-1}{u\sqrt{u^2-1}}u'$

La dérivation implicite

Comment calculer la dérivée d'une fonction définie implicitement?

Réponse: On applique les mêmes règles que d'habitude!

Démarche	Fonction définie implicitement	Fonction explicite
1. On démarre avec l'expression telle qu'elle est.	$F(x, y) = G(x, y)$ Les variables *x* et *y* peuvent être trouvées de chaque côté. Il peut y avoir des opérations algébriques sur *y*.	$y = f(x)$ Chaque variable est de son côté et il n'y a aucune opération algébrique sur *y*.
2. On dérive de chaque côté.	$\dfrac{d}{dx}\big(F(x, y)\big) = \dfrac{d}{dx}\big(G(x, y)\big)$ On trouve *y* des deux côtés de l'égalité, mais on dérive par rapport à *x* et non à *y* qui, lui, dépend de *x*. Les opérations algébriques sur *y* correspondent alors aux opérations sur *u* de la table de dérivation. Il faut ainsi utiliser la dérivation en chaîne.	$\dfrac{d}{dx}(y) = \dfrac{d}{dx}\big(f(x)\big)$ À gauche, il n'y a rien à faire, car *y* est seule et il n'y a pas d'opération algébrique à dériver.
3. On isole $\dfrac{dy}{dx}$ dans l'équation résultante.	$\dfrac{dy}{dx} = \underbrace{\cdots}_{\text{possiblement des } x \text{ et } y}$	$\underbrace{\dfrac{dy}{dx}}_{\text{déjà isolé}} = \underbrace{\dfrac{d}{dx}\big(f(x)\big)}_{\text{seulement } x}$

La dérivation logarithmique

Étapes de la dérivation logarithmique	
1. On débute avec…	$y = f(x)$
2. On prend les logarithmes naturels des deux membres de l'équation.	$\ln(y) = \ln\big(f(x)\big)$
3. IMPORTANT : Il faut développer $\ln\big(f(x)\big)$ au moyen des propriétés des logarithmes : $\ln(ab) = \ln(a) + \ln(b)$, $\ln\left(\dfrac{a}{b}\right) = \ln(a) - \ln(b)$, $\ln(a^b) = b\ln(a)$.	$\ln(y) = \underbrace{\ln\big(f(x)\big)}_{\substack{\text{développer avec les} \\ \text{propriétés des logarithmes}}}$
4. On dérive implicitement chaque membre par rapport à x.	$\dfrac{d}{dx}\big(\ln(y)\big)\bigg| = \dfrac{d}{dx}\underbrace{\Big(\ln\big(f(x)\big)\Big)}_{\substack{\text{développer avec les propriétés} \\ \text{des logarithmes \textbf{avant} de dériver}}}$ $\dfrac{1}{y}\dfrac{dy}{dx}\bigg| = \dfrac{d}{dx}\underbrace{\Big(\ln\big(f(x)\big)\Big)}_{\substack{\text{développer avec les propriétés} \\ \text{des logarithmes \textbf{avant} de dériver}}}$
5. On résout l'équation obtenue par rapport à y'.	$\dfrac{dy}{dx}\bigg| = y\dfrac{d}{dx}\underbrace{\Big(\ln\big(f(x)\big)\Big)}_{\substack{\text{développer avec les propriétés} \\ \text{des logarithmes \textbf{avant} de dériver}}}$ $\dfrac{dy}{dx}\bigg| = f(x)\dfrac{d}{dx}\underbrace{\Big(\ln\big(f(x)\big)\Big)}_{\substack{\text{développer avec les propriétés} \\ \text{des logarithmes \textbf{avant} de dériver}}}$

Les taux liés

Démarche de résolution du problème

1. Lire attentivement l'énoncé :
   a) Identifier tout ce qui est quantitatif ;
   b) Identifier les relations entre ces quantités ;
   c) Identifier exactement ce que l'on cherche.

2. Représenter la situation par un schéma si possible :
   a) Si possible, situer toutes les variables sur le schéma ;
   b) Pour identifier une position, on a besoin d'un système d'axes, et pour une longueur, il faut indiquer où elle commence et où elle finit sur le schéma ;
   c) Attribuer des valeurs **seulement** aux quantités qui ne varient jamais.

3. Identifier les variables :
   a) Identifier la variable indépendante et lui assigner un symbole (comme t pour le temps) ;
   b) Assigner aussi des symboles à toutes les quantités variables qui dépendent de la variable indépendante (utiliser des lettres signifiantes) ;
   c) Identifier précisément la signification de chaque variable avec ses unités de mesure.

4. Identifier les taux connus et le taux recherché.
Exprimer ces taux en termes de dérivées avec la notation de Leibniz.

5. Trouver une équation qui relie les variables des taux connus et du taux recherché (aucune autre) :
   a) **Éliminer** les variables additionnelles par substitution ;
   b) N'attribuer **aucune** valeur numérique aux variables ;
   c) **Il n'est pas nécessaire** d'isoler la variable du taux recherché. Laisser l'égalité sous sa forme la plus simple à dériver et simplifier.

6. Dériver les deux membres de l'équation par rapport à la variable indépendante et isoler le taux recherché :
   a) Utiliser la dérivation en chaîne et la notation de Leibniz ;
   b) Isoler le taux recherché. Il s'écrit à la gauche de l'égalité.

7. Évaluer le taux recherché :
   a) Substituer les informations données (celles qu'il ne fallait pas utiliser avant !) dans l'équation des taux liés obtenue ;
   b) Cela nécessite parfois le calcul de valeurs auxiliaires.

8. Interpréter le résultat.
Écrire un énoncé qui répond exactement à la question.

L'approximation affine (linéarisation)

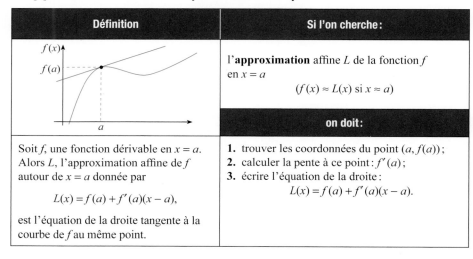

Définition	**Si l'on cherche :**
	l'**approximation** affine L de la fonction f en $x = a$ $(f(x) \approx L(x)$ si $x \approx a)$
	on doit :
Soit f, une fonction dérivable en $x = a$. Alors L, l'approximation affine de f autour de $x = a$ donnée par $L(x) = f(a) + f'(a)(x - a)$, est l'équation de la droite tangente à la courbe de f au même point.	1. trouver les coordonnées du point $(a, f(a))$; 2. calculer la pente à ce point : $f'(a)$; 3. écrire l'équation de la droite : $\qquad L(x) = f(a) + f'(a)(x - a)$.

La différentielle

Si f est dérivable et Δx est un nombre réel non nul, alors les différentielles dx et dy sont définies par $dx = \Delta x$ et $dy = f'(x)\, dx$.

NOTE

- Δy est la variation de la fonction de x à $x + \Delta x$.
- dy est la variation de la droite tangente de x à $x + \Delta x$.

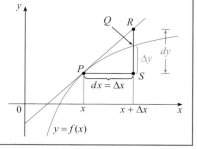

L'estimation d'une fonction

Il s'agit de l'estimation de $f(x^*)$, connaissant $f(a)$, par la différentielle et la linéarisation.

Par la différentielle		Par linéarisation
1. Calculer la différentielle dx: $dx = x^* - a$. 2. Calculer la différentielle dy: $dy = f'(a)\,dx$. 3. L'estimation de la valeur $f(x^*)$ est donnée par: $f(x^*) = f(a + dx) \approx f(a) + dy$.	$f(a + dx) = f(x^*)$ $L(a + dx) = L(x^*)$ $f(a)$ $dy = f'(a)dx$ $dx = \Delta x = x^* - a$ a x^* $a + dx$	1. Évaluer la fonction, $f(a)$, et la dérivée $f'(a)$. 2. Trouver l'équation de la droite tangente à la courbe en $x = a$: $L(x) = f(a) + f'(a)(x - a)$. 3. L'estimation de la valeur $f(x^*)$ est donnée par: $f(x^*) \approx L(x^*) = f(a) + f'(a)(x^* - a)$.

Révision

Compréhension des concepts

1. Énoncez chaque règle de dérivation en notation symbolique (de Lagrange, de Leibniz) et en toutes lettres.
   a) La règle de dérivation d'une puissance
   b) La règle de dérivation du produit par une constante
   c) La règle de dérivation d'une somme
   d) La règle de dérivation d'une différence
   e) La règle de dérivation d'un produit
   f) La règle de dérivation d'un quotient
   g) La règle de dérivation en chaîne

2. Trouvez la dérivée de chaque fonction.
   a) $y = x^n$ b) $y = e^x$ c) $y = a^x$
   d) $y = \ln x$ e) $y = \log_a x$ f) $y = \sin x$
   g) $y = \cos x$ h) $y = \tan x$ i) $y = \csc x$
   j) $y = \sec x$ k) $y = \cot x$ l) $y = \arcsin x$
   m) $y = \arccos x$ n) $y = \arctan x$

3. a) Le nombre e a été défini pour résoudre un problème. Lequel?
   b) Définissez e en termes de limite.
   c) Pourquoi, en calcul différentiel et intégral, utilise-t-on la fonction exponentielle naturelle $y = e^x$ plus souvent que les autres fonctions exponentielles $y = b^x$ ($b \neq e$)?

d) Pourquoi, en calcul différentiel et intégral, utilise-t-on plus souvent la fonction logarithme $y = \ln x$ que les autres fonctions logarithmes $y = \log_b x$ ($b \neq e$)?

4. a) Expliquez la démarche de dérivation implicite.
   b) Expliquez la démarche de dérivation logarithmique.

5. Donnez des exemples d'interprétation de la dérivée comme taux de variation en physique, en chimie, en biologie, en économie ou dans d'autres sciences.

6. a) Écrivez une équation différentielle exprimant la loi de croissance naturelle.
   b) Dans quelles circonstances cette équation modélise-t-elle convenablement la croissance démographique?
   c) Quelles sont les solutions de cette équation?

7. a) Écrivez une expression de la linéarisation de f en a.
   b) Sachant que $y = f(x)$, donnez une expression de la différentielle dy.
   c) Sachant que $dx = \Delta x$, faites un croquis montrant les significations géométriques de Δy et de dy.

Vrai ou faux

Déterminez si la proposition est vraie ou fausse. Si elle est vraie, expliquez pourquoi. Si elle est fausse, expliquez pourquoi ou réfutez-la au moyen d'un exemple.

1. Si f et g sont dérivables, alors
$$\frac{d}{dx}[f(x) + g(x)] = f'(x) + g'(x).$$

2. Si f et g sont dérivables, alors
$$\frac{d}{dx}[f(x)g(x)] = f'(x)g'(x).$$

3. Si f et g sont dérivables, alors
$$\frac{d}{dx}[f(g(x))] = f'(g(x))g'(x).$$

4. Si f est dérivable, alors $\dfrac{d}{dx}\sqrt{f(x)} = \dfrac{f'(x)}{2\sqrt{f(x)}}$.

5. Si f est dérivable, alors $\dfrac{d}{dx}f(\sqrt{x}) = \dfrac{f'(x)}{2\sqrt{x}}$.

6. Si $y = e^2$, alors $y' = 2e$.

7. $\dfrac{d}{dx}(10^x) = x10^{x-1}$

8. $\dfrac{d}{dx}(\ln 10) = \dfrac{1}{10}$

9. $\dfrac{d}{dx}(\tan^2 x) = \dfrac{d}{dx}(\sec^2 x)$

10. $\dfrac{d}{dx}|x^2 + x| = |2x + 1|$

11. La dérivée d'un polynôme est un polynôme.

12. Si $f(x) = (x^6 - x^4)^5$, alors $f^{(31)}(x) = 0$.

13. La dérivée d'une fonction rationnelle est une fonction rationnelle.

14. L'équation de la tangente à la parabole $y = x^2$ en $(-2, 4)$ est $y - 4 = 2x(x + 2)$.

15. Si $g(x) = x^5$, alors $\displaystyle\lim_{x \to 2} \dfrac{g(x) - g(2)}{x - 2} = 80$.

Exercices récapitulatifs

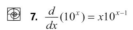 **1-50** Calculez y'.

1. $y = (x^2 + x^3)^4$

2. $y = \dfrac{1}{\sqrt{x}} - \dfrac{1}{\sqrt[5]{x^3}}$

3. $y = \dfrac{x^2 - x + 2}{\sqrt{x}}$

4. $y = \dfrac{\tan x}{1 + \cos x}$

5. $y = x^2 \sin \pi x$

6. $y = x \arccos x$

7. $y = \dfrac{t^4 - 1}{t^4 + 1}$

8. $xe^y = y \sin x$

9. $y = \ln(x \ln x)$

10. $y = e^{mx} \cos nx$, (m et n sont des constantes)

11. $y = \sqrt{x} \cos \sqrt{x}$

12. $y = (\arcsin 2x)^2$

13. $y = \dfrac{e^{1/x}}{x^2}$

14. $y = \ln \sec x$

15. $y + x \cos y = x^2 y$

16. $y = \left(\dfrac{u - 1}{u^2 + u + 1} \right)^4$

17. $y = \sqrt{\arctan x}$

18. $y = \cot(\csc x)$

19. $y = \tan\left(\dfrac{t}{1 + t^2} \right)$

20. $y = e^{x \sec x}$

21. $y = 3^{x \ln x}$

22. $y = \sec(1 + x^2)$

23. $y = (1 - x^{-1})^{-1}$

24. $y = 1/\sqrt[3]{x + \sqrt{x}}$

25. $\sin(xy) = x^2 - y$

26. $y = \sqrt{\sin \sqrt{x}}$

27. $y = \log_5(1 + 2x)$

28. $y = (\cos x)^x$

29. $y = \ln \sin x - \dfrac{1}{2} \sin^2 x$

30. $y = \dfrac{(x^2 + 1)^4}{(2x + 1)^3 (3x - 1)^5}$

31. $y = x \arctan(4x)$

32. $y = e^{\cos x} + \cos(e^x)$

33. $y = \ln|\sec 5x + \tan 5x|$

34. $y = 10^{\tan \pi \theta}$

35. $y = \cot(3x^2 + 5)$

36. $y = \sqrt{t \ln(t^4)}$

37. $y = \sin(\tan \sqrt{1 + x^3})$

38. $y = \arctan(\arcsin \sqrt{x})$

39. $y = \tan^2(\sin \theta)$

40. $xe^y = y - 1$

41. $y = \dfrac{\sqrt{x + 1}(2 - x)^5}{(x + 3)^7}$

42. $y = \dfrac{(x + \lambda)^4}{x^4 + \lambda^4}$, ($\lambda$ est une constante)

43. $y = \dfrac{\sin mx}{x}$, (m est une constante)

44. $y = \ln\left| \dfrac{x^2 - 4}{2x + 5} \right|$

45. $y = \cos(e^{\sqrt{\tan 3x}})$

46. $y = \sin^2(\cos \sqrt{\sin \pi x})$

47. Sachant que $f(t) = \sqrt{4t + 1}$, trouvez $f''(2)$.

48. Sachant que $g(\theta) = \theta \sin \theta$, trouvez $g''(\pi/6)$.

49. Trouvez y'' sachant que $x^6 + y^6 = 1$.

50. Trouvez $f^{(n)}(x)$ sachant que $f(x) = 1/(2 - x)$.

51. Au moyen du raisonnement par induction (*voir la page 93*), montrez que, si $f(x) = xe^x$, alors $f^{(n)}(x) = (x + n)e^x$.

52. Évaluez $\displaystyle\lim_{t \to 0} \dfrac{t^3}{\tan^3(2t)}$.

53-55 Trouvez l'équation de la tangente à la courbe au point donné.

53. $y = 4 \sin^2 x$, $(\pi/6, 1)$

54. $y = \dfrac{x^2 - 1}{x^2 + 1}$, $(0, -1)$

55. $y = \sqrt{1 + 4 \sin x}$, $(0, 1)$

56-57 Trouvez les équations de la tangente et de la normale à la courbe au point donné.

56. $x^2 + 4xy + y^2 = 13$, $(2, 1)$

57. $y = (2 + x)e^{-x}$, $(0, 2)$

58. Sachant que $f(x) = xe^{\sin x}$, trouvez $f'(x)$. Représentez f et f' dans un même graphique et commentez le résultat obtenu.

59. a) Sachant que $f(x) = x\sqrt{5 - x}$, trouvez $f'(x)$.

b) Trouvez les équations des tangentes à la courbe $y = x\sqrt{5 - x}$ aux points $(1, 2)$ et $(4, 4)$.

c) Illustrez votre réponse en b) en traçant la courbe et ses tangentes dans un même graphique.

d) Pour vérifier la vraisemblance de votre réponse en a), comparez les graphiques de f et de f'.

60. a) Sachant que $f(x) = 4x - \tan x$, $-\pi/2 < x < \pi/2$, trouvez f' et f''.

b) Pour vérifier la vraisemblance de vos réponses en a), comparez les graphiques respectifs de f, de f' et de f''.

61. En quels points de la courbe $y = \sin x + \cos x$, $0 \le x \le 2\pi$ la tangente est-elle horizontale ?

62. En quels points de l'ellipse $x^2 + 2y^2 = 1$ la tangente est-elle de pente 1 ?

63. Montrez que, si $f(x) = (x - a)(x - b)(x - c)$, alors

$$\dfrac{f'(x)}{f(x)} = \dfrac{1}{x - a} + \dfrac{1}{x - b} + \dfrac{1}{x - c}.$$

▲ **64.** a) Par dérivation de la formule de l'angle double

$$\cos 2x = \cos^2 x - \sin^2 x,$$

trouvez la formule de l'angle double pour la fonction sinus.

b) Par dérivation de la formule d'addition

$$\sin(x + a) = \sin x \cos a + \cos x \sin a,$$

trouvez la formule d'addition pour la fonction cosinus.

65. Supposons que

$$f(1) = 2 \qquad f'(1) = 3 \qquad f(2) = 1 \qquad f'(2) = 2$$
$$g(1) = 3 \qquad g'(1) = 1 \qquad g(2) = 1 \qquad g'(2) = 4$$

a) Si $S(x) = f(x) + g(x)$, trouvez $S'(1)$.
b) Si $P(x) = f(x) g(x)$, trouvez $P'(2)$.
c) Si $Q(x) = f(x)/g(x)$, trouvez $Q'(1)$.
d) Si $C(x) = f(g(x))$, trouvez $C'(2)$.

66. La figure ci-dessous montre les graphiques de f et de g, et on pose $P(x) = f(x)g(x)$, $Q(x) = f(x)/g(x)$ et $C(x) = f(g(x))$. Trouvez a) $P'(2)$, b) $Q'(2)$ et c) $C'(2)$.

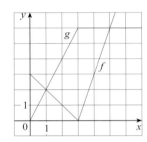

67-74 Exprimez f' en termes de g'.

67. $f(x) = x^2 g(x)$
68. $f(x) = g(x^2)$
69. $f(x) = [g(x)]^2$
70. $f(x) = g(g(x))$
71. $f(x) = g(e^x)$
72. $f(x) = e^{g(x)}$
73. $f(x) = \ln|g(x)|$
74. $f(x) = g(\ln x)$

75-77 Exprimez h' en termes de f' et de g'.

75. $h(x) = \dfrac{f(x)g(x)}{f(x) + g(x)}$

76. $h(x) = \sqrt{\dfrac{f(x)}{g(x)}}$

▲ **77.** $h(x) = f(g(\sin 4x))$

78. a) Tracez le graphique de la fonction $f(x) = x - 2 \sin x$ dans le rectangle [0, 8] sur [−2, 8].
b) Sur quel intervalle le taux de variation moyen est-il le plus grand : [1, 2] ou [2, 3]?
c) Pour quelle valeur de x le taux de variation instantané est-il le plus grand : $x = 2$ ou $x = 5$?
d) Pour vérifier vos estimations visuelles en c), calculez $f'(x)$ et comparez les valeurs numériques de $f'(2)$ et de $f'(5)$.

79. En quel point de la courbe $y = [\ln(x + 4)]^2$ la tangente est-elle horizontale?

80. a) Trouvez l'équation de la tangente à la courbe $y = e^x$ qui est parallèle à la droite $x - 4y = 1$.

b) Trouvez l'équation de la tangente à la courbe $y = e^x$ qui passe par l'origine.

81. Trouvez une parabole $y = ax^2 + bx + c$ qui passe par le point (1, 4) et dont les tangentes en $x = -1$ et en $x = 5$ sont respectivement de pentes 6 et −2.

82. La fonction

$$C(t) = K(e^{-at} - e^{-bt})$$

où a, b et K sont des constantes positives et où $b > a$, sert à modéliser la concentration, au moment t, d'un médicament injecté dans le sang.
a) Montrez que $\lim\limits_{t \to \infty} C(t) = 0$.
b) Trouvez $C'(t)$, la vitesse à laquelle la circulation sanguine élimine le médicament.
c) Quand cette vitesse est-elle nulle?

▲ **83.** Une équation du mouvement de la forme

$$s = Ae^{-ct} \cos(\omega t + \delta)$$

représente l'oscillation amortie d'un objet. Trouvez la vitesse et l'accélération de cet objet.

84. Une particule se déplace le long d'une droite horizontale de manière que sa coordonnée au moment t est $x = \sqrt{b^2 + c^2 t^2}$, $t \ge 0$, où b et c sont des constantes positives.
a) Trouvez les fonctions vitesse et accélération.
b) Montrez que la particule se déplace toujours dans la direction positive.

85. Une particule se déplace sur une droite verticale de manière que sa coordonnée au moment t est $y = t^3 - 12t + 3$, $t \ge 0$.
a) Trouvez les fonctions vitesse et accélération.
b) Quand la particule se déplace-t-elle vers le haut, et quand se déplace-t-elle vers le bas?
c) Déterminez la distance parcourue par la particule durant l'intervalle $0 \le t \le 3$.
d) Tracez les graphiques des fonctions position, vitesse et accélération pour $0 \le t \le 3$.
e) Quand la particule accélère-t-elle? Quand ralentit-elle?

86. Le volume d'un cône circulaire droit est donné par

$$V = \tfrac{1}{3} \pi r^2 h$$

où r est le rayon de la base et h, la hauteur.
a) Trouvez le taux de variation du volume par rapport à la hauteur si le rayon est constant.
b) Trouvez le taux de variation du volume par rapport au rayon si la hauteur est constante.

87. La masse d'une partie d'un fil métallique est $x(1 + \sqrt{x})$ kilogrammes, où x est mesuré en mètres depuis une extrémité du fil. Trouvez la densité linéaire du fil lorsque $x = 4$ m.

88. Le coût de fabrication, en dollars, de x unités d'un certain bien est donné par

$$C(x) = 920 + 2x - 0,02x^2 + 0,000\,07x^3.$$

a) Trouvez la fonction de coût marginal.
b) Calculez $C'(100)$ et expliquez sa signification.
c) Comparez $C'(100)$ avec le coût de fabrication de la 101e unité.

89. Le volume d'un cube augmente de 10 cm³/min. À quelle vitesse la surface du cube augmente-t-elle lorsqu'une arête mesure 30 cm de longueur?

90. Un gobelet en papier en forme de cône mesure 10 cm de hauteur et 3 cm de rayon (au bord supérieur). Si l'on remplit le gobelet d'eau à raison de 2 cm³/s, à quelle vitesse le niveau d'eau monte-t-il au moment où il est de 5 cm?

91. Un ballon s'élève à la vitesse constante de 2 m/s. Un garçon à bicyclette roule à 6 m/s sur une route rectiligne. Lorsqu'il passe sous le ballon, celui-ci se trouve 18 m plus haut. À quelle vitesse la distance entre le garçon et le ballon augmente-t-elle 3 s plus tard?

92. Une skieuse nautique franchit le tremplin montré dans la figure à 10 m/s. À quelle vitesse s'élève-t-elle au moment où elle quitte le tremplin?

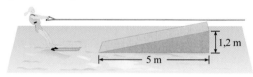

93. L'angle d'élévation du Soleil décroît à la vitesse de 0,25 rad/h. À quelle vitesse l'ombre projetée par un édifice de 400 m de hauteur s'allonge-t-elle lorsque l'angle d'élévation du Soleil mesure $\pi/6$ rad?

94. a) Trouvez la linéarisation de
$$f(x) = \sqrt{25 - x^2}$$
au voisinage de 3.
b) Pour illustrer votre réponse en a), représentez f et sa linéarisation.
c) Pour quelles valeurs de x l'approximation affine est-elle précise à 0,1 près?

95. a) Trouvez la linéarisation de
$$f(x) = \sqrt[3]{1 + 3x}$$
en $a = 0$. Déterminez l'approximation affine correspondante et utilisez-la pour estimer $\sqrt[3]{1,03}$.
b) Déterminez les valeurs de x pour lesquelles l'approximation affine obtenue en a) est précise à 0,1 près.

96. Évaluez dy sachant que $y = x^3 - 2x^2 + 1$, $x = 2$ et $dx = 0,2$.

97. Une fenêtre a la forme d'un carré surmonté d'un demi-cercle. La mesure de la largeur de la fenêtre a donné 60 cm. Cette mesure comporte une erreur possible de 0,1 cm. Au moyen des différentielles, estimez l'erreur maximale possible dans le calcul de l'aire de la fenêtre.

98-100 Exprimez la limite comme une dérivée et évaluez-la.

98. $\displaystyle\lim_{x \to 1} \frac{x^{17} - 1}{x - 1}$

99. $\displaystyle\lim_{h \to 0} \frac{\sqrt[4]{16 + h} - 2}{h}$

▲ **100.** $\displaystyle\lim_{\theta \to \pi/3} \frac{\cos\theta - 0,5}{\theta - \pi/3}$

▲ **101.** Évaluez $\displaystyle\lim_{x \to 0} \frac{\sqrt{1 + \tan x} - \sqrt{1 + \sin x}}{x^3}$.

102. Soit f, une fonction dérivable telle que $f(g(x)) = x$ et $f'(x) = 1 + [f(x)]^2$. Montrez que $g'(x) = 1/(1 + x^2)$.

103. Trouvez $f'(x)$ sachant que
$$\frac{d}{dx}[f(2x)] = x^2.$$

104. Montrez que le segment de toute tangente à l'astroïde $x^{2/3} + y^{2/3} = a^{2/3}$ limité par les axes des coordonnées est de longueur constante.

Problèmes supplémentaires

Avant de lire les exemples, cachez les solutions et essayez de résoudre les problèmes posés.

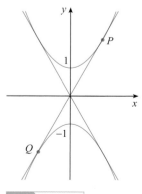

3.P.1 FIGURE

Exemple 3.P.1 Combien de droites sont tangentes aux deux paraboles que sont
$$y = -1 - x^2 \text{ et } y = 1 + x^2?$$
Trouvons les coordonnées des points auxquels ces tangentes touchent les paraboles.

Solution Pour parvenir à comprendre ce problème, il faut d'abord en faire le schéma. On esquisse donc les paraboles $y = 1 + x^2$ (qui est la parabole standard $y = x^2$ après translation de 1 unité vers le haut) et $y = -1 - x^2$ (qu'on obtient par une réflexion de la première parabole par rapport à l'axe des x). Dès qu'on essaie de tracer une tangente aux deux paraboles, on se rend compte qu'il n'y a que deux possibilités, comme en témoigne la figure 3.P.1.

Soit P, un point où l'une de ces tangentes touche la parabole supérieure, et a, son abscisse. (Il importe de désigner correctement l'inconnue. Évidemment, on pourrait utiliser b ou c ou x_0 ou x_1 plutôt que a. Mais l'utilisation de x à la place de a risquerait de porter à confusion, étant donné la présence de la variable x dans l'équation de la parabole.) Comme P appartient à la parabole $y = 1 + x^2$, son ordonnée doit être $1 + a^2$. En raison de la symétrie illustrée dans la figure 3.P.1, les coordonnées du point Q où la tangente touche la parabole inférieure doivent être $(-a, -(1 + a^2))$.

Utilisant la donnée selon laquelle la droite est une tangente, on égalise la pente de la droite PQ et celle de la tangente en P, ce qui donne

$$m_{PQ} = \frac{1 + a^2 - (-1 - a^2)}{a - (-a)}$$
$$= \frac{1 + a^2}{a}.$$

Si $f(x) = 1 + x^2$, alors la pente de la tangente en P est $f'(a) = 2a$. Ainsi, on pose l'équation

$$\frac{1 + a^2}{a} = 2a.$$

La résolution de cette équation donne $1 + a^2 = 2a^2$, d'où $a^2 = 1$ et $a = \pm 1$. Par conséquent, les points sont $(1, 2)$ et $(-1, -2)$. Par symétrie, les deux autres points sont $(-1, 2)$ et $(1, -2)$. ■

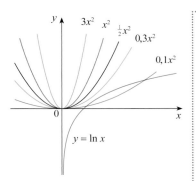

3.P.2 **FIGURE**

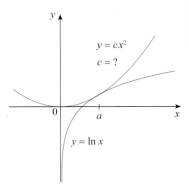

3.P.3 **FIGURE**

Exemple 3.P.2 Pour quelles valeurs de c l'équation $\ln x = cx^2$ a-t-elle exactement une solution ?

Solution L'un des principes les plus importants de la résolution de problèmes indique de tracer un schéma des données, même si l'énoncé ne décrit pas une situation géométrique. Le présent problème peut être reformulé géométriquement comme suit : Pour quelles valeurs de c la courbe $y = \ln x$ coupe-t-elle la courbe $y = cx^2$ en exactement un point ?

On commence par tracer les courbes $y = \ln x$ et $y = cx^2$ pour différentes valeurs de c. On sait que, pour $c \neq 0$, $y = cx^2$ est une parabole ouverte vers le haut si $c > 0$ et ouverte vers le bas si $c < 0$. La figure 3.P.2 montre les paraboles $y = cx^2$ pour plusieurs valeurs positives de c. La plupart de ces paraboles ne coupent $y = \ln x$ en aucun point, et une d'entre elles la coupe deux fois. On se doute qu'il y a une valeur de c (quelque part entre 0,1 et 0,3) pour laquelle les courbes se coupent exactement une fois, comme dans la figure 3.P.3.

Afin de trouver cette valeur précise de c, on pose a comme abscisse du seul point d'intersection. Autrement dit, $\ln a = ca^2$, de sorte que a est l'unique solution de l'équation donnée. On voit dans la figure 3.P.3 que les courbes se touchent à peine, ce qui leur donne une tangente commune en $x = a$. Cela signifie que les courbes $y = \ln x$ et $y = cx^2$ ont la même pente en $x = a$. Par conséquent,

$$\frac{1}{a} = 2ca.$$

La résolution des équations $\ln a = ca^2$ et $1/a = 2ca$ donne

$$\ln a = ca^2$$
$$= c \cdot \frac{1}{2c}$$
$$= \frac{1}{2}.$$

y = ln x

3.P.4 FIGURE

De là, $a = e^{1/2}$ et

$$c = \frac{\ln a}{a^2}$$
$$= \frac{\ln e^{1/2}}{e}$$
$$= \frac{1}{2e}.$$

Les valeurs négatives de c donnent lieu à la situation illustrée dans la figure 3.P.4 : toutes les paraboles $y = cx^2$ coupent $y = \ln x$ exactement une fois. Enfin, dans le cas où $c = 0$, la courbe $y = 0x^2 = 0$ est l'axe des x qui coupe $y = \ln x$ exactement une fois.

En résumé, les valeurs de c recherchées sont $c = 1/(2e)$ et $c \leq 0$.

Problèmes

1. Sur la parabole $y = 1 - x^2$, trouvez des points P et Q tels que le triangle ABC formé par l'axe des x et les tangentes en P et en Q soit équilatéral (*voir la figure*).

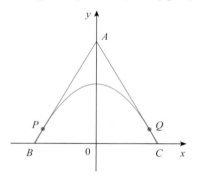

2. Trouvez le point où les courbes

$$y = x^3 - 3x + 4 \text{ et } y = 3(x^2 - x)$$

sont tangentes l'une à l'autre, c'est-à-dire qu'elles ont une tangente commune. Pour illustrer votre réponse, esquissez les courbes et leur tangente commune.

3. Montrez que les tangentes à la parabole $y = ax^2 + bx + c$ en deux points d'abscisse quelconques p et q doivent se couper en un point dont l'abscisse est à mi-chemin entre p et q.

▲ 4. Montrez que

$$\frac{d}{dx}\left(\frac{\sin^2 x}{1 + \cot x} + \frac{\cos^2 x}{1 + \tan x}\right) = -\cos 2x.$$

▲ 5. Sachant que $f(x) = \lim\limits_{t \to x} \dfrac{\sec t - \sec x}{t - x}$, trouvez la valeur de $f'(\pi/4)$.

6. Trouvez les valeurs des constantes a et b telles que

$$\lim\limits_{x \to 0} \frac{\sqrt[3]{ax + b} - 2}{x} = \frac{5}{12}.$$

7. Une voiture roule de nuit le long d'une route décrivant une parabole dont le sommet est à l'origine (*voir la figure ci-dessous*). Elle part d'un point situé 100 m à l'ouest et 100 m au nord de l'origine et se dirige en direction est. À 100 m à l'est et à 50 m au nord de l'origine se trouve une statue. En quel point de la route les phares de la voiture éclaireront-ils la statue ?

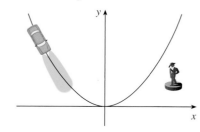

▲ **8.** Prouvez que

$$\frac{d^n}{dx^n}(\sin^4 x + \cos^4 x) = 4^{n-1}\cos(4x + n\pi/2).$$

9. Trouvez la dérivée n^e de la fonction $f(x) = x^n/(1-x)$.

10. La figure ci-dessous montre un cercle de rayon 1 inscrit dans la parabole $y = x^2$. Trouvez le centre du cercle.

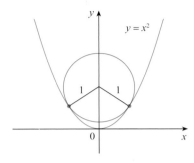

11. Sachant que f est dérivable en a, où $a > 0$, évaluez la limite suivante en termes de $f'(a)$:

$$\lim_{x \to a} \frac{f(x) - f(a)}{\sqrt{x} - \sqrt{a}}.$$

12. Sachant que les intersections des paraboles d'équation $y = 4x^2$ et $x = c + 2y^2$ sont des angles droits, trouvez toutes les valeurs de c.

13. Combien de droites sont tangentes aux deux cercles d'équation $x^2 + y^2 = 4$ et $x^2 + (y-3)^2 = 1$? Donnez les points auxquels ces tangentes touchent les cercles.

14. Si $f(x) = \dfrac{x^{46} + x^{45} + 2}{1 + x}$, calculez $f^{(46)}(3)$. Exprimez votre réponse en notation factorielle : $n! = 1 \times 2 \times 3 \times \ldots \times (n-1) \times n$.

▲ **15.** La figure ci-dessous montre une roue de 40 cm de rayon et une bielle AP de 1,2 m de longueur. La roue tourne dans le sens antihoraire à raison de 360 tours par minute, tandis que l'extrémité P se déplace d'avant en arrière le long de l'axe des x.

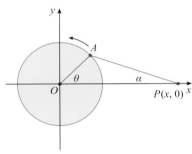

a) Trouvez la vitesse angulaire de la bielle, $d\alpha/dt$, en radians par seconde, lorsque $\theta = \pi/3$.
b) Exprimez la distance $x = |OP|$ en fonction de θ.
c) Trouvez une expression de la vitesse de l'extrémité P en fonction de θ.

16. Les tangentes T_1 et T_2 sont tracées en deux points, P_1 et P_2, de la parabole $y = x^2$ et se coupent en un point P. Une autre tangente, T, est tracée en un point situé entre P_1 et P_2 ; elle coupe T_1 en Q_1 et T_2 en Q_2. Montrez que

$$\frac{|PQ_1|}{|PP_1|} + \frac{|PQ_2|}{|PP_2|} = 1.$$

⊕ ▲ **17.** Montrez que

$$\frac{d^n}{dx^n}(e^{ax}\sin bx) = r^n e^{ax}\sin(bx + n\theta)$$

où a et b sont des nombres positifs, $r^2 = a^2 + b^2$ et $\theta = \arctan(b/a)$.

18. Évaluez $\displaystyle\lim_{x\to\pi}\frac{e^{\sin x}-1}{x-\pi}$.

19. Soit T et N, la tangente et la normale à l'ellipse $x^2/9 + y^2/4 = 1$ en un point P quelconque de l'ellipse situé dans le premier quadrant. Soit aussi x_T et y_T, les coordonnées à l'origine de T, et x_N et y_N, celles de N. Lorsque P se déplace le long de l'ellipse dans le premier quadrant (mais pas sur les axes), quelles valeurs x_T, y_T, x_N et y_N peuvent-elles prendre? Essayez d'abord de conjecturer d'après la figure. Ensuite, utilisez les méthodes de calcul pour vérifier vos conjectures.

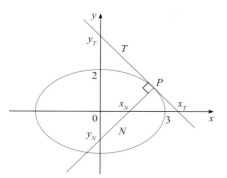

20. Évaluez $\displaystyle\lim_{x\to0}\frac{\sin(3+x)^2-\sin 9}{x}$.

21. a) Au moyen de l'identité relative à $\tan(x-y)$ (*voir l'égalité **1.4.13b***), montrez que, si deux droites L_1 et L_2 se coupent à angle α, alors

$$\tan\alpha = \frac{m_2-m_1}{1+m_1m_2}$$

où m_1 et m_2 sont les pentes respectives de L_1 et L_2.

b) L'**angle entre les courbes** C_1 et C_2 en un point d'intersection P est défini comme étant l'angle que font les tangentes à C_1 et à C_2 en P (si ces tangentes existent). À l'aide de la partie a), trouvez, au degré près, l'angle entre chaque paire de courbes en chacun des points d'intersection.

   i) $y = x^2$ et $y = (x-2)^2$
   ii) $x^2 - y^2 = 3$ et $x^2 - 4x + y^2 + 3 = 0$

22. Soit $P(x_1, y_1)$, un point de la parabole $y^2 = 4px$ de foyer $F(p, 0)$. Et soit α, l'angle que font la parabole et le segment FP, et β, l'angle entre la droite horizontale $y = y_1$ et la parabole, comme dans la figure ci-dessous. Prouvez que $\alpha = \beta$. (Selon un principe d'optique géométrique, la lumière émanant d'une source placée en F se réfléchit suivant une droite parallèle à l'axe des x. Voilà pourquoi les phares d'automobiles et les miroirs de télescopes sont souvent en forme de paraboloïde, surface obtenue par rotation d'une parabole autour de son axe focal.)

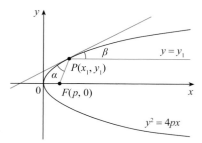

23. On remplace le miroir parabolique du problème précédent par un miroir sphérique. Bien que ce dernier n'ait pas de foyer, on peut montrer qu'il possède un foyer approximatif. Dans la figure ci-contre, C est un demi-cercle de centre O. Un rayon lumineux frappant le miroir parallèlement à l'axe le long de la droite PQ sera réfléchi au point R de l'axe, de sorte que $\angle PQO = \angle OQR$ (l'angle d'incidence est égal à l'angle de réflexion). Que se passe-t-il en R à mesure que P se rapproche de l'axe?

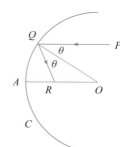

24. Si f et g sont des fonctions dérivables telles que $f(0) = g(0) = 0$ et si $g'(0) \neq 0$, montrez que

$$\lim_{x \to 0} \frac{f(x)}{g(x)} = \frac{f'(0)}{g'(0)}.$$

▲ **25.** Évaluez $\displaystyle\lim_{x \to 0} \frac{\sin(a + 2x) - 2\sin(a + x) + \sin a}{x^2}$.

LCS **26.** a) La fonction cubique $f(x) = x(x - 2)(x - 6)$ a trois zéros distincts : 0, 2 et 6. Représentez f et ses tangentes au point milieu de chaque paire de zéros. Que remarquez-vous ?

b) Supposez que la fonction cubique $f(x) = (x - a)(x - b)(x - c)$ a trois zéros distincts : a, b et c. À l'aide d'un logiciel de calcul symbolique, prouvez qu'une tangente tracée au milieu des zéros a et b coupe le graphique de f au troisième zéro.

27. Pour quelle valeur de k l'équation $e^{2x} = k\sqrt{x}$ a-t-elle exactement une solution ?

28. Quels nombres positifs a vérifient que $a^x \geq 1 + x$ pour toute valeur de x ?

▲ **29.** Sachant que

$$y = \frac{x}{\sqrt{a^2 - 1}} - \frac{2}{\sqrt{a^2 - 1}} \arctan\left(\frac{\sin x}{a + \sqrt{a^2 - 1} + \cos x}\right),$$

montrez que

$$y' = \frac{1}{a + \cos x}.$$

30. Soit l'ellipse $x^2/a^2 + y^2/b^2 = 1$, où $a \neq b$. Trouvez l'équation de l'ensemble de tous les points d'où partent deux tangentes à la courbe dont les pentes sont a) inverses et b) opposées.

31. Trouvez les deux points de la courbe $y = x^4 - 2x^2 - x$ qui ont une tangente commune.

32. Supposez que trois points de la parabole $y = x^2$ ont des normales qui se coupent en un point commun. Montrez que la somme des abscisses de ces points est 0.

33. Un point du réseau du plan cartésien est un point dont les coordonnées sont des entiers. On suppose que, dans un plan, tous les points du réseau sont pris comme centres pour tracer des cercles de rayon r. Trouvez la plus petite valeur de r telle que toute droite de pente $\frac{2}{5}$ coupe certains des cercles.

34. Dans un haut cylindre de rayon R (en centimètres) partiellement rempli d'eau, on fait descendre, à 1 cm/s, un cône de rayon r (en centimètres) et de hauteur h (en centimètres). Au moment où le cône est submergé, à quelle vitesse le niveau de l'eau monte-t-il ?

35. Soit un récipient en forme de cône inversé de 16 cm de hauteur et de 5 cm de rayon au bord supérieur. On remplit partiellement le récipient d'un liquide qui suinte par la paroi à une vitesse proportionnelle à la surface se trouvant en contact avec le liquide. (L'aire d'un cône est donnée par $\pi r l$, où r est le rayon et l est la longueur de la génératrice.) Si on remplit le récipient à raison de 2 cm³/min, le niveau du liquide diminue de 0,3 cm/min lorsqu'il est de 10 cm. À quelle vitesse doit-on verser le liquide dans le récipient si l'on veut maintenir le niveau à 10 cm ?

CHAPITRE 4

LES DÉRIVÉES ET LEURS APPLICATIONS

Les oiseaux alternent les battements d'ailes et le vol plané dans leurs déplacements. Mais à quelle fréquence ? Nous verrons, dans la rubrique « Application » de la page 331, que certains principes sont les mêmes que pour les avions. Ainsi en est-il de la puissance et de l'énergie requises en lien avec la vitesse de l'appareil… ou de l'oiseau.

On a eu l'occasion de voir certaines applications des dérivées dans les chapitres précédents. Maintenant qu'on connaît les règles de dérivation, il est possible d'approfondir ces applications et d'en explorer d'autres. Dans le présent chapitre, on examine l'information que les dérivées fournissent sur l'allure du graphique d'une fonction et la façon dont les dérivées permettent de trouver les valeurs maximales et minimales des fonctions. De nombreux problèmes pratiques demandent de minimiser un coût, de maximiser une aire ou, plus généralement, de déterminer la situation la plus avantageuse, comme la vitesse optimale d'un avion. Entre autres, on s'attardera à optimiser la forme d'une boîte de conserve soumise à certaines contraintes et à expliquer la position des arcs-en-ciel dans le ciel.

4.1 Les valeurs maximales et minimales

Les problèmes d'optimisation figurent parmi les principales applications du calcul différentiel. Ces problèmes demandent qu'on trouve la façon optimale (la meilleure, donc) de faire quelque chose. Voici des exemples de problèmes d'optimisation qu'on aura à résoudre dans ce chapitre :

* Quelle forme doit-on donner à une boîte de conserve pour en minimiser le coût de fabrication ?

* Quelle est l'accélération maximale d'une navette spatiale ? (Cette question importe beaucoup aux astronautes, car ils doivent subir les effets de l'accélération.)

* Lorsque la trachée se contracte, durant une toux, quel rayon doit-elle avoir pour expulser l'air le plus rapidement possible ?

* Quel est l'angle de ramification des vaisseaux sanguins qui minimise l'effort que le cœur doit fournir pour pomper le sang ?

Comme ces problèmes reviennent à trouver les valeurs maximales ou minimales d'une fonction, il convient de préciser la signification de ces valeurs.

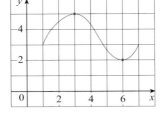

4.1.1 FIGURE

Dans la figure 4.1.1, on voit que le point le plus haut du graphique de la fonction f est le point (3, 5). Autrement dit, la valeur la plus grande de f est $f(3) = 5$. De même, la valeur la plus petite de la fonction f est $f(6) = 2$. On dit que $f(3) = 5$ est le **maximum absolu** de f et que $f(6) = 2$ est son **minimum absolu**. En général, on emploie la définition suivante.

4.1.1	Définition

Soit c, un nombre appartenant au domaine D d'une fonction f. Alors, $f(c)$ est

* la **valeur maximale absolue** de f sur D si $f(c) \geq f(x)$ pour tout x de D.

* la **valeur minimale absolue** de f sur D si $f(c) \leq f(x)$ pour tout x de D.

Le maximum ou le minimum absolu est parfois dit **global**. Ensemble, ces valeurs maximale et minimale de f représentent les **valeurs extrêmes** de f.

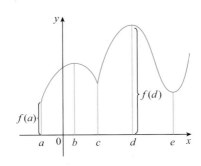

4.1.2 FIGURE

$f(a)$ est le minimum absolu ; $f(d)$ est le maximum absolu ; $f(c)$ et $f(e)$ sont des minimums relatifs ; $f(b)$ et $f(d)$ sont des maximums relatifs.

La figure 4.1.2 montre le graphique d'une fonction f qui a son maximum absolu en d et son minimum absolu en a. On y remarque que $\big(d, f(d)\big)$ est le point le plus haut du graphique et que $\big(a, f(a)\big)$ en est le point le plus bas. Si, dans cette figure, on ne considère que les valeurs de x proches de b (en s'en tenant, par exemple, à l'intervalle $]a, c[$), alors $f(b)$ est la plus grande de ces valeurs de $f(x)$, et on l'appelle **maximum relatif** de f. De même, $f(c)$ est un **minimum relatif** de f parce que $f(c) \leq f(x)$ pour x proche de c (sur l'intervalle $]b, d[$, par exemple). La fonction f a aussi un minimum relatif en e. En général, on emploie la définition suivante.

4.1.2	Définition

Le nombre $f(c)$ est

- un maximum relatif (ou maximum local) de f si $f(c) \geq f(x)$ lorsque x est proche de c.

- un minimum relatif (ou minimum local) de f si $f(c) \leq f(x)$ lorsque x est proche de c.

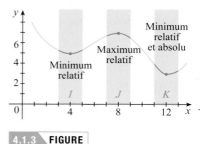

Lorsque, dans la définition **4.1.2** (et ailleurs), on dit qu'une chose est vraie **proche de** c, on entend que la chose est vraie sur un certain intervalle ouvert contenant c, cet intervalle étant tout inclus dans le domaine D de la fonction f. Dans la figure 4.1.3, par exemple, on observe que $f(4) = 5$ est un minimum relatif, parce que c'est la plus petite valeur de f sur l'intervalle I. Ce n'est pas le minimum absolu, car $f(x)$ prend des valeurs inférieures lorsque x est proche de 12 (sur l'intervalle K, par exemple). De fait, $f(12) = 3$ est à la fois un minimum relatif et le minimum absolu. De même, $f(8) = 7$ est un maximum relatif sans être le maximum absolu, parce que f prend des valeurs supérieures lorsque x est proche de 1.

Exemple 4.1.1 La fonction $f(x) = \cos x$ atteint la valeur maximale (relative et absolue) 1 un nombre infini de fois, parce que $\cos 2n\pi = 1$ pour tout entier n et que $-1 \leq \cos x \leq 1$ pour tout x (*voir la figure 4.1.4*). Pareillement, $\cos(2n + 1)\pi = -1$ est sa valeur minimale, quel que soit l'entier n.

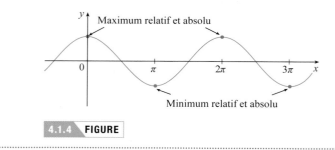

Exemple 4.1.2 Si $f(x) = x^2$, alors $f(x) \geq f(0)$ parce que $x^2 \geq 0$ pour tout x. Ainsi, $f(0) = 0$ est le minimum absolu (et relatif) de f. Effectivement, l'origine est le point le plus bas de la parabole $y = x^2$ (*voir la figure 4.1.5*). Par contre, comme il n'y a pas de point le plus haut sur la parabole, cette fonction n'a pas de valeur maximale.

Exemple 4.1.3 D'après le graphique de la fonction $f(x) = x^3$ de la figure 4.1.6, cette fonction n'a ni maximum absolu ni minimum absolu. Elle n'a pas non plus d'extremums relatifs.

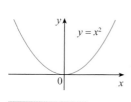

Minimum 0, pas de maximum.

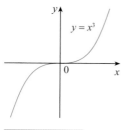

Pas de minimum, pas de maximum.

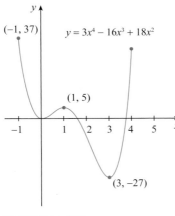

Exemple 4.1.4   La figure 4.1.7 montre le graphique de la fonction

$$f(x) = 3x^4 - 16x^3 + 18x^2 \qquad -1 \le x \le 4.$$

On voit que $f(1) = 5$ est un maximum relatif, tandis que $f(-1) = 37$ est le maximum absolu (sans être un maximum relatif, puisqu'il se trouve à une extrémité). De plus, $f(0) = 0$ est un minimum relatif, et $f(3) = -27$ est un minimum à la fois relatif et absolu. On remarque que f n'a pas de maximum, relatif ou absolu, en $x = 4$.

On a vu que certaines fonctions avaient des valeurs extrêmes et d'autres non. Le théorème suivant énonce des conditions pour lesquelles une fonction aura assurément des valeurs extrêmes.

4.1.3 | **Le théorème des valeurs extrêmes**

Si f est continue sur un intervalle fermé $[a, b]$, alors f atteint un maximum absolu $f(c)$ et un minimum absolu $f(d)$ en certains nombres c et d de $[a, b]$.

Le théorème des valeurs extrêmes est illustré dans la figure 4.1.8. On remarque qu'une valeur extrême peut être atteinte plus d'une fois. S'il est très facile à admettre intuitivement, le théorème des valeurs extrêmes se révèle si difficile à démontrer que la preuve n'en sera pas faite ici.

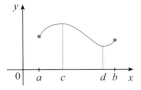   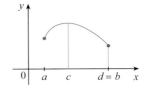   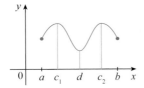

4.1.8   FIGURE

Les figures 4.1.9 et 4.1.10 montrent qu'une fonction ne possède pas nécessairement de minimum ou de maximum absolus si l'une ou l'autre des hypothèses (continuité et intervalle fermé) est omise du théorème des valeurs extrêmes.

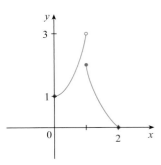

4.1.9   FIGURE

Cette fonction a un minimum absolu $f(2) = 0$ mais pas de maximum absolu.

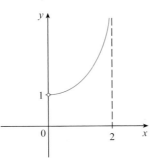

4.1.10   FIGURE

Cette fonction g continue sur son domaine n'a ni maximum absolu ni minimum absolu.

La fonction f de la figure 4.1.9 est définie sur l'intervalle fermé $[0, 2]$, mais n'a pas de maximum absolu. (On remarque que l'ensemble-image de f est $[0, 3[$. La fonction prend des valeurs infiniment proches de 3, mais n'atteint jamais cette valeur.) Cela ne contredit pas le théorème des valeurs extrêmes, parce que f n'est pas continue. (Néanmoins, il se pourrait qu'une fonction discontinue ait des valeurs extrêmes (*voir l'exercice 13 b*).)

La fonction g de la figure 4.1.10 est continue sur l'intervalle ouvert $]0, 2[$, mais n'a ni maximum ni minimum absolu. Son ensemble-image est $]1, \infty[$. La fonction prend des valeurs infiniment grandes. Comme l'intervalle $]0, 2[$ n'est pas fermé, cela ne contredit pas le théorème des valeurs extrêmes.

Le théorème des valeurs extrêmes établit qu'une fonction continue sur un intervalle fermé a un maximum absolu et un minimum absolu, mais il n'indique pas comment trouver ces valeurs extrêmes. On commencera donc par chercher les extremums relatifs.

La figure 4.1.11 présente le graphique d'une fonction f ayant un maximum relatif en c et un minimum relatif en d. Il semble qu'en ces points de maximum et de minimum, les tangentes soient horizontales et, donc, de pente 0. Sachant que la dérivée est égale à la pente de la tangente, on en déduit que $f'(c) = 0$ et que $f'(d) = 0$. Le théorème suivant affirme que cette observation se vérifie pour toutes fonctions dérivables.

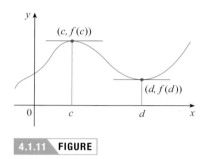

4.1.11 **FIGURE**

Fermat

Le théorème de Fermat tient son nom de Pierre de Fermat (1601-1665), un magistrat français passionné de mathématiques. Malgré son statut d'amateur, Fermat fut l'un des deux inventeurs de la géométrie analytique (l'autre étant Descartes). Les méthodes qu'il mit au point pour trouver les tangentes à une courbe et les valeurs maximales et minimales (avant l'invention des limites et des dérivées) firent de lui un précurseur de Newton dans la création du calcul différentiel.

4.1.4 | **Le théorème de Fermat**

Si f a un maximum ou un minimum relatif en c, et si $f'(c)$ existe, alors $f'(c) = 0$.

DÉMONSTRATION On suppose, sans perte de généralité, que f a un maximum relatif en c. Alors, selon la définition **4.1.2**, $f(c) \geq f(x)$ si x est suffisamment proche de c. Cela implique que, si h, positif ou négatif, est suffisamment proche de 0, alors

$$f(c) \geq f(c + h)$$

et, en conséquence,

4.1.5 $$f(c + h) - f(c) \leq 0.$$

On peut diviser les deux membres d'une inégalité par un nombre positif. Donc, si h est supérieur à 0 et est suffisamment petit, on a

$$\frac{f(c + h) - f(c)}{h} \leq 0.$$

En prenant la limite à droite des deux membres de cette inégalité (selon le théorème **2.3.13**), on obtient

$$\lim_{h \to 0^+} \frac{f(c + h) - f(c)}{h} \leq \lim_{h \to 0^+} 0 = 0.$$

Cependant, comme $f'(c)$ existe, on a

$$f'(c) = \lim_{h \to 0} \frac{f(c + h) - f(c)}{h} = \lim_{h \to 0^+} \frac{f(c + h) - f(c)}{h}$$

et on a ainsi montré que $f'(c) \leq 0$.

Si $h < 0$, alors le sens de l'inégalité **4.1.5** se trouve inversé lorsqu'on divise par h :

$$\frac{f(c + h) - f(c)}{h} \geq 0 \quad h < 0.$$

La limite à gauche donne

$$f'(c) = \lim_{h \to 0} \frac{f(c + h) - f(c)}{h} = \lim_{h \to 0^-} \frac{f(c + h) - f(c)}{h} \geq 0.$$

On a donc montré que $f'(c) \geq 0$ et que $f'(c) \leq 0$. Comme ces deux inégalités doivent être vraies, il faut que $f'(c) = 0$. ■

Cette démonstration prouve le théorème de Fermat dans le cas d'un maximum relatif. Dans le cas d'un minimum relatif, on pourrait procéder de manière semblable ou utiliser l'exercice 78 pour déduire le théorème du cas que l'on vient de traiter (*voir l'exercice 79*).

Les exemples suivants mettent en garde contre la tentation de lire entre les lignes du théorème de Fermat. On ne doit pas s'attendre à trouver des valeurs extrêmes simplement en posant $f'(x) = 0$ et en résolvant pour x.

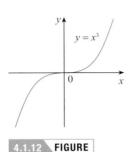

4.1.12 FIGURE

Si $f(x) = x^3$, alors $f'(0) = 0$, mais f n'a ni maximum ni minimum.

Exemple **4.1.5** Si $f(x) = x^3$, alors $f'(x) = 3x^2$, donc $f'(0) = 0$. Or, comme la figure 4.1.12 le montre, f n'a ni maximum ni minimum relatif en 0. (On observe d'ailleurs que $x^3 > 0$ pour $x > 0$ mais que $x^3 < 0$ pour $x < 0$.) Le fait que $f'(0) = 0$ signifie seulement que la courbe $y = x^3$ admet une tangente horizontale en $(0, 0)$, et non qu'elle y passe par un maximum relatif ou un minimum relatif.

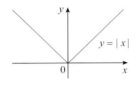

4.1.13 FIGURE

Si $f(x) = |x|$, alors $f(0) = 0$ est un minimum relatif, mais $f'(0)$ n'existe pas.

Exemple **4.1.6** La fonction $f(x) = |x|$ a son minimum (relatif et absolu) en 0, mais cette valeur ne se trouve pas en posant $f'(x) = 0$, parce que, comme le montre l'exemple 2.8.5, $f'(0)$ n'existe pas (*voir la figure 4.1.13*).

ATTENTION Les exemples 4.1.5 et 4.1.6 montrent qu'il faut utiliser le théorème de Fermat avec prudence. L'exemple 4.1.5 démontre que, même lorsque $f'(c) = 0$, il n'y a pas nécessairement de maximum ou de minimum en c. (Autrement dit, la réciproque du théorème est généralement fausse.) En outre, il peut y avoir une valeur extrême même quand $f'(c)$ n'existe pas (comme dans l'exemple 4.1.6).

Le théorème de Fermat suggère tout de même de commencer la recherche des valeurs extrêmes de f aux nombres c tels que $f'(c) = 0$ ou tels que $f'(c)$ n'existe pas. Ces nombres portent un nom particulier.

4.1.6	**Définition**

Une **valeur critique** d'une fonction f est une valeur c du domaine de f telle que $f'(c) = 0$ ou $f'(c)$ n'existe pas.

La figure 4.1.14 présente un graphique de la fonction f de l'exemple 4.1.7. Elle appuie la réponse puisqu'il y a une tangente horizontale en $x = 1,5$ et une tangente verticale en $x = 0$.

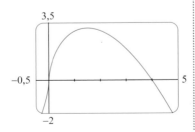

4.1.14 FIGURE

Exemple **4.1.7** Trouvons les valeurs critiques de $f(x) = x^{3/5}(4 - x)$.

Solution La règle de dérivation d'un produit permet d'obtenir

$$f'(x) = \tfrac{3}{5}x^{-2/5}(4 - x) + x^{3/5}(-1)$$
$$= \tfrac{1}{5}x^{-2/5}[3(4 - x) - 5x]$$
$$= \frac{4(3 - 2x)}{5x^{2/5}}.$$

(On aurait obtenu le même résultat en écrivant d'abord $f(x) = 4x^{3/5} - x^{8/5}$.) Par conséquent, $f'(x) = 0$ quand $3 - 2x = 0$, donc quand $x = \tfrac{3}{2}$, et $f'(x)$ n'existe pas quand $x = 0$. Ainsi, les valeurs critiques sont $\tfrac{3}{2}$ et 0 (ces deux nombres appartiennent au domaine de f).

On peut reformuler le théorème de Fermat en termes de valeurs critiques comme suit (en comparant la définition **4.1.6** avec le théorème **4.1.4**).

| 4.1.7 | Si f a un maximum ou un minimum relatif en c, alors c est une valeur critique de f. |

Pour trouver le maximum ou le minimum absolu d'une fonction continue sur un intervalle fermé, on remarque qu'il est situé à un extremum relatif (auquel cas il se produit en un point critique selon l'énoncé **4.1.7**) ou à une extrémité de l'intervalle, comme nous l'avons vu dans les exemples de la figure 4.1.8. Ainsi, la démarche suivante fonctionne toujours.

| 4.1.8 | **La méthode de l'intervalle fermé** |

Pour trouver les valeurs maximale et minimale absolues d'une fonction continue f sur un intervalle fermé $[a, b]$:

1. Trouver les valeurs de f aux points critiques de f sur $]a, b[$.

2. Trouver les valeurs de f aux extrémités de l'intervalle.

3. La plus grande des valeurs déterminées aux étapes 1 et 2 est la valeur maximale absolue ; la plus petite est la valeur minimale absolue.

Exemple **4.1.8** Trouvons les valeurs maximale et minimale absolues de la fonction f définie par

$$f(x) = x^3 - 3x^2 + 1 \qquad -\tfrac{1}{2} \le x \le 4.$$

Solution La fonction f étant continue sur $[-\tfrac{1}{2}, 4]$, on peut utiliser la méthode de l'intervalle fermé :

$$f(x) = x^3 - 3x^2 + 1$$
$$f'(x) = 3x^2 - 6x$$
$$= 3x(x - 2).$$

Comme $f'(x)$ existe pour tout x, les seules valeurs critiques de f se produisent quand $f'(x) = 0$, donc en $x = 0$ ou $x = 2$. On remarque que chacune de ces valeurs critiques se trouve dans l'intervalle $]-\tfrac{1}{2}, 4[$. Les valeurs de f aux points critiques correspondants sont

$$f(0) = 1 \qquad f(2) = -3.$$

Les valeurs de f aux extrémités de l'intervalle sont

$$f\left(-\tfrac{1}{2}\right) = \tfrac{1}{8} \qquad f(4) = 17.$$

La comparaison de ces quatre valeurs révèle que le maximum absolu est

$$f(4) = 17$$

et le minimum absolu,

$$f(2) = -3.$$

On observe dans cet exemple que le maximum absolu se produit à une extrémité, tandis que le minimum absolu est situé en un point critique. La figure 4.1.15 montre le graphique de f.

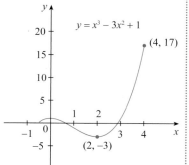

Les outils graphiques permettent d'estimer très facilement les valeurs maximales et minimales. Toutefois, comme en témoigne l'exemple suivant, seul le calcul différentiel permet de déterminer les valeurs exactes.

Exemple 4.1.9

a) À l'aide d'un outil graphique, estimons les valeurs minimale et maximale absolues de $f(x) = x - 2 \sin x$, $0 \le x \le 2\pi$.

b) Au moyen du calcul différentiel, trouvons les valeurs extrêmes exactes de la fonction f.

Solution

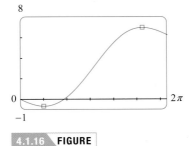

4.1.16 FIGURE

a) La figure 4.1.16 montre un graphique de f dans la fenêtre $[0, 2\pi]$ sur $[-1, 8]$. En approchant le curseur du maximum, on voit que les ordonnées varient peu. Le maximum absolu est environ 6,97 et il se produit en $x \approx 5,2$. De même, en approchant le curseur du minimum, on constate que le minimum absolu est d'environ $-0,68$ et se produit en $x \approx 1,0$. On pourrait obtenir des estimations plus précises en grossissant les régions des points d'intérêt, mais on passera plutôt au calcul différentiel.

b) La fonction $f(x) = x - 2 \sin x$ est continue sur $[0, 2\pi]$. Comme $f'(x) = 1 - 2 \cos x$, on a $f'(x) = 0$ quand $\cos x = \frac{1}{2}$, et cela se produit quand $x = \pi/3$ ou $5\pi/3$. Les valeurs de f en ces valeurs critiques sont

$$f(\pi/3) = \frac{\pi}{3} - 2 \sin \frac{\pi}{3} = \frac{\pi}{3} - \sqrt{3}$$
$$\approx -0,684\,853$$

et

$$f(5\pi/3) = \frac{5\pi}{3} - 2 \sin \frac{5\pi}{3} = \frac{5\pi}{3} + \sqrt{3}$$
$$\approx 6,968\,039.$$

Les valeurs de f aux extrémités sont

$$f(0) = 0 \qquad \text{et} \qquad f(2\pi) = 2\pi \approx 6,28.$$

La comparaison de ces quatre nombres et l'utilisation de la méthode de l'intervalle fermé révèlent que le minimum absolu est $f(\pi/3) = \pi/3 - \sqrt{3}$ et le maximum absolu, $f(5\pi/3) = 5\pi/3 + \sqrt{3}$. Les valeurs estimées en a) viennent vérifier les calculs effectués.

Exemple 4.1.10

Le télescope spatial Hubble a été lancé le 24 avril 1990 par la navette Discovery. Un modèle de la vitesse de la navette durant cette mission, depuis le décollage en $t = 0$ jusqu'au largage des propulseurs-fusées en $t = 126$ s, est donné par

$$v(t) = 0,000\,396\,849\,6t^3 - 0,027\,520\,392t^2 + 7,196\,328t - 0,939\,698\,4$$

(en mètres par seconde). À partir de ce modèle, estimons les valeurs maximale et minimale de l'accélération de la navette entre le décollage et le largage des propulseurs-fusées.

Solution Les valeurs extrêmes recherchées sont celles de la fonction accélération, non celles de la fonction vitesse donnée. On commencera donc par dériver la fonction donnée :

$$a(t) = v'(t) = \frac{d}{dt}(0,000\,396\,849\,6t^3 - 0,027\,520\,392t^2 + 7,196\,328t - 0,939\,698\,4)$$

$$= 0,001\,190\,548\,8t^2 - 0,055\,040\,784t + 7,196\,328.$$

On applique ensuite la méthode de l'intervalle fermé à la fonction continue a sur l'intervalle $0 \le t \le 126$. La dérivée de a est

$$a'(t) = 0,002\,381\,097\,6t - 0,055\,040\,784.$$

La seule valeur critique se produit quand $a'(t) = 0$:

$$t_1 = \frac{0{,}055\,040\,784}{0{,}002\,381\,097\,6} \approx 23{,}12.$$

En évaluant $a(t)$ à la valeur critique et aux extrémités, on obtient

$$a(0) \approx 7{,}20 \qquad a(t_1) \approx 6{,}56 \qquad a(126) \approx 19{,}16.$$

Donc, l'accélération maximale est d'environ 19,16 m/s² et l'accélération minimale, d'environ 6,56 m/s².

Exercices 4.1

1. Expliquez la différence entre un minimum absolu et un minimum relatif.

2. Soit f, une fonction continue définie sur un intervalle fermé $[a, b]$.
   a) Quel théorème garantit l'existence de valeurs maximale et minimale absolues pour f?
   b) Comment détermineriez-vous ces valeurs?

3-4 Pour chacun des nombres a, b, c, d, r et s, dites si la fonction dont le graphique est donné a un maximum ou un minimum absolu, un maximum ou un minimum relatif, ou ni maximum ni minimum.

3. 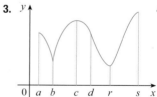 **4.**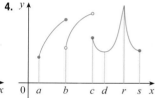

5-6 D'après le graphique, déterminez les valeurs maximale et minimale absolues et relatives de la fonction.

5. 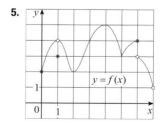 **6.**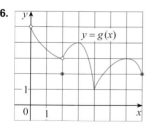

7-10 Esquissez le graphique d'une fonction f qui est continue sur $[1, 5]$ et qui possède les propriétés indiquées.

7. Minimum absolu en 2, maximum absolu en 3, minimum relatif en 4

8. Minimum absolu en 1, maximum absolu en 5, maximum relatif en 2, minimum relatif en 4

9. Maximum absolu en 5, minimum absolu en 2, maximum relatif en 3, minimums locaux en 2 et 4

10. Ni maximum relatif ni minimum relatif, valeurs critiques en 2 et 4

11. a) Esquissez le graphique d'une fonction qui a un maximum relatif en 2 et qui est dérivable en 2.
   b) Esquissez le graphique d'une fonction qui a un maximum relatif en 2 et qui est continue mais non dérivable en 2.
   c) Esquissez le graphique d'une fonction qui a un maximum relatif en 2 et qui n'est pas continue en 2.

12. a) Esquissez le graphique d'une fonction sur $[-1, 2]$ qui a un maximum absolu mais pas de maximum relatif.
   b) Esquissez le graphique d'une fonction sur $[-1, 2]$ qui a un maximum relatif mais pas de maximum absolu.

13. a) Esquissez le graphique d'une fonction sur $[-1, 2]$ qui a un maximum absolu mais pas de minimum absolu.
   b) Esquissez le graphique d'une fonction sur $[-1, 2]$ qui est discontinue mais a un maximum et un minimum absolus.

14. a) Esquissez le graphique d'une fonction qui a deux maximums locaux et un minimum relatif mais pas de minimum absolu.
   b) Esquissez le graphique d'une fonction qui a trois minimums locaux, deux maximums locaux et sept points critiques.

15-28 Esquissez le graphique de f puis, d'après votre graphique, trouvez les valeurs maximale et minimale absolues et relatives de f. (Utilisez les graphiques et les transformations présentées à l'annexe B.)

15. $f(x) = \frac{1}{2}(3x - 1)$, $x \le 3$

16. $f(x) = 2 - \frac{1}{3}x$, $x \ge -2$

17. $f(x) = 1/x$, $x \ge 1$

18. $f(x) = 1/x$, $1 < x < 3$

19. $f(x) = \sin x$, $0 \le x < \pi/2$

20. $f(x) = \sin x$, $0 < x \le \pi/2$

21. $f(x) = \sin x$, $-\pi/2 \le x \le \pi/2$

22. $f(t) = \cos t$, $-3\pi/2 \le t \le 3\pi/2$

23. $f(x) = \ln x$, $0 < x \le 2$

24. $f(x) = |x|$

25. $f(x) = 1 - \sqrt{x}$

26. $f(x) = e^x$

27. $f(x) = \begin{cases} x^2 & \text{si} \quad -1 \le x \le 0 \\ 2 - 3x & \text{si} \quad 0 < x \le 1 \end{cases}$

28. $f(x) = \begin{cases} 2x + 1 & \text{si} \quad 0 \le x < 1 \\ 4 - 2x & \text{si} \quad 1 \le x \le 3 \end{cases}$

29-44 Déterminez les valeurs critiques de chaque fonction.

29. $f(x) = 4 + \frac{1}{3}x - \frac{1}{2}x^2$

30. $f(x) = x^3 + 6x^2 - 15x$

31. $f(x) = 2x^3 - 3x^2 - 36x$

32. $f(x) = 2x^3 + x^2 + 2x$

33. $g(t) = t^4 + t^3 + t^2 + 1$

34. $g(t) = |3t - 4|$

35. $g(y) = \dfrac{y - 1}{y^2 - y + 1}$

36. $h(p) = \dfrac{p - 1}{p^2 + 4}$

37. $h(t) = t^{3/4} - 2t^{1/4}$

38. $g(x) = \sqrt[3]{4 - x^2}$

39. $F(x) = x^{4/5}(x - 4)^2$

▲ **40.** $g(\theta) = 4\theta - \tan\theta$

▲ **41.** $f(\theta) = 2\cos\theta + \sin^2\theta$

▲ **42.** $h(t) = 3t - \arcsin t$

⊕ **43.** $f(x) = x^2 e^{-3x}$

⊕ **44.** $f(x) = x^{-2}\ln x$

45-46 D'après la formule donnée de la dérivée d'une fonction f, déterminez le nombre de valeurs critiques de f.

⊕ ▲ **45.** $f'(x) = 5e^{-0,1|x|}\sin x - 1$

▲ **46.** $f'(x) = \dfrac{100\cos^2 x}{10 + x^2} - 1$

47-62 Trouvez les valeurs maximale et minimale absolues de f sur l'intervalle donné.

47. $f(x) = 12 + 4x - x^2$, $[0, 5]$

48. $f(x) = 5 + 54x - 2x^3$, $[0, 4]$

49. $f(x) = 2x^3 - 3x^2 - 12x + 1$, $[-2, 3]$

50. $f(x) = x^3 - 6x^2 + 5$, $[-3, 5]$

51. $f(x) = 3x^4 - 4x^3 - 12x^2 + 1$, $[-2, 3]$

52. $f(t) = (t^2 - 4)^3$, $[-2, 3]$

53. $f(x) = x + \dfrac{1}{x}$, $[0,2 \,; 4]$

54. $f(x) = \dfrac{x}{x^2 - x + 1}$, $[0, 3]$

55. $f(t) = t - \sqrt[3]{t}$, $[-1, 4]$

56. $f(t) = \dfrac{\sqrt{t}}{1 + t^2}$, $[0, 2]$

▲ **57.** $f(t) = 2\cos t + \sin 2t$, $[0, \pi/2]$

▲ **58.** $f(t) = t + \cot(t/2)$, $[\pi/4, 7\pi/4]$

⊕ **59.** $f(x) = x^{-2}\ln x$, $[\frac{1}{2}, 4]$

⊕ **60.** $f(x) = xe^{x/2}$, $[-3, 1]$

⊕ **61.** $f(x) = \ln(x^2 + x + 1)$, $[-1, 1]$

▲ **62.** $f(x) = x - 2\arctan x$, $[0, 4]$

63. Sachant que a et b sont des nombres positifs, trouvez la valeur maximale de $f(x) = x^a(1 - x)^b$, $0 \le x \le 1$.

64. À l'aide d'un graphique, estimez les valeurs critiques de $f(x) = |1 + 5x - x^3|$ à une décimale d'exactitude.

65-68

a) À l'aide d'un graphique, estimez les valeurs maximale et minimale absolues de chaque fonction à deux décimales d'exactitude.

b) Au moyen du calcul différentiel, déterminez les valeurs exactes nommées en a).

65. $f(x) = x^5 - x^3 + 2$, $-1 \le x \le 1$

⊕ **66.** $f(x) = e^x + e^{-2x}$, $0 \le x \le 1$

67. $f(x) = x\sqrt{x - x^2}$

▲ **68.** $f(x) = x - 2\cos x$, $-2 \le x \le 0$

⊕ **69.** Après l'ingestion d'une boisson alcoolisée, la concentration d'alcool dans le sang augmente selon la quantité absorbée, pour ensuite décliner jusqu'à ce que l'alcool soit complètement métabolisé. La fonction

$$C(t) = 1{,}35te^{-2{,}802t}$$

modélise la concentration moyenne d'alcool dans le sang (mg/mL) d'un groupe de huit sujets adultes masculins t heures après l'ingestion rapide de 15 mL d'éthanol, ce qui correspond à une consommation standard. Quelle est la concentration moyenne maximale dans les trois premières heures ? Interprétez la valeur obtenue.

Source : Adaptation de P. Wilkinson et coll., « Pharmacokinetics of ethanol after oral administration in the fasting state », *Journal of Pharmacokinetics and Biopharmaceutics*, n° 5, 1977, p. 207-224.

⊕ **70.** Après la prise d'un comprimé d'antibiotique, la concentration du médicament dans le sang est modélisée par la fonction

$$C(t) = 8(e^{-0,4t} - e^{-0,6t})$$

où le temps t est mesuré en heures (h) et la concentration C, en microgrammes par millilitre (μg/mL). Quelle est la concentration maximale de l'antibiotique dans le sang durant les 12 premières heures ?

71. Entre 0 °C et 30 °C, le volume V (en centimètres cubes) de 1 kg d'eau à une température T est donné approximativement par la formule

$$V = 999{,}87 - 0{,}064\,26T + 0{,}008\,504\,3T^2 - 0{,}000\,067\,9T^3.$$

Trouvez la température à laquelle l'eau a sa densité maximale.

▲ **72.** À l'aide d'une corde sur laquelle on exerce une force, on tire un objet de masse M sur un plan horizontal. Si la corde forme un angle θ avec le plan, alors l'intensité de la force est donnée par

$$F = \frac{\mu M}{\mu\sin\theta + \cos\theta}$$

où μ est une constante positive appelée « coefficient de friction » et où $0 \le \theta \le \pi/2$. Montrez que F est minimale lorsque $\tan\theta = \mu$.

73. Le lac Lanier est situé en Géorgie, aux États-Unis. Son niveau en 2012, mesuré en centimètres au-dessus du niveau de la mer, peut être modélisé par la fonction

$$L(t) = 0{,}004\,392t^3 - 0{,}1273t^2 + 0{,}8239t + 323{,}12$$

où le temps t est mesuré en mois depuis le 1er janvier 2012. Déterminez le moment où le niveau du lac a été le plus élevé cette année-là.

74. Le 7 mai 1992, la navette spatiale Endeavour décollait pour accomplir la mission STS-49 visant à installer un nouveau moteur de périgée dans un satellite de télécommunications Intelsat. Le tableau suivant présente des données sur la vitesse de la navette entre le moment du décollage et celui du largage des propulseurs-fusées.

Étape	Temps (s)	Vitesse (m/s)
Décollage	0	0
Début du tonneau	10	56
Fin du tonneau	15	97
Manette de poussée à 89 %	20	136
Manette de poussée à 67 %	32	226
Manette de poussée à 104 %	59	404
Pression dynamique maximale	62	440
Séparation des propulseurs-fusées	125	1265

a) À l'aide d'un outil graphique, trouvez un polynôme du troisième degré qui modélise le mieux la vitesse de la navette sur l'intervalle de temps $t \in [0, 125]$. Tracez ensuite le graphique de ce polynôme.

b) Déterminez un modèle de l'accélération de la navette et utilisez-le pour estimer les valeurs maximale et minimale de l'accélération au cours des 125 premières secondes.

75. Lorsqu'une personne tousse afin d'expulser un corps étranger de sa trachée, son diaphragme exerce une poussée vers le haut qui fait augmenter la pression dans ses poumons. Cette action s'accompagne d'une contraction de la trachée, donc d'un rétrécissement du conduit par lequel l'air est expulsé. Pour qu'un certain volume d'air puisse s'échapper dans un temps donné, il doit circuler plus rapidement dans le conduit rétréci que dans le conduit à l'état normal. Plus grande est la vitesse d'écoulement de l'air, plus grande est la force exercée sur le corps étranger. L'examen de radiographies révèle que, sous l'effet d'une toux, la trachée se contracte et réduit son rayon aux deux tiers environ. Selon un modèle mathématique de la toux, la vitesse v de l'écoulement d'air est liée au rayon r de la trachée par l'équation

$$v(r) = k(r_0 - r)r^2 \qquad \tfrac{1}{2}r_0 \le r \le r_0$$

où k est une constante et r_0 est le rayon normal de la trachée. La restriction sur r est attribuable au fait que, sous l'effet de la pression, la paroi trachéale se rigidifie, empêchant ainsi une contraction supérieure à $\frac{1}{2}r_0$ (qui entraînerait la suffocation).

a) Déterminez la valeur de r dans l'intervalle $[\frac{1}{2}r_0, r_0]$ où v atteint le maximum absolu. Comparez la valeur obtenue avec les données expérimentales.

b) Quelle est la valeur maximale absolue de v sur l'intervalle ?

c) Esquissez le graphique de v sur l'intervalle $[0, r_0]$.

76. Montrez que 5 est une valeur critique de la fonction

$$g(x) = 2 + (x - 5)^3$$

mais que g n'a pas de valeur extrême relative en 5.

77. Prouvez que la fonction

$$f(x) = x^{101} + x^{51} + x + 1$$

n'a ni maximum relatif ni minimum relatif.

78. Sachant que f a un mimimum relatif en c, montrez que la fonction $g(x) = -f(x)$ a un maximum relatif en c.

79. Prouvez le théorème de Fermat dans le cas où f a un minimum relatif en c.

80. Une fonction cubique étant un polynôme du troisième degré est de la forme $f(x) = ax^3 + bx^2 + cx + d$, où $a \ne 0$.

a) Montrez qu'une fonction cubique peut avoir deux valeurs critiques, comme elle peut n'en avoir qu'une ou même aucune. Présentez des exemples et des croquis illustrant les trois possibilités.

b) Combien de valeurs extrêmes relatives une fonction cubique peut-elle avoir ?

● APPLICATION

Le calcul différentiel et les arcs-en-ciel

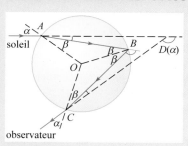

La formation de l'arc-en-ciel principal.

Les arcs-en-ciel résultent de la dispersion des rayons du soleil par les gouttes de pluie. S'ils fascinent les humains depuis toujours, c'est depuis l'époque d'Aristote qu'on tente de les expliquer scientifiquement. Ce travail vous invite à reprendre les idées de Descartes et de Newton afin d'expliquer la forme, la position et les couleurs des arcs-en-ciel.

1. La figure ci-contre montre un rayon de soleil pénétrant dans une goutte de pluie sphérique en A. Une partie de la lumière est réfléchie, mais une autre, représentée par AB, pénètre la goutte. On remarque que la lumière est réfractée vers la normale AO; d'ailleurs, selon la loi de Snell-Descartes, $\sin \alpha = k \sin \beta$, où α est l'angle d'incidence, β est l'angle de réfraction et $k \approx \frac{4}{3}$ est l'indice de réfraction de l'eau. En B, une partie de la lumière traverse la goutte et est réfractée dans l'air, mais la droite BC représente la partie qui est réfléchie. (L'angle d'incidence est égal à l'angle de réflexion.) Lorsque le rayon atteint C, une partie de sa lumière est réfléchie, mais on s'intéresse ici à la partie qui quitte la goutte en C. (On observe que la réfraction l'éloigne de la normale.) L'**angle de déviation** $D(\alpha)$ est la mesure de la rotation dans le sens horaire que le rayon subit au cours des trois phases de ce processus. Ainsi,

$$D(\alpha) = (\alpha - \beta) + (\pi - 2\beta) + (\alpha - \beta) = \pi + 2\alpha - 4\beta.$$

Montrez que la valeur minimale de la déviation est $D(\alpha) \approx 138°$ et se produit quand $\alpha \approx 59{,}4°$.

La déviation minimale signifie que, quand $\alpha \approx 59{,}4°$, on a $D'(\alpha) \approx 0$, et donc $\Delta D / \Delta \alpha \approx 0$. Ainsi, de nombreux rayons d'angle $\alpha \approx 59{,}4°$ se trouvent déviés d'environ la même mesure. C'est la concentration de rayons provenant de la direction de déviation minimale qui rend l'arc-en-ciel principal aussi lumineux. La figure ci-contre montre que l'angle d'élévation, de l'observateur au point le plus élevé de l'arc-en-ciel, est de $180° - 138° = 42°$. (On l'appelle **angle de l'arc-en-ciel**.)

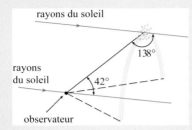

2. L'énoncé 1 explique la position de l'arc-en-ciel principal, mais comment s'expliquent les couleurs ? La lumière solaire se compose de longueurs d'onde dont les couleurs sont le rouge, l'orangé, le jaune, le vert, le bleu, l'indigo et le violet. Comme Newton l'a découvert lors de ses expériences avec les prismes en 1666, l'indice de réfraction varie selon la couleur. (C'est l'effet de dispersion.) L'indice de réfraction de la lumière rouge est $k \approx 1{,}3318$, tandis que celui de la lumière violette est $k \approx 1{,}3435$. En refaisant les calculs du problème 1 pour ces valeurs de k, montrez que l'angle de l'arc-en-ciel mesure environ $42{,}3°$ pour l'arc rouge et environ $40{,}6°$ pour l'arc violet. En réalité, l'arc-en-ciel se compose de sept arcs distincts correspondant aux sept couleurs.

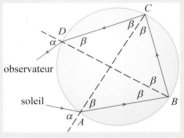

observateur

soleil

3. Peut-être avez-vous déjà vu, au-dessus de l'arc-en-ciel principal, un arc-en-ciel plus pâle. Cet arc-en-ciel secondaire est formé par la partie d'un rayon qui pénètre une goutte de pluie avant d'être réfractée en A, réfléchie deux fois (en B et en C), puis réfractée en quittant la goutte en D, comme le montre la figure ci-contre. Dans ce cas, l'angle de déviation $D(\alpha)$ équivaut à la rotation dans le sens antihoraire que le rayon subit au cours des quatre phases de ce processus. Montrez que

$$D(\alpha) = 2\alpha - 6\beta + 2\pi$$

et que $D(\alpha)$ a une valeur minimale quand

$$\cos\alpha = \sqrt{\frac{k^2 - 1}{8}}.$$

La formation de l'arc-en-ciel secondaire.

En posant $k = \frac{4}{3}$, montrez que la déviation minimale est d'environ $129°$, de sorte que l'angle de l'arc-en-ciel secondaire mesure environ $51°$, comme le montre la figure ci-contre.

4. Montrez que, par rapport à l'arc-en-ciel principal, les couleurs de l'arc-en-ciel secondaire se présentent dans l'ordre inverse.

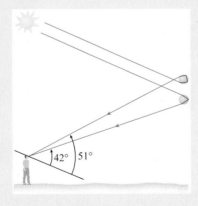

4.2 Les dérivées et la forme des graphiques

De nombreuses applications du calcul infinitésimal reposent sur la capacité à faire des déductions au sujet d'une fonction f d'après ses dérivées. Comme $f'(x)$ représente la pente de la tangente à la courbe $y = f(x)$ au point $(x, f(x))$, elle indique la direction dans laquelle la courbe évolue en chaque point. Il y a donc lieu de s'attendre à ce que l'information sur $f'(x)$ donne des renseignements sur $f(x)$.

▶ Monotonie : Que dit *f′* au sujet de *f* ?

La figure 4.2.1 permet de voir comment la dérivée de f indique les endroits où la fonction est croissante ou décroissante. (Les fonctions croissantes et décroissantes sont étudiées dans la section 1.3.) Entre A et B et entre C et D, les tangentes ont une pente positive, et donc $f'(x) > 0$. Entre B et C, la pente des tangentes est négative ; donc $f'(x) < 0$. Ainsi, il apparaît que f croît lorsque $f'(x)$ est positive et décroît lorsque $f'(x)$ est négative. Pour démontrer que cette observation se vérifie toujours, on a recours au théorème des accroissements finis (*voir l'annexe E*).

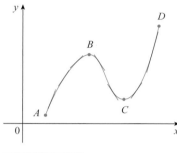

4.2.1 FIGURE

Une fonction f est dite **monotone** sur un intervalle I si elle est soit croissante, soit décroissante sur cet intervalle.

4.2.1 | **Test de monotonie**

a) Si $f'(x) > 0$ sur un intervalle, alors f est croissante sur cet intervalle.

b) Si $f'(x) < 0$ sur un intervalle, alors f est décroissante sur cet intervalle.

DÉMONSTRATION Soit x_1 et x_2, deux nombres quelconques de l'intervalle tels que $x_1 < x_2$. Selon la définition d'une fonction croissante, on doit montrer que $f(x_1) < f(x_2)$.

Étant donné que $f'(x) > 0$, on sait que f est dérivable sur $]x_1, x_2[$. D'après le théorème des accroissements finis, il existe un nombre c entre x_1 et x_2 tel que

4.2.2
$$f(x_2) - f(x_1) = f'(c)(x_2 - x_1).$$

Par hypothèse, $f'(c) \geq 0$, et $x_2 - x_1 > 0$ puisque $x_1 < x_2$. Donc, le membre de droite de l'égalité **4.2.2** est non négatif, d'où

$$f(x_2) - f(x_1) > 0 \quad \text{ou} \quad f(x_1) < f(x_2).$$

Cela prouve que f est croissante.

La preuve de la partie b) s'établit de façon analogue. ∎

Exemple **4.2.1** Déterminons les intervalles de croissance et de décroissance de la fonction $f(x) = 3x^4 - 4x^3 - 12x^2 + 5$.

Solution

$$f'(x) = 12x^3 - 12x^2 - 24x = 12x(x - 2)(x + 1).$$

Afin d'utiliser le test de monotonie, on doit savoir où $f'(x) \geq 0$ et où $f'(x) \leq 0$. Cela dépend des signes des trois facteurs de $f'(x)$, à savoir $12x$, $x - 2$ et $x + 1$. On divise la droite réelle en intervalles dont les bornes sont les valeurs critiques -1, 0 et 2 (racines des facteurs), puis on organise les résultats dans un tableau de signes. Un signe plus (+) indique que l'expression donnée est positive et un signe moins (−), que la valeur est négative. La dernière ligne du tableau présente la conclusion tirée du test de monotonie. Par exemple, comme $f'(x) < 0$ pour $0 < x < 2$, f est décroissante sur $]0, 2[$. (Dire que f est décroissante sur l'intervalle fermé $[0, 2]$ serait également vrai.) Ainsi, f est décroissante sur $]-\infty, -1[\cup]0, 2[$ et croissante sur $]-1, 0[\cup]2, \infty[$.

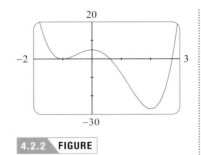

Ce tableau s'appelle le **tableau de variation relatif à f'** (habituellement, ce tableau contient seulement la ligne des signes de $f'(x)$, sans détailler les signes de chacun de ses facteurs). Le graphique de f montré dans la figure 4.2.2 confirme l'information du tableau.

x	$-\infty$		-1		0		2		∞
$12x$		$-$	$-$	$-$	0	$+$	$+$	$+$	
$x-2$		$-$	$-$	$-$	$-$	$-$	0	$+$	
$x+1$		$-$	0	$+$	$+$	$+$	$+$	$+$	
$f'(x) = 12x(x-2)(x+1)$		$-$	0	$+$	0	$-$	0	$+$	
f		↘		↗		↘		↗	

▶ Extremums relatifs

On se rappellera (*voir la section 4.1*) que, si f a un maximum ou un minimum relatif en c, alors c doit être une **valeur critique de f** (selon le théorème de Fermat). Néanmoins, une valeur critique ne donne pas nécessairement lieu à un maximum ou à un minimum. On doit donc recourir à un test pour déterminer si f présente un maximum ou un minimum relatif en un point critique.

Dans la figure 4.2.2, on voit que $f(0) = 5$ est une valeur maximale relative de f, parce que f croît sur $]-1, 0[$ et décroît sur $]0, 2[$. Ou, en termes de dérivées, $f'(x) > 0$ pour $-1 < x < 0$ et $f'(x) < 0$ pour $0 < x < 2$. Autrement dit, le signe de $f'(x)$ passe du positif au négatif en 0. Cette observation sert de base au test suivant.

4.2.3 | **Test de la dérivée première**

Soit c, une valeur critique d'une fonction continue f.

a) Si f' passe du positif au négatif en c, alors f présente un maximum relatif en c.

b) Si f' passe du négatif au positif en c, alors f présente un minimum relatif en c.

c) Si f' ne change pas de signe en c (par exemple, f' est positive de part et d'autre de c ou négative de part et d'autre), alors f n'a ni maximum relatif ni minimum relatif en c.

Le test de la dérivée première découle du test de monotonie. Dans la partie a), par exemple, comme le signe de $f'(x)$ passe du positif au négatif en c, f est croissante à gauche de c et décroissante à droite de c. En conséquence, f a un maximum relatif en c puisque f est continue en c.

On retiendra facilement le test de la dérivée première en gardant à l'esprit les schémas de la figure 4.2.3.

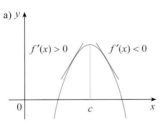

Maximum relatif.

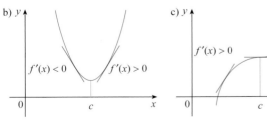

Minimum relatif.

Ni maximum relatif, ni minimum relatif.

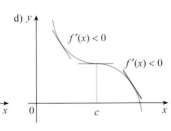

Ni maximum relatif, ni minimum relatif.

Exemple `4.2.2` Déterminons les extremums relatifs de la fonction f de l'exemple 4.2.1.

Solution Le tableau de variation relatif à f' dressé dans la solution de l'exemple 4.2.1 indique que $f'(x)$ passe du négatif au positif en -1 ; $f(-1) = 0$ est donc un minimum relatif selon le test de la dérivée première. De même, $f'(x)$ passe du négatif au positif en 2 ; $f(2) = -27$ est donc aussi un minimum relatif. Enfin, comme on l'a établi précédemment, $f(0) = 5$ est un maximum relatif parce que $f''(x)$ passe du positif au négatif en 0.

Exemple `4.2.3` Trouvons les extremums relatifs de la fonction g définie par

$$g(x) = x + 2 \sin x \qquad 0 \le x \le 2\pi.$$

Solution Pour déterminer les valeurs critiques de g, on dérive

$$g'(x) = 1 + 2 \cos x.$$

Donc, $g'(x) = 0$ quand $\cos x = -\frac{1}{2}$. Les solutions de cette équation sont $2\pi/3$ et $4\pi/3$. Comme g est dérivable partout sur l'intervalle ouvert $]0, 2\pi[$, ses seules valeurs critiques sont $2\pi/3$ et $4\pi/3$. Cela étant, on dresse le tableau de variation relatif à g'.

x	0		$2\pi/3$		$4\pi/3$		2π
g'		$+$	0	$-$	0	$+$	
g	0	↗	$\frac{2\pi}{3} + \sqrt{3}$	↘	$\frac{4\pi}{3} - \sqrt{3}$	↗	2π
			Max		Min		

Les signes + figurant dans le tableau découlent du fait que $g'(x) > 0$ quand $\cos x > -\frac{1}{2}$. D'après le graphique de $y = \cos x$, cela est vrai sur les intervalles indiqués.

Comme $g'(x)$ passe du positif au négatif en $2\pi/3$, il y a, selon le test de la dérivée première, un maximum relatif en $2\pi/3$, et la valeur maximale relative est

$$g(2\pi/3) = \frac{2\pi}{3} + 2 \sin \frac{2\pi}{3}$$

$$= \frac{2\pi}{3} + 2 \left(\frac{\sqrt{3}}{2} \right)$$

$$= \frac{2\pi}{3} + \sqrt{3}$$

$$\approx 3,83.$$

De même, $g'(x)$ passe du négatif au positif en $4\pi/3$; donc

$$g(4\pi/3) = \frac{4\pi}{3} + 2 \sin \frac{4\pi}{3}$$

$$= \frac{4\pi}{3} + 2 \left(-\frac{\sqrt{3}}{2} \right)$$

$$= \frac{4\pi}{3} - \sqrt{3}$$

$$\approx 2,46$$

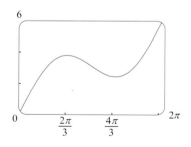

`4.2.4` **FIGURE**

$g(x) = x + 2 \sin x$

est un minimum relatif. Le graphique de g montré dans la figure 4.2.4 appuie cette conclusion.

▶ Concavité : Que dit *f″* au sujet de *f*?

La figure 4.2.5 montre les graphiques de deux fonctions croissantes sur]a, b[. Les deux graphiques relient le point *A* au point *B*, mais ils paraissent différents parce qu'ils s'incurvent dans des directions différentes. Comment distinguer ces deux types de comportements ? Dans la figure 4.2.6, on a tracé les tangentes à ces courbes en quelques points. En a), la courbe se situe au-dessus des tangentes, et *f* est dite concave vers le haut sur]a, b[. En b), la courbe se situe au-dessous des tangentes, et *g* est dite concave vers le bas sur]a, b[.

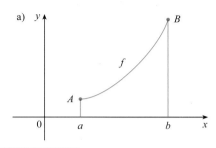
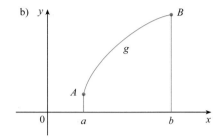

4.2.5 FIGURE

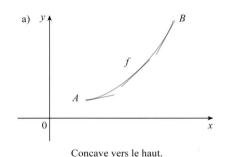
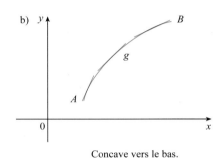

Concave vers le haut.   Concave vers le bas.

4.2.6 FIGURE

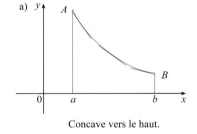

Concave vers le haut.

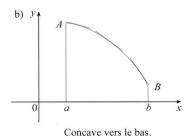

Concave vers le bas.

4.2.7 FIGURE

On observe le même comportement sur les graphiques des deux fonctions décroissantes de la figure 4.2.7. En a), la courbe se situe au-dessus des tangentes, et la fonction est dite concave vers le haut sur]a, b[. En b), la courbe se situe au-dessous des tangentes, et la fonction est dite concave vers le bas sur]a, b[.

4.2.4	Définition

Si le graphique de *f* se situe au-dessus de toutes ses tangentes sur un intervalle *I*, alors il est **concave vers le haut** sur *I*. Si le graphique de *f* se situe au-dessous de toutes ses tangentes sur *I*, il est **concave vers le bas** sur *I*.

La figure 4.2.8 montre le graphique d'une fonction concave vers le haut (notée CH) sur les intervalles]b, c[,]d, e[et]e, p[et concave vers le bas (notée CB) sur les intervalles]a, b[,]c, d[et]p, q[.

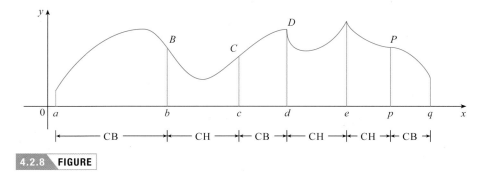

4.2.8 **FIGURE**

On se penche ici sur l'utilité de la dérivée seconde pour déterminer les intervalles de concavité. À l'examen des figures 4.2.6 a) et 4.2.7 a), on voit que, de gauche à droite, la pente de la tangente augmente. Cela signifie que la dérivée f' est une fonction croissante; donc la dérivée f'' est positive. De même, dans les figures 4.2.6 b) et 4.2.7 b), la pente de la tangente diminue de gauche à droite; donc f' décroît et, en conséquence, f'' est négative. L'inversion de ce raisonnement suggère que le théorème suivant est vrai. (On en donne la démonstration dans l'annexe E, à l'aide du théorème des accroissements finis.)

4.2.5 | **Test de concavité**

a) Si $f''(x) > 0$ pour tout x dans I, alors le graphique de f est concave vers le haut sur I.

b) Si $f''(x) < 0$ pour tout x dans I, alors le graphique de f est concave vers le bas sur I.

Exemple 4.2.4 La figure 4.2.9 présente le graphique d'une population d'abeilles élevées en rucher. Comment le taux d'accroissement de cette population varie-t-il dans le temps? À quel moment ce taux est-il le plus élevé? Sur quels intervalles P est-elle concave vers le haut ou concave vers le bas?

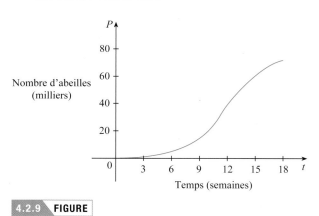

4.2.9 **FIGURE**

Solution En regardant la pente de la courbe à mesure que t augmente, on constate un taux d'accroissement de la population très faible au départ, qui augmente jusqu'à un maximum d'environ $t = 12$ semaines, puis qui décroît lorsque la population se stabilise. Quand la population approche son maximum d'environ 75 000 individus (appelé *capacité de charge*), le taux d'accroissement $P'(t)$ tend vers 0. La courbe paraît concave vers le haut sur $]0, 12[$ et concave vers le bas sur $]12, 18[$.

Dans l'exemple 4.2.4, la courbe de la population est passée de concave vers le haut à concave vers le bas autour du point (12, 38 000), qu'on appelle **point d'inflexion** de la courbe. Ce point est important, car il indique l'endroit où le taux d'accroissement de la population atteint son maximum. De manière générale, un point d'inflexion est un point où la concavité d'une courbe change de sens.

4.2.6	**Définition**

Un point P d'une courbe $y = f(x)$ est un point d'inflexion si f y est continue et si, en ce point, il se produit un changement de concavité.

Dans la figure 4.2.8, par exemple, B, C, D et P sont des points d'inflexion. On observe que, si une courbe admet une tangente en un point d'inflexion, alors elle coupe sa tangente en ce point.

Au regard du test de concavité, il y a un point d'inflexion en tout point où la dérivée seconde change de signe.

La dérivée seconde sert également au test suivant sur les valeurs maximales et minimales, qui découle du test de concavité.

4.2.7	**Test de la dérivée seconde**

Soit f'', continue au voisinage de c.

a) Si $f'(c) = 0$ et $f''(c) > 0$, alors f a un minimum relatif en c.

b) Si $f'(c) = 0$ et $f''(c) < 0$, alors f a un maximum relatif en c.

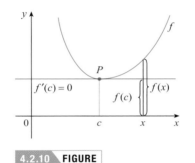

4.2.10 **FIGURE**

$f''(c) > 0$, f est concave vers le haut.

Par exemple, la partie a) est vraie parce que $f''(x) > 0$ près de c et que, par conséquent, f est concave vers le haut près de c. Ainsi, le graphique de f se situe au-dessus de sa tangente horizontale en c et f présente un minimum relatif en c (*voir la figure 4.2.10*).

Exemple 4.2.5 Analysons, sur son domaine naturel, la concavité de la courbe $y = x^4 - 4x^3$, ses points d'inflexion et ses maximums et minimums relatifs. À partir des données obtenues, esquissons la courbe.

Solution Si $f(x) = x^4 - 4x^3$, alors

$$f'(x) = 4x^3 - 12x^2$$

$$= 4x^2(x - 3)$$

$$f''(x) = 12x^2 - 24x$$

$$= 12x(x - 2).$$

Afin de trouver les valeurs critiques de f, on résout $f'(x) = 0$ et on obtient $x = 0$ et $x = 3$. Ensuite, pour pouvoir utiliser le test de la dérivée seconde, on évalue f'' aux valeurs critiques de f:

$$f''(0) = 0$$

$$f''(3) = 36 > 0.$$

Comme $f'(3) = 0$ et que $f''(3) > 0$, $f(3) = -27$ est un minimum relatif. Comme $f''(0) = 0$, le test de la dérivée seconde ne donne pas d'information sur la valeur critique 0. Cependant, comme $f'(x) < 0$ pour $x < 0$ ainsi que pour $0 < x < 3$, le test de la dérivée première indique que f n'a ni maximum ni minimum relatif en 0. (De fait, l'expression de $f'(x)$ indique que f décroît à la gauche de 3 et croît à la droite de 3.)

Afin de trouver les valeurs critiques de f', on résout $f''(x) = 0$ et on obtient $x = 0$ et $x = 2$. On divise la droite réelle en intervalles ayant ces valeurs critiques comme bornes et on complète le **tableau de variation relatif à f''** suivant.

x	$-\infty$		0		2		∞
f''		$+$	0	$-$	0	$+$	
f		$\cup$	0	$\cap$	-16	$\cup$	
			PI		PI		

Le point $(0, 0)$ est un point d'inflexion, car en ce point la courbe passe de concave vers le haut à concave vers le bas. En outre, $(2, -16)$ est un point d'inflexion puisqu'en ce point la courbe passe de concave vers le bas à concave vers le haut.

À partir du minimum relatif, des intervalles de concavité et des points d'inflexion, on trace la courbe (*voir la figure 4.2.11*).

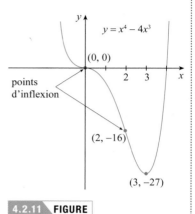

4.2.11 FIGURE

NOTE Le test de la dérivée seconde est non concluant lorsque $f''(c) = 0$, car, en un tel point, il peut y avoir un maximum, un minimum ou n'y avoir ni l'un ni l'autre (comme dans l'exemple 4.2.5). Ce test échoue également quand $f''(c)$ n'existe pas, auquel cas il faut utiliser le test de la dérivée première. D'ailleurs, même dans les cas où on a le choix, c'est souvent le test de la dérivée première qui s'avère le plus facile à utiliser.

▶ Esquisse de *f* à partir de *f'* et *f''*

4.2.8 On détermine l'**allure de la courbe** en combinant l'analyse de sa croissance et celle de sa concavité. Il existe quatre situations possibles pour lesquelles les symboles suivants sont utilisés dans les tableaux de variation.

⌡ : fonction croissante ($f'(x) > 0$) et concave vers le haut ($f''(x) > 0$)
(*voir la figure 4.2.6 a*)

⌐ : fonction croissante ($f'(x) > 0$) et concave vers le bas ($f''(x) < 0$)
(*voir la figure 4.2.6 b*)

↘ : fonction décroissante ($f'(x) < 0$) et concave vers le haut ($f''(x) > 0$)
(*voir la figure 4.2.7 a*)

↓ : fonction décroissante ($f'(x) < 0$) et concave vers le bas ($f''(x) < 0$)
(*voir la figure 4.2.7 b*)

Pour esquisser le graphique d'une fonction en tenant compte à la fois de ses intervalles de croissance, de ses intervalles de décroissance et de sa concavité vers le haut ou vers le bas, la méthode la plus rapide et efficace consiste à construire un tableau de variation relatif à la fois à la dérivée première et à la dérivée seconde de la fonction. Pour déterminer les endroits où le comportement de la fonction est susceptible de changer, on détermine les valeurs critiques de la fonction (*voir la définition 4.1.6*) et de sa dérivée.

4.2.9 | **Définition**

Une **valeur critique** de f' est une valeur c du domaine de f' telle que $f''(c) = 0$ ou telle que $f''(c)$ n'existe pas.

Notez que cette définition se rapproche de celle d'une valeur critique de f.

La construction d'un tableau de variation relatif à *f′* et *f″*

Les étapes sont les suivantes :

a) Trouver le domaine de *f* ainsi que les valeurs critiques pour *f* et *f′*. La première ligne du tableau contiendra les extrémités du domaine de *f* et toutes les valeurs critiques trouvées.

b) La deuxième et la troisième ligne du tableau contiennent respectivement les signes de *f′*(*x*) et *f″*(*x*) pour chacun des intervalles.

c) La quatrième ligne du tableau contient les images des différentes valeurs critiques de la première ligne ainsi que les symboles appropriés (*voir l'encadré 4.2.8*) représentant l'allure de la courbe dans chacun des sous-intervalles.

d) La dernière ligne du tableau spécifie la nature des points particuliers trouvés, c'est-à-dire les minimums (Min) et maximums (Max) relatifs et les points d'inflexion (PI).

Exemple `4.2.6` Esquissons un graphique possible d'une fonction *f* satisfaisant aux conditions suivantes :

i) $f'(x) > 0$ sur $]-\infty, 1[, f'(x) < 0$ sur $]1, \infty[$;

ii) $f''(x) > 0$ sur $]-\infty, -2[$ et $]2, \infty[, f''(x) < 0$ sur $]-2, 2[$;

iii) $\lim_{x \to -\infty} f(x) = -2, \lim_{x \to \infty} f(x) = 0$.

Solution   La condition i) implique que *f* est croissante sur $]-\infty, 1[$ et décroissante sur $]1, \infty[$. La condition ii) indique que *f* est concave vers le haut sur $]-\infty, -2[$ et $]2, \infty[$ et concave vers le bas sur $]-2, 2[$. De plus, l'existence de *f″* en $x = 1$ implique la continuité de *f′* à la même valeur (*voir le théorème 2.8.4*). Ainsi, $f'(1) = 0$ puisque *f′* change de signe à cet endroit. En raison de la condition iii), on sait que le graphique de *f* possède deux asymptotes horizontales : $y = -2$ et $y = 0$. On remplit un tableau de variation relatif à *f′* et *f″* à partir de l'information fournie.

x	$-\infty$		-2		1		2		∞
f′		+	?	+	0	−	?	−	
f″		+	?	−	−	−	?	+	
f	-2	⤴	?	⤴	?	⤵	?	⤵	0

On trace d'abord l'asymptote horizontale $y = -2$ en tireté. Ensuite, on trace le graphique de *f* approchant l'asymptote à l'extrême gauche, montant jusqu'à son maximum en $x = 1$, puis redescendant vers l'axe des *x* à l'extrême droite, tout en respectant l'allure de la courbe décrite dans le tableau de variation. La figure 4.2.12 représente une seule des courbes possibles respectant les conditions i) à iii).

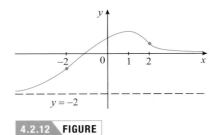

`4.2.12` **FIGURE**

Exemple 4.2.7 Esquissons le graphique de $f(x) = x^{2/3}(6-x)^{1/3}$.

Solution Le calcul des deux premières dérivées donne

On vérifie ces calculs au moyen des règles de dérivation.

$$f'(x) = \frac{4-x}{x^{1/3}(6-x)^{2/3}} \qquad f''(x) = \frac{-8}{x^{4/3}(6-x)^{5/3}}.$$

La fonction f est définie sur les réels et n'a aucune discontinuité. Comme $f'(x) = 0$ quand $x = 4$ et que $f'(x)$ n'existe pas en $x = 0$ et en $x = 6$, les valeurs critiques de f sont 0, 4 et 6. Puisque $f''(x)$ n'a pas de racine et n'existe pas en $x = 0$ ni en $x = 6$, la valeur critique de f' est 0. On construit un tableau de variation relatif à f' et f''.

Essayez de reproduire le graphique de la figure 4.2.13 à l'aide d'un outil graphique. Certains outils produisent le graphique complet alors que d'autres ne produisent que la partie à droite de l'axe des y ou que la partie située entre $x = 0$ et $x = 6$. Voici une expression équivalente permettant de produire le graphique complet de la fonction:

$$y = (x^2)^{1/3} \cdot \frac{6-x}{|6-x|}|6-x|^{1/3}.$$

x	$-\infty$		0		4		6		∞
f'		$-$	∄	$+$	0	$-$	∄	$-$	
f''		$-$	∄	$-$	$-$	$-$	∄	$+$	
f		↘	0	↗	$2^{5/3}$	↘	0	↘	
			Min		Max		PI		

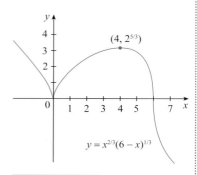

Pour trouver les extremums relatifs, on utilise le test de la dérivée première. Comme f' passe du négatif au positif en 0, $f(0) = 0$ est un minimum relatif. Comme f' passe du positif au négatif en 4, $f(4) = 2^{5/3}$ est un maximum relatif. Le signe de f' ne changeant pas en 6, il n'y a ni minimum ni maximum en ce point. (On pourrait utiliser le test de la dérivée seconde en 4, mais pas en 0 ni en 6, car f'' n'existe pas en ces valeurs.)

L'expression de $f''(x)$ et le fait que $x^{4/3} \geq 0$ pour tout x permettent de poser $f''(x) < 0$ pour $x < 0$ et pour $0 < x < 6$ ainsi que $f''(x) > 0$ pour $x > 6$. Donc, f est concave vers le bas sur $]-\infty, 0[$ et $]0, 6[$ et concave vers le haut sur $]6, \infty[$, et le seul point d'inflexion est $(6, 0)$. La figure 4.2.13 montre le graphique. Il semble que la courbe possède des tangentes verticales en $(0, 0)$ et en $(6, 0)$. C'est le cas puisque $|f'(x)| \to \infty$ lorsque $x \to 0$ et que $x \to 6$.

4.2.13 FIGURE

Exercices 4.2

1-2 D'après le graphique de f donné, déterminez:
a) les intervalles ouverts sur lesquels f est croissante;
b) les intervalles ouverts sur lesquels f est décroissante;
c) les intervalles ouverts sur lesquels f est concave vers le haut;
d) les intervalles ouverts sur lesquels f est concave vers le bas;
e) les coordonnées des points d'inflexion.

1.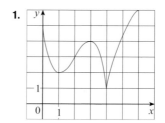

2.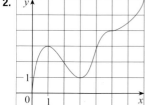

3. Vous connaissez la formule d'une fonction f.
a) Comment déterminez-vous les endroits où f est croissante ou décroissante?

b) Comment déterminez-vous les endroits où le graphique de f est concave vers le haut ou concave vers le bas?
c) Comment repérez-vous les points d'inflexion?

4. a) Énoncez le test de la dérivée première.
b) Énoncez le test de la dérivée seconde. Dans quelles circonstances ce test est-il non concluant? Que doit-on faire dans ces circonstances?

5-6 Le graphique de la dérivée f' d'une fonction f est donné.
a) Sur quels intervalles f est-elle croissante ou décroissante?
b) En quelles valeurs de x la fonction f a-t-elle un maximum ou un minimum relatif?

5.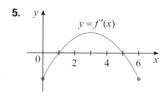

6.

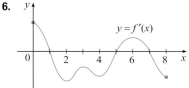

7. Dans chacun des cas posés, donnez les abscisses des points d'inflexion de f. Justifiez vos réponses.

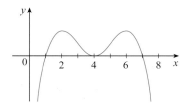

a) La courbe est le graphique de f.
b) La courbe est le graphique de f'.
c) La courbe est le graphique de f''.

8. On montre le graphique de la dérivée première f' d'une fonction f.

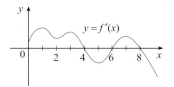

a) Sur quels intervalles f est-elle croissante ? Expliquez votre réponse.
b) En quelles valeurs de x la fonction f admet-elle un maximum ou un minimum relatif ? Expliquez votre réponse.
c) Sur quels intervalles f est-elle concave vers le haut ou concave vers le bas ? Expliquez votre réponse.
d) Quelles sont les abscisses des points d'inflexion de f ? Expliquez votre réponse.

9-18

a) Déterminez les intervalles sur lesquels f est croissante ou décroissante.
b) Déterminez les valeurs maximales et minimales relatives de f.
c) Déterminez les intervalles de concavité et les points d'inflexion.

9. $f(x) = x^3 - 3x^2 - 9x + 4$

10. $f(x) = 2x^3 - 9x^2 + 12x - 3$

11. $f(x) = x^4 - 2x^2 + 3$

12. $f(x) = \dfrac{x}{x^2 + 1}$

▲ **13.** $f(x) = \sin x + \cos x, \ 0 \le x \le 2\pi$

▲ **14.** $f(x) = \cos^2 x - 2\sin x, \ 0 \le x \le 2\pi$

⊕ **15.** $f(x) = e^{2x} + e^{-x}$

⊕ **16.** $f(x) = x^2 \ln x$

⊕ **17.** $f(x) = x^2 - x - \ln x$

⊕ **18.** $f(x) = x^4 e^{-x}$

19-21 À l'aide des tests de la dérivée première et de la dérivée seconde, trouvez les valeurs maximales et minimales relatives de f. Quelle méthode préférez-vous ?

19. $f(x) = 1 + 3x^2 - 2x^3$

20. $f(x) = \dfrac{x^2}{x - 1}$

21. $f(x) = \sqrt{x} - \sqrt[4]{x}$

22. Soit $f(x) = x^4(x - 1)^3$.
a) Trouvez les valeurs critiques de cette fonction.
b) Que vous indique le test de la dérivée seconde au sujet du comportement de f en ces valeurs critiques ?
c) Que vous indique le test de la dérivée première ?

23. Supposez que f'' est continue sur $]-\infty, \infty[$.
a) Si $f'(2) = 0$ et $f''(2) = -5$, que pouvez-vous dire de f ?
b) Si $f'(6) = 0$ et $f''(6) = 0$, que pouvez-vous dire de f ?

24-31 Esquissez le graphique d'une fonction qui satisfait à toutes les conditions données.

24. a) $f'(x) < 0$ et $f''(x) < 0$ pour tout x
    b) $f'(x) > 0$ et $f''(x) > 0$ pour tout x

25. a) $f'(x) > 0$ et $f''(x) < 0$ pour tout x
    b) $f'(x) < 0$ et $f''(x) > 0$ pour tout x

26. Asymptote verticale $x = 0$, $f'(x) > 0$ si $x < -2$, $f'(x) < 0$ si $x > -2$ ($x \ne 0$), $f''(x) < 0$ si $x < 0$, $f''(x) > 0$ si $x > 0$

27. $f'(0) = f'(2) = f'(4) = 0$, $f'(x) > 0$ si $x < 0$ ou $2 < x < 4$, $f'(x) < 0$ si $0 < x < 2$ ou $x > 4$, $f''(x) > 0$ si $1 < x < 3$, $f''(x) < 0$ si $x < 1$ ou $x > 3$

28. $f'(1) = f'(-1) = 0$, $f'(x) < 0$ si $|x| < 1$, $f'(x) > 0$ si $1 < |x| < 2$, $f'(x) = -1$ si $|x| > 2$, $f''(x) < 0$ si $-2 < x < 0$, point d'inflexion $(0, 1)$

29. $f'(x) > 0$ si $|x| < 2$, $f'(x) < 0$ si $|x| > 2$, $f'(-2) = 0$, $\lim\limits_{x \to 2} |f'(x)| = \infty$, $f''(x) > 0$ si $x \ne 2$

30. $f'(x) > 0$ si $|x| < 2$, $f'(x) < 0$ si $|x| > 2$, $f'(2) = 0$, $\lim\limits_{x \to \infty} f(x) = 1$, $f(-x) = -f(x)$, $f''(x) < 0$ si $0 < x < 3$, $f''(x) > 0$ si $x > 3$

31. $f'(x) < 0$ et $f''(x) < 0$ pour tout x

32. Soit $f(3) = 2$, $f'(3) = \frac{1}{2}$, $f'(x) > 0$ et $f''(x) < 0$ pour tout x.
a) Esquissez un graphique possible de f.
b) Combien de solutions l'équation $f(x) = 0$ a-t-elle ? Justifiez votre réponse.
c) Est-il possible que $f'(2) = \frac{1}{3}$? Justifiez votre réponse.

33. Soit f, une fonction continue dans laquelle $f(x) > 0$ pour tout x, $f(0) = 4$, $f'(x) > 0$ si $x < 0$ ou $x > 2$, $f'(x) < 0$ si $0 < x < 2$, $f''(-1) = f''(1) = 0$, $f''(x) > 0$ si $x < -1$ ou $x > 1$, $f''(x) < 0$ si $-1 < x < 1$.
a) La fonction f peut-elle avoir un maximum absolu ? Si oui, esquissez-en le graphique ; sinon, expliquez pourquoi.
b) La fonction f peut-elle avoir un minimum absolu ? Si oui, esquissez-en le graphique ; sinon, expliquez pourquoi.
c) Esquissez un graphique possible de f qui n'atteint pas un minimum absolu.

34. Selon le graphique de la fonction $y = f(x)$ représenté, à quels points les énoncés suivants sont-ils vrais?

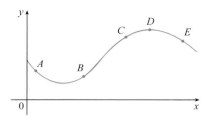

a) $\dfrac{dy}{dx}$ et $\dfrac{d^2 y}{dx^2}$ sont tous les deux positifs.

b) $\dfrac{dy}{dx}$ et $\dfrac{d^2 y}{dx^2}$ sont tous les deux négatifs.

c) $\dfrac{dy}{dx}$ est négatif et $\dfrac{d^2 y}{dx^2}$ est positif.

35-36 Répondez aux questions suivantes à partir du graphique de la dérivée f' d'une fonction continue f donné.

a) Sur quels intervalles f est-elle croissante? Sur quels intervalles est-elle décroissante?

b) En quelles valeurs de x la fonction f a-t-elle un maximum relatif? En quelles valeurs a-t-elle un minimum relatif?

c) Sur quels intervalles f est-elle concave vers le haut? Sur quels intervalles est-elle concave vers le bas?

d) Donnez l'abscisse ou les abscisses du ou des points d'inflexion.

e) En supposant que $f(0) = 0$, esquissez un graphique de f.

35.

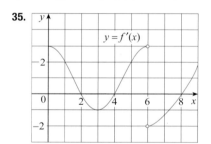

36.

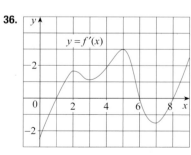

37-48 À l'aide d'un tableau de variation relatif à f' et f'':

a) déterminez les intervalles de croissance ou de décroissance.

b) trouvez les valeurs maximales et minimales relatives.

c) déterminez les intervalles de concavité et les points d'inflexion.

d) À partir de l'information trouvée en a) à c), esquissez le graphique. Si possible, vérifiez votre tracé à l'aide d'un outil graphique.

37. $f(x) = x^3 - 12x + 2$

38. $f(x) = 36x + 3x^2 - 2x^3$

39. $f(x) = 2 + 2x^2 - x^4$

40. $g(x) = 200 + 8x^3 + x^4$

41. $h(x) = (x + 1)^5 - 5x - 2$

42. $h(x) = 5x^3 - 3x^5$

43. $F(x) = x\sqrt{6 - x}$

44. $G(x) = 5x^{2/3} - 2x^{5/3}$

45. $C(x) = x^{1/3}(x + 4)$

46. $f(x) = \ln(x^4 + 27)$

▲ **47.** $f(\theta) = 2\cos\theta + \cos^2\theta,\ 0 \le \theta \le 2\pi$

▲ **48.** $S(x) = x - \sin x,\ 0 \le x \le 4\pi$

49. Soit $f'(x) = (x + 1)^2(x - 3)^5(x - 6)^4$, la dérivée d'une fonction f. Sur quel intervalle f est-elle croissante?

50. Au moyen des méthodes étudiées dans cette section, esquissez la courbe $y = x^3 - 3a^2x + 2a^3$, où a est une constante positive. Qu'ont en commun les membres de cette famille de courbes? En quoi se distinguent-ils les uns des autres?

51-52

a) Estimez les valeurs maximales et minimales de f d'après un graphique de la fonction. Trouvez ensuite les valeurs exactes.

b) Estimez la valeur de x en laquelle f croît le plus rapidement. Trouvez ensuite la valeur exacte.

51. $f(x) = \dfrac{x + 1}{\sqrt{x^2 + 1}}$　　　**52.** $f(x) = x^2 e^{-x}$

53-54

a) À l'aide d'un graphique de f, faites une estimation approximative des intervalles de concavité et des coordonnées des points d'inflexion.

b) À l'aide d'un graphique de f'', précisez vos estimations.

▲ **53.** $f(x) = \sin 2x + \sin 4x,\ 0 \le x \le \pi$

54. $f(x) = (x - 1)^2(x + 1)^3$

LCS **55-56** Au moyen d'un logiciel de calcul symbolique, calculez f'' et tracez-en le graphique afin d'estimer les intervalles de concavité à une décimale d'exactitude.

55. $f(x) = \dfrac{x^4 + x^3 + 1}{\sqrt{x^2 + x + 1}}$　　▲ **56.** $f(x) = \dfrac{x^2 \arctan x}{1 + x^3}$

57. Le graphique ci-après représente l'évolution en fonction du temps d'une population de cellules de levure dans une nouvelle culture.

a) Décrivez la variation du taux de croissance de la population.

b) À quel moment ce taux est-il le plus élevé?

c) Sur quels intervalles la fonction population est-elle concave vers le haut ou concave vers le bas?

d) Estimez les coordonnées du point d'inflexion.

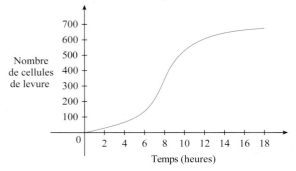

58. Dans un épisode de l'émission *Les Simpson*, Homer lit une annonce dans le journal et s'écrie: «Quelle bonne nouvelle! On dit que les résultats de cette année aux tests d'aptitude SAT déclinent à un rythme plus lent!» Traduisez cette déclaration de Homer dans les termes d'une fonction et de ses dérivées première et seconde.

59. Le ministre des Finances déclare que le déficit national est en croissance, mais à un taux décroissant. Traduisez cette déclaration dans les termes d'une fonction et de ses dérivées première et seconde.

60. Soit $f(t)$, la température au moment t là où vous vivez. Supposez qu'au moment $t = 3$ vous trouvez la chaleur accablante. Que vous inspirent les données dans chacun des cas suivants?

a) $f'(3) = 2, f''(3) = 4$ b) $f'(3) = 2, f''(3) = -4$
c) $f'(3) = -2, f''(3) = 4$ d) $f'(3) = -2, f''(3) = -4$

61. Soit $K(t)$, une mesure du savoir que vous acquérez en étudiant pendant t heures en vue d'un examen. À votre avis, quelle mesure est la plus grande: $K(8) - K(7)$ ou $K(3) - K(2)$? Le graphique de K est-il concave vers le haut ou concave vers le bas? Pourquoi?

62. On verse du café dans la tasse à un débit constant (mesuré en volume par unité de temps). Esquissez un graphique du niveau du café dans la tasse en fonction du temps. Tenez compte de la concavité. Quelle est la signification du point d'inflexion?

63. Une **courbe dose-effet** représente la concentration dans le sang d'un médicament qu'on a administré. Pour modéliser la courbe d'effet, on utilise souvent une fonction S définie par l'expression $S(t) = At^p e^{-kt}$, qui reflète une crête initiale de concentration suivie d'une diminution graduelle. Sachant que, pour un certain médicament, $A = 0,01$, $p = 4$, $k = 0,07$ et t est mesuré en minutes, estimez les moments correspondant aux points d'inflexion et expliquez la signification de ces points. Si vous disposez d'un outil graphique, utilisez-le pour tracer la courbe dose-effet.

64. Trouvez une fonction cubique $f(x) = ax^3 + bx^2 + cx + d$ qui a un maximum relatif de 3 en $x = -2$ et un minimum relatif de 0 en $x = 1$.

65. Pour quelles valeurs de a et de b la fonction

$$f(x) = axe^{bx^2}$$

a-t-elle $f(2) = 1$ comme valeur maximale?

66. a) Si la fonction $f(x) = x^3 + ax^2 + bx$ a $-\frac{2}{9}\sqrt{3}$ comme valeur maximale relative en $x = 1/\sqrt{3}$, quelles sont les valeurs exactes de a et de b?

b) Laquelle des tangentes à la courbe en a) présente la pente la plus faible?

67. Pour quelles valeurs de a et de b la courbe $x^2 y + ax + by = 0$ a-t-elle un point d'inflexion en $(2\,;\,2,5)$? Quels sont les autres points d'inflexion de cette courbe?

68. Montrez que la courbe $y = (1 + x)/(1 + x^2)$ a trois points d'inflexion qui sont tous situés sur une même droite.

69. Montrez que les courbes $y = e^{-x}$ et $y = -e^{-x}$ touchent la courbe $y = e^{-x} \sin x$ en ses points d'inflexion.

70. Montrez que les points d'inflexion de la courbe $y = x \sin x$ sont situés sur la courbe $y^2(x^2 + 4) = 4x^2$.

71-73 Tenez pour acquis que toutes les fonctions sont deux fois dérivables et que leurs dérivées secondes ne sont jamais nulles.

71. a) Sachant que f et g sont concaves vers le haut sur I, montrez que $f + g$ est concave vers le haut sur I.

b) Sachant que f est positive et concave vers le haut sur I, montrez que la fonction d'équation $g(x) = [f(x)]^2$ est concave vers le haut sur I.

72. a) Sachant que f et g sont positives, croissantes et concaves vers le haut sur I, montrez que la fonction produit fg est concave vers le haut sur I.

b) Montrez que la partie a) demeure vraie pour f et g décroissantes.

c) Supposez que f est croissante et g, décroissante. Au moyen de trois exemples, montrez que fg peut être concave vers le haut, concave vers le bas ou linéaire. Pourquoi l'argument posé en a) et en b) n'est-il pas valable dans ce cas-ci?

73. Soit f et g, deux fonctions concaves vers le haut sur $]-\infty, \infty[$. Quelle condition faut-il appliquer à f pour que la fonction composée $h(x) = f(g(x))$ soit concave vers le haut?

74. Montrez que $\tan x > x$ pour $0 < x < \pi/2$. (*Conseil:* Montrez que $f(x) = \tan x - x$ est croissante sur $]0, \pi/2[$.)

75. a) Montrez que $e^x \geq 1 + x$ pour $x \geq 0$.

b) Déduisez-en que $e^x \geq 1 + x + \frac{1}{2}x^2$ pour $x \geq 0$.

c) Prouvez par une preuve par induction que, pour $x \geq 0$ et n entier positif quelconque,

$$e^x \geq 1 + x + \frac{x^2}{2!} + \ldots + \frac{x^n}{n!}.$$

76. Montrez qu'une fonction cubique (un polynôme du troisième degré) a toujours un seul point d'inflexion. Sachant que le graphique d'une telle fonction a trois abscisses à l'origine, x_1, x_2 et x_3, montrez que l'abscisse du point d'inflexion est $(x_1 + x_2 + x_3)/3$.

77. Pour quelles valeurs de c le polynôme $P(x) = x^4 + cx^3 + x^2$ a-t-il deux points d'inflexion? un point d'inflexion? aucun point d'inflexion? Illustrez vos réponses en traçant P pour plusieurs valeurs de c. En quoi le graphique change-t-il à mesure que c décroît?

78. Prouvez que, si $(c, f(c))$ est un point d'inflexion du graphique de f et que f'' existe sur un intervalle ouvert contenant c, alors $f''(c) = 0$. (*Conseil*: Appliquez le test de la dérivée première et le théorème de Fermat à la fonction $g = f'$.)

79. Montrez que, si $f(x) = x^4$, alors $f''(0) = 0$, mais $(0, 0)$ n'est pas un point d'inflexion du graphique de f.

80. Montrez que la fonction $g(x) = x|x|$ a un point d'inflexion en $(0, 0)$ mais que $g''(0)$ n'existe pas.

81. Supposez que f''' est continue et que $f'(c) = f''(c) = 0$, mais que $f'''(c) > 0$. La fonction f présente-t-elle un maximum ou un minimum relatif en c? A-t-elle un point d'inflexion en c?

82. Supposez que f est dérivable sur un intervalle I et que $f'(x) > 0$ pour tous les nombres x dans I sauf le nombre c. Prouvez que f est décroissante sur tout l'intervalle I.

83. Pour quelles valeurs de c la fonction f définie par

$$f(x) = cx + \frac{1}{x^2 + 3}$$

est-elle croissante sur $]-\infty, \infty[$?

▲ **84.** Les trois cas du test de la dérivée première recoupent les situations les plus courantes, mais ne prévoient pas toutes les possibilités. Considérez les fonctions f, g et h dont les valeurs en 0 sont toutes nulles et, pour $x \neq 0$,

$$f(x) = x^4 \sin \frac{1}{x}$$

$$g(x) = x^4 (2 + \sin \frac{1}{x})$$

$$h(x) = x^4 (-2 + \sin \frac{1}{x})$$

a) Montrez que les trois fonctions ont 0 comme valeur critique mais que, de part et d'autre de 0, leurs dérivées changent de signe un nombre infini de fois.

b) Montrez que f n'a ni maximum relatif ni minimum relatif en 0, que g a un minimum relatif et que h a un maximum relatif.

4.3 **Un résumé du traçage de courbes**

Jusqu'ici, l'étude des courbes s'est limitée à certains aspects: domaine, ensemble image et symétrie au chapitre 1; limites, continuité et asymptotes au chapitre 2; dérivées et tangentes aux chapitres 2 et 3; extremums, intervalles de croissance et de décroissance, concavité et points d'inflexion dans le présent chapitre. Il est temps d'unir tous ces aspects afin de tracer des graphiques qui révèlent les caractéristiques importantes des fonctions.

On peut se demander pourquoi on ne s'en remet pas aux outils graphiques pour tracer les courbes et pourquoi il faut passer par le calcul différentiel.

Il est vrai que les outils modernes produisent de très bons graphiques. Cela dit, même les meilleurs outils doivent être utilisés intelligemment. On sait qu'il est important de choisir la fenêtre de visualisation appropriée pour éviter de produire un graphique trompeur. L'utilisation du calcul permet de découvrir les aspects les plus intéressants des graphiques et, dans bien des cas, de déterminer les valeurs extrêmes et les points d'inflexion avec exactitude plutôt qu'approximativement.

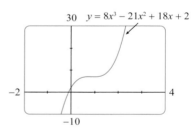

4.3.1 FIGURE

À titre d'exemple, la figure 4.3.1 montre le graphique de $f(x) = 8x^3 - 21x^2 + 18x + 2$. Au premier coup d'œil, ce graphique paraît plausible: il présente la même forme qu'une courbe cubique du type $y = x^3$, et il semble n'avoir ni maximum ni minimum. Or, si l'on calcule la dérivée, on constatera qu'il y a un maximum relatif lorsque $x = 0,75$ et un minimum relatif lorsque $x = 1$. En zoomant vers l'avant sur cette région du graphique, on observe effectivement ces extremums relatifs (*voir la figure 4.3.2*). Sans le calcul différentiel, cet aspect serait facilement passé inaperçu.

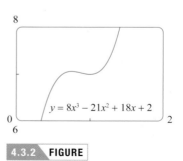

4.3.2 FIGURE

Dans la présente section, on trace des graphiques en considérant d'abord les éléments d'information énumérés ci-après. Il n'est pas nécessaire de disposer d'un outil graphique, mais, si vous en avez un, utilisez-le pour vérifier votre travail.

▶ **Marche à suivre pour tracer une courbe**

Cette marche à suivre se veut un guide pour dessiner à la main une courbe $y = f(x)$. Ces étapes ne s'appliquent pas toutes à chaque fonction. (Par exemple, une courbe peut ne pas admettre d'asymptote ou présenter de symétrie.) Cependant, ces lignes directrices fournissent toute l'information nécessaire au dessin d'une courbe reflétant les principaux aspects de la fonction.

I.   Le domaine   Il s'avère souvent utile de commencer par définir le domaine D de f, c'est-à-dire l'ensemble des valeurs de x pour lesquelles $f(x)$ est définie.

II.   Les coordonnées à l'origine   L'ordonnée à l'origine est $f(0)$; elle indique le point où la courbe coupe l'axe des y. Pour trouver les abscisses à l'origine, on pose $f(x) = 0$ et on résout pour x. (Si l'équation est difficile à résoudre, on peut omettre cette étape.)

III.   La symétrie

i)   Si $f(-x) = f(x)$ pour toutes les valeurs de x dans D, c'est-à-dire que l'équation de la courbe reste la même lorsqu'on remplace x par $-x$, alors f est une **fonction paire** et sa courbe est symétrique par rapport à l'axe des y. La tâche est donc réduite de moitié. Si l'on connaît l'allure de la courbe pour $x \geq 0$, on n'a qu'à effectuer une réflexion par rapport à l'axe des y pour obtenir la courbe dans son entier (*voir la figure 4.3.3 a*). Voici quelques exemples: $y = x^2$, $y = x^4$, $y = |x|$ et $y = \cos x$.

ii)   Si $f(-x) = -f(x)$ pour tout x dans D, alors f est une **fonction impaire** et sa courbe est symétrique par rapport à l'origine. Ici encore, on peut obtenir la courbe complète si l'on connaît son allure pour $x \geq 0$. (Une rotation de 180° autour de l'origine; *voir la figure 4.3.3 b*).) Voici quelques exemples de fonctions impaires: $y = x$, $y = x^3$, $y = x^5$ et $y = \sin x$.

iii)   Si $f(x + p) = f(x)$ pour tout x dans D, où p est une constante positive, alors f est une **fonction périodique**, et le nombre p le plus petit est sa **période**. Par exemple, la période de $y = \sin x$ est 2π et celle de $y = \tan x$ est π. Si l'on connaît l'allure du graphique dans un intervalle de longueur p, on peut avoir recours à la translation pour tracer le graphique en entier (*voir la figure 4.3.4*).

a)
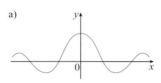

Fonction paire: symétrie de réflexion.

b)
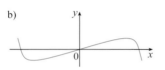

Fonction impaire: symétrie de rotation.

4.3.3   FIGURE

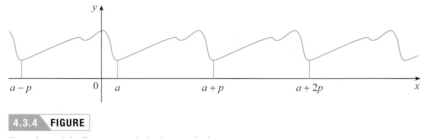

4.3.4   FIGURE

Fonction périodique: symétrie de translation.

IV.   Les asymptotes

i)   *Les asymptotes horizontales* (AH)   On peut voir dans la section 2.5 que, si $\lim\limits_{x \to \infty} f(x) = L$ ou $\lim\limits_{x \to -\infty} f(x) = L$, alors la droite $y = L$ est une asymptote horizontale à la courbe $y = f(x)$. S'il s'avère que $\lim\limits_{x \to \infty} f(x) = \infty$ (ou $-\infty$), alors il n'y a pas d'asymptote dans la partie positive de l'abscisse, mais cette donnée demeure utile pour dessiner la courbe.

ii)   *Les asymptotes verticales* (AV)   On peut voir dans la section 2.5 que la droite $x = a$ est une asymptote verticale si au moins une des situations suivantes est vérifiée:

4.3.1

$$\lim_{x \to a^+} f(x) = \infty \qquad \lim_{x \to a^-} f(x) = \infty$$
$$\lim_{x \to a^+} f(x) = -\infty \qquad \lim_{x \to a^-} f(x) = -\infty.$$

(Pour les fonctions rationnelles, on peut repérer les asymptotes verticales en annulant le dénominateur après avoir éliminé les facteurs communs au numérateur et au dénominateur, une méthode qui ne s'applique pas aux autres fonctions.) Il est aussi très utile, pour dessiner la courbe, de savoir quelle situation est vérifiée en **4.3.1**. Si $f(a)$ n'est pas définie mais que a est une extrémité du domaine de f, on devra calculer $\lim\limits_{x \to a^-} f(x)$ ou $\lim\limits_{x \to a^+} f(x)$, que cette limite soit finie ou infinie.

iii) *Les asymptotes obliques* (AO)   Ces asymptotes sont étudiées à la fin de la présente section.

V. Les valeurs critiques de f et f'   On détermine les valeurs critiques de f (les nombres c du domaine de f où $f'(c) = 0$ ou $f'(c)$ n'existe pas). On calcule ensuite f'' et on détermine les valeurs critiques de f' (les nombres c du domaine de f' où $f''(c) = 0$ ou $f''(c)$ n'existe pas).

> **ATTENTION**   Le domaine de f' est le domaine de f auquel on enlève les valeurs de x pour lesquelles $f'(x)$ n'existe pas.

VI. Le tableau de variation complet   On construit un tableau de variation dans lequel la première ligne représente les extrémités du domaine de f et où les valeurs critiques trouvées sont placées en ordre croissant. On indique la valeur et le signe pris par f' et f'' à chaque abscisse et à chaque sous-intervalle entre ces abscisses. À l'aide du test de monotonie et du test de concavité, on trace l'allure de la courbe sur chaque intervalle et on inscrit la valeur de la fonction à chaque abscisse. On complète le tableau en indiquant les maximums et minimums relatifs, les points d'inflexion et les asymptotes. Les extremums sont définis par le test de la dérivée première ou seconde. Les points d'inflexion se présentent aux valeurs du domaine où la concavité change de sens.

VII. Le traçage de la courbe   À partir du tableau de variation complet et des éléments établis en II, III et IV, on dessine le graphique. On commence par les asymptotes, qu'on représente en tireté. On trace ensuite les coordonnées à l'origine, les extremums relatifs et les points d'inflexion. Par ces points, on fait passer la courbe conformément à l'allure indiquée dans le tableau de variation. On peut aussi calculer des points supplémentaires de la fonction pour améliorer le tracé de la courbe.

> Les abscisses à l'origine ne font pas partie du tableau de variation à moins d'être des valeurs critiques.

> S'il est impossible de tracer la courbe à partir de l'information du tableau, c'est que celui-ci contient au moins une erreur. Il faut alors refaire les calculs, s'assurer d'avoir les bonnes valeurs critiques, ne pas faire d'erreur de signe dans le tableau et bien interpréter l'allure de la courbe à partir des signes.

Exemple 4.3.1   En respectant la marche à suivre, esquissons la courbe $y = \dfrac{2x^2}{x^2 - 1}$.

I. Le domaine de définition est

$$\{x \in \mathbb{R} \mid x^2 - 1 \neq 0\} = \{x \in \mathbb{R} \mid x \neq \pm 1\} = {]-\infty, -1[} \cup {]-1, 1[} \cup {]1, \infty[}.$$

II. L'ordonnée à l'origine est 0.

III. Comme $f(-x) = f(x)$, la fonction f est paire. La courbe est symétrique par rapport à l'axe des y.

IV.
$$\lim_{x \to \pm\infty} \frac{2x^2}{x^2 - 1} = \lim_{x \to \pm\infty} \frac{2}{1 - 1/x^2} \overset{\frac{2}{1^-} = 2^+}{=} 2$$

Par conséquent, la droite $y = 2$ est une asymptote horizontale à la fois dans la partie négative et dans la partie positive de l'abscisse.

Comme le dénominateur est 0 en $x = \pm 1$, on calcule les limites suivantes :

$$\lim_{x \to 1^+} \frac{2x^2}{x^2 - 1} = \infty \qquad \lim_{x \to 1^-} \frac{2x^2}{x^2 - 1} = -\infty$$

$$\lim_{x \to -1^+} \frac{2x^2}{x^2 - 1} = -\infty \qquad \lim_{x \to -1^-} \frac{2x^2}{x^2 - 1} = \infty.$$

En conséquence, les droites $x = 1$ et $x = -1$ sont des asymptotes verticales.

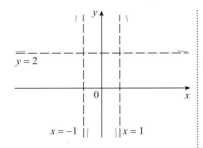

4.3.5 FIGURE

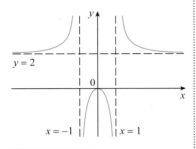

4.3.6 FIGURE

Esquisse achevée de $y = \dfrac{2x^2}{x^2 - 1}$.

Ces informations à propos des limites et des asymptotes donnent la possibilité de tracer l'esquisse préliminaire de la figure 4.3.5 qui montre les parties des courbes près des asymptotes.

V.
$$f'(x) = \frac{4x(x^2 - 1) - 2x^2 \cdot 2x}{(x^2 - 1)^2} = \frac{-4x}{(x^2 - 1)^2}$$

Comme $f'(x)$ égale 0 quand $x = 0$ et existe pour toutes les valeurs du domaine de f, la seule valeur critique de f est $x = 0$.

$$f''(x) = \frac{-4(x^2 - 1)^2 - 4x \cdot 2(x^2 - 1)2x}{(x^2 - 1)^4} = \frac{12x^2 + 4}{(x^2 - 1)^3}$$

Comme $12x^2 + 4 > 0$ pour tout x et que $f''(x)$ existe pour toutes les valeurs du domaine de f', il n'y a pas de nouvelles valeurs critiques.

VI. On remplit le tableau de variation.

x	$-\infty$		-1		0		1		∞
f'		$+$	$\not\exists$	$+$	0	$-$	$\not\exists$	$-$	
f''		$+$	$\not\exists$	$-$	$-$	$-$	$\not\exists$	$+$	
f	2	↗	⋮	↗	0	↘	⋮	↘	2
	AH		AV		Max		AV		AH

Puisque la fonction est symétrique par rapport à l'axe des y, on aurait pu construire un tableau de variation seulement sur l'intervalle $[0, \infty[$. On note qu'il n'y a pas de point d'inflexion puisque 1 et -1 n'appartiennent pas au domaine de f.

VII. À l'aide des éléments établis en VI, on termine l'esquisse dans la figure 4.3.6.

Exemple **4.3.2** Esquissons le graphique de $f(x) = \dfrac{x^2}{\sqrt{x + 1}}$.

I. Domaine $= \{x \in \mathbb{R} \mid x + 1 > 0\} = \{x \in \mathbb{R} \mid x > -1\} = \,]-1, \infty[$

II. Coordonnées à l'origine : 0

III. Symétrie : aucune

IV. Comme
$$\lim_{x \to \infty} \frac{x^2}{\sqrt{x + 1}} = \infty,$$

il n'y a pas d'asymptote horizontale. Puisque $\sqrt{x + 1} \to 0^+$ quand $x \to -1^+$ et que $f(x)$ est toujours positive, on a
$$\lim_{x \to -1^+} \frac{x^2}{\sqrt{x + 1}} = \infty$$

et, donc, la droite $x = -1$ est une asymptote verticale.

V.
$$f'(x) = \frac{2x\sqrt{x + 1} - x^2 \cdot 1/(2\sqrt{x + 1})}{x + 1} = \frac{x(3x + 4)}{2(x + 1)^{3/2}}$$

On constate que $f'(x) = 0$ quand $x = 0$ (et on remarque que $-4/3$ n'appartient pas au domaine de f) ; donc, la seule valeur critique est 0.

$$f''(x) = \frac{2(x + 1)^{3/2}(6x + 4) - (3x^2 + 4x)3(x + 1)^{1/2}}{4(x + 1)^3} = \frac{3x^2 + 8x + 8}{4(x + 1)^{5/2}} = \frac{3x^2 + 8x + 8}{4(x + 1)^2\sqrt{x + 1}}$$

On remarque que le dénominateur est toujours positif sur le domaine de *f*. Le numérateur est l'expression du second degré $3x^2 + 8x + 8$, qui est toujours positive parce que son discriminant est $b^2 - 4ac = -32$, de valeur négative, et le coefficient de x^2 est positif. Ainsi, $f''(x) > 0$ pour toutes les valeurs de *x* du domaine de *f*, ce qui signifie que f' n'a pas de valeurs critiques.

VI. On remplit le tableau de variation.

x	−1		0		∞
f'	∄	−	0	+	
f''	∄	+	+	+	
f	⋮	↘	0	↗	∞
	AV		Min		

VII. La courbe est esquissée dans la figure 4.3.7.

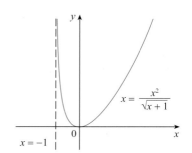

$$x = \frac{x^2}{\sqrt{x+1}}$$

$x = -1$

4.3.7 **FIGURE**

Exemple **4.3.3** Esquissons le graphique de $f(x) = e^{1/x}$.

I. Le domaine est $\mathbb{R}^*$.

II. Il n'y a aucune ordonnée à l'origine puisque $e^{1/x}$ n'est pas défini en $x = 0$.

III. Symétrie : aucune

IV. Comme le domaine de *f* est $\mathbb{R}^*$, on détermine les asymptotes verticales en calculant les limites à gauche et à droite lorsque $x \to 0$. Quand $x \to 0^+$, on sait que $t = 1/x \to \infty$; donc,

$$\lim_{x \to 0^+} e^{1/x} = \lim_{t \to \infty} e^t = \infty,$$

ce qui établit que $x = 0$ est une asymptote verticale. Lorsque $x \to 0^-$, on a $t = 1/x \to -\infty$; donc

$$\lim_{x \to 0^-} e^{1/x} = \lim_{t \to -\infty} e^t = 0.$$

Lorsque $x \to \pm\infty$, on a $1/x \to 0$, et donc

$$\lim_{x \to \pm\infty} e^{1/x} \overset{e^{0^{\pm}} = 1^{\pm}}{=} e^0 = 1.$$

Cela montre que $y = 1$ est une asymptote horizontale dans la partie négative et positive de l'abscisse (*voir la figure 4.3.8*).

V. La règle de dérivation en chaîne donne

$$f'(x) = -\frac{e^{1/x}}{x^2}.$$

Comme $e^{1/x} > 0$ et $x^2 > 0$ pour tout $x \neq 0$, *f* est sans valeur critique. La dérivée seconde est

$$f''(x) = -\frac{x^2 e^{1/x}(-1/x^2) - e^{1/x}(2x)}{x^4}$$

$$= \frac{e^{1/x}(2x+1)}{x^4}.$$

Puisque $e^{1/x} > 0$ et $x^4 > 0$, f' a une valeur critique lorsque $2x + 1 = 0$ ou $x = -1/2$.

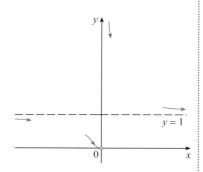

$y = 1$

4.3.8 **FIGURE**
Esquisse préliminaire.

VI. On remplit le tableau de variation complet.

x	$-\infty$		$-1/2$		0		∞
f'		$-$	$-$	$-$	$\nexists$	$-$	
f''		$-$	0	$+$	$\nexists$	$+$	
f	1	↘	e^{-2}	↘	0	↘	1
	AH		PI		AV		AH

y = e^{1/x}

point d'inflexion

y = 1

$(-1/2, e^{-2})$

4.3.9 FIGURE

VII. Les éléments établis permettent d'esquisser la courbe (*voir la figure 4.3.9*). ■

Exemple **4.3.4** Esquissons le graphique de $f(x) = \dfrac{\cos x}{2 + \sin x}$.

I. Le domaine est $\mathbb{R}$.

II. L'ordonnée à l'origine est $f(0) = \frac{1}{2}$. Les abscisses à l'origine se présentent lorsque $\cos x = 0$, c'est-à-dire que $x = (2n+1)\pi/2$, où n est un entier.

III. La fonction f n'est ni paire ni impaire, mais on a $f(x + 2\pi) = f(x)$ pour tout x, ce qui fait de f une fonction périodique de période 2π. Ainsi, dans les étapes suivantes, on ne considérera que $0 \le x \le 2\pi$, et c'est par translation qu'on prolongera la courbe.

IV. Asymptote : aucune

V. On recherche les valeurs critiques sur l'intervalle $[0, 2\pi]$. On a

$$f'(x) = \frac{(2+\sin x)(-\sin x) - \cos x(\cos x)}{(2+\sin x)^2}$$
$$= -\frac{2\sin x + 1}{(2+\sin x)^2}.$$

Par conséquent, $f'(x) = 0$ quand

$$2\sin x + 1 = 0 \Leftrightarrow \sin x = -\tfrac{1}{2},$$

d'où les valeurs critiques $x = 7\pi/6$ et $x = 11\pi/6$. En utilisant de nouveau la règle de dérivation d'un quotient, on obtient, après avoir simplifié,

$$f''(x) = -\frac{2\cos x(1 - \sin x)}{(2+\sin x)^3}.$$

Comme $f''(x) = 0$ lorsque $1 - \sin x = 0$ ou $\cos x = 0$, on obtient les valeurs critiques $\pi/2$ et $3\pi/2$. Puisque f' et f'' sont définies sur le domaine de f et de f', il n'y a pas d'autres valeurs critiques.

VI. On remplit le tableau de variation.

x	0		$\pi/2$		$7\pi/6$		$3\pi/2$		$11\pi/6$		2π
f'		$-$	$-$	$-$	0	$+$	$+$	$+$	0	$-$	
f''		$-$	0	$+$	$+$	$+$	0	$-$	$-$	$-$	
f	$1/2$	↘	0	↘	$-1/\sqrt{3}$	↗	0	↗	$1/\sqrt{3}$	↘	$1/2$
			PI		Min		PI		Max		

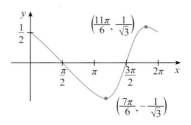

VII. Le graphique de la fonction restreinte à $0 \leq x \leq 2\pi$ est montré dans la figure 4.3.10. La périodicité permet de produire le graphique complet dans la figure 4.3.11.

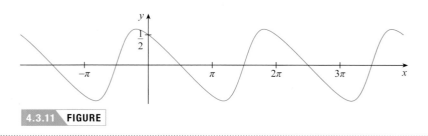

4.3.11 **FIGURE**

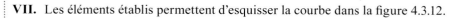

Exemple 4.3.5 Esquissons le graphique de $y = \ln(4 - x^2)$.

I. Le domaine est

$$\{x \in \mathbb{R} \mid 4 - x^2 > 0\} = \{x \in \mathbb{R} \mid x^2 < 4\} = \{x \in \mathbb{R} \mid |x| < 2\} = \,]{-2}, 2[.$$

II. L'ordonnée à l'origine est $f(0) = \ln 4$. Pour trouver l'abscisse à l'origine, on pose

$$y = \ln(4 - x^2) = 0.$$

Sachant que $\ln 1 = 0$, on a $4 - x^2 = 1 \Rightarrow x^2 = 3$; donc les abscisses à l'origine sont $\pm\sqrt{3}$.

III. Puisque $f(-x) = f(x)$, f est paire et sa courbe est symétrique par rapport à l'axe des y.

IV. On recherche des asymptotes verticales aux extrémités du domaine. Comme $4 - x^2 \to 0^+$ quand $x \to 2^-$ et aussi quand $x \to -2^+$, on a

$$\lim_{x \to 2^-} \ln(4 - x^2) = -\infty \qquad \lim_{x \to -2^+} \ln(4 - x^2) = -\infty.$$

En conséquence, les droites $x = 2$ et $x = -2$ sont des asymptotes verticales.

V.
$$f'(x) = \frac{-2x}{4 - x^2}$$

Comme $f''(x) = 0$ quand $x = 0$ et que $f'(x)$ existe sur le domaine de f, la seule valeur critique est $x = 0$.

$$f''(x) = \frac{(4 - x^2)(-2) + 2x(-2x)}{(4 - x^2)^2} = \frac{-8 - 2x^2}{(4 - x^2)^2}$$

Puisque $f''(x) < 0$ pour tout $x \in \,]{-2}, 2[$, il n'y a aucune nouvelle valeur critique et donc aucun changement de concavité.

VI. On remplit le tableau de variation.

x	-2		0		2
f'		$+$	0	$-$	
f''		$-$	$-$	$-$	
f	$-\infty$	↗	$\ln 4$	↘	$-\infty$
	AV		Max		AV

VII. Les éléments établis permettent d'esquisser la courbe dans la figure 4.3.12.

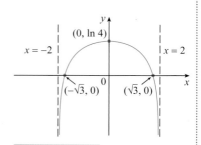

$y = \ln(4 - x^2)$

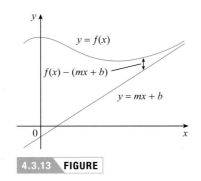

y = f(x)

f(x) − (mx + b)

y = mx + b

4.3.13 FIGURE

Les asymptotes obliques

Certaines courbes ont des asymptotes qui ne sont ni horizontales ni verticales, mais obliques. Si

$$\lim_{x \to \infty}[f(x) - (mx + b)] = 0,$$

alors la droite $y = mx + b$ est une **asymptote oblique** parce que, comme le montre la figure 4.3.13, la distance verticale entre la courbe $y = f(x)$ et la droite $y = mx + b$ tend vers 0. (Une situation analogue existe lorsqu'on fait tendre x vers $-\infty$.) Pour les fonctions rationnelles, les asymptotes obliques se présentent lorsque le degré du polynôme au numérateur est supérieur à celui du polynôme au dénominateur. Dans un cas semblable, on peut trouver l'équation de l'asymptote oblique au moyen de la division euclidienne, comme l'illustre l'exemple suivant.

Exemple 4.3.6 Esquissons le graphique de $f(x) = \dfrac{x^3}{x^2 + 1}$.

   I. Le domaine est $\mathbb{R} = \,]-\infty, \infty[$.

  II. Les coordonnées à l'origine sont toutes deux 0.

 III. Puisque $f(-x) = -f(x)$, f est impaire et son graphique est symétrique par rapport à l'origine.

  IV. Comme $x^2 + 1$ n'est jamais nulle, il n'y a pas d'asymptote verticale. Et comme $f(x) \to \infty$ quand $x \to \infty$ et que $f(x) \to -\infty$ quand $x \to -\infty$, il n'y a pas d'asymptote horizontale. Cependant, la division euclidienne donne

$$f(x) = \frac{x^3}{x^2 + 1} = x - \frac{x}{x^2 + 1}$$

$$f(x) - x = -\frac{x}{x^2 + 1} = -\frac{1}{x + \dfrac{1}{x}} \to 0 \quad \text{lorsque} \quad x \to \pm\infty.$$

Cette équation suggère que $y = x$ est une possibilité pour une asymptote oblique. En effet, la droite $y = x$ est donc une asymptote oblique.

   V.
$$f'(x) = \frac{3x^2(x^2 + 1) - x^3 \cdot 2x}{(x^2 + 1)^2} = \frac{x^2(x^2 + 3)}{(x^2 + 1)^2}$$

Comme $f'(x)$ égale 0 lorsque $x = 0$ et existe sur le domaine de f, la seule valeur critique est 0.

$$f''(x) = \frac{(4x^3 + 6x)(x^2 + 1)^2 - (x^4 + 3x^2) \cdot 2(x^2 + 1)2x}{(x^2 + 1)^4} = \frac{2x(3 - x^2)}{(x^2 + 1)^3}$$

Comme $f''(x) = 0$ en $x = 0$ ou en $x = \pm\sqrt{3}$ et que $f''(x)$ est définie pour toutes les valeurs de x du domaine de f', les valeurs critiques de f' sont 0 et $\pm\sqrt{3}$.

  VI. On remplit le tableau de variation complet.

x	$-\infty$		$-\sqrt{3}$		0		$\sqrt{3}$		∞
f'		+	+	+	0	+	+	+	
f''		+	0	−	0	+	0	−	
f	$-\infty$	↗	$-3\sqrt{3}/4$	↗	0	↗	$3\sqrt{3}/4$	↗	∞
	AO		PI		PI		PI		AO

VII. La figure 4.3.14 montre l'esquisse du graphique de *f*.

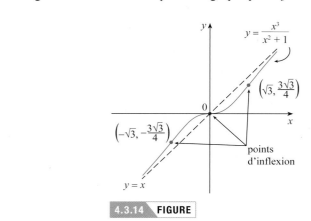

4.3.14 **FIGURE**

Exercices 4.3

1-57 Esquissez la courbe en employant la marche à suivre exposée dans la présente section.

1. $y = x^3 - 12x^2 + 36x$

2. $y = 2 + 3x^2 - x^3$

3. $y = x^4 - 4x$

4. $y = x^4 - 8x^2 + 8$

5. $y = x(x-4)^3$

6. $y = x^5 - 5x$

7. $y = \frac{1}{5}x^5 - \frac{8}{3}x^3 + 16x$

8. $y = (4 - x^2)^5$

9. $y = \frac{x}{x-1}$

10. $y = \frac{x^2 - 4}{x^2 - 2x}$

11. $y = \frac{x^2 + 5x}{25 - x^2}$

12. $y = \frac{x - x^2}{2 - 3x + x^2}$

13. $y = \frac{x}{x^2 - 9}$

14. $y = \frac{1}{x^2 - 9}$

15. $y = \frac{x^2}{x^2 + 9}$

16. $y = \frac{x}{x^2 + 9}$

17. $y = \frac{(x-1)^2}{x^2 + 1}$

18. $y = 1 + \frac{1}{x} + \frac{1}{x^2}$

19. $y = \frac{x - 1}{x^2}$

20. $y = \frac{x}{x^3 - 1}$

21. $y = \frac{x^2}{x^2 + 3}$

22. $y = \frac{x^3}{x^3 + 1}$

23. $y = \frac{x^3}{x - 2}$

24. $y = (x - 3)\sqrt{x}$

25. $y = 2\sqrt{x} - x$

26. $y = \sqrt{x^2 + x - 2}$

27. $y = \sqrt{x^2 + x} - x$

28. $y = \frac{x}{\sqrt{x^2 + 1}}$

29. $y = x\sqrt{2 - x^2}$

30. $y = \frac{\sqrt{1 - x^2}}{x}$

31. $y = \frac{x}{\sqrt{x^2 - 1}}$

32. $y = x - 3x^{1/3}$

33. $y = x^{5/3} - 5x^{2/3}$

34. $y = \sqrt[3]{x^2 - 1}$

35. $y = \sqrt[3]{x^3 + 1}$

36. $y = \sin^3 x$

37. $y = x + \cos x$

38. $y = x \tan x, \ -\pi/2 < x < \pi/2$

39. $y = 2x - \tan x, \ -\pi/2 < x < \pi/2$

40. $y = \sin x + \sqrt{3} \cos x, \ -2\pi \le x \le 2\pi$

41. $y = \sec x + \tan x, \ 0 < x < \pi/2$

42. $y = \frac{\sin x}{1 + \cos x}$

43. $y = \frac{\sin x}{2 + \cos x}$

44. $y = \arctan(e^x)$

45. $y = \frac{e^x}{1 - e^x}$

46. $y = 1/(1 + e^{-x})$

47. $y = e^{-x} \sin x, \ 0 \le x \le 2\pi$

48. $y = x - \ln x$

49. $y = e^{2x} - e^x$

50. $y = (1 + e^x)^{-2}$

51. $y = e^x/x^2$

52. $y = \ln(\sin x)$

53. $y = \ln(x^2 - 3x + 2)$

54. $y = x - \frac{1}{6}x^2 - \frac{2}{3}\ln x$

55. $y = \ln(1 - \ln x)$

56. $y = e^{\arctan x}$

57. $y = \arctan\left(\frac{x - 1}{x + 1}\right)$

58. Selon la théorie de la relativité, la masse d'une particule est donnée par

$$m = \frac{m_0}{\sqrt{1 - v^2/c^2}}$$

où m_0 est la masse de la particule au repos, m est la masse de la particule quand elle se déplace à une vitesse v par rapport à l'observateur, et c est la vitesse de la lumière. Esquissez le graphique de m en fonction de v.

59. Selon la théorie de la relativité, l'énergie d'une particule est donnée par

$$E = \sqrt{m_0^2 c^4 + h^2 c^2 / \lambda^2}$$

où m_0 est la masse de la particule au repos, λ est sa longueur d'onde et h est la constante de Planck. Esquissez le graphique de E en fonction de λ. Que montre le graphique au sujet de l'énergie ?

60. Un modèle de la propagation d'une rumeur est donné par l'équation

$$p(t) = \frac{1}{1 + ae^{-kt}}$$

où $p(t)$ est la proportion de la population qui est au courant de la rumeur au moment t et où a et k sont des constantes positives.
a) À quel moment la moitié de la population sera-t-elle au courant de la rumeur ?
b) À quel moment le taux de propagation de la rumeur atteindra-t-il son maximum ?
c) Esquissez le graphique de p.

61. Un modèle de la concentration, au moment t, d'un médicament injecté dans le sang est donné par

$$C(t) = K(e^{-at} - e^{-bt})$$

où a, b et K sont des constantes positives et où $b > a$. Esquissez le graphique de la fonction concentration. Que montre le graphique au sujet de la variation de la concentration avec le temps ?

62. La figure montre une poutre de longueur L encastrée dans des murs de béton. Si une surcharge constante M est répartie également sur la longueur de la poutre, celle-ci prendra la forme de la courbe de flexion

$$y = -\frac{M}{24EI} x^4 + \frac{ML}{12EI} x^3 - \frac{ML^2}{24EI} x^2$$

où E et I sont des constantes positives. (E est le module d'élasticité de Young et I est le moment d'inertie d'une coupe de la poutre.) Esquissez le graphique de cette courbe de flexion.

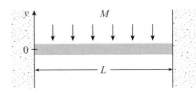

63. Selon la loi de Coulomb, la force d'attraction entre deux particules chargées est directement proportionnelle au produit des charges et inversement proportionnelle au carré de la distance qui les sépare. La figure ci-après montre deux particules de charge 1 occupant les positions 0 et 2 sur un axe de coordonnées et, entre elles, une particule de charge −1 en une position x. Il résulte de la loi de Coulomb que la force nette agissant sur la particule du milieu est

$$F(x) = -\frac{k}{x^2} + \frac{k}{(x-2)^2} \qquad 0 < x < 2$$

où k est une constante positive. Esquissez le graphique de la fonction force nette. Que montre le graphique à propos de la force ?

64-67 Trouvez l'équation de l'asymptote oblique. N'esquissez pas la courbe.

64. $y = \dfrac{x^2 + 1}{x + 1}$

65. $y = \dfrac{4x^3 - 10x^2 - 11x + 1}{x^2 - 3x}$

66. $y = \dfrac{2x^3 - 5x^2 + 3x}{x^2 - x - 2}$

67. $y = \dfrac{-6x^4 + 2x^3 + 3}{2x^3 - x}$

68-73 Esquissez chaque courbe en respectant la marche à suivre de la présente section. À l'étape IV, trouvez l'équation de l'asymptote oblique.

68. $y = \dfrac{x^2}{x - 1}$

69. $y = \dfrac{1 + 5x - 2x^2}{x - 2}$

70. $y = \dfrac{x^3 + 4}{x^2}$

71. $y = \dfrac{x^3}{(x+1)^2}$

72. $y = 1 + \frac{1}{2}x + e^{-x}$

73. $y = 1 - x + e^{1 + x/3}$

74. Montrez que la courbe

$$y = x - \arctan x$$

a deux asymptotes obliques : $y = x + \pi/2$ et $y = x - \pi/2$. Servez-vous de cette information pour esquisser la courbe.

75. Montrez que la courbe

$$y = \sqrt{x^2 + 4x}$$

a deux asymptotes obliques : $y = x + 2$ et $y = -x - 2$. Servez-vous de cette information pour esquisser la courbe.

76. Montrez que les droites $y = (b/a)x$ et $y = -(b/a)x$ sont des asymptotes obliques de l'hyperbole $(x^2/a^2) - (y^2/b^2) = 1$.

77. Soit $f(x) = (x^3 + 1)/x$. Montrez que

$$\lim_{x \to \pm\infty} [f(x) - x^2] = 0.$$

Cela indique que le graphique de f se rapproche de celui de $y = x^2$, et on dit que la courbe $y = f(x)$ a une **asymptote parabolique** d'équation $y = x^2$. À l'aide de cette information, esquissez le graphique de f.

78. Étudiez le comportement asymptotique de $f(x) = (x^4 + 1)/x$ en vous inspirant de l'exercice 77. À l'aide des résultats obtenus, esquissez le graphique de f.

79. Étudiez le comportement asymptotique de $f(x) = \cos x + 1/x^2$ afin d'esquisser son graphique sans employer la marche à suivre exposée dans la présente section.

4.4 Les problèmes d'optimisation

La recherche des valeurs extrêmes abordée dans ce chapitre trouve des applications dans de nombreux domaines. Les gens d'affaires veulent minimiser leurs coûts tout en maximisant leurs profits. Les voyageurs souhaitent minimiser la durée de leurs déplacements. En optique, le principe de Fermat affirme que la lumière emprunte toujours la trajectoire de plus courte durée. Cette section présente la résolution de problèmes de maximisation des aires, des volumes et des profits et de minimisation des distances, des durées et des coûts.

Dans ce genre de problèmes appliqués, la plus grande difficulté consiste souvent à reformuler l'énoncé du problème en un problème d'optimisation mathématique dans lequel on pose la fonction à maximiser ou à minimiser. Voici un rappel des principes de résolution de problèmes exposés à la page 92, adaptés à la situation présente.

PRP

▶ Les étapes de la résolution de problèmes d'optimisation

1. **Comprendre le problème** Lire attentivement l'énoncé et s'assurer de le comprendre. Se poser les questions suivantes : Quelle est l'inconnue ? Quelles sont les données ? Quelles sont les conditions posées ?

2. **Dessiner un schéma** Faire un schéma annoté indiquant les grandeurs données et les grandeurs recherchées.

3. **Introduire une notation** Attribuer un symbole à la grandeur à maximiser ou à minimiser (appelée Q pour le moment). Choisir également des symboles (a, b, c, …, x, y) pour représenter les autres grandeurs inconnues et annoter le schéma. Utiliser de préférence les symboles de grandeur du SI, lesquels correspondent la plupart du temps à la première lettre des grandeurs en question ; par exemple A pour une aire, h pour une hauteur, t pour le temps.

4. Exprimer Q en fonction des variables introduites à l'étape 3.

5. Si Q a été exprimée comme une fonction de plus d'une variable à l'étape 4, utiliser l'information donnée pour établir des relations (sous forme d'équations) entre ces variables. Utiliser ensuite ces équations pour éliminer toutes les variables, sauf une, dans l'expression de Q. Ainsi, Q sera exprimée en fonction d'une variable x, disons $Q = f(x)$. Déterminer le domaine de cette fonction en tenant compte du contexte.

6. À l'aide des méthodes étudiées dans les sections 4.1 et 4.2, déterminer la valeur maximale ou minimale absolue de f. Dans le cas où le domaine de f est un intervalle fermé, utiliser la méthode de l'intervalle fermé présentée dans la section 4.1.

Exemple 4.4.1 Avec les 2400 m de grillage dont il dispose, un agriculteur veut clôturer un champ rectangulaire au bord d'une rivière rectiligne. Il n'a pas besoin de clôturer le côté qui longe le cours d'eau. Quelles sont les dimensions du champ qui donnent une aire maximale ?

Solution Afin de saisir l'essence de ce problème, on essaie quelques cas particuliers. La figure 4.4.1 (qui n'est pas à l'échelle) propose trois dispositions possibles pour les 2400 m de grillage.

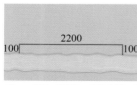

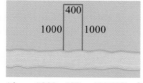

Aire = 100 · 2200 = 220 000 m²   Aire = 700 · 1000 = 700 000 m²   Aire = 1000 · 400 = 400 000 m²

4.4.1 FIGURE

On constate que les champs larges et peu profonds, ou profonds et étroits, ont des aires relativement petites. Il existe vraisemblablement une configuration intermédiaire qui maximiserait l'aire.

La figure 4.4.2 illustre le cas général. On veut maximiser l'aire A du rectangle. On introduit les variables x et y pour la profondeur et la largeur du rectangle (en mètres), respectivement. On exprime ensuite A en fonction de x et de y:

$$A = xy.$$

Afin d'exprimer A au moyen d'une seule variable, on élimine y en l'exprimant en termes de x. Pour ce faire, on utilise la donnée connue de la longueur totale du grillage: 2400 m. Ainsi,

$$2x + y = 2400.$$

De cette équation, on tire $y = 2400 - 2x$, ce qui donne

$$A = x(2400 - 2x)$$
$$= 2400x - 2x^2.$$

On remarque que $x \geq 0$ et $x \leq 1200$ (sinon, $A < 0$). Donc, la fonction à maximiser est

$$A(x) = 2400x - 2x^2 \qquad 0 \leq x \leq 1200.$$

Comme la dérivée $A'(x) = 2400 - 4x$, on trouvera les valeurs critiques en résolvant l'équation

$$2400 - 4x = 0$$

pour obtenir $x = 600$. La valeur maximale de A doit se trouver en cette valeur critique ou à une extrémité de l'intervalle. Comme $A(0) = 0$, $A(600) = 720\,000$ et $A(1200) = 0$, la méthode de l'intervalle fermé situe le maximum en $A(600) = 720\,000$. (D'une autre façon, on aurait pu observer que $A''(x) = -4 < 0$ pour tout x, de sorte que A est toujours concave vers le bas et que son maximum relatif en $x = 600$ doit être un maximum absolu.)

Le champ rectangulaire devra mesurer 600 m de profondeur sur 1200 m de largeur.

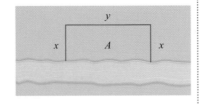

PRP Introduire une notation

4.4.2 FIGURE

Exemple 4.4.2

On veut fabriquer une boîte en métal cylindrique destinée à contenir 1 L d'huile. Quelles dimensions doit-on donner à la boîte afin de minimiser le coût du métal?

Solution   On dessine un schéma (*voir la figure 4.4.3*) où r est le rayon et h, la hauteur (tous deux mesurés en centimètres). Pour minimiser le coût du métal, on doit minimiser la surface totale de la boîte (couvercle, base et paroi latérale). La figure 4.4.4 montre que la paroi est faite d'une feuille rectangulaire dont les dimensions sont $2\pi r$ et h. La surface totale est donc donnée par

$$A = 2\pi r^2 + 2\pi rh.$$

Afin d'éliminer h, on utilise la donnée sur le volume, soit 1 L, ou 1000 cm^3. Donc,

$$\pi r^2 h = 1000,$$

ce qui donne $h = 1000/(\pi r^2)$. En substituant cette expression dans celle de A, on obtient

$$A = 2\pi r^2 + 2\pi r\left(\frac{1000}{\pi r^2}\right)$$
$$= 2\pi r^2 + \frac{2000}{r}.$$

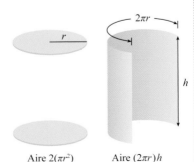

4.4.3 FIGURE

Aire $2(\pi r^2)$ Aire $(2\pi r)h$

4.4.4 FIGURE

La fonction à minimiser est donc

$$A(r) = 2\pi r^2 + \frac{2000}{r} \qquad r > 0.$$

Pour déterminer les valeurs critiques, on calcule la dérivée

$$A'(r) = 4\pi r - \frac{2000}{r^2}$$

$$= \frac{4(\pi r^3 - 500)}{r^2}.$$

Ainsi, $A'(r) = 0$ quand $\pi r^3 = 500$; la seule valeur critique est donc $r = \sqrt[3]{500/\pi}$.

Comme le domaine de A est $]0, \infty[$, on n'a pas de valeurs de A à calculer aux extrémités de l'intervalle (comme dans l'exemple 4.4.1). On peut cependant observer que $A'(r) < 0$ pour $r < \sqrt[3]{500/\pi}$ et que $A'(r) > 0$ pour $r > \sqrt[3]{500/\pi}$. Par conséquent, A décroît à gauche de la valeur critique et croît à droite. Donc, $r = \sqrt[3]{500/\pi}$ doit donner lieu à un minimum absolu. (D'une autre façon, on pourrait observer que $A(r) \to \infty$ lorsque $r \to 0^+$ et que $A(r) \to \infty$ lorsque $r \to \infty$, de sorte que $A(r)$ doit avoir un minimum, et celui-ci doit avoir lieu à la valeur critique (*voir la figure 4.4.5*).)

La valeur de h correspondant à $r = \sqrt[3]{500/\pi}$ est

$$h = \frac{1000}{\pi r^2} = \frac{1000}{\pi (500/\pi)^{2/3}} = 2\sqrt[3]{\frac{500}{\pi}} = 2r.$$

Donc, pour minimiser le coût de la boîte, il faut lui donner un rayon de $\sqrt[3]{500/\pi}$ cm et une hauteur égale au double du rayon, c'est-à-dire au diamètre. ∎

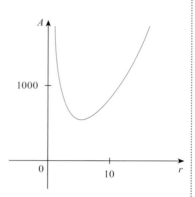

4.4.5   FIGURE

Dans la rubrique Application de la page 330, on recherche les dimensions les plus économiques à donner à une boîte de conserve tout en tenant compte d'autres coûts de fabrication.

NOTE 1   L'argument utilisé dans l'exemple 4.4.2 pour justifier le minimum absolu est une variante du test de la dérivée première (qui ne s'applique qu'aux valeurs maximale et minimale relatives) qu'on énonce ici pour référence ultérieure.

Le test de la dérivée première pour les valeurs extrêmes absolues

Soit c, une valeur critique d'une fonction continue f définie sur un intervalle.

a) Si $f'(x) > 0$ pour tout $x < c$ et que $f'(x) < 0$ pour tout $x > c$, alors $f(c)$ est la valeur maximale absolue de f.

b) Si $f'(x) < 0$ pour tout $x < c$ et que $f'(x) > 0$ pour tout $x > c$, alors $f(c)$ est la valeur minimale absolue de f.

NOTE 2   On peut faire intervenir la dérivation implicite dans la résolution des problèmes d'optimisation. On reprend l'exemple 4.4.2 et ses équations

$$A = 2\pi r^2 + 2\pi rh \qquad \pi r^2 h = 1000$$

mais, au lieu d'éliminer h, on dérive les deux équations implicitement par rapport à r:

$$A' = 4\pi r + 2\pi h + 2\pi rh' \qquad 2\pi rh + \pi r^2 h' = 0.$$

Comme le minimum a lieu en une valeur critique, on pose $A' = 0$, on simplifie et on obtient les équations

$$2r + h + rh' = 0 \qquad 2h + rh' = 0$$

pour lesquelles la soustraction membre à membre donne $2r - h = 0$ ou $h = 2r$.

Exemple **4.4.3** Trouvons le point de la parabole $y^2 = 2x$ le plus proche du point $(1, 4)$.

Solution La distance entre les points $(1, 4)$ et (x, y) est donnée par

$$d = \sqrt{(x-1)^2 + (y-4)^2}$$

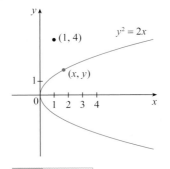

4.4.6 FIGURE

(*voir la figure 4.4.6*). Puisque (x, y) appartient à la parabole, alors $x = \frac{1}{2} y^2$, et l'expression de d devient

$$d = \sqrt{(\tfrac{1}{2} y^2 - 1)^2 + (y - 4)^2}.$$

(On aurait également pu remplacer y par $\sqrt{2x}$ pour obtenir d en termes de x seulement.) Au lieu de minimiser d, on minimise son carré, car $d > 0$:

$$d^2 = f(y)$$
$$= (\tfrac{1}{2} y^2 - 1)^2 + (y - 4)^2.$$

(Puisque d^2 varie dans le même sens que d, le minimum de d se produit au même point que le minimum de d^2, mais il est plus facile de faire les calculs avec d^2.) La dérivation donne

$$f'(y) = 2(\tfrac{1}{2} y^2 - 1)y + 2(y - 4) = y^3 - 8.$$

Donc, $f'(y) = 0$ quand $y = 2$. Comme $f'(y) < 0$ quand $y < 2$ et que $f'(y) > 0$ quand $y > 2$, le test de la dérivée première pour les valeurs extrêmes absolues permet de situer le minimum absolu en $y = 2$. (On pourrait aussi dire que, vu la nature géométrique du problème, il y a évidemment un point le plus proche, mais pas de point le plus éloigné.) La valeur correspondante de x est $x = \frac{1}{2} y^2 = 2$. Par conséquent, le point de la parabole $y^2 = 2x$ le plus proche de $(1, 4)$ est $(2, 2)$.

Exemple **4.4.4** Un homme met sa barque à l'eau au point A de la berge d'une rivière rectiligne de 3 km de largeur et veut se rendre le plus vite possible au point B, situé à 8 km en aval sur la berge opposée (*voir la figure 4.4.7*). Il a trois options : traverser directement la rivière à la rame jusqu'au point C puis courir jusqu'au point B, ramer directement jusqu'au point B ou ramer jusqu'à un point quelconque D, situé entre C et B, puis courir jusqu'au point B. Si l'homme peut ramer à 6 km/h et courir à 8 km/h, où doit-il toucher terre pour atteindre le point B aussi vite que possible ? (On suppose que le courant de l'eau est négligeable par rapport à la vitesse à laquelle l'homme rame.)

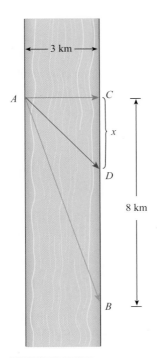

4.4.7 FIGURE

Solution Si l'on pose x comme la distance entre C et D, alors la distance à parcourir à la course est $|DB| = 8 - x$ et, par le théorème de Pythagore, la distance à parcourir à la rame est $|AD| = \sqrt{x^2 + 9}$. On utilise l'égalité

$$\text{temps} = \frac{\text{distance}}{\text{vitesse}}.$$

Le temps de rame est donc $\sqrt{x^2 + 9}/6$ et le temps de course, $(8 - x)/8$, de sorte que le temps total T en fonction de x est

$$T(x) = \frac{\sqrt{x^2 + 9}}{6} + \frac{8 - x}{8}.$$

Le domaine de cette fonction T est $[0, 8]$. On remarque que, si $x = 0$, l'homme rame jusqu'à C et que, si $x = 8$, il rame directement vers B. La dérivée de T est

$$T'(x) = \frac{x}{6\sqrt{x^2 + 9}} - \frac{1}{8}.$$

Comme $x \geq 0$, on a

$$T'(x) = 0 \iff \frac{x}{6\sqrt{x^2 + 9}} = \frac{1}{8} \iff 4x = 3\sqrt{x^2 + 9}$$

$$\iff 16x^2 = 9(x^2 + 9) \iff 7x^2 = 81 \iff x = \frac{9}{\sqrt{7}}.$$

La seule valeur critique est $x = 9/\sqrt{7}$. Pour savoir si le minimum a lieu en cette valeur critique ou à une extrémité du domaine $[0, 8]$, on suit la procédure pour la méthode de recherche d'extremum sur un intervalle fermé (*voir la section 4.1*) et on évalue T en chacun des trois points :

$$T(0) = 1{,}5 \qquad T\left(\frac{9}{\sqrt{7}}\right) = 1 + \frac{\sqrt{7}}{8} \approx 1{,}33 \qquad T(8) = \frac{\sqrt{73}}{6} \approx 1{,}42.$$

Comme la plus petite de ces valeurs de T se présente en $x = 9/\sqrt{7}$, c'est là que doit se produire la valeur minimale absolue de T. Le graphique de T montré dans la figure 4.4.8 illustre ce calcul.

L'homme doit toucher la berge en un point situé à $9/\sqrt{7}$ km ($\approx 3{,}4$ km) en aval de son point de départ.

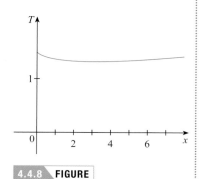

4.4.8 FIGURE

Exemple **4.4.5** Déterminons l'aire du plus grand rectangle qu'on puisse inscrire dans un demi-cercle de rayon r.

Solution 1 On suppose que le demi-cercle est la moitié supérieure du cercle $x^2 + y^2 = r^2$ centré à l'origine. Le mot **inscrit** signifie alors que le rectangle a deux sommets sur le demi-cercle et deux sommets sur l'axe des x, comme dans la figure 4.4.9.

Soit (x, y), le sommet situé dans le premier quadrant. Ainsi, les côtés du rectangle mesurent respectivement $2x$ et y, et l'aire de la figure est donnée par

$$A = 2xy.$$

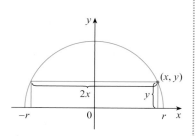

4.4.9 FIGURE

Afin d'éliminer y, on utilise le fait que (x, y) appartient au premier quadrant et au cercle $x^2 + y^2 = r^2$ et, donc, que $y = \sqrt{r^2 - x^2}$. De là, on trouve

$$A = 2x\sqrt{r^2 - x^2}.$$

Le domaine de cette fonction est $0 \leq x \leq r$. Sa dérivée est

$$A' = 2\sqrt{r^2 - x^2} - \frac{2x^2}{\sqrt{r^2 - x^2}} = \frac{2(r^2 - 2x^2)}{\sqrt{r^2 - x^2}}$$

et elle s'annule lorsque $2x^2 = r^2$, soit $x = r/\sqrt{2}$ (puisque $x \geq 0$). Cette valeur de x donne un maximum de A puisque $A(0) = 0$ et que $A(r) = 0$. Par conséquent, l'aire du plus grand rectangle inscrit est

$$A\left(\frac{r}{\sqrt{2}}\right) = 2\frac{r}{\sqrt{2}}\sqrt{r^2 - \frac{r^2}{2}} = r^2.$$

Solution 2 L'utilisation d'un angle comme variable donne lieu à une solution plus simple. Soit θ, l'angle montré dans la figure 4.4.10. Alors, l'aire du rectangle est donnée par

$$A(\theta) = (2r\cos\theta)(r\sin\theta) = r^2(2\sin\theta\cos\theta) = r^2\sin 2\theta.$$

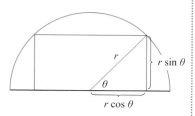

4.4.10 FIGURE

On sait que $\sin 2\theta$ a un maximum de 1, qui se produit lorsque $2\theta = \pi/2$. Donc, $A(\theta)$ a un maximum de r^2 lorsque $\theta = \pi/4$. On remarque que cette solution trigonométrique ne fait appel ni à la dérivation ni même au calcul différentiel.

► Les applications en affaires et en économie

La notion de coût marginal est présentée dans la section 3.7. On se rappelle que, si $C(x)$, la **fonction de coût**, représente le coût total de fabrication de x unités d'un certain produit, alors le **coût marginal** est le taux de variation de C par rapport à x. Autrement dit, la fonction de coût marginal est la dérivée, $C'(x)$, de la fonction de coût.

Dans le domaine du marketing, on définit $p(x)$ comme le prix unitaire qu'une entreprise peut demander si elle vend x unités d'un produit. Ici, p représente la **fonction de demande**, une fonction qui devrait être décroissante. Si x unités sont vendues au prix unitaire $p(x)$, alors le revenu total est

$$R(x) = xp(x)$$

et R est appelée **fonction de revenu**. La dérivée R' qui porte le nom de **fonction de revenu marginal**, représente le taux de variation du revenu par rapport au nombre d'unités vendues.

La vente de x unités engendre un profit total de

$$P(x) = R(x) - C(x)$$

et P est la **fonction de profit**. La **fonction de profit marginal** est P', la dérivée de la fonction de profit. Les exercices 61 à 64 demandent d'utiliser les fonctions de coût marginal, de revenu marginal et de profit marginal afin de minimiser les coûts et de maximiser les revenus et les profits.

···Exemple **4.4.6** Un magasin vend chaque semaine 200 écrans de télévision à 350 \$ chacun. Un sondage indique que chaque réduction de 10 \$ fera augmenter les ventes de 20 unités par semaine. Trouvons la fonction de demande et la fonction de revenu. Quelle réduction le magasin doit-il accorder s'il veut maximiser ses revenus de ventes?

Solution Si x est le nombre d'écrans vendus par semaine, alors le nombre supplémentaire d'écrans vendus hebdomadairement est égal à $x - 200$. Chaque fois que le magasin vend 20 unités de plus, le prix est réduit de 10 \$. Ainsi, à chaque unité additionnelle vendue correspond une réduction du prix unitaire de $\frac{1}{20} \times 10$, et la fonction de demande est

$$p(x) = 350 - \tfrac{10}{20}(x - 200)$$
$$= 450 - \tfrac{1}{2}x.$$

La fonction de revenu est

$$R(x) = xp(x)$$
$$= 450x - \tfrac{1}{2}x^2.$$

Comme $R'(x) = 450 - x$, alors $R'(x) = 0$ quand $x = 450$. Cette valeur de x donne lieu à un maximum absolu, obtenu par le test de la dérivée première (ou par observation que le graphique de R est une parabole ouverte vers le bas). Le prix unitaire correspondant est

$$p(450) = 450 - \tfrac{1}{2}(450)$$
$$= 225$$

et la réduction, $350 - 225 = 125$. En conséquence, le magasin devrait, pour maximiser ses revenus de ventes, accorder une réduction de 125 \$.

Exercices 4.4

1. Trouvez deux nombres dont la somme est 23 et le produit, un maximum.

   a) Dressez une table de valeurs dans laquelle la somme des nombres des deux premières colonne est toujours 23.

   Estimez la réponse à partir de votre table.

Premier nombre	Second nombre	Produit
1	22	22
2	21	42
3	20	60
.	.	.
.	.	.
.	.	.

   b) Résolvez le problème au moyen du calcul différentiel et comparez votre réponse avec le résultat obtenu en a).

2. Trouvez deux nombres dont la différence est 100 et dont le produit est minimal.

3. Trouvez deux nombres positifs dont le produit est 100 et dont la somme est minimale.

4. Deux nombres positifs s'additionnent pour donner 16. Quelle est la plus petite valeur possible de la somme de leurs carrés?

5. Quelle est la distance verticale maximale entre la droite $y = x + 2$ et la parabole $y = x^2$ pour $-1 \le x \le 2$?

6. Quelle est la distance verticale maximale entre les paraboles $y = x^2 + 1$ et $y = x - x^2$?

7. Trouvez les dimensions d'un rectangle de 100 m de périmètre dont l'aire est aussi grande que possible.

8. Trouvez les dimensions d'un rectangle de 1000 m² dont le périmètre est aussi petit que possible.

9. Selon un modèle du rendement Y d'une culture en fonction de la concentration d'azote N dans le sol (en unités appropriées), on a

$$Y = \frac{kN}{1 + N^2}$$

où k est une constante positive. Quelle concentration d'azote donne le meilleur rendement?

10. La vitesse (mg de carbone/m³/h) à laquelle la photosynthèse a lieu chez une espèce de phytoplancton est modélisée par la fonction

$$P = \frac{1000I}{I^2 + 10I + 400}$$

où I est l'intensité lumineuse (mesurée en lux). Pour quelle intensité lumineuse P atteint-elle un maximum?

11. Avec les 750 m de treillis dont il dispose, un agriculteur veut clôturer un champ rectangulaire puis le diviser en quatre enclos identiques parallèles à un côté du rectangle. Quelle est la plus grande aire possible des quatre enclos?

    a) Dessinez plusieurs schémas de la situation, certains représentant des enclos larges et courts, d'autres montrant des enclos longs et étroits. Trouvez les aires totales de chacune des configurations. Semble-t-il y avoir une aire maximale? Si oui, estimez cette aire.

    b) Dessinez un schéma de la situation générale. Introduisez une notation avec laquelle vous annoterez votre schéma.

    c) Écrivez une expression de l'aire totale.

    d) Servez-vous des données pour écrire une équation qui lie les variables.

    e) Utilisez la partie d) pour exprimer l'aire totale en fonction d'une seule variable.

    f) Résolvez le problème et comparez votre réponse avec l'estimation faite en a).

12. À partir d'une feuille de carton carrée de 3 m de côté, on veut fabriquer une boîte sans couvercle en découpant un carré dans chacun des quatre coins et en relevant les rectangles obtenus pour former les parois. Quel est le plus grand volume qu'une telle boîte puisse avoir?

    a) Dessinez plusieurs schémas de la situation, certains montrant des boîtes peu profondes à grande base et d'autres, des boîtes profondes à petite base. Quels sont les volumes respectifs de ces boîtes? Semble-t-il y avoir un volume maximal? Si oui, estimez ce volume.

    b) Dessinez un schéma de la situation générale. Introduisez une notation avec laquelle annoter votre schéma.

    c) Écrivez une expression du volume.

    d) Au moyen des données, écrivez une équation qui lie les variables.

    e) Utilisez la partie d) pour exprimer le volume en fonction d'une seule variable.

    f) Résolvez le problème et comparez votre réponse avec l'estimation faite en a).

13. Un agriculteur projette de clôturer un espace de 1,5 million de mètres carrés situé dans un champ rectangulaire, puis de diviser l'espace en deux parties égales au moyen d'une clôture parallèle à l'un des côtés du rectangle. S'il veut dépenser le moins possible en clôture, comment doit-il s'y prendre?

14. On doit fabriquer une boîte à base carrée, sans couvercle, ayant un volume de 32 000 cm³. Quelles dimensions faut-il donner à la boîte pour utiliser le moins de matériau possible?

15. Si l'on dispose de 1200 cm² de matériau pour fabriquer une boîte à base carrée sans couvercle, quel sera le volume maximal d'une telle boîte?

16. On doit fabriquer un conteneur rectangulaire sans couvercle ayant un volume de 10 m³ et dont la longueur fait deux fois la largeur. Le matériau de la base coûte 10 $ le mètre carré et celui des parois, 6 $ le mètre carré. Trouvez le coût en matériaux du conteneur le moins cher.

17. Refaites l'exercice 16 en donnant au conteneur un couvercle fait du même matériau que les parois.

18. Un agriculteur veut clôturer une parcelle de terre rectangulaire adjacente au mur nord de sa grange. Il n'est donc pas nécessaire de clôturer le long de la grange, et les frais pour la section de clôture qui longera le côté ouest de la parcelle seront partagés moitié-moitié avec le voisin. Si

l'installation de la clôture coûte 60 $ le mètre et que l'agriculteur ne veut pas dépenser plus de 5000 $, trouvez les dimensions du terrain qui aurait la plus grande surface.

19. Si l'agriculteur de l'exercice 18 voulait clôturer une parcelle de 800 m², quelles dimensions minimiseraient le coût d'installation de la clôture?

20. a) Montrez que, de tous les rectangles ayant une même aire, celui qui a le plus petit périmètre est un carré.
  b) Montrez que, de tous les rectangles ayant un même périmètre, celui dont l'aire est la plus grande est un carré.

21. Sur la droite $y = 2x + 3$, trouvez le point le plus proche de l'origine.

22. Sur la courbe $y = \sqrt{x}$, trouvez le point le plus proche du point (3, 0).

23. Sur l'ellipse $4x^2 + y^2 = 4$, trouvez les points les plus éloignés du point (1, 0).

24. Déterminez, à deux décimales d'exactitude, les coordonnées du point de la courbe $y = \sin x$ le plus proche du point (4, 2).

25. Déterminez les dimensions du plus grand rectangle qu'on puisse inscrire dans un cercle de rayon r.

26. Déterminez l'aire du plus grand rectangle qu'on puisse inscrire dans l'ellipse $x^2/a^2 + y^2/b^2 = 1$.

27. Déterminez les dimensions du plus grand rectangle qu'on puisse inscrire dans un triangle équilatéral de côté L si l'un des côtés du rectangle repose sur la base du triangle.

28. Trouvez l'aire du plus grand trapézoïde qu'on puisse inscrire dans un cercle de rayon 1 et dont la base est un diamètre du cercle.

29. Trouvez les dimensions du plus grand triangle isocèle qu'on puisse inscrire dans un cercle de rayon r.

30. Trouvez l'aire du plus grand rectangle qu'on puisse inscrire dans un triangle rectangle dont les cathètes mesurent 3 cm et 4 cm respectivement, si deux côtés du rectangle reposent sur les cathètes.

31. Sachant que les deux côtés égaux d'un triangle isocèle ont une longueur a, trouvez la longueur du troisième côté qui maximise l'aire du triangle.

32. Un cylindre circulaire droit est inscrit dans une sphère de rayon r. Déterminez le plus grand volume que le cylindre puisse avoir.

33. Un cylindre circulaire droit est inscrit dans un cône de hauteur h et de rayon de base r. Déterminez le plus grand volume que le cylindre puisse avoir.

34. Un cylindre circulaire droit est inscrit dans une sphère de rayon r. Déterminez la plus grande surface totale que le cylindre puisse avoir.

35. Une fenêtre normande a la forme d'un rectangle surmonté d'un demi-cercle. (Le diamètre du demi-cercle est donc égal à la largeur du rectangle. *Voir l'exercice 77 de la section 1.3, à la page 54.*) Si le périmètre de la fenêtre mesure 10 m, trouvez les dimensions de la fenêtre qui laissera passer le plus de lumière.

36. Les marges supérieure et inférieure d'une affiche mesurent 6 cm chacune et les marges latérales mesurent 4 cm chacune. Si la surface d'impression de l'affiche est fixée à 384 cm², quelles sont les dimensions de l'affiche ayant la plus petite aire?

37. Une affiche doit avoir une aire de 180 cm², des marges inférieure et latérales de 1 cm et une marge supérieure de 2 cm. Quelles dimensions donneront la plus grande surface d'impression?

38. Un fil métallique de 10 m de longueur est coupé en deux. On plie un des segments en forme de carré et l'autre en forme de triangle équilatéral. Où faut-il couper le fil pour que l'aire totale des figures soit a) maximale? b) minimale?

39. Reprenez l'exercice 38 pour un segment plié en forme de carré et l'autre segment plié en forme de cercle.

40. Vous partagez une pizza ronde avec un ami et lui en offrez une pointe (autrement dit, un secteur de cercle) dont le périmètre est de 96 cm. Quel devrait être le diamètre de la pizza pour que cette pointe ait la plus grande surface possible?

41. On fabrique une boîte en métal cylindrique sans couvercle devant contenir V cm³ de liquide. Déterminez les dimensions que la boîte doit avoir pour minimiser le coût du métal qui sert à la fabriquer.

42. Une clôture de 3 m de hauteur longe un haut édifice à 1,5 m de distance de celui-ci. Quelle est la longueur de la plus courte échelle qui puisse enjamber la clôture pour s'appuyer contre le mur de l'édifice?

43. Un gobelet conique est fait d'un disque en papier de rayon R dans lequel on découpe un secteur avant de réunir les bords CA et CB. Déterminez la capacité maximale du gobelet.

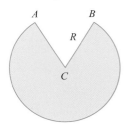

44. On fabrique un gobelet conique en papier devant contenir 27 cm³ d'eau. Déterminez la hauteur et le rayon du gobelet qui utiliseront le moins de papier possible.

45. Un cône de hauteur h est inscrit dans un cône plus grand de hauteur H de sorte que son sommet se trouve au centre de la base du grand cône. Montrez que le cône intérieur atteint son volume maximal lorsque $h = \frac{1}{3}H$.

46. On tire un objet de masse M sur un plan horizontal en appliquant une force à une corde fixée sur l'objet. Si la corde forme un angle θ avec le plan, alors l'intensité de la force est

$$F = \frac{\mu M}{\mu \sin\theta + \cos\theta}$$

où μ est une constante appelée **coefficient de friction**. Pour quelle valeur de θ est-ce que F est minimale?

47. Si une résistance de R ohms est connectée à une pile de V volts ayant une résistance interne de r ohms, alors la puissance (en watts) de la résistance externe est

$$P = \frac{V^2 R}{(R+r)^2}.$$

Si V et r sont fixes mais que R varie, quelle est la valeur maximale de la puissance?

48. Un poisson qui nage à une vitesse v par rapport à l'eau dépense, par unité de temps, une énergie proportionnelle à v^3. On croit que les poissons migrateurs tâchent de dépenser le moins d'énergie possible pour franchir une distance donnée. Si les poissons nagent contre un courant u ($u < v$), alors le temps qu'ils mettent à franchir une distance L est $L/(v-u)$, et l'énergie totale E que le parcours leur demande est donnée par

$$E(v) = av^3 \cdot \frac{L}{v-u}$$

où a est la constante de proportionnalité.
a) Déterminez la valeur de v pour laquelle E est minimale.
b) Esquissez le graphique de E.

Note : Ce résultat a fait l'objet de vérifications expérimentales; les poissons migrateurs nagent à contre-courant à une vitesse 50 % supérieure à celle du courant.

▲ **49.** Dans une ruche, chaque alvéole a la forme d'un prisme hexagonal régulier qui, comme le montre la figure ci-dessous, est ouvert à une extrémité et forme un angle trièdre à l'autre. On croit que les abeilles construisent les alvéoles de manière à obtenir une surface minimale pour un volume donné, utilisant ainsi un minimum de cire. L'examen de ces alvéoles révèle que la mesure de l'angle apical θ est étonnamment constante. Les caractéristiques géométriques de l'alvéole permettent d'établir que la surface S est donnée par

$$S = 6sh - \frac{3}{2}s^2 \cot\theta + (3s^2\sqrt{3}/2)\csc\theta$$

où s, la longueur des côtés de l'hexagone, et h, la hauteur, sont constantes.

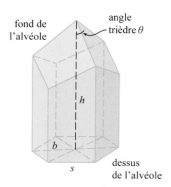

fond de l'alvéole
angle trièdre θ
h
b
s
dessus de l'alvéole

a) Calculez $dS/d\theta$.
b) Quel angle les abeilles devraient-elles préférer?
c) Déterminez la surface minimale de l'alvéole (en termes de s et de h).

Note : On a mesuré les angles θ dans les ruches, et les mesures s'écartent rarement de plus de 2° de la valeur calculée.

50. Un bateau quitte le quai à 14 h et file vers le sud à 20 km/h. Un autre, qui est déjà en route, se dirige vers l'est à 15 km/h et atteint le même quai à 15 h. À quelle heure les deux bateaux étaient-ils le plus proches l'un de l'autre?

51. Résolvez le problème de l'exemple 4.4.4 (*voir p. 321*) en supposant que la rivière mesure 5 km de largeur et que le point B n'est qu'à 5 km en aval de A.

▲ **52.** Une femme se trouve au point A sur la rive d'un lac circulaire de 2 km de rayon. Elle veut atteindre le point C, diamétralement opposé à A, le plus rapidement possible (*voir la figure*). Elle peut marcher à 4 km/h ou, en barque, ramer à 2 km/h. Comment devrait-elle faire le trajet?

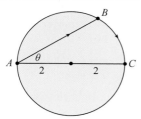

53. Une raffinerie est située sur la rive nord d'une rivière rectiligne de 2 km de largeur. On prévoit construire un oléoduc reliant la raffinerie à des réservoirs de stockage situés sur la rive sud, à 6 km de la raffinerie. L'installation des canalisations coûte 400 000 $/km terrestre jusqu'à un point P sur la rive nord et 800 000 $/km sous-fluvial jusqu'aux réservoirs. Où le point P doit-il être situé pour que la construction de l'oléoduc coûte le moins cher possible?

54. Si la raffinerie de l'exercice 53 était située 1 km au nord de la rivière, où faudrait-il situer P?

55. L'éclairage d'un objet par une source lumineuse est directement proportionnel à la puissance de la source et inversement proportionnel au carré de la distance de la source. Prenons deux sources lumineuses, l'une étant trois fois plus puissante que l'autre, placées à 10 m l'une de l'autre. En quel endroit entre les deux sources devrait-on placer un objet pour qu'il reçoive le moins d'éclairage possible?

56. Trouvez une équation de la droite passant par le point $(3, 5)$ et réalisant une aire minimale avec les axes de coordonnées du premier quadrant.

57. Soit a et b, deux nombres positifs distincts. Trouvez la longueur du plus court segment passant par le point (a, b) et coupant les axes de coordonnées du premier quadrant.

58. En quels points de la courbe

$$y = 1 + 40x^3 - 3x^5$$

la tangente a-t-elle la plus grande pente?

59. Quelle est la plus courte longueur possible du segment qui coupe les axes de coordonnées du premier quadrant et qui est tangent à la courbe $y = 3/x$?

60. Quelle est la plus petite aire possible du triangle que coupent les axes de coordonnées du premier quadrant et dont l'hypoténuse est tangente à la parabole $y = 4 - x^2$?

61. a) Si $C(x)$ est le coût total de fabrication de x unités d'un produit, alors le coût moyen unitaire est $c(x) = C(x)/x$. Montrez que, si le **coût moyen** est minimal, alors le coût marginal est égal au coût moyen.

b) Sachant que $C(x) = 16\,000 + 200x + 4x^{3/2}$, en dollars, trouvez:

  i) le coût, le coût moyen et le coût marginal au niveau de production de 1000 unités;

  ii) le niveau de production qui minimisera le coût moyen;

  iii) le coût moyen minimal.

62. a) Montrez que, si le profit $P(x)$ est maximal, alors le revenu de ventes marginal est égal au coût marginal.

b) Sachant que

$$C(x) = 16\,000 + 500x - 1{,}6x^2 + 0{,}004x^3$$

est la fonction de coût et que $p(x) = 1700 - 7x$ est la fonction de demande, trouvez le niveau de production qui maximisera le profit.

63. Une équipe de baseball joue dans un stade pouvant accueillir 55 000 spectateurs. À 10 $ le billet, l'assistance moyenne était de 27 000 spectateurs. Lorsqu'on a diminué le prix du billet à 8 $, l'assistance a augmenté à 33 000 spectateurs.

a) Trouvez la fonction de demande, en supposant qu'elle est linéaire.

b) À quel prix faudrait-il vendre les billets pour maximiser le revenu de ventes?

64. Pendant les mois d'été, Terry fabrique et vend des colliers sur la plage. L'été dernier, il demandait 10 $ le collier et en vendait en moyenne 20 par jour. Quand Terry a augmenté le prix de 1 $, il a vu sa moyenne diminuer de deux ventes par jour.

a) Trouvez la fonction de demande, en supposant qu'elle est linéaire.

b) Si chaque collier coûte 6 $ en matériel, à quel prix Terry doit-il le vendre pour maximiser son profit?

65. Un détaillant a vendu 1200 tablettes numériques à 350 $ chacune au cours de la semaine. Le service du marketing estime qu'il serait possible de vendre 80 tablettes de plus chaque semaine en diminuant le prix de 10 $ l'unité.

a) Trouvez la fonction de la demande.

b) Pour maximiser les revenus, à quel prix devrait-on vendre une tablette?

c) Si la fonction de coût hebdomadaire du détaillant est

$$C(x) = 35\,000 + 120x,$$

quel prix de vente maximiserait les profits?

66. Une compagnie exploite 16 puits de pétrole dans un territoire donné. Chaque pompe extrait en moyenne 240 barils de pétrole par jour. La compagnie pourrait exploiter davantage de puits, mais chaque puits supplémentaire réduirait de huit barils la moyenne journalière de tous les puits. Combien de puits la compagnie devrait-elle ajouter pour maximiser sa production journalière?

67. Montrez que, de tous les triangles isocèles d'un périmètre donné, celui qui a la plus grande aire est équilatéral.

68. Reprenons la situation de l'exercice 53, où l'on considère qu'il en coûte beaucoup plus que 400 000 $/km pour construire les canalisations de l'oléoduc sous la rivière que sur la terre. Vous soupçonnez que dans certains cas, il serait avantageux de construire sur la plus petite distance possible sous la rivière en situant le point P à 6 km de la raffinerie, directement en face des réservoirs de stockage. Montrez que ce ne sera jamais le cas, peu importe le prix de la canalisation sous-fluviale.

LCS 69. On doit fabriquer le cadre d'un cerf-volant avec six tiges de bois. Les quatre tiges extérieures ont été coupées aux longueurs indiquées dans la figure. Si l'on veut maximiser l'aire du cerf-volant, quelles longueurs doit-on donner aux tiges diagonales?

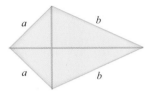

70. Un point P doit être situé sur la droite AD de manière que la longueur totale L des câbles reliant P aux points A, B et C soit la plus petite possible (*voir la figure*). Exprimez L en fonction de $x = |AP|$ et, à l'aide des graphiques de L et de dL/dx, estimez la valeur minimale de L.

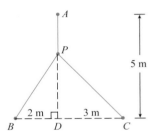

71. Le graphique représente la consommation d'essence c (mesurée en litres par heure) d'une voiture en fonction de sa vitesse v. À basses vitesses, le moteur manque d'efficacité, de sorte qu'au départ, c diminue lorsque la vitesse augmente. À des vitesses élevées, par contre, la consommation augmente. On voit que, pour cette voiture, $c(v)$ est minimale lorsque $v \approx 50$ km/h. Néanmoins, pour que le rendement énergétique soit bon, ce n'est pas la consommation en litres par heure qui doit être minimisée, mais plutôt la consommation en litres par kilomètre, qu'on désignera par C. À l'aide du graphique suivant, estimez la vitesse à laquelle C atteint sa valeur minimale.

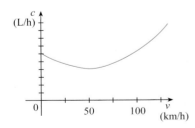

▲ **72.** Soit v_1, la vitesse de la lumière dans l'air, et v_2, la vitesse de la lumière dans l'eau. Selon le principe de Fermat, un rayon lumineux allant d'un point A dans l'air à un point B dans l'eau emprunte le chemin ACB qui minimise le temps du trajet. Montrez que

$$\frac{\sin\theta_1}{\sin\theta_2} = \frac{v_1}{v_2}$$

où θ_1 (l'angle d'incidence) et θ_2 (l'angle de réfraction) sont tels que représentés dans la figure. Cette égalité porte le nom de **loi de Snell-Descartes**.

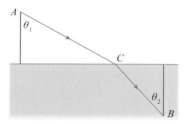

▲ **73.** Deux poteaux, PQ et ST, sont assujettis par une corde, PRS, allant du sommet du premier poteau à un point R situé au sol entre les poteaux, puis jusqu'au sommet du second poteau (*voir la figure*). Montrez que la plus petite longueur de cette corde se présente lorsque $\theta_1 = \theta_2$.

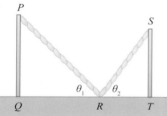

▲ **74.** Le coin supérieur droit d'une feuille de papier de 12 cm sur 8 cm (*voir la figure*) doit être plié pour toucher le bord inférieur de la feuille. Comment le plieriez-vous afin de minimiser la longueur du pli? Autrement dit, comment choisiriez-vous x pour minimiser y?

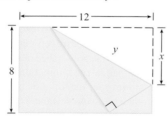

▲ **75.** On transporte un tuyau en acier le long d'un corridor de 3 m de largeur au bout duquel un virage à angle droit donne sur un autre corridor, large de 2 m. Combien mesure le plus long tuyau qui puisse passer le virage à l'horizontale?

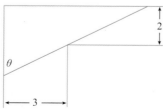

▲ **76.** Un observateur se tient en un point P, à une unité de distance de la piste. Deux coureuses prennent le départ au point S de la figure et courent sur la piste. L'une court trois fois plus vite que l'autre. Trouvez la valeur maximale de l'angle de vision θ de l'observateur entre les coureuses. (*Suggestion*: Maximisez $\tan\theta$.)

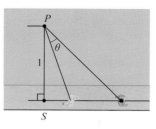

▲ **77.** On doit fabriquer une gouttière avec une feuille de métal de 30 cm de largeur dont on repliera le tiers de chaque côté selon un angle θ. Comment choisir θ afin de maximiser la capacité de la gouttière?

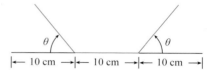

▲ **78.** Où doit-on situer le point P sur le segment de droite AB pour que l'angle θ soit maximal?

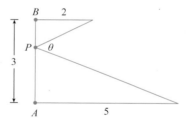

▲ **79.** Dans une galerie d'art, un tableau de hauteur h est suspendu de manière que son bord inférieur soit à une distance d au-dessus du niveau de l'œil du visiteur (comme dans la figure). À quelle distance du mur le visiteur doit-il se tenir pour obtenir la meilleure vue? (En d'autres mots, où doit-il se poster pour maximiser l'angle θ depuis son œil jusqu'au tableau?)

▲ **80.** Trouvez l'aire maximale d'un rectangle qui puisse être circonscrit à un rectangle donné de longueur L et de largeur ℓ. (*Suggestion*: Exprimez l'aire en fonction d'un angle θ.)

▲ **81.** Le système vasculaire se compose de vaisseaux (artères, artérioles, capillaires et veines) dans lesquels le sang circule entre le cœur et les organes. Il doit fonctionner de manière à minimiser l'énergie que le cœur doit fournir pour pomper le sang. Cette dépense d'énergie diminue lorsque la résistance du sang est faible. Une des lois de Poiseuille exprime comme suit la résistance R du sang:

$$R = C\frac{L}{r^4}$$

où L est la longueur du vaisseau sanguin, r est le rayon et C est une constante positive déterminée par la viscosité du sang. (Cette loi a été établie de façon expérimentale.)

La figure montre un vaisseau sanguin principal de rayon r_1 ramifié sous un angle θ à un vaisseau plus petit de rayon r_2.

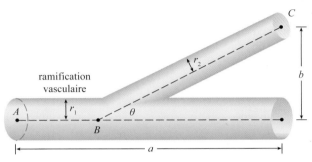

a) Utilisez la loi de Poiseuille pour montrer que la résistance totale du sang le long du trajet ABC est

$$R = C\left(\frac{a - b\cot\theta}{r_1^4} + \frac{b\csc\theta}{r_2^4}\right)$$

où a et b sont les distances données dans la figure.

b) Prouvez que cette résistance est minimale lorsque

$$\cos\theta = \frac{r_2^4}{r_1^4}.$$

c) Trouvez l'angle de ramification optimal (au degré le plus proche) quand le rayon du petit vaisseau est égal aux deux tiers du rayon du grand vaisseau.

82. Les ornithologues ont observé que certaines espèces d'oiseaux ont tendance à éviter de survoler de grandes étendues d'eau durant les heures de jour. Il faudrait plus d'énergie pour survoler l'eau que la terre parce que, pendant le jour, l'air monte au-dessus de la terre et retombe sur l'eau. Un de ces oiseaux est lâché d'une île située à 5 km du point B le plus proche de la côte rectiligne, vole jusqu'au point C de la côte, puis survole la côte jusqu'à son nid situé en D. On suppose que l'oiseau choisit instinctivement la trajectoire qui lui demande le moins d'énergie. Treize kilomètres séparent les points B et D.

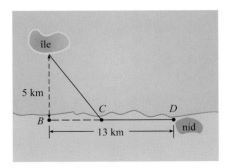

a) S'il faut 1,4 fois plus d'énergie pour survoler l'eau que la terre, jusqu'à quel point C l'oiseau doit-il voler pour minimiser l'énergie totale dépensée pour regagner son nid?

b) Soit E et T, les dépenses d'énergie (en joules) par kilomètre de vol au-dessus de l'eau et de la terre, respectivement. Que signifierait une grande valeur du rapport E/T en termes de trajet de l'oiseau? Que signifierait une petite valeur? Déterminez le rapport E/T correspondant à la dépense d'énergie minimale.

c) Quelle serait la valeur de E/T si l'oiseau volait directement jusqu'à son nid D? Quelle serait-elle si l'oiseau volait d'abord jusqu'à B puis de B à D?

d) Si les ornithologues observent que les oiseaux d'une certaine espèce atteignent la côte en un point situé à 4 km de B, combien de fois plus d'énergie faut-il à un de ces oiseaux pour survoler l'eau par rapport à la terre?

83. Deux sources de lumière de même puissance sont placées à 10 m l'une de l'autre. On doit situer un objet en un point P d'une droite D parallèle à celle qui relie les sources de lumière et à d mètres de celle-ci (*voir la figure*). On cherche à placer P sur D de façon à minimiser l'intensité de l'éclairage reçu en ce point. Pour ce faire, il faut se rappeler que l'intensité lumineuse d'une source unique est directement proportionnelle à la puissance de la source et inversement proportionnelle au carré de la distance depuis la source.

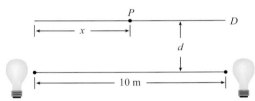

a) Trouvez une expression de l'intensité $I(x)$ au point P.

b) Sachant que $d = 5$ m, utilisez les graphiques de $I(x)$ et de $I'(x)$ pour montrer que l'intensité est minimale quand $x = 5$ m, c'est-à-dire quand P est situé au milieu de D.

c) Montrez que, si $d = 10$ m, l'intensité n'est pas minimisée au point milieu (ce qui peut paraître curieux).

d) Quelque part entre $d = 5$ m et $d = 10$ m, il y a une valeur transitionnelle de d en laquelle le point de moindre illumination change brusquement. Estimez cette valeur de d par des méthodes graphiques. Trouvez ensuite la valeur exacte de d.

● APPLICATION

Les dimensions d'une boîte de conserve

Cette application consiste à rechercher les dimensions les plus économiques d'une boîte de conserve. Il convient d'abord de préciser que pour un volume V d'une boîte cylindrique donnée, on doit trouver la hauteur h et le rayon r qui minimiseront le coût du métal de fabrication (*voir la figure ci-contre*). Si on omet le métal perdu au cours du procédé de fabrication, le problème consiste à minimiser la surface totale du cylindre. Ce problème est résolu dans l'exemple 4.4.2. On a déterminé que $h = 2r$, c'est-à-dire que la hauteur devait être égale au diamètre. Or, si vous examinez les boîtes de conserve vendues en magasin, vous constaterez que leur hauteur dépasse généralement leur diamètre et que le rapport h/r varie de 2 à environ 3,8. Comment peut-on expliquer cela ?

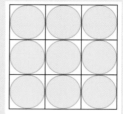

Disques découpés
dans des carrés.

1. Le matériau de fabrication des boîtes est découpé dans des feuilles de métal. On forme la paroi en enroulant un rectangle ; le découpage des rectangles n'entraîne guère de perte. Par contre, les disques qui forment la base et le couvercle sont découpés dans des carrés mesurant $2r$ de côté (*voir la figure ci-contre*), et cela entraîne une perte considérable de métal qu'on peut recycler, mais qui n'a pas de valeur pour le fabricant. Montrez que, dans ces conditions, la quantité de métal utilisée est minimale lorsque

$$\frac{h}{r} = \frac{8}{\pi} \approx 2,55.$$

Disques découpés
dans des hexagones.

2. Pour fabriquer les disques plus efficacement, on divise la feuille de métal en hexagones dans lesquels on découpe les couvercles et les bases (*voir la figure ci-contre*). Montrez que, de cette façon,

$$\frac{h}{r} = \frac{4\sqrt{3}}{\pi} \approx 2,21.$$

3. Les valeurs de h/r obtenues dans les problèmes 1 et 2 sont un peu plus proches de celles des boîtes vendues au magasin, mais elles ne tiennent pas compte de tout. En examinant de vraies boîtes, on remarque que le couvercle et la base sont formés de disques d'un rayon supérieur à r qu'on replie sur les bords de la boîte, et cela fait augmenter h/r. Ce qui compte davantage, cependant, c'est qu'en plus du coût du métal, il faut tenir compte de la fabrication de la boîte dans le coût. On suppose alors que ce qui coûte le plus cher, c'est l'assemblage des disques aux bords de la boîte. Si les disques sont extraits d'hexagones, comme dans le problème 2, le coût total sera proportionnel à

$$4\sqrt{3}r^2 + 2\pi rh + k(4\pi r + h)$$

où k est l'inverse multiplicatif de la longueur à assembler pour un coût d'une unité d'aire de métal. Montrez que cette expression est minimale lorsque

$$\frac{\sqrt[3]{V}}{k} = \sqrt[3]{\frac{\pi h}{r}} \cdot \frac{2\pi - h/r}{\pi h/r - 4\sqrt{3}}.$$

4. Tracez $\sqrt[3]{V}/k$ comme une fonction de $x = h/r$ et appuyez-vous sur votre graphique pour alléguer que, lorsque la boîte est grande ou que l'assemblage est bon marché, h/r doit être d'environ 2,21 (comme dans le problème 2), mais que, si la boîte est petite ou que l'assemblage coûte cher, h/r devra être beaucoup plus grand.

5. Cette analyse démontre que les grandes boîtes devraient être presque carrées, tandis que les petites devraient être hautes et étroites. Examinez les dimensions relatives des boîtes offertes sur le marché. La conclusion se reflète-t-elle dans la pratique ? Y a-t-il des exceptions ? Pour quelles raisons les petites boîtes ne sont-elles pas toujours hautes et étroites ?

APPLICATION

Les oiseaux et le vol plané : minimiser l'effort

Pendant un vol, les petits oiseaux, comme les pinsons, alternent entre battements d'ailes et vol plané, comme le montre la figure. Nous analyserons ici ce phénomène et essaierons de déterminer à quelle fréquence les oiseaux doivent battre des ailes. Certains de ces principes sont les mêmes que pour les aéronefs à voilure fixe, tels les avions et les planeurs, et nous considérerons d'abord la puissance et l'énergie requises en lien avec la vitesse de l'appareil.

1. La puissance nécessaire pour propulser un aéronef à une vitesse v est donnée par l'équation

$$P = Av^3 + \frac{BL^2}{v}$$

où A et B sont des constantes positives spécifiques à un aéronef particulier et L, la portance, est la force ascendante qui supporte le poids de l'avion. Trouvez la vitesse qui assure le minimum de puissance requise pour propulser l'aéronef.

2. La vitesse trouvée au problème 1 minimise la puissance requise pour propulser un aéronef, mais il se pourrait qu'une plus grande vitesse exige une plus faible consommation de carburant. L'énergie nécessaire pour propulser un avion sur une unité de distance est donnée par l'équation $E = P/v$. À quelle vitesse la consommation de carburant est-elle à son minimum ?

3. Entre la vitesse avec une consommation minimale de carburant et la vitesse avec la puissance minimale, laquelle est la plus grande ?

4. Pour appliquer l'équation donnée au problème 1 au vol d'un oiseau, on doit diviser le terme Av^3 en deux parties : $A_c v^3$ pour le corps de l'oiseau, et $A_a v^3$ pour ses ailes. Soit x, la fraction du temps de vol avec battements d'ailes. Si m est la masse de l'oiseau et que toute la portance se produit durant les battements d'ailes, alors la portance est mg/x et la puissance requise durant les battements d'ailes est

$$P_{\text{battement}} = (A_c + A_a)v^3 + \frac{B(mg/x)^2}{v}.$$

La puissance lorsque les oiseaux planent sans battre des ailes est donnée par $P_{\text{plané}} = A_c v^3$. Montrez que la puissance moyenne durant un vol en entier est donnée par l'équation

$$\overline{P} = xP_{\text{battement}} + (1-x)P_{\text{plané}}$$
$$= A_c v^3 + xA_a v^3 + \frac{Bm^2 g^2}{xv}.$$

5. Pour quelle valeur de x la puissance moyenne de l'oiseau est-elle à son minimum ? Que pouvez-vous conclure si l'oiseau vole plus lentement ? s'il vole de plus en plus vite ?

6. L'énergie moyenne après un cycle de vol est donnée par l'équation $\overline{E} = \overline{P}/v$. À quelle valeur de x l'énergie moyenne $\overline{E}$ est-elle à son minimum ?

Source : Adaptation de R. McNeill Alexander, *Optima for Animals*, Princeton : Princeton University Press, 1996.

Test de monotonie	Test de concavité
Sert à vérifier si la fonction est croissante ou décroissante. Sur un intervalle I, • si $f'(x) > 0$, alors f est strictement croissante ↗; • si $f'(x) < 0$, alors f est strictement décroissante ↘.	Sert à vérifier si la fonction est concave vers le haut ou concave vers le bas. Sur un intervalle I, • si $f''(x) > 0$, alors f est concave vers le haut ∪; • si $f''(x) < 0$, alors f est concave vers le bas ∩.

Test de la dérivée première	Test de la dérivée seconde
Sert à déterminer la présence d'un maximum relatif ou d'un minimum relatif (extremum relatif). Soit f, une fonction continue en c, et c une valeur critique de f, c'est-à-dire que $c \in \text{dom } f$ et $f'(c) = 0$ ou $\nexists$. • Si $f'(x)$ passe de $+$ à $-$ autour de c, alors $f(c)$ est un maximum relatif. • Si $f'(x)$ passe de $-$ à $+$ autour de c, alors $f(c)$ est un minimum relatif.	Sert à déterminer la présence d'un maximum relatif ou d'un minimum relatif (extremum relatif). Soit c, une valeur critique de f telle que $f'(c) = 0$. • Si $f''(c) > 0$, alors $f(c)$ est un minimum relatif. • Si $f''(c) < 0$, alors $f(c)$ est un maximum relatif.

Construire un tableau de variation relatif à f, f' et f''

On applique la même consigne dans les colonnes d'une même couleur.

Inscrire **seulement** les valeurs c :
• qui ne sont pas dans le domaine : $f(c) \nexists$;
• critiques pour f : $f'(c) = 0$ ou $f'(c) \nexists$ et $f(c) \exists$;
• critiques pour f' : $f''(c) = 0$ ou $f''(c) \nexists$ et $f'(c) \exists$;
séparées d'une colonne.

x	Inscrire la valeur de la borne à gauche		c_1			c_2	...		c_n		Inscrire la valeur de la borne à droite
f'		Inscrire $-$ si $f'(x) < 0$ $+$ si $f'(x) > 0$	Inscrire 0 ou $\nexists$				...				
f''		Inscrire $-$ si $f''(x) < 0$ $+$ si $f''(x) > 0$	Inscrire 0 ou $\nexists$				...				
f	Inscrire la valeur de la limite de f quand $x \to$ borne à gauche	Tracer seulement la forme de f selon les signes de f' et f''	Inscrire la valeur de $f(c)$ ou s'il y a une AV				...				Inscrire la valeur de la limite de f quand $x \to$ borne à droite
	Inscrire **AH**, sinon rien		Inscrire **Max, Min, PI, AV, Disc**				...				Inscrire **AH**, sinon rien

On ajoute la valeur de la limite de f à gauche ou à droite de c sur la barre horizontale, par exemple $\overset{5}{\underset{\cdot}{\circ}}$

Trouver un extremum absolu dans un problème d'optimisation

Test de la dérivée première	*Quand choisir?* • S'il n'y a qu'une seule valeur critique c sur l'intervalle donné.	1. Trouver c, la seule valeur critique de f sur le domaine du problème d'optimisation. 2. Évaluer le signe de f' autour de c: si $\dfrac{x \quad\mid\quad c \quad\mid\quad}{f'(x) \mid\ + \mid\ - \mid}$ $f(c)$ est le maximum absolu; si $\dfrac{x \quad\mid\quad c \quad\mid\quad}{f'(x) \mid\ - \mid\ + \mid}$ $f(c)$ est le minimum absolu.

Test de la dérivée seconde	*Quand choisir?*
	• S'il n'y a qu'une seule valeur critique c sur l'intervalle donné et que $f'(c) = 0$.
	• Si la dérivée seconde est facile à calculer et que son signe est facile à déterminer.
		1. Trouver c, la seule valeur critique de f sur le domaine du problème d'optimisation.
		2. Si $f'(c) = 0$, calculer la dérivée seconde $f''(x)$ et déterminer son signe sur l'intervalle.
		  a) Si $f''(x) \leq 0$ pour tout x de l'intervalle, alors $f(c)$ est le maximum absolu.
		  b) Si $f''(x) \geq 0$ pour tout x de l'intervalle, alors $f(c)$ est le minimum absolu.
		  c) Si $f''(c)$ n'existe pas, il faut utiliser un autre test.

Méthode de l'intervalle fermé	*Quand choisir?*
	• S'il y a une ou plusieurs valeurs critiques sur l'intervalle donné et que l'intervalle est fermé.
		Soit $[a, b]$ le domaine de f dans le problème d'optimisation.
		1. Trouver les valeurs critiques, $c_1, c_2, \dots$ de f sur l'intervalle $[a, b]$.
		2. Évaluer f aux valeurs critiques et aux bornes de l'intervalle:
		  a) le maximum de $f(a), f(c_1), f(c_2), \dots, f(b)$ est le maximum absolu sur $[a, b]$;
		  b) le minimum de $f(a), f(c_1), f(c_2), \dots, f(b)$ est le minimum absolu sur $[a, b]$.

Compréhension des concepts

1. Expliquez la différence entre un maximum absolu et un maximum relatif. Illustrez votre réponse avec une esquisse.

2. a) Que dit le théorème des valeurs extrêmes?
  b) Expliquez la méthode de l'intervalle fermé.

3. a) Énoncez le théorème de Fermat.
  b) Donnez la définition d'une valeur critique de f.

4. a) Définissez le test de croissance et décroissance.
  b) Que signifie le fait que f soit concave vers le haut sur un intervalle I?

  c) Définissez le test de concavité.
  d) Que sont les points d'inflexion? Comment les repère-t-on?

5. a) Définissez le test de la dérivée première.
  b) Définissez le test de la dérivée seconde.
  c) Quels sont les avantages et les inconvénients de chacun de ces tests?

6. Si vous disposez d'un outil graphique, pourquoi aurez-vous quand même besoin du calcul différentiel pour tracer le graphique d'une fonction?

Vrai ou faux

Déterminez si chaque proposition est vraie ou fausse. Si elle est vraie, expliquez pourquoi. Si elle est fausse, expliquez pourquoi ou réfutez-la au moyen d'un contre-exemple.

1. Si $f'(c) = 0$, alors f a un maximum ou un minimum relatif en c.

2. Si f a une valeur minimale absolue en c, alors $f'(c) = 0$.

3. Si f est continue sur $]a, b[$, alors f atteint un maximum absolu $f(c)$ et un minimum absolu $f(d)$ en des nombres c et d de $]a, b[$.

4. Si $f'(x) < 0$ pour $1 < x < 6$, alors f est décroissante sur $]1, 6[$.

5. Si $f''(2) = 0$, alors $(2, f(2))$ est un point d'inflexion de la courbe $y = f(x)$.

6. Si $f'(x) = g'(x)$ pour $0 < x < 1$, alors $f(x) = g(x)$ pour $0 < x < 1$.

7. Il existe une fonction f telle que $f(x) > 0$, $f'(x) < 0$ et $f''(x) > 0$ pour tout x.

8. Il existe une fonction f telle que $f(x) < 0$, $f'(x) < 0$ et $f''(x) > 0$ pour tout x.

9. Si f et g sont croissantes sur un intervalle I, alors $f + g$ est croissante sur I.

10. Si f et g sont croissantes sur un intervalle I, alors $f - g$ est croissante sur I.

11. Si f et g sont croissantes sur un intervalle I, alors fg est croissante sur I.

12. Si f et g sont des fonctions croissantes et positives sur un intervalle I, alors fg est croissante sur I.

13. Si f est croissante et si $f(x) > 0$ sur I, alors $g(x) = 1/f(x)$ est décroissante sur I.

14. Si f est paire, alors f' est paire.

15. Si f est périodique, alors f' est périodique.

Exercices récapitulatifs

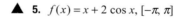 Trouvez les extremums relatifs et absolus de la fonction sur l'intervalle donné.

1. $f(x) = x^3 - 9x^2 + 24x - 2$, $[0, 5]$

2. $f(x) = x\sqrt{1-x}$, $[-1, 1]$

3. $f(x) = \dfrac{3x - 4}{x^2 + 1}$, $[-2, 2]$

4. $f(x) = \sqrt{x^2 + x + 1}$, $[-2, 1]$

▲ **5.** $f(x) = x + 2\cos x$, $[-\pi, \pi]$

⊕ **6.** $f(x) = x^2 e^{-x}$, $[-1, 3]$

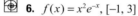 Esquissez le graphique d'une fonction satisfaisant aux conditions posées.

7. $f(0) = 0$, $f'(-2) = f'(1) = f'(9) = 0$

$\displaystyle\lim_{x\to\infty} f(x) = 0$, $\displaystyle\lim_{x\to 6} f(x) = -\infty$

$f'(x) < 0$ sur $]-\infty, -2[$, $]1, 6[$ et $]9, \infty[$

$f'(x) > 0$ sur $]-2, 1[$ et $]6, 9[$

$f''(x) > 0$ sur $]-\infty, 0[$ et $]12, \infty[$

$f''(x) < 0$ sur $]0, 6[$ et $]6, 12[$

8. $f(0) = 0$, f est continue et paire

$f'(x) = 2x$ si $0 < x < 1$, $f'(x) = -1$ si $1 < x < 3$

$f'(x) = 1$ si $x > 3$

9. f est impaire, $f'(x) < 0$ pour $0 < x < 2$

$f'(x) > 0$ pour $x > 2$, $f''(x) > 0$ pour $0 < x < 3$

$f''(x) < 0$ pour $x > 3$, $\displaystyle\lim_{x\to\infty} f(x) = -2$

10. Le graphique montre le tracé de la dérivée f' d'une fonction f.
  a) Sur quels intervalles f est-elle croissante ou décroissante ?
  b) Pour quelles valeurs de x la fonction f a-t-elle un maximum ou un minimum relatif ?

c) Esquissez le graphique de f''.
d) Esquissez un graphique possible de f.

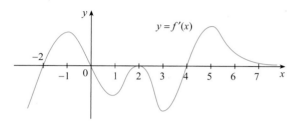

Esquissez la courbe en observant les étapes données à la section 4.3.

11. $y = 2 - 2x - x^3$

12. $y = -2x^3 - 3x^2 + 12x + 5$

13. $y = 3x^4 - 4x^3 + 2$

14. $y = \dfrac{x}{1 - x^2}$

15. $y = \dfrac{1}{x(x-3)^2}$

16. $y = \dfrac{1}{x^2} - \dfrac{1}{(x-2)^2}$

17. $y = \dfrac{(x-1)^3}{x^2}$

18. $y = \sqrt{1-x} + \sqrt{1+x}$

19. $y = x\sqrt{2+x}$

20. $y = \sqrt[3]{x^2 + 1}$

⊕ ▲ **21.** $y = e^x \sin x$, $-\pi \leq x \leq \pi$

▲ **22.** $y = 4x - \tan x$, $-\pi/2 < x < \pi/2$

▲ **23.** $y = \arcsin(1/x)$

⊕ **24.** $y = e^{2x - x^2}$

⊕ **25.** $y = x + \ln(x^2 + 1)$

⊞ **26-29** Produisez des graphiques de f qui font ressortir tous les aspects importants de la courbe. Au moyen des graphiques de f' et de f'', estimez les intervalles de croissance et de décroissance, les valeurs extrêmes, les intervalles de concavité et les points d'inflexion. À l'exercice 26, déterminez ces valeurs avec exactitude à l'aide du calcul différentiel.

26. $f(x) = \dfrac{x^2 - 1}{x^3}$

27. $f(x) = \dfrac{x^3 + 1}{x^6 + 1}$

28. $f(x) = 3x^6 - 5x^5 + x^4 - 5x^3 - 2x^2 + 2$

▲ **29.** $f(x) = x^2 + 6,5 \sin x, \; -5 \le x \le 5$

30. Tracez le graphique de $f(x) = e^{-1/x^2}$ dans une fenêtre qui montre les aspects principaux de cette fonction. Estimez les coordonnées des points d'inflexion, puis, au moyen du calcul différentiel, obtenez leur valeur avec exactitude.

31. a) Tracez le graphique de la fonction $f(x) = 1/(1 + e^{1/x})$.
   b) Expliquez la forme du graphique en calculant les limites de $f(x)$ lorsque x tend vers ∞, $-\infty$, 0^+ et 0^-.
   c) À l'aide du graphique de f, estimez les coordonnées des points d'inflexion.
   d) Faites calculer et dessiner f'' par votre logiciel de calcul symbolique.
   e) À partir du graphique obtenu en d), estimez les coordonnées des points d'inflexion avec plus de précision.

32-33 À l'aide des graphiques de f, de f' et de f'', estimez les abscisses des maximums, des minimums et des points d'inflexion de f.

▲ **32.** $f(x) = \dfrac{\cos^2 x}{\sqrt{x^2 + x + 1}}, \; -\pi \le x \le \pi$

33. $f(x) = e^{-0,1x} \ln(x^2 - 1)$

▲ **34.** Étudiez la famille des fonctions $f(x) = \ln(\sin x + C)$. Quelles caractéristiques ces fonctions ont-elles en commun? En quoi diffèrent-elles? Pour quelles valeurs de C la fonction f est-elle continue sur $]-\infty, \infty[$? Pour quelles valeurs de C la fonction f n'a-t-elle pas de graphique? Qu'arrive-t-il lorsque $C \to \infty$?

35. Étudiez la famille des fonctions $f(x) = cxe^{-cx^2}$. Qu'arrive-t-il aux maximums, aux minimums et aux points d'inflexion lorsque c varie? Pour illustrer vos conclusions, dessinez quelques courbes de cette famille.

36. Pour quelles valeurs des constantes a et b le point $(1, 3)$ est-il un point d'inflexion de la courbe $y = ax^3 + bx^2$?

37. Soit $g(x) = f(x^2)$, où f est deux fois dérivable pour tout x, où $f'(x) > 0$ pour tout $x \ne 0$ et où f est concave vers le bas sur $]-\infty, 0[$ et concave vers le haut sur $]0, \infty[$.
   a) En quelles valeurs g présente-t-elle un extremum?
   b) Commentez la concavité de g.

38. Trouvez deux entiers positifs tels que la somme du premier et du quadruple du second donne 1000 et que le produit des nombres est aussi grand que possible.

39. Montrez que la plus courte distance entre le point (x_1, y_1) et la droite $Ax + By + C = 0$ est

$$\frac{|Ax_1 + By_1 + C|}{\sqrt{A^2 + B^2}}.$$

40. Déterminez le point de l'hyperbole $xy = 8$ le plus proche du point $(3, 0)$.

41. Déterminez la plus petite aire possible d'un triangle isocèle circonscrit à un cercle de rayon r.

42. Déterminez le volume du plus grand cône circulaire qui puisse être inscrit dans une sphère de rayon r.

43. Dans un ΔABC, D se trouve sur AB, $CD \perp AB$, $|AD| = |BD| = 4$ cm et $|CD| = 5$ cm. Où, sur CD, doit-on situer un point P qui rendrait la somme $|PA| + |PB| + |PC|$ minimale?

44. Refaites l'exercice 43 pour $|CD| = 2$ cm.

45. La vitesse d'une vague de longueur L en eau profonde est donnée par

$$v = K\sqrt{\frac{L}{C} + \frac{C}{L}}$$

où K et C sont des constantes positives connues. Quelle est la longueur de la vague qui rend la vitesse minimale?

46. On doit construire un conteneur en métal de volume V en forme de cylindre circulaire droit surmonté d'un hémisphère. Quelles dimensions faut-il donner au conteneur pour minimiser la quantité de métal nécessaire?

47. Une équipe de hockey joue dans un aréna de 15 000 places. À 12 \$ le billet d'entrée, l'assistance moyenne par match est de 11 000 spectateurs. Un sondage indique que, pour chaque diminution de 1 \$ du prix d'entrée, l'assistance moyenne augmentera de 1000 spectateurs. À quel montant les propriétaires de l'équipe devraient-ils fixer le prix d'entrée pour maximiser le revenu provenant de la vente de billets?

48. Un fabricant détermine que le coût de production de x unités d'un bien est égal à

$$C(x) = 1800 + 25x - 0,2x^2 + 0,001x^3$$

et que la fonction de demande est

$$p(x) = 48,2 - 0,03x.$$

   a) Tracez les fonctions de coût et de revenu et utilisez-les pour estimer le niveau de production qui maximise le profit.
   b) Au moyen du calcul différentiel, déterminez le niveau exact de production qui maximise le profit.
   c) Estimez le niveau de production qui minimise le coût moyen.

49. Étudiez la famille des courbes données par

$$f(x) = x^4 + x^3 + cx^2$$

Déterminez notamment la valeur de c à partir de laquelle le nombre de valeurs critiques change et celle à partir de laquelle le nombre de points d'inflexion change. Illustrez les formes possibles des graphiques.

50. Une poutre rectangulaire est découpée dans un tronc cylindrique de 20 cm de rayon.

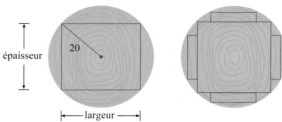

a) Montrez que la section d'aire maximale est carrée.

b) Des quatre parties du tronc qui resteront après le découpage de la poutre, on tirera quatre planches rectangulaires. Déterminez les dimensions à donner aux planches afin que l'aire de la section soit maximale.

c) Supposez que la solidité d'une poutre rectangulaire est proportionnelle au produit de sa largeur et du carré de son épaisseur. Déterminez les dimensions de la poutre la plus solide qui puisse être découpée dans le tronc cylindrique.

▲ **51.** Si un projectile est tiré à la vitesse initiale v sous un angle d'inclinaison θ par rapport à l'horizontale, alors sa trajectoire, abstraction faite de la résistance de l'air, est la parabole

$$y = (\tan\theta)x - \frac{g}{2v^2\cos^2\theta}x^2 \qquad 0 < \theta < \frac{\pi}{2}.$$

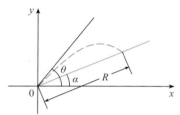

a) Sachant que le projectile est tiré de la base d'un plan incliné d'un angle α, $\alpha > 0$, par rapport à l'horizontale, comme le montre la figure ci-dessus, montrez que la portée du projectile, mesurée par rapport à la pente, est donnée par

$$R(\theta) = \frac{2v^2\cos\theta\sin(\theta-\alpha)}{g\cos^2\alpha}.$$

b) Déterminez θ de façon que la portée R soit maximale.

c) Supposez que le plan forme un angle α sous l'horizontale. Déterminez la portée R dans cette situation, et déterminez l'angle sous lequel le projectile doit être tiré pour maximiser R.

▲ **52.** Montrez que, pour $x > 0$,

$$\frac{x}{1+x^2} < \arctan x < x.$$

53. Esquissez le graphique d'une fonction f telle que $f'(x) < 0$ pour tout x, $f''(x) > 0$ pour $|x| > 1$, $f''(x) < 0$ pour $|x| < 1$ et $\lim_{x\to\pm\infty}[f(x)+x] = 0$.

▲ **54.** On doit installer un lampadaire de h mètres de hauteur pour éclairer un important carrefour giratoire de 10 m de rayon. L'intensité lumineuse I en un point P quelconque du carrefour est directement proportionnelle au cosinus de l'angle θ (*voir la figure*) et inversement proportionnelle au carré de la distance d de la source d'éclairage.

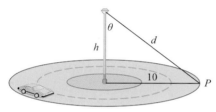

a) Quelle hauteur du lampadaire permet de maximiser I?

b) Supposez que le lampadaire mesure h mètres de hauteur et qu'une personne se trouvant à sa base s'en éloigne en marchant à la vitesse de 1 m/s. À quelle vitesse l'intensité lumineuse en un point du dos de la personne, à 1 m du sol, diminue-t-elle quand cette personne atteint le pourtour du carrefour?

55. De l'eau s'écoule à vitesse constante dans un réservoir sphérique. Soit $V(t)$, le volume d'eau dans le réservoir, et $H(t)$, la hauteur de l'eau dans le réservoir au moment t.

a) Que signifient $V'(t)$ et $H'(t)$? Ces dérivées sont-elles positives, négatives ou nulles?

b) Est-ce que $V''(t)$ est positive, négative ou nulle? Justifiez votre réponse.

c) Soit t_1, t_2 et t_3, les moments respectifs où le réservoir est rempli au quart, à moitié et aux trois quarts. Les valeurs $H''(t_1)$, $H''(t_2)$ et $H''(t_3)$ sont-elles positives, négatives ou nulles? Pourquoi?

Problèmes supplémentaires

Parmi les principes les plus importants de la résolution de problèmes figure l'**analogie** (*voir la page 92*). Quand on ne sait pas comment attaquer un problème, il peut être utile de commencer par résoudre un problème semblable, mais plus simple. L'exemple suivant illustre ce principe.

Cachez la solution et tâchez de résoudre le problème.

Exemple **4.P.1** Sachant que x, y et z sont des nombres positifs, prouvons que

$$\frac{(x^2+1)(y^2+1)(z^2+1)}{xyz} \geq 8.$$

Solution Ce problème peut être difficile à aborder. (Certains étudiants commencent par multiplier le numérateur, mais cela ne fait que les éloigner du but.) On doit plutôt penser à un problème semblable mais plus simple. Devant un problème à plusieurs variables, on imaginera donc un problème analogue comportant moins de variables. En l'occurrence, on peut réduire le nombre de variables de trois à une et prouver l'inégalité

4.P.1 $$\frac{x^2+1}{x} \geq 2 \quad \text{pour} \quad x > 0.$$

En effet, quand on aura prouvé l'inégalité **4.P.1**, l'inégalité recherchée s'ensuivra parce que

$$\frac{(x^2+1)(y^2+1)(z^2+1)}{xyz} = \left(\frac{x^2+1}{x}\right)\left(\frac{y^2+1}{y}\right)\left(\frac{z^2+1}{z}\right) \geq 2 \cdot 2 \cdot 2 = 8.$$

Pour arriver à prouver l'inégalité **4.P.1**, l'essentiel est de reconnaître qu'il s'agit d'un problème de minimum déguisé. Si l'on pose

$$f(x) = \frac{x^2+1}{x} = x + \frac{1}{x} \quad x > 0$$

alors $f'(x) = 1 - (1/x^2)$, donc $f'(x) = 0$ quand $x = 1$. En outre, $f'(x) < 0$ pour $0 < x < 1$ et $f'(x) > 0$ pour $x > 1$. En conséquence, le minimum absolu de f est $f(1) = 2$. Cela signifie que

$$\frac{x^2+1}{x} \geq 2 \quad \text{pour toute valeur positive de } x$$

et, comme on l'a dit plus haut, l'inégalité à prouver s'obtient par multiplication.

On pourrait aussi prouver l'inégalité **4.P.1** sans avoir recours au calcul différentiel. De fait, si $x > 0$, on a

$$\frac{x^2+1}{x} \geq 2 \iff x^2 + 1 \geq 2x \iff x^2 - 2x + 1 \geq 0$$
$$\iff (x-1)^2 \geq 0.$$

La dernière inégalité étant manifestement vraie, la première l'est aussi.

Passer la solution en revue

Qu'a-t-on appris dans cet exemple?

- Pour résoudre un problème comportant plusieurs variables, il peut être utile de résoudre un problème semblable à une seule variable.
- Quand il s'agit de prouver une inégalité, on peut essayer de la voir comme un problème de maximum ou de minimum.

Problèmes

1. Soit un rectangle dont la base repose sur l'axe des x et deux des sommets, sur la courbe $y = e^{-x^2}$. Montrez que le rectangle a son aire la plus grande quand les deux sommets coïncident avec les points d'inflexion de la courbe.

2. Montrez que $|\sin x - \cos x| \leq \sqrt{2}$ pour tout x.

3. La fonction $f(x) = e^{10|x-2|-x^2}$ a-t-elle un maximum absolu? Si oui, trouvez cette valeur. La fonction a-t-elle un minimum absolu?

4. Montrez que $x^2 y^2 (4 - x^2)(4 - y^2) \leq 16$ pour tous nombres x et y tels que $|x| \leq 2$ et $|y| \leq 2$.

5. Montrez que les points d'inflexion de la courbe $y = (\sin x)/x$ sont situés sur la courbe $y^2(x^4 + 4) = 4$.

6. Sur la parabole $y = 1 - x^2$, trouvez le point pour lequel la tangente coupe, dans le premier quadrant, un triangle d'aire minimale.

7. Esquissez le lieu de tous les points (x, y) tels que $|x + y| \le e^x$.

8. Déterminez les points le plus haut et le plus bas de la courbe $x^2 + xy + y^2 = 12$.

9. Pour quelles valeurs de c la courbe $y = cx^3 + e^x$ présente-t-elle des points d'inflexion ?

10. Soit $P(a, a^2)$, un point quelconque de la parabole $y = x^2$, sauf l'origine, et soit Q le point où la normale au point P coupe la parabole de nouveau (*voir la figure*). Montrez que le segment PQ est le plus court lorsque $a = 1/\sqrt{2}$.

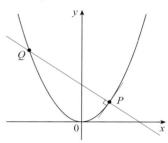

11. Un triangle isocèle est circonscrit autour d'un cercle de rayon 1 de telle façon que les deux côtés égaux se rencontrent au point $(0, a)$ sur l'axe des y, comme le montre la figure ci-dessous. Trouvez la valeur de a qui minimise la longueur des côtés égaux. (Étonnamment, le résultat ne donne pas un triangle équilatéral.)

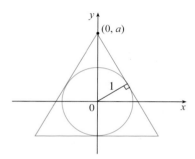

12. Esquissez la région du plan constituée de tous les points (x, y) tels que

$$2xy \le |x - y| \le x^2 + y^2.$$

13. La droite $y = mx + b$ coupe la parabole $y = x^2$ en A et en B (*voir la figure*). Trouvez le point P de l'arc AOB de la parabole qui maximise l'aire du triangle PAB.

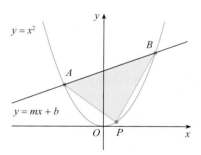

14. $ABCD$ est une feuille de papier carrée de 1 m de côté. On trace un quart de cercle de centre A allant de B à D. On plie la feuille le long de EF, où E se trouve sur AB et F, sur AD, de manière que A coïncide avec le quart de cercle. Déterminez les aires maximale et minimale du triangle AEF.

15. Pour quels nombres positifs a la courbe $y = a^x$ coupe-t-elle la droite $y = x$?

16. Soit $f(x) = a_1 \sin x + a_2 \sin 2x + \ldots + a_n \sin nx$, où $a_1, a_2, \ldots, a_n$ sont des nombres réels et n est un entier positif. Sachant que $|f(x)| \le |\sin x|$ pour tout x, montrez que

$$|a_1 + 2a_2 + \cdots + na_n| \le 1.$$

▲ **17.** Les vitesses du son c_1, dans une couche supérieure, et c_2, dans une couche inférieure de roche, et l'épaisseur h de la couche supérieure peuvent être déterminées par prospection séismique si la vitesse du son dans la couche inférieure est supérieure à cette vitesse dans la couche supérieure. Une explosion à la dynamite a lieu en un point P, et les signaux transmis sont enregistrés au point Q, une distance D depuis P. Le premier signal à atteindre Q parcourt la surface et prend T_1 secondes. Le signal suivant se propage de P à un point R, de R à S dans la couche inférieure, puis à Q, en T_2 secondes. Le troisième signal se réfléchit sur la couche inférieure au point milieu O de RS et met T_3 secondes pour atteindre Q.

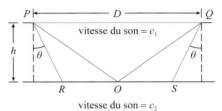

a) Exprimez T_1, T_2 et T_3 en fonction de D, de h, de c_1, de c_2 et de θ.
b) Montrez que T_2 est un minimum quand $\sin \theta = c_1/c_2$.
c) Soit $D = 1$ km, $T_1 = 0{,}26$ s, $T_2 = 0{,}32$ s et $T_3 = 0{,}34$ s. Déterminez c_1, c_2 et h.

Note : Les géophysiciens emploient cette technique pour étudier la structure de la croûte terrestre dans le cadre de l'exploration pétrolière ou de l'examen des lignes de faille.

18. Pour quelles valeurs de c y a-t-il une droite qui coupe la courbe

$$y = x^4 + cx^3 + 12x^2 - 5x + 2$$

en quatre points distincts ?

19. Un des problèmes posés par le Marquis de l'Hospital dans son ouvrage *Analyse des infiniment petits* concerne une poulie attachée en un point C du plafond d'une pièce par une corde de longueur r. En un point B du plafond, à une distance d de C (où $d > r$), est attachée une corde de longueur ℓ qui passe par la poulie en F et à laquelle est suspendue une masse M. Après avoir été lâchée, la masse finit par s'immobiliser dans sa position d'équilibre D. Cela se produit lorsque la distance $|ED|$ est maximale, comme l'Hospital l'a démontré. Montrez que, lorsque le système est en équilibre, la valeur de x est

$$\frac{r}{4d}\left(r + \sqrt{r^2 + 8d^2}\,\right).$$

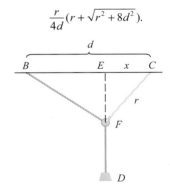

Remarquez que cette expression est indépendante de M comme de ℓ.

▲ **20.** Étant donné une sphère de rayon r, trouvez la hauteur d'une pyramide de volume minimal dont la base est un carré, et dont la base et les faces triangulaires sont tangentes à la sphère. Qu'en est-il si la base de la pyramide est un polygone régulier à n côtés ? (Rappelez-vous que le volume d'une pyramide est donné par $\frac{1}{3}Ah$, où A est l'aire de la base.)

21. On suppose que le volume d'une boule de neige qui fond diminue à une vitesse proportionnelle à sa surface. S'il faut trois heures pour que le volume initial de la boule diminue de moitié, combien de temps de plus faudra-t-il pour que la boule fonde complètement ?

22. On place une calotte hémisphérique sur une sphère de rayon 1. Une calotte hémisphérique plus petite est ensuite placée sur la première, et ainsi de suite jusqu'à obtenir n chambres, y compris la sphère. (La figure illustre le cas $n = 4$.) Prouvez par induction mathématique que la hauteur maximale de n'importe quelle tour de n chambres est $1 + \sqrt{n}$.

ANNEXES

On sait que la température influe sur le chant des grillons : plus il fait chaud, plus ce chant est continu. Des biologistes ont observé le taux de stridulation de grillons selon la température, et cette relation serait presque linéaire, comme vous pourrez le constater en faisant les exercices 14 et 19 de l'annexe B, aux pages 358 et 359.

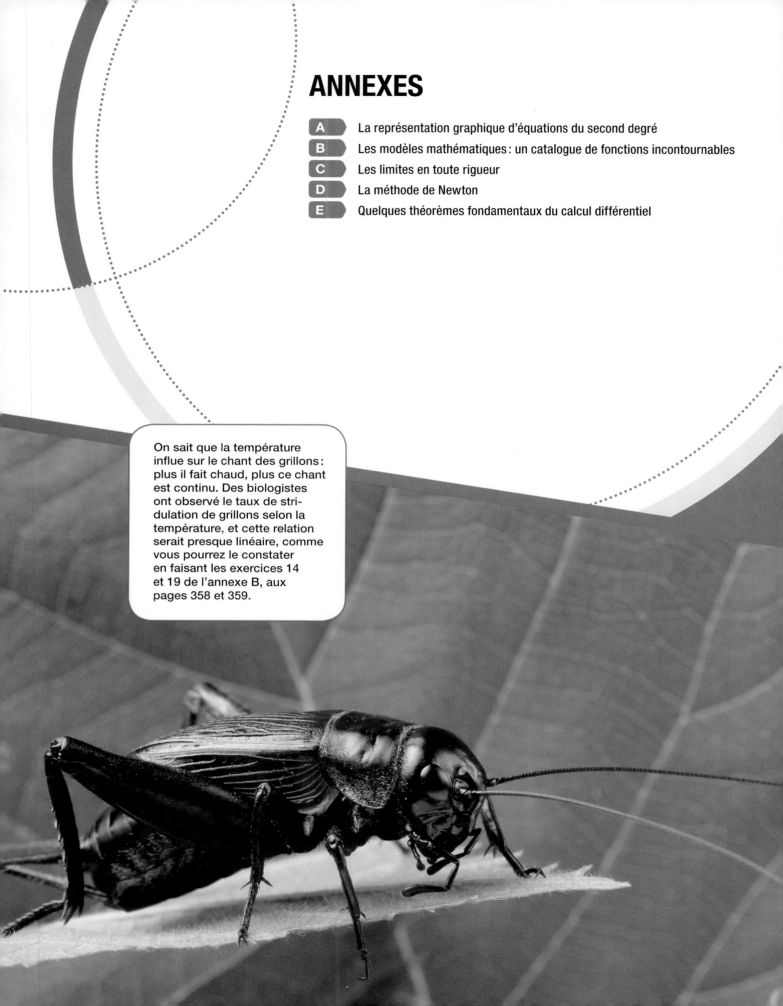

La représentation graphique d'équations du second degré

Les équations du second degré telles que

$$x^2 + y^2 = 1 \qquad y = x^2 + 1 \qquad \frac{x^2}{9} + \frac{y^2}{4} = 1 \qquad x^2 - y^2 = 1$$

décrivent respectivement un cercle, une parabole, une ellipse et une hyperbole.

Le graphique d'une telle équation en x et en y est l'ensemble des points (x, y) qui vérifient l'équation; il donne une représentation visuelle de l'équation. À l'inverse, on doit parfois déterminer une équation qui représente une courbe donnée, soit une équation que vérifient les coordonnées des seuls points de la courbe. Cette démarche constitue l'autre moitié du principe fondamental de la géométrie analytique formulé par Descartes et Fermat. En vertu de ce principe, si l'on peut représenter une courbe par une équation algébrique, on peut employer les règles de l'algèbre pour analyser le problème géométrique.

▶ Les cercles

Afin d'illustrer ce type de problème, on cherche ici une équation du cercle de rayon r et de centre (h, k). Par définition, le cercle est l'ensemble des points $P(x, y)$ dont la distance au centre $C(h, k)$ est r (*voir la figure A.1*). Dès lors, P appartient au cercle si et seulement si $|PC| = r$. Suivant la formule de la distance, on a

$$\sqrt{(x-h)^2 + (y-k)^2} = r$$

ou, en élevant les deux membres au carré,

$$(x-h)^2 + (y-k)^2 = r^2.$$

Voilà l'équation recherchée.

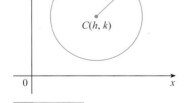

A.1 FIGURE

A.1 | L'équation d'un cercle

Une équation du cercle de centre (h, k) et de rayon r est

$$(x-h)^2 + (y-k)^2 = r^2.$$

En particulier, si le centre est l'origine $(0, 0)$, l'équation est

$$x^2 + y^2 = r^2.$$

Exemple A.1 Trouvons une équation du cercle de rayon 3 et de centre $(2, -5)$.

Solution Prenant l'équation **A.1** avec $r = 3$, $h = 2$ et $k = -5$, on obtient

$$(x-2)^2 + (y+5)^2 = 9.$$

Exemple A.2 Esquissons le graphique de l'équation
$$x^2 + y^2 + 2x - 6y + 7 = 0,$$
en commençant par montrer qu'il décrit un cercle, puis en déterminant son centre et son rayon.

Solution D'abord, on regroupe les termes en x et en y comme suit :

$$(x^2 + 2x) + (y^2 - 6y) = -7.$$

Ensuite, on complète le carré dans chaque groupe en ajoutant les constantes appropriées (le carré de la moitié du coefficient de x et de y) aux deux membres de l'équation :

$$(x^2 + 2x + 1) + (y^2 - 6y + 9) = -7 + 1 + 9.$$

ou

$$(x + 1)^2 + (y - 3)^2 = 3.$$

En comparant cette équation avec l'équation standard du cercle **A.1**, on voit que $h = -1$, $k = 3$ et $r = \sqrt{3}$. L'équation donnée représente donc un cercle de centre $(-1, 3)$ et de rayon $\sqrt{3}$. La figure A.2 montre son graphique.

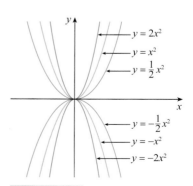

A.2 FIGURE

$x^2 + y^2 + 2x - 6y + 7 = 0$

▶ **Les paraboles**

On considère ici une parabole comme le graphique d'une équation de la forme $y = ax^2 + bx + c$.

Exemple A.3 Traçons le graphique de la parabole $y = x^2$.

Solution Après avoir dressé une table de valeurs, on trace les points calculés et on les relie par une courbe lisse (*voir la figure A.3*).

x	$y = x^2$
0	0
$\pm\frac{1}{2}$	$\frac{1}{4}$
± 1	1
± 2	4
± 3	9

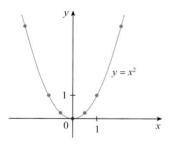

A.3 FIGURE

La figure A.4 montre les graphiques de plusieurs paraboles d'équations de la forme $y = ax^2$ pour différentes valeurs du nombre a. Dans chacun des cas, le **sommet**, soit le point de la parabole où l'ordonnée est minimale ou maximale, se trouve à l'origine. On observe que la parabole $y = ax^2$ est ouverte vers le haut quand $a > 0$ et vers le bas quand $a < 0$ (comme dans la figure A.5).

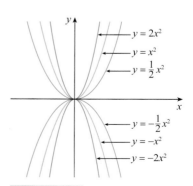

A.4 FIGURE

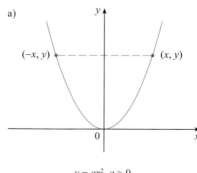

A.5 FIGURE

On remarque que, si (x, y) vérifie $y = ax^2$, alors $(-x, y)$ aussi. Cela correspond au fait géométrique que la réflexion de la moitié droite du graphique par rapport à l'axe des y produit la moitié gauche. On dit que le graphique est **symétrique par rapport à l'axe des y**.

> Le graphique d'une équation est symétrique par rapport à l'axe des y si l'équation est inchangée lorsqu'on remplace x par $-x$.

Si l'on interchange x et y dans l'équation $y = ax^2$, il en résulte $x = ay^2$, qui représente une parabole horizontale. (Interchanger x et y revient à effectuer une réflexion par rapport à la diagonale $y = x$ en supposant une même graduation pour les deux axes.) La parabole horizontale $x = ay^2$ est ouverte vers la droite lorsque $a > 0$ et vers la gauche lorsque $a < 0$ (*voir la figure A.6*). Cette fois-ci, la parabole est symétrique par rapport à l'axe des x parce que, si (x, y) vérifie $x = ay^2$, il en va de même de $(x, -y)$.

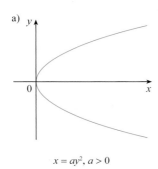
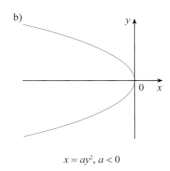

a)

b)

$x = ay^2$, $a > 0$ $x = ay^2$, $a < 0$

A.6 FIGURE

Exemple A.4 Représentons la région délimitée par la parabole $x = y^2$ et la droite $y = x - 2$.

Solution On commence par déterminer les points d'intersection en résolvant simultanément les deux équations. La substitution $x = y + 2$ dans l'équation $x = y^2$ produit $y + 2 = y^2$, ce qui donne

$$0 = y^2 - y - 2 = (y - 2)(y + 1).$$

De là, on a $y = 2$ ou -1. Les points d'intersection sont donc $(4, 2)$ et $(1, -1)$, et on trace la droite $y = x - 2$ qui passe par ces points. On trace ensuite la parabole $x = y^2$ en se reportant à la figure A.6 a) et en s'assurant qu'elle passe par $(4, 2)$ et $(1, -1)$. La région délimitée par $x = y^2$ et $y = x - 2$ désigne la région dont les frontières sont ces courbes. Elle est montrée dans la figure A.7.

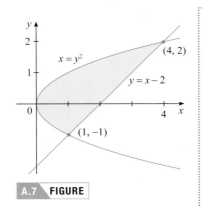

A.7 FIGURE

Les ellipses

La courbe d'équation

A.2	$$\dfrac{x^2}{a^2} + \dfrac{y^2}{b^2} = 1$$

où a et b sont des nombres positifs est une **ellipse** en position standard. On observe que l'équation **A.2** reste inchangée lorsqu'on remplace x par $-x$ ou y par $-y$, de sorte que l'ellipse est symétrique par rapport aux deux axes. Pour s'aider à tracer l'ellipse, on détermine ses coordonnées à l'origine.

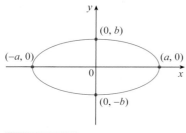

$$\frac{x^2}{a^2} + \frac{y^2}{b^2} = 1$$

Les **abscisses à l'origine** d'une courbe sont les abscisses des points où la courbe coupe l'axe des x. On les détermine en posant $y = 0$ dans l'équation de la courbe.

Les **ordonnées à l'origine** sont les ordonnées des points où la courbe coupe l'axe des y. On les trouve en posant $x = 0$ dans l'équation.

Si on pose $y = 0$ dans l'équation **A.2**, on obtient $x^2 = a^2$; les abscisses à l'origine sont donc $\pm a$. En posant $x = 0$, on obtient $y^2 = b^2$; les ordonnées à l'origine sont $\pm b$. Grâce à cette information et à la symétrie, on peut tracer l'ellipse montrée dans la figure A.8. Si $a = b$, l'ellipse est un cercle de rayon a.

Exemple A.5 Esquissons le graphique de $9x^2 + 16y^2 = 144$.

Solution On divise les deux membres de l'équation par 144 :

$$\frac{x^2}{16} + \frac{y^2}{9} = 1.$$

L'équation étant maintenant dans la forme standard pour une ellipse **A.2**, on a $a^2 = 16$, $b^2 = 9$, $a = 4$ et $b = 3$. Les abscisses à l'origine sont ± 4 et les ordonnées à l'origine, ± 3. Le graphique est montré dans la figure A.9.

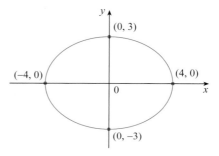

$9x^2 + 16y^2 = 144$

Les hyperboles

La courbe d'équation

A.3	$$\dfrac{x^2}{a^2} - \dfrac{y^2}{b^2} = 1$$

décrit une **hyperbole** en position standard. Comme, encore une fois, l'équation **A.3** reste inchangée lorsqu'on remplace x par $-x$ ou y par $-y$, l'hyperbole est symétrique par rapport aux deux axes. Pour trouver les abscisses à l'origine, on pose $y = 0$ et on obtient $x^2 = a^2$ et $x = \pm a$. Si, par contre, on pose $x = 0$ dans l'équation **A.3**, on obtient $y^2 = -b^2$, ce qui est impossible ; il n'y a donc pas d'ordonnée à l'origine. De fait, à partir de l'équation **A.3**, on obtient

$$\frac{x^2}{a^2} = 1 + \frac{y^2}{b^2} \geq 1,$$

ce qui montre que $x^2 \geq a^2$ et, donc, que $|x| = \sqrt{x^2} \geq a$. Par conséquent, on a $x \geq a$ ou $x \leq -a$. Cela signifie que l'hyperbole se compose de deux parties, appelées ses **branches**. Elle est représentée dans la figure A.10.

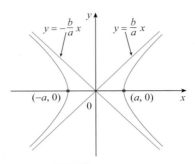

A.10 FIGURE

L'hyperbole $\dfrac{x^2}{a^2} - \dfrac{y^2}{b^2} = 1$.

Pour dessiner une hyperbole, il convient de tracer d'abord ses **asymptotes**, représentées par les droites $y = (b/a)x$ et $y = -(b/a)x$ dans la figure A.10. Les deux branches de l'hyperbole s'approchent des asymptotes, c'est-à-dire qu'elles tendent indéfiniment vers elles. Cela suppose l'existence d'une limite, notion étudiée au chapitre 2 (*voir aussi l'exercice 76 de la section 4.3*).

En échangeant les rôles de x et de y, on obtient une équation de la forme

$$\frac{y^2}{a^2} - \frac{x^2}{b^2} = 1$$

qui représente aussi une hyperbole (*voir la figure A.11*).

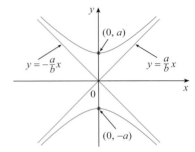

A.11 FIGURE

L'hyperbole $\dfrac{y^2}{a^2} - \dfrac{x^2}{b^2} = 1$.

Exemple A.6 Esquissons la courbe $9x^2 - 4y^2 = 36$.

Solution La division des deux membres de l'équation par 36 donne

$$\frac{x^2}{4} - \frac{y^2}{9} = 1,$$

soit la forme standard de l'équation d'une hyperbole **A.3**. Comme $a^2 = 4$, les abscisses à l'origine sont ± 2. Et comme $b^2 = 9$, on a $b = 3$, et les asymptotes sont $y = \pm(\frac{3}{2})x$. La figure A.12 montre cette hyperbole.

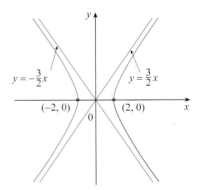

A.12 FIGURE

L'hyperbole $9x^2 - 4y^2 = 36$.

Si $b = a$, l'hyperbole est d'équation $x^2 - y^2 = a^2$ (ou $y^2 - x^2 = a^2$) et dite **équilatère** (*voir la figure A.13 a*). Perpendiculaires, ses asymptotes sont $y = \pm x$. Lorsqu'une hyperbole équilatère subit une rotation de 45°, elle prend comme asymptotes les axes des x et des y, et on peut montrer que sa nouvelle équation est $xy = k$, où k est une constante (*voir la figure A.13 b*).

a)
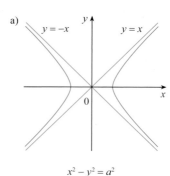
$x^2 - y^2 = a^2$

b)
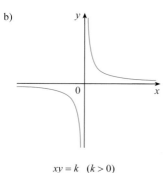
$xy = k \quad (k > 0)$

A.13 FIGURE

Des hyperboles équilatères.

Exercices A

1-4 Déterminez une équation du cercle qui satisfait aux conditions données.

1. Centre $(3, -1)$, rayon 5

2. Centre $(-2, -8)$, rayon 10

3. Centré à l'origine, passant par $(4, 7)$

4. Centre $(-1, 5)$, passant par $(-4, -6)$

5-9 Montrez que l'équation représente un cercle et déterminez le centre et le rayon du cercle.

5. $x^2 + y^2 - 4x + 10y + 13 = 0$

6. $x^2 + y^2 + 6y + 2 = 0$

7. $x^2 + y^2 + x = 0$

8. $16x^2 + 16y^2 + 8x + 32y + 1 = 0$

9. $2x^2 + 2y^2 - x + y = 1$

10. Quelle condition faut-il appliquer aux coefficients a, b et c pour que l'équation $x^2 + y^2 + ax + by + c = 0$ représente un cercle? Une fois cette condition satisfaite, déterminez le centre et le rayon du cercle.

11-19 Identifiez le type de la courbe définie et esquissez cette dernière. Ne tracez pas de points; servez-vous plutôt des graphiques standard donnés dans les figures A.5, A.6, A.8, A.10 et A.11 (*voir p. 342, 343, 344 et 345*), que vous translaterez s'il y a lieu.

11. $y = -x^2$

12. $y^2 - x^2 = 1$

13. $x^2 + 4y^2 = 16$

14. $x = -2y^2$

15. $16x^2 - 25y^2 = 400$

16. $25x^2 + 4y^2 = 100$

17. $4x^2 + y^2 = 1$

18. $y = x^2 + 2$

19. $x = y^2 - 1$

20-21 Représentez la région délimitée par les courbes.

20. $y = 3x, y = x^2$

21. $y = 4 - x^2, x - 2y = 2$

22. Trouvez une équation de la parabole de sommet $(1, -1)$ qui passe par les points $(-1, 3)$ et $(3, 3)$.

23. Trouvez une équation de l'ellipse centrée à l'origine qui passe par les points $\left(1, \dfrac{-10\sqrt{2}}{3}\right)$ et $\left(-2, \dfrac{5\sqrt{5}}{3}\right)$.

24-27 Représentez graphiquement l'ensemble donné.

24. $\{(x, y) \mid x^2 + y^2 \leq 1\}$

25. $\{(x, y) \mid x^2 + y^2 > 4\}$

26. $\{(x, y) \mid y \geq x^2 - 1\}$

27. $\{(x, y) \mid x^2 + 4y^2 \leq 4\}$

Les modèles mathématiques : un catalogue de fonctions incontournables

Un **modèle mathématique** est une description mathématique (souvent faite au moyen d'une fonction ou d'une équation) d'un phénomène réel, tels la taille d'une population, la demande pour un produit, la vitesse de chute d'un objet, la concentration d'une substance dans une réaction chimique, l'espérance de vie à la naissance ou le coût de la réduction de certaines émissions. Le modèle aide à comprendre le phénomène et parfois à prédire son comportement futur.

La figure B.1 illustre le procédé de modélisation. Devant une situation réelle, la première tâche consiste à formuler un modèle mathématique en distinguant et en désignant les variables indépendantes et dépendantes et en faisant des suppositions qui simplifient suffisamment la situation pour qu'elle se prête au traitement mathématique. On se sert de la connaissance qu'on a de la situation et des compétences mathématiques qu'on a préalablement acquises pour écrire des équations qui lient les variables entre elles. Lorsque aucune loi physique ne peut servir de guide, il faut trouver des données (dans des livres, dans Internet ou en réalisant des expériences), les mettre en tableau et y chercher des régularités. Il peut alors être indiqué d'utiliser les données numériques de la fonction pour produire une représentation graphique. Dans certains cas favorables, le graphique obtenu pourrait suggérer une formule mathématique appropriée.

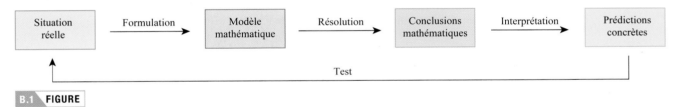

B.1 FIGURE

Le processus de modélisation.

À la deuxième étape, on applique ses connaissances mathématiques (comme le calcul différentiel et intégral) au modèle formulé afin d'en tirer des conclusions mathématiques. La troisième étape vise à interpréter les conclusions comme de l'information sur le phénomène examiné, soit pour apporter des explications ou faire des prédictions. À la dernière étape, on met les prédictions formulées à l'épreuve en les confrontant à de nouvelles données réelles. Si les prédictions ne supportent pas la comparaison avec la réalité, il convient d'affiner le modèle ou d'en formuler un nouveau et de reprendre le travail.

Le modèle mathématique étant une idéalisation, il ne représente jamais fidèlement la situation réelle. Un bon modèle simplifie suffisamment la réalité pour permettre des calculs mathématiques tout en étant assez exact pour mener à des conclusions valables. Il faut donc avoir conscience des limites du modèle et se rappeler que dame Nature aura toujours raison.

De nombreux types de fonctions peuvent servir à modéliser les relations observées dans la réalité. Les parties qui suivent traitent du comportement et des graphiques de ces fonctions, et fournissent des exemples des situations qu'elles modélisent.

La géométrie analytique des droites fait l'objet de la section 1.2.

x	$f(x) = 3x - 2$
1,0	1,0
1,1	1,3
1,2	1,6
1,3	1,9
1,4	2,2
1,5	2,5

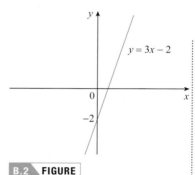

B.2 FIGURE

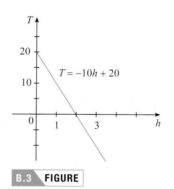

B.3 FIGURE

▶ Les modèles linéaires

Lorsqu'on dit que y est une **fonction affine** de x, on entend que le graphique de la fonction est une droite. On peut alors utiliser la forme $y = mx + b$ de l'équation d'une droite pour exprimer la fonction par une formule :

$$y = f(x) = mx + b$$

où m est la pente de la droite et b, l'ordonnée à l'origine.

Les fonctions affines possèdent la caractéristique de croître à un taux constant. Par exemple, la figure B.2 montre un graphique de la fonction affine $f(x) = 3x - 2$ et son tableau de valeurs. On remarque que, lorsque x augmente de 0,1, la valeur de $f(x)$ augmente de 0,3. Ainsi, $f(x)$ augmente trois fois plus vite que x. On peut donc interpréter la pente de la droite $y = 3x - 2$, soit 3, comme le taux de variation de y par rapport à x.

Exemple B.1

a) En montant, l'air sec se dilate et se refroidit. Soit une température au sol de 20 °C et une température à 1 km d'altitude de 10 °C. Exprimons la température T (en degrés Celsius) en fonction de l'altitude h (en kilomètres), en supposant qu'un modèle linéaire convienne.

b) Dessinons le graphique de la fonction en a). Que représente la pente ?

c) Quelle température fait-il à 2,5 km d'altitude ?

Solution

a) Comme on suppose que T est une fonction affine de h, on peut écrire

$$T = mh + b.$$

Étant donné que $T = 20$ quand $h = 0$,

$$20 = m \cdot 0 + b = b.$$

Autrement dit, l'ordonnée à l'origine est $b = 20$.

Étant donné aussi que $T = 10$ quand $h = 1$,

$$10 = m \cdot 1 + 20.$$

La pente de la droite est donc $m = 10 - 20 = -10$, et la fonction affine recherchée est

$$T = -10h + 20.$$

b) Le graphique est montré dans la figure B.3. La pente, $m = -10$ °C/km, représente le taux de variation de la température par rapport à l'altitude.

c) À l'altitude $h = 2,5$ km, la température est de

$$T = -10(2,5) + 20$$
$$= -5 \text{ °C}.$$

Lorsqu'il n'y a pas de loi ou de principe physique sur lequel s'appuyer pour formuler un modèle, on construit un **modèle empirique**, basé entièrement sur des données recueillies. On cherche une courbe qui « s'ajuste » aux données, c'est-à-dire qu'elle reflète essentiellement la tendance des points de données.

Exemple **B.2** Le tableau B.1 donne les concentrations moyennes en dioxyde de carbone (CO_2) dans l'atmosphère, mesurées en parties par million à l'observatoire Mauna Loa de 1980 à 2012. À l'aide des données, trouvons un modèle de la concentration en dioxyde de carbone.

Solution À partir des données du tableau B.1, on trace un nuage de points (*voir la figure B.4*) où *t* représente le temps (en années) et *C* représente la concentration en CO_2 (en parties par million, ou ppm).

TABLEAU B.1

Année	Concentration en CO_2 (ppm)	Année	Concentration en CO_2 (ppm)
1980	338,7	1998	366,5
1982	341,2	2000	369,4
1984	344,4	2002	373,2
1986	347,2	2004	377,5
1988	351,5	2006	381,9
1990	354,2	2008	385,6
1992	356,3	2010	389,9
1994	358,6	2012	393,8
1996	362,4		

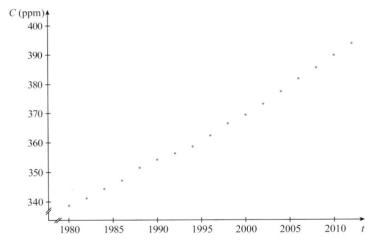

B.4 FIGURE

Le nuage de points de la concentration annuelle moyenne en CO_2.

Comme les points de données décrivent presque une droite, on choisira naturellement un modèle linéaire. Néanmoins, plusieurs droites possibles s'approchent de ces points. Laquelle choisir ? La droite passant par le premier et le dernier point de données offre une possibilité. La pente de cette droite est

$$\frac{393,8 - 338,7}{2012 - 1980} = \frac{55,1}{32} = 1,722$$

et son équation est

$$C - 338,7 = 1,722(t - 1980)$$

ou

B.1

$$C = 1,722t - 3070,86.$$

L'équation **B.1** donne un modèle linéaire possible pour la concentration en dioxyde de carbone ; elle est représentée dans la figure B.5.

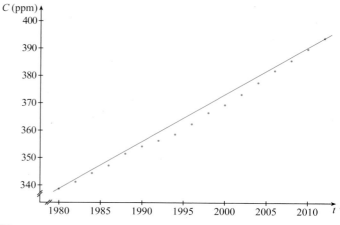

FIGURE

Le modèle linéaire passant par les premier et dernier points de données.

Un ordinateur ou une calculatrice à affichage graphique calcule la droite de régression par la méthode des **moindres carrés**, qui minimise la somme des carrés des distances verticales entre les points de données et la droite.

On remarque que le modèle produit donne des valeurs supérieures aux concentrations réelles de CO_2. On obtiendra un meilleur modèle linéaire par la méthode statistique de **régression linéaire**. Sur une calculatrice à affichage graphique, on saisit les données du tableau B.1 dans l'éditeur de données et on choisit la commande de régression linéaire. (Avec Maple, on emploie la commande d'ajustement (Fit) [leastsquare] de l'extension *Statistics* ; avec Mathematica, on emploie la commande d'ajustement.) On obtient ainsi la pente et l'ordonnée à l'origine de la droite de régression :

$$m = 1{,}712\ 62 \qquad b = -3054{,}14.$$

Le modèle par les moindres carrés de la concentration de CO_2 est donc

B.2
$$C = 1{,}712\ 62t - 3054{,}14.$$

La figure B.6 montre la droite de régression ainsi que les points de données. La comparaison avec la figure B.5 révèle que cette droite est mieux ajustée que le modèle linéaire précédent.

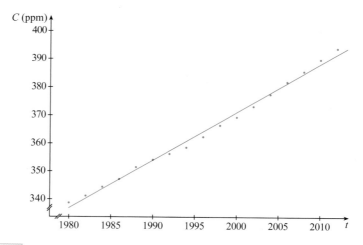

B.6 **FIGURE**

La droite de régression.

···Exemple **B.3** Partant du modèle linéaire donné par l'équation **B.2**, estimons la concentration moyenne en CO_2 en 1987 et prédisons la concentration en 2020. Quand, d'après ce modèle, la concentration en CO_2 dépassera-t-elle 420 parties par million ?

Solution L'équation **B.2** en $t = 1987$ permet d'estimer la concentration moyenne de CO_2 en 1987 à

$$C(1987) = (1{,}712\ 62)(1987) - 3054{,}14 \approx 348{,}84.$$

Ce calcul est un exemple d'**interpolation** parce qu'on a estimé une valeur située entre des valeurs connues. (L'observatoire de Mauna Loa a effectivement établi à 348,93 ppm la concentration moyenne de CO_2 en 1987 ; l'estimation faite ici est donc plutôt juste.)

En $t = 2020$, on obtient

$$C(2020) = (1{,}712\ 62)(2020) - 3054{,}14 \approx 405{,}35.$$

On prédit donc que la concentration moyenne de CO_2 en l'an 2020 sera de 405,4 ppm. Voilà un exemple d'**extrapolation**, car on a prédit une valeur située en dehors de la série des valeurs observées. Par conséquent, l'exactitude de cette prédiction est beaucoup moins certaine.

Selon l'équation **B.2**, on voit que la concentration de CO_2 dépasse les 420 ppm quand

$$1{,}712\ 62t - 3054{,}14 > 420.$$

La résolution de cette inégalité donne

$$t > \frac{3474{,}14}{1{,}712\ 62} \approx 2028{,}55.$$

On prédit donc que la concentration de CO_2 dépassera 420 ppm en l'an 2030. Cette prédiction est assez audacieuse, car elle concerne un moment plutôt éloigné de celui des observations. En fait, la figure B.6 montre que les concentrations de CO_2 ont eu tendance à augmenter plus rapidement ces dernières années, de sorte qu'elles pourraient dépasser les 420 ppm bien avant 2030.

▶ Les fonctions polynomiales

Une fonction P est polynomiale si $P(x)$ est définie par un **polynôme**. Autrement dit, si

$$P(x) = a_n x^n + a_{n-1} x^{n-1} + \ldots + a_2 x^2 + a_1 x + a_0$$

où n est un entier non négatif et les nombres a_0, a_1, a_2, …, a_n sont des constantes appelées **coefficients** du polynôme. Le domaine de toute fonction polynomiale est $\mathbb{R} =]-\infty, \infty[$. Si le premier coefficient $a_n \neq 0$, alors la fonction polynomiale est de **degré** n. Par exemple, la fonction

$$P(x) = 2x^6 - x^4 + \tfrac{2}{5}x^3 + \sqrt{2}$$

est une fonction polynomiale de degré 6.

Une fonction polynomiale de degré 1, étant de la forme $P(x) = mx + b$, est une fonction affine. Une fonction polynomiale de degré 2 de la forme $P(x) = ax^2 + bx + c$ est appelée **fonction quadratique** (ou du second degré). Son graphique décrit toujours une parabole obtenue par déplacement de la parabole $y = ax^2$. La parabole est ouverte vers le haut lorsque $a > 0$ et vers le bas lorsque $a < 0$ (*voir la figure B.7*).

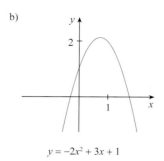

$$y = x^2 + x + 1 \qquad\qquad y = -2x^2 + 3x + 1$$

B.7 FIGURE

Les graphiques des fonctions quadratiques sont des paraboles.

Une fonction polynomiale de degré 3 est de la forme

$$P(x) = ax^3 + bx^2 + cx + d, \quad a \neq 0$$

et porte le nom de **fonction cubique**. La figure B.8 montre le graphique d'une fonction cubique en a) et les graphiques de fonctions polynomiales de degrés 4 et 5 en b) et en c). On expliquera plus loin la forme de ces graphiques.

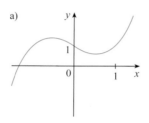 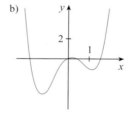 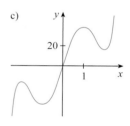

$$y = x^3 - x + 1 \qquad\qquad y = x^4 - 3x^2 + x \qquad\qquad y = 3x^5 - 25x^3 + 60x$$

B.8 FIGURE

Les polynômes servent couramment à modéliser diverses grandeurs intervenant dans les sciences naturelles et humaines. Par exemple, la section 3.7 explique pourquoi les économistes utilisent souvent une fonction polynomiale $P(x)$ pour représenter le coût de fabrication de x unités d'un bien. Dans l'exemple qui suit, on modélise la chute d'une balle au moyen d'une fonction quadratique.

TABLEAU B.2

Temps (secondes)	Hauteur (mètres)
0	450
1	445
2	431
3	408
4	375
5	332
6	279
7	216
8	143
9	61

Exemple B.4 De la terrasse d'observation supérieure de la Tour CN, située à 450 m au-dessus du sol, on lâche une balle et on enregistre sa hauteur h toutes les secondes (*voir le tableau B.2*). Trouvons un modèle qui s'ajuste aux données et utilisons-le pour prédire le moment où la balle touchera le sol.

Solution On trace le nuage de points des données (figure B.9) et on constate qu'un modèle linéaire ne convient pas. Cependant, comme les points de données semblent appartenir à une parabole, on essaie un modèle quadratique. Au moyen d'une calculatrice à affichage graphique ou d'un système de calcul formel (qui utilise la méthode des moindres carrés), on obtient le modèle quadratique suivant :

B.3

$$h = 449{,}36 + 0{,}96t - 4{,}90t^2.$$

Dans la figure B.10, après avoir tracé le graphique de l'équation **B.3** et les points de données, on constate que le modèle quadratique donne un très bon ajustement.

Comme la balle touche le sol lorsque $h = 0$, on résout l'équation quadratique

$$-4,90t^2 + 0,96t + 449,36 = 0.$$

Par la formule quadratique, on obtient

$$t = \frac{-0,96 \pm \sqrt{(0,96)^2 - 4(-4,90)(449,36)}}{2(-4,90)}.$$

La racine positive étant $t \approx 9,67$, on prédit que la balle touchera le sol après environ 9,7 secondes.

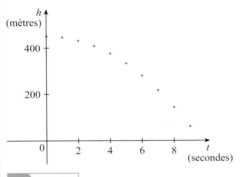

B.9 FIGURE

Le nuage de points de la chute d'une balle.

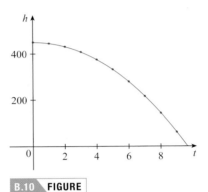

B.10 FIGURE

Le modèle quadratique de la chute d'une balle.

▶ Les fonctions puissances

On appelle **fonction puissance** une fonction de la forme $f(x) = x^a$, où a est une constante. Plusieurs cas sont à considérer.

i) $a = n$, où n est un entier positif

Les graphiques de $f(x) = x^n$ pour $n = 1, 2, 3, 4$ et 5 sont montrés dans la figure B.11. (Il s'agit de polynômes à un seul terme.) On connaît déjà la forme des graphiques de $y = x$ (une droite de pente 1 passant par l'origine) et de $y = x^2$ (une parabole ; *voir l'exemple A.3 de l'annexe A*).

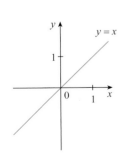 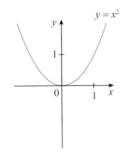 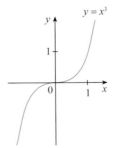 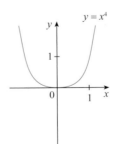 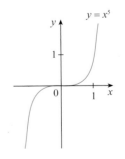

B.11 FIGURE

Les graphiques de $f(x) = x^n$ pour $n = 1, 2, 3, 4, 5$.

La forme générale du graphique de $f(x) = x^n$ varie selon que n est pair ou impair. Si n est pair, alors $f(x) = x^n$ est une fonction paire et son graphique ressemble à la parabole

$y = x^2$. Si n est impair, $f(x) = x^n$ est une fonction impaire et son graphique ressemble à celui de $y = x^3$. On remarque cependant (*voir la figure B.12*) que, plus n est grand, plus le graphique de $y = x^n$ s'aplatit près de 0 et se redresse lorsque $|x| \geq 1$. (Lorsque x est petit, x^2 est plus petit, x^3 est encore plus petit, x^4 l'est encore davantage, etc.)

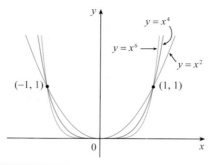
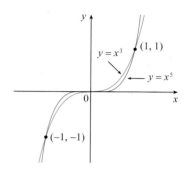

B.12 **FIGURE**

Des familles de fonctions puissances.

ii) $a = 1/n$, où n est un entier positif

La fonction $f(x) = x^{1/n} = \sqrt[n]{x}$ est une **fonction racine**. Pour $n = 2$, il s'agit de la fonction racine carrée $f(x) = \sqrt{x}$, dont le domaine est $[0, \infty[$ et le graphique, la moitié supérieure de la parabole horizontale $x = y^2$ (*voir la figure B.13 a*). Pour d'autres valeurs paires de n, le graphique de $y = \sqrt[n]{x}$ ressemble à celui de $y = \sqrt{x}$. Lorsque $n = 3$, on obtient la fonction racine cubique $f(x) = \sqrt[3]{x}$, dont le domaine est $\mathbb{R}$ (on se rappelle que tout nombre réel a une racine cubique) et dont le graphique est montré dans la figure B.13 b). Le graphique de $y = \sqrt[n]{x}$ pour n impair ($n > 3$) ressemble à celui de $y = \sqrt[3]{x}$.

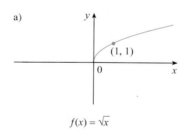
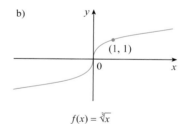

a) $f(x) = \sqrt{x}$

b) $f(x) = \sqrt[3]{x}$

B.13 **FIGURE**

Les graphiques de fonctions racines.

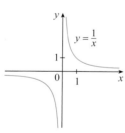

B.14 **FIGURE**

La fonction réciproque.

iii) $a = -1$

La figure B.14 montre le graphique de la **fonction réciproque** $f(x) = x^{-1} = 1/x$. Ce graphique d'équation $y = 1/x$, ou $xy = 1$, est une hyperbole dont les asymptotes sont les axes de coordonnées. Cette fonction apparaît en physique et en chimie en rapport avec la loi de Boyle, selon laquelle, à température constante, le volume V d'un gaz est inversement proportionnel à la pression P :

$$V = \frac{C}{P}$$

où C est une constante. Ainsi, le graphique de V en fonction de P (*voir la figure B.15*) présente la même forme générale que la moitié droite de la figure B.14.

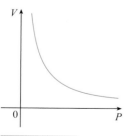

B.15 **FIGURE**

Le volume en fonction de la pression, à température constante.

Les fonctions puissances servent également à modéliser les rapports superficie-nombre d'espèces (exercice 21), l'illumination en fonction de la distance d'une source lumineuse (exercice 20) et la période de révolution d'une planète en fonction de la distance qui la sépare du Soleil (exercice 22).

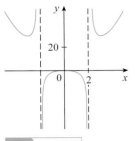

$$f(x) = \frac{2x^4 - x^2 + 1}{x^2 - 4}$$

Les fonctions rationnelles

Une **fonction rationnelle** f est définie par un rapport de deux polynômes. Autrement dit, on a

$$f(x) = \frac{P(x)}{Q(x)}$$

où P et Q sont des polynômes. Le domaine comprend toutes les valeurs de x telles que $Q(x) \neq 0$. La fonction $f(x) = 1/x$, dont le domaine est $\mathbb{R}^*$, constitue un exemple simple de fonction rationnelle ; il s'agit de la fonction réciproque représentée dans la figure B.14. La fonction

$$f(x) = \frac{2x^4 - x^2 + 1}{x^2 - 4}$$

est une fonction rationnelle de domaine $\mathbb{R} \setminus \{\pm 2\}$. La figure B.16 montre son graphique.

Les fonctions algébriques

Une fonction f est une **fonction algébrique** si on peut la construire au moyen d'opérations algébriques (addition, soustraction, multiplication, division et racines) sur des polynômes. Toute fonction rationnelle est, par le fait même, une fonction algébrique. Voici deux autres exemples :

$$f(x) = \sqrt{x^2 + 1} \qquad g(x) = \frac{x^4 - 16x^2}{x + \sqrt{x}} + (x - 2)\sqrt[3]{x + 1}.$$

Le chapitre 4 montre que les graphiques des fonctions algébriques peuvent prendre des formes très variées, dont quelques-unes sont montrées dans la figure B.17.

a)
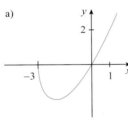
$$f(x) = x\sqrt{x + 3}$$

b)
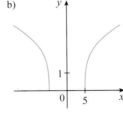
$$g(x) = \sqrt[4]{x^2 + 25}$$

c)
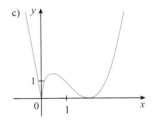
$$h(x) = x^{2/3}(x - 2)^2$$

La théorie de la relativité fournit un exemple de fonction algébrique. La masse d'une particule se déplaçant à la vitesse v est donnée par

$$m = f(v) = \frac{m_0}{\sqrt{1 - v^2/c^2}}$$

où m_0 est la masse de la particule au repos et $c = 3,0 \times 10^5$ km/s, la vitesse de la lumière dans le vide.

Les fonctions trigonométriques

Les pages de référence se trouvent à la fin du manuel.

La trigonométrie et les fonctions trigonométriques font l'objet de la révision présentée en page de référence 2 ainsi que dans la section 1.4. En calcul différentiel et intégral, la convention veut que l'unité de mesure soit le radian (sauf indication contraire). Par exemple, lorsqu'on utilise la fonction $f(x) = \sin x$, il est entendu que $\sin x$ signifie « le sinus de l'angle dont la mesure est x radians ». Les graphiques des fonctions sinus et cosinus sont montrés dans la figure B.18.

a)

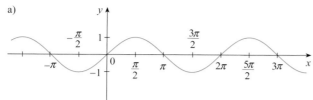

$$f(x) = \sin x$$

b)

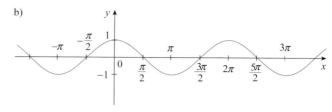

$$g(x) = \cos x$$

B.18 **FIGURE**

On remarque que, tant pour la fonction sinus que pour la fonction cosinus, le domaine est $\mathbb{R}$ et l'image, l'intervalle fermé $[-1, 1]$. Ainsi, quelle que soit la valeur de x,

$$-1 \le \sin x \le 1 \qquad -1 \le \cos x \le 1$$

ou, en termes de valeurs absolues,

$$|\sin x| \le 1 \qquad |\cos x| \le 1.$$

En outre, la fonction sinus s'annule aux multiples entiers de π; c'est donc dire que

$$\sin x = 0 \quad \text{quand} \quad x = n\pi \quad n \text{ étant un entier.}$$

Les fonctions sinus et cosinus possèdent l'importante propriété d'être périodiques de période 2π. Cela signifie que, pour toutes valeurs de x,

$$\sin(x + 2\pi) = \sin x \qquad \cos(x + 2\pi) = \cos x.$$

Grâce à leur caractère périodique, ces fonctions conviennent à la modélisation de phénomènes répétitifs tels les marées, les ressorts vibrants et les ondes sonores. Un modèle valable du nombre d'heures de clarté, à Philadelphie, t jours après le 1er janvier est donné par la fonction

$$L(t) = 12 + 2{,}8 \sin\left[\frac{2\pi}{365}(t - 80)\right].$$

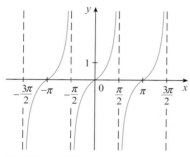

La fonction tangente est liée aux fonctions sinus et cosinus par l'égalité

$$\tan x = \frac{\sin x}{\cos x}$$

et son graphique est montré dans la figure B.19. Elle n'est pas définie lorsque $\cos x = 0$, c'est-à-dire lorsque $x = \pm\pi/2, \pm3\pi/2, \ldots$ Son image est $\mathbb{R}$. On remarque que la fonction tangente est de période π :

B.19 **FIGURE**

$$y = \tan x$$

$$\tan(x + \pi) = \tan x \quad \text{pour tout } x.$$

Les trois autres fonctions trigonométriques (cosécante, sécante et cotangente) sont les réciproques des fonctions sinus, cosinus et tangente. Leurs graphiques sont montrés dans la section 1.4.

▶ Les fonctions exponentielles

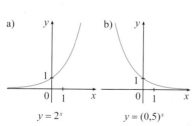

a) $y = 2^x$ b) $y = (0{,}5)^x$

B.20 **FIGURE**

Les **fonctions exponentielles** sont de la forme $f(x) = b^x$, où la base b est une constante positive. La figure B.20 montre les graphiques de $y = 2^x$ et $y = (0{,}5)^x$. Dans les deux cas, le domaine est $\mathbb{R}$ et l'image, $\mathbb{R}_+$.

Les fonctions exponentielles sont étudiées plus en détail dans la section 1.5, et on y voit qu'elles se révèlent utiles pour modéliser de nombreux phénomènes naturels tels que la croissance d'une population (si $b > 1$) et la désintégration radioactive (si $b < 1$).

▶ Les fonctions logarithmiques

Les **fonctions logarithmiques** $f(x) = \log_b x$, où la base b est une constante positive différente de 1, sont les réciproques des fonctions exponentielles. Elles sont étudiées dans la section 1.6. La figure B.21 montre les graphiques de quatre fonctions logarithmiques de bases différentes. Dans chaque cas, le domaine est $\mathbb{R}_+$, l'image est $\mathbb{R}$ et la fonction croît lentement lorsque $x > 1$.

B.21 FIGURE

Exemple B.5 Classons chacune des fonctions suivantes selon son type.

a) $f(x) = 5^x$

b) $g(x) = x^5$

c) $h(x) = \dfrac{1+x}{1-\sqrt{x}}$

d) $u(t) = 1 - t + 5t^4$

Solution

a) $f(x) = 5^x$ est une fonction exponentielle. (L'exposant est x.)

b) $g(x) = x^5$ est une fonction puissance. (La base est x.) On peut aussi la considérer comme une fonction polynomiale de degré 5.

c) $h(x) = \dfrac{1+x}{1-\sqrt{x}}$ est une fonction algébrique.

d) $u(t) = 1 - t + 5t^4$ est une fonction polynomiale de degré 4.

Exercices B

1-2 Pour chaque fonction donnée, dites s'il s'agit d'une fonction puissance, racine, polynomiale (précisez le degré), rationnelle, algébrique, trigonométrique, exponentielle ou logarithmique.

1. a) $f(x) = \log_2 x$

b) $g(x) = \sqrt[4]{x}$

c) $h(x) = \dfrac{2x^3}{1-x^2}$

d) $u(t) = 1 - 1{,}1t + 2{,}54t^2$

e) $v(t) = 5^t$

f) $w(\theta) = \sin\theta \cos^2\theta$

2. a) $y = \pi^x$

b) $y = x^\pi$

c) $y = x^2(2 - x^3)$

d) $y = \tan t - \cos t$

e) $y = \dfrac{s}{1+s}$

f) $y = \dfrac{\sqrt{x^3 - 1}}{1 + \sqrt[3]{x}}$

3-4 Associez chaque équation à son graphique et justifiez votre choix. (N'utilisez pas d'outil graphique.)

3. a) $y = x^2$

b) $y = x^5$

c) $y = x^8$

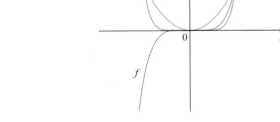

4. a) $y = 3x$

b) $y = 3^x$

c) $y = x^3$

d) $y = \sqrt[3]{x}$

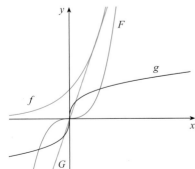

5. a) Écrivez une équation de la famille des fonctions linéaires de pente 2 et esquissez les graphiques de plusieurs d'entre elles.

b) Écrivez une équation de la famille des fonctions linéaires telles que $f(2) = 1$ et esquissez les graphiques de plusieurs d'entre elles.

c) Quelle fonction appartient aux deux familles ?

6. Qu'ont en commun les fonctions linéaires de la famille $f(x) = 1 + m(x + 3)$? Esquissez les graphiques de plusieurs de ces fonctions.

7. Qu'ont en commun les fonctions linéaires de la famille $f(x) = c - x$? Esquissez les graphiques de plusieurs de ces fonctions.

8. Trouvez les expressions des fonctions quadratiques dont les graphiques sont donnés.

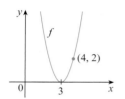
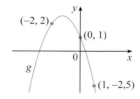

9. Trouvez une expression de la fonction cubique f sachant que $f(1) = 6$ et que $f(-1) = f(0) = f(2) = 0$.

10. Soit un médicament dont la dose recommandée pour un adulte est D (en milligrammes). Afin de déterminer la posologie c convenant à un enfant de a ans, les pharmaciens utilisent l'équation $c = 0{,}0417D(a + 1)$. On suppose que la posologie pour un adulte est de 200 mg.

a) Déterminez la pente de la courbe de c. Que représente cette pente ?

b) Quelle est la posologie pour un nouveau-né ?

11. Le gérant d'un marché aux puces sait que, s'il demande x dollars pour un stand, il louera y stands d'après l'équation $y = 200 - 4x$.

a) Esquissez le graphique de cette fonction affine. (Rappelez-vous que le loyer d'un stand et le nombre de stands loués ne peuvent pas être négatifs.)

b) Que représentent la pente, l'ordonnée à l'origine et l'abscisse à l'origine de ce graphique ?

12. La correspondance entre les échelles de température Fahrenheit (F) et Celsius (C) est donnée par la fonction linéaire $F = \frac{9}{5}C + 32$.

a) Esquissez un graphique de cette fonction.

b) Quelle est la pente de la courbe et que représente-t-elle ? Quelle est l'ordonnée à l'origine et que représente-t-elle ?

13. Jason quitte Montréal en voiture à 14 h et conduit à vitesse constante sur l'autoroute 20E. À 14 h 50, il longe Drummondville, situé à 90 km de Montréal.

a) Exprimez la distance parcourue par rapport au temps écoulé.

b) Tracez le graphique de l'équation écrite en a).

c) Quelle est la pente de cette droite ? Que représente-t-elle ?

14. Selon les observations des biologistes, le taux de stridulation des grillons d'une certaine espèce est lié à la température, et la relation semble presque linéaire. Sous 21 °C, un grillon

émet 113 stridulations par minute ; sous 27 °C, il en émet 173 par minute.

a) Écrivez une équation linéaire qui modélise la température T en fonction du nombre de stridulations par minute N.

b) Quelle est la pente du graphique ? Que représente-t-elle ?

c) Si les grillons émettent 150 stridulations par minute, quelle est la température approximative ?

15. À la surface de l'océan, la pression de l'eau est la même que la pression atmosphérique au-dessus de l'eau, soit 101,3 kPa. Sous la surface, la pression de l'eau s'accroît à raison de 50 kPa tous les 5 m de profondeur.

a) Exprimez la pression de l'eau en fonction de la profondeur sous la surface de l'océan.

b) À quelle profondeur la pression est-elle de 600 kPa ?

16-17 Pour chaque diagramme de dispersion, indiquez le type de fonction que vous choisiriez pour modéliser les données. Justifiez votre choix.

16. a)

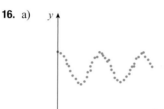

b)

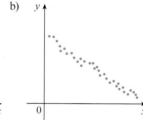

17. a)

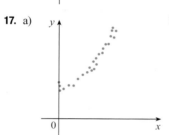

b)

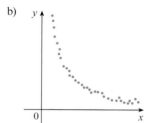

18. Le tableau suivant présente les taux d'ulcères gastro-duodénaux (par 100 personnes) selon les revenus familiaux, comme le rapporte une étude longitudinale sur la santé nationale.

Revenu ($)	Taux d'ulcères (par 100 personnes)
4 000	14,1
6 000	13,0
8 000	13,4
12 000	12,5
16 000	12,0
20 000	12,4
30 000	10,5
45 000	9,4
60 000	8,2

a) Représentez les données dans un diagramme de dispersion et déterminez si un modèle linéaire convient.

b) Écrivez et tracez un modèle linéaire passant par les premier et dernier points.

c) Exprimez et tracez la droite de régression selon les moindres carrés.

d) À l'aide du modèle linéaire établi en c), estimez le taux d'ulcères chez les gens qui ont un revenu de 25 000 $.

e) Selon le modèle, quelle est la probabilité qu'une personne qui gagne 80 000 $ souffre d'un ulcère gastroduodénal ?

f) À votre avis, serait-il raisonnable d'appliquer le modèle à une personne qui gagne 200 000 $?

19. Selon les observations des biologistes, le taux de stridulation des grillons d'une certaine espèce est lié à la température. Le tableau suivant présente les taux de stridulation associés à différentes températures.

Température (°C)	Taux (stridulations/ min)	Température (°C)	Taux (stridulations/ min)
10	20	24	140
13	46	27	173
16	79	30	198
18	91	33	211
21	113		

a) Faites un diagramme de dispersion des données.

b) Déterminez et tracez la droite de régression.

c) À l'aide du modèle linéaire établi en b), estimez le taux de stridulation sous 40 °C.

20. De nombreuses grandeurs physiques sont liées par les **lois de l'inverse des carrés**, c'est-à-dire des fonctions puissances de la forme $f(x) = kx^{-2}$. Par exemple, l'éclairage d'un objet par une source lumineuse est inversement proportionnel au carré de la distance qui sépare l'objet de la source. Supposons que, le soir tombé, vous essayez de lire un livre dans une pièce où il n'y a qu'une lampe. Trouvant l'éclairage trop faible, vous vous rapprochez à mi-chemin de la lampe. De combien l'intensité de l'éclairage a-t-elle augmenté ?

21. Logiquement, plus grande est la superficie d'une région, plus grand est le nombre d'espèces qui habitent la région. De nombreux écologistes ont modélisé le rapport superficie-nombre d'espèces au moyen d'une fonction puissance. Ils ont notamment établi que le nombre d'espèces S de chauves-souris habitant les grottes du Mexique central est lié à la superficie A des grottes par l'équation $S = 0{,}7A^{0,3}$.

a) La superficie de la grotte Misión Imposible, près de la ville de Puebla, est donnée par $A = 60$ m². Combien d'espèces de chauves-souris peut-on s'attendre à trouver dans cette grotte ?

b) Estimez la superficie d'une grotte qui abriterait quatre espèces de chauves-souris.

22. Le tableau suivant donne la distance d moyenne qui sépare chacune des planètes du Soleil (avec, comme unité de mesure, la distance entre la Terre et le Soleil) et sa période T (durée de la révolution en années).

Planète	d	T
Mercure	0,387	0,241
Vénus	0,723	0,615
Terre	1,000	1,000
Mars	1,523	1,881
Jupiter	5,203	11,861
Saturne	9,541	29,457
Uranus	19,190	84,008
Neptune	30,086	164,784

a) Modélisez les données au moyen d'une fonction puissance.

b) Selon la troisième loi de Kepler sur le mouvement des planètes, « le carré de la période de révolution d'une planète est proportionnel au cube de sa distance moyenne du Soleil ». Votre modèle corrobore-t-il cette loi ?

Les limites en toute rigueur

Nous ferons ici la démonstration des propriétés des limites et de certains théorèmes présentés dans les sections 2.3 et 2.4. Voyons tout d'abord la définition rigoureuse d'une limite.

▶ La définition rigoureuse d'une limite

La définition intuitive d'une limite n'est pas appropriée pour certains usages parce que des expressions comme «x est proche de 2» et « $f(x)$ se rapproche de plus en plus de L» sont trop vagues. Si on veut effectivement démontrer que

$$\lim_{x \to 0}\left(x^3 + \frac{\cos 5x}{10\,000} \right) = 0{,}0001 \quad \text{ou} \quad \lim_{x \to 0}\frac{\sin x}{x} = 1,$$

on a besoin d'une définition de la limite qui soit rigoureuse.

C.1 | **Définition**

Soit f, une fonction définie dans un intervalle ouvert contenant le nombre a, mais pas nécessairement définie en a. On dit que **la limite de $f(x)$ lorsque x tend vers a est L**, ce qui s'écrit

$$\lim_{x \to a} f(x) = L$$

si et seulement si, pour tout nombre $\varepsilon > 0$, il existe un nombre $\delta > 0$ tel que

$$\text{si} \quad 0 < |x - a| < \delta \quad \text{alors} \quad |f(x) - L| < \varepsilon.$$

Étant donné que $|x - a|$ représente la distance entre x et a et que $|f(x) - L|$ représente la distance entre $f(x)$ et L, et puisqu'on peut choisir un nombre ε arbitrairement petit, la définition de la limite s'énonce également comme suit :

$\lim_{x \to a} f(x) = L$ signifie qu'on peut rendre la distance entre $f(x)$ et L arbitrairement petite en choisissant la distance entre x et a suffisamment petite (mais non nulle).

Ou encore :

$\lim_{x \to a} f(x) = L$ signifie qu'on peut rendre la valeur de $f(x)$ aussi proche que l'on veut de L en choisissant une valeur de x suffisamment proche de a (mais non égale à a).

Par conséquent, on a :

$$|f(x) - L| \to 0 \quad \text{lorsque} \quad |x - a| \to 0 \quad (x \neq a).$$

Une autre interprétation géométrique de la limite fait appel à la courbe d'une fonction. Étant donné un nombre $\varepsilon > 0$, on trace les droites horizontales $y = L + \varepsilon$ et $y = L - \varepsilon$ à même le graphique de f (*voir la figure C.1*). Si $\lim_{x \to a} f(x) = L$, alors il existe un nombre $\delta > 0$ tel que, si on restreint les valeurs de x à l'intervalle $]a - \delta, a + \delta[$ et $x \neq a$, alors la courbe de $y = f(x)$ se situe entre les droites $y = L - \varepsilon$ et $y = L + \varepsilon$ (*voir la figure C.2*). On constate que, si on localise un tel nombre δ, alors tout autre δ plus petit satisfait aussi à la condition posée.

Il est important de se rendre compte que le procédé illustré aux figures C.1 et C.2 donne le même résultat pour n'importe quel nombre positif ε, aussi petit qu'il soit. La figure C.3 illustre le fait que, plus le nombre ε choisi est petit, plus le nombre δ devra probablement être petit. Autrement dit, le nombre δ à choisir dépend du nombre ε posé.

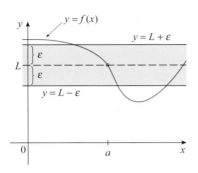

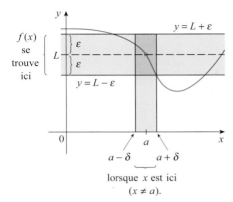

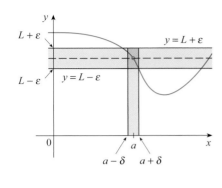

C.1 FIGURE

C.2 FIGURE

C.3 FIGURE

Il est possible de prouver les propriétés d'une limite énoncées dans la section 2.3 à l'aide de la définition **C.1**, et on peut calculer de façon rigoureuse les limites de fonctions complexes en appliquant ces règles, ce qui évite d'avoir à utiliser directement la définition.

Ainsi, on démontrera dans un premier temps la propriété **2.3.1** ou la règle de calcul de la limite d'une somme, à savoir : si $\lim_{x \to a} f(x) = L$ et $\lim_{x \to a} g(x) = M$ existent toutes les deux, alors

$$\lim_{x \to a}[f(x) + g(x)] = L + M.$$

▶ La démonstration de quelques théorèmes

Les propriétés des limites

On suppose que c est une constante et que les limites

$$\lim_{x \to a} f(x) = L \quad \text{et} \quad \lim_{x \to a} g(x) = M$$

existent. Alors,

2.3.1 $\lim_{x \to a}[f(x) + g(x)] = L + M$ **2.3.2** $\lim_{x \to a}[f(x) - g(x)] = L - M$

2.3.3 $\lim_{x \to a}[cf(x)] = cL$ **2.3.4** $\lim_{x \to a}[f(x)g(x)] = LM$

2.3.5 $\lim_{x \to a} \dfrac{f(x)}{g(x)} = \dfrac{L}{M}$ si $M \neq 0$

DÉMONSTRATION DE LA PROPRIÉTÉ 2.3.1   Étant donné un nombre $\varepsilon > 0$, il faut trouver un nombre $\delta > 0$ tel que

$$\text{si} \quad 0 < |x - a| < \delta \quad \text{alors} \quad |f(x) + g(x) - (L + M)| < \varepsilon.$$

Inégalité du triangle :

$|a + b| \leq |a| + |b|$

(*Voir la section 1.1.*)

L'inégalité du triangle permet d'écrire

C.2

$$|f(x) + g(x) - (L + M)| = |(f(x) - L) + (g(x) - M)|$$
$$\leq |f(x) - L| + |g(x) - M|.$$

On s'assure que $|f(x) + g(x) - (L + M)|$ est inférieur à ε en faisant en sorte que chacun des termes $|f(x) - L|$ et $|g(x) - M|$ est inférieur à $\varepsilon/2$.

Comme $\varepsilon/2 > 0$ et que $\lim_{x \to a} f(x) = L$, il existe un nombre $\delta_1 > 0$ tel que

$$\text{si} \quad 0 < |x - a| < \delta_1 \quad \text{alors} \quad |f(x) - L| < \frac{\varepsilon}{2}.$$

De même, puisque $\lim_{x \to a} g(x) = M$, il existe un nombre $\delta_2 > 0$ tel que

$$\text{si} \quad 0 < |x - a| < \delta_2 \quad \text{alors} \quad |g(x) - M| < \frac{\varepsilon}{2}.$$

On pose $\delta = \min\{\delta_1, \delta_2\}$, soit le plus petit des deux nombres δ_1 et δ_2. Il est à noter que

$$\text{si} \quad 0 < |x - a| < \delta \quad \text{alors} \quad 0 < |x - a| < \delta_1 \quad \text{et} \quad 0 < |x - a| < \delta_2$$

et, par conséquent,

$$|f(x) - L| < \frac{\varepsilon}{2} \quad \text{et} \quad |g(x) - M| < \frac{\varepsilon}{2}.$$

Ainsi, selon l'énoncé **C.2**,

$$|f(x) + g(x) - (L + M)| \le |f(x) - L| + |g(x) - M| < \frac{\varepsilon}{2} + \frac{\varepsilon}{2} = \varepsilon.$$

En résumé,

$$\text{si} \quad 0 < |x - a| < \delta \quad \text{alors} \quad |f(x) + g(x) - (L + M)| < \varepsilon.$$

Donc, suivant la définition de la limite,

$$\lim_{x \to a} [f(x) + g(x)] = L + M.$$

DÉMONSTRATION DE LA PROPRIÉTÉ 2.3.4 Soit $\varepsilon > 0$. On cherche $\delta > 0$ tel que

$$\text{si} \quad 0 < |x - a| < \delta \quad \text{alors} \quad |f(x)g(x) - LM| < \varepsilon.$$

Afin d'obtenir des termes qui contiennent $|f(x) - L|$ et $|g(x) - M|$, on additionne et soustrait $Lg(x)$ comme suit :

$$\begin{aligned}
|f(x)g(x) - LM| &= |f(x)g(x) - Lg(x) + Lg(x) - LM| \\
&= |[f(x) - L]g(x) + L[g(x) - M]| \\
&\le |[f(x) - L]g(x)| + |L[g(x) - M]| \quad \text{(inégalité du triangle)} \\
&= |f(x) - L||g(x)| + |L||g(x) - M|.
\end{aligned}$$

On veut rendre chacun des termes inférieur à $\varepsilon/2$.

Comme $\lim_{x \to a} g(x) = M$, il existe un nombre $\delta_1 > 0$ tel que

$$\text{si} \quad 0 < |x - a| < \delta_1 \quad \text{alors} \quad |g(x) - M| < \frac{\varepsilon}{2(1 + |L|)}.$$

En outre, il existe un nombre $\delta_2 > 0$ tel que, si $0 < |x - a| < \delta_2$, alors

$$|g(x) - M| < 1$$

et, de là,

$$|g(x)| = |g(x) - M + M| \le |g(x) - M| + |M| < 1 + |M|.$$

Puisque $\lim_{x \to a} f(x) = L$, il existe un nombre $\delta_3 > 0$ tel que

$$\text{si} \quad 0 < |x - a| < \delta_3 \quad \text{alors} \quad |f(x) - L| < \frac{\varepsilon}{2(1 + |M|)}.$$

Soit $\delta = \min\{\delta_1, \delta_2, \delta_3\}$. Si $0 < |x - a| < \delta$, alors on a $0 < |x - a| < \delta_1$, $0 < |x - a| < \delta_2$ et $0 < |x - a| < \delta_3$, des inégalités qu'on peut combiner pour obtenir

$$|f(x)g(x) - LM| \le |f(x) - L||g(x)| + |L||g(x) - M|$$

$$< \frac{\varepsilon}{2(1 + |M|)}(1 + |M|) + |L|\frac{\varepsilon}{2(1 + |L|)}$$

$$< \frac{\varepsilon}{2} + \frac{\varepsilon}{2} = \varepsilon.$$

En effet, puisque $\dfrac{|L|}{1 + |L|} \le 1$, on a que $\dfrac{|L|\varepsilon}{2(1 + |L|)} \le \dfrac{\varepsilon}{2}$.

Cela montre que $\displaystyle\lim_{x \to a}[f(x)g(x)] = LM$. ■

DÉMONSTRATION DE LA PROPRIÉTÉ 2.3.3 Si on utilise $g(x) = c$ dans la propriété **2.3.4**, on obtient

$$\lim_{x \to a}[cf(x)] = \lim_{x \to a}[g(x)f(x)] = \lim_{x \to a}g(x) \cdot \lim_{x \to a}f(x)$$

$$= \lim_{x \to a}c \cdot \lim_{x \to a}f(x)$$

$$= c\lim_{x \to a}f(x) \quad \text{(par la propriété \textbf{2.3.7})}$$

$$= cL.$$ ■

DÉMONSTRATION DE LA PROPRIÉTÉ 2.3.2 Lorsqu'on utilise les propriétés **2.3.1** et **2.3.3** avec $c = -1$, on a

$$\lim_{x \to a}[f(x) - g(x)] = \lim_{x \to a}[f(x) + (-1)g(x)] = \lim_{x \to a}f(x) + \lim_{x \to a}(-1)g(x)$$

$$= \lim_{x \to a}f(x) + (-1)\lim_{x \to a}g(x) = \lim_{x \to a}f(x) - \lim_{x \to a}g(x)$$

$$= L - M.$$ ■

DÉMONSTRATION DE LA PROPRIÉTÉ 2.3.5 On commence par montrer que

$$\lim_{x \to a}\frac{1}{g(x)} = \frac{1}{M}.$$

Pour ce faire, on doit montrer que, quel que soit $\varepsilon > 0$, il existe un nombre $\delta > 0$ tel que

$$\text{si} \quad 0 < |x - a| < \delta \quad \text{alors} \quad \left|\frac{1}{g(x)} - \frac{1}{M}\right| < \varepsilon.$$

On observe que

$$\left|\frac{1}{g(x)} - \frac{1}{M}\right| = \frac{|M - g(x)|}{|Mg(x)|}.$$

On sait qu'on peut considérer le numérateur aussi petit que l'on veut, mais on doit aussi se convaincre que le dénominateur n'est pas aussi petit que l'on veut quand x est proche de a. Comme $\displaystyle\lim_{x \to a}g(x) = M$, il y a un nombre $\delta_1 > 0$ tel que, quand $0 < |x - a| < \delta_1$, on a

$$|g(x) - M| < \frac{|M|}{2}$$

et, de là,

$$|M| = |M - g(x) + g(x)| \leq |M - g(x)| + |g(x)|$$
$$< \frac{|M|}{2} + |g(x)|.$$

Cela démontre que

$$\text{si} \quad 0 < |x - a| < \delta_1 \quad \text{alors} \quad |g(x)| > \frac{|M|}{2}$$

d'où, pour ces valeurs de x,

$$\frac{1}{|Mg(x)|} = \frac{1}{|M||g(x)|} < \frac{1}{|M|} \cdot \frac{2}{|M|} = \frac{2}{M^2}.$$

En outre, il existe un nombre $\delta_2 > 0$ tel que

$$\text{si} \quad 0 < |x - a| < \delta_2 \quad \text{alors} \quad |g(x) - M| < \frac{M^2}{2}\varepsilon.$$

Soit $\delta = \min\{\delta_1, \delta_2\}$. Alors, pour $0 < |x - a| < \delta$, on a

$$\left| \frac{1}{g(x)} - \frac{1}{M} \right| = \frac{|M - g(x)|}{|Mg(x)|} < \frac{2}{M^2}\frac{M^2}{2}\varepsilon = \varepsilon.$$

Il s'ensuit que $\lim\limits_{x \to a} 1/g(x) = 1/M$. Enfin, au moyen de la propriété **2.3.4**, on obtient

$$\lim_{x \to a} \frac{f(x)}{g(x)} = \lim_{x \to a} f(x)\left(\frac{1}{g(x)} \right) = \lim_{x \to a} f(x) \lim_{x \to a} \frac{1}{g(x)} = L \cdot \frac{1}{M} = \frac{L}{M}.$$

∎

2.3.13 | **Théorème**

Si $f(x) \leq g(x)$ pour tout x d'un intervalle ouvert comprenant a (sauf, peut-être, a lui-même) et que

$$\lim_{x \to a} f(x) = L \quad \text{et} \quad \lim_{x \to a} g(x) = M,$$

alors $L \leq M$.

DÉMONSTRATION On a recours à un raisonnement par l'absurde. On suppose que $L > M$. La propriété **2.3.2** des limites permet de poser

$$\lim_{x \to a}[g(x) - f(x)] = M - L.$$

Par conséquent, pour tout $\varepsilon > 0$, il existe un nombre $\delta > 0$ tel que

$$\text{si} \quad 0 < |x - a| < \delta \quad \text{alors} \quad |[g(x) - f(x)] - (M - L)| < \varepsilon.$$

Notamment, en prenant $\varepsilon = L - M$ (et $L - M > 0$ par hypothèse), on a un nombre $\delta > 0$ tel que

$$\text{si} \quad 0 < |x - a| < \delta \quad \text{alors} \quad |[g(x) - f(x)] - (M - L)| < L - M.$$

Comme $a \leq |a|$ pour tout nombre a, on a

$$\text{si} \quad 0 < |x - a| < \delta \quad \text{alors} \quad [g(x) - f(x)] - (M - L) < L - M$$

qui se simplifie comme suit :

$$\text{si} \quad 0 < |x - a| < \delta \quad \text{alors} \quad g(x) < f(x).$$

Or, cela contredit $f(x) \le g(x)$. L'hypothèse selon laquelle $L > M$ doit donc être fausse. Par conséquent, $L \le M$. ∎

> **2.3.14** | **Théorème du sandwich**
>
> Si $f(x) \le g(x) \le h(x)$ pour tout x d'un intervalle ouvert comprenant a (sauf peut-être a lui-même) et que
>
> $$\lim_{x \to a} f(x) = \lim_{x \to a} h(x) = L,$$
>
> alors
>
> $$\lim_{x \to a} g(x) = L.$$

DÉMONSTRATION   Soit un nombre quelconque $\varepsilon > 0$. Puisque $\lim_{x \to a} f(x) = L$, il existe un nombre $\delta_1 > 0$ tel que

$$\text{si} \quad 0 < |x - a| < \delta_1 \quad \text{alors} \quad |f(x) - L| < \varepsilon,$$

c'est-à-dire que

$$\text{si} \quad 0 < |x - a| < \delta_1 \quad \text{alors} \quad L - \varepsilon < f(x) < L + \varepsilon.$$

Comme $\lim_{x \to a} h(x) = L$, il existe un nombre $\delta_2 > 0$ tel que

$$\text{si} \quad 0 < |x - a| < \delta_2 \quad \text{alors} \quad |h(x) - L| < \varepsilon,$$

c'est-à-dire que

$$\text{si} \quad 0 < |x - a| < \delta_2 \quad \text{alors} \quad L - \varepsilon < h(x) < L + \varepsilon.$$

Soit $\delta = \min\{\delta_1, \delta_2\}$. Si $0 < |x - a| < \delta$, alors, on a à la fois que $0 < |x - a| < \delta_1$ et $0 < |x - a| < \delta_2$, et ainsi,

$$L - \varepsilon < f(x) \le g(x) \le h(x) < L + \varepsilon$$

d'où

$$L - \varepsilon < g(x) < L + \varepsilon$$

et, donc, $|g(x) - L| < \varepsilon$. Par conséquent, $\lim_{x \to a} g(x) = L$. ∎

> **2.4.7** | **Théorème**
>
> Si f est une fonction injective, continue et définie sur un intervalle ouvert $]a, b[$, alors sa réciproque, f^{-1}, est aussi continue.

DÉMONSTRATION   On montre d'abord que, si f est à la fois injective et continue sur $]a, b[$, alors elle doit être soit croissante, soit décroissante sur $]a, b[$. Si elle n'était ni croissante ni décroissante, il existerait des nombres x_1, x_2 et x_3 dans $]a, b[$, à savoir $x_1 < x_2 < x_3$, tels que $f(x_2)$ ne se situerait pas entre $f(x_1)$ et $f(x_3)$. Il y a deux possibilités : soit $f(x_3)$ se trouve entre $f(x_1)$ et $f(x_2)$, soit $f(x_1)$ se trouve entre $f(x_2)$ et $f(x_3)$. (Visualisez chaque cas avec une esquisse graphique.) Dans le premier cas, on applique le théorème des valeurs intermédiaires (**2.4.11**) à la fonction continue f pour obtenir un nombre c compris entre x_1 et x_2 tel que $f(c) = f(x_3)$. Dans le second, le théorème des valeurs intermédiaires donne un nombre c entre x_2 et x_3 tel que $f(c) = f(x_1)$. Dans l'un ou l'autre cas, on a contredit le fait que f était injective.

Sans perte de généralité, on va supposer que f est croissante sur $]a, b[$. On prend un nombre y_0 quelconque du domaine de f^{-1} et on pose $f^{-1}(y_0) = x_0$; c'est-à-dire que x_0 est le nombre dans $]a, b[$ tel que $f(x_0) = y_0$. Pour montrer que f^{-1} est continue en y_0, on prend n'importe quel $\varepsilon > 0$ tel que l'intervalle $]x_0 - \varepsilon, x_0 + \varepsilon[$ soit compris dans l'intervalle $]a, b[$. Comme f est croissante, elle applique les nombres de l'intervalle $]x_0 - \varepsilon, x_0 + \varepsilon[$ sur ceux de l'intervalle $]f(x_0 - \varepsilon), f(x_0 + \varepsilon)[$, et f^{-1} inverse la correspondance. Si l'on désigne par δ le plus petit des nombres $\delta_1 = y_0 - f(x_0 - \varepsilon)$ et $\delta_2 = f(x_0 + \varepsilon) - y_0$, alors l'intervalle $]y_0 - \delta, y_0 + \delta[$ est compris dans l'intervalle $]f(x_0 - \varepsilon)$, $f(x_0 + \varepsilon)[$ et donc appliqué dans l'intervalle $]x_0 - \varepsilon, x_0 + \varepsilon[$ par f^{-1} (*voir le diagramme sagittal de la figure C.4*). Par conséquent, on a trouvé un nombre $\delta > 0$ tel que

$$\text{si} \quad |y - y_0| < \delta \quad \text{alors} \quad |f^{-1}(y) - f^{-1}(y_0)| < \varepsilon.$$

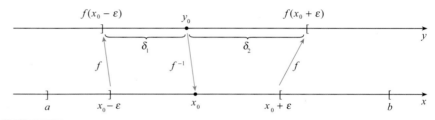

C.4   FIGURE

Cela démontre que $\lim\limits_{y \to y_0} f^{-1}(y) = f^{-1}(y_0)$ et, donc, que f^{-1} est continue en tout nombre y_0 de son domaine.

2.4.9 | Théorème

Si f est continue en b et que $\lim\limits_{x \to a} g(x) = b$, alors

$$\lim\limits_{x \to a} f\big(g(x)\big) = f(b).$$

DÉMONSTRATION   Soit $\varepsilon > 0$. On cherche un nombre $\delta > 0$ tel que

$$\text{si} \quad 0 < |x - a| < \delta \quad \text{alors} \quad |f\big(g(x)\big) - f(b)| < \varepsilon.$$

Comme f est continue en b, on a

$$\lim\limits_{y \to b} f(y) = f(b).$$

Il existe donc un nombre $\delta_1 > 0$ tel que

$$\text{si} \quad 0 < |y - b| < \delta_1 \quad \text{alors} \quad |f(y) - f(b)| < \varepsilon.$$

Comme $\lim\limits_{x \to a} g(x) = b$, il existe un nombre $\delta > 0$ tel que

$$\text{si} \quad 0 < |x - a| < \delta \quad \text{alors} \quad |g(x) - b| < \delta_1.$$

En combinant ces deux énoncés, on constate que, quand $0 < |x - a| < \delta$, on a $|g(x) - b| < \delta_1$, ce qui implique que $|f\big(g(x)\big) - f(b)| < \varepsilon$. Par conséquent, on a prouvé que $\lim\limits_{x \to a} f\big(g(x)\big) = f(b)$.

La méthode de Newton

Un concessionnaire d'automobiles offre une voiture à 18 000 $ et il propose de l'acquérir soit au comptant, soit avec des paiements mensuels de 375 $ pendant cinq ans. Vous aimeriez connaître le taux d'intérêt mensuel que le concessionnaire applique dans la seconde option. Pour ce faire, vous devez résoudre l'équation

D.1
$$48x(1 + x)^{60} - (1 + x)^{60} + 1 = 0.$$

Comment faire pour y parvenir?

Il existe une formule bien connue pour déterminer les racines d'une équation quadratique du type $ax^2 + bx + c = 0$. Il existe également des formules pour calculer les racines d'équations du troisième ou du quatrième degré, mais elles sont particulièrement laborieuses à appliquer. Si f est une fonction polynomiale de degré 5 ou plus, il n'existe par contre aucune formule générale (*voir la note à la page 232*). Il n'existe pas non plus de formule qui donne les racines exactes d'une équation où intervient une fonction transcendante, comme $\cos x = x$.

Il est possible de résoudre l'équation **D.1** de façon approchée en traçant la courbe de son membre de gauche. À l'aide d'un outil graphique, après avoir essayé différentes fenêtres de visualisation, on a obtenu le graphique de la figure D.1.

On constate qu'en plus de la solution $x = 0$, qui n'est d'aucun intérêt dans le cas présent, il existe une solution comprise entre 0,007 et 0,008. En faisant un zoom avant, on voit que la racine est approximativement 0,0076. Si on désire plus de précision, on peut zoomer vers l'avant à plusieurs reprises, mais cela devient fastidieux. Une méthode plus rapide consiste à utiliser un calculateur numérique de racines ou un logiciel de calcul symbolique. On obtient ainsi la racine 0,007 628 603, exacte à neuf décimales près.

Comment un calculateur numérique de racines fonctionne-t-il? Diverses méthodes sont employées, mais la plupart appliquent d'une façon ou d'une autre la **méthode de Newton**, aussi appelée **méthode de Newton-Raphson**. On va décrire cette méthode ici, en partie pour expliquer ce qui se passe à l'intérieur d'une calculatrice ou d'un ordinateur, en partie pour illustrer la notion d'approximation linéaire.

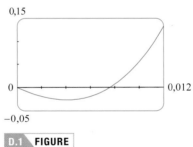

D.1 FIGURE

Essayez de résoudre l'équation **D.1** à l'aide d'un calculateur numérique de racines d'une calculatrice ou d'un ordinateur. Certains outils sont incapables de le faire; d'autres réussissent à la condition qu'on leur indique une valeur initiale pour la recherche.

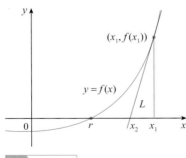

D.2 FIGURE

Les principes géométriques sur lesquels repose la méthode de Newton sont illustrés dans la figure D.2, où la racine recherchée est notée r. On choisit une première approximation x_1, soit intuitivement, soit en traçant rapidement la courbe de f, soit encore en utilisant une courbe de f produite à l'aide d'un ordinateur. Le graphique montre la tangente L à la courbe $y = f(x)$ au point $(x_1, f(x_1))$ de même que l'abscisse à l'origine de la tangente L, notée x_2. La méthode de Newton se base sur le fait que la tangente est proche de la courbe et, par conséquent, que l'abscisse à l'origine x_2 de L est proche de l'abscisse à l'origine de la courbe de f (qui est en fait la racine r recherchée). Étant donné que la tangente est une droite, il est facile de calculer son abscisse à l'origine.

Afin d'écrire une formule exprimant x_2 par rapport à x_1, on se sert du fait que, la pente de L étant $f'(x_1)$, son équation est

$$y - f(x_1) = f'(x_1)(x - x_1).$$

Comme l'abscisse à l'origine de L est x_2, en posant $y = 0$, on obtient

$$0 - f(x_1) = f'(x_1)(x_2 - x_1).$$

Si $f'(x_1) \neq 0$, il est possible de résoudre cette équation par rapport à x_2 :

$$x_2 = x_1 - \frac{f(x_1)}{f'(x_1)}.$$

On emploie alors x_2 comme deuxième approximation de r.

On répète le même procédé en remplaçant x_1 par la deuxième approximation, soit x_2, et en utilisant la tangente à la courbe de f au point $(x_2, f(x_2))$. On obtient ainsi une troisième approximation :

$$x_3 = x_2 - \frac{f(x_2)}{f'(x_2)}.$$

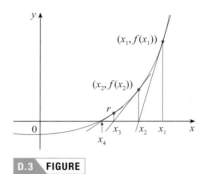

Si on répète le même procédé à plusieurs reprises, on obtient une suite d'approximations x_1, x_2, x_3, x_4, …, comme l'illustre la figure D.3. En général, si on désigne la n-ième approximation par x_n et que $f'(x_n) \neq 0$, alors l'approximation suivante est donnée par

D.2	$$x_{n+1} = x_n - \frac{f(x_n)}{f'(x_n)}.$$

Si les nombres x_n sont de plus en plus proches de r lorsque n augmente, on dit que la suite des x_n converge vers r, ce qui s'écrit

$$\lim_{n \to \infty} x_n = r.$$

Bien que la suite d'approximations successives converge vers la racine recherchée si la fonction est du type de celle qui est représentée dans la figure D.3, il existe des cas où la suite ne converge pas. Par exemple, pour la fonction représentée dans la figure D.4, il est clair que l'approximation x_2 est moins satisfaisante que x_1. C'est généralement le cas lorsque $f'(x_1)$ est proche de 0. Il arrive même qu'une approximation (par exemple x_3 dans la figure D.4) n'appartienne pas au domaine de f. La méthode de Newton ne donne pas alors le résultat recherché et il faut choisir une meilleure approximation initiale x_1.

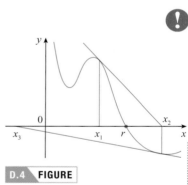

La figure D.5 illustre la base géométrique de la première étape de l'application de la méthode de Newton dans l'exemple D.1. Puisque $f'(2) = 10$, la tangente à la courbe $y = x^3 - 2x - 5$ au point $(2, -1)$ a comme équation $y = 10x - 21$, de sorte que son abscisse à l'origine est $x_2 = 2,1$.

Exemple D.1 En posant $x_1 = 2$, calculons la troisième approximation, x_3, de la racine de l'équation $x^3 - 2x - 5 = 0$.

Solution On applique la méthode de Newton pour

$$f(x) = x^3 - 2x - 5 \quad \text{et} \quad f'(x) = 3x^2 - 2.$$

Newton utilisa lui-même cette équation pour illustrer sa méthode en choisissant $x_1 = 2$, après quelque tâtonnement, parce que $f(1) = -6$, $f(2) = -1$ et $f(3) = 16$. Dans ce cas, l'équation **D.2** devient

$$x_{n+1} = x_n - \frac{x_n^3 - 2x_n - 5}{3x_n^2 - 2}.$$

Si on pose $n = 1$, alors on trouve

$$x_2 = x_1 - \frac{x_1^3 - 2x_1 - 5}{3x_1^2 - 2}$$

$$= 2 - \frac{2^3 - 2(2) - 5}{3(2)^2 - 2} = 2,1.$$

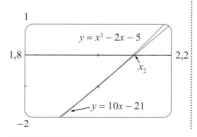

Si on pose $n = 2$, alors on trouve

$$x_3 = x_2 - \frac{x_2^3 - 2x_2 - 5}{3x_2^2 - 2} = 2,1 - \frac{(2,1)^3 - 2(2,1) - 5}{3(2,1)^2 - 2} \approx 2,0946.$$

En fait, la troisième approximation, $x_3 \approx 2,0946$, est précise à quatre décimales.

Si, lors de l'application de la méthode de Newton, on désire atteindre un degré de précision donné, par exemple à huit décimales près, comment savoir quand il faut s'arrêter ? On utilise généralement la règle simple qui consiste à s'arrêter lorsque deux approximations successives x_n et x_{n+1} sont égales à huit décimales près.

Il est à noter que le procédé employé pour passer de n à $n + 1$ est le même pour toutes les valeurs de n. (C'est ce qu'on appelle un processus itératif.) La méthode de Newton est donc tout à fait appropriée pour des opérations effectuées à l'aide d'une calculatrice programmable ou d'un ordinateur.

Exemple `D.2`   Évaluons $\sqrt[6]{2}$ à huit décimales près à l'aide de la méthode de Newton.

Solution   On note d'abord qu'évaluer $\sqrt[6]{2}$ revient à chercher la racine positive de l'équation

$$x^6 - 2 = 0.$$

On pose donc $f(x) = x^6 - 2$. Alors $f'(x) = 6x^5$ et la formule **D.2** (méthode de Newton) devient

$$x_{n+1} = x_n - \frac{x_n^6 - 2}{6x_n^5}.$$

Si on choisit $x_1 = 1$ comme première approximation, on obtient

$$x_2 \approx 1,166\ 666\ 67$$
$$x_3 \approx 1,126\ 443\ 68$$
$$x_4 \approx 1,122\ 497\ 07$$
$$x_5 \approx 1,122\ 462\ 05$$
$$x_6 \approx 1,122\ 462\ 05.$$

Comme x_5 et x_6 sont identiques à huit décimales près, on en conclut que

$$\sqrt[6]{2} \approx 1,122\ 462\ 05$$

à huit décimales près.

Exemple `D.3`   Déterminons, avec une précision de six décimales, la racine de l'équation $\cos x = x$.

Solution   On écrit d'abord l'équation sous la forme standard :

$$\cos x - x = 0.$$

Si on pose $f(x) = \cos x - x$, alors $f'(x) = -\sin x - 1$ et la formule **D.2** devient

$$x_{n+1} = x_n - \frac{\cos x_n - x_n}{-\sin x_n - 1} = x_n + \frac{\cos x_n - x_n}{\sin x_n + 1}.$$

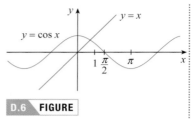

D.6 FIGURE

Afin de choisir adéquatement la valeur de x_1, on trace les courbes respectives de $y = \cos x$ et $y = x$ (*voir la figure D.6*). Ces deux courbes se coupent apparemment en un point dont l'abscisse x est légèrement inférieure à 1, de sorte que $x_1 = 1$ semble approprié comme première approximation. Si on règle la calculatrice en mode radian, on obtient

$$x_2 \approx 0{,}750\,363\,87$$
$$x_3 \approx 0{,}739\,112\,89$$
$$x_4 \approx 0{,}739\,085\,13$$
$$x_5 \approx 0{,}739\,085\,13.$$

Étant donné que x_4 et x_5 sont identiques à six décimales près (en fait, à huit décimales près), on en conclut que la racine de l'équation, à six décimales près, est 0,739 085.

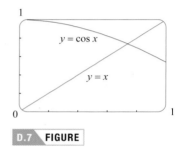

D.7 FIGURE

Dans l'exemple D.3, au lieu d'utiliser le graphique approximatif de la figure D.6 afin de choisir une première approximation pour la méthode de Newton, on aurait pu se servir d'un graphique plus précis fourni par une calculatrice ou un ordinateur. La figure D.7 suggère d'employer $x_1 = 0{,}75$ comme première approximation. Dans ce cas, la méthode de Newton donne

$$x_2 \approx 0{,}739\,111\,14 \quad x_3 \approx 0{,}739\,085\,13 \quad x_4 \approx 0{,}739\,085\,13.$$

On obtient donc le même résultat que précédemment, mais en un plus petit nombre d'itérations.

On peut se demander pourquoi la méthode de Newton est présentée si un outil graphique peut faire le travail. N'est-il pas plus facile de faire un zoom avant à plusieurs reprises et de calculer les racines? Si on cherche un degré d'exactitude à une ou deux décimales près, il est effectivement inapproprié d'employer la méthode de Newton : il suffit de se servir d'un outil graphique. Cependant, si on désire une précision à six ou huit décimales près, il est alors fastidieux de faire un zoom avant le nombre de fois requis. Il est habituellement plus rapide et plus efficace d'utiliser à la fois un ordinateur et la méthode de Newton ; l'outil graphique aide à choisir la première approximation et la méthode de Newton fait le reste.

Exercices D

1. La figure suivante représente la courbe d'une fonction f. On veut, à l'aide de la méthode de Newton, calculer une valeur approximative de la racine s de l'équation $f(x) = 0$ en prenant comme première approximation $x_1 = 6$.

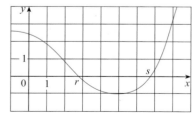

a) Tracez les tangentes utilisées pour déterminer x_2 et x_3, puis estimez la valeur numérique de x_2 et de x_3.

b) Le choix de $x_1 = 8$ aurait-il été plus approprié comme approximation ? Pourquoi ?

2. La tangente à une courbe $y = f(x)$ au point (2, 5) a pour équation $y = 9 - 2x$. Si on applique la méthode de Newton pour calculer la racine de l'équation $f(x) = 0$ et que la première approximation est $x_1 = 2$, calculez la seconde approximation, x_2.

3. En prenant comme première approximation la valeur donnée, déterminez graphiquement ce qui se passe si on applique la méthode de Newton à la fonction représentée dans la figure suivante.

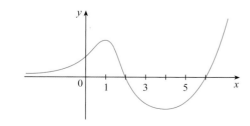

a) $x_1 = 0$ b) $x_1 = 1$
c) $x_1 = 3$ d) $x_1 = 4$
e) $x_1 = 5$

4-6 En utilisant la méthode de Newton et l'approximation initiale x_1 indiquée, calculez x_3, la troisième approximation de la racine de l'équation donnée. (Exprimez le résultat avec quatre décimales.)

4. $\frac{1}{3}x^3 + \frac{1}{2}x^2 + 3 = 0$ et $x_1 = -3$

5. $x^5 - x - 1 = 0$ et $x_1 = 1$

6. $x^7 + 4 = 0$ et $x_1 = -1$

7. Appliquez la méthode de Newton en prenant $x_1 = -1$ comme première approximation afin de calculer x_2, la seconde approximation de la racine de l'équation $x^3 + x + 3 = 0$. Expliquez pourquoi cette méthode donne de bons résultats en traçant les courbes respectives de la fonction et de sa tangente au point $(-1, 1)$.

8-9 À l'aide de la méthode de Newton, calculez une valeur approximative du nombre donné à huit décimales près.

8. $\sqrt[5]{20}$

9. $\sqrt[100]{100}$

10-13 À l'aide de la méthode de Newton, calculez une valeur approximative de la racine indiquée de l'équation donnée à six décimales près.

10. La racine de $x^4 - 2x^3 + 5x^2 - 6 = 0$ appartenant à l'intervalle $[1, 2]$

11. La racine de $2,2x^5 - 4,4x^3 + 1,3x^2 - 0,9x - 4,0 = 0$ appartenant à l'intervalle $[-2, -1]$

12. La racine négative de $e^x = 4 - x^2$

13. La racine positive de $3 \sin x = x$

14-16 À l'aide de la méthode de Newton, calculez toutes les racines de l'équation donnée à huit décimales près. Tracez d'abord un graphique pour choisir la première approximation.

14. $x^6 - x^5 - 6x^4 - x^2 + x + 10 = 0$

15. $\dfrac{x}{x^2 + 1} = \sqrt{1-x}$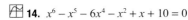

16. $\cos(x^2 - x) = x^4$

17. Expliquez pourquoi la méthode de Newton ne donne pas les résultats escomptés lorsqu'on l'applique à l'équation $\sqrt[3]{x} = 0$ en prenant comme première approximation n'importe quel nombre $x_1 \neq 0$. Illustrez votre réponse à l'aide d'un diagramme.

18. Si

$$f(x) = \begin{cases} \sqrt{x} & \text{si } x \geq 0 \\ -\sqrt{-x} & \text{si } x < 0 \end{cases}$$

alors la racine de l'équation $f(x) = 0$ est $x = 0$. Expliquez pourquoi la méthode de Newton ne permet pas de déterminer la racine de l'équation si on prend comme première approximation n'importe quel nombre $x_1 \neq 0$. Illustrez votre réponse à l'aide d'un diagramme.

19. a) À l'aide de la méthode de Newton, déterminez les valeurs critiques de la fonction $f(x) = x^6 - x^4 + 3x^3 - 2x$ à six décimales près.
b) Calculez le minimum absolu de $f(x)$ à quatre décimales près.

20. Un concessionnaire d'automobiles offre une voiture à 18 000 $ et il propose aussi des paiements mensuels de 375 $ pendant cinq ans. Quel taux d'intérêt mensuel le concessionnaire demande-t-il à celui qui choisit la seconde option ?

Pour résoudre ce problème, vous devez utiliser la formule de la valeur actuelle A d'une annuité consistant en n versements égaux d'une somme V, le taux d'intérêt par période de temps étant i :

$$A = \frac{V}{i}[1 - (1+i)^{-n}].$$

En remplaçant i par x, on a

$$48x(1 + x)^{60} - (1 + x)^{60} + 1 = 0.$$

Résolvez cette équation à l'aide de la méthode de Newton.

21. Dans la figure ci-dessous, le Soleil est situé à l'origine et la Terre, au point $(1, 0)$. (Dans ce cas, l'unité de mesure est la distance, centre à centre, entre la Terre et le Soleil ; c'est ce qu'on appelle une **unité astronomique** : 1 UA $\approx 1,496 \times 10^8$ km.) Il existe cinq points, soit L_1, L_2, L_3, L_4 et L_5, du plan de rotation de la Terre autour du Soleil où un satellite demeure au repos par rapport à la Terre parce que les forces qui agissent sur lui (y compris les forces d'attraction gravitationnelle de la Terre et du Soleil) s'annulent mutuellement. Ces points sont appelés **points de Lagrange**. (On a installé un satellite destiné à l'étude du Soleil en l'un de ces points.) Si m_1 désigne la masse du Soleil et m_2, la masse de la Terre, et que $r = m_2/(m_1 + m_2)$, alors l'abscisse x de L_1 est égale à la racine unique de l'équation de degré 5

$$p(x) = x^5 - (2 + r)x^4 + (1 + 2r)x^3 - (1 - r)x^2 + 2(1 - r)x + r - 1 = 0$$

et l'abscisse x de L_2 est la racine de l'équation

$$p(x) - 2rx^2 = 0.$$

En posant $r \approx 3,040\ 42 \times 10^{-6}$, déterminez les points de Lagrange : a) L_1 ; b) L_2.

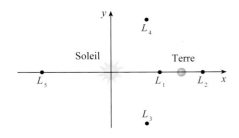

Quelques théorèmes fondamentaux du calcul différentiel

Avant d'aborder le théorème des accroissements finis, voyons d'abord la démonstration d'une inégalité présentée dans la section 3.3 en relation avec l'égalité **3.3.2** et celle du test de concavité **4.2.5**.

▶ Un théorème en relation avec l'égalité 3.3.2

La démonstration du résultat suivant a été annoncée dans le cadre de la démonstration de l'égalité **3.3.2**, $\lim\limits_{\theta \to 0} \dfrac{\sin \theta}{\theta} = 1$.

Théorème

Si $0 < \theta < \pi/2$, alors $\theta \le \tan \theta$.

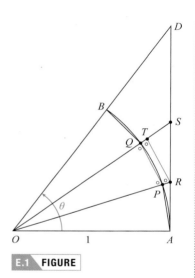

E.1 **FIGURE**

DÉMONSTRATION La figure E.1 montre un secteur d'un cercle de centre O, d'angle au centre θ et de rayon 1. Ainsi,

$$|AD| = |OA| \tan \theta = \tan \theta.$$

On estime la longueur de l'arc AB au moyen d'une ligne polygonale composée de n segments égaux, et on considère un segment PQ type. On prolonge les droites OP et OQ jusqu'aux points R et S de AD. On trace ensuite $RT \parallel PQ$ comme dans la figure E.1. On observe que

$$\angle RTO = \angle PQO < 90°$$

et, donc, que $\angle RTS > 90°$. En conséquence, on a

$$|PQ| < |RT| < |RS|.$$

En additionnant n de ces inégalités, on obtient

$$L_n < |AD| = \tan \theta$$

où L_n est la longueur de la ligne polygonale. Ainsi, en vertu du théorème **2.3.13**, on a

$$\lim_{n \to \infty} L_n \le \tan \theta.$$

Toutefois, la longueur de l'arc est définie comme la longueur de la ligne polygonale composée d'un nombre infini de segments égaux ; donc

$$\theta = \lim_{n \to \infty} L_n \le \tan \theta.$$

■

▶ Le test de concavité (4.2.5)

Test de concavité

a) Si $f''(x) > 0$ pour tout x dans I, alors le graphique de f est concave vers le haut sur I.

b) Si $f''(x) < 0$ pour tout x dans I, alors le graphique de f est concave vers le bas sur I.

DÉMONSTRATION DE a)   Soit a, un nombre quelconque de I. On doit montrer que la courbe $y = f(x)$ se situe au-dessus de la tangente au point $(a, f(a))$. L'équation de cette tangente est

$$y = f(a) + f'(a)(x - a).$$

On doit donc montrer que

$$f(x) > f(a) + f'(a)(x - a)$$

lorsque $x \in I$ ($x \neq a$) (*voir la figure E.2*).

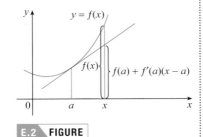

E.2 **FIGURE**

On prend d'abord le cas où $x > a$. En appliquant le théorème des accroissements finis à f sur l'intervalle $[a, x]$, on obtient un nombre c, avec $a < c < x$, tel que

E.1
$$f(x) - f(a) = f'(c)(x - a).$$

Puisque $f'' > 0$ sur I, on sait, grâce au test de croissance et décroissance, que f' est croissante sur I. Ainsi, comme $a < c$, on a

$$f'(a) < f'(c)$$

et, donc, la multiplication de cette inégalité par le nombre positif $x - a$ donne

E.2
$$f'(a)(x - a) < f'(c)(x - a).$$

On additionne maintenant $f(a)$ aux deux membres de cette inégalité :

$$f(a) + f'(a)(x - a) < f(a) + f'(c)(x - a).$$

Cependant, l'égalité **E.1** donne $f(x) = f(a) + f'(c)(x - a)$. Cette inégalité devient donc

E.3
$$f(x) > f(a) + f'(a)(x - a),$$

soit ce qu'il fallait démontrer.

Dans le cas où $x < a$, on a $f'(c) < f'(a)$, mais la multiplication par le nombre négatif $x - a$ change le sens de l'inégalité, de sorte qu'on obtient **E.2** et **E.3**, comme auparavant. ■

▶ Le théorème des accroissements finis

Bon nombre des résultats du chapitre 4 relèvent d'un même résultat, appelé « théorème des accroissements finis » ou « théorème de la moyenne de Lagrange ». Toutefois, pour parvenir à ce théorème, on doit disposer du résultat suivant.

Michel Rolle

Le théorème de Rolle a été publié pour la première fois en 1691 par le mathématicien français Michel Rolle (1652-1719), dans le livre *Méthode pour resoudre les Egalitez*. Ardent détracteur des méthodes de ses contemporains, Rolle jugeait le calcul infinitésimal « imprécis et défectueux ». Ce n'est qu'à la fin de sa vie qu'il reconnut la justesse essentielle des méthodes du calcul infinitésimal.

E.4 | **Le théorème de Rolle**

Soit f, une fonction satisfaisant aux trois conditions suivantes :

1. f est continue sur l'intervalle fermé $[a, b]$.

2. f est dérivable sur l'intervalle ouvert $]a, b[$.

3. $f(a) = f(b)$.

Alors il existe au moins un nombre c dans $]a, b[$ tel que $f'(c) = 0$.

Avant de démontrer le théorème, on peut examiner la figure E.3, qui montre des exemples graphiques de quatre fonctions remplissant les trois conditions. Dans chaque cas, il semble qu'il y ait au moins un point $(c, f(c))$ du graphique où la tangente est horizontale et qu'en conséquence on ait $f'(c) = 0$. Le théorème de Rolle est donc plausible.

a) 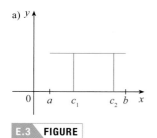   b) 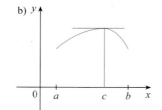   c) 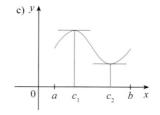   d)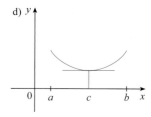

E.3 **FIGURE**

PRP Considérer des cas

DÉMONSTRATION   Il existe trois cas.

CAS I $f(x) = k$, une constante

Alors $f'(x) = 0$, et le nombre c peut être n'importe quel nombre dans $]a, b[$.

CAS II $f(x) > f(a)$ pour tout x dans $]a, b[$
     (comme dans la figure E.3 b) ou c))

Selon le théorème des valeurs extrêmes (qu'on peut appliquer sous l'hypothèse 1), f a une valeur maximale dans $[a, b]$. Comme $f(a) = f(b)$, elle doit atteindre ce maximum en un nombre c dans l'intervalle ouvert $]a, b[$. Alors f a un maximum relatif en c et, sous l'hypothèse 2, f est dérivable en c. En conséquence, $f'(c) = 0$ selon le théorème de Fermat.

CAS III $f(x) < f(a)$ pour tout x dans $]a, b[$
     (comme dans la figure E.3 c) ou d))

Selon le théorème des valeurs extrêmes, f a une valeur minimale dans $[a, b]$ et, comme $f(a) = f(b)$, elle atteint ce minimum en un nombre c dans $]a, b[$. Encore une fois, $f'(c) = 0$ selon le théorème de Fermat.

Exemple E.1 On applique le théorème de Rolle à la fonction position $s = f(t)$ d'un objet en mouvement suivant une trajectoire rectiligne. Si l'objet passe par le même point à deux moments distincts, $t = a$ et $t = b$, alors $f(a) = f(b)$. Le théorème de Rolle dit qu'il y a au moins un moment $t = c$, entre a et b, où $f'(c) = 0$, c'est-à-dire que la vitesse est nulle. (On peut penser à une balle qu'on lance en l'air verticalement.)

La figure E.4 montre un graphique de la fonction $f(x) = x^3 + x - 1$ de l'exemple E.2. Le théorème de Rolle établit que, même en agrandissant le rectangle, jamais on ne verra un autre point où le graphique touchera l'axe des x.

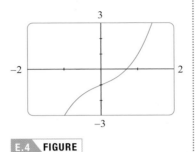

E.4 ▸ **FIGURE**

···· **Exemple** **E.2**   Prouvons que l'équation $x^3 + x - 1 = 0$ a exactement une racine réelle.

Solution   On utilise d'abord le théorème des valeurs intermédiaires (théorème **2.4.11**) pour montrer qu'une racine existe. Soit $f(x) = x^3 + x - 1$. Alors $f(0) = -1 < 0$ et $f(1) = 1 > 0$. Comme f est polynomiale, elle est continue, et le théorème des valeurs intermédiaires affirme qu'il y a un nombre c entre 0 et 1 tel que $f(c) = 0$. Par conséquent, l'équation donnée a une racine.

Afin de montrer que l'équation n'a pas d'autre racine réelle, on a recours au théorème de Rolle et à un raisonnement par contradiction. On suppose donc que l'équation a deux racines distinctes a et b. Alors $f(a) = 0 = f(b)$ et, comme f est un polynôme, f est dérivable sur $]a, b[$ et continue sur $[a, b]$. Ainsi, par le théorème de Rolle, il existe au moins un nombre c entre a et b tel que $f'(c) = 0$. Cependant,

$$f'(x) = 3x^2 + 1 \geq 1 \text{ pour tout } x$$

(puisque $x^2 \geq 0$); il est donc impossible que $f'(x)$ soit nulle, ce qui contredit la conclusion du théorème de Rolle. Il est donc faux de supposer l'existence de deux racines distinctes. Donc, l'équation ne possède qu'une seule racine. ∎

On se servira surtout du théorème de Rolle pour prouver l'important théorème suivant, que le mathématicien français Joseph-Louis Lagrange a été le premier à formuler.

Le théorème des accroissements finis est un autre exemple de théorème d'existence. À l'instar du théorème des valeurs intermédiaires, de celui des valeurs extrêmes et de celui de Rolle, il garantit qu'il existe au moins un nombre possédant une certaine propriété, mais ne dit pas comment trouver ce nombre.

Le théorème des accroissements finis

Soit f, une fonction qui satisfait aux conditions suivantes :

1. f est continue sur l'intervalle fermé $[a, b]$.

2. f est dérivable sur l'intervalle ouvert $]a, b[$.

Alors il existe au moins un nombre c dans $]a, b[$ tel que

E.5
$$f'(c) = \frac{f(b) - f(a)}{b - a}$$

ou, de façon équivalente,

E.6
$$f(b) - f(a) = f'(c)(b - a).$$

Avant même de faire la démonstration de ce théorème, interprétons graphiquement sa conclusion. Les figures E.5 et E.6 montrent les points $A(a, f(a))$ et $B(b, f(b))$ des graphiques de deux fonctions dérivables. La pente de la sécante AB est

E.7
$$m_{AB} = \frac{f(b) - f(a)}{b - a},$$

ce qui est la même expression que celle du membre de droite de l'égalité **E.5**. Comme $f'(c)$ est la pente de la tangente au point $(c, f(c))$, le théorème des accroissements finis, dans la forme donnée par l'égalité **E.5**, affirme qu'en au moins un point $P(c, f(c))$ du graphique, la pente de la tangente est égale à la pente de la sécante AB. Autrement dit, il existe au moins un point P où la tangente est parallèle à la sécante AB. (On imagine une droite parallèle à AB, d'abord éloignée, et se déplaçant parallèlement à elle-même jusqu'à ce qu'elle touche le graphique pour la première fois.)

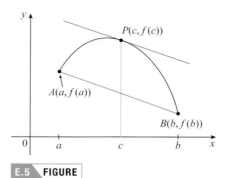

E.5 FIGURE

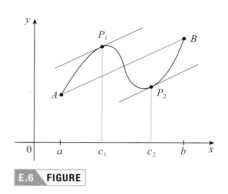

E.6 FIGURE

E.7 FIGURE

Lagrange et le théorème des accroissements finis

Le théorème des accroissements finis a d'abord été formulé par Joseph-Louis Lagrange (1736-1813), qui est né en Italie d'un père français et d'une mère italienne. Enfant prodige, Lagrange devint professeur à Turin alors qu'il n'avait que 19 ans. Il enrichit énormément les théories des nombres, des fonctions et des équations ainsi que la mécanique analytique et céleste. Surtout, il appliqua le calcul infinitésimal à l'analyse de la stabilité du système solaire. À la demande de Frédéric le Grand, Lagrange succéda à Euler à l'Académie de Berlin. À la mort de Frédéric, il accepta l'invitation du roi Louis XVI à Paris, où il fut logé au Louvre et devint professeur à l'École polytechnique. En dépit du luxe et de la célébrité dont il jouissait, Lagrange était un homme gentil et tranquille qui ne vivait que pour la science.

DÉMONSTRATION On applique le théorème de Rolle à une nouvelle fonction h définie comme étant la différence entre f et la fonction dont le graphique est la sécante AB. Au moyen de l'égalité **E.7**, on voit que l'équation de la droite AB peut s'écrire comme suit :

$$y - f(a) = \frac{f(b) - f(a)}{b - a}(x - a)$$

ou comme ceci :

$$y = f(a) + \frac{f(b) - f(a)}{b - a}(x - a).$$

Donc, comme le montre la figure E.7,

E.8
$$h(x) = f(x) - f(a) - \frac{f(b) - f(a)}{b - a}(x - a).$$

On doit d'abord vérifier que h satisfait aux trois conditions du théorème de Rolle.

1. La fonction h est continue sur $[a, b]$ puisqu'elle est la somme de f et d'un polynôme du premier degré, tous deux continus.

2. La fonction h est dérivable sur $]a, b[$, car tant f que le polynôme du premier degré sont dérivables. De fait, on peut calculer h' directement de l'égalité **E.8** :

$$h'(x) = f'(x) - \frac{f(b) - f(a)}{b - a}$$

(notons que $f(a)$ et $[f(b) - f(a)]/(b - a)$ sont des constantes).

3.
$$h(a) = f(a) - f(a) - \frac{f(b) - f(a)}{b - a}(a - a) = 0$$

$$h(b) = f(b) - f(a) - \frac{f(b) - f(a)}{b - a}(b - a)$$
$$= f(b) - f(a) - [f(b) - f(a)] = 0.$$

Par conséquent, $h(a) = h(b)$.

Puisque h satisfait aux conditions du théorème de Rolle, et que ce théorème affirme qu'il y a au moins un nombre c dans $]a, b[$ tel que $h'(c) = 0$, alors

$$0 = h'(c) = f'(c) - \frac{f(b) - f(a)}{b - a}$$

d'où

$$f'(c) = \frac{f(b) - f(a)}{b - a}.$$

Illustrons par un exemple le théorème des accroissements finis.

Exemple E.3 Soit $f(x)=x^3-x$, $a=0$ et $b=2$. Comme f est une fonction polynomiale, elle est continue et dérivable pour tout x, donc assurément continue sur $[0, 2]$ et dérivable sur $]0, 2[$. Ainsi, par le théorème des accroissements finis, il existe au moins un nombre c dans $]0, 2[$ tel que

$$f(2)-f(0)=f'(c)(2-0).$$

Comme $f(2)=6$, $f(0)=0$ et $f'(x)=3x^2-1$, cette équation devient

$$6=(3c^2-1)2=6c^2-2,$$

ce qui donne $c^2=\frac{4}{3}$, c'est-à-dire $c=\pm 2/\sqrt{3}$. Cependant, c doit appartenir à $]0, 2[$; donc, on retient seulement $c=2/\sqrt{3}$. La figure E.8 illustre ce calcul. La tangente en cette valeur de c est parallèle à la sécante OB.

E.8 FIGURE

Exemple E.4 Si un objet se déplace en ligne droite selon la fonction position $s=f(t)$, alors sa vitesse moyenne entre $t=a$ et $t=b$ est

$$\frac{f(b)-f(a)}{b-a}$$

et sa vitesse en $t=c$ est égale à $f'(c)$. Le théorème des accroissements finis (dans la forme de l'égalité **E.5**) indique donc que, à un moment $t=c$ entre a et b, la vitesse instantanée $f'(c)$ est égale à la vitesse moyenne. Par exemple, si une voiture a parcouru 180 km en 2 heures, il est certain que son indicateur de vitesse a affiché 90 km/h au moins une fois.

Dans son interprétation générale, le théorème des accroissements finis dit que, dans un intervalle, il existe un nombre auquel le taux de variation instantané est égal au taux de variation moyen sur cet intervalle.

L'aspect le plus important du théorème des accroissements finis réside dans le fait qu'il permet d'obtenir de l'information sur une fonction par l'intermédiaire de sa dérivée. L'exemple suivant illustre ce propos.

Exemple E.5 Soit $f(0)=-3$ et $f'(x)\le 5$ pour toute valeur de x. Quelle est la plus grande valeur possible de $f(2)$?

Solution On sait que f est dérivable (et donc continue) partout. On peut donc notamment appliquer le théorème des accroissements finis sur l'intervalle $[0, 2]$. Il existe au moins un nombre c tel que

$$f(2)-f(0)=f'(c)(2-0),$$

donc

$$f(2)=f(0)+2f'(c)=-3+2f'(c).$$

Étant donné que $f'(x)\le 5$ pour tout x, on sait que $f'(c)\le 5$. La multiplication par 2 des deux membres de cette inégalité donne $2f'(c)\le 10$, donc

$$f(2)=-3+2f'(c)\le -3+10=7.$$

La plus grande valeur possible de $f(2)$ est 7.

Le théorème des accroissements finis peut servir à établir certains résultats fondamentaux du calcul différentiel, dont le théorème qui suit.

> **E.9** | **Théorème**
>
> Si $f'(x) = 0$ pour tout x d'un intervalle $]a, b[$, alors f est constante sur $]a, b[$.

DÉMONSTRATION Soit x_1 et x_2, deux nombres quelconques dans $]a, b[$ tels que $x_1 < x_2$. Comme f est dérivable sur $]a, b[$, elle doit être dérivable sur $]x_1, x_2[$ et continue sur $[x_1, x_2]$. En appliquant le théorème des accroissements finis à f sur l'intervalle $[x_1, x_2]$, on obtient un nombre c tel que $x_1 < c < x_2$ et

> **E.10**
> $$f(x_2) - f(x_1) = f'(c)(x_2 - x_1).$$

Comme $f'(x) = 0$ pour tout x, on a $f'(c) = 0$, et l'égalité **E.10** devient

$$f(x_2) - f(x_1) = 0 \quad \text{ou} \quad f(x_2) = f(x_1).$$

En conséquence, f a la même valeur quels que soient les nombres x_1 et x_2 dans $]a, b[$. Ainsi, f est constante sur $]a, b[$. ∎

Selon le corollaire **E.11**, si deux fonctions ont la même dérivée sur un intervalle, leurs graphiques se déduisent l'un de l'autre par une translation verticale dans cet intervalle. Les graphiques ont donc la même forme.

> **E.11** | **Corollaire**
>
> Si $f'(x) = g'(x)$ pour tout x dans un intervalle $]a, b[$, alors $f - g$ est constante sur $]a, b[$, c'est-à-dire que $f(x) = g(x) + c$ où c est une constante.

DÉMONSTRATION Soit $F(x) = f(x) - g(x)$. Alors

$$F'(x) = f'(x) - g'(x) = 0$$

pour tout x dans $]a, b[$. Donc, par le théorème **E.9**, F est constante, c'est-à-dire que $f - g$ est constante. ∎

NOTE On fera preuve de discernement en appliquant le théorème **E.9**. Soit

$$f(x) = \frac{x}{|x|} = \begin{cases} 1 & \text{si} \quad x > 0 \\ -1 & \text{si} \quad x < 0. \end{cases}$$

Le domaine D de f est $\mathbb{R}^*$, et $f'(x) = 0$ pour tout x dans D. Or, f n'est évidemment pas une fonction constante. Cela ne contredit pas le théorème **E.9**, parce que D n'est pas un intervalle, mais l'union de deux intervalles. f est constante sur l'intervalle $]0, \infty[$ ainsi que sur $]-\infty, 0[$.

Exemple **E.6** Prouvons l'identité $\arctan x + \operatorname{arccot} x = \pi/2$.

Solution Sans être le seul moyen d'établir cette preuve, le calcul différentiel rend la tâche plutôt simple. Si $f(x) = \arctan x + \operatorname{arccot} x$, alors

$$f'(x) = \frac{1}{1+x^2} - \frac{1}{1+x^2} = 0$$

pour chacune des valeurs de x. Donc, $f(x) = C$, une constante. Pour déterminer la valeur de C, on pose $x = 1$ (parce qu'on peut évaluer $f(1)$ exactement). Alors

$$C = f(1) = \arctan 1 + \operatorname{arccot} 1 = \frac{\pi}{4} + \frac{\pi}{4} = \frac{\pi}{2}.$$

En conséquence, $\arctan x + \operatorname{arccot} x = \pi/2$.

Exercices

1-4 Vérifiez que la fonction satisfait aux trois conditions du théorème de Rolle sur l'intervalle indiqué. Trouvez ensuite tous les nombres c prévus à la conclusion de ce théorème.

1. $f(x) = 5 - 12x + 3x^2$, $[1, 3]$

2. $f(x) = x^3 - x^2 - 6x + 2$, $[0, 3]$

3. $f(x) = \sqrt{x} - \frac{1}{3}x$, $[0, 9]$

▲ **4.** $f(x) = \cos 2x$, $[\pi/8, 7\pi/8]$

5. Soit $f(x) = 1 - x^{2/3}$. Montrez que $f(-1) = f(1)$, mais qu'il n'y a aucun nombre c dans $]-1, 1[$ tel que $f'(c) = 0$. Dites pourquoi cela ne contredit pas le théorème de Rolle.

▲ **6.** Soit $f(x) = \tan x$. Montrez que $f(0) = f(\pi)$, mais qu'il n'existe pas de nombre c dans $]0, \pi[$ tel que $f'(c) = 0$. Dites pourquoi cela ne contredit pas le théorème de Rolle.

7. Utilisez le graphique de f pour estimer les valeurs de c qui satisfont à la conclusion du théorème des accroissements finis sur l'intervalle $[0, 8]$.

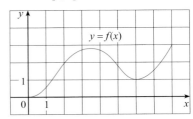

8. Utilisez le graphique de f donné dans l'exercice 7 pour estimer les valeurs de c qui satisfont à la conclusion du théorème des accroissements finis sur l'intervalle $[1, 7]$.

9-12 Vérifiez que chaque fonction satisfait aux conditions du théorème des accroissements finis sur l'intervalle donné. Trouvez ensuite tous les nombres c prévus à la conclusion de ce théorème.

9. $f(x) = 2x^2 - 3x + 1$, $[0, 2]$

10. $f(x) = x^3 - 3x + 2$, $[-2, 2]$

11. $f(x) = \ln x$, $[1, 4]$

12. $f(x) = 1/x$, $[1, 3]$

13-14 Trouvez les nombres c prévus à la conclusion du théorème des accroissements finis sur l'intervalle donné. Représentez graphiquement la fonction, la sécante passant par les extrémités et chaque tangente en $(c, f(c))$. La sécante et les tangentes sont-elles parallèles?

13. $f(x) = \sqrt{x}$, $[0, 4]$ **14.** $f(x) = e^{-x}$, $[0, 2]$

15-16 Montrez que chaque équation a exactement une racine réelle.

▲ **15.** $2x + \cos x = 0$ **16.** $x^3 + e^x = 0$

17. Montrez que l'équation $x^3 - 15x + c = 0$ a au plus une racine dans l'intervalle $[-2, 2]$.

18. Montrez que l'équation $x^4 + 4x + c = 0$ a au plus deux racines réelles.

19. a) Montrez qu'une fonction polynomiale du troisième degré a au plus trois racines réelles.
b) Montrez qu'une fonction polynomiale de degré n a au plus n racines réelles.

20. a) Soit f, une fonction dérivable sur $\mathbb{R}$ et ayant deux racines. Montrez que f' a au moins une racine.
b) Soit f, une fonction deux fois dérivable sur $\mathbb{R}$ et ayant trois racines. Montrez que f'' a au moins une racine réelle.
c) Pouvez-vous généraliser les parties a) et b) ci-dessus?

▲ **21.** Au moyen du théorème des accroissements finis, prouvez l'inégalité

$$|\sin a - \sin b| \le |a - b| \text{ pour toutes valeurs de } a \text{ et de } b.$$

22. Sachant que $f'(x) = c$ (c étant une constante) pour tout x, utilisez le corollaire **E.11** (*voir p. 378*) pour montrer que $f(x) = cx + d$ pour une constante quelconque d.

23. Soit $f(x) = 1/x$ et soit

$$g(x) = \begin{cases} \dfrac{1}{x} & \text{si } x > 0 \\ 1 + \dfrac{1}{x} & \text{si } x < 0. \end{cases}$$

Montrez que $f'(x) = g'(x)$ pour toutes valeurs de x dans leurs domaines respectifs. Peut-on conclure du corollaire **E.11** (*voir p. 378*) que $f - g$ est constante?

▲ **24.** Au moyen d'un développement similaire à celui de l'exemple E.6 (*voir p. 378*), prouvez l'identité

$$2 \arcsin x = \arccos(1 - 2x^2) \ x \ge 0.$$

▲ **25.** Prouvez l'identité

$$\arcsin \frac{x-1}{x+1} = 2 \arctan \sqrt{x} - \frac{\pi}{2}.$$

26. À 14 h, l'indicateur de vitesse d'une voiture indiquait 50 km/h. À 14 h 10, il indiquait 80 km/h. Montrez qu'à un certain moment, entre 14 h et 14 h 10, l'accélération exacte de la voiture était de 180 km/h².

27. Deux coureurs se lancent dans une course en même temps et finissent à égalité. Prouvez qu'à un certain moment de la course les coureurs avançaient à la même vitesse. (*Suggestion*: Considérez $f(t) = g(t) - h(t)$, où g et h sont les fonctions position des deux coureurs.)

28. Un nombre a est appelé **point fixe** d'une fonction f si $f(a) = a$. Prouvez que, si $f'(x) \ne 1$ pour tous nombres réels x, alors f a au plus un point fixe.

CHAPITRE 1

Exercices 1.1

1. a) $[-7, 2[$ b) $[11, \infty[$
    c) $]-\infty, -3[\,\cup\,[-1, \infty[$

2. a) $\{x \in \mathbb{R} \,|\, -1 < x \le 6\}$ b) $\{x \in \mathbb{R} \,|\, 8 \le x \le 16\}$
    c) $\{x \in \mathbb{R} \,|\, 5 < x < 10 \text{ ou } x \ge 13\}$

3. a) $\{3, 4, 5, 6, 7, 8, 9, 10\}$
    b) $\{4, 6, 8\}$
    c) $\{3, 4, 5, 6, 7, 8, 9, 10, 11, 12\}$
    d) $\varnothing$
    e) $\{4, 6, 8, 9, 10\}$
    f) $\{4, 6, 8, 10\}$
    g) $\{3, 5, 7, 9\}$
    h) $\{10\}$

4. a) $]-\infty, \infty[$ b) $[-3, 4[$
    c) $]-\infty, \infty[$ d) $]-2, 4[$
    e) $]-\infty, 5]$ f) $[-3, 4[$
    g) $[4, \infty[$ h) $]-\infty, -3[$
    i) $]-\infty, -2]\,\cup\,]5, \infty[$ j) $]-2, 0[\,\cup\,]0, 1[\,\cup\,]1, 5]$

5. 3^{26} **6.** 2^{60} **7.** $16x^{10}$

8. a^{2n+3} **9.** $\dfrac{a^2}{b}$ **10.** $\dfrac{(x+y)^2}{xy}$

11. $\dfrac{1}{\sqrt{3}}$ **12.** $2\sqrt[5]{3}$ **13.** 25

14. $\dfrac{1}{256}$ **15.** $2\sqrt{2}\,|x|^3 y^6$ **16.** $\dfrac{x^3}{y^{9/5}z^6}$

17. $y^{6/5}$ **18.** $a^{3/4}$ **19.** $t^{-5/2}$

20. $\dfrac{1}{x^{1/8}}$ **21.** $\dfrac{t^{1/4}}{s^{1/24}}$ **22.** $r^{n/2}$

23. 8 **24.** $-\frac{1}{3}$ **25.** 0

26. $2|x|$ **27.** $x^2|y|$ **28.** $4a^2 b\sqrt{b}$

29. $2a$ **30.** $-3a^2 bc$

31. $2x^3 y^5$ **32.** $2x^2 - 10x$

33. $4x - 3x^2$ **34.** $-8 + 6a$

35. $4 - x$ **36.** $-x^2 + 6x + 3$

37. $-3t^2 + 21t - 22$ **38.** $12x^2 + 25x - 7$

39. $x^3 + x^2 - 2x$ **40.** $4x^2 - 4x + 1$

41. $9x^2 + 12x + 4$ **42.** $30y^4 + y^5 - y^6$

43. $-15t^2 - 56t + 31$ **44.** $2x^3 - 5x^2 - x + 1$

45. $x^4 - 2x^3 - x^2 + 2x + 1$ **46.** $4x - 16 + \dfrac{61}{x+4}$

47. $x - 2 - \dfrac{16}{x-4}$ **48.** $\dfrac{1}{3}x^2 + \dfrac{1}{3}x + \dfrac{2}{3} - \dfrac{1}{3x+6}$

49. $\dfrac{1}{2}x^3 - x^2 - \dfrac{5}{2}x - \dfrac{7}{4} + \left(\dfrac{\frac{19}{2}x + 1}{4x^2 - 6x + 8}\right)$

50. $1 + 4x$ **51.** $3 - 2/b$

52. $\dfrac{3x+7}{x^2 + 2x - 15}$ **53.** $\dfrac{2x}{x^2 - 1}$

54. $\dfrac{u^2 + 3u + 1}{u+1}$ **55.** $\dfrac{2b^2 - 3ab + 4a^2}{a^2 b^2}$

56. $\dfrac{x}{yz}$ **57.** $\dfrac{zx}{y}$

58. $\dfrac{rs}{3t}$ **59.** $\dfrac{a^2}{b^2}$

60. $2x(1 + 6x^2)$ **61.** $ab(5 - 8c)$

62. $(x + 6)(x + 1)$ **63.** $(x - 3)(x + 2)$

64. $(x - 4)(x + 2)$ **65.** $(2x - 1)(x + 4)$

66. $9(x - 2)(x + 2)$ **67.** $(4x + 3)(2x + 1)$

68. $(3x + 2)(2x - 3)$ **69.** $(x + 5)^2$

70. $(t + 1)(t^2 - t + 1)$ **71.** $(2t - 3s)(2t + 3s)$

72. $(2t - 3)^2$ **73.** $(x - 3)(x^2 + 3x + 9)$

74. $x(x + 1)^2$ **75.** $(x - 1)^2(x - 2)$

76. $(x - 1)(x + 1)(x + 3)$ **77.** $(x - 3)(x + 5)(x - 4)$

78. $(x - 2)(x + 3)(x + 4)$ **79.** $(x - 2)(x - 3)(x + 2)$

80. $(x + 1)^2 + 4$ **81.** $(x - 8)^2 + 16$

82. $(x - \frac{5}{2})^2 + \frac{15}{4}$ **83.** $(x + \frac{3}{2})^2 - \frac{5}{4}$

84. $4(x + \frac{1}{2})^2 - 3 = (2x + 1)^2 - 3$ **85.** $3(x - 4)^2 + 2$

86. $-10, 1$ **87.** $-2, 4$

88. $\dfrac{-9 \pm \sqrt{85}}{2}$ **89.** $1 \pm 2\sqrt{2}$

90. $\dfrac{-5 \pm \sqrt{13}}{6}$ **91.** $\dfrac{-7 \pm \sqrt{33}}{4}$

92. Irréductible   **93.** N'est pas irréductible

94. N'est pas irréductible   **95.** Irréductible

96. $1, \dfrac{-1 \pm \sqrt{5}}{2}$ **97.** $-1, -1 \pm \sqrt{2}$

98. $\dfrac{x+2}{x-2}$ **99.** $\dfrac{2x+1}{x+2}$

100. $\dfrac{x+1}{x-8}$ **101.** $\dfrac{x(x+2)}{x-4}$

102. $\dfrac{x-2}{x^2 - 9}$ **103.** $\dfrac{x^2 - 6x - 4}{(x-1)(x+2)(x-4)}$

104. $\dfrac{c}{c-2}$ **105.** $\dfrac{3 + 2x}{2 + x}$

106. $\dfrac{6x(x+1)}{\sqrt{2x-1}}$ **107.** $\dfrac{-3x + 8}{2\sqrt{x}(3x+8)^2}$

108. $\dfrac{1}{\sqrt{x} + 3}$ **109.** $\dfrac{-1}{\sqrt{x} + x}$

110. $\dfrac{x^2 + 4x + 16}{x\sqrt{x+8}}$

111. $\dfrac{2}{\sqrt{2+h} - \sqrt{2-h}}$

112. $\dfrac{3 + \sqrt{5}}{2}$

113. $\dfrac{\sqrt{x} + \sqrt{y}}{x - y}$

114. $\dfrac{3x + 4}{\sqrt{x^2 + 3x + 4} + x}$

115. $\dfrac{2x}{\sqrt{x^2 + x} + \sqrt{x^2 - x}}$

116. Faux

117. Faux

118. Vrai

119. Faux

120. Faux

121. Faux

122. Faux

123. Vrai

124. $a^6 + 6a^5b + 15a^4b^2 + 20a^3b^3 + 15a^2b^4 + 6ab^5 + b^6$

125. $a^7 + 7a^6b + 21a^5b^2 + 35a^4b^3 + 35a^3b^4 + 21a^2b^5 + 7ab^6 + b^7$

126. $x^8 - 4x^6 + 6x^4 - 4x^2 + 1$

127. $243 + 405x^2 + 270x^4 + 90x^6 + 15x^8 + x^{10}$

128. 18

129. -18

130. π

131. $\pi - 2$

132. $5 - \sqrt{5}$

133. 1

134. $2 - x$

135. $x - 2$

136. $|x + 1| = \begin{cases} x + 1 & \text{si } x \ge -1 \\ -x - 1 & \text{si } x < -1 \end{cases}$

137. $|2x - 1| = \begin{cases} 2x - 1 & \text{si } x \ge \frac{1}{2} \\ 1 - 2x & \text{si } x < \frac{1}{2} \end{cases}$

138. $x^2 + 1$

139. $|1 - 2x^2| = \begin{cases} 1 - 2x^2 & \text{si } \frac{-1}{\sqrt{2}} \le x \le \frac{1}{\sqrt{2}} \\ 2x^2 - 1 & \text{si } x < \frac{-1}{\sqrt{2}} \text{ ou } x > \frac{1}{\sqrt{2}} \end{cases}$

140. $]-2, \infty[$

141. $]-\infty, 5[$

142. $[-1, \infty[$

143. $]-\infty, -\frac{2}{3}]$

144. $]3, \infty[$

145. $]\frac{1}{2}, \infty[$

146. $]2, 6[$

147. $]-1, 4]$

148. $]0, 1]$

149. $[-3, 4]$

150. $[-1, \frac{1}{2}[$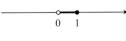

151. $]3, 7[$

152. $]-\infty, 1[\cup]2, \infty[$

153. $]-\infty, -\frac{3}{2}] \cup [1, \infty[$

154. $[-1, \frac{1}{2}]$

155. $]-2, 4[$

156. $]-\infty, \infty[$

157. $]-\infty, \frac{-1-\sqrt{5}}{2}[\cup]\frac{-1+\sqrt{5}}{2}, \infty[$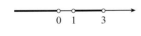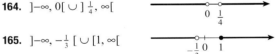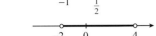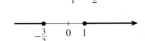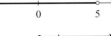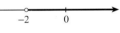

158. $]-\sqrt{3}, \sqrt{3}[$

159. $]-\infty, -\sqrt{5}] \cup [\sqrt{5}, \infty[$

160. $]-\infty, 1]$

161. $[-3, -1] \cup [2, \infty[$

162. $]-1, 0[\cup]1, \infty[$

163. $]-\infty, 0[\cup]1, 3[$

164. $]-\infty, 0[\cup]\frac{1}{4}, \infty[$

165. $]-\infty, -\frac{1}{3}[\cup [1, \infty[$

166. $]4, 5[$

167. $]-\infty, -4] \cup]\frac{1}{3}, \infty[$

168. $]-\infty, -\frac{1}{2}[\cup [-\frac{1}{5}, 3[$

169. $[10, 35]$

170. $[68, 86]$

171. a) $T = 20 - 10h, 0 \le h \le 12$ b) $[-30, 20]$

172. a) $[0, 3]$

173. $\pm \frac{3}{2}$

174. $-2, -\frac{4}{3}$

175. $-\frac{4}{3}, 2$

176. $-4, -\frac{2}{5}$

177. $]-3, 3[$

178. $]-\infty, -3] \cup [3, \infty[$

179. $]3, 5[$

180. $]5,9 \,; 6,1[$

181. $]-\infty, -7] \cup [-3, \infty[$

182. $]-\infty, -4] \cup [2, \infty[$

183. $[1,3 \,; 1,7]$

184. $]-\frac{4}{5}, \frac{8}{5}[$

185. $[-4, -1] \cup [1, 4]$

186. $]4,5 \,; 5[\cup]5 \,; 5,5[$

187. $x \ge (a + b)c/(ab)$

188. $(a - c)/b \le x \le (2a - c)/b$

189. $x > (c - b)/a$

190. $x \le b(c - 1)/a$

Exercices 1.2

1. 5

2. $2\sqrt{29}$

3. $\sqrt{74}$

4. $\sqrt{13}$

5. $2\sqrt{37}$

6. $\sqrt{2}|a-b|$

7. 2

8. $-\frac{9}{5}$

9. $-\frac{9}{2}$

10. $\frac{4}{7}$

12. c) $\frac{41}{2}$

17.

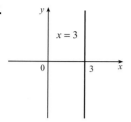

18.

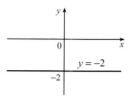

19.

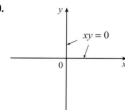

20.

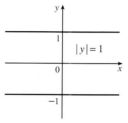

21. $y = 6x - 15$

22. $y = -3x + 1$

23. $2x - 3y + 19 = 0$

24. $7x + 2y = -31$

25. $5x + y = 11$

26. $y = x - 1$

27. $y = 3x - 2$

28. $y = \frac{2}{5}x + 4$

29. $y = 3x - 3$

30. $y = \frac{3}{4}x + 6$

31. $y = 5$

32. $x = 4$

33. $x + 2y + 11 = 0$

34. $y = -\frac{2}{3}x + 6$

35. $5x - 2y + 1 = 0$

36. $y = -2x + \frac{1}{3}$

37. $m = -\frac{1}{3}$, $b = 0$

38. $m = \frac{2}{5}$, $b = 0$

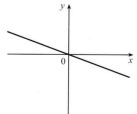

39. $m = 0$, $b = -2$

40. $m = \frac{2}{3}$, $b = 2$

41. $m = \frac{3}{4}$, $b = -3$

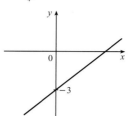

42. $m = -\frac{4}{5}$, $b = 2$

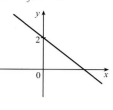

43.

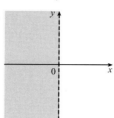

44.

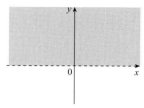

45.

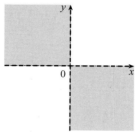

46.

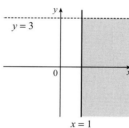

47.

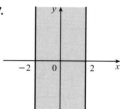

48.

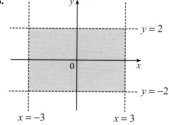

49.

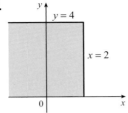

50.

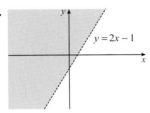

51.

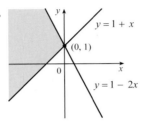

52.

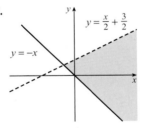

53. $(0, -4)$

55. a) $(4, 9)$ b) $(\frac{7}{2} ; -3)$

56. $\sqrt{145}/2$, $\sqrt{109}/2$, $\sqrt{37}$

57. $(1, -2)$

58. $(2, 5)$

59. $y = x - 3$

60. a) $y = 2x - 2$, $y = -\frac{1}{2}x + \frac{11}{2}$, $y = -3x + 3$
    b) $y = -\frac{4}{3}x + \frac{14}{3}$, $x = 1$, $y = \frac{1}{3}x + 3$; $(1, \frac{10}{3})$

61. b) $4x - 3y - 24 = 0$

62. a) $d(t) = 72t$

b)

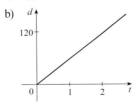

c) $m = 72$, représente vitesse de la voiture en km/h

Exercices 1.3

1. Oui   **2.** Non

3. a) 3   b) $-0{,}2$
    c) 0 ou 3   d) $-0{,}8$
    e) $[-2, 4]$; $[-1, 3]$ f) $[-2, 1]$

4. a) $f(-4) = -2$; $g(3) = 4$ b) -2 et 2
    c) -3 ou 4 d) $[0, 4]$
    e) $[-4, 4]$; $[-2, 3]$ f) $[-4, 3]$; $[0{,}5 ; 4]$

5. $[-85, 125]$ **7.** Non

8. Oui ; $[-2, 2]$; $[-1, 2]$

9. Oui ; $[-3, 2]$, $[-3, -2[\cup [-1, 3]$

10. Non

11. a) $13{,}8\,°C$ b) 1990   c) 1910 et 2005   d) $[13{,}5 ; 14{,}5]$

12. a) $[0 ; 1{,}6]$

13.

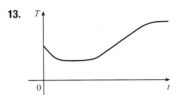

14. Coureur A a gagné ; les 3 coureurs ont terminé

15. a) 500 MW ; 730 MW
    b) À 4 heures ; juste avant midi ; oui

16.

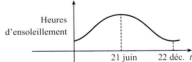

17.

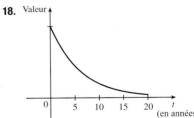

18.

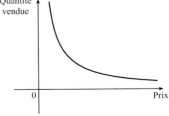

19.

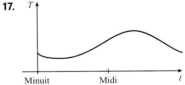

20.

21.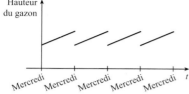

22. a)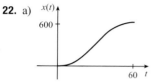

b)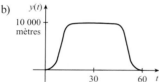

c)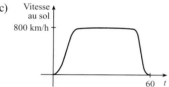

d)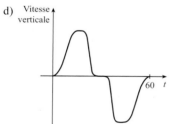

23. a)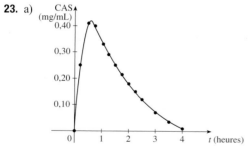

b) La concentration d'alcool dans le sang augmente rapidement, puis diminue lentement vers zéro.

24. a)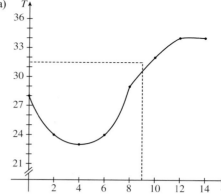

b) $\approx 31\ °C$

25. a) 12 b) 16 c) $3a^2 - a + 2$

d) $3a^2 + a + 2$ e) $3a^2 + 5a + 4$ f) $6a^2 - 2a + 4$

g) $12a^2 - 2a + 2$ h) $3a^4 - a^2 + 2$

i) $9a^4 - 6a^3 + 13a^2 - 4a + 4$ j) $3a^2 + 6ah + 3h^2 - a - h + 2$

26. $\frac{4}{3}\pi(3r^2 + 3r + 1)$ **27.** $-3 - h$

28. $3a^2 + 3ah + h^2$ **29.** $-1/(ax)$

30. $-\dfrac{1}{x+1}$ **31.** $\mathbb{R} \setminus \{-3, 3\}$

32. $\mathbb{R} \setminus \{-3, 2\}$ **33.** $]-\infty, \infty[$

34. $[-2, 3]$ **35.** $]-\infty, 0[\cup]5, \infty[$

36. $\mathbb{R} \setminus \{-2, -1\}$ **37.** $[0, 4]$

38. $]-\infty, -2] \cup]-1, 1] \cup]2, \infty[$

39. $]-\infty, -4[\cup [-1, 2] \cup]3, \infty[$

40. $-1, 1, -1$ **41.** $\frac{9}{2}, 3, -1$

 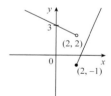

42. $-2, 0, 4$ **43.** $-1, -1, 3$

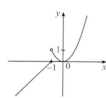 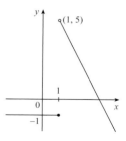

44. 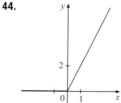 **45.**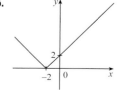

46.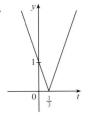

47.

57. $\mathbb{R} \setminus \{2\}$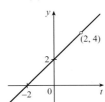

58. $\mathbb{R}$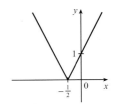

48.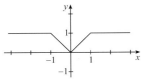

49.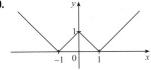

59. $[5, \infty[$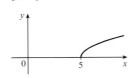

60. $\mathbb{R} \setminus \{0\}$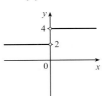

50. $\mathbb{R} \setminus \{-5,\ 0,\ 1,\ 4\}$

51. $\mathbb{R} \setminus \{-3\}$

52. $[-4, \infty[\ \setminus \{3\}$

53. $[-2, 2]$; $[0, 2]$

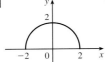

61. $\mathbb{R}$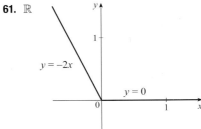

54. $\mathbb{R}$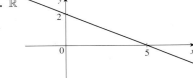

55. $\mathbb{R}$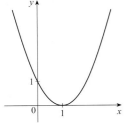

62. $\mathbb{R}$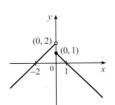

63. $\mathbb{R}$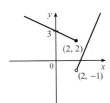

64. $\mathbb{R}$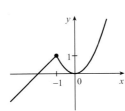

65. $\mathbb{R}$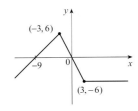

56. $\mathbb{R}$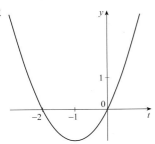

66. $f(x) = \frac{5}{2}x - \frac{11}{2}$, $1 \le x \le 5$

67. $f(x) = -\frac{5}{3}x + \frac{5}{3}$, $-5 \le x \le 7$ **68.** $f(x) = 1 - \sqrt{-x}$

69. $f(x) = 2 + \sqrt{4 - x^2}$ où $-2 \le x \le 2$

70. $f(x) = \begin{cases} -x + 3 & \text{si } 0 \le x \le 3 \\ 2x - 6 & \text{si } 3 < x \le 5 \end{cases}$

71. $f(x) = \begin{cases} -\frac{3}{2}x - 3 & \text{si } -4 \le x \le -2 \\ \sqrt{4 - x^2} & \text{si } -2 < x < 2 \\ \frac{3}{2}x - 3 & \text{si } 2 \le x \le 4 \end{cases}$

72. $A(L) = 10L - L^2$; $0 < L < 10$

73. $P(L) = 2L + 32/L$; $L > 0$

74. $A(x) = \sqrt{3}x^2/4$; $x > 0$

75. $S(V) = 6V^{2/3}$; $V > 0$

76. $S(x) = x^2 + (8/x)$; $x > 0$

77. $A(x) = 5x - x^2\left(\dfrac{\pi + 4}{8}\right)$ si $0 < x < \dfrac{20}{2 + \pi}$

78. $V(x) = 4x^3 - 64x^2 + 240x$ si $0 < x < 6$

79. $C(x) = \begin{cases} 35 & \text{si} \quad 0 \le x \le 400 \\ 35 + 0{,}10(x - 400) & \text{si} \quad x > 400 \end{cases}$

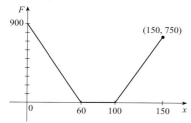

80. $A(x) = \begin{cases} 15(60 - x) & \text{si} \quad 0 \le x < 60 \\ 0 & \text{si} \quad 60 \le x \le 100 \\ 15(x - 100) & \text{si} \quad x > 100 \end{cases}$

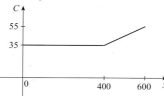

81. $E(x) = \begin{cases} 10 + 0{,}06x & \text{si} \quad 0 \le x \le 1200 \\ 82 + 0{,}07(x - 1200) & \text{si} \quad x > 1200 \end{cases}$

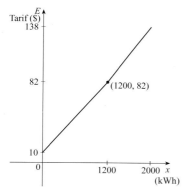

82. a)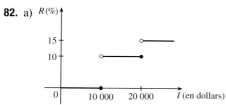

b) 400 \$, 1900 \$

c)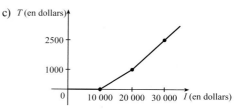

84. f est impaire, g est paire

85. f n'est ni paire ni impaire, g est paire

86. a) $(-5, 3)$ b) $(-5, -3)$

87. a) 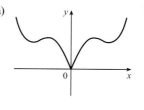   b)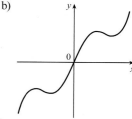

88. Impaire   **89.** Paire

90. Ni paire ni impaire   **91.** Impaire

92. Paire   **93.** Ni paire ni impaire

94. Paire ; impaire ; ni paire ni impaire (sauf si $f = 0$: impaire ou si $g = 0$: paire)

95. Paire ; paire ; impaire

96. a) $(f \circ g)(x) = 4x^2 + 4x$, $\mathbb{R}$
b) $(g \circ f)(x) = 2x^2 - 1$, $\mathbb{R}$
c) $(f \circ f)(x) = x^4 - 2x^2$, $\mathbb{R}$
d) $(g \circ g)(x) = 4x + 3$, $\mathbb{R}$

97. a) $(f \circ g)(x) = x^2 + 3x + 2$, $\mathbb{R}$
b) $(g \circ f)(x) = x^2 - x + 2$, $\mathbb{R}$
c) $(f \circ f)(x) = x - 4$, $\mathbb{R}$
d) $(g \circ g)(x) = x^4 + 6x^3 + 20x^2 + 33x + 32$, $\mathbb{R}$

98. a) $(f \circ g)(x) = 1 - 3\cos x$, $\mathbb{R}$
b) $(g \circ f)(x) = \cos(1 - 3x)$, $\mathbb{R}$
c) $(f \circ f)(x) = 9x - 2$, $\mathbb{R}$
d) $(g \circ g)(x) = \cos(\cos x)$, $\mathbb{R}$

99. a) $(f \circ g)(x) = \sqrt[6]{1 - x}$, $]-\infty, 1]$
b) $(g \circ f)(x) = \sqrt[3]{1 - \sqrt{x}}$, $[0, \infty[$
c) $(f \circ f)(x) = \sqrt[4]{x}$, $[0, \infty[$
d) $(g \circ g)(x) = \sqrt[3]{1 - \sqrt[3]{1 - x}}$, $\mathbb{R}$

100. a) $(f \circ g)(x) = \dfrac{2x^2 + 6x + 5}{(x + 2)(x + 1)}$, $\mathbb{R} \setminus \{-2, -1\}$
b) $(g \circ f)(x) = \dfrac{x^2 + x + 1}{(x + 1)^2}$, $\mathbb{R} \setminus \{-1, 0\}$
c) $(f \circ f)(x) = \dfrac{x^4 + 3x^2 + 1}{x(x^2 + 1)}$, $\mathbb{R}^*$
d) $(g \circ g)(x) = \dfrac{2x + 3}{3x + 5}$, $\mathbb{R} \setminus \{-2, -\frac{5}{3}\}$

101. a) $(f \circ g)(x) = \dfrac{\sin 2x}{1 + \sin 2x}$,

$\{x \in \mathbb{R} \mid x \neq \dfrac{3\pi}{4} + \pi n,$ où n est un entier$\}$

b) $(g \circ f)(x) = \sin\left(\dfrac{2x}{1+x}\right)$, $\mathbb{R} \setminus \{-1\}$

c) $(f \circ f)(x) = \dfrac{x}{2x+1}$, $\mathbb{R} \setminus \{-1, -\frac{1}{2}\}$

d) $(g \circ g)(g) = \sin(2 \sin 2x)$, $\mathbb{R}$

102. $(f \circ g \circ h)(x) = 3 \sin(x^2) - 2$

103. $(f \circ g \circ h)(x) = |2^{\sqrt{x}} - 4|$

104. $(f \circ g \circ h)(x) = \sqrt{x^6 + 4x^3 + 1}$

105. $(f \circ g \circ h)(x) = \tan\left(\dfrac{\sqrt[3]{x}}{\sqrt[3]{x} - 1}\right)$

106. $g(x) = 2x + x^2, f(x) = x^4$

107. $g(x) = \cos x, f(x) = x^2$

108. $g(x) = \sqrt[3]{x}, f(x) = x/(1 + x)$

109. $g(x) = \dfrac{x}{1+x}$, $f(x) = \sqrt[3]{x}$

110. $g(t) = t^2$, $f(t) = \sec t \tan t$

111. $g(t) = \tan t$, $f(t) = \dfrac{t}{1+t}$

112. $h(x) = \sqrt{x}$, $g(x) = x - 1$, $f(x) = \sqrt{x}$

113. $h(x) = |x|$, $g(x) = 2 + x$, $f(x) = \sqrt[8]{x}$

114. $h(t) = \cos t, g(t) = \sin t, f(t) = t^2$

115. a) 5   b) 2   c) 4

d) 3   e) 1   f) 4

116. a) 4   b) 3   c) 0

d) N'est pas définie ;   e) 4   f) −2
$f(6) = 6$ n'appartient
pas au domaine de g.

117.
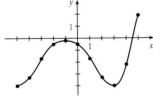

118. a) $r(t) = 60t$
b) $(A \circ r)(t) = 3600\pi t^2$; l'aire du cercle en fonction
du temps

119. a) $r(t) = 2t$
b) $V = \frac{32}{3}\pi t^3$, volume du ballon en fonction du temps

120. a) $s = \sqrt{d^2 + 36}$
b) $d = 30t$
c) $(f \circ g)(t) = \sqrt{900t^2 + 36}$; distance entre le phare et
le navire en fonction du temps écoulé depuis midi

121. a) $d(t) = 350t$

b) $s(d) = \sqrt{d^2 + 1}$

c) $(s \circ d)(t) = \sqrt{(350t)^2 + 1}$

122. a)
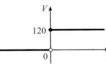

b) $V(t) = 120H(t)$
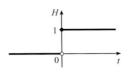

c) $V(t) = 240H(t - 5)$
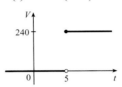

123. a)
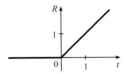

b) $V(t) = 2tH(t)$, $t \leq 60$
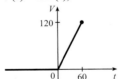

c) $V(t) = 4(t - 7) H(t - 7)$, $t \leq 32$
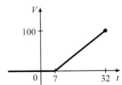

124. Oui ; $m_1 m_2$

125. $(A \circ A)(x) = (1,04)^2 x$; $(A \circ A \circ A)(x) = (1,04)^3 x$;
$(A \circ A \circ A \circ A)(x) = (1,04)^4 x$;

Montant investi après 2, 3 et 4 ans ;

$\underbrace{(A \circ A \circ \ldots \circ A)}_{n \text{ fonctions } A}(x) = (1,04)^n x$

126. a) $f(x) = x^2 + 6$
b) $g(x) = x^2 + x - 1$

127. $g(x) = 4x - 17$

128. Oui

129. h n'est ni paire ni impaire ; h est impaire ; h est paire

Exercices 1.4

1. $7\pi/6$

2. $5\pi/3$

3. $\pi/20$

4. $-7\pi/4$

5. 5π

6. $\pi/5$

7. $720°$

8. $-630°$

9. $75°$

10. $480°$

11. $-67,5°$

12. $(900/\pi)°$

13. 3π cm

14. 4π cm

15. $\frac{2}{3}$ rad $= (120/\pi)°$

16. $8/\pi$ cm

17.
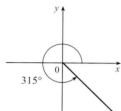
315°

18.
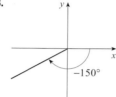
−150°

19.
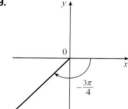
$-\frac{3\pi}{4}$

20.
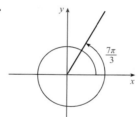
$\frac{7\pi}{3}$

21.
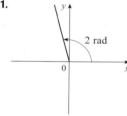
2 rad

22.
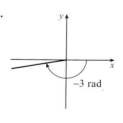
−3 rad

23. $\sin(3\pi/4) = 1/\sqrt{2}$, $\cos(3\pi/4) = -1/\sqrt{2}$, $\tan(3\pi/4) = -1$,
$\csc(3\pi/4) = \sqrt{2}$, $\sec(3\pi/4) = -\sqrt{2}$, $\cot(3\pi/4) = -1$

24. $\sin(4\pi/3) = -\sqrt{3}/2$, $\cos(4\pi/3) = -1/2$, $\tan(4\pi/3) = \sqrt{3}$,
$\csc(4\pi/3) = -2/\sqrt{3}$, $\sec(4\pi/3) = -2$, $\cot(4\pi/3) = 1/\sqrt{3}$

25. $\sin(9\pi/2) = 1$, $\cos(9\pi/2) = 0$, $\csc(9\pi/2) = 1$, $\cot(9\pi/2) = 0$,
$\tan(9\pi/2)$ et $\sec(9\pi/2)$ ne sont pas définies

26. $\sin(-5\pi) = 0$, $\cos(-5\pi) = -1$, $\tan(-5\pi) = 0$, $\csc(-5\pi)$ n'est pas
défini, $\sec(-5\pi) = -1$ et $\cot(-5\pi)$ n'est pas défini

27. $\sin(5\pi/6) = \frac{1}{2}$, $\cos(5\pi/6) = -\sqrt{3}/2$, $\tan(5\pi/6) = -1/\sqrt{3}$,
$\csc(5\pi/6) = 2$, $\sec(5\pi/6) = -2/\sqrt{3}$, $\cot(5\pi/6) = -\sqrt{3}$

28. $\sin(11\pi/4) = 1/\sqrt{2}$, $\cos(11\pi/4) = -1/\sqrt{2}$, $\tan(11\pi/4) = -1$,
$\csc(11\pi/4) = \sqrt{2}$, $\sec(11\pi/4) = -\sqrt{2}$, $\cot(11\pi/4) = -1$

29. $\cos\theta = \frac{4}{5}$, $\tan\theta = \frac{3}{4}$, $\csc\theta = \frac{5}{3}$, $\sec\theta = \frac{5}{4}$, $\cot\theta = \frac{4}{3}$

30. $\sin\alpha = \frac{2}{\sqrt{5}}$, $\cos\alpha = \frac{1}{\sqrt{5}}$, $\csc\alpha = \frac{\sqrt{5}}{2}$, $\sec\alpha = \sqrt{5}$, $\cot\alpha = \frac{1}{2}$

31. $\sin\phi = \sqrt{5}/3$, $\cos\phi = -\frac{2}{3}$, $\tan\phi = -\sqrt{5}/2$, $\csc\phi = 3/\sqrt{5}$,
$\cot\phi = -2/\sqrt{5}$

32. $\sin x = -2\sqrt{2}/3$, $\tan x = 2\sqrt{2}$, $\csc x = -3/2\sqrt{2}$, $\sec x = -3$,
$\cot x = 1/2\sqrt{2}$

33. $\sin\beta = -1/\sqrt{10}$, $\cos\beta = -3/\sqrt{10}$, $\tan\beta = \frac{1}{3}$, $\csc\beta = -\sqrt{10}$,
$\sec\beta = -\sqrt{10}/3$

34. $\sin\theta = -3/4$, $\cos\theta = \sqrt{7}/4$, $\tan\theta = -3/\sqrt{7}$, $\sec\theta = 4/\sqrt{7}$,
$\cot\theta = -\sqrt{7}/3$

35. 5,735 76 cm

36. 19,151 11 cm

37. 24,621 47 cm

38. 57,488 77 cm

59. $\frac{1}{15}(4 + 6\sqrt{2})$

60. $\frac{1}{15}(8\sqrt{2} - 3)$

61. $\frac{1}{15}(3 + 8\sqrt{2})$

62. $\frac{1}{15}(4 - 6\sqrt{2})$

63. $\frac{24}{25}$

64. $\frac{7}{25}$

65. $\pi/3$, $5\pi/3$

66. $\pi/3$, $2\pi/3$, $4\pi/3$, $5\pi/3$

67. $\pi/4$, $3\pi/4$, $5\pi/4$, $7\pi/4$

68. $\pi/4$, $3\pi/4$, $5\pi/4$, $7\pi/4$

69. $\pi/6$, $\pi/2$, $5\pi/6$, $3\pi/2$

70. $\pi/2$, $3\pi/2$

71. 0, π, 2π

72. 0, $\pi/3$, $5\pi/3$, 2π

73. $0 \le x \le \pi/6$, $5\pi/6 \le x \le 2\pi$

74. $0 \le x \le 2\pi/3$, $4\pi/3 < x \le 2\pi$

75. $0 \le x < \pi/4$, $3\pi/4 < x < 5\pi/4$, $7\pi/4 < x \le 2\pi$

76. $\pi/4 < x < 5\pi/4$

79. 14,344 57 cm²

80. 1355 m

84. $\{x \in \mathbb{R} \mid x \ne (4k+1)\frac{\pi}{2}$ où $k \in \mathbb{Z}\}$

85. $\{x \in \mathbb{R} \mid x \ne (4k+1)\frac{\pi}{4}$ et $x \ne (2k+1)\frac{\pi}{2}$ où $k \in \mathbb{Z}\}$

86. $\{x \in \mathbb{R} \mid x \ne k\pi$ où $k \in \mathbb{Z}\}$

87. $\{x \in \mathbb{R} \mid x \ne (2k+1)\frac{\pi}{2}$ où $k \in \mathbb{Z}\}$

88. $\{x \in \mathbb{R} \mid x \ne 0$ ou $x \ne (2k+1)\frac{\pi}{4}$ où $k \in \mathbb{Z}\}$

89. $\{x \in \mathbb{R} \mid x \ne 2k\pi$ où $k \in \mathbb{Z}\}$

90. $\{x \in \mathbb{R} \mid 2n\pi \le x \le (2n+1)\pi$
et $-2(n+1)\pi \le x \le -2n\pi$ où $n \in \mathbb{N}\}$

91. $\{x \in \mathbb{R} \mid -\frac{\pi}{2} \le x \le \frac{\pi}{2}$ ou $(4n+3)\frac{\pi}{2} \le x \le (4n+5)\frac{\pi}{2}$
ou $-(4n+5)\frac{\pi}{2} \le x \le -(4n+3)\frac{\pi}{2}$ où $n \in \mathbb{N}\}$

Exercices 1.5

1. a) 4

b) $x^{-4/3}$

2. a) 16

b) $27x^7$

3. a) $16b^{12}$

b) $648y^7$

4. a) x^{4n-3}

b) $a^{1/6}b^{-1/12}$

5. a) $f(x) = a^x$ où $a > 0$

b) $\mathbb{R}$

c) $]0, \infty[$

d) Voir respectivement les figures 1.5.4 c), b) et a), à la page 71.

6. a) Le nombre e est la valeur de a telle que la pente de la tangente à la courbe de $y = a^x$ en $x = 0$ est exactement égale à 1.

   b) $e \approx 2{,}718\,28$

   c) $f(x) = e^x$

7. Elles tendent vers 0 lorsque $x \to -\infty$, passent toutes par $(0, 1)$ et sont toutes croissantes. Plus la base est grande, plus la fonction augmente rapidement.

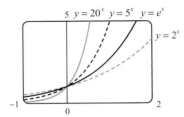

8. La courbe de 8^x croît plus rapidement que celle de e^x. Les dernières sont une réflexion des premières par rapport à l'axe des y.

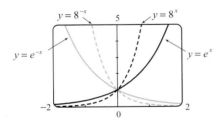

9. Les fonctions dont la base est plus grande que 1 sont croissantes, tandis que celles dont la base est plus petite que 1 sont décroissantes. Les dernières sont une réflexion des premières par rapport à l'axe des y.

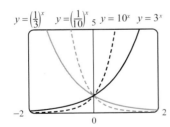

10. Chacune des courbes tend vers 0 lorsque $x \to \infty$. Plus la base est petite, plus elle tend rapidement vers 0.

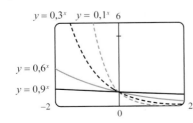

11. a) $\mathbb{R} \setminus \{-1, 1\}$ b) $\mathbb{R}$

12. a) $\mathbb{R}$ b) $]-\infty, 0]$

13. $f(x) = 3 \cdot 2^x$

14. $f(x) = 2\left(\frac{2}{3}\right)^x$

16. Le second mode de paiement

18. g croît beaucoup plus rapidement que f.

19. En $x \approx 35{,}8$

20. Lorsque $x > 20{,}723$

21. a) 3200   b) $100 \cdot 2^{t/3}$ c) $\approx 10{,}159$

    d) $t \approx 26{,}9$ heures

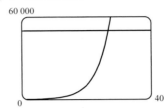

22. a) 32 000   b) $500 \cdot 2^{2t}$ c) ≈ 1260

    d) $t \approx 3{,}82$ heures

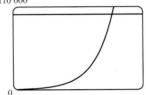

Exercices 1.6

1. a) Voir la définition 1.6.1 à la page 75.

   b) Elle doit satisfaire au test de la droite horizontale.

2. a) $f^{-1}(y) = x \Leftrightarrow f(x) = y$ pour tout y appartenant à B ; B ; A

   b) Voir les étapes de la démarche 1.6.5 à la page 78.

   c) Réflexion par rapport à la droite $y = x$.

3. Non   4. Oui

5. Non   6. Oui

7. Oui   8. Non

9. Non   10. Oui

11. Oui   12. Non

13. Non   14. Non

15. a) 6   b) 3   16. $f^{-1}(3) = 1$; $f(f^{-1}(2)) = 2$

17. 0

18. a) La fonction f est injective puisqu'elle satisfait au test de la droite horizontale.

    b) $[-1, 3]$ $[-3, 3]$ c) 0   d) $-1{,}7$

19. $F = \frac{9}{5}C + 32$; la température en degrés Fahrenheit en fonction de la température en degrés Celsius ; $[-273{,}15 ; \infty[$

20. $v = f^{-1}(m) = c\sqrt{1 - \dfrac{m_0^2}{m^2}}$; vitesse de la particule en fonction de sa masse

21. $y = \frac{1}{3}(x-1)^2 - \frac{2}{3}$, $x \geq 1$ 22. $y = \dfrac{3x+1}{4-2x}$

23. $y = \frac{1}{2}(1 + \ln x)$ 24. $y = \frac{1}{2} + \sqrt{x + \frac{1}{4}}$

25. $y = e^x - 3$

26. $y = \ln\left(\dfrac{x}{1 - 2x}\right)$

27. $f^{-1}(x) = \sqrt[4]{x - 1}$

28. $f^{-1}(x) = \ln(2 - x)$

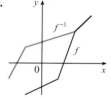

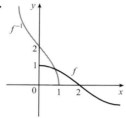

29.

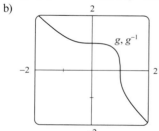

30.

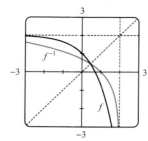

31. a) $f^{-1}(x) = \sqrt{1 - x^2}$, $0 \leq x \leq 1$; f^{-1} et f sont la même fonction
b) Le quart de cercle situé dans le premier quadrant

32. a) $g^{-1}(x) = \sqrt[3]{1 - x^3}$; g et g^{-1} sont une même fonction
b)

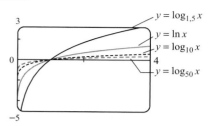

33. b) $[0, \infty[$ c) $\mathbb{R}$
d) Voir la figure 1.6.11 à la page 79.

34. c) Voir la figure 1.6.13 à la page 81.

35. a) 3   b) -3

36. a) 5   b) 1/3

37. a) -1 b) 1/2

38. a) -3 b) -2

39. a) 3   b) -2

40. a) 2   b) 2/3

41. a) 1/25   b) 10

42. a) 1/2   b) 3

43. $\ln 1215$

44. $\ln 250$

45. $\ln\dfrac{a^2 - b^2}{c^2}$

46. $\ln\left(\dfrac{bc^2}{d^3}\right)$

47. $\ln\dfrac{\sqrt{x}}{x + 1}$

48. a) 0,926 628   b) 3,070 389

49. Tous s'approchent de $-\infty$ lorsque $x \to 0^+$, passent par $(1, 0)$ et sont croissants. Plus grande est la base, plus lent est le taux de croissance.

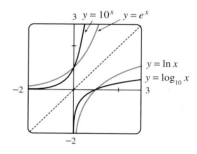

50. Les dernières sont la réflexion des premières par rapport à la droite $y = x$. La courbe de 10^x croît plus rapidement que celle de e^x. On note aussi que $\log x \to \infty$ plus lentement que $\ln x$ lorsque $x \to \infty$.

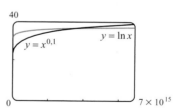

51. Environ 10 995 116,3 km

52.

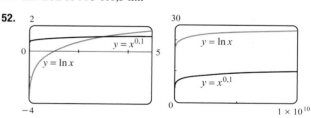

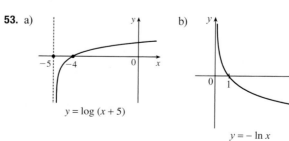

À partir de $x \approx 3{,}43 \times 10^{15}$

53. a)   b)

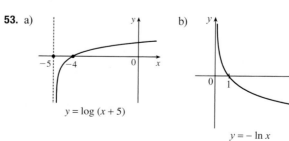

$y = \log(x + 5)$

$y = -\ln x$

54. a)

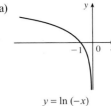

$y = \ln(-x)$

b)

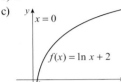

$y = \ln|x|$

55. a) $]0, \infty[\,;\ \mathbb{R}$

b) e^{-2}

c)

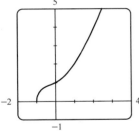

$f(x) = \ln x + 2$

56. a) $\mathbb{R}$

b) $e + 1$

c)

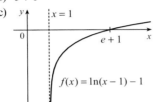

$f(x) = \ln(x - 1) - 1$

57. a) $\frac{1}{4}(7 - \ln 6)$ b) $\frac{1}{3}(e^2 + 10)$

58. a) $\pm\sqrt{1 + e^3}$ b) 0 ou $\ln 2$

59. a) $5 + \log_2 3$ b) $\frac{1}{2}(1 + \sqrt{1 + 4e})$

60. a) e^e b) $\dfrac{\ln C}{a - b}$

61. a) $0 < x < 1$ b) $x > \ln 5$

62. a) $\frac{1}{3} < x < \frac{1}{3}(1 + \ln 2)$ b) $x > e^{-1}$

63. a) $]\ln 3, \infty[$ b) $f^{-1}(x) = \ln(e^x + 3)\,;\ \mathbb{R}$

64. a) $300\,;\ 300$

65.

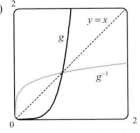

f étant croissante, elle est donc injective;

$y = f^{-1}(x) = -\frac{\sqrt[3]{4}}{6}(\sqrt[3]{D - 27x^2 + 20} - \sqrt[3]{D + 27x^2 - 20} + \sqrt[3]{2})$,

où $D = 3\sqrt{3}\sqrt{27x^4 - 40x^2 + 16}$; deux des expressions sont complexes.

66. b)

67. a) $t = f^{-1}(n) = 3\log_2\left(\dfrac{n}{100}\right)$; le temps écoulé pour qu'il y ait n bactéries

b) $t = 3\left(\dfrac{\ln 500}{\ln 2}\right) \approx 26,9$ heures

68. a) $t = -a\ln(1 - Q/Q_0)$; le temps requis pour obtenir une charge donnée

b) $-2\ln 0{,}1 \approx 4{,}6$ s

69. a) $\pi/3$ b) π

70. a) $\pi/6$ b) $\pi/3$

71. a) $\pi/4$ b) $\pi/4$

72. a) $5\pi/6$ b) $2\pi/3$

73. a) 10 b) $\pi/3$

74. a) $\sqrt{15}$ b) $24/25$

76. $\dfrac{x}{\sqrt{1 - x^2}}$

77. $\dfrac{x}{\sqrt{1 + x^2}}$

78. $\dfrac{1 - x^2}{1 + x^2}$

79.

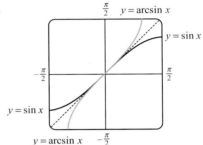

La courbe de $\arcsin x$ résulte de la réflexion de la courbe de $\sin x$ par rapport à la droite $y = x$.

80.

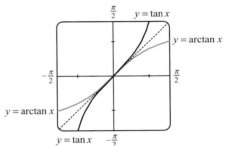

La courbe de $\arctan x$ résulte de la réflexion de la courbe de $\tan x$ par rapport à la droite $y = x$.

81. $[-\frac{2}{3}, 0]\,;\ [-\frac{\pi}{2}, \frac{\pi}{2}]$

82. a)

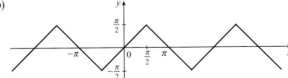

Une fonction défait ce que l'autre fait, on obtient la fonction identité, à savoir $y = x$, dont le domaine est restreint à $-1 \le x \le 1$.

b)

Cette fonction est semblable à celle de l'exercice a), mais son domaine est $\mathbb{R}$.

83. a) $g^{-1}(x) = f^{-1}(x) - c$

b) $h^{-1}(x) = (1/c)\,f^{-1}(x)$

Révision

Vrai ou faux

1. Faux   **2.** Faux

3. Faux   **4.** Vrai

5. Vrai   **6.** Faux

7. Faux   **8.** Vrai

9. Vrai   **10.** Faux

11. Faux   **12.** Faux

13. Faux   **14.** Faux

Exercices récapitulatifs

1. a) $\approx 2{,}7$ b) $\approx 2{,}3$; $\approx 5{,}6$
c) $[-6, 6]$ d) $[-4, 4]$
e) $[-4, 4]$
f) Non ; elle ne satisfait pas au test de la droite horizontale.
g) Impaire ; son graphe est symétrique par rapport à l'origine.

2. a) 3
b) Elle satisfait au test de la droite horizontale.
c) $\approx 0{,}2$ d) $[-1 ; 3{,}5]$
e)

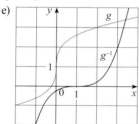

3. $2a + h - 2$

4.

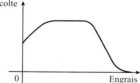

5. $\left]-\infty, \tfrac{1}{3}\left[\,\cup\,\right]\tfrac{1}{3}, \infty\right[$; $]-\infty, 0[\,\cup\,]0, \infty[$

6. $[-2, 2]$; $[0, 4]$

7. $]-6, \infty[$; $\mathbb{R}$

8. $]-\infty, \infty[$; $[2, 4]$

9. a) Ni paire ni impaire   b) Impaire
c) Paire   d) Ni paire ni impaire

10. $f(x) = \begin{cases} -2x - 2 & \text{si } -2 \le x \le -1 \\ \sqrt{1 - x^2} & \text{si } -1 < x \le 1 \end{cases}$

11. a) $(f \circ g)(x) = \ln(x^2 - 9)$; $]-\infty, -3[\,\cup\,]3, \infty[$
b) $(g \circ f)(x) = (\ln x)^2 - 9$; $]0, \infty[$
c) $(f \circ f)(x) = \ln(\ln x)$; $]1, \infty[$
d) $(g \circ g)(x) = (x^2 - 9)^2 - 9$; $]-\infty, \infty[$

12. $F(x) = (f \circ g \circ h)(x)$ où $h(x) = x + \sqrt{x}$, $g(x) = \sqrt{x}$ et $f(x) = 1/x$

13. a) $y = 6x + 3000$

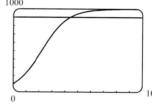

b) 6 ; chaque grille-pain additionnel augmente le coût de la production de 6 \$ par semaine
c) 3000 ; le coût sans aucune production

14. 1   **15.** $f^{-1}(x) = \dfrac{1 - x}{2x - 1}$

16. a) 9   b) 2   c) $1/\sqrt{3}$

17. a) $\ln 5$ b) e^2
c) $\ln(\ln 2)$ d) $\tan 1 \approx 1{,}557\,4$

18. a)

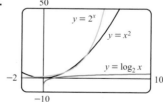

$\approx 4{,}4$ ans

b) $t = -\ln\left(\dfrac{1000 - P}{9P}\right)$; le temps nécessaire pour que la population atteigne un nombre donné P
c) $\ln 81 \approx 4{,}4$ ans

19.

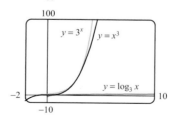

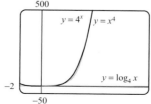

$y = a^x$; $y = \log_a x$

Problèmes supplémentaires

1. $a = 4\sqrt{h^2 - 16}/h$, où a est la mesure de la hauteur et h la longueur de l'hypoténuse

2. $h = \dfrac{P^2}{2P + 24}$, où h est la longueur de l'hypoténuse et P le périmètre

3. $-\frac{7}{3}$, 9

4. Aucune solution

5.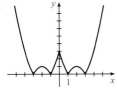
6.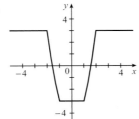

7.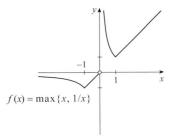
8.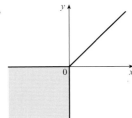

9. a)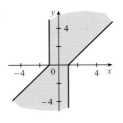

$f(x) = \max\{x, 1/x\}$

b)

$f(x) = \max\{\sin x, \cos x\}$

c)

$f(x) = \max\{x^2, 2 + x, 2 - x\}$

10. a)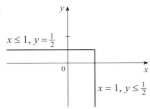

$x \leq 1,\ y = \frac{1}{2}$

$x = 1,\ y \leq \frac{1}{2}$

b)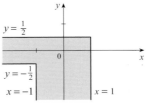

$y = \frac{1}{2}$

$y = -\frac{1}{2}$

$x = -1$ $x = 1$

c)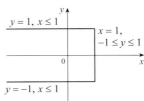

$y = 1,\ x \leq 1$

$x = 1,\ -1 \leq y \leq 1$

$y = -1,\ x \leq 1$

11. 5

12. b) $f^{-1}(x) = \dfrac{e^{2x} - 1}{2e^x}$

13. $x \in [-1, 1 - \sqrt{3}[\ \cup\ ]1 + \sqrt{3}, 3]$

15. ≈ 67 km/h

16. Non

19. $f_n(x) = x^{2^{n+1}}$

20. a) $f_n(x) = \dfrac{n + 1 - nx}{n + 2 - (n+1)x}$

b)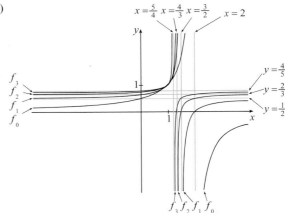

$x = \frac{5}{4}$ $x = \frac{4}{3}$ $x = \frac{3}{2}$ $x = 2$

$y = \frac{4}{5}$

$y = \frac{2}{3}$

$y = \frac{1}{2}$

CHAPITRE 2

Exercices 2.1

1. a) $-44,4\,;\ -38,8\,;\ -27,8\,;\ -22,2\,;\ -16,\overline{6}$
   b) $-33,3$
   c) $-33\frac{1}{3}$

2. a) $\approx 69,67$ b) $71,75$ c) 71 d) 66

3. a) i) 2   ii) 1,111 111   iii) 1,010 101
    iv) 1,001 001   v) 0,666 667   vi) 0,909 091
    vii) 0,990 099   viii) 0,999 001

    b) 1   **c)** $y = x - 3$

4. a) i) -2 ii) $-3,090\ 170$
    iii) $-3,141\ 076$ iv) $-3,141\ 587$
    v) -2 vi) $-3,090\ 170$
    vii) $-3,141\ 076$ viii) $-3,141\ 587$

    b) $-\pi$ **c)** $y = -\pi x + \frac{1}{2}\pi$

    d)

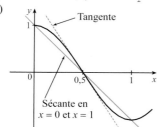

5. a) i) $-10,5$ m/s   ii) $-8,5$ m/s
    iii) $-8,25$ m/s   iv) $-8,05$ m/s

    b) -8 m/s

6. a) i) 4,42 m/s   ii) 5,35 m/s   iii) 6,094 m/s
    iv) 6,261 4 m/s   v) 6,278 14 m/s

    b) 6,28 m/s

7. a) i) 4,65 m/s   ii) 5,6 m/s
    iii) 7,55 m/s   iv) 7 m/s

    b) 6,3 m/s

8. a) i) 6 cm/s   ii) $-4,71$ cm/s
    iii) $-6,13$ cm/s   iv) $-6,27$ cm/s

    b) $-6,3$ cm/s

9. a) 0 ; 1,732 1 ; $-1,084$ 7 ; $-2,743$ 3 ; 4,330 1 ; $-2,817$ 3 ; 0 ;
    $-2,165$ 1 ; $-2,606$ 1 ; -5 ; 3,420 2 ; non

    c) $-31,4$

Exercices 2.2

1. Oui   **2.** Non

3. a) $\lim\limits_{x \to -3} f(x) = \infty$ signifie qu'on peut rendre les valeurs de $f(x)$
indéfiniment grandes (aussi grandes qu'on veut) en pre-
nant x suffisamment proche de -3 (mais pas égal à -3).

    b) $\lim\limits_{x \to 4^+} f(x) = -\infty$ signifie qu'on peut donner à $f(x)$ des
valeurs négatives indéfiniment grandes en choisissant
x suffisamment proche de 4, mais dont la valeur est
supérieure à 4.

4. a) 3   **b)** 1   **c)** N'existe pas
    d) 3   **e)** 4   **f)** Pas définie

5. a) 2   **b)** 1   **c)** 4
    d) N'existe pas   **e)** 3

6. a) 4   **b)** 4   **c)** 4
    d) Pas définie   **e)** 1   **f)** -1

g) N'existe pas   **h)** 1   **i)** 2
j) Pas définie   **k)** 3   **l)** N'existe pas

7. a) -1 **b)** -2 **c)** N'existe pas
    d) 2   **e)** 0   **f)** N'existe pas
    g) 1   **h)** 3

8. $\lim\limits_{t \to 12^-} f(t) = 150$ mg ; $\lim\limits_{t \to 12^+} f(t) = 300$ mg

9. $\lim\limits_{x \to a} f(a)$ existe pour tout a sauf $a = -1$

10. $\lim\limits_{x \to a} f(x)$ existe pour tout a sauf $a = \pi$

11. a) 1   **b)** 0   **c)** N'existe pas

12. a) -1 **b)** 1   **c)** N'existe pas

13.   **14.**

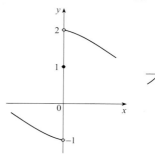
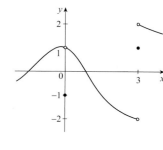

15.   **16.**

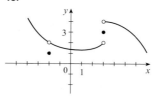
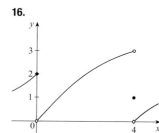

17. $\frac{2}{3}$ **18.** N'existe pas   **19.** 5

20. 80   **21.** $\frac{1}{4}$ **22.** $\frac{3}{5}$

23. $\frac{3}{5}$ **24.** 0,59   **25. a)** $-1,5$

26. a) 0,32

27. a)   **b)** 4

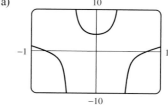
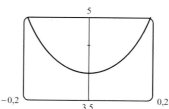

28. a) 2,718 28   b)

29. a) 100   Non

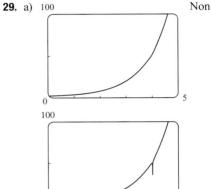

30. a) 0,998 000 ; 0,638 259 ; 0,358 484 ; 0,158 680 ; 0,038 851 ; 0,008 928 ; 0,001 465 ; 0
b) 0,000 572 ; −0,000 614 ; −0,000 907 ; −0,000 978 ; −0,000 993 ; −0,001 000 ; −0,001

31. a) 0,557 407 73 ; 0,370 419 92 ; 0,334 672 09 ; 0,333 667 00 ; 0,333 346 67 ; 0,333 336 67
b) $\frac{1}{3}$
c) 0,333 333 50 ; 0,333 333 44 ; 0,333 330 00 ; 0,333 336 00 ; 0,333 000 00 ; 0 ; quelle que soit la calculatrice utilisée, on obtient toujours éventuellement des valeurs fausses.
d)

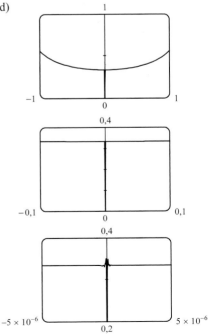

32. Peu importe le nombre de fois qu'on effectue un zoom avant vers l'origine, le graphique semble constitué de droites quasi verticales, ce qui indique des oscillations de plus en plus fréquentes lorsque $x \to 0$.

33. a) 6
b) x doit être à une distance de moins de 0,0649 de 1

Exercices 2.3

1. a) −6   b) −8   c) 2
d) −6   e) N'existe pas   f) 0

2. a) 2   b) N'existe pas   c) 0
d) N'existe pas   e) 16   f) 2

3. a) 1   b) N'existe pas   c) 2
d) N'existe pas   e) −4   f) 1

4. 105   **5.** −4   **6.** $\frac{7}{8}$ **7.** 4

8. 390   **9.** $\frac{4}{49}$ **10.** $\frac{3}{2}$

11.

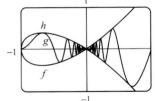

12.

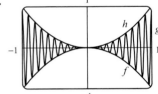

13. 7   **14.** 2   **15.** 0   **16.** 0   **17.** 6   **18.** 0

19. a)

b) i) 1   ii) −1
iii) N'existe pas   iv) 1

20. a) i) 1   ii) −1   iii) N'existe pas
iv) −1   v) 1   vi) N'existe pas
b) Pour $a = n\pi$, où n est un entier

c)

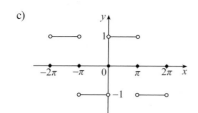

21. a) 2 ; 1   b) N'existe pas

c)

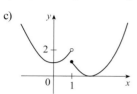

22. 7

23. a) i) 1   ii) 1   iii) 3
iv) −2   v) −1   vi) N'existe pas

b)

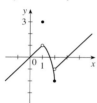

24. a) i) −2   ii) N'existe pas   iii) −3
b) i) $n − 1$ ii) n
c) a n'est pas un entier.

25. a)

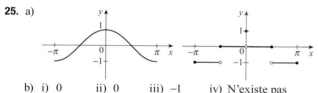

b) i) 0   ii) 0   iii) −1   iv) N'existe pas
c) Pour tout a appartenant à l'intervalle ouvert $]-\pi \, ; \, \pi[$, sauf $a = -\pi/2$ et $a = \pi/2$

27. 0 ; On doit calculer la limite à gauche parce que L n'est pas définie si $v > c$.

33. La position limite de R est le point (4, 0).

Exercices 2.4

1. $\lim_{x \to 4} f(x) = f(4)$

2. Aucun trou, saut ou asymptote verticale

3. a) $f(-4)$ n'est pas définie et $\lim_{x \to a} f(x)$ [pour $a = -2$, 2 et 4] n'existe pas
b) −4, ni l'une ni l'autre ; −2, à gauche ; 2, à droite ; 4, à droite

4. $[-4, -2[, \,]-2, 2[, \, [2, 4[, \,]4, 6[, \,]6, 8[$

5. $[-3, -2[, \,]-2, -1[, \,]-1, 0], \,]0, 1[, \,]1, 3]$

6.

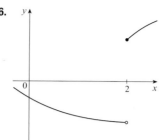

7.

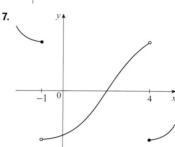

8.

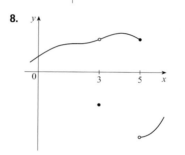

9.

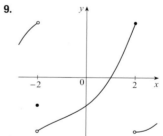

10. a)

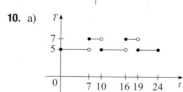

11. a) continue
b) continue
c) continue
d) discontinue
e) discontinue
f) discontinue
g) discontinue

12. 4

18. $\lim_{x \to 0} f(x)$ n'existe pas.

19. $\lim_{x \to 0} f(x) \neq f(0)$

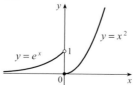

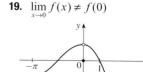

20. continue sur $\mathbb{R}$

21. continue sur $[-3, -1[\cup]2, \infty[$

22. continue sur $\mathbb{R} \setminus \{3\}$

23. continue sur $]-\infty, -3[\cup]-3, 1] \cup]3, \infty[$

24. $\mathbb{R}$ **25.** $\mathbb{R} \setminus \left\{ -\dfrac{1}{2}, 1 \right\}$ **26.** $\mathbb{R} \setminus \{\sqrt[3]{2}\}$

27. $\mathbb{R}$ **28.** $[-1, 0]$ **29.** $]-2, 2[\setminus \{-\pi/2, \pi/2\}$

30. $]-\infty, -1] \cup]0, \infty[$ **31.** $\mathbb{R}$

32. $x = 0$

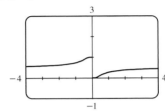

33. $x = \dfrac{\pi}{2} n$ où n est un entier quelconque

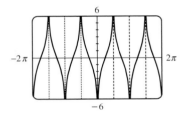

34. $\dfrac{7}{3}$ **35.** 0

36. 1 **37.** $\arctan \dfrac{2}{3} \approx 0{,}588$

41. 0, à gauche

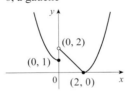

42. 1, à gauche ; 3, à droite

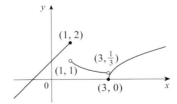

43. 0, à droite ; 1, à gauche   **44.** Oui

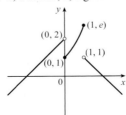

45. $a = \dfrac{1}{2}$, $b = \dfrac{3}{2}$

46. $a = -1$, $b = 3$, $c = \dfrac{2}{3}$, $d = \dfrac{4}{3}$

47. $\dfrac{2}{3}$

48. $a = \dfrac{1}{2}$, $b = \dfrac{1}{2}$

49.

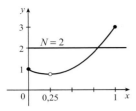

57. b) $]0{,}86 ; 0{,}87[$ **58.** b) $]1{,}34 ; 1{,}35[$

59. b) $70{,}347$ **60.** b) $0{,}520$

65. Aucune   **66.** Continue en $x = 0$

67. Oui   **70.** c) Non

Exercices 2.5

1. a) $-\infty$ b) ∞
  c) $-\infty$ d) ∞
  e) $x = -3$, $x = 2$ et $x = 5$

2. a) $-\infty$ b) ∞
  c) ∞ d) $-\infty$
  e) ∞

3. $-\infty$ **4.** ∞ **5.** ∞ **6.** $-\infty$

7. $-\infty$ **8.** $-\infty$ **9.** $-\infty$ **10.** $-\infty$

11. ∞ **12.** ∞ **13.** $-\infty$ **14.** $-\infty$

15. $-\infty$ **16.** $-\infty$ **17.** ∞ **18.** $-\infty$

19. a) $x = 0$ et $x = \dfrac{3}{2}$ b)

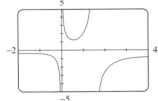

20. $-\infty ; \infty$

21. $\sqrt{1 - v^2/c^2} \to 0^+$ et $m \to \infty$

22. $x \approx \pm 0{,}90, \pm 2{,}24 ; x = \pm \arcsin(\pi/4), \pm(\pi - \arcsin(\pi/4))$

23. ∞ **24.** $-\infty$

25. a) $-\infty$ b) N'existe pas
  c) N'existe pas   d) 0
  e) -3 f) Pas définie

26. $f(-2)$ n'est pas définie.

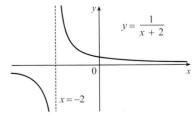

27. $\lim_{x \to 2} f(x)$ n'existe pas.

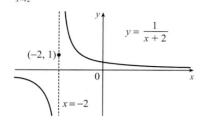

28. a) Lorsque x devient grand, $f(x)$ tend vers 5.
   b) Lorsque x devient grand négatif, $f(x)$ tend vers 3.

29. a) La courbe d'une fonction peut toucher l'asymptote verticale mais non la couper.

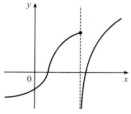

La courbe d'une fonction peut couper l'asymptote horizontale.

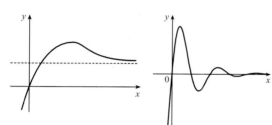

   b) 0, 1 ou 2

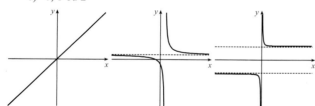

30. a) -2 b) 2
   c) ∞ d) $-\infty$
   e) $x = 1, x = 3 ; y = -2, y = 2$

31. a) 2   b) -1
   c) $-\infty$ d) $-\infty$
   e) ∞ f) $x = 0, x = 2 ; y = -1, y = 2$

32.

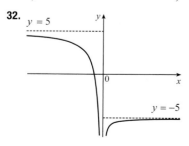

33.

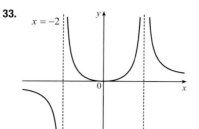

34.

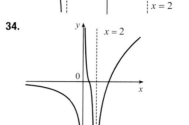

35.

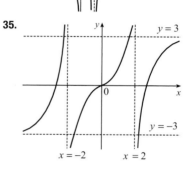

36.

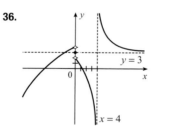

37.

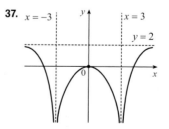

38. 0   **39.** a) 0,14   b) 0,1353

40. $-\infty$ **41.** 0   **42.** ∞

43. $-\infty$ **44.** $-\infty$ **45.** ∞

46. $\dfrac{-2}{15\pi}$ **47.** 0   **48.** N'existe pas

49. $-\infty$ **50.** 0   **51.** $-\infty$

52. 0   **53.** 0   **54.** ∞

55. ∞ **56.** N'existe pas   **57.** $\dfrac{\pi}{2}$

58. 0   **59.** 0   **60.** 0

61. 0   **62.** $-\dfrac{\pi}{2}$

63. Par exemple, $f(x) = \dfrac{2-x}{x^2(x-3)}$

64. Par exemple, $f(x) = \dfrac{x^2}{(x-1)(x-3)}$

65. a) $\frac{5}{4}$ b) 5

66. ∞ ; $-\infty$

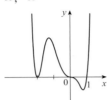

67. $-\infty$; ∞

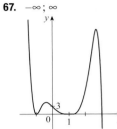

68. ∞ ; $-\infty$

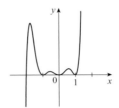

69. a) 0

b) un nombre infini de fois

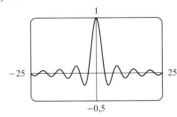

70. a) i)

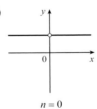

$n = 0$

ii)

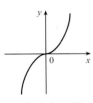

$n > 0$ (n impair)

iii)

$n < 0$ (n pair)

iv)

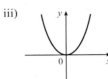

$n < 0$ (n impair)

v)

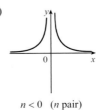

$n < 0$ (n pair)

b) i) $\displaystyle\lim_{x \to 0^+} x^n = \begin{cases} 1 & \text{si } n = 0 \\ 0 & \text{si } n > 0 \\ \infty & \text{si } n < 0 \end{cases}$

ii) $\displaystyle\lim_{x \to 0^-} x^n = \begin{cases} 1 & \text{si } n = 0 \\ 0 & \text{si } n > 0 \\ -\infty & \text{si } n < 0,\ n \text{ impair} \\ \infty & \text{si } n < 0,\ n \text{ pair} \end{cases}$

iii) $\displaystyle\lim_{x \to \infty} x^n = \begin{cases} 1 & \text{si } n = 0 \\ \infty & \text{si } n > 0 \\ 0 & \text{si } n < 0 \end{cases}$

iv) $\displaystyle\lim_{x \to -\infty} x^n = \begin{cases} 1 & \text{si } n = 0 \\ -\infty & \text{si } n > 0,\ n \text{ impair} \\ \infty & \text{si } n > 0,\ n \text{ pair} \\ 0 & \text{si } n < 0 \end{cases}$

71. a) v^*

b)

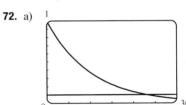

$\approx 0{,}47$ s

72. a)

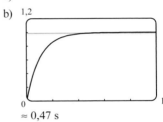

$x > \approx 23{,}03$ s

b) Oui

Exercices 2.6

2. 4   **3.** $\dfrac{4}{5}$

4. N'existe pas   **5.** N'existe pas

6. $\dfrac{6}{5}$ **7.** $\dfrac{1}{4}$

8. $\dfrac{3}{7}$ **9.** N'existe pas

10. -10 **11.** 12   **12.** $\dfrac{1}{12}$

13. $\dfrac{4}{3}$ **14.** $\dfrac{1}{6}$ **15.** $\dfrac{2}{3}$

16. $\dfrac{-1}{16}$ **17.** 0   **18.** 0

19. 1   **20.** 1   **21.** $\dfrac{1}{128}$

22. $\dfrac{-1}{9}$ **23.** $\dfrac{-1}{2}$ **24.** $\dfrac{-4}{5}$

25. $3x^2$ **26.** $\dfrac{-2}{x^3}$

27. a) $\approx \frac{2}{3}$

b)

x	$F(x)$
$-0,001$	$0,666\ 166\ 3$
$-0,000\ 1$	$0,666\ 616\ 7$
$-0,000\ 01$	$0,666\ 661\ 7$
$-0,000\ 001$	$0,666\ 666\ 2$
$0,000\ 001$	$0,666\ 667\ 2$
$0,000\ 01$	$0,666\ 671\ 7$
$0,000\ 1$	$0,666\ 716\ 7$
$0,001$	$0,667\ 166\ 3$

c) $\frac{2}{3}$

28. a) $\approx 0,29$ b) $\approx 0,288\ 7$ c) $\frac{1}{2\sqrt{3}}$

29. N'existe pas

30. 1   **31.** 0

32. a) i) 5   ii) -5
b) N'existe pas
c)

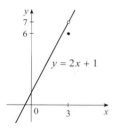

33. 8   **34.** a) 0   b) 0

35. $\frac{1}{2}$ **36.** oui ; 15 ; -1

37.

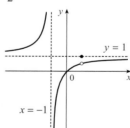

38.

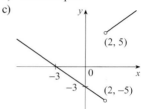

39. $f(2) = 3$ **40.** $f(2) = 3$

41. a) $g(x) = x^3 + x^2 + x + 1$
b) $g(x) = x^2 + x$

42. $\frac{3}{2}$ **43.** 2

44. $\frac{3}{2}$ **45.** 0

46. 0   **47.** 2

48. -1 **49.** $\frac{-1}{2}$

50. 4   **51.** 1

52. 3   **53.** -3

54. $\frac{\sqrt{3}}{4}$ **55.** ∞

56. $\frac{1}{6}$ **57.** -1

58. $\frac{a-b}{2}$ **59.** $-\frac{3}{4}$

60. $-\infty$ **61.** ∞

62. $-\infty$ **63.** ∞

64. 1   **65.** $\frac{-1}{2}$

66. ∞ **67.** 0

68. a) i) 0   ii) $-\infty$ iii) ∞
b) ∞
c)

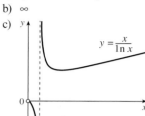

69. a) 0   b) ∞
c) ∞ d) $-\infty$
e)

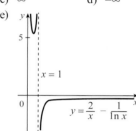

70. a) $-0,5$ b) $-0,5$

71. a) 1,4   b) 1,4434   c) $\frac{5\sqrt{3}}{6}$

72. $y = 2$; $x = 2$

73. $y = \frac{1}{2}$; $x = -\frac{1}{2}$, $x = 2$

74. $y = 2$; $x = -2$, $x = 1$

75. $y = 4$; $x = -3$

76. $y = \frac{2}{3}$; $x = \frac{1}{3}$, $x = -1$

77. $y = -1$; $x = -1$, $x = 0$, $x = 1$

78. $x = 5$

79. $y = 0$; $y = 2$; $x = \ln 5$

80. a)

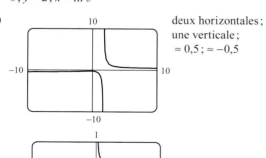

deux horizontales ;
une verticale ;
$\approx 0,5$; $\approx -0,5$

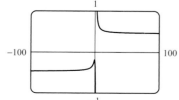

b) $\approx 0,47$; $\approx -0,47$

c) $\dfrac{\sqrt{2}}{3}$; $\dfrac{-\sqrt{2}}{3}$; égales

81. $f(x) = \dfrac{x^2}{(x-1)(x-3)}$

82. $-\infty$; $-\infty$

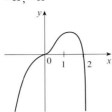

83. $-\infty$; $-\infty$

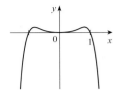

85. a) 0   b) $\pm\infty$

86. 5

87. b) concentration de sel tend vers la concentration de la saumure pompée dans le réservoir, soit 30 g/L

Exercices 2.7

1. a) $\dfrac{f(x) - f(3)}{x - 3}$

b) $\displaystyle\lim_{x \to 3} \dfrac{f(x) - f(3)}{x - 3}$

2.

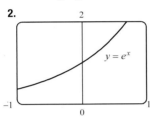

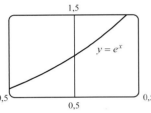

Plus la fenêtre rectangulaire est petite, plus la courbe ressemble à une droite.

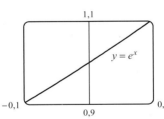

3. a) 2   b) $y = 2x + 1$

c)

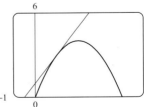

4. a) -2 b) $y = -2x + 2$

c)

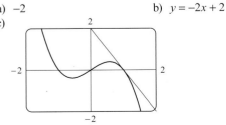

5. $y = -8x + 12$

6. $y = 9x - 15$

7. $y = \frac{1}{2}x + \frac{1}{2}$

8. $y = \frac{1}{3}x + \frac{2}{3}$

9. a) $8a - 6a^2$

b) $y = 2x + 3$, $y = -8x + 19$

c)

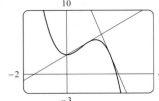

10. a) $-\dfrac{1}{2a^{3/2}}$

b) $y = -\frac{1}{2}x + \frac{3}{2}$, $y = -\frac{1}{16}x + \frac{3}{4}$

c)

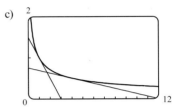

11. a) Vers la droite : $0 < t < 1$ et $4 < t < 6$; vers la gauche : $2 < t < 3$; immobile : $1 < t < 2$ et $3 < t < 4$

b)

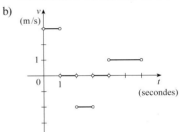

12. b) Entre 9 et 10 secondes   c) $\approx 9,5$ secondes

13. -8 m/s

14. a) 6,28 m/s   b) $(10 - 3,72a)$ m/s

c) $\approx 5,4$ s   d) -10 m/s

15. $-2/a^3$ m/s ; -2 m/s ; $-\frac{1}{4}$ m/s ; $-\frac{2}{27}$ m/s

16. a) i) -1 m/s   ii) $-0,5$ m/s

iii) 1 m/s   iv) 0,5 m/s

b) 0 m/s

c)

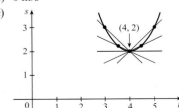

17. $g'(0) < 0 < g'(4) < g'(2) < g'(-2)$

18. a) 10

b) N'importe quel intervalle dont les bornes ont toutes deux la même image

c) [40, 60]

d) $-6\frac{2}{3}$; représente la pente de la sécante passant par les points $(10, f(10))$ à $(40, f(40))$.

19. a) ≈ 26

b) Non

c) Oui

20. $y = 4x - 23$

21. $f(2) = 3$; $f'(2) = 4$

22. $f(4) = 3$; $f'(4) = 1/4$

23.

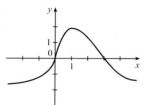

24.

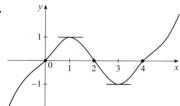

25. 3; $y = 3x - 1$

26. 4; $y = 4x - 5$

27.

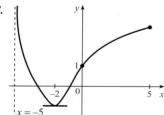

28.

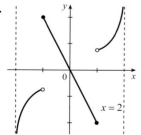

29. a) $-\frac{3}{5}$; $y = -\frac{3}{5}x + \frac{16}{5}$

b)

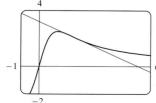

30. a) $8a - 3a^2$; $y = 4x$; $y = -3x + 18$

b)

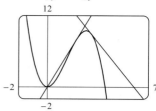

31. $6a - 4$

32. $6a^2 + 1$

33. $\dfrac{5}{(a+3)^2}$

34. $\dfrac{-2}{a^3}$

35. $-\dfrac{1}{\sqrt{1-2a}}$

36. $\dfrac{2}{(1-a)^{3/2}}$

37. $f(x) = \sqrt{x}$ et $a = 9$

38. $f(x) = \dfrac{1}{x}$ et $a = \dfrac{1}{4}$

39. $f(x) = x^{10}$, $a = 1$ ou $f(x) = (1+x)^{10}$, $a = 0$

40. $f(x) = \sqrt[4]{x}$, $a = 16$ ou $f(x) = \sqrt[4]{16+x}$, $a = 0$

41. $f(x) = 2^x$, $a = 5$

42. $f(x) = \tan x$ et $a = \pi/4$

43. $f(x) = \cos x$, $a = \pi$ ou $f(x) = \cos(\pi + x)$, $a = 0$

44. $f(t) = t^4 + t$, $a = 1$

45. 1 m/s

46. $-1{,}04$ m/s

47.

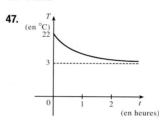

Supérieur (en valeur absolue)

48. $\approx -0{,}4\ °C/min$

49. a) i) $-0{,}15\dfrac{\text{mg/mL}}{\text{h}}$

ii) $-0{,}12\dfrac{\text{mg/mL}}{\text{h}}$

iii) $-0{,}12\dfrac{\text{mg/mL}}{\text{h}}$

iv) $-0{,}11\dfrac{\text{mg/mL}}{\text{h}}$

b) Après 2 heures, la CAS diminue à un taux de $0{,}12$ (mg/mL)/h.

50. a) i) 2120 établissements par année

ii) 89 établissements par année

b) $346{,}5$ établissements par année

c) $312{,}5$ établissements par année

51. a) i) $20{,}25$ \$/unité

ii) $20{,}05$ \$/unité

b) 20 \$/unité

52. a) $\dfrac{2000}{9}(t-60)$ L/min

t	Débit (L/min)	Volume d'eau restant $V(t)$ (L)
0	$-13\,333,\overline{3}$	400 000
10	$-11\,111,\overline{1}$	$277\,777,\overline{7}$
20	$-8\,888,\overline{8}$	$177\,777,\overline{7}$
30	$-6\,666,\overline{6}$	100 000
40	$-4\,444,\overline{4}$	$44\,444,\overline{4}$
50	$-2\,222,\overline{2}$	$11\,111,\overline{1}$
60	0	0

b) Débit maximal au début, puis décroît graduellement jusqu'à 0

53. a) Le taux de variation du coût de production d'un gramme d'or; en dollars par gramme

b) Le 800ᵉ g d'or coûte 17 $ à produire.

c) Décroître à court terme; peut croître à long terme

54. a) Le taux de croissance de la population de bactéries au temps $t = 5$ heures; en bactéries par heure

b) $f'(5) < f'(10)$; diminuerait

55. Le taux auquel la température varie à 10 h; 1,15 °C/h

56. a) Le taux de variation de la quantité de café vendue en fonction du prix par kilogramme lorsque celui-ci est de 3 $/kg; en kilogrammes/(dollars/kilogramme)

b) Négative

57. a) La vitesse à laquelle la solubilité de l'oxygène varie par rapport à la température de l'eau; en (mg/L)/°C

b) $S'(16) \approx -0{,}25$ (mg/L)/°C; lorsque la température dépasse 16 °C, la solubilité de l'oxygène diminue à la vitesse de 0,25 (mg/L)/°C

58. a) Le taux de variation de la vitesse maximale soutenable du saumon coho en fonction de la température; en centimètres par seconde, par degré Celsius (cm/s)/°C

b) $S'(15) \approx 0{,}7$ (cm/s)/°C; $S'(25) \approx -2$ (cm/s)/°C

59. N'existe pas

60. 0

Exercices 2.8

1. a) $-0{,}2$
b) 0
c) 1
d) 2
e) 1
f) 0
g) $-0{,}2$

2. a) 6
b) 0
c) $-1{,}5$
d) $-1{,}3$
e) $-0{,}8$
f) $-0{,}3$
g) 0
h) 0,2

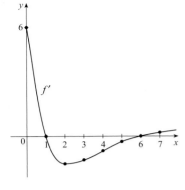

3. a) II   b) IV   c) I   d) III

4.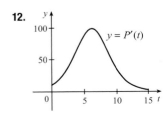

5.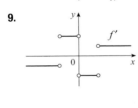

6.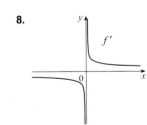

7.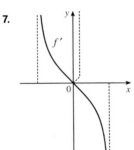

8.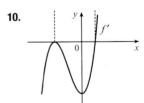

9.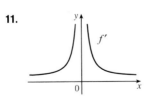

10.

11.

12.

La culture de levure croît le plus rapidement après 6 heures, puis son taux de croissance décline.

13. a) Le taux de variation instantané du pourcentage de pleine capacité par rapport au temps écoulé, en heures

b)
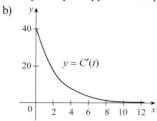

Le taux de variation du pourcentage de pleine capacité décroît et s'approche de 0.

14. a) Le taux de variation instantané de l'économie d'essence en fonction de la vitesse

b)
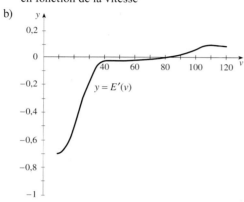

c) 80 km/h

15.
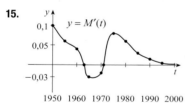

De 1963 à 1971

16. Voir la figure 3.3.1 à la page 212.

17.
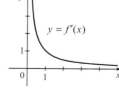

$f'(x) = e^x$

18. $f'(x) = 1/x^2$ ou $f'(x) = 1/x$
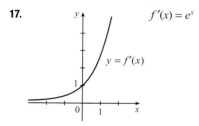

19. a) $0\,;1\,;2\,;4$ b) $-1\,;-2\,;-4$ c) $f'(x) = 2x$

20. a) $0\,;0,75\,;3\,;12\,;27$ b) $0,75\,;3\,;12\,;27$

c)
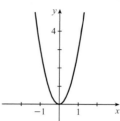

d) $f'(x) = 3x^2$

21. $f'(x) = \frac{1}{2}$; $\mathbb{R}$; $\mathbb{R}$

22. $f'(x) = m$; $\mathbb{R}$; $\mathbb{R}$

23. $f'(x) = 5 - 18t$; $\mathbb{R}$; $\mathbb{R}$

24. $f'(x) = 3x - 1$; $\mathbb{R}$; $\mathbb{R}$

25. $f'(x) = 2x - 6x^2$; $\mathbb{R}$; $\mathbb{R}$

26. $g'(t) = -\dfrac{1}{2t^{3/2}}$; $]0, \infty[$; $]0, \infty[$

27. $g'(x) = \dfrac{-1}{2\sqrt{9-x}}$; $]-\infty, 9]$; $]-\infty, 9[$

28. $f'(x) = \dfrac{2x^2 - 6x + 2}{(2x-3)^2}$; $\mathbb{R} \setminus \{\frac{3}{2}\}$; $\mathbb{R} \setminus \{\frac{3}{2}\}$

29. $G'(t) = \dfrac{-7}{(3+t)^2}$; $\mathbb{R} \setminus \{-3\}$; $\mathbb{R} \setminus \{-3\}$

30. $f'(x) = \frac{3}{2}x^{1/2}$; $[0, \infty[$; $[0, \infty[$

31. $f'(x) = 4x^3$; $\mathbb{R}$; $\mathbb{R}$

32. a)
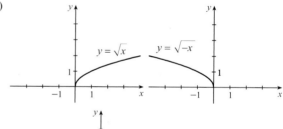
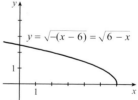

c) $f'(x) = \dfrac{-1}{2\sqrt{6-x}}$; $]-\infty, 6]$; $]-\infty, 6[$

d)
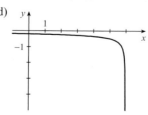

33. a) $f'(x) = 4x^3 + 2$

34. a) $f'(x) = 1 - \dfrac{1}{x^2}$

35. a) Le rythme auquel le taux de chômage varie, en pourcentage de chômeurs par année

b)

t	$C'(t)$	t	$C'(t)$
2006	−0,8	2011	−0,15
2007	−0,45	2012	−0,15
2008	0,65	2013	0
2009	0,4	2014	0
2010	−0,35	2015	−0,1

36. a) Le taux auquel le pourcentage de Canadiens de moins de 15 ans varie en fonction du temps, en pourcentage par année (%/année)

b)

t	$C'(t)$	t	$C'(t)$
1956	0,04	1996	−0,18
1966	−0,345	2006	−0,195
1976	−0,58	2016	−0,11
1986	−0,255		

c)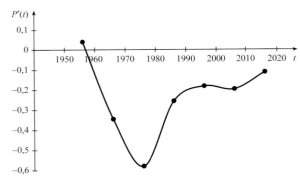

d) En rassemblant des données sur des années intermédiaires, soit les années 1961, 1971, 1981, 1991, 2001 et 2011

37. Les unités pour $m'(x)$ sont les grammes par degré Celsius (g/°C).

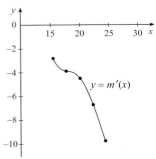

x	$m(x)$	$m'(x)$
15,5	37,2	−2,82
17,7	31,0	−3,84
20,0	19,8	−4,54
22,4	9,7	−6,98
24,4	−9,8	−9,75

38. a) Taux auquel change le pourcentage de l'alimentation électrique de la ville produite par des panneaux solaires par rapport au temps t

39. −4 (point anguleux) ; 0 (discontinuité)

40. −1 (discontinuité) ; 2 (point anguleux)

41. 1 (non définie) ; 5 (tangente verticale)

42. −2 et 3 (points anguleux) ; 1 (discontinuité)

43.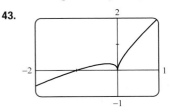

Dérivable en −1 ; non dérivable en 0

44.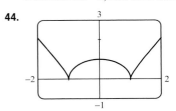

Dérivable en 0 ; non dérivable en ±1

45. $f''(1)$

46. $f'(-1)$

47. $a = f,\ b = f',\ c = f^2$

48. $a = f''',\ b = f'',\ c = f',\ d = f$

49. $a =$ accélération, $b =$ vitesse, $c =$ position

50. $a =$ suraccélération, $b =$ accélération, $c =$ vitesse, $d =$ position

51. $6x + 2$; 6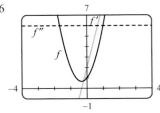

52. $3x^2 - 3$; $6x$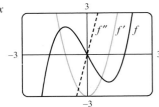

53. $f'(x) = 4x - 3x^2$, $f'''(x) = -6$,
$f''(x) = 4 - 6x$, $f^{(4)}(x) = 0$

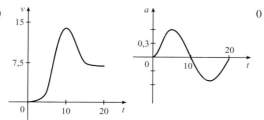

54. a)

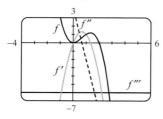

b) $-0,15 \text{ m/s}^3$

55. a) $f'(a) = \dfrac{1}{3a^{2/3}}$

56. b) $g'(a) = \dfrac{2}{3a^{1/3}}$

d)

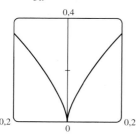

57. $f'(x) = \begin{cases} -1 & \text{si } x < 6 \\ 1 & \text{si } x > 6 \end{cases}$ ou $f'(x) = \dfrac{x-6}{|x-6|}$

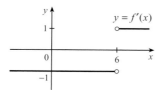

58. f n'est pas dérivable en aucun entier n ;
$f'(x) = 0$ si x n'est pas un entier

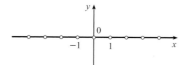

59. a)

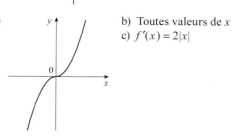

b) Toutes valeurs de x
c) $f'(x) = 2|x|$

60. a) $f'_-(4) = -1$; $f'_+(4) = 1$ b)

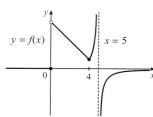

c) 0 et 5   d) 0, 4 et 5

62. a)

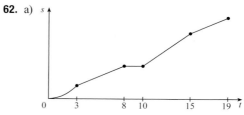

c)

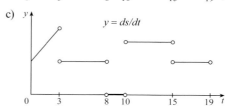

63. a)

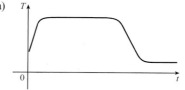

c)

64. arctan $2 \approx 63°$

Révision

Vrai ou faux

1. Faux   **2.** Faux   **3.** Vrai

4. Faux   **5.** Vrai   **6.** Vrai

7. Faux   **8.** Faux   **9.** Vrai

10. Faux   **11.** Vrai   **12.** Faux

13. Vrai   **14.** Faux   **15.** Faux

16. Faux   **17.** Vrai   **18.** Vrai

19. Faux   **20.** Faux   **21.** Vrai

22. Faux   **23.** Vrai   **24.** Vrai

25. Faux

Exercices récapitulatifs

1. a)   i) 3   ii) 0

iii) N'existe pas   iv) 2

v) ∞   vi) −∞

vii) 4   viii) −1

b) $y = -1, y = 4$

c) $x = 0, x = 2$

d) $-3, 0, 2$ et 4

2.

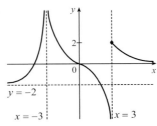

3. 1   **4.** 0   **5.** $\dfrac{3}{2}$

6. $-\infty$ **7.** 3   **8.** $\dfrac{1}{3}$

9. ∞ **10.** -1 **11.** $\dfrac{4}{7}$

12. $-\dfrac{5}{54}$ **13.** $\dfrac{1}{2}$ **14.** $-\dfrac{1}{2}$

15. $-\infty$ **16.** $-\infty$ **17.** 2

18. 0   **19.** $\pi/2$ **20.** -1

21. $x = 0, y = 0$ **22.** $y = -1, y = 1$ **23.** 1

25. a)   i) 3   ii) 0
iii) N'existe pas   iv) 0
v) 0   vi) 0

b) En 0 et 3

c)

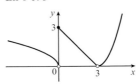

26. a) continue en 2 ; continue en 3 ; continue à droite en 4

b)

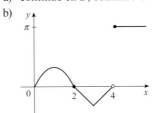

27. $\mathbb{R}$ **28.** $]-\infty, -3] \cup [3, \infty[$

31. a) -8 b) $y = -8x + 17$

32. $y = 6x + 2$; $y = \frac{3}{8}x + \frac{7}{8}$

33. a)   i) 3 m/s   ii) 2,75 m/s
iii) 2,625 m/s   iv) 2,525 m/s

b) 2,5 m/s

34. a) $-0,016\dfrac{\text{kPa}}{\text{L}^3}$ b) $V = 800/P$

35. a) 10   b) $y = 10x - 16$

c)

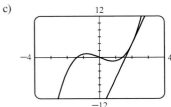

36. $f(x) = x^6$ et $a = 2$

37. a) Le taux de variation du coût par rapport au taux d'intérêt ; en dollars/(pourcentage annuel)

b) Lorsque le taux d'intérêt dépasse 10 %, le coût augmente au taux de 1200 \$/(pourcentage annuel)

c) Toujours positive

38.   **39.**

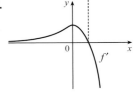

40.

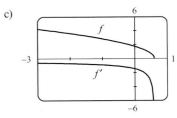

41. a) $f'(x) = \dfrac{-5}{2\sqrt{3 - 5x}}$ b) $]-\infty, \frac{3}{5}], \;]-\infty, \frac{3}{5}[$

c)

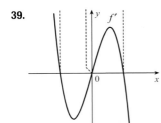

42. a) $y = -1$; $x = -3$

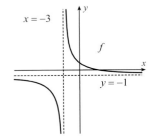

b)

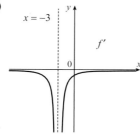

c) $f'(x) = -\dfrac{7}{(3+x)^2}$

43. −4 (discontinuité), −1 (point anguleux), 2 (discontinuité), 5 (tangente verticale)

44. $a = f$; $b = f''$; $c = f'$

45. Le taux auquel le total des prêts personnels au Canada varie, en milliards de dollars par année ; 1,31 milliard \$/année

46. a) 0, −0,35, 0,07

b) Le taux de variation du nombre moyen d'enfants auxquels une femme donne naissance était nul en 1957, en baisse de 0,35 en 1965 et en hausse de 0,07 en 2005.

47. 0

48. a) $\lim\limits_{x \to a} f(x)$ existe (et est égale à −1) pour toute valeur de a

b) discontinue en toute valeur entière

Problèmes supplémentaires

1. $\frac{2}{3}$ 　　　　　　**2.** $a = b = 4$ 　　　　**3.** −4

4. Position limite de Q est $(0, \frac{1}{2})$

5. a) N'existe pas 　　b) 1

6. a)

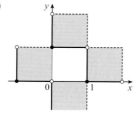

b)

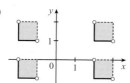

c)

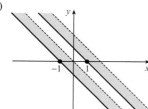

d)

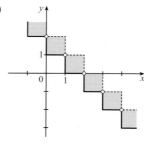

7. $a = \frac{1}{2} \pm \frac{1}{2}\sqrt{5}$

8. a)

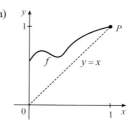 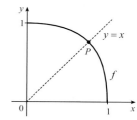

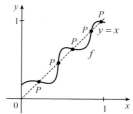

9. $\frac{3}{4}$

10. a) Position limite de P est $(\frac{2}{3}, 0)$

b) $y^2 = x(3x - 2)$

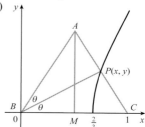

11. b) Oui

c) Oui pour la pression barométrique ; non pour l'altitude

13. a) 0 　　　　　b) 1 　　　　　c) $f'(x) = x^2 + 1$

CHAPITRE 3

Exercices 3.1

1. a) Voir la page 200 　　　　b) 0,99 ; 1,03 ; 2,7 < e < 2,8

2. a)

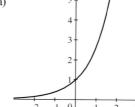

f passe par (0, 1) et la pente à $x = 0$ est 1.

b) $f(x)$: fonction exponentielle; $g(x)$: fonction puissance

c) $f(x)$

3. $f'(x) = 0$

4. $f'(x) = 0$

5. $f'(t) = -\frac{2}{3}$

6. $F'(x) = 6x^7$

7. $f'(x) = 3x^2 - 4$

8. $f'(t) = 7t^4 - 5t$

9. $g'(x) = 2x - 6x^2$

10. $h'(x) = 4x - 1$

11. $H'(u) = 6u + 5$

12. $g'(t) = -\frac{3}{2}t^{-7/4}$

13. $B'(y) = -6cy^{-7}$

14. $A'(s) = 60/s^6$

15. $y' = \frac{5x^{2/3}}{3} - \frac{2}{3x^{1/3}}$

16. $R'(a) = 18a + 6$

17. $h'(t) = \frac{1}{4t^{3/4}} - 4e^t$

18. $S'(p) = \frac{1}{2}p^{-1/2} - 1$

19. $y' = \frac{2}{3}x^{-2/3} + \frac{4}{3}x^{1/3}$ ou $\frac{2}{3\sqrt[3]{x^2}} + \frac{4}{3}\sqrt[3]{x}$

20. $y' = \frac{3x - 1}{2\sqrt{x}}$

21. $y' = 3e^x - \frac{4}{3x^{4/3}}$

22. $S'(R) = 8\pi R$

23. $h'(u) = 3Au^2 + 2Bu + C$

24. $y' = -\frac{3}{2x^{5/2}} - \frac{1}{x^2}$

25. $y' = \frac{3}{2}\sqrt{x} + \frac{2}{\sqrt{x}} - \frac{3}{2x\sqrt{x}}$

26. $G'(t) = \frac{\sqrt{5}}{2\sqrt{t}} - \frac{\sqrt{7}}{t^2}$

27. $j'(x) = 2,4x^{1,4}$

28. $k'(r) = e^r + er^{e-1}$

29. $H'(x) = 3x^2 + 3 - 3x^{-2} - 3x^{-4}$

30. $F'(z) = -\frac{2A}{z^3} - \frac{B}{z^2}$ ou $-\frac{2A + Bz}{z^3}$

31. $f'(v) = -\frac{2}{3v^{5/3}} - 2e^v$

32. $D'(t) = -\frac{3}{64}t^{-4} - \frac{1}{4}t^{-2}$ ou $-\frac{3}{64t^4} - \frac{1}{4t^2}$

33. $z' = -10A/y^{11} + Be^y$

34. $y' = e^{x+1}$

35. $y - 3 = 4(x - 1)$ ou $y = 4x - 1$

36. $y - 2 = 3(x - 0)$ ou $y = 3x + 2$

37. $y - 3 = \frac{1}{2}(x - 2)$ ou $y = \frac{1}{2}x + 2$

38. $y - 0 = -\frac{3}{4}(x - 1)$ ou $y = -\frac{3}{4}x + \frac{3}{4}$

39. Tangente: $y = 2x + 2$; normale: $y = -\frac{1}{2}x + 2$

40. Tangente: $y = -2x + 2$; normale: $y = \frac{1}{2}x - \frac{1}{2}$

41. $y = 3x - 1$

42. $y = \frac{1}{2}x - \frac{1}{2}$

43. $f'(x) = 4x^3 - 6x^2 + 2x$

44. $f'(x) = 5x^4 - 6x^2 + 1$

45. a)

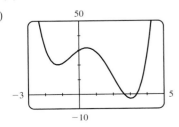

c) $f'(x) = 4x^3 - 9x^2 - 12x + 7$

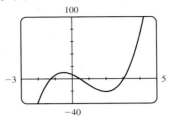

46. a)

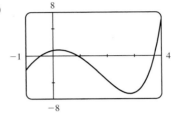

b)

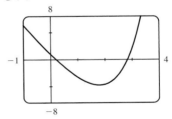

c) $g'(x) = e^x - 6x$

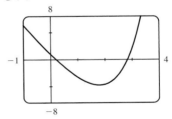

47. $f'(x) = 100x^9 + 25x^4 - 1$; $f''(x) = 900x^8 + 100x^3$

48. $G'(r) = \frac{1}{2}r^{-1/2} + \frac{1}{3}r^{-2/3}$; $G''(r) = -\frac{1}{4r^{3/2}} - \frac{2}{9r^{5/3}}$

49. $f'(x) = 2 - \frac{15}{4}x^{-1/4}$; $f''(x) = \frac{15}{16x^{5/4}}$

50. $f'(x) = e^x - 3x^2$; $f''(x) = e^x - 6x$

51. a) $v(t) = 3t^2 - 3$; $a(t) = 6t$

b) 12 m/s^2

c) $a(1) = 6 \text{ m/s}^2$

52. a) $v(t) = s'(t) = 4t^3 - 6t^2 + 2t - 1$;
$a(t) = v'(t) = 12t^2 - 12t + 2$

b) 2 m/s^2

c)

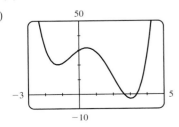

53. a) $V = 5,3/P$

b) $-0,002\ 12$; le taux de variation instantané du volume par rapport à la pression à 25 °C ; m³/kPa

54. a) $L = aP^2 + bP + c$ où $a \approx -0,009\ 369$, $b \approx 4,633\ 117$ et $c \approx -443,199\ 661$

b) $0,89$; $-0,61$; (milliers de kilomètres)/(kPa)

55. $(-2, 21)$, $(1, -6)$

56. $\ln 2$

58. $y = 32x - 47$

59. $y = 3x - 3$ et $y = 3x - 7$

60. $(\ln 3 ; 7 - 3 \ln 3) \approx (1,1 ; 3,7)$

61. $y = -2x + 3$

62. $\left(\frac{3}{2}, \frac{5}{4}\right)$

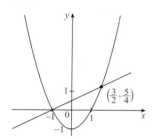

63. $(\pm 2, 4)$

64. a) $y = -x - 1$; $y = 11x - 25$

b)

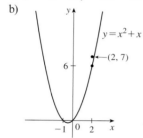

66. a) $f^{(n)}(x) = n!$

b) $f^{(n)}(x) = \dfrac{(-1)^n n!}{x^{n+1}}$

67. $P(x) = x^2 - x + 3$

68. $A = -\frac{1}{2}$; $B = -\frac{1}{2}$; $C = -\frac{3}{4}$

69. $y = \frac{3}{16}x^3 - \frac{9}{4}x + 3$

70. $y = 3x^2 - 2x + 7$

71. Non

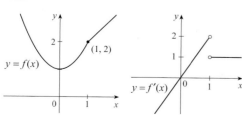

72. Dérivable en $x = 0$; $g'(x) = \begin{cases} 2 & \text{si} & x \le 0 \\ 2 - 2x & \text{si} & 0 < x < 2 \\ -1 & \text{si} & x > 2 \end{cases}$

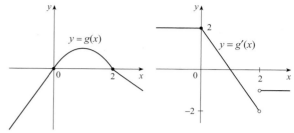

73. a) Non dérivable en 3 ou -3

$f'(x) = \begin{cases} 2x & \text{si} & |x| > 3 \\ -2x & \text{si} & |x| < 3 \end{cases}$

b)

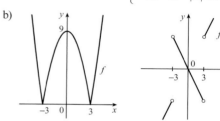

74. Non dérivable en $x = -2$ et $x = 1$; $h'(x) = \begin{cases} -2 & \text{si} & x < -2 \\ 0 & \text{si} & -2 < x < 1 \\ 2 & \text{si} & x > 1 \end{cases}$

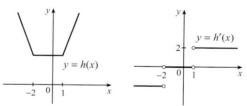

75. $y = 2x^2 - x$

76. $y = x^4 + x^3 - 6x^2 + 2x + 1$

77. $a = -\frac{1}{2}$; $b = 2$

78. $c = 6$

79. $c = -\dfrac{1}{3}$

81. $m = 4$, $b = -4$

83. 1000

84.

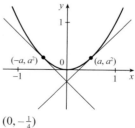

$\left(0, -\frac{1}{4}\right)$

85. 3 ; 1

86. $y = x - \frac{1}{4}$

Exercices 3.2

1. $f'(x) = 1 - 2x + 6x^2 - 8x^3$

2. $F'(x) = 2x - 5 - \dfrac{3}{2x^{5/2}}$

3. $f'(x) = e^x(x^3 + 3x^2 + 2x + 2)$

4. $g'(x) = e^x(x + 2\sqrt{x} + 1 + 1/\sqrt{x})$

5. $y' = \dfrac{1-x}{e^x}$

6. $y' = \dfrac{e^x}{(1-e^x)^2}$

7. $g'(x) = \dfrac{10}{(3-4x)^2}$

8. $G'(x) = \dfrac{2x^2 + 2x + 4}{(2x+1)^2}$

9. $H'(u) = 2u - 1$

10. $J'(v) = 1 + \dfrac{1}{v^2} + \dfrac{6}{v^4}$

11. $F'(y) = 5 + \dfrac{14}{y^2} + \dfrac{9}{y^4}$

12. $f'(z) = 1 - ze^z - 2e^{2z}$

13. $y' = \dfrac{x(-x^3 - 3x - 2)}{(x^3 - 1)^2}$

14. $y' = \dfrac{2-x}{2\sqrt{x}(2+x)^2}$

15. $y' = \dfrac{t^4 - 8t^3 + 6t^2 + 9}{(t^2 - 4t + 3)^2}$

16. $y' = -\dfrac{3t^2 + 4t}{(t^3 + 2t^2 - 1)^2}$

17. $y' = e^p(1 + \frac{3}{2}\sqrt{p} + p + p\sqrt{p})$

18. $h'(r) = \dfrac{abe^r}{(b+e^r)^2}$

19. $y' = \dfrac{3 - 2\sqrt{s}}{2s^{5/2}}$

20. $y' = \dfrac{5z^2 + e^z + 2ze^z}{2\sqrt{z}}$

21. $f'(t) = \dfrac{-2t - 3}{3t^{2/3}(t-3)^2}$

22. $V'(t) = -\dfrac{(t+2)^2}{t^2 e^t}$

23. $f'(x) = \dfrac{xe^x(x^3 + 2e^x)}{(x^2 + e^x)^2}$

24. $F'(t) = -\dfrac{A(B + 2Ct)}{t^2(B + Ct)^2}$

25. $f'(x) = \dfrac{2cx}{(x^2 + c)^2}$

26. $f'(x) = \dfrac{ad - bc}{(cx + d)^2}$

27. $f'(x) = e^x(x^3 + 3x^2 + 1)$; $f''(x) = e^x(x^3 + 6x^2 + 6x + 1)$

28. $f'(x) = \dfrac{2x+1}{2\sqrt{x}}e^x$; $f''(x) = \dfrac{4x^2 + 4x - 1}{4x^{3/2}}e^x$

29. $f'(x) = \dfrac{2x^2 + 2x}{(1 + 2x)^2}$; $f''(x) = \dfrac{2}{(1 + 2x)^3}$

30. $f'(x) = \dfrac{-x^2 - 1}{(x^2 - 1)^2}$; $f''(x) = \dfrac{2x^3 + 6x}{(x^2 - 1)^3}$

31. $y = \frac{2}{3}x - \frac{2}{3}$

32. $y = e$

33. $y = 2x$; $y = -\frac{1}{2}x$

34. $y = 1$; $x = 1$

35. a) $y = \frac{1}{2}x + 1$ b)

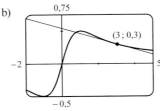

36. a) $y = -0,08x + 0,54$ b)

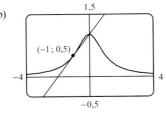

37. a) $e^x(x^3 + 3x^2 - x - 1)$ b)

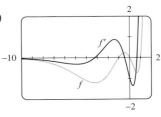

38. a) $f'(x) = \dfrac{e^x(2x^2 - 3x)}{(2x^2 + x + 1)^2}$

b)

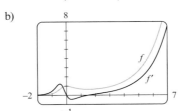

39. a) $f'(x) = \dfrac{4x}{(x^2 + 1)^2}$; $f''(x) = \dfrac{4(1 - 3x^2)}{(x^2 + 1)^3}$

b)

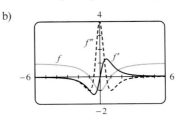

40. a) $f'(x) = e^x(x^2 + 2x - 1)$; $f''(x) = e^x(x^2 + 4x + 1)$

b)

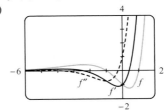

41. $\frac{1}{4}$

42. $g^{(n)}(x) = \dfrac{(x - n)(-1)^n}{e^x}$

43. a) -16 b) $-\frac{20}{9}$ c) 20

44. a) -38 b) -29 c) $\frac{13}{16}$ d) $-\frac{3}{2}$

45. 7

46. $-2,5$

47. $y = -2x + 18$

48. 200

49. a) 0 b) $-\frac{2}{3}$

50. a) $\frac{3}{2}$ b) $\frac{43}{12}$

51. a) $y' = g(x) + xg'(x)$

b) $y' = \dfrac{g(x) - xg'(x)}{[g(x)]^2}$

c) $y' = \dfrac{g'(x)x - g(x)}{x^2}$

52. a) $y' = (2x)f(x) + x^2 f'(x)$

b) $y' = \dfrac{f'(x)x - 2f(x)}{x^3}$

c) $y' = \dfrac{(2x)f(x) - x^2 f'(x)}{[f(x)]^2}$

d) $y' = \dfrac{xf(x) + 2x^2 f'(x) - 1}{2x^{3/2}}$

53. Deux ; $\left(-2 \pm \sqrt{3}, \frac{1}{2}\left(1 \mp \sqrt{3}\right)\right)$ **54.** $y = \frac{1}{2}x - \frac{1}{2}$; $y = \frac{1}{2}x + \frac{7}{2}$

55. 1

56. 4

57. 413 602 000 \$/an

58. b) 3000 \$/(\$/m)

59. $\dfrac{dv}{d[S]} = \dfrac{0,0021}{(0,015+[S])^2}$

60. 174,8 g/semaine

61. c) $3e^{3x}$

62. b) $F''' = f'''g + 3f''g' + 3f'g'' + fg'''$;
$$F^{(4)} = f^{(4)}g + 4f'''g' + 6f''g'' + 4f'g''' + fg^{(4)}$$

c) $F^{(n)} = f^{(n)}g + nf^{(n-1)}g' + \begin{pmatrix} n \\ 2 \end{pmatrix}f^{(n-2)}g'' + \ldots$

$+ \begin{pmatrix} n \\ k \end{pmatrix}f^{(n-k)}g^{(k)} + \ldots + nf'g^{(n-1)} + fg^{(n)}$ où

$\begin{pmatrix} n \\ k \end{pmatrix} = \dfrac{n!}{k!(n-k)!} = \dfrac{n(n-1)(n-2)\cdots(n-k+1)}{k!}$

63. $f'(x) = (x^2 + 2x)e^x, f''(x) = (x^2 + 4x + 2)e^x$,
$f'''(x) = (x^2 + 6x + 6)e^x, f^{(4)}(x) = (x^2 + 8x + 12)e^x$,
$f^{(5)}(x) = (x^2 + 10x + 20)e^x ; f^{(n)}(x) = [x^2 + 2nx + n(n-1)]e^x$

Exercices 3.3

1. $f'(x) = 6x + 2 \sin x$

2. $f'(x) = \dfrac{\sin x}{2\sqrt{x}} + \sqrt{x}\cos x$

3. $f'(x) = \cos x - \frac{1}{2}\csc^2 x$

4. $f'(x) = 2x \sin x + x^2 \cos x$

5. $f'(x) = \cos x - x \sin x + 2 \sec^2 x$

6. $f'(x) = e^x(\cos x - \sin x)$

7. $y' = 2 \sec x \tan x + \csc x \cot x$

8. $y' = \sec \theta (\sec^2\theta + \tan^2\theta)$

9. $g'(\theta) = e^\theta(\tan\theta - \theta + \sec^2\theta - 1)$

10. $y' = -c \sin t + t(t \cos t + 2 \sin t)$

11. $f'(t) = \dfrac{-\csc^2 t - \cot t}{e^t}$

12. $y' = \dfrac{2 - \tan x + x\sec^2 x}{(2 - \tan x)^2}$

13. $y' = \cos^2\theta - \sin^2\theta$ [ou $\cos 2\theta - \theta$]

14. $f'(\theta) = \dfrac{\sec\theta\tan\theta}{(1+\sec\theta)^2}$

15. $f'(\theta) = \dfrac{1}{1+\cos\theta}$

16. $y' = \dfrac{1}{1-\sin x}$

17. $y' = \dfrac{(t^2 + t)\cos t + \sin t}{(1+t)^2}$

18. $y' = \dfrac{\sec x(1 - \sec x)}{\tan^2 x}$

19. $y' = \dfrac{\cos t + \sin t - \tan t \sec t}{(1+\tan t)^2}$

20. $f'(t) = e^t(\cos t + t \cot t - t \csc^2 t)$

21. $f'(x) = e^x \csc x(-x \cot x + x + 1)$

22. $f'(x) = x \sin x(2 \tan x + x + x \sec^2 x)$

27. $y = x + 1$

28. $y = x + 1$

29. $y = x - \pi - 1$

30. $y = 2x - \pi$

31. a) $y = 2x$

b) $\dfrac{3\pi}{2}$

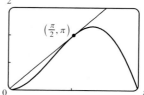

$\left(\frac{\pi}{2}, \pi\right)$

32. a) $y = (3 - 3\sqrt{3})x + 3 + \pi\sqrt{3}$

b)

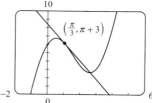

$\left(\frac{\pi}{3}, \pi + 3\right)$

33. a) $\sec x \tan x - 1$

b)

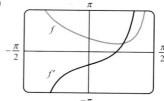

34. a) $e^x(\cos x - \sin x)$; $-2e^x \sin x$

b)

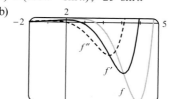

35. $\theta \cos\theta + \sin\theta$; $2 \cos\theta - \theta \sin\theta$

36. $3\sqrt{2}$

37. a) $f'(x) = (1 + \tan x)/\sec x$
b) $f'(x) = \cos x + \sin x$

38. a) $2 - \sqrt{3}$ b) $\dfrac{1 - 2\sqrt{3}}{16}$

39. $(2n+1)\pi \pm \frac{1}{3}\pi$, n est un entier

40. $x = \frac{\pi}{4} + n\pi$, n est un entier

41. a) $v(t) = 8 \cos t$; $a(t) = -8 \sin t$

b) $4\sqrt{3}$; -4 ; $-4\sqrt{3}$; vers la gauche

42. a) $v(t) = -2 \sin t + 3 \cos t$; $a(t) = -2 \cos t - 3 \sin t$

b)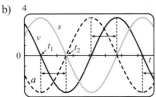

c) $t \approx 2,55$ s

d) 3,6 cm

e) $t = t_2 + n\pi$ où n est un entier positif

43. 1,5 m/rad

44. a) $\dfrac{dF}{d\theta} = \dfrac{\mu P(\sin\theta - \mu\cos\theta)}{(\mu\sin\theta + \cos\theta)^2}$ b) $\theta = \arctan \mu$

c)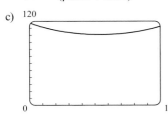

45. 3   **46.** $\frac{5}{3}$ **47.** $\dfrac{1}{\pi}$

48. 3   **49.** 0   **50.** $-\frac{3}{4}$

51. 15   **52.** $\frac{1}{2}$ **53.** 1

54. 0   **55.** $-\sqrt{2}$ **56.** $\frac{1}{3}$

57. $-\cos x$ **58.** $-35 \sin x - x \cos x$

59. $A = -\frac{3}{10}$; $B = -\frac{1}{10}$

60. a) 1   b) 0

c)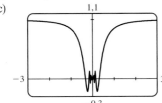

61. a) $\sec^2 x = \dfrac{1}{\cos^2 x}$ b) $\sec x \tan x = \dfrac{\sin x}{\cos^2 x}$

c) $\cos x - \sin x = \dfrac{\cot x - 1}{\csc x}$

62. 0   **63.** 1

64. a) 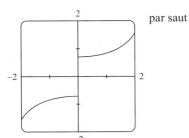   par saut

b) $-\dfrac{\sqrt{2}}{2}$; $\dfrac{\sqrt{2}}{2}$

Exercices 3.4

1. $\dfrac{4}{3\sqrt[3]{(1+4x)^2}}$ **2.** $24x^2(2x^3 + 5)^3$

3. $\pi \sec^2 \pi x$ **4.** $-\cos(\cot x)\csc^2 x$

5. $\dfrac{e^{\sqrt{x}}}{2\sqrt{x}}$ **6.** $\dfrac{-e^x}{2\sqrt{2-e^x}}$

7. $F'(x) = 24x^{11}(5x^3 + 2)^3(5x^3 + 1)$

8. $F'(x) = 99(1 + x - x^2)^{98}(1 + 2x)$

9. $f'(x) = \dfrac{5}{2\sqrt{5x+1}}$ **10.** $f'(x) = \dfrac{-2\sec x\tan x}{(1 + \sec x)^3}$

11. $f'(z) = \dfrac{-2z}{(z^2 + 1)^2}$ **12.** $f'(x) = \dfrac{-2x}{3(x^2 - 1)^{4/3}}$

13. $f'(\theta) = -2\theta \sin(\theta^2)$ **14.** $g'(\theta) = -\sin 2\theta$

15. $y' = xe^{-3x}(2 - 3x)$ **16.** $f'(t) = \sin \pi t + \pi t \cos \pi t$

17. $f'(t) = e^{at}(b \cos bt + a \sin bt)$ **18.** $g'(x) = e^{x^2 - x}(2x - 1)$

19. $f'(t) = e^t \cos(e^t) + e^{\sin t} \cos t$ **20.** $y' = -3x^2 \sin(a^3 + x^3)$

21. $y' = -3 \sin x \cos^2 x$ **22.** $y' = e^{-kx}(1 - kx)$

23. $y' = -2e^{-2t}(\cos 4t + 2 \sin 4t)$

24. $f'(x) = (2x - 3)^3(x^2 + x + 1)^4(28x^2 - 12x - 7)$

25. $g'(x) = 6x(x^2 + 1)^2(x^2 + 2)^5(3x^2 + 4)$

26. $h'(t) = \frac{2}{3}(t + 1)^{-1/3}(2t^2 - 1)^2(20t^2 + 18t - 1)$

27. $F'(t) = 6(3t - 1)^3(2t + 1)^{-4}(t + 3)$

28. $y' = \dfrac{-12x(x^2 + 1)^2}{(x^2 - 1)^4}$

29. $f'(s) = \dfrac{3s}{(s^2 + 1)^{1/2}(s^2 + 4)^{3/2}}$

30. $y' = \dfrac{1}{2\sqrt{x}(x + 1)^{3/2}}$

31. $y' = \dfrac{5(x^2 + 1)^4(x^2 - 1)}{x^6}$

32. $y' = \dfrac{3e^{3x}}{\sqrt{1 + 2e^{3x}}}$

33. $y' = -2x(\ln 10)10^{1 - x^2}$

34. $y' = 5^{-1/x}(\ln 5)/x^2$

35. $y' = (\sec^2 \theta)e^{\tan \theta}$

36. $f'(t) = 3(\ln 2)t^2\, 2^{t^3}$

37. $g'(u) = \dfrac{48u^2(u^3 - 1)^7}{(u^3 + 1)^9}$

38. $s'(t) = \dfrac{\cos t + \sin t + 1}{2\sqrt{1 + \sin t}\,(1 + \cos t)^{3/2}}$

39. $r'(t) = \dfrac{(\ln 10)\,10^{2\sqrt{t}}}{\sqrt{t}}$

40. $f'(z) = -\dfrac{e^{z/(z-1)}}{(z-1)^2}$

41. $G'(y) = \dfrac{2(y-1)^3(-3y^2+4y+5)}{(y^2+2y)^6}$

42. $y' = 1/(r^2+1)^{3/2}$

43. $y' = \dfrac{4}{(e^u+e^{-u})^2}$

44. $F'(t) = e^{t\sin 2t}(\sin 2t + 2t\cos 2t)$

45. $F'(v) = \dfrac{6v^5(1-2v^3)}{(v^3+1)^7}$

46. $G'(x) = -C(\ln 4)\dfrac{4^{C/x}}{x^2}$

47. $U'(y) = \dfrac{10y(y^4+1)^4(y^4+2y^2-1)}{(y^2+1)^6}$

48. $y' = 2\cos(\tan 2x)\sec^2(2x)$

49. $y' = 2m\sec^2(m\theta)\tan(m\theta)$

50. $y' = 2^{\sin \pi x}(\pi \ln 2)\cos \pi x$

51. $y' = e^{-1/x}(2x+1)$

52. $y' = \dfrac{4e^{2x}}{(1+e^{2x})^2}\sin\left(\dfrac{1-e^{2x}}{1+e^{2x}}\right)$

53. $y' = \dfrac{e^{-2x}(-2x+1)}{2\sqrt{1+xe^{-2x}}}$

54. $y' = -2\cos\theta\cot(\sin\theta)\csc^2(\sin\theta)$

55. $y' = \dfrac{k\sec^2\sqrt{x}}{2\sqrt{x}}e^{k\tan\sqrt{x}}$

56. $f'(t) = \sec^2(e^t)e^t + e^{\tan t}\sec^2 t$

57. $y' = \cos\big(\sin(\sin x)\big)\cos(\sin x)\cos x$

58. $f'(t) = -\sec^2(\sec(\cos t))\sec(\cos t)\tan(\cos t)\sin t$

59. $y' = 2\cos(2x)e^{\sin 2x} + 2e^{2x}\cos(e^{2x})$

60. $f'(t) = 4\sin(e^{\sin^2 t})\cos(e^{\sin^2 t})e^{\sin^2 t}\sin t\cos t$

61. $y' = \frac{1}{2}(x+\sqrt{x+\sqrt{x}})^{-1/2}\left[1+\frac{1}{2}(x+\sqrt{x})^{-1/2}(1+\frac{1}{2}x^{-1/2})\right]$

62. $g'(x) = 2r^2 p(\ln a)(2ra^{rx}+n)^{p-1}a^{rx}$

63. $y' = 2^{3^{x^2}}(\ln 2)3^{x^2}(\ln 3)(2x)$

64. $y' = \dfrac{-\pi\cos(\tan \pi x)\sec^2(\pi x)\sin\sqrt{\sin(\tan \pi x)}}{2\sqrt{\sin(\tan \pi x)}}$

65. $y' = 4[x+(x+\sin^2 x)^3]^3 \cdot [1+3(x+\sin^2 x)^2 \cdot (1+2\sin x\cos x)]$

66. $y' = -3\cos 3\theta\sin(\sin 3\theta)$;
$y'' = -9\cos^2(3\theta)\cos(\sin 3\theta) + 9(\sin 3\theta)\sin(\sin 3\theta)$

67. $y' = -2\cos x\sin x$; $y'' = 2\sin^2 x - 2\cos^2 x$

68. $y' = \dfrac{-2\sec^2 x}{(1+\tan x)^3}$; $y'' = \dfrac{2\sec^2 x(\tan^2 x - 2\tan x + 3)}{(1+\tan x)^4}$

69. $y' = \dfrac{-\sec t\tan t}{2\sqrt{1-\sec t}}$; $y'' = \dfrac{\sec t(3\sec^3 t - 4\sec^2 t - \sec t + 2)}{4(1-\sec t)^{3/2}}$

70. $y' = e^{e^x}\cdot e^x$; $y'' = e^{e^x+x}(e^x+1)$

71. $y = (\ln 2)x + 1$

72. $y = 2x - 1$

73. $y = -x + \pi$

74. $y = x$

75. a) $y = \frac{1}{2}x + 1$

b)
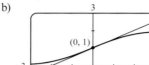
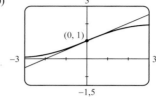

76. a) $y = 2x - 1$

b)
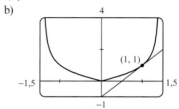

77. a) $f'(x) = \dfrac{2-2x^2}{\sqrt{2-x^2}}$

78. a)
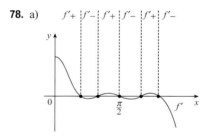

b) $f'(x) = \cos(x+\sin 2x)(1+2\cos 2x)$

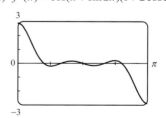

79. $((\pi/2)+2n\pi, 3)$ et $((3\pi/2)+2n\pi, -1)$, n est un entier

80. $(4, 3)$

81. 24

82. $\frac{6}{5}$

83. a) 30   b) 36

84. a) 20   b) 63

85. a) $\frac{3}{4}$ b) N'existe pas
c) -2

86. a) 1   b) 8

87. $-\frac{1}{6}\sqrt{2}$

88. a) $F'(x) = f'(x^\alpha)\alpha x^{\alpha-1}$
b) $G'(x) = \alpha[f'(x)]^{\alpha-1}f'(x)$

89. a) $F'(x) = e^x f'(e^x)$
b) $G'(x) = e^{f(x)}f'(x)$

90. a) $g'(0) = c + 5$; $g''(0) = c^2 - 2$

b) $y = (5 + 3k)x + 3$

91. 120

92. $f'(x) = 6xg'(x^2) + 4x^3g''(x^2)$ **93.** 96

94. 198 **96.** $r = 2 \pm \sqrt{3}$

97. $-2^{50} \cos 2x$ **98.** $(x - 1000)e^{-x}$

99. $v(t) = \frac{5}{2}\pi \cos(10\pi t)$ cm/s

100. a) vitesse $= -\omega A \sin(\omega t + \delta)$

b) $t = \dfrac{n\pi - \delta}{\omega}$ où n est un entier

101. a) $\dfrac{dB}{dt} = \dfrac{7\pi}{54}\cos\dfrac{2\pi t}{5,4}$ b) 0,16

102. $v(t) = 2e^{-1,5t}(2\pi \cos 2\pi t - 1,5 \sin 2\pi t)$

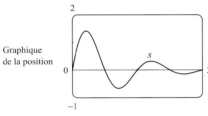

Graphique de la position

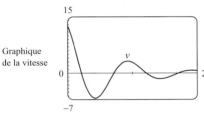

Graphique de la vitesse

103. a) 0,0075 (mg/mL)/min

b) 0,0030 (mg/mL)/min

104. dv/dt est le taux de variation de la vitesse par rapport au temps ; dv/ds est le taux de variation de la vitesse par rapport à la distance parcourue.

105. b) $\dfrac{dV}{dt} = 4\pi r^2 \dfrac{dr}{dt}$

106. a) $y = ab^t$ où $a \approx 100{,}012\ 44$ et $b \approx 0{,}000\ 045\ 146$

b) $-670{,}63$ μA

107. a) $P = ae^{bt}$ avec $a = 6{,}119\ 281\ 2 \times 10^{-11}$ et $b = 1{,}694\ 296\ 8 \times 10^{-2}$ où P est mesuré en milliers de personnes

b) 62,65 milliers de personnes/année ; 170,85 milliers de personnes/année

c) $\approx 51{,}21$; $\approx 119{,}48$

d) $P(1931) \approx 9895{,}94$, différence de 0,48 million de personnes

110. b) $-n \cos^{n-1}x \sin[(n+1)x]$

111. 2

113. b) $f'(x) = \begin{cases} \cos x & \text{si} \quad \sin x > 0 \\ -\cos x & \text{si} \quad \sin x < 0 \end{cases}$

f n'est pas dérivable si $x = n\pi$ où n est un entier

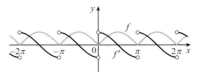

c) $g'(x) = \begin{cases} \cos x & \text{si} \quad x > 0 \\ -\cos x & \text{si} \quad x < 0 \end{cases}$, g n'est pas dérivable en 0

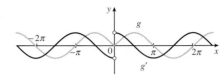

115. $\dfrac{d^3y}{dx^3} = \dfrac{d^3y}{du^3}\left(\dfrac{du}{dx}\right)^3 + 3\dfrac{du}{dx}\dfrac{d^2u}{dx^2}\dfrac{d^2y}{du^2} + \dfrac{dy}{du}\dfrac{d^3u}{dx^3}$

Exercices 3.5

1. a) $y' = 9x/y$ b) $y = \pm\sqrt{9x^2 - 1}$; $y' = \pm 9x/\sqrt{9x^2 - 1}$

2. a) $y' = -\dfrac{4x + y + 1}{x}$ b) $y = \dfrac{1}{x} - 2x - 1$; $y' = -\dfrac{1}{x^2} - 2$

3. a) $y' = -\dfrac{\sqrt{y}}{\sqrt{x}}$ b) $y = 1 - 2\sqrt{x} + x$; $y' = 1 - \dfrac{1}{\sqrt{x}}$

4. a) $y' = \dfrac{2y^2}{x^2}$

b) $y = \dfrac{x}{2 - 4x}$; $y' = \dfrac{2}{(2 - 4x)^2}\left[\text{ou}\ \dfrac{1}{2(1 - 2x)^2}\right]$

5. $y' = -\dfrac{x^2}{y^2}$ **6.** $y' = \dfrac{-4x - y}{x - 2y}$

7. $v' = \dfrac{v - u}{v + u}$ **8.** $y' = \dfrac{-6t^2 - 2ty + y^3}{t^2 - 3ty^2}$

9. $y' = \dfrac{x(x + 2y)}{2x^2y + 4xy^2 + 2y^3 + x^2}$ **10.** $x' = \dfrac{3x^2 - 5t^4 - 4t^3x}{t^4 + 3x^2 - 6tx}$

11. $x' = \dfrac{1 - e^x}{ye^x + 1}$ **12.** $y' = \dfrac{2x + y\sin x}{\cos x - 2y}$

13. $\theta' = -\dfrac{\theta \sin(t\theta)}{t\sin(t\theta) + \cos\theta}$ **14.** $y' = \dfrac{1 - 8x^3\sqrt{x + y}}{8y^3\sqrt{x + y} - 1}$

15. $\beta' = \tan\alpha \tan\beta$ **16.** $w' = \dfrac{1 + w - e^w\cos y}{e^w \sin y - y}$

17. $y' = \dfrac{y(y - e^{x/y})}{y^2 - xe^{x/y}}$ **18.** $r' = \dfrac{4hr^2\sqrt{h + r} - 1}{1 - 4h^2r\sqrt{h + r}}$

19. $y' = \dfrac{x - y\sqrt{x^2 + y^2}}{x\sqrt{x^2 + y^2} - y}$

20. $y' = \dfrac{1 + x^4y^2 + y^2 + x^4y^4 - 2xy}{x^2 - 2xy - 2x^5y^3}$

21. $z' = \dfrac{-\sin z - z\cos x}{x\cos z + \sin x}$

22. $y' = -\dfrac{y\cos(xy) + \sin(x + y)}{x\cos(xy) + \sin(x + y)}$

23. $y' = \dfrac{e^y \sin x + y \cos(xy)}{e^y \cos x - x \cos(xy)}$

24. $y' = \dfrac{(1+x^2)\sec^2(x-y) + 2x \tan(x-y)}{1 + (1+x^2)\sec^2(x-y)}$

25. $-\dfrac{16}{13}$

26. 0

27. $x' = \dfrac{-2x^4 y + x^3 - 6xy^2}{4x^3 y^2 - 3x^2 y + 2y^3}$

28. $x' = \dfrac{x \sec^2 y - \sec x}{y \sec x \tan x - \tan y}$

29. $y = \frac{1}{2}x$

30. $y = \frac{1}{3}x + \frac{2\pi}{3}$

31. $y = -x + 2$

32. $y = \frac{7}{2}x - \frac{3}{2}$

33. $y = x + \frac{1}{2}$

34. $y = \frac{1}{\sqrt{3}}x + 4$

35. $y = -\frac{9}{13}x + \frac{40}{13}$

36. $y = -2$

37. a) $y = \frac{9}{2}x - \frac{5}{2}$

b)
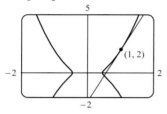

38. a) $y = -\frac{9}{4}x + \frac{1}{4}$

b) $(-2, -2)$ et $(-2, 2)$

c)
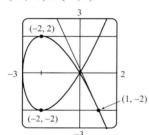

39. $-81/y^3$

40. $\dfrac{1}{2x\sqrt{x}}$

41. $y'' = -\dfrac{18}{(x+2y)^3}$

42. $y'' = \dfrac{\cos^2 y \cos x + \sin^2 x \sin y}{\cos^3 y}$

43. $y'' = \dfrac{-14x}{y^5}$

44. $1/e^2$

45. 42

46. a)
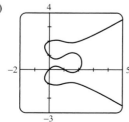

Huit ; $x \approx 0{,}42 ; 1{,}58$

b) $y = -x + 1 ; y = \frac{1}{3}x + 2$

c) $1 \mp \frac{1}{3}\sqrt{3}$

47. a)
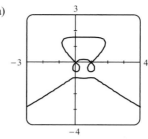

b) Neuf ; $x = 0 ; x = 0{,}5 ; x = 1$

48. $(\pm\frac{5}{4}\sqrt{3}, \pm\frac{5}{4})$

50. $(x_0^2/a^2) - (y_0^2/b^2) = 1$

54. $y' = \dfrac{2\arctan x}{1 + x^2}$

55. $y' = \dfrac{2x}{1 + x^4}$

56. $y' = \dfrac{1}{\sqrt{-x^2 - x}}$

57. $g'(x) = -\dfrac{1}{2\sqrt{x}\sqrt{1-x}}$

58. $G'(x) = -1 - \dfrac{x \arccos x}{\sqrt{1-x^2}}$

59. $y' = \dfrac{1}{2(1+x^2)}$

60. $h'(t) = 0$

61. $R'(t) = -\dfrac{1}{|t|\sqrt{t^2-1}}$

62. $F'(\theta) = \dfrac{\cos\theta}{2\sqrt{1-\sin\theta}\sqrt{\sin\theta}}$

63. $y' = \arcsin x$

64. $y' = -\dfrac{1}{\sqrt{1 - (\arcsin t)^2}} \cdot \dfrac{1}{\sqrt{1-t^2}}$

65. $y' = \dfrac{\sqrt{a^2 - b^2}}{a + b\cos x}$

66. $y' = \dfrac{-1}{2\sqrt{1-x^2}}$

67. $1 - \dfrac{x \arcsin x}{\sqrt{1-x^2}}$

68. $f'(x) = \dfrac{2x-1}{1 + (x^2 - x)^2}$

71.
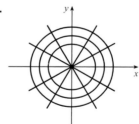

72.
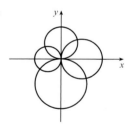

73.
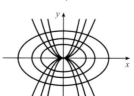

74.
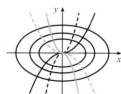

76. $a = \sqrt[3]{3}$

77. a) $\dfrac{V^3(nb - V)}{PV^3 - n^2 aV + 2n^3 ab}$

b) $-4{,}04$ L/atm

78. a) $y' = \dfrac{-2x - y}{x + 2y}$

b) aucun point dont les coordonnées vérifient l'équation

79. $(\mp\sqrt{3}, 0)$

80. a) $(1, -1)$
b)

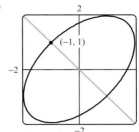

81. $(-1, -1)$; $(1, 1)$

82. $y = 3$; $y = \frac{2}{3}x - 5$

83. b) $\frac{3}{2}$

84. b) 0 c) $\frac{1}{2}$

85. a) 0 b) $-\frac{1}{2}$

86. 2 unités au-dessus de l'axe des x

Exercices 3.6

1. La formule de dérivation est plus simple.

2. $f'(x) = \ln x$

3. $f'(x) = \dfrac{\cos(\ln x)}{x}$

4. $f'(x) = 2\cot x$

5. $f'(x) = -\dfrac{1}{x}$

6. $y' = \dfrac{-1}{x(\ln x)^2}$

7. $f'(x) = \dfrac{-\sin x}{(1+\cos x)\ln 10}$

8. $f'(x) = \dfrac{1}{2(\ln 10)x}$

9. $g'(x) = \dfrac{1}{x} - 2$

10. $f'(x) = \dfrac{3x^2}{(x^3+1)\ln 10}$

11. $f'(x) = \dfrac{1+x}{x\ln 5}$

12. $f'(x) = \dfrac{\sin x}{x} + \cos x\ln(5x)$

13. $f'(u) = \dfrac{\ln u}{(1+\ln u)^2}$

14. $F'(t) = \ln t\left(\dfrac{2\sin t}{t} + \ln t\cos t\right)$

15. $h'(x) = \dfrac{1}{\sqrt{x^2-1}}$

16. $G'(y) = \dfrac{10}{2y+1} - \dfrac{y}{y^2+1}$

17. $g'(r) = \dfrac{2r^2}{2r+1} + 2r\ln(2r+1)$

18. $P'(v) = \dfrac{1-v+v\ln v}{v(1-v)^2}$

19. $F'(s) = \dfrac{1}{s\ln s}$

20. $y' = \dfrac{1-3t^2}{1+t-t^3}$

21. $T'(z) = 2^z\left(\dfrac{1}{z\ln 2} + \ln z\right)$

22. $y' = \csc x$

23. $y' = \sec^2\left(\ln(ax+b)\right)\dfrac{a}{ax+b}$

24. $y' = -\dfrac{\tan(\ln x)}{x}$

25. $y' = \dfrac{-x}{1+x}$

26. $H'(z) = \dfrac{2a^2 z}{z^4 - a^4}$

27. $y' = \dfrac{1}{\ln 10} + \log x$

28. $y' = -\log_2 e - \dfrac{\pi}{\ln 2}\tan\pi x$

29. $y' = \dfrac{1}{x\ln x\ln 2} + \dfrac{1}{x\ln 2} = \dfrac{1+\ln x}{x\ln x\ln 2}$

30. $y' = \dfrac{2+\ln x}{2\sqrt{x}}$ et $y'' = -\dfrac{\ln x}{4x\sqrt{x}}$

31. $y' = \dfrac{1}{x(1+\ln x)^2}$ et $y'' = -\dfrac{3+\ln x}{x^2(1+\ln x)^3}$

32. $y' = \tan x$ et $y'' = \sec^2 x$

33. $y' = \sec x$ et $y'' = \sec x\tan x$

34. $f'(x) = \dfrac{2x-1-(x-1)\ln(x-1)}{(x-1)[1-\ln(x-1)]^2}$; $]1, \infty[\,\backslash\{1+e\}$

35. $f'(x) = \dfrac{1}{2x\sqrt{2+\ln x}}$; $[e^{-2}, \infty[$

36. $f'(x) = \dfrac{2(x-1)}{x(x-2)}$; $]-\infty, 0[\,\cup\,]2, \infty[$

37. $f'(x) = \dfrac{1}{\ln(\ln x)}\cdot\dfrac{1}{\ln x}\cdot\dfrac{1}{x}$; $]e, \infty[$

38. 2

39. 0

40. $y = 3x - 9$

41. $y = x - 1$

42. $\cos x + 1/x$

43. $y = x - 1$; $y = 1/e$

44. 7

45. e^2

46. $y' = (x^2+2)^2(x^4+4)^4\left(\dfrac{4x}{x^2+2} + \dfrac{16x^3}{x^4+4}\right)$

47. $y' = -\dfrac{e^{-x}\cos^2 x}{x^2+x+1}\left(1+2\tan x + \dfrac{2x+1}{x^2+x+1}\right)$

48. $y' = \sqrt{\dfrac{x-1}{x^4+1}}\left(\dfrac{1}{2x-2} - \dfrac{2x^3}{x^4+1}\right)$

49. $y' = \sqrt{x}\,e^{x^2-x}(x+1)^{2/3}\left(\dfrac{1}{2x} + 2x - 1 + \dfrac{2}{3x+3}\right)$

50. $y' = x^x(1 + \ln x)$

51. $y' = x^{\cos x}\left(\dfrac{\cos x}{x} - \ln x\sin x\right)$

52. $y' = x^{\sin x}\left(\dfrac{\sin x}{x} + \cos x\ln x\right)$

53. $y' = \frac{1}{2}\sqrt{x}^{x}(1 + \ln x)$

54. $y' = (\cos x)^x(-x\tan x + \ln\cos x)$

55. $y' = (\sin x)^{\ln x}\left(\dfrac{\ln(\sin x)}{x} + \ln x\cot x\right)$

56. $y' = (\tan x)^{1/x}\left(\dfrac{\sec^2 x}{x\tan x} - \dfrac{\ln(\tan x)}{x^2}\right)$

57. $y' = (\ln x)^{\cos x}\left(\dfrac{\cos x}{x\ln x} - \sin x\ln(\ln x)\right)$

58. $y' = \dfrac{2x}{x^2 + y^2 - 2y}$

59. $y' = \dfrac{\ln y - y/x}{\ln x - x/y}$

60. $f^{(n)}(x) = \dfrac{(-1)^{n-1}(n-1)!}{(x-1)^n}$

61. $D^8\left(8x^7\ln x\right) = 8!/x$

Exercices 3.7

1. a) $f'(t) = 3t^2 - 16t + 24$

   b) 11 m/s

   c) jamais

   d) toujours

   e) 72 m

   f)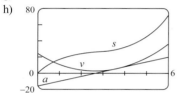

   g) -10 m/s²

   h)

   i) Accélère lorsque $t > \frac{8}{3}$; ralentit lorsque $0 \le t < \frac{8}{3}$

2. a) $f'(t) = \dfrac{-9(t^2-9)}{(t^2+9)^2}$

   b) 0,72 m/s

   c) $t = 3$ s

   d) $0 \le t < 3$

   e) 1,8 m

   f)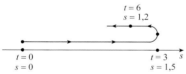

   g) $-0,468$ m/s²

   h)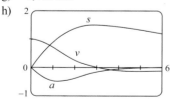

   i) Accélère lorsque $3 < t < 3\sqrt{3}$; ralentit lorsque $0 < t < 3$ et $t > 3\sqrt{3}$

3. a) $\dfrac{\pi}{2}\cos(\pi t/2)$

   b) 0 m/s

   c) $t = 1 + 2n$, où n est un entier positif ou nul

   d) $0 < t < 1,\ 3 < t < 5,\ 7 < t < 9$, et ainsi de suite

   e) 6 m

   f)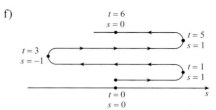

   g) $\dfrac{-\pi^2}{4}$ m/s²

   h)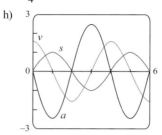

   i) Accélère lorsque $1 < t < 2,\ 3 < t < 4,\ 5 < t < 6$ et ainsi de suite; ralentit lorsque $0 < t < 1,\ 2 < t < 3,\ 4 < t < 5$ et ainsi de suite.

4. a) $te^{-t}(-t+2)$

   b) $1/e$ m/s

   c) $t = 0$ s ou 2 s

   d) $0 < t < 2$

   e) $\approx 0,99$ m

   f)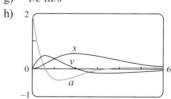

   g) $-1/e$ m/s²

   h)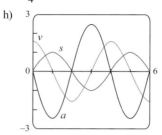

   i) Accélère lorsque $0 < t < 2 - \sqrt{2}$ et $2 < t < 2 + \sqrt{2}$; ralentit lorsque $2 - \sqrt{2} < t < 2$ et $t > 2 + \sqrt{2}$

5. a) Elle accélère quand $0 < t < 1$ ou $2 < t < 3$; elle ralentit quand $1 < t < 2$.

   b) Elle accélère quand $1 < t < 2$ ou $3 < t < 4$; elle ralentit quand $0 < t < 1$ ou $2 < t < 3$.

6. a) Elle accélère quand $1 < t < 2$ ou $3 < t < 4$; elle ralentit quand $0 < t < 1$ ou $2 < t < 3$.

   b) Elle accélère quand $1 < t < 2$ ou $3 < t < 4$; elle ralentit quand $0 < t < 1$ ou $2 < t < 3$.

7. a) 4,9 m/s; $-14,7$ m/s   b) Après 2,5 s

   c) $32\frac{5}{16}$ m   d) $\approx 5,08$ s

   e) $\approx -25,3$ m/s

8. a) 31,25 m   b) 5 m/s; -5 m/s

9. a) 7,56 m/s   b) 6,24 m/s; $-6,24$ m/s

10. a) 0 s ou 5 s   b) $\approx$ 3,08 s

11. a) 30 mm^2/mm; le taux d'accroissement de l'aire par rapport à la longueur du côté lorsque x atteint 15 mm

    b) $\Delta A \approx 2x\,\Delta x$

12. a) 27 mm^3/mm

13. a) i) 5π ii) $4,5\pi$ iii) $4,1\pi$

    b) 4π c) $\Delta A \approx 2\pi r\,\Delta r$

14. a) 7200π cm^2/s   b) $21\,600\pi$ cm^2/s   c) $36\,000\pi$ cm^2/s

15. a) 8π dm^2/dm   b) 16π dm^2/dm   c) 24π dm^2/dm
Le taux d'accroissement augmente avec le rayon.

16. a)   i) 172π mm^3/mm   ii) $121,\overline{3}\pi$ μm^3/μm

       iii) $102,01\overline{3}\pi$ μm^3/μm

    b) 100π μm^3/μm

17. a) 6 kg/m   b) 12 kg/m   c) 18 kg/m
À l'extrémité droite; à l'extrémité gauche

18. a) -875 L/min   b) -750 L/min

    c) -500 L/min   d) 0 L/min

Vitesse maximale lorsque $t = 0$;
vitesse minimale lorsque $t = 40$

19. a) 4,75 A   b) 5 A; $t = \frac{2}{3}$ s

20. a) $\dfrac{dF}{dr} = -\dfrac{2GmM}{r^3}$ b) -16 N/km

22. a) $\approx$ 2,51 m/h (à la hausse)

    b) $\approx$ 0,32 m/h (à la hausse)

    c) $\approx$ $-2,47$ m/h (à la baisse)

    d) $\approx$ $-0,62$ m/h (à la baisse)

23. a) $dV/dP = -C/P^2$ b) Au début

24. a) $\dfrac{d[\text{C}]}{dt} = \dfrac{a^2 k}{(akt+1)^2}$ c) $[\text{C}] \to a$ moles/L

    d) $\dfrac{d[\text{C}]}{dt} \to 0$

25. $400(3^t)\ln 3$; $\approx$ 6850 bactéries/h

26. $b = 6$ et $a = 140$; à long terme, population de levures se stabilise à 140 cellules

27. a) 16 millions/année; 78,5 millions/année

    b) $P(t) = at^3 + bt^2 + ct + d$, où $a = -2,849\,002\,8490 \times 10^{-4}$,
$b = 2,146\,364\,7464$, $c = -5,077\,111\,5921 \times 10^3$ et
$d = 3,853\,986\,9308 \times 10^6$

    c) $P'(t) = 3at^2 + 2bt + c$

    d) 14,16 millions/année; 71,72 millions/année

    e) $f'(t) = pq^t \ln q$, où $p = 1,436\,53 \times 10^9$ et $q = 1,013\,95$

    f) $f'(20) \approx 26,25$ millions/année;
$f'(80) \approx 60,28$ millions/année

    g) $P'(1985) = 76,24$ millions/année

28. a) $A(t) = at^4 + bt^3 + ct^2 + dt + e$, où $a \approx -1,199\,781 \times 10^{-6}$,
$b \approx 9,545\,853 \times 10^{-3}$, $c \approx -28,478\,550$, $d \approx 37\,757,105\,467$
et $e \approx -1,877\,031 \times 10^7$

    b) $A'(t) = 4at^3 + 3bt^2 + 2ct + d$

    c) $A'(1990) \approx 0,106$ année de vie par année

d)

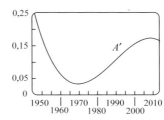

29. a) 0,926 cm/s; 0,694 cm/s; 0

    b) 0; $-92,6$ (cm/s)/cm; $-185,2$ (cm/s)/cm

    c) Au centre; au bord

30. a)   i) $\dfrac{df}{dL} = -\dfrac{1}{2L^2}\sqrt{\dfrac{T}{\rho}}$ ii) $\dfrac{df}{dT} = \dfrac{1}{4L\sqrt{T\rho}}$

       iii) $\dfrac{df}{dT} = -\dfrac{\sqrt{T}}{4L\rho^{3/2}}$

    b)   i) une note plus élevée

       ii) une note plus élevée

       iii) une note plus basse

31. a) $C'(x) = 12 - 0,2x + 0,0015x^2$

    b) 32 \$/m; le coût de fabrication du 201e mètre

    c) 32,20 \$

32. a) 19 \$/article

    b) $C(101) - C(100) = 2358,0304 - 2339 = 19,03$ \$

33. a) $[xp'(x) - p(x)]/x^2$; parce que la productivité moyenne augmente avec le nombre de travailleurs.

34. a) $S = -\dfrac{54,4x^{-0,6}}{(1+4x^{0,4})^2}$ b)

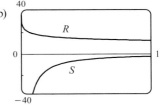

35. $t' = \dfrac{3\sqrt{9c^2 - 8c} + 9c - 4}{\sqrt{9c^2 - 8c}\,(3c + \sqrt{9c^2 - 8c})}$; représente le taux de variation de la durée requise de dialyse par rapport à la concentration en urée.

36. $f'(r) = \sqrt{\dfrac{D}{r}}$; représente le taux de variation de la vitesse de prolifération par rapport au taux de reproduction.

37. $-0,2436$ K/min

38. a) $dP/dt = 0$ b) 2000

    c) $P = 0$, population jamais stable

39. a) 0 et 0   b) $C = 0$

    c) (0, 0), (500, 50); il est possible que les deux espèces vivent en harmonie.

Exercices 3.8

1. $dV/dt = 3x^2 \, dx/dt$

2. a) $2\pi r \dfrac{dr}{dt}$ b) 60π m²/s

3. 48 cm²/s   **4.** 140 cm²/s

5. $\dfrac{3}{25\pi}$ m/min   **6.** 25 600π mm³/s

7. 128π cm²/min

8. a) 0,3 cm²/min
b) $\left(0,3 + \frac{3}{4}\sqrt{3}\right)$ cm²/min [$\approx 1,6$]
c) $\left(\frac{21}{8}\sqrt{3} + 0,3\right)$ cm²/min [$\approx 4,85$]

9. a) 1   b) 25

10. a) $-\dfrac{1}{4}\sqrt{5}$ b) $\dfrac{4}{\sqrt{5}}$

11. -18 **12.** 6 cm/s

13. a) L'altitude de l'avion : 2 km ; sa vitesse : 800 km/h
b) La vitesse à laquelle augmente la distance entre l'avion et la station au moment où cette distance est de 4 km
c)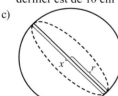
d) $y^2 = x^2 + 4$
e) ≈ 693 km/h

14. a) Le taux de décroissance de l'aire de la surface : 1 cm²/min ; $dA/dt = -1$ cm²/s (A est l'aire de la surface, t est le temps)
b) Taux de décroissance du diamètre au moment où ce dernier est de 10 cm
c)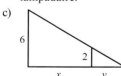
d) $A = 4\pi(\frac{1}{2}x)^2 = \pi x^2$
e) $\dfrac{1}{20\pi}$ cm/min

15. a) La hauteur du lampadaire : 6 m ; la taille de l'homme : 2 m ; la vitesse de marche de l'homme : 2 m/s
b) La vitesse à laquelle la pointe de l'ombre de l'homme se déplace au moment où l'homme est à 20 m du lampadaire.
c)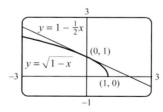
d) $\dfrac{6}{2} = \dfrac{x+y}{y}$
e) 3 m/s

16. a) Le bateau A se trouve à 150 km à l'ouest du bateau B ; le bateau A se déplace vers l'est à 35 km/h et le bateau B se déplace vers le nord à 25 km/h.
b) Le taux de variation de la distance entre les deux bateaux à 4 heures de l'après-midi
c)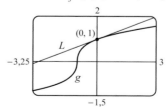
d) $z^2 = (150 - x)^2 + y^2$
e) $\approx 21,4$ km/h

17. 65 km/h   **18.** 0,6 m/s

19. $837/\sqrt{8674} \approx 8,99$ m/s

20. a) $\approx 3,1$ m/s   b) $\approx 3,1$ m/s

21. $-1,6$ cm/min   **22.** $\approx 1,01$ m/s

23. $\frac{720}{13} \approx 55,4$ km/h   **24.** $1 + \dfrac{3\sqrt{3}\pi}{2}$ cm/s

25. $(10\,000 + 800\,000\pi/9) \approx 2,89 \times 10^5$ cm³/min

26. 0,2 m/min   **27.** $\frac{10}{3}$ cm/min

28. $\approx 0,000\,135\,1$ m/min   **29.** $4/(9\pi) \approx 0,14$ m/min

30. 0,025 rad/s

31. $150\sqrt{3}$ cm²/min   **32.** $-\dfrac{1}{8}$ rad/s

33. 5 m   **34.** $\approx 0,804$ cm/min

35. 80 cm³/min   **36.** ≈ 36 cm³/min

37. $\frac{107}{810} \approx 0,132$ Ω/s   **38.** $\approx 1,045 \times 10^{-8}$ g/années

39. 0,396 m/min

40. a) 128 m/s   b) 0,099 rad/s

41. 0,24 m/s   **42.** $\frac{80}{3}\pi \approx 83,8$ km/min

43. $\frac{10}{9}\pi$ km/min   **44.** 8π m/min

45. $1650/\sqrt{30} \approx 296$ km/h   **46.** $\approx 3,56$ km/h

47. $\frac{7}{4}\sqrt{15} \approx 6,78$ m/s   **48.** $\approx 0,005$ mm/s

Exercices 3.9

1. $L(x) = -10x - 6$ **2.** $L(x) = \frac{1}{2}\sqrt{3}x + \frac{1}{2} - \frac{1}{12}\sqrt{3}\pi$

3. $L(x) = \frac{1}{4}x + 1$ **4.** $L(x) = \frac{3}{8}x + 2$

5. $1 + (\ln 2)x$

6. $\sqrt{1-x} \approx 1 - \frac{1}{2}x$; $\sqrt{0,9} \approx 0,95$, $\sqrt{0,99} \approx 0,995$

7. $\sqrt[3]{1+x} \approx 1 + \frac{1}{3}x$; $\sqrt[3]{0,95} \approx 0,98\overline{3}$; $\sqrt[3]{1,1} \approx 1,0\overline{3}$

8. $-0,383 < x < 0,516$ **9.** $-0,116 < x < 0,144$

10. $-0,368 < x < 0,677$ **11.** $-0,762 < x < 0,607$

12. a) $dy = (1 - 4x)\,e^{-4x}\,dx$

b) $dy = -\dfrac{2t^3}{\sqrt{1-t^4}}\,dt$

13. a) $dy = \dfrac{-1}{(1+3u)^2}\,du$

b) $dy = 2\theta(\theta \sin 2\theta + \cos 2\theta)\,d\theta$

14. a) $dy = \dfrac{\sec^2 \sqrt{t}}{2\sqrt{t}}\,dt$ b) $dy = \dfrac{-4v}{(1+v^2)^2}\,dv$

15. a) $dy = \cot \theta\,d\theta$ b) $dy = \dfrac{e^x}{(1-e^x)^2}\,dx$

16. a) $dy = \frac{1}{10}e^{x/10}\,dx$ b) $0,01$

17. a) $dy = -\pi \sin \pi x\,dx$ b) $\approx 0,054$

18. a) $dy = \dfrac{x}{\sqrt{3+x^2}}\,dx$ b) $-0,05$

19. a) $dy = \dfrac{-2}{(x-1)^2}\,dx$ b) $-0,1$

20. $\Delta y = 1,25$; $dy = 1$

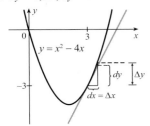

21. $\Delta y = -0,273$; $dy = -0,3$

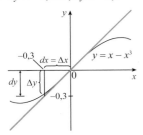

22. $\Delta y \approx 0,34$; $dy = 0,4$

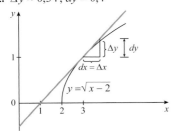

23. a) $\Delta y \approx 0,65$; $dy = 0,5$

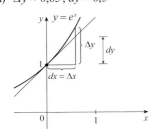

24. $15{,}968$ **25.** $1,1$

26. $10,00\overline{3}$ **27.** $0,249\,875$

28. $10,025$ **29.** $0,875$

33. a) $f(x) \approx 1 - 2x$; $g(x) \approx 1 - 2x$; $h(x) \approx 1 - 2x$

b)

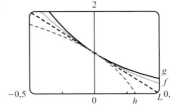

34. a) 270 cm^3 ; $0,01$; $1\,\%$

b) 36 cm^2 ; $0,00\overline{6}$; $0,\overline{6}\,\%$

35. a) $9,6\pi \approx 30 \text{ cm}^2$ b) $1,\overline{6}\,\%$

36. a) $84/\pi \approx 27 \text{ cm}^2$; $\frac{1}{84} \approx 0,012 = 1,2\,\%$

b) $1764/\pi^2 \approx 179 \text{ cm}^3$; $\frac{1}{56} \approx 0,018 = 1,8\,\%$

37. $\frac{5\pi}{8} \approx 2 \text{ m}^3$

38. a) $2\pi r h\,\Delta r$ b) $\pi(\Delta r)^2 h$

39. a) $\pm\frac{2}{9}\sqrt{3\pi} \approx \pm 1,21 \text{ cm}$ b) $\pm 3\,\%$

44. a) $4,8$; $5,2$ b) Trop grandes

45. a) $-4,15$; $-3,85$ b) Trop petites

Révision

Vrai ou faux

1. Vrai   **2.** Faux   **3.** Vrai

4. Vrai   **5.** Faux   **6.** Faux

7. Faux   **8.** Faux   **9.** Vrai

10. Faux   **11.** Vrai   **12.** Vrai

13. Vrai   **14.** Faux   **15.** Vrai

Exercices récapitulatifs

1. $4x^7(x+1)^3(3x+2)$ **2.** $\dfrac{3}{5x\sqrt[5]{x^3}} - \dfrac{1}{2x\sqrt{x}}$

3. $\dfrac{3}{2}\sqrt{x} - \dfrac{1}{2\sqrt{x}} - \dfrac{1}{\sqrt{x^3}}$ **4.** $\dfrac{\sec^2 x(1+\cos x) + \tan x \sin x}{(1+\cos x)^2}$

5. $x(\pi x \cos \pi x + 2 \sin \pi x)$ **6.** $\arccos x - \dfrac{x}{\sqrt{1-x^2}}$

7. $\dfrac{8t^3}{(t^4+1)^2}$ **8.** $\dfrac{y \cos x - e^y}{xe^y - \sin x}$

9. $\dfrac{1 + \ln x}{x \ln x}$ **10.** $e^{mx}(m \cos nx - n \sin nx)$

11. $\dfrac{\cos \sqrt{x} - \sqrt{x} \sin \sqrt{x}}{2\sqrt{x}}$ **12.** $\dfrac{4 \arcsin 2x}{\sqrt{1-4x^2}}$

13. $-\dfrac{e^{1/x}(1+2x)}{x^4}$ **14.** $\tan x$

15. $\dfrac{2xy - \cos y}{1 - x \sin y - x^2}$ **16.** $\dfrac{4(u-1)^3(-u^2+2u+2)}{(u^2+u+1)^5}$

17. $\dfrac{1}{2\sqrt{\arctan x}\,(1+x^2)}$

18. $\csc^2(\csc x)\csc x\cot x$

19. $\dfrac{1-t^2}{(1+t^2)^2}\sec^2\left(\dfrac{t}{1+t^2}\right)$

20. $\sec x\,e^{e\sec x}(x\tan x+1)$

21. $3^{x\ln x}(\ln 3)(1+\ln x)$

22. $2x\sec(1+x^2)\tan(1+x^2)$

23. $-(x-1)^{-2}$

24. $-\frac{1}{3}(x+\sqrt{x})^{-4/3}\left(1+\dfrac{1}{2\sqrt{x}}\right)$

25. $\dfrac{2x-y\cos(xy)}{x\cos(xy)+1}$

26. $\dfrac{\cos\sqrt{x}}{4\sqrt{x\sin\sqrt{x}}}$

27. $\dfrac{2}{(1+2x)\ln 5}$

28. $(\cos x)^x(\ln\cos x-x\tan x)$

29. $\cot x-\sin x\cos x$

30. $\dfrac{(x^2+1)^4}{(2x+1)^3(3x-1)^5}\left(\dfrac{8x}{x^2+1}-\dfrac{6}{2x+1}-\dfrac{15}{3x-1}\right)$

31. $\dfrac{4x}{1+16x^2}+\arctan(4x)$

32. $-\sin x\,e^{\cos x}-e^x\sin(e^x)$

33. $5\sec 5x$

34. $\pi(\ln 10)10^{\tan\pi\theta}\sec^2\pi\theta$

35. $-6x\csc^2(3x^2+5)$

36. $\dfrac{\ln(t^4)+4}{2\sqrt{t}\ln(t^4)}$

37. $\cos(\tan\sqrt{1+x^3})(\sec^2\sqrt{1+x^3})\dfrac{3x^2}{2\sqrt{1+x^3}}$

38. $\dfrac{1}{1+(\arcsin\sqrt{x})^2}\cdot\dfrac{1}{\sqrt{1-x}}\cdot\dfrac{1}{2\sqrt{x}}$

39. $2\cos\theta\tan(\sin\theta)\sec^2(\sin\theta)$

40. $e^y/(1-xe^y)$

41. $\dfrac{(x-2)^4(3x^2-55x-52)}{2\sqrt{x+1}(x+3)^8}$

42. $\dfrac{4(x+\lambda)^3(\lambda^4-\lambda x^3)}{(x^4+\lambda^4)^2}$

43. $(mx\cos mx-\sin mx)/x^2$

44. $\dfrac{2(x+1)(x+4)}{(x+2)(x-2)(2x+5)}$

45. $\dfrac{-3\sin(e^{\sqrt{\tan 3x}})e^{\sqrt{\tan 3x}}\sec^2(3x)}{2\sqrt{\tan 3x}}$

46. $\dfrac{-\pi\sin\left(\cos\sqrt{\sin\pi x}\right)\cos\left(\cos\sqrt{\sin\pi x}\right)\sin\sqrt{\sin\pi x}\cos\pi x}{\sqrt{\sin\pi x}}$

47. $-\frac{4}{27}$

48. $\sqrt{3}-\pi/12$

49. $-5x^4/y^{11}$

50. $\dfrac{n!}{(2-x)^{(n+1)}}$

52. $\frac{1}{8}$

53. $y=2\sqrt{3}x+1-\pi\sqrt{3}/3$

54. $y=-1$

55. $y=2x+1$

56. $y=-\frac{4}{5}x+\frac{13}{5}$; $y=\frac{5}{4}x-\frac{3}{2}$

57. $y=-x+2$; $y=x+2$

58. $f'(x)=e^{\sin x}(x\cos x+1)$

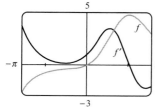
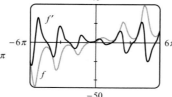

59. a) $\dfrac{10-3x}{2\sqrt{5-x}}$ b) $y=\frac{7}{4}x+\frac{1}{4}$; $y=-x+8$

c)
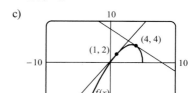

60. a) $f'(x)=4-\sec^2 x$; $f''(x)=-2\sec^2 x\tan x$

b)
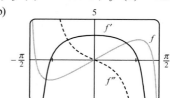

61. $(\pi/4,\sqrt{2})$ et $(5\pi/4,-\sqrt{2})$

62. $\left(-\frac{2}{\sqrt{6}},\frac{1}{\sqrt{6}}\right)$ et $\left(\frac{2}{\sqrt{6}},-\frac{1}{\sqrt{6}}\right)$

64. a) $\sin 2x=2\sin x\cos x$
b) $\cos(x+a)=\cos x\cos a-\sin x\sin a$

65. a) 4   b) 6   c) $\frac{7}{9}$ d) 12

66. a) -2 b) $-\frac{3}{8}$ c) 6

67. $2xg(x)+x^2g'(x)$

68. $2xg'(x^2)$

69. $2g(x)g'(x)$

70. $g'(g(x))g'(x)$

71. $g'(e^x)$

72. $e^{g(x)}g'(x)$

73. $g'(x)/g(x)$

74. $\dfrac{g'(\ln x)}{x}$

75. $\dfrac{f'(x)[g(x)]^2+g'(x)[f(x)]^2}{[f(x)+g(x)]^2}$

76. $\dfrac{f'(x)g(x)-f(x)g'(x)}{2[g(x)]^{3/2}\sqrt{f(x)}}$

77. $f'(g(\sin 4x)g'(\sin 4x)(\cos 4x)(4)$

78. a)
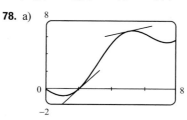

b) $[2,3]$
c) $x=2$
d) $f'(x)=1-2\cos x$;
$f'(2)\approx 1,8323$;
$f'(5)\approx 0,4327$

79. $(-3,0)$

80. a) $y=\frac{1}{4}x+\frac{1}{4}(\ln 4+1)$ b) $y=ex$

81. $y=-\frac{2}{3}x^2+\frac{14}{3}x$

82. b) $C'(t)=K(-ae^{-at}+be^{-bt})$ c) $t=\dfrac{\ln(b/a)}{b-a}$

83. $v(t) = -Ae^{-ct}[c\cos(\omega t + \delta) + \omega\sin(\omega t + \delta)]$,
$a(t) = Ae^{-ct}[(c^2 - \omega^2)\cos(\omega t + \delta) + 2c\omega\sin(\omega t + \delta)]$

84. a) $v(t) = c^2 t/\sqrt{b^2 + c^2 t^2}$; $a(t) = \dfrac{b^2 c^2}{(b^2 + c^2 t^2)^{3/2}}$

   b) $v(t) > 0$ pour tout $t > 0$

85. a) $v(t) = 3t^2 - 12$; $a(t) = 6t$

   b) $t > 2$; $0 \le t < 2$

   c) 23

   d)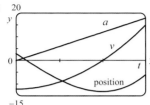

   e) $t > 2$; $0 < t < 2$

86. a) $\frac{1}{3}\pi r^2$ où r est une constante

   b) $\frac{2}{3}\pi rh$ où h est une constante

87. 4 kg/m

88. a) $C'(x) = 2 - 0{,}04x + 0{,}000\,21x^2$

   b) 0,10 \$/unité

   c) 0,101 07 \$

89. $\frac{4}{3}$ cm²/min

90. $\dfrac{8}{9\pi}$ cm/s

91. 5,2 m/s

92. $\approx 2{,}33$ m/s

93. 400 m/h

94. a) $f(x) \approx 4 - \frac{3}{4}(x - 3)$

   b)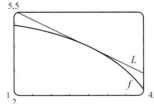

   c) $2{,}24 < x < 3{,}66$

95. a) $L(x) = 1 + x$; $\sqrt[3]{1 + 3x} \approx 1 + x$; $\sqrt[3]{1{,}03} \approx 1{,}01$

   b) $-0{,}235 < x < 0{,}401$

96. 0,8

97. $12 + \frac{3}{2}\pi \approx 16{,}7$ cm²

98. 17

99. $\frac{1}{32}$

100. $-\dfrac{\sqrt{3}}{2}$

101. $\frac{1}{4}$

103. $\frac{1}{8}x^2$

Problèmes supplémentaires

1. $(\pm\sqrt{3}/2,\ \frac{1}{4})$ **2.** $(2, 6)$

5. $3\sqrt{2}$ **6.** $a = 5$; $b = 8$

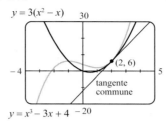

7. $(100 - 50\sqrt{2},\ 150 - 100\sqrt{2}) \approx (29{,}3\ ;\ 8{,}6)$, c'est-à-dire à environ 29,3 m à l'est et 8,6 m au nord de l'origine

9. $f^{(n)}(x) = \left(\dfrac{1}{1 - x}\right)^{(n)} = \dfrac{n!}{(1 - x)^{n+1}}$

10. $(0, \frac{5}{4})$ **11.** $2\sqrt{a}\,f'(a)$ **12.** $c = 0,\ c = -\frac{5}{2}$

13. Trois droites tangentes aux points $(0, 2)$, $\left(\frac{4}{3}\sqrt{2}, \frac{2}{3}\right)$, $\left(\frac{2}{3}\sqrt{2}, \frac{10}{3}\right)$, $\left(-\frac{4}{3}\sqrt{2}, \frac{2}{3}\right)$ et $\left(-\frac{2}{3}\sqrt{2}, \frac{10}{3}\right)$

14. $f^{(46)}(x) = 2(46!)(x + 1)^{-47}$ et $f^{(46)}(3) = 2(46!)(4)^{-47}$ ou $(46!)2^{-93}$

15. a) $4\pi\sqrt{3}/\sqrt{11}$ rad/s

   b) $40(\cos\theta + \sqrt{8 + \cos^2\theta})$ cm

   c) $-480\pi\sin\theta(1 + \cos\theta/\sqrt{8 + \cos^2\theta})$ cm/s

18. -1

19. $x_T \in\ ]3, \infty[,\ y_T \in\ ]2, \infty[,\ x_N \in\ ]0, \frac{5}{3}[,\ y_N \in\ ]-\frac{5}{2}, 0[$

20. $6\cos 9$

21. b) i) $53°$ (ou $127°$)   ii) $63°$ (ou $117°$)

23. R s'approche du point-milieu du rayon AO

25. $-\sin a$ **27.** $2\sqrt{e}$

28. $a = e$ **31.** $(1, -2),\ (-1, 0)$

33. $\sqrt{29}/58$ **34.** $\dfrac{r^2}{R^2 - r^2}$ cm/s

35. $2 + \frac{375}{128}\pi \approx 11{,}204$ cm³/min

CHAPITRE 4

Exercices 4.1

Abréviations : abs (absolu), rel (relatif), max (maximum), min (minimum)

1. min abs : la plus petite valeur d'une fonction sur tout son domaine ; min rel en c : la plus petite valeur d'une fonction quand x est proche de c

2. a) Le théorème des valeurs extrêmes (4.1.3)

   b) La méthode de l'intervalle fermé (4.1.8)

3. max abs en s, min abs en r, max rel en c, min rel en b et en r, ni max ni min en a ou en d

4. max abs en r, min abs en a, max rel en b et r, min rel en d, ni max ni min en c ou en s

5. max abs $f(4) = 5$; max rel $f(4) = 5$ et $f(6) = 4$; min rel $f(2) = 2$ et $f(1) = f(5) = 3$

6. min abs $g(4) = 1$; max rel $g(3) = 4$ et $g(6) = 3$; min rel $g(2) = 2$ et $g(4) = 1$

7. 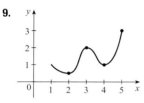   **8.**

9.   **10.**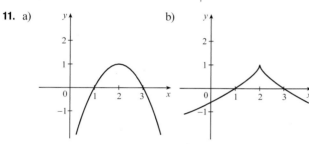

11. a)   b)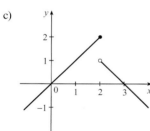

c)

12. a)

b)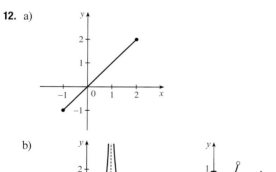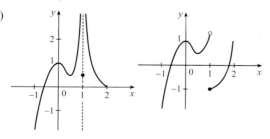

13. a) 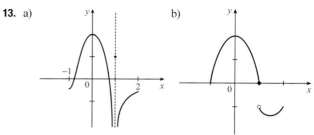   b)

14. a) 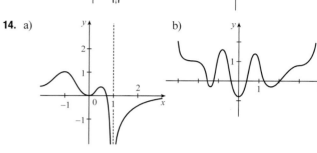   b)

15. max abs $f(3) = 4$ **16.** max abs $f(-2) = 8/3$

17. max abs $f(1) = 1$ **18.** Aucun max ni min

19. min abs $f(0) = 0$ **20.** max abs $f(\pi/2) = 1$

21. max abs $f(\pi/2) = 1$; min abs $f(-\pi/2) = -1$

22. max rel et abs $f(0) = 1$; min rel et abs $f(\pm\pi) = -1$

23. max abs $f(2) = \ln 2$ **24.** min abs et rel $f(0) = 0$

25. max abs $f(0) = 1$ **26.** Aucun max ni min

27. min abs $f(1) = -1$; min rel $f(0) = 0$

28. min abs $f(3) = -2$ **29.** $\frac{1}{3}$

30. $-5, 1$ **31.** $-2, 3$

32. Aucun   **33.** 0

34. $\frac{4}{3}$ **35.** $0, 2$

36. $1 \pm \sqrt{5}$ **37.** $0, \frac{4}{9}$

38. $-2, 0, 2$ **39.** $0, \frac{8}{7}, 4$

40. $\frac{\pi}{3} + 2n\pi, \frac{5\pi}{3} + 2n\pi, \frac{2\pi}{3} + 2n\pi, \frac{4\pi}{3} + 2n\pi$ (n un entier)

41. $n\pi$ (n un entier)   **42.** $\pm\frac{2}{3}\sqrt{2}$

43. $0, \frac{2}{3}$ **44.** $\sqrt{e}$

45. 10 **46.** 14

47. $f(2) = 16, f(5) = 7$ **48.** $f(3) = 113, f(0) = 5$

49. $f(-1) = 8, f(2) = -19$ **50.** $f(0) = 5, f(-3) = -76$

51. $f(-2) = 33, f(2) = -31$ **52.** $f(3) = 125, f(0) = -64$

53. $f(0,2) = 5,2; f(1) = 2$ **54.** $f(1) = 1, f(0) = 0$

55. $f(4) = 4 - \sqrt[3]{4}$; $f\left(\dfrac{\sqrt{3}}{9}\right) = -\dfrac{\sqrt[2]{3}}{9}$

56. $f\left(\dfrac{1}{\sqrt{3}}\right) = \dfrac{3^{3/4}}{4}$; $f(0) = 0$

57. $f(\pi/6) = \frac{3}{2}\sqrt{3}, f(\pi/2) = 0$

58. $f(\frac{3\pi}{2}) = \frac{3\pi}{2} - 1$, $f(\frac{\pi}{2}) = \frac{\pi}{2} + 1$

59. $f(e^{1/2}) = \dfrac{1}{2e}$; $f\left(\dfrac{1}{2}\right) = -4\ln 2$

60. $f(1) = e^{1/2}$; $f(-2) = -2/e$

61. $f(1) = \ln 3$, $f\left(-\dfrac{1}{2}\right) = \ln\dfrac{3}{4}$

62. $f(4) = 4 - 2\arctan 4$, $f(1) = 1 - \dfrac{\pi}{2}$

63. $f\left(\dfrac{a}{a+b}\right) = \dfrac{a^a b^b}{(a+b)^{a+b}}$

64. $-2{,}1$; $-1{,}3$; $-0{,}2$; $1{,}3$; $2{,}3$

65. a) $2{,}19$; $1{,}81$

b) $\dfrac{6}{25}\sqrt{\dfrac{3}{5}} + 2$, $-\dfrac{6}{25}\sqrt{\dfrac{3}{5}} + 2$

66. a) $2{,}85$; $1{,}89$

b) $e + e^{-2}$; $2^{\frac{1}{3}} + 2^{-\frac{2}{3}}$

67. a) $0{,}32$; $0{,}00$

b) $\dfrac{3}{16}\sqrt{3}$, 0

68. a) $-1{,}17$; $-2{,}26$

b) $-2 - 2\cos(-2)$; $-\dfrac{\pi}{6} - \sqrt{3}$

69. Environ $0{,}177$ mg/mL

70. $\dfrac{32}{27}\,\mu$g/mL

71. $\approx 3{,}9665\ °\text{C}$

73. $t = 4{,}1$, soit dans la première semaine d'avril

74. a) $v(t) = 0{,}000\,44\,t^3 - 0{,}034\,93\,t^2 + 7{,}602\,45\,t - 6{,}589\,68$

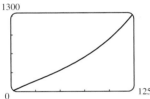

b) $a(t) = 0{,}001\,32\,t^2 - 0{,}069\,86\,t + 7{,}602\,45$;
max $\approx 19{,}5$ m/s² ; min $\approx 6{,}7$ m/s²

75. a) $r = \dfrac{2}{3}r_0$ b) $v = \dfrac{4}{27}kr_0^3$

c)

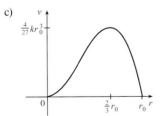

Exercices 4.2

Abréviations : cr (croissante), déc (décroissante),
CH (concave vers le haut), CB (concave
vers le bas), AH (asymptote horizontale),
AV (asymptote verticale), PI (point d'inflexion)

1. a) $]1, 3[$, $]4, 6[$ b) $]0, 1[$, $]3, 4[$
c) $]0, 2[$ d) $]2, 4[$, $]4, 6[$
e) $(2, 3)$

2. a) $]0, 1[$, $]3, 7[$ b) $]1, 3[$
c) $]2, 4[$, $]5, 7[$ d) $]0, 2[$, $]4, 5[$
e) $(2, 2)$, $(4, 3)$, $(5, 4)$

3. a) Test de monotonie
b) Test sur la concavité
c) En cherchant les points en lesquels la concavité change
de sens.

5. a) cr sur $]1, 5[$; déc sur $]0, 1[$ et $]5, 6[$
b) max rel en $x = 5$, min rel en $x = 1$

6. a) cr sur $]0, 1[$ et $]5, 7[$; déc sur $]1, 5[$ et $]7, 8[$
b) max rel en $x = 1$ et $x = 7$; min rel en $x = 5$

7. a) $3, 5$ b) $2, 4, 6$ c) $1, 7$

8. a) $]0, 4[$ et $]6, 8[$
b) max rel en $x = 4$ et $x = 8$; min rel en $x = 6$
c) CH sur $]0, 1[$, $]2, 3[$ et $]5, 7[$; CB sur $]1, 2[$, $]3, 5[$ et $]7, 9[$
d) $1, 2, 3, 5, 7$

9. a) cr sur $]-\infty, -1[$, $]3, \infty[$; déc sur $]-1, 3[$
b) max rel $f(-1) = 9$; min rel $f(3) = -23$
c) CH sur $]1, \infty[$; CB sur $]-\infty, 1[$; PI $(1, -7)$

10. a) cr sur $]-\infty, 1[$, $]2, \infty[$; déc sur $]1, 2[$
b) max rel $f(1) = 2$; min rel $f(2) = 1$
c) CH sur $]\dfrac{3}{2}, \infty[$; CB sur $]-\infty, \dfrac{3}{2}[$; PI $\left(\dfrac{3}{2}, \dfrac{3}{2}\right)$

11. a) cr sur $]-1, 0[$, $]1, \infty[$; déc sur $]-\infty, -1[$, $]0, 1[$
b) max rel $f(0) = 3$; min rel $f(\pm 1) = 2$
c) CH sur $]-\infty, -\sqrt{3}/3[$, $]\sqrt{3}/3, \infty[$;
CB sur $]-\sqrt{3}/3, \sqrt{3}/3[$;
PI $\left(\pm\sqrt{3}/3, \dfrac{22}{9}\right)$

12. a) cr sur $]-1, 1[$; déc sur $]-\infty, -1[$ et $]1, \infty[$
b) max rel $f(1) = \dfrac{1}{2}$; min rel $f(-1) = -\dfrac{1}{2}$
c) CH sur $]-\sqrt{3}, 0[$, $]\sqrt{3}, \infty[$; CB sur $]-\infty, -\sqrt{3}[$
et $]0, \sqrt{3}[$; PI $(-\sqrt{3}, -\sqrt{3}/4)$, $(0, 0)$, $(\sqrt{3}, \sqrt{3}/4)$

13. a) cr sur $]0, \pi/4[$, $]5\pi/4, 2\pi[$; déc sur $]\pi/4, 5\pi/4[$
b) max rel $f(\pi/4) = \sqrt{2}$; min rel $f(5\pi/4) = -\sqrt{2}$
c) CH sur $]3\pi/4, 7\pi/4[$; CB sur $]0, 3\pi/4[$, $]7\pi/4, 2\pi[$;
PI $(3\pi/4, 0)$, $(7\pi/4, 0)$

14. a) cr sur $]\pi/2, 3\pi/2[$; déc sur $]0, \pi/2[$ et $]3\pi/2, 2\pi[$
b) max rel $f(3\pi/2) = 2$; min rel $f(\pi/2) = -2$
c) CH sur $]\pi/6, 5\pi/6[$; CB sur $]0, \pi/6[$, $]5\pi/6, 3\pi/2[$
et $]3\pi/2, 2\pi[$; PI $(\pi/6, -\dfrac{1}{4})$, $(5\pi/6, -\dfrac{1}{4})$

15. a) cr sur $]-\dfrac{1}{3}\ln 2, \infty[$; déc sur $]-\infty, -\dfrac{1}{3}\ln 2[$
b) min rel $f(-\dfrac{1}{3}\ln 2) = 2^{-2/3} + 2^{1/3}$
c) CH sur $]-\infty, \infty[$

16. a) cr sur $]e^{-\frac{1}{2}}, \infty[$; déc sur $]0, e^{-\frac{1}{2}}[$
b) min rel $f(e^{-\frac{1}{2}}) = -1/2e$
c) CH sur $]e^{-\frac{3}{2}}, \infty[$; CB sur $]0, e^{-\frac{3}{2}}[$;
PI $\left(e^{-\frac{3}{2}}, -3/(2e^3)\right)$

17. a) cr sur $]1, \infty[$; déc sur $]0, 1[$
b) min rel $f(1) = 0$
c) CH sur $]0, \infty[$; aucun PI

18. a) cr sur]0, 4[; déc sur]−∞, 0[et]4, ∞[

b) max rel $f(4) = 256/e^4$; min rel $f(0) = 0$

c) CH sur]−∞, 2[et]6, ∞[; CB sur]2, 6[; PI (2, $16e^{-2}$), (6, $1296e^{-6}$)

19. max rel $f(1) = 2$; min rel $f(0) = 1$

20. max rel $f(0) = 0$; min rel $f(2) = 4$

21. min rel $f(\frac{1}{16}) = -\frac{1}{4}$

22. a) $0, 1, \frac{4}{7}$

b) min rel $x = \frac{4}{7}$

c) max rel $x = 0$, min rel $x = \frac{4}{7}$

23. a) f a un maximum relatif en 2.

b) f a une tangente horizontale en 6.

24. a) 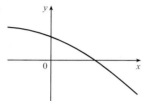   b)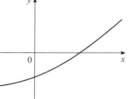

25. a) 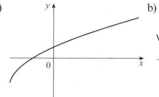   b)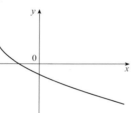

26.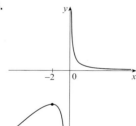

27.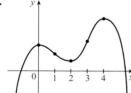

28.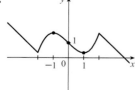

29.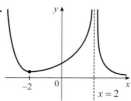

30.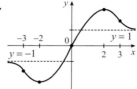

31.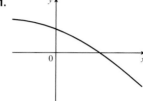

32. a)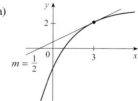

b) Une

c) Non

33. a) Aucun maximum absolu

b) min rel en $x = 2$

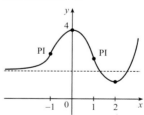

c)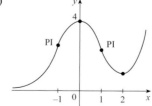

34. a) Au point B

b) Au point E

c) Au point A

35. a) cr sur $]0, 2[,]4, 6[,]8, \infty[$; déc sur $]2, 4[,]6, 8[$

b) max rel en $x = 2, 6$; min rel en $x = 4, 8$

c) CH sur $]3, 6[,]6, \infty[$; CB sur $]0, 3[$

d) 3

e)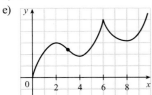

36. a) cr sur $]1, 6[,]8, \infty[$; déc sur $]0, 1[,]6, 8[$

b) max rel en $x = 6$; min rel en $x = 1, 8$

c) CH sur $]0, 2[,]3, 5[,]7, \infty[$; CB sur $]2, 3[,]5, 7[$

d) 2, 3, 5, 7

e)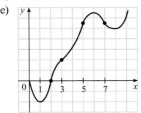

37. a) cr sur $]-\infty, -2[,]2, \infty[$; déc sur $]-2, 2[$

b) max rel $f(-2) = 18$; min rel $f(2) = -14$

c) CH sur $]0, \infty[$, CB sur $]-\infty, 0[$; PI $(0, 2)$

d)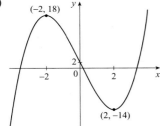

38. a) cr sur $]-2, 3[$; déc sur $]-\infty, -2[,]3, \infty[$

b) max rel $f(3) = 81$; min rel $f(-2) = -44$

c) CH sur $]-\infty, \frac{1}{2}[$, CB sur $]\frac{1}{2}, \infty[$; PI $(\frac{1}{2}, \frac{37}{2})$

d)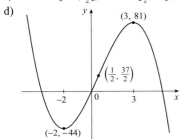

39. a) cr sur $]-\infty, -1[,]0, 1[$; déc sur $]-1, 0[,]1, \infty[$

b) max rel $f(-1) = 3, f(1) = 3$; min rel $f(0) = 2$

c) CH sur $]-1/\sqrt{3}, 1/\sqrt{3}[$; CB sur $]-\infty, -1/\sqrt{3}[$, $]1/\sqrt{3}, \infty[$; PI $(\pm 1/\sqrt{3}, \frac{23}{9})$

d)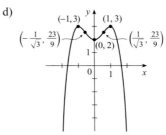

40. a) cr sur $]-6, \infty[$; déc sur $]-\infty, -6[$

b) min rel $g(-6) = -232$

c) CH sur $]-\infty, -4[,]0, \infty[$; CB sur $]-4, 0[$; PI $(-4, -56), (0, 200)$

d)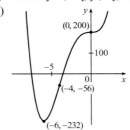

41. a) cr sur $]-\infty, -2[,]0, \infty[$; déc sur $]-2, 0[$

b) max rel $h(-2) = 7$; min rel $h(0) = -1$

c) CH sur $]-1, \infty[$; CB sur $]-\infty, -1[$; PI $(-1, 3)$

d)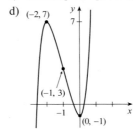

42. a) cr sur $]-1, 1[$; déc sur $]-\infty, -1[,]1, \infty[$

b) max rel $h(1) = 2$; min rel $h(-1) = -2$

c) CH sur $]-\infty, -1/\sqrt{2}[,]0, 1/\sqrt{2}[$; CB sur $]-1/\sqrt{2}, 0[$, $]1/\sqrt{2}, \infty[$; PI $(-1/\sqrt{2}, -7/(4\sqrt{2})), (0, 0), (1/\sqrt{2}, 7/(4\sqrt{2}))$

d)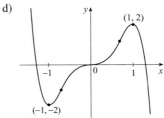

43. a) cr sur $]-\infty, 4[$; déc sur $]4, 6[$

b) max rel $f(4) = 4\sqrt{2}$

c) CB sur $]-\infty, 6[$; aucun PI

d)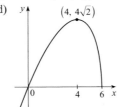

44. a) cr sur]0, 1[; déc sur]−∞, 0[,]1, ∞[
b) max rel $G(1) = 3$; min rel $G(0) = 0$
c) CH sur]−∞, $-\frac{1}{2}$[; CB sur]$-\frac{1}{2}$, 0[,]0, ∞[; PI $\left(-\frac{1}{2}, 6/\sqrt[3]{4}\right)$
d)

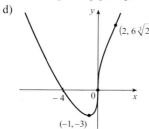

45. a) cr sur]−1, ∞[; déc sur]−∞, −1[
b) min rel $C(-1) = -3$
c) CH sur]−∞, 0[,]2, ∞[; CB sur]0, 2[; PI (0, 0), $(2, 6\sqrt[3]{2})$
d)

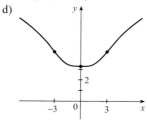

46. a) cr sur]0, ∞[; déc sur]−∞, 0[
b) min rel $f(0) = \ln 27$
c) CH sur]−3, 0[,]0, 3[; CB sur]−∞, −3[,]3, ∞[;
PI (±3, ln 108)
d)

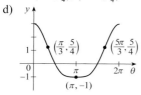

47. a) cr sur]π, 2π[; déc sur]0, π[
b) min rel $f(\pi) = -1$
c) CH sur]$\pi/3$, $5\pi/3$[; CB sur]0, $\pi/3$[,]$5\pi/3$, 2π[;
PI $(\pi/3, \frac{5}{4})$, $(5\pi/3, \frac{5}{4})$
d)

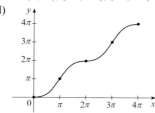

48. a) cr sur]0, 4π[
b) Aucun
c) CH sur]0, π[,]2π, 3π[; CB sur]π, 2π[,]3π, 4π[;
PI (π, π), $(2\pi, 2\pi)$, $(3\pi, 3\pi)$
d)

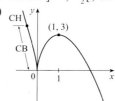

49.]3, ∞[

50. Toutes les courbes sont CH sur]−∞, 0[et CB sur]0, ∞[

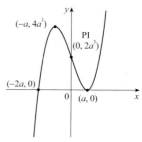

51. a) max rel et abs $f(1) = \sqrt{2}$; pas de min
b) $\frac{1}{4}(3 - \sqrt{17})$

52. a) max rel $f(2) = 4e^{-2}$; min rel $f(0) = 0$
b) $2 - \sqrt{2}$

53. CB sur]0 ; 0,85[; CH sur]0,85 ; 1,57[; CB sur]1,57 ; 2,29[;
CH sur]2,29 ; π[;
PI (0,85 ; 0,74), (1,57 ; 0), (2,29 ; −0,74)

54. CB sur]−1, 0[; CH sur]−1 ; −0,29[; CB sur]−0,29 ; 0,69[;
CH sur]0,69 ; ∞[;
PI (−1, 0), (−0,29 ; 0,60), (0,69 ; 0,46)

55. CH sur]−∞ ; −0,6[,]0,0 ; ∞[;
CB sur]−0,6 ; 0,0[

56. CH sur]−∞, −1[,]0 ; 0,7[,]2,5 ; ∞[;
CB sur]−1, 0[,]0,7 ; 2,5[

57. a) Le taux de croissance est très faible au début, il augmente
pour atteindre un max en $t \approx 8$ h, puis diminue jusqu'à
devenir nul.
b) Quand $t = 8$
c) CH sur]0, 8[; CB sur]8, 18[
d) (8, 350)

60. a) La température augmente rapidement.
b) La température augmente lentement.
c) La température diminue lentement.
d) La température diminue rapidement.

61. $K(3) - K(2)$; CB

62.

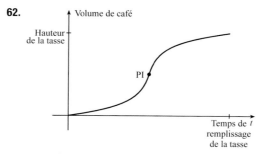

PI : où la tasse est à moitié pleine

63. 28,57 min, alors que le taux de croissance de la concentration
de médicament dans le sang est le plus fort ; 85,71 min, alors
que le taux de décroissance est le plus fort

64. $f(x) = \frac{1}{9}(2x^3 + 3x^2 - 12x + 7)$

65. $a = \sqrt{e}/2$, $b = -\frac{1}{8}$

66. a) $a = 0$, $b = -1$
b) $y = -x$ en $(0, 0)$

67. $a = -\frac{20}{3}$, $b = \frac{4}{3}$;
PI $(0, 0)$, $(-2 ; -2,5)$

77. 2 PI si $|c| > \frac{2\sqrt{6}}{3}$;
1 PI si $c = \pm \frac{2\sqrt{6}}{3}$;
aucun PI si $|c| < \frac{2\sqrt{6}}{3}$

81. PI en c ; ni max ni min rel en c

83. $c \geq \frac{1}{8}$

Exercices 4.3

1.

2.

3.

4.

5.

6.

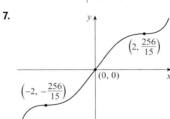

7.

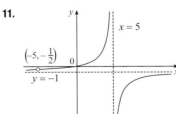

8.

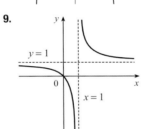

9.

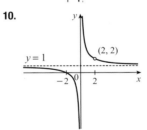

10.

11.

12.

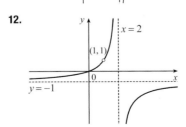

13. $x = -3$ $x = 3$

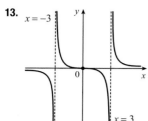

14. $x = -3$ $x = 3$ $\left(0, -\frac{1}{9}\right)$

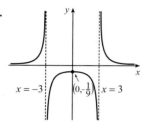

15. $y = 1$ $\left(-\sqrt{3}, \frac{1}{4}\right)$ $\left(\sqrt{3}, \frac{1}{4}\right)$

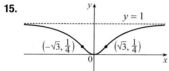

16. $\left(3\sqrt{3}, \sqrt{3}/12\right)$ $\left(3, \frac{1}{6}\right)$ $\left(-3, -\frac{1}{6}\right)$ $\left(-3\sqrt{3}, -\sqrt{3}/12\right)$

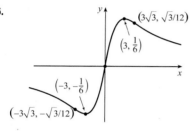

17. $(-1, 2)$ $(0, 1)$ $y = 1$ $(1, 0)$

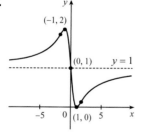

18. $y = 1$ $\left(-3, \frac{7}{9}\right)$ $\left(-2, \frac{3}{4}\right)$

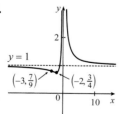

19. $\left(2, \frac{1}{4}\right)$ $\left(3, \frac{2}{9}\right)$

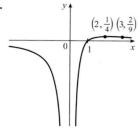

20. $\left(-\sqrt[3]{1/2}, \frac{2}{3}\sqrt[3]{1/2}\right)$ $\left(-\sqrt[3]{2}, \frac{1}{3}\sqrt[3]{2}\right)$ PI $x = 1$

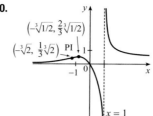

21. $y = 1$ $\left(-1, \frac{1}{4}\right)$ $\left(1, \frac{1}{4}\right)$ $(0, 0)$

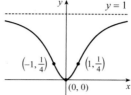

22. $\left(\sqrt[3]{1/2}, \frac{1}{3}\right)$ $y = 1$ $(0, 0)$ $x = -1$

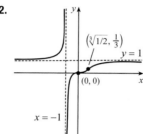

23. $(3, 27)$ $y = x^2 + 2x + 4$ $(0, 0)$ $x = 2$

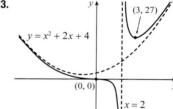

24. 3 $(1, -2)$

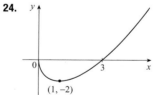

25. $(1, 1)$ 4

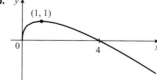

26. -2 1

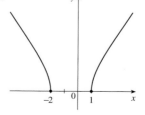

27.

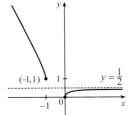

28.

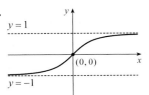

29.

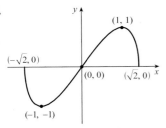

30.

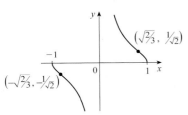

31.

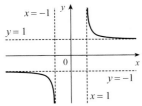

32.

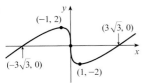

33.

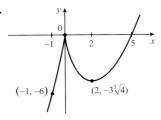

34.

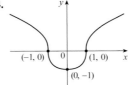

35.

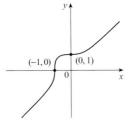

36.

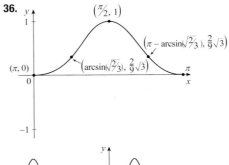

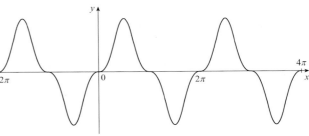

37.

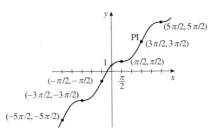

38.

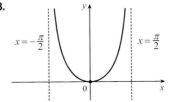

39.

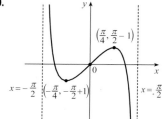

40.

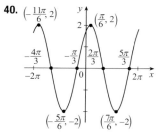

41.

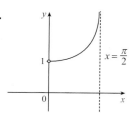

42. $x = -3\pi$ $x = -\pi$ $x = \pi$ $x = 3\pi$

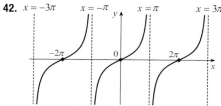

43.

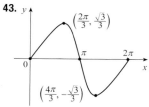

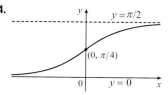

44.

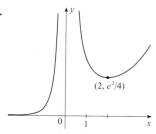

45.

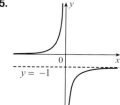

46.

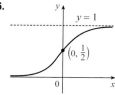

47.

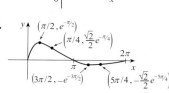

48.

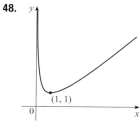

49.

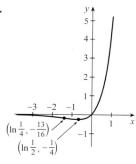

50.

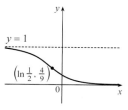

51.

52.

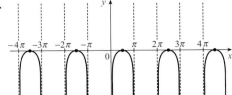

53.

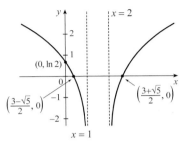

54.

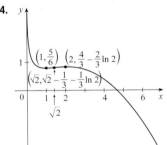

55.

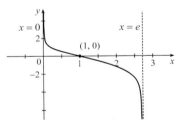

56.

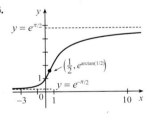

57.

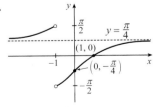

58.

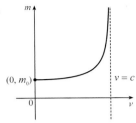

59. Le graphique montre que l'énergie E d'une particule augmente lorsque la longueur d'onde l diminue et l'énergie diminue lorsque l augmente. L'énergie s'approche de l'énergie au repos de la particule lorsque l devient grand.

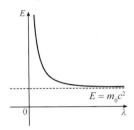

60. a) Lorsque $t = (\ln a)/k$
b) Lorsque $t = (\ln a)/k$
c)

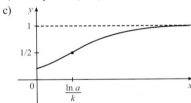

61. Le graphique montre que lorsque le médicament est injecté dans le sang, sa concentration augmente rapidement jusqu'à un maximum au temps D et retombe ensuite pour atteindre son taux de décroissance maximale au temps $2D$ pour finalement décroître de plus en plus lentement en s'approchant de 0 lorsque $t \to \infty$.

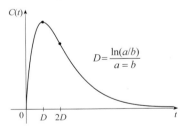

62.

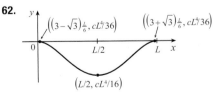

63. Le graphique montre que lorsque la particule du milieu est à la position $x = 1$, la force nette sur la particule est 0.

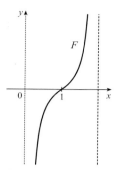

64. $y = x - 1$

65. $y = 4x + 2$

66. $y = 2x - 3$

67. $y = -3x + 1$

68.

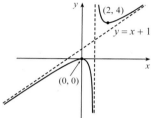

69.

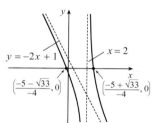

70.

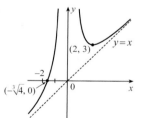

71.

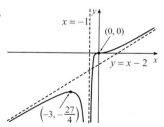

72.

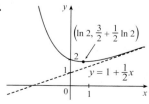

73.

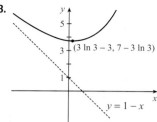

74.

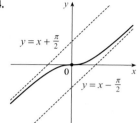

75.

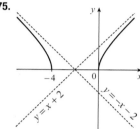

77.

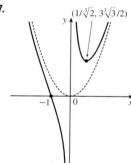

78.

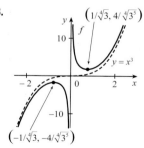

79.

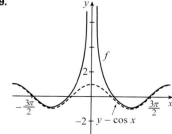

Exercices 4.4

1. a) 11, 12   b) 11,5 ; 11,5

2. 50 et −50

3. 10, 10

4. 128

5. $\frac{9}{4}$

6. $\frac{7}{8}$

7. 25 m sur 25 m

8. $10\sqrt{10}$ m sur $10\sqrt{10}$ m

9. $N = 1$

10. $I = 2$

11. a)

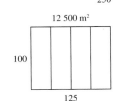

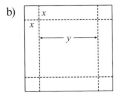

b)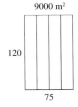

c) $A = xy$
d) $5x + 2y = 750$
e) $A(x) = 375x - \frac{5}{2}x^2$
f) 14 062,5 m²

12. a)

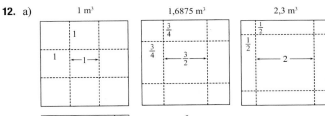

b)

c) $V = xy^2$
d) $2x + y = 3$
e) $V(x) = x(3 - 2x)^2$
f) 2 m³

13. 1000 m sur 1500 m

14. 40 cm × 40 cm × 20 cm

15. 4000 cm³

16. 163,54 $

17. 191,28 $

18. $\frac{250}{9}$ m = 27,78 m (nord-sud) par 41,67 m

19. $\frac{40}{\sqrt{3}}$ m (nord-sud) par $20\sqrt{3}$ m

21. $\left(-\frac{6}{5}, \frac{3}{5}\right)$

22. $\left(\frac{5}{2}, \sqrt{\frac{5}{2}}\right)$

23. $\left(-\frac{1}{3}, \pm\frac{4}{3}\sqrt{2}\right)$

24. (2,65 ; 0,47)

25. Un carré de côté $\sqrt{2}r$

26. $2ab$

27. $L/2$, $\sqrt{3}L/4$

28. $3\sqrt{3}/4$

29. Base : $\sqrt{3}r$, hauteur : $3r/2$

30. 3 cm²

31. $\sqrt{2}a$

32. $4\pi r^3/(3\sqrt{3})$

33. $\frac{4}{27}\pi r^2 h$

34. $\pi r^2(1 + \sqrt{5})$

35. Base : $\dfrac{20}{4 + \pi}$ m, hauteur : $\dfrac{10}{4 + \pi}$ m

36. 24 cm, 36 cm

37. $2\sqrt{30}$ cm, $3\sqrt{30}$ cm

38. a) Utiliser tout le fil pour le carré
b) $40\sqrt{3}/(9 + 4\sqrt{3})$ m pour le carré

39. a) Utiliser tout le fil pour le cercle
b) $40/(4 + \pi)$ m pour le carré

40. 48 cm

41. Hauteur = rayon = $\sqrt[3]{V/\pi}$ cm

42. 6,24 m

43. $V = 2\pi R^3/(9\sqrt{3})$

44. $r = 3\sqrt{3}/\sqrt[6]{6\pi^2}$, $h = 3\sqrt[3]{6\pi}$

46. $\theta = \arctan\mu$

47. $E^2/(4r)$

48. a) $v = \frac{3}{2}u$ b)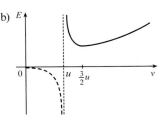

49. a) $\frac{3}{2}s^2 \csc\theta(\csc\theta - \sqrt{3}\cot\theta)$

b) $\arccos(1/\sqrt{3}) \approx 55°$

c) $6s[h + s/(2\sqrt{2})]$

50. 14 : 21 : 36

51. Ramer directement jusqu'à B

52. La femme devrait faire tout le trajet en marchant.

53. ≈ 4,85 km à l'est de la raffinerie

54. ≈ 4,88 km à l'est du point sur la rive situé à 1 km au sud de la raffinerie

55. $10\sqrt[3]{3}/(1 + \sqrt[3]{3})$ m de la source la plus puissante

56. $y = -\frac{5}{3}x + 10$

57. $(a^{2/3} + b^{2/3})^{3/2}$

58. (−2, −223) et (2, 225)

59. $2\sqrt{6}$

60. $\frac{32}{9}\sqrt{3}$

61. b) i) 342 491 $; 342 $/unité ; 390 $/unité
ii) 400
iii) 320 $/unité

62. b) 100

63. a) $p(x) = 19 - \frac{1}{3000}x$ b) 9,50 $

64. a) $p(x) = 20 - \frac{1}{2}x$ b) 13 $

65. a) $p(x) = -\frac{1}{8}x + 500$, où $x \geq 1200$

    b) 250 $ c) 310 $

66. 7 puits   **70.** 9,35 m

71. ≈ 88 km/h   **74.** $x = 6$ cm

75. ≈ 7,02 m   **76.** $\pi/6$

77. $\pi/3$

78. À une distance $5 - 2\sqrt{5}$ de A

79. $\sqrt{d(h+d)}$ **80.** $\frac{1}{2}(L + \ell)^2$

81. c) ≈ 79°

82. a) À environ 5,1 km de B

    b) C est proche de B; C est proche de D;

       $E/T = \sqrt{25 + x^2}/x$, où $x = |BC|$

    c) ≈ 1,07 ; il n'y a pas de telle valeur.

    d) $\sqrt{41}/4 \approx 1,6$

83. a) $I(x) = \dfrac{k}{x^2 + d^2} + \dfrac{k}{x^2 - 20x + 100 + d^2}$

    d) $5\sqrt{2}$

Révision

Vrai ou faux

1. Faux   **2.** Faux   **3.** Faux

4. Vrai   **5.** Faux   **6.** Faux

7. Vrai   **8.** Faux   **9.** Vrai

10. Faux   **11.** Faux   **12.** Vrai

13. Vrai   **14.** Faux   **15.** Vrai

Exercices récapitulatifs

1. max rel et abs $f(2) = f(5) = 18$; min rel $f(4) = 14$; min abs $f(0) = -2$

2. max abs et rel $f(\frac{2}{3}) = \frac{2}{9}\sqrt{3}$, min abs $f(-1) = -\sqrt{2}$

3. max abs $f(2) = \frac{2}{3}$, min abs et rel $f(-\frac{1}{3}) = -\frac{9}{2}$

4. max abs $f(-2) = f(1) = \sqrt{3}$, min abs et rel $f(-\frac{1}{2}) = \frac{\sqrt{3}}{2}$

5. max abs et rel $f(\pi/6) = \pi/6 + \sqrt{3}$, min abs $f(-2) = -\pi - 2$, min rel $f(5\pi/6) = 5\pi/6 - \sqrt{3}$

6. max abs $f(-1) = e$, max rel $f(2) = 4e^{-2}$, min abs et rel $f(0) = 0$

7.

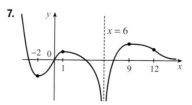

8.

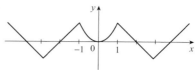

9.

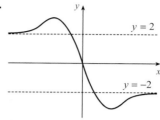

10. a) cr sur $]-2, 0[$ et $]4, \infty[$; déc sur $]-\infty, -2[$ et $]0, 4[$

    b) max rel en $x = 0$, min rel $x = 4$

    c)

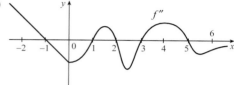

    d)

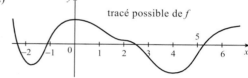

tracé possible de f

11.

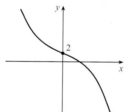

12.

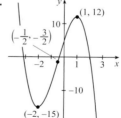

13.

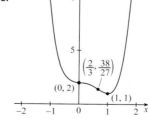

14.

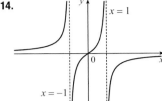

15.

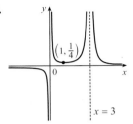

16.

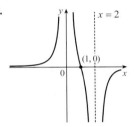

17.

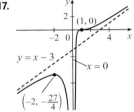

18.

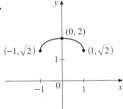

19.

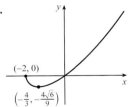

20.

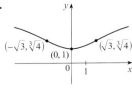

21.

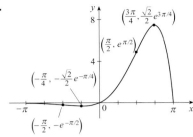

22.

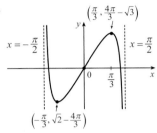

23.

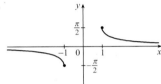

24.

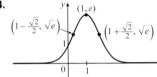

25.

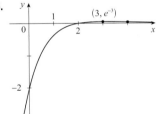

26.

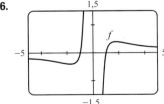

cr sur $]-\sqrt{3}, 0[,]0, \sqrt{3}[$;

déc sur $]-\infty, -\sqrt{3}[,]\sqrt{3}, \infty[$;

max rel $f(\sqrt{3}) = \frac{2}{9}\sqrt{3}$;

min rel $f(-\sqrt{3}) = -\frac{2}{9}\sqrt{3}$;

CH sur $]-\sqrt{6}, 0[,]\sqrt{6}, \infty[$;

CB sur $]-\infty, -\sqrt{6}[,]0, \sqrt{6}[$;
PI $(\sqrt{6}, \frac{5}{36}\sqrt{6})$, $(-\sqrt{6}, -\frac{5}{36}\sqrt{6})$

27.

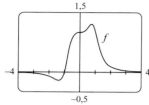

cr sur $]-1,34 ; 0,75[$;
déc sur $]-\infty ; -1,34[,]0,75 ; \infty[$;
min rel $f(-1,34) \approx -0,21$;
max rel $f(0,75) \approx 1,21$;
CH sur $]-1,64 ; -0,82[,]0 ; 0,54[,]1,09 ; \infty[$;
CB sur $]-\infty ; -1,64[,]-0,82 ; 0[,]0,54 ; 1,09[$;
PI $(-1,64 ; -0,17)$, $(-0,82 ; 0,34)$, $(0,54 ; 1,13)$,
$(1,09 ; 0,86)$, $(0, 1)$

28.

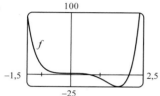

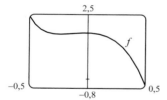

cr sur $]-0,23 ; 0[,]1,62 ; \infty[$;
déc sur $]-\infty ; -0,23[,]0 ; 1,62[$;
max rel $f(0) = 2$;
min rel $f(-0,23) \approx 1,96$; $f(1,62) \approx -19,2$;
CH sur $]-\infty ; -0,12[,]1,24 ; \infty[$;
CB sur $]-0,12 ; 1,24[$;
PI $(-0,12 ; 1,98)$, $(1,24 ; -12,1)$

29.

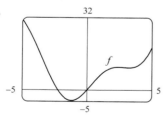

cr sur $]-1,19 ; 2,40[,]3,24 ; 5[$;
déc sur $]-5 ; -1,19[,]2,40 ; 3,24[$;
max rel $f(2,40) = 10,15$;
min rel $f(-1,19) = -4,62$, $f(3,24) = 9,86$;
CH sur $]-3,45 ; 0,31[,]2,83 ; 5[$;
CB sur $]-5 ; -3,45[,]0,31 ; 2,83[$;
PI $(-3,45 ; 13,93)$, $(0,31 ; 2,10)$ et $(2,83 ; 10,00)$

30.

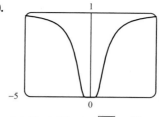

$(\pm 0,82 ; 0,22)$; $(\pm\sqrt{2/3}, e^{-3/2})$

31. a)

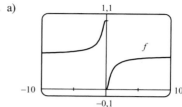

b) $\lim\limits_{x \to \pm\infty} f(x) = \frac{1}{2}$, $\lim\limits_{x \to 0^+} f(x) = 0$, $\lim\limits_{x \to 0^-} f(x) = 1$

c) PI $(-0,4 ; 0,9)$ et $(0,4 ; 0,08)$

d) $f''(x) = -\dfrac{e^{1/x}[e^{1/x}(2x-1) + 2x + 1]}{x^4(e^{1/x} + 1)^3}$

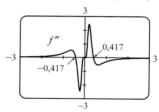

e) PI $(-0,417 ; 0,917)$ et $(0,417 ; 0,083)$

32. max : $-2,96$; $-0,18$; $3,01$; min : $-1,57$; $1,57$;
PI : $-2,16$; $-0,75$; $0,46$; $2,21$

33. max : $5,87$; min : aucun ; PI : $-4,31$; $11,74$

34. Pour $C > -1$, f est périodique de période 2π et présente des
max rel en $2n\pi + \pi/2$, n un entier. Pour $C \le -1$, f n'a pas de
graphique. Pour $-1 < C \le 1$, f admet des AV. Pour $C > 1$, f est
continue sur $\mathbb{R}$. Lorsque C croît, f se déplace vers le haut et
ses oscillations deviennent moins prononcées.

35.

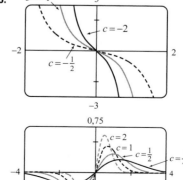

36. $a = -\frac{3}{2}$, $b = \frac{9}{2}$

37. a) 0   b) CH sur $\mathbb{R}$

38. 500 et 125

40. $(4, 2)$

41. $3\sqrt{3}r^2$

42. $32\pi r^3/81$

43. À $4/\sqrt{3}$ cm de D

44. $P = C$

45. $L = C$

46. $h = r = \sqrt[3]{3V/5\pi}$

47. 11,50 $

48. a) ≈ 160 unités
  b) 161 unités
  c) ≈ 144 unités

49.

Valeur de c	CP	PI
$c < 0$	3	2
$c = 0$	2	2
$0 < c < \frac{9}{32}$	3	2
$c = \frac{9}{32}$	2	2
$\frac{9}{32} < c < \frac{3}{8}$	1	2
$c \geq \frac{3}{8}$	1	0

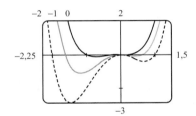

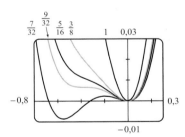

50. b) Environ 16,7 cm sur 4 cm   c) $40\sqrt{3}/3$ cm, $40\sqrt{6}/3$ cm

51. b) $\theta = \pi/4 + \alpha/2$ c) $\theta = \pi/4 - \alpha/2$

53.

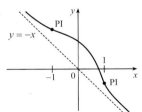

54. a) $5\sqrt{2} \approx 7$ m

  b) $\dfrac{dI}{dt} = \dfrac{-30k(h-1)}{[(h-1)^2 + 100]^{5/2}}$, où k est la constante
  de proportionnalité

Problèmes supplémentaires

3. max abs $f(-5) = e^{45}$, pas de min abs

6. $\left(\frac{1}{\sqrt{3}} \cdot \frac{2}{3}\right)$

7.

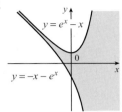

8. $(-2, 4)$, $(2, -4)$

9. Un PI si $c > 0$ et deux PI si $c < -e/6$

11. $a = \dfrac{1+\sqrt{5}}{2}$

12.

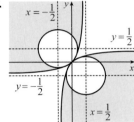

13. $(m/2, m^2/4)$

14. max : $A(1) = A(\frac{1}{\sqrt{3}}) = \frac{1}{2\sqrt{3}}$; min : $A(\frac{1}{\sqrt{2}}) = \frac{1}{4}$

15. $a \leq e^{1/e}$

17. a) $T_1 = D/c_1$, $T_2 = (2h \sec \theta)/c_1 + (D - 2h \tan \theta)/c_2$,
  $T_3 = \sqrt{4h^2 + D^2}/c_1$

  c) $c_1 \approx 3,85$ km/s, $c_2 \approx 7,66$ km/s, $h \approx 0,42$ km

18. $c < -4\sqrt{2}$ ou $c > 4\sqrt{2}$

20. $h = 4r$

21. $3/(\sqrt[3]{2} - 1) \approx 11,5$ h

ANNEXES

Annexe A

1. $(x-3)^2 + (y+1)^2 = 25$

2. $(x+2)^2 + (y+8)^2 = 100$

3. $x^2 + y^2 = 65$

4. $(x+1)^2 + (y-5)^2 = 130$

5. $(2, -5)$, 4

6. $(0, -3)$, $\sqrt{7}$

7. $(-\frac{1}{2}, 0)$, $\frac{1}{2}$

8. $(-\frac{1}{4}, -1)$, 1

9. $(\frac{1}{4}, -\frac{1}{4})$, $\sqrt{10}/4$

10. $(-\frac{1}{2}a, -\frac{1}{2}b)$, $\frac{1}{2}\sqrt{a^2 + b^2 - 4c}$

11. Parabole

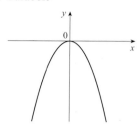

12. Hyperbole

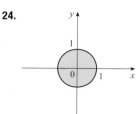

13. Ellipse

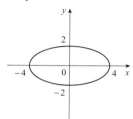

14. Parabole

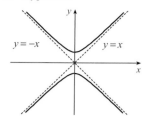

15. Hyperbole

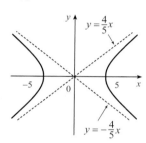

16. Ellipse

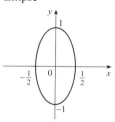

17. Ellipse

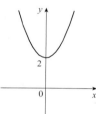

18. Parabole

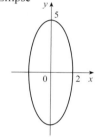

19. Parabole

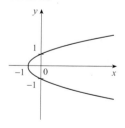

20.

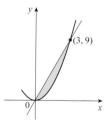

21.

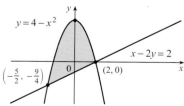

22. $y = x^2 - 2x$

23. $\dfrac{x^2}{9} + \dfrac{y^2}{25} = 1$

24.

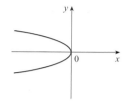

25.

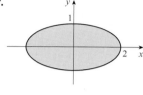

26.

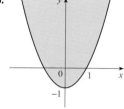

27.

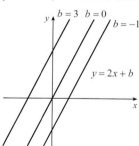

Annexe B

1. a) Logarithmique   b) Racine
c) Rationnelle   d) Polynomiale du deuxième degré
e) Exponentielle   f) Trigonométrique

2. a) Exponentielle   b) Puissance
c) Polynomiale de degré 5   d) Trigonométrique
e) Rationnelle   f) Algébrique

3. a) h b) f c) g

4. a) G b) f c) F d) g

5. a) $y = 2x + b$, où b est l'ordonnée à l'origine.

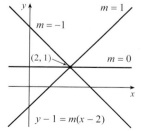

b) $y = mx + 1 - 2m$, où m est la pente.
c) $y = 2x - 3$

6. Représentés par une droite passant par le point (−3, 1)

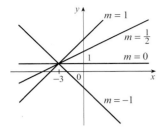

7. Leurs graphiques sont de pente −1.

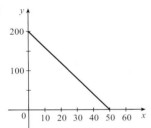

8. $g(x) = -x^2 - 2,5x + 1$

9. $f(x) = -3x(x + 1)(x - 2)$

10. a) 8,34 ; la variation en mg par année d'âge

b) 8,34 mg

11. a)

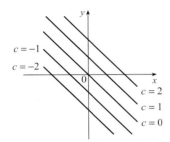

b) −4, chaque variation de 1 $ du prix entraîne une diminution de 4 espaces ; 200, nombre d'espaces occupés pour prix de location nul ; 50, valeur minimale du prix pour aucun espace loué

12. a)

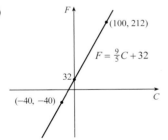

b) $\frac{9}{5}$, la variation en °F par degré Celsius de variation ; 32, la température en degrés Fahrenheit correspondant à 0 °C

13. a) $d = 108t$

b)

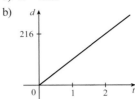

c) 108, vitesse de l'automobile en km/h

14. a) $T = \frac{1}{10}N + \frac{97}{10}$

b) $\frac{1}{10}$, la variation en °C par variation d'une stridulation par minute

c) 24,7 °C

15. a) $P = 10d + 101,3$ b) ≈ 50 m

16. a) Cosinus   b) Linéaire

17. a) Exponentielle   b) Réciproque

18. a) Un modèle linéaire convient.

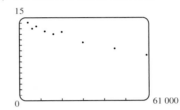

b) $y = -0,000\ 105x + 14,521$

c) $y = -0,000\ 099\ 79x + 13,951$

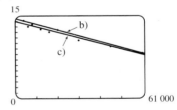

d) Environ 11,5 par 100 personnes

e) Environ 6 %

f) Non

19. a)

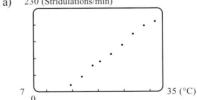

b)

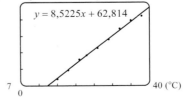

c) Environ 278 stridulations

20. Elle est quatre fois plus forte.

21. a) 2   b) ≈ 334 m²

22. a) $T = 1,004\ 312\ 27d^{1,499\ 528\ 750}$
    b) Oui

Annexe D

1. a) $x_2 \approx 7,3$ et $x_3 \approx 6,8$

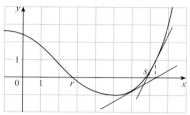

    b) Oui, car la tangente à $x_1 = 8$ coupe l'axe des x plus près de la racine s que celle à $x_1 = 6$.

2. $\dfrac{9}{2}$

3. a)

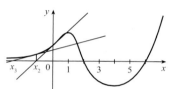

    b)

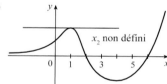

x_2 non défini

    c)

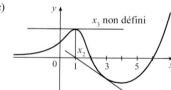

x_3 non défini

    d)

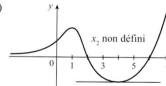

x_2 non défini

    e)

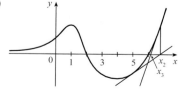

4. $\approx -2,7186$

5. $\approx 1,1785$

6. $\approx -1,2917$

8. $\approx 1,820\ 564\ 20$

9. $\approx 1,047\ 128\ 55$

10. $\approx 1,217\ 562$

11. $\approx -1,404\ 118$

12. $\approx -1,964\ 636$

13. $\approx 2,278\ 863$

14. $-1,938\ 228\ 83$; $-1,219\ 979\ 97$; $1,139\ 293\ 75$; $2,989\ 841\ 02$

15. $0,766\ 825\ 79$

16. $-0,734\ 859\ 10$; 1

17.

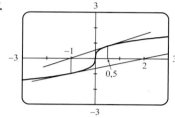

18.

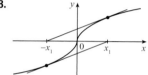

19. a) $-1,293\ 227$; $-0,441\ 731$; $0,507\ 854$
    b) $-2,0212$

20. $0,762\ 86$ % par mois ou $9,55$ % par année, composé chaque mois

21. a) $0,989\ 99$ UA du Soleil (ou $0,010\ 01$ UA de la Terre)
    b) $1,010\ 08$ UA du Soleil (ou $0,010\ 08$ UA de la Terre)

Annexe E

1. 2   **2.** $\frac{1}{3} + \frac{1}{3}\sqrt{19}$

3. $\frac{9}{4}$ **4.** $\pi/2$

5. f n'est pas dérivable sur $]-1, 1[$

6. f n'est pas dérivable sur $]0, \pi[$ et n'est pas continue sur $[0, \pi]$

7. $0,3$; 3 ; $6,3$ **8.** $3,2$; $6,1$

9. 1   **10.** $\pm\frac{2}{\sqrt{3}}$

11. $3/\ln 4$ **12.** $\sqrt{3}$

13. 1   **14.** $-\ln\left(\dfrac{1-e^{-2}}{2}\right)$

23. Non

Index

ALGÈBRE

OPÉRATIONS ÉLÉMENTAIRES

$$a(b + c) = ab + ac \qquad \frac{a}{b} + \frac{c}{d} = \frac{ad + bc}{bd}$$

$$\frac{a + c}{b} = \frac{a}{b} + \frac{c}{b} \qquad \frac{\dfrac{a}{b}}{\dfrac{c}{d}} = \frac{a}{b} \times \frac{d}{c} = \frac{ad}{bc}$$

EXPOSANTS ET RADICAUX

$$x^m x^n = x^{m+n} \qquad \frac{x^m}{x^n} = x^{m-n}$$

$$(x^m)^n = x^{mn} \qquad x^{-n} = \frac{1}{x^n}$$

$$(xy)^n = x^n y^n \qquad \left(\frac{x}{y}\right)^n = \frac{x^n}{y^n}$$

$$x^{1/n} = \sqrt[n]{x} \qquad x^{m/n} = \sqrt[n]{x^m} = \left(\sqrt[n]{x}\right)^m$$

$$\sqrt[n]{xy} = \sqrt[n]{x}\,\sqrt[n]{y} \qquad \sqrt[n]{\frac{x}{y}} = \frac{\sqrt[n]{x}}{\sqrt[n]{y}}$$

FORMULES DE FACTORISATION

$$x^2 - y^2 = (x + y)(x - y)$$

$$x^3 + y^3 = (x + y)(x^2 - xy + y^2)$$

$$x^3 - y^3 = (x - y)(x^2 + xy + y^2)$$

FORMULES BINOMIALES

$$(x + y)^2 = x^2 + 2xy + y^2 \qquad (x - y)^2 = x^2 - 2xy + y^2$$

$$(x + y)^3 = x^3 + 3x^2 y + 3xy^2 + y^3$$

$$(x - y)^3 = x^3 - 3x^2 y + 3xy^2 - y^3$$

$$(x + y)^n = x^n + nx^{n-1}y + \frac{n(n-1)}{2}x^{n-2}y^2$$

$$+ \cdots + \binom{n}{k}x^{n-k}y^k + \cdots + nxy^{n-1} + y^n$$

$$\text{où } \binom{n}{k} = \frac{n(n-1)\cdots(n-k+1)}{1 \times 2 \times 3 \times \cdots \times k}$$

RACINES DU TRINÔME DU SECOND DEGRÉ

Si $ax^2 + bx + c = 0$, alors $x = \dfrac{-b \pm \sqrt{b^2 - 4ac}}{2a}$.

INÉGALITÉS ET VALEUR ABSOLUE

Si $a < b$ et $b < c$, alors $a < c$.

Si $a < b$, alors $a + c < b + c$.

Si $a < b$ et $c > 0$, alors $ca < cb$.

Si $a < b$ et $c < 0$, alors $ca > cb$.

Si $a > 0$, alors

$$|x| = a \quad \text{signifie} \quad x = a \quad \text{ou} \quad x = -a$$

$$|x| < a \quad \text{signifie} \quad -a < x < a$$

$$|x| > a \quad \text{signifie} \quad x > a \quad \text{ou} \quad x < -a$$

GÉOMÉTRIE

FORMULES DE GÉOMÉTRIE

Aire A, circonférence C et volume V:

Triangle
$A = \frac{1}{2}bh$
$\quad = \frac{1}{2}ab\sin\theta$

Cercle
$A = \pi r^2$
$C = 2\pi r$

Secteur circulaire
$A = \frac{1}{2}r^2\theta$
$s = r\theta$ (θ en radians)

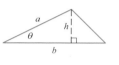

Sphère
$V = \frac{4}{3}\pi r^3$
$A = 4\pi r^2$

Cylindre
$V = \pi r^2 h$

Cône
$V = \frac{1}{3}\pi r^2 h$
$A = \pi r\sqrt{r^2 + h^2}$

DISTANCE ET POINT MILIEU

Distance entre $P_1(x_1, y_1)$ et $P_2(x_2, y_2)$:

$$d = \sqrt{(x_2 - x_1)^2 + (y_2 - y_1)^2}$$

Point milieu de $\overline{P_1 P_2}$: $\left(\dfrac{x_1 + x_2}{2}, \dfrac{y_1 + y_2}{2}\right)$

DROITES

Pente qui passe par $P_1(x_1, y_1)$ et $P_2(x_2, y_2)$:

$$m = \frac{y_2 - y_1}{x_2 - x_1}$$

Équation d'une droite qui passe par $P_1(x_1, y_1)$ de pente m:

$$y - y_1 = m(x - x_1)$$

Équation d'une droite de pente m et d'ordonnée à l'origine b:

$$y = mx + b$$

CERCLES

Équation du cercle de rayon r centré en (h, k):

$$(x - h)^2 + (y - k)^2 = r^2$$

TRIGONOMÉTRIE

MESURE D'UN ANGLE

π radians $= 180°$

$1° = \dfrac{\pi}{180}$ rad $\qquad$ 1 rad $= \dfrac{180°}{\pi}$

$s = r\theta$

(θ en radians)

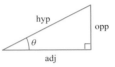

TRIGONOMÉTRIE DU TRIANGLE RECTANGLE

$\sin\theta = \dfrac{\text{opp}}{\text{hyp}} \qquad \csc\theta = \dfrac{\text{hyp}}{\text{opp}}$

$\cos\theta = \dfrac{\text{adj}}{\text{hyp}} \qquad \sec\theta = \dfrac{\text{hyp}}{\text{adj}}$

$\tan\theta = \dfrac{\text{opp}}{\text{adj}} \qquad \cot\theta = \dfrac{\text{adj}}{\text{opp}}$

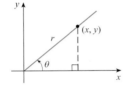

FONCTIONS TRIGONOMÉTRIQUES

$\sin\theta = \dfrac{y}{r} \qquad \csc\theta = \dfrac{r}{y}$

$\cos\theta = \dfrac{x}{r} \qquad \sec\theta = \dfrac{r}{x}$

$\tan\theta = \dfrac{y}{x} \qquad \cot\theta = \dfrac{x}{y}$

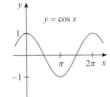

GRAPHIQUES DES FONCTIONS TRIGONOMÉTRIQUES

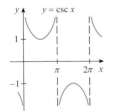
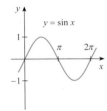
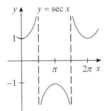
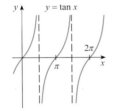
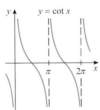

VALEURS REMARQUABLES DES FONCTIONS TRIGONOMÉTRIQUES

θ	radians	$\sin\theta$	$\cos\theta$	$\tan\theta$
0°	0	0	1	0
30°	$\pi/6$	$1/2$	$\sqrt{3}/2$	$\sqrt{3}/3$
45°	$\pi/4$	$\sqrt{2}/2$	$\sqrt{2}/2$	1
60°	$\pi/3$	$\sqrt{3}/2$	$1/2$	$\sqrt{3}$
90°	$\pi/2$	1	0	–

IDENTITÉS TRIGONOMÉTRIQUES

$\csc\theta = \dfrac{1}{\sin\theta} \qquad\qquad \sec\theta = \dfrac{1}{\cos\theta}$

$\tan\theta = \dfrac{\sin\theta}{\cos\theta} \qquad\qquad \cot\theta = \dfrac{\cos\theta}{\sin\theta}$

$\cot\theta = \dfrac{1}{\tan\theta} \qquad\qquad \sin^2\theta + \cos^2\theta = 1$

$1 + \tan^2\theta = \sec^2\theta \qquad\qquad 1 + \cot^2\theta = \csc^2\theta$

$\sin(-\theta) = -\sin\theta \qquad\qquad \cos(-\theta) = \cos\theta$

$\tan(-\theta) = -\tan\theta \qquad\qquad \sin\left(\dfrac{\pi}{2} - \theta\right) = \cos\theta$

$\cos\left(\dfrac{\pi}{2} - \theta\right) = \sin\theta \qquad\qquad \tan\left(\dfrac{\pi}{2} - \theta\right) = \cot\theta$

LOIS DES SINUS

$\dfrac{\sin A}{a} = \dfrac{\sin B}{b} = \dfrac{\sin C}{c}$

LOIS DES COSINUS

$a^2 = b^2 + c^2 - 2bc\cos A$

$b^2 = a^2 + c^2 - 2ac\cos B$

$c^2 = a^2 + b^2 - 2ab\cos C$

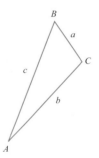

FORMULES D'ADDITION ET DE SOUSTRACTION

$\sin(x + y) = \sin x \cos y + \cos x \sin y$

$\sin(x - y) = \sin x \cos y - \cos x \sin y$

$\cos(x + y) = \cos x \cos y - \sin x \sin y$

$\cos(x - y) = \cos x \cos y + \sin x \sin y$

$\tan(x + y) = \dfrac{\tan x + \tan y}{1 - \tan x \tan y}$

$\tan(x - y) = \dfrac{\tan x - \tan y}{1 + \tan x \tan y}$

FORMULES DE L'ANGLE DOUBLE

$\sin 2x = 2\sin x \cos x$

$\cos 2x = \cos^2 x - \sin^2 x = 2\cos^2 x - 1 = 1 - 2\sin^2 x$

$\tan 2x = \dfrac{2\tan x}{1 - \tan^2 x}$

FORMULES DE RÉDUCTION DU CARRÉ

$\sin^2 x = \dfrac{1 - \cos 2x}{2} \qquad \cos^2 x = \dfrac{1 + \cos 2x}{2}$

FONCTIONS DE BASE

FONCTIONS DE PUISSANCE $f(x) = x^a$

i) $f(x) = x^n$, n entier positif

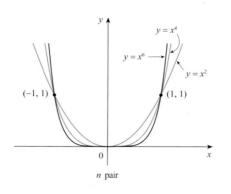

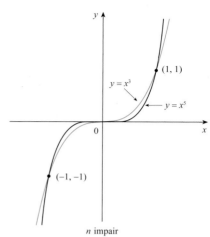

ii) $f(x) = x^{1/n} = \sqrt[n]{x}$, n entier positif

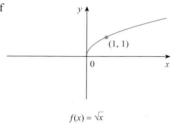

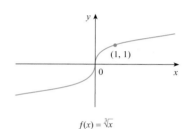

iii) $f(x) = x^{-1} = \dfrac{1}{x}$

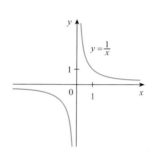

FONCTIONS TRIGONOMÉTRIQUES RÉCIPROQUES (INVERSES)

$\arcsin x = y \quad \Leftrightarrow \quad \sin y = x \quad$ et $\quad -\dfrac{\pi}{2} \leq y \leq \dfrac{\pi}{2}$

$\arccos x = y \quad \Leftrightarrow \quad \cos y = x \quad$ et $\quad 0 \leq y \leq \pi$

$\arctan x = y \quad \Leftrightarrow \quad \tan y = x \quad$ et $\quad -\dfrac{\pi}{2} < y < \dfrac{\pi}{2}$

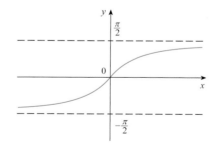

$y = \arctan x$

$\displaystyle\lim_{x \to -\infty} \arctan x = -\dfrac{\pi}{2}$

$\displaystyle\lim_{x \to \infty} \arctan x = \dfrac{\pi}{2}$

FONCTIONS DE BASE

FONCTIONS EXPONENTIELLES ET LOGARITHMIQUES

$\log_b x = y \quad \Leftrightarrow \quad b^y = x$

$\ln x = \log_e x, \quad \text{où} \quad \ln e = 1$

$\ln x = y \quad \Leftrightarrow \quad e^y = x$

Équations d'annulation

$\log_b(b^x) = x \qquad b^{\log_b x} = x$

$\ln(e^x) = x \qquad e^{\ln x} = x$

Lois des logarithmes

1. $\log_b(xy) = \log_b x + \log_b y$

2. $\log_b\left(\dfrac{x}{y}\right) = \log_b x - \log_b y$

3. $\log_b(x^r) = r \log_b x$

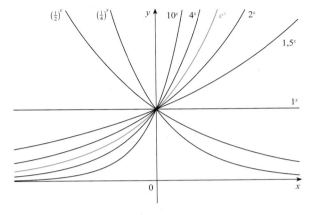

Fonctions exponentielles

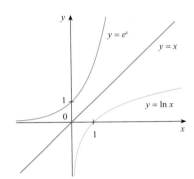

$$\lim_{x \to -\infty} e^x = 0 \qquad \lim_{x \to \infty} e^x = \infty$$

$$\lim_{x \to 0^+} \ln x = -\infty \qquad \lim_{x \to \infty} \ln x = \infty$$

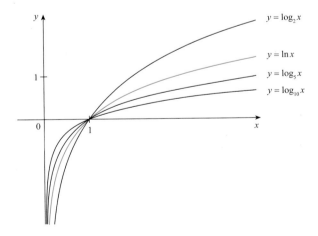

Fonctions logarithmiques

RÈGLES DE DÉRIVATION

FORMULES GÉNÉRALES

1. $\dfrac{d}{dx}(c) = 0$

2. $\dfrac{d}{dx}[cf(x)] = cf'(x)$

3. $\dfrac{d}{dx}[f(x) + g(x)] = f'(x) + g'(x)$

4. $\dfrac{d}{dx}[f(x) - g(x)] = f'(x) - g'(x)$

5. $\dfrac{d}{dx}[f(x)g(x)] = f'(x)g(x) + f(x)g'(x)$
(Règle du produit)

6. $\dfrac{d}{dx}\left[\dfrac{f(x)}{g(x)}\right] = \dfrac{f'(x)g(x) - f(x)g'(x)}{[g(x)]^2}$
(Règle du quotient)

7. $\dfrac{d}{dx}f(g(x)) = f'(g(x))g'(x)$
(Règle de dérivation en chaîne)

8. $\dfrac{d}{dx}(x^n) = nx^{n-1}$
(Règle de dérivation d'une puissance)

FONCTIONS EXPONENTIELLES ET LOGARITHMIQUES (*VOIR PAGE 4*)

9. $\dfrac{d}{dx}(e^x) = e^x$

10. $\dfrac{d}{dx}(b^x) = b^x \ln b$

11. $\dfrac{d}{dx}\ln|x| = \dfrac{1}{x}$

12. $\dfrac{d}{dx}(\log_b x) = \dfrac{1}{x \ln b}$

FONCTIONS TRIGONOMÉTRIQUES

13. $\dfrac{d}{dx}(\sin x) = \cos x$

14. $\dfrac{d}{dx}(\cos x) = -\sin x$

15. $\dfrac{d}{dx}(\tan x) = \sec^2 x$

16. $\dfrac{d}{dx}(\csc x) = -\csc x \cot x$

17. $\dfrac{d}{dx}(\sec x) = \sec x \tan x$

18. $\dfrac{d}{dx}(\cot x) = -\csc^2 x$

FONCTIONS TRIGONOMÉTRIQUES RÉCIPROQUES (INVERSES)

19. $\dfrac{d}{dx}(\arcsin x) = \dfrac{1}{\sqrt{1-x^2}}$

20. $\dfrac{d}{dx}(\arccos x) = -\dfrac{1}{\sqrt{1-x^2}}$

21. $\dfrac{d}{dx}(\arctan x) = \dfrac{1}{1+x^2}$

22. $\dfrac{d}{dx}(\operatorname{arccsc} x) = -\dfrac{1}{x\sqrt{x^2-1}}$

23. $\dfrac{d}{dx}(\operatorname{arcsec} x) = \dfrac{1}{x\sqrt{x^2-1}}$

24. $\dfrac{d}{dx}(\operatorname{arccot} x) = -\dfrac{1}{1+x^2}$